RICHARD BENZ: DEUTSCHES BAROCK

RICHARD BENZ

Deutsches Barock

KULTUR DES ACHTZEHNTEN
JAHRHUNDERTS / ERSTER TEIL

1949

RECLAM-VERLAG STUTTGART

Vorwort

Das vorliegende Buch gehört in einen größeren Zusammenhang und ist aus dem Bedürfnis entstanden, meine bereits erschienenen Arbeiten zur deutschen Geistes-Geschichte umfangreicher zu unterbauen und tiefer zu begründen.

Nach dem Abschluß meines Buches „Die deutsche Romantik, Geschichte einer geistigen Bewegung" wandte ich mich bereits Themen zu, die, wie das über „Goethe und die romantische Kunst", die deutsche Klassik einbezogen; und bald tauchte, im Gedankenaustausch mit dem Verlag Reclam, der Plan auf, eine Art Fortsetzung der Romantik nach rückwärts zu geben und die ganze Geschichte der deutschen Klassik nach den neu gewonnenen Gesichtspunkten zu erzählen. Aber diese Gesichtspunkte machten, genau wie bei der Romantik, eine Einbeziehung aller Künste nötig, um die bisher übliche rein literarhistorische Behandlung zu ergänzen und ihr den umfassenden kulturellen Hintergrund zu geben. Das führte aber weiter zurück. Schon mein älteres Buch, „Die Stunde der deutschen Musik", hatte das ganze 18. Jahrhundert zum Gegenstand gehabt, so sehr ich auch das Ereignis der Musik damals zeitlos zu fassen versuchte und, ganz dem Erlebnis und der Deutung der großen Meister hingegeben, der historischen Erzählung kaum mit einer Jahreszahl ihr Recht hatte werden lassen. Vor allem aber hatte ich noch nirgends, außer im Vorbeigehen, der Baukunst gedacht, die seither mein Bild von der Kultur jenes Jahrhunderts grundlegend bestimmte. So ergab sich immer ausschließlicher für das Ganze der Begriff des Barock, von welchem ich lebenskräftige Triebe auch in der Romantik und Klassik glaubte nachweisen zu können, während selbst das Neue und Abweichende in beiden nur in der Auseinandersetzung, ja noch im Widerspruch zu dem herrschenden letzten großen Stil zu begreifen war.

Da es mir darauf ankam, die Durchdringung und wechselseitige Bedingtheit aller Künste und ihre Beheimatung in einem gemeinsamen Stil- und Kulturraum zu zeigen, war es ursprünglich meine Absicht, das Jahrhundert als ein Ganzes geschlossen und in einem Bande zur Darstellung zu bringen; nicht zuletzt, um für die größte deutsche Schöpfung der neueren Zeit einen Begriff zu finden, der durch die Überbewertung der Weimarer Klassik im letzten Jahrzehnt des Jahrhunderts eine meines Erachtens sehr ungerechtfertigte Verschiebung des geistigen Schwerpunkts erfahren hatte.

Aber bei der Arbeit, die ich vor fünf Jahren begann, erwies sich die Überfülle des Stoffes als zu gewaltig, um in einem Bande Platz zu finden. Da außerdem in meinem Buch über die Romantik bereits eine gesonderte Darstellung vorlag, in welcher die von der Klassik wegführenden Strömungen um die Jahrhundertwende schon in aller Breite geschildert waren, lag die Anknüpfung an diesen festen Punkt des Geleisteten nahe, indem von ihm, dem romantischen Pol, auch der klassische seine Hervorhebung herleitete, und auch der übergeordnete des Barock nun wieder für sich zu stehen kam. Da aber der Klassik ein Klassizismus voran und zur Seite geht und beide mit dem Barock zusammen tiefer im 18. Jahrhundert verwurzelt sind, bilden „Barock" und „Klassik" zusammen eine das Jahrhundert füllende Einheit, die ich mit „Kultur des 18. Jahrhunderts" bezeichne.

So wird denn der Leser eine Gesamtdarstellung unsrer neueren Geistesgeschichte in drei Bänden vor sich haben, deren erste beide „Deutsches Barock" und „Deutsche Klassik" betitelt sind und, in fortlaufender Erzählung, eine engere Einheit bilden; als dritter und Schlußband ist „Die deutsche Romantik" anzusehen, welcher nun die beiden andern Bände auch in der äußeren gleichen Form sich gesellen.

Im Barockband ist die Darstellung der Kultur des 18. Jahrhunderts bis in die sechziger und siebziger Jahre geführt, in manchem, wie in der Musik, schon darüber hinaus; während die Betrachtung der Dichtung einstweilen mit Klopstock abschließt und das Folgende dem Bande Klassik überläßt, der, schon weit vorgerückt, nicht lange auf sich warten lassen soll.

Heidelberg, im Juli 1948.

Erstes Buch
Umrisse und Grundlagen

I.

Die Namengebung ist ein ursprünglich fast mythisches Vermögen des Menschen: er bannt damit die göttlichen und dämonischen Gewalten, er ordnet und beherrscht, was ihm im Irdischen begegnet. Auch der Geschichte bemächtigt sich der Mensch erst ganz, wenn er ihre Epochen als Stile, als Kulturen benennt. Wo solche Namengebung versagt, da darf fast angenommen werden, daß die Erkenntnis- und Erlebniskraft nicht ausgereicht hat, ein sinnvoll-einheitliches Bild der Vergangenheit zu gewinnen. An Stelle des Namens tritt dann die Zahl, die hier selten das Magische bewahrt, was auch ihr ursprünglich innewohnt — die nackte und abstrakte Bezeichnung mit dem „Jahrhundert" wird immer ein Notbehelf sein, schon weil die Abgrenzung nach glatten zehn Jahrzehnten ein starres unbiegsames Maß bedeutet, dem sich Verlauf und Sinngehalt geschichtlichen Geschehens selten fügt.

So ist denn gleich der erste Schritt zu dem Versuch, die größte neuere Kulturepoche Deutschlands darzustellen, von schwerwiegenden Zweifeln begleitet. Wir lokalisieren diese Epoche im 18. Jahrhundert. Kann aber die Spanne von 1700 bis 1800 wirklich eine innerlich sinnvolle Begrenzung des gesamten uns vorschwebenden Kulturgeschehens sein? Ernstlicher gefragt: welches Kulturgeschehen kann uns dabei überhaupt vorschweben, da ein epochaler Name für dieses Jahrhundert nicht existiert?

Wohl hat sich für das 18. Jahrhundert etwa der Begriff des „Zeitalters der Aufklärung" eingebürgert. Aber der Rationalismus beherrscht nur einen Teil dieser Zeitspanne und ist am Ende derselben schon überwunden, ja der Lächerlichkeit preisgegeben. Und in demselben Jahrhundert gipfelt zudem ein Stil, den man kaum anders als im schärfsten Gegensatz zur Aufklärung sehen kann, der Stil des

Barock. Dieser aber ist wiederum kurz nach der Mitte des Jahrhunderts zu Ende, und statt seiner beginnt der Klassizismus sein Regiment. Findet sich da ein Begriff, ein Symbol, das beide Stilrichtungen auf einen gemeinsamen Nenner brächte? Gibt es einen Namen, der außerdem einschließt, was vielen als die eigentliche Legitimation der Epoche erscheint: daß sie die Blüte der neueren deutschen Dichtung vorbereitet und heraufführt mitsamt dem Idealismus der Philosophie? Und noch ist hierbei nicht der Musik gedacht, die das ganze Jahrhundert erfüllt und deshalb am ehesten es umfassend charakterisieren könnte. Ist sie aber barock, ist sie klassisch, oder gehört sie zur Romantik, die im letzten Dezennium nun ebenfalls auf dem Plan erscheint?

Es gibt zu diesem Begriff des 18. Jahrhunderts, der so Heterogenes an historischer Erscheinung in sich schließt, vielleicht nur eine einzige Parallele: den Begriff des Cinquecento, des großen italienischen 16. Jahrhunderts. Auch in diesem haben die widerstreitendsten Werte sich zusammenfassen lassen müssen: zu Beginn ragt mit Hauptwerken Botticellis etwa die ausgesprochene Frührenaissance herein, und am Ende steht schon die neue Kunst des Barock. Beides wird aber mit dem Glanzbegriff des Cinquecento nicht gemeint, sondern lediglich die Hochrenaissance, wie Raffaels und Michelangelos römische Tätigkeit sie begründet.

Eine solche willkürliche Eindeutigkeit der Bewertung mangelt dem deutschen Begriff des 18. Jahrhunderts; nur die Vielen, die vorwiegend literarischen Schöpfungen offen stehen, können es mit der „klassischen" Philosophie und Dichtung gleichsetzen, oder konnten es vielmehr: denn heute ist es schon nicht mehr möglich, die Erscheinungen der großen Architektur und Musik zu ignorieren, die früher unsrer Vorstellung hierbei seltsamerweise fehlten und wie in einem zeitlosen Raum für sich zu existieren schienen, während sie uns heute als die wesentlich stilbildenden Mächte der Epoche wieder höchst lebendig nahe gekommen sind.

Im Gegensatz zu dem des Cinquecento fluktuiert also unser Begriff des 18. Jahrhunderts, ist eigentlich noch im Werden: sein Akzent steht noch nicht fest, so wenig wie ein wirklich übergeordneter und umfassender Name und Stilbegriff; so daß jeder neue Versuch einer Darstellung bereits hieraus seine Berechtigung herleiten könnte, wenn er das Gesamtphänomen auch nur so zu umschreiben sich vorsetzt, daß

ein zusammenhängendes Ganzes deutlich wird, das unsrer inneren Anschauung sich einigermaßen sinnvoll wie die Vorstellung von andern
Epochen einpräge.

2.

Man könnte nun allerdings fragen, warum bei solchem Sachverhalt
überhaupt an dem „Jahrhundert" als Epoche festgehalten werden soll.
Am meisten zwingt dazu wohl der eindeutige Gebrauch der Bezeichnung des folgenden, des „19. Jahrhunderts" als der typischen Epoche
der angewandten Naturwissenschaft, der Technik, des Fortschritts und
Verkehrs mit ihrer ersichtlichen Verlagerung der geistig-schöpferi-
schen Kräfte ins Materielle und in die Beherrschung der äußeren Welt
— obgleich zu Beginn auch dieses Jahrhunderts, bis in die dreißiger
Jahre, ein anderes hineinragt: da noch die klassische Musik und Dichtung lebt und die Romantik geradezu das Lebensgepräge gibt.

Gegenüber dem „typischen" 19. Jahrhundert erscheint das 18. nun
wirklich als eine andre Welt, und seine Atmosphäre wird auch weniger
scharfen Sinnen als etwas tief von allem Späteren Geschiedenes sofort
erfaßbar. Auch klassische Dichtung, Romantik und Musik wurzeln in
dieser Atmosphäre und blühen nur mit vollen Zweigen noch ins neue
Jahrhundert herüber, ohne dort fortan ein wahres Heimatsrecht zu
gewinnen. Denn die Luft dieser folgenden Welt verändert leise auch
das Beste und Größte, was noch in sie hineinreicht — etwas Problematisches, ja schon Tragisches fliegt ihm hier an, das zwar auch im
18. Jahrhundert schon nicht fehlt, dort aber noch durch die Gesamt-
haltung gebannt wird und nicht jenes ewige und aussichtslose Ringen
und Kämpfen bedeutet, dem das Geistige in später fremder Welt dann
ausgesetzt ist.

Und hier gelangen wir zu einem Wichtigsten, dessen Bereich sich
eben doch mit dem Jahrhundert deckt: das ist jenes unnennbare Fluidum der Geister-Luft, des Geister-Glücks, das auch die irdisch Leidenden und Scheiternden im 18. Jahrhundert noch umgibt, ja selbst
den Abtrünnigen wider ihren Willen etwas von der allgemeinen un-
schuldsvollen Schönheit und großzügigen Berechtigung verleiht, wie
sie eine höchste Vergeistigung und Verklärung des Lebensgefühls allmächtig war zu schenken.

Im benachbarten Frankreich war der Termin für das Ende dieser
Lebenshaltung und Gestaltung schon um ein Jahrzehnt früher gesetzt;

von Talleyrand stammt das Wort, daß der die Süßigkeit des Lebens nicht kenne, der nicht vor 1789 gelebt habe — hier war es die Revolution, die einer großen Kultur den Untergang bereitete. Aber in Deutschland konnte Schiller noch singen: „Wie schön, o Mensch, mit deinem Palmenzweige / Stehst du an des Jahrhunderts Neige / In edler stolzer Männlichkeit / Mit aufgeschloßnem Sinn, mit Geistesfülle / Voll milden Ernsts, in tatenreicher Stille / Der reifste Sohn der Zeit." Hier ist noch nichts von Krieg und Revolution zu spüren; Deutschland vollendet noch in Ruhe seine Kultur — Frankreich war ihm ja fast um ein Jahrhundert voraus, seine eigentliche produktive Phase liegt im 17. Jahrhundert, das gepriesene Dixhuitième ist mehr Ausgestaltung und Übersteigerung des Lebensstils gewesen als noch hohe Schöpfung, und wird mit mehr als aufklärerischer Kritik schon von den Geistigen selber untergraben.

Was man aber von der Abgrenzung der deutschen Epoche nach vorwärts feststellen muß, das ist auch von ihrem Verhältnis zum Früheren zu sagen: weder die Dichtung, noch die Musik oder bildende Kunst hat vor 1700 Gestaltungen von der Fülle und Reife aufzuweisen, wie sie für das 18. Jahrhundert charakteristisch werden; auch hier ist es nicht möglich, die eigentliche Schöpferzeit früher anzusetzen als mit dem Jahrhundertbeginn. Und so bleibt denn die Aufgabe bestehen, dem reinen Zahlbegriff der Epoche, der so viel Widersprechendes und untrennbar Zusammengehöriges umschließt, die Totalität seines Inhalts vorurteilslos zu entnehmen, in den gegebenen Grenzen dem Sinn dieser Welt nachzugehen und alle Teilerscheinungen in ihrer möglichen Zuordnung zu einander aufzubauen. Vielleicht, daß dann erkennbar wird, daß allem Wandel und Widerstreit die Notwendigkeit einer Entwicklung zugrunde liegt.

3.

Suchen wir nach einer Formel oder einem Sinnbild, darin zum Ausdruck käme, was uns als unwillkürliches Gefühl beim Anblick der vergangenen Welt des 18. Jahrhunderts übermannt, so gelangen wir zu einem ähnlichen Bekenntnis, wie es Talleyrands Wort über die Zeit vor 1789 enthält: jenes unerklärlich reiche Schöpferische und zugleich als Lebensstil so völlig Entrückte will uns Spätgeborenen erscheinen als ein Verlorenes Paradies. Etwas von Paradieses-Unschuld und kindhafter Unbewußtheit liegt bei aller Reife und Tiefe über diesem tropisch aufschießenden Schaffen und Werden, etwas von seliger Geborgenheit und reinem Glück, daß wir wirklich wissen: dahin können wir selber nie zurück, das ist uns komplizierten unentschiedenen problembeladenen Geschöpfen kaum mehr vorzustellen und als eine einst menschliche Selbstverständlichkeit zu denken. Daß aber dem allem eine hochgetriebene Künstlichkeit und souveräne technische Meisterschaft zugrunde lag, das ist beinahe noch weniger zu fassen, weil eben die Anwendung der raffiniertesten Mittel hier völlige Natur geworden ist.

Wenn dieses schlechthin Wunderhafte uns vor allem aus den Werken der Musik entgegenklingt oder uns im Rausch der barocken Räume überwältigt, so erscheint doch auch das Allgefühl Klopstocks, die Bild- und Gedankenmacht Jean Pauls, Goethes und Hölderlins Lyrik und Hymnik als Teil solcher einmaligen Welt: ihre Spiegelung im nun erwachten und immer weiter sich ausbreitenden Wort. Aber da klingen auch andere Töne herein: Kritik und Skepsis melden sich, bei Lessing, Winckelmann und Kant; die Völker und Zeiten umfassende Einfühlkunst eines Herder reißt historische Perspektiven in den geschlossenen seligen Raum, die nur mit Mühe zum Schnittpunkt in einem Unendlichen: dem allesverbindenden Menschentum noch zusammengezwungen werden.

Aber um desto sinnvoller nur steigt auch daraus das Bild vom verlorenen Paradies empor: Verlust des Mythisch-Herrlichen, Vertreibung aus dem bergenden Raum war ja schon das Schicksal der Bewohner dieses Paradieses — es macht die großartige Spannung des Jahrhunderts aus, daß der Sturz und Fall des Menschen zu seinem Glück und seiner Höhe gehörte; daß eine Schuld in jenen schuldlosen Zeiten selber schon heranwuchs, die Schuld, welche der Mythos vom Paradies als das Kosten der Frucht vom Baum der Erkenntnis darstellt.

Das, was wir Aufklärung nennen, wächst mit jener fast unbewußten Schöpfung von Anbeginn heran: durch beides hat das Jahrhundert das Doppelgesicht, den Januskopf; welches uns als ein Entweder — Oder so leicht verwirrt, während es doch in dem tiefen inneren Zusammenhang mindestens der notwendigen Spannung oder gar von Grund und Folge steht, jedenfalls den schließlichen dramatischen Verlauf begreiflich macht, wie wir ihn kaum sonst in der Geistesgeschichte gewahren. Der Fall des Menschen aus der Unbewußtheit in das „Wissen", aus dem Schöpferdunkel in die „Klarheit" und Geklärtheit, aus dem Müssen in das wahlfreie Können und Sollen ist die wahre Peripetie dieses Dramas, ein Umschwung von weltgeschichtlichem Ausmaß und weltgeschichtlichen Folgen. Er vollzieht sich seither, wie nach dem Vorbild einer heilsgeschichtlichen Erfahrung, in jedem höheren Menschenleben, wie es in den Jahrhunderten zuvor nicht denkbar war.

Alle treten wir seitdem die doppelte Erbschaft an: des noch überlieferten oder innerlich geschenkten Paradieses, und des Verlusts, der mit Sicherheit dem Göttlichen im nunmehr diktatorisch herrschenden Weltlichen droht. Und es ist die wiederum für jedes höhere Leben entscheidende Frage, ob der Erinnerungsglanz des Paradieses das nüchterne Erdenlicht illusionslos geschauter und beherrschter Wirklichkeit immer wieder und noch einmal überstrahlt. Denn es sind, so scheint es, nur noch einmalige Lösungen und Errungenschaften, die über eine sonst schon zwangsläufige Entwicklung siegen können.

Aufklärung im weltgeschichtlichen Sinne bedeutet aber nicht nur die nüchterne Verstandes-Interpretation des ewigen Weltwunders, wie sie im typischen Rationalismus des 18. Jahrhunderts ei bald durchschaute und gestürzte Tyrannei übte: sie umfaßt a die höheren Grade eines Bewußtwerdens der dumpfen Schöpfer afte, sie schließt sogar das Selbstgefühl des Genius ein, der von s ier Tat und Sendung „weiß"; sie waltet in der riesenhaft ansch llenden Kunde von allem Natürlichen und Geschichtlichen nich iiger wie in der Minderung und schließlichen Zerstörung des (oens an eine göttlich angehauchte und über unser Verstehen r erte Welt. Sie ist das, was fortan mit allem Unwillkürlichen un Jnbewußten zugleich gegeben ist und nicht mehr aus unserm Denke and Fühlen ausgeschlossen werden kann; und sie ist das, was im ier wieder überwunden werden muß, wenn überhaupt noch wahres Menschenleben sein soll.

Sobald wir selber vom Baum der Erkenntnis gegessen haben, wissen wir vom verlorenen Paradies. Es ist aber das 18. Jahrhundert, das uns dieses Wissen erst verstehen lehrt, da es den Ursprung aller unsrer Sicherheiten und Gefährdungen in einem prototypischen Geschehen in sich birgt, und in seinem verschwenderisch ausgeschütteten Heil zugleich die Mittel gegen alles Unheil ewig für uns bereit hält.

4.

Wie ist gerade dieses Jahrhundert zu solcher beispielhafter Bedeutung gelangt? Woher kommt ihm sein Paradiesesglanz, woher die Dämonie seiner Überschattung?

Sein Vorgänger, das 17. Jahrhundert, zeigt nichts von alledem. Es hat mörderische Triebe und dunkle höhere Wallungen; es hat grausame Fanatismen und aufblitzende selige Scheine, es hat abstruses Wissen und kometengleichen Denker-Aufschwung, es hat gekünstelte Dichtung in barbarisch durch Fremdes verdorbener Sprache, und schlichte Kraft und Innigkeit des Gesangs in der neuentstehenden Sprache der Musik und des Chorals. Es hat archaische Glaubens-Urklänge und philosophische Harmonik über einem wüsten und zerrissenen Leben; aber es hat kaum Werke, Gedanken und ewige Harmonien, die noch sicher und selbstverständlich unter uns leben in ihrer eigenen, uns ganz zu eigen gewordenen Gestalt. Es war ein großer mühselig-schmerzlicher Übergang.

Es ist bezeichnend, daß kaum etwas aus dieser Zeit bewußt und unmittelbar ins 18. Jahrhundert übergegangen ist. Bach hat von dem größten deutschen Musik-Genie vor ihm, von Heinrich Schütz, anscheinend keinen Ton gekannt und vielleicht nicht einmal seinen Namen gewußt. Über Jacob Böhmes Tiefsinn und des Angelus Silesius selige Mystik blieb lange Vergessenheit gebreitet, und von der naturhaften Epik eines Grimmelshausen hat auch erst die Romantik wieder gewußt. Der größte Geist aber, der beiden Jahrhunderten angehörte, Leibniz, hat wohl in seinem Denken und in seiner Person Unendliches vorausgenommen und Grundbedingungen und Möglichkeiten des Kommenden schon in sich gefaßt; aber auch er hat zumeist unterirdisch und geheim in großen Einzelnen weitergewirkt, so vieles sich äußerlich auf seinen Namen gründete; Wesentliches seiner Lehre gelangte erst im letzten Drittel des 18. Jahrhunderts überhaupt zum Druck, und die Philosophie hat nach ihm in ihren bedeutendsten Leistungen zunächst an ganz anderer Stelle des Weltbewußtseins angesetzt. Von ihm abgesehen zeigt das 17. Jahrhundert alles sonst nur wie in einer chaotischen Masse trüber Gärung, die noch nichts von dem gewahren oder ahnen läßt, was hernach an klarer sicherer Gestaltung aus ihr entspringt. Ja, manchmal scheint es, als habe das 18. Jahrhundert in

vielem diese gärende Zwischenzeit vollkommen übersprungen und
habe unmittelbar an Strebungen des Mittelalters und der Renaissance
wieder angeknüpft, die fast erkennbarer die Elemente zu seinem Aufbau liefern als das 17. Jahrhundert.

Aus dem Mittelalter stammt die Glaubensbindung, die den geschlossenen Bau der Barockkultur ermöglicht; aus dem Mittelalter scheint
noch und wieder die Macht des Bildenden gespeist, welche die Künste
zu einer Blüte wie in den alten Zeiten emportreibt. Und auch darin
gleicht — ganz abgesehen von mancher wörtlichen Wiederkehr — das
Barock dem Mittelalter, daß es sein Höchstes zunächst ohne entscheidende Mitwirkung der Dichtung ausspricht.

Vom Mittelalter unterscheidet sich die neuere Epoche aber darin,
daß dessen tragender Monismus hier nicht wiederkehrt; daß statt
eines einzigen vom Glauben inspirierten Höhenstrebens eine weltweite Spannung das Ganze fügt und hält, basierend auf einem Dualismus, der nun dem mittelalterlichen Pol eben den Pol der Renaissance
entgegensetzt, die mit ihren individualistischen, menschlich-weltlichen,
freiheitlich-intellektualistischen Zügen jetzt erst in Deutschland heimisch und fruchtbar wird.

Die Renaissance ist hierbei in einem umfassendsten Sinne gemeint
und will auf die einfachste Formel zurückgeführt werden, die in ihrem
Namen enthalten ist: als eine „Wiedergeburt" trachtet sie die beiden
konstituierenden Grundelemente des abendländischen Geistes zu erneuern, Antike und Christentum. Das Ursprüngliche, das man wieder-
herzustellen versucht, wird in Italien künstlerisch, als Gesetz der Antike, verstanden; in Deutschland religiös, als evangelische Lehre der
Reformation.

Unterschieden sind diese beiden Bewegungen, abgesehen von ihrer
jeweiligen inhaltlichen Bestimmung, durch das Moment der größeren
Nähe oder Ferne, in der man das „Ursprüngliche" sucht. Die italienische Renaissance hob etwas ins Bewußtsein, was bisher mehr als
stummes und geheimes Element und kaum mehr kenntliche Substanz
am abendländischen Kunst- und Geistesleben gewirkt hatte, eben die
Antike; so daß die Wiederaufnahme klassischer Formen und Inhalte
als wirkliche Entdeckung eines Neuen gelten konnte — die bewußte
Beziehung zum römischen und griechischen Altertum beschwor ein
Ideal der Ferne, trotz aller Renaissancen, die es auch im Deutschen

Mittelalter, unter Karl dem Großen und den Ottonen, gegeben hatte, trotz aller vielfach subtilen Kenntnis, die von antiken Einzelheiten etwa in der klösterlich-wissenschaftlichen Tradition bewahrt war. Dagegen ging die Wiedergeburt des evangelischen Sinnes in einem allen bekannten und vertrauten Bereiche vor sich, in dem noch herrschenden Glauben selbst. So konnte es nicht ausbleiben, daß die Anziehungskraft der Renaissance der Antike auf die Dauer stärker sein mußte als die der Reformation: das Neue und Ferne lockte mehr als das Nahe und Eigene, ja es lockte zuletzt geradezu von diesem fort. Im Falle der Religion bedeutete das Ursprünglichkeitsstreben, daß etwas erstarrt und unbefriedigend in den Geistes- und Lebensformen geworden war: es bedeutete die Durchbrechung einer Gestalt, die nicht mehr als gemäß empfunden wurde; und wollte man zunächst auch nur das Reine und Eigentliche dieser Gestalt wiederherstellen, in der Folge hat es zur immer größeren Abwendung von ihr geführt, ja zur Auflösung jeder Bindung. Im Falle der Kunst aber wurde von vornherein eine neue Bindung begehrt, ohne die Absicht, die vorhandenen deswegen zu zerstören, und das „Eigentliche" bedeutete hier nicht die reinere Erfassung eines Besitzes, sondern Bereicherung und Vermehrung schlechthin: Bereicherung um etwas, was man als höher empfand und dem bisherigen Eigenen überlegen. Es schien die positive Äußerung der drängenden Wachstumskräfte zu sein, gegenüber der mehr negativen der Reformation. Und als schicksalhafte Verbindung der beiden ergab sich sehr bald, daß die Renaissance das Auffangsorgan wurde für das, was durch die Reformation frei geworden war. Sofern diese auf die Dauer Geistesfreiheit erzeugte, kam sie klassischen Studien und klassischer Bildung zugute; das scheinbar ohne religiöse Bindung in sich selbst ruhende „Menschliche" der heidnischen Antike wurde das Bereich, in welches sich das Wachstumsstreben nach dem Weltlichen und Irdischen ergoß, dem sich durch die klassischen Vorbilder in Kunst, Literatur und Philosophie gewaltige schöpferische Perspektiven ergaben und es vor dem Versinken in reinen Naturalismus und Realismus bewahrten.

Durch diese Wechselwirkung zwischen Renaissance und Reformation, Wechselwirkung ja auch darin, daß die an den antiken Denkmälern erwachsene humanistische Philologie und Kritik den Reformatoren die Erfassung der reinen Texte der heiligen Urkunden er-

möglichte, darf man sich für berechtigt halten, beide Phänomene als
etwas Zusammengehöriges zu betrachten und sie als eine Einheit der
Glaubensmacht selber als dem noch Mittelalterlichen gegenüberzustellen. Denn diese war wohl grundsätzlich und für die Folge in Frage
gestellt, für das Zeitalter aber, in dem jene gegen sie gerichteten Bewegungen auftraten, noch keineswegs untergraben: weder Renaissance
noch Reformation kamen im 16. Jahrhundert bereits zum Ziel, erst
das 18. sieht ihre Tendenzen wirklich entfaltet und zu der Spannung
mit dem Alten sich straffen, dem erst eine noch alles bändigende Kultur und dann die Lösung und Auflösung folgt.

5.

Der kritisch-philologische Geist der Renaissance ist auch in Deutschland die Grundlage geworden für alles, was wir später als „Aufklärung" wiederfinden: die Frage nach dem Ursprünglichen und Eigentlichen, nach Wortverstand und rationalem Gehalt steht hier immer
am Beginn. Im Deutschland des 16. Jahrhunderts war freilich der
Glaube noch zu stark und tief verwurzelt, als daß er von der philologischen Kritik schon gänzlich hätte aufgelöst werden können; aber er
wurde doch durch Kritik und Philologie selber unaufhaltbar rationalisiert: Begrifsstreitigkeiten und Wortklaubereien sind es, wodurch
die Bekenntnisse sich scheiden und gegeneinander absetzen, nicht nur
das Luthersche Dogma gegen das der alten Kirche, sondern auch die
reformatorischen Bekenntnisse untereinander — Interpretationen von
Bibelstellen, ja bloße Betonungsverschiedenheiten überlieferter Worte
sollten hier Seelenheil oder Verdammnis begründen. So führt der Humanismus in Deutschland zwei Jahrhunderte kein Eigenleben, sondern
wird gehorsamer Diener der Kirche und der auf sie noch völlig aus-
gerichteten Schule. Aus der Berührung mit der Antike geht hier noch
nicht hervor, was in Italien entsteht: eine freiere Anschauung von
Welt und Mensch, mit ihrem Exponenten, dem großen Individuum,
der autonomen modernen Persönlichkeit. Wie wenig die damalige
deutsche Geistigkeit an den Errungenschaften Italiens Anteil hat, erweist sich darin, daß in der größten dichterischen, ja mythischen Gestalt, die aus dem Renaissance-Erlebnis erwächst, im Faust, das an der
Antike geschulte neue Wissens- und Erkenntnisstreben als schlechthin

teuflisch gebrandmarkt wird: der freie Geist, das schrankenlos wollende und schöpferisch vermögende Individuum der Renaissance kann vorerst diesen Menschen nur als Zauberer, als schwarzer Magier erscheinen, wird bloß gespiegelt in der trüben Sphäre des Aberglaubens, wobei man sich trotz allen Grauens doch geheim an dem Gewaltigen und Geistesmächtigen erfreut und erbaut.

Zwar lebt und treibt auch in Luther, dieser gewaltigen Natur, ein neuer Sinn für die natürlichen Dinge, eine starke Diesseitigkeit und Weltbejahung gegenüber der reinen Jenseitigkeit und Überweltlichkeit des Mittelalters: dieser Sinn war eben überall und allgemein im Wachsen und hat in Italien, bereits vor der Begegnung mit der Antike und auch später noch neben der direkten Beeinflussung durch sie, Naturgefühl und Menschentum und Liebe in einer neuen Weise hervortreten lassen. Andrerseits hat aller weltliche Sinn bei Luther doch wieder eine leidenschaftliche Heiligung erfahren in einem Glauben, der viel ernster genommen wurde als in der Gotik, und die ganze Welt, auch die katholisch gebliebene, bald völlig in ein nochmaliges Ernst- und Wörtlichnehmen der Religion zurückzwang. Die „Freiheit eines Christenmenschen", die evangelische Freiheit, war eine andere Freiheit als die heidnisch-menschliche der Renaissance, sie war eine neue, nur innerlichere Bindung, die alles bewußte Weltstreben, besonders auf geistigem Gebiet, desto radikaler ablehnen mußte, je mehr das persönliche evangelische Erlebnis Luthers, mit immer schrofferen Begriffssetzungen unterbaut, bei seinen Nachfolgern zum starren, unduldsamen Dogma wurde.

So war der Anstoß der Weltentwicklung, der von Deutschland ausging, ein doppelter: in die späteren Jahrhunderte wirkte sein erstes revolutionäres Zerreißen der mittelalterlichen Bindung; aber sein eignes Jahrhundert erfuhr zunächst viel stärker sein Wiederernstnehmen der Religion. Eine allgemeine Vertiefung und nochmalige Kräftigung des Christentums ging davon aus, die alle frei-menschlichen Ansätze der Renaissance sogar im Ursprungsland Italien zu ersticken drohte. Schon die zweite Hälfte des 16. Jahrhunderts sieht auch in Rom nicht mehr heiter-genießerisch und heiter-weltlich aus, sondern geistlich umdüstert und fanatisch drohend: die alte Kirche erhebt sich noch einmal zu voller Macht.

6.

Die erst jetzt wahrhaft „römische" Kirche wird seit 1540 von Igna-
tius von Loyola innerlich erneut und erhält mit dem Abschluß des
Konzils von Trient 1563 ihre endgültige geistliche Reform und nunmehr absolut-monarchische Verfassung. Aber so sehr in dieser Kirche
nun der Geist der „Gegenreformation" herrschend wird, er ist nicht
oder doch nur in sehr eingeschränktem Maße ein Geist der „Gegen-
renaissance". Es erweist sich jetzt, was das Bündnis zwischen Papst-
tum und Kunst in der Hochrenaissance für alle Folge bedeutet hat:
die Religion bleibt hier, im Gegensatz zum reformierten Deutschland,
allem Künstlerischen nah, ja bestimmt es weiter entscheidend. Auch
die nun wieder wahrhaft geistlichen Päpste, die auf die weltlichen und
verweltlichten folgten, halten an ihrem großartigen Mäcenatentum
fest: eine Abwendung vom Bildnerischen, gar eine Bilderfeindschaft
kommt hier keinen Augenblick in Frage.

Und so werden auch die Errungenschaften der Renaissance, einschließlich ihrer Anlehnung an die heidnische Antike, bewahrt, und
das Neue, das aus der Seelenvertiefung und religiösen Erneuerung
kam, ist organisch auf ihnen weitergewachsen, ja ganz mit ihnen verwachsen.

Am wichtigsten Bau der Christenheit, am Neubau von St. Peter,
hat sich dieser Prozeß der Wandlung und Bewahrung am sichtbarsten
und weithin symbolisch abgespielt: unter Julius II. 1506 begonnen,
zunächst von Bramante, seit 1515 von Raffael geleitet, seit dessen
Tode 1520 von Sangallo und Peruzzi weitergeführt, wird er zuletzt
noch, seit 1546, von dem zweiundsiebzigjährigen Michelangelo in die
Hand genommen. Vignola, della Porta, Fontana, Maderna führen
ihn nach ihm zu Ende, und Bernini gibt ihm mit wesentlichen Stücken
der Innenausstattung und durch die Hinzufügung der Kolonnaden
seit 1629 die abschließende Gestalt; 1667 ist das Werk vollendet.

Mit Michelangelo aber hat sich bereits die Wendung vollzogen, die
in jedem der folgenden Künstler nun immer deutlicher zutage tritt:
aus der Hochrenaissance ist das Barock geboren, das von da ab das
Angesicht Roms wie das keiner anderen Stadt bestimmt. Die zwei
Jahrhunderte von 1550 bis 1750 bedeuten die größte Epoche des römischen Kirchenbaus und die bewußt einheitliche Durchformung der

Stadt. Sie setzt, nächst der Tätigkeit an St. Peter, mit der Jesuitenkirche Il Gesù 1568 ein; unzählige Kirchen, der Palastbau, die Brun-
nenarchitektur treten hinzu, und auch Plastik und Deckenmalerei wandeln sich hier bereits in die Form, die, mit der Baukunst zu einem Gesamtkunstwerk vereint, als der neue und umfassende Stil ganz Europa
erobert.

In Spanien, Frankreich, England und den Niederlanden wird dieser
Stil alsbald rezipiert und vor allem auf jeweils nationale Art assimi-
liert: im 17. Jahrhundert erwachsen hier überall die großen Kunst-
leistungen in Architektur, Malerei, Dichtung und Musik, in denen
diese Länder die klassische Hochblüte ihrer modernen Kultur überhaupt erleben. Nur Deutschland fehlt in diesem europäischen Konzert. Hier dringt zwar auch barocke Architektur, Musik und Plastik
ein, aber durchweg noch von Italienern selber eingeführt und weiter-
getragen, unverändert in ihrer noch fremden Form. Selbst die Dichtung, die man hier barock zu nennen pflegt, ist, wenn auch in deutscher
Sprache und von Deutschen, doch ganz wurzellose Nachahmung des
Fremden: von fremder Metrik, fremder Wortbildung und Wort-
fügung und gelehrtem Inhalt fremder Herkunft bestimmt. Schöpferisch tritt deutsches Leben nirgends auf den Plan, außer in der schon
anhebenden Kunst der Musik, der einzigen, die der Protestantismus
von den mittelalterlichen Formen übriggelassen und an entscheidender Stelle, im Kult, weitergebildet hatte. Auf allen andern Gebieten
bleibt Deutschland zurück, während in den umgebenden Ländern die
großen Genies das neue Weltbild gestalten.

7.

Die Gründe dieser Verzögerung liegen zutage. Bis zur Mitte des
17. Jahrhunderts ist Deutschland ja noch der Schauplatz des großen
Krieges. Und nicht nur äußerlich wird auch die Entfaltung der Künste
gehemmt — innerlich ist die religiöse Auseinandersetzung noch das,
was die Gemüter vorwiegend in Bann hält; und auch in der Folge
bleibt die Trennung zwischen Protestantisch und Katholisch in einer
Weise maßgebend, die ein einheitliches geistiges Wachstum wie in den
andern Ländern unmöglich zu machen schien. Aber seit dem Westfälischen Frieden beginnt ein leises unterirdisches Leben, das sich zu einem

gewaltigen geistigen Wettstreit vorbereitet; und im 18. Jahrhundert
tritt wie mit einem Schlage eine unübersehbar reiche blühende Kunstwelt ans Licht, die für unsre heutigen Augen, und auch wohl für die
der übrigen europäischen Nationen damals, wie aus dem Nichts entspringt, und von Jahrzehnt zu Jahrzehnt die Welt mit größerem
Staunen erfüllt.

Deutschland holt nicht nur nach, was es in anderthalb Jahrhunderten versäumte; es summiert und krönt auch die Leistungen der anderen Länder, trägt die eigenen wie die fremden aufgestauten Spannungen aus, und vermag die Probleme von Gotik, Renaissance und
Reformation auf einer höheren Ebene der für alle gültigen Lösung zu-
zuführen. Das 18. Jahrhundert vollstreckt nicht nur ein deutsches, es
vollstreckt das europäische Vermächtnis, als eine letzte reifste Zusammenfassung abendländischer Kultur überhaupt, die als bleibendes Bild
in jede kommende Weltzeit hineinragt und alles in sich trägt, was späteren Kulturen auch aus möglicher Zerstörung als Sinn und Sendung
dieser Welt emporleuchten wird.

So sind die „Grundlagen“ des 18. Jahrhunderts von einer Mannigfaltigkeit und Breite, durch welche die Substanz des Darzustellenden
ins Unermeßliche und kaum mehr Übersehliche wächst.

Im 16. Jahrhundert war es nur ein einziges Land, Italien, dessen
Betrachtung zum Verständnis der deutschen Dinge unerläßlich ist;
jetzt muß fast ganz Europa, muß neben Italien und Spanien auch
England und Frankreich einbezogen werden, neben den Niederlanden
und den nordischen Staaten zuletzt sogar der slawische und magyarische
Osten, um die Basis des ganzen Kulturaufbaus zu umgreifen. Musik
und Baukunst sind nicht ohne Italien, Literatur und Philosophie nicht
ohne Spanien, Frankreich, Holland, England und die Schweiz zu erfassen; für Klopstock und Carstens muß man nach Dänemark und Schweden, für Herder ins Baltikum, für Haydn nach Böhmen und Ungarn übergreifen — überall sind Kraftfelder, von denen das werdende Deutsche
angestrahlt wird, ergeben sich Elemente, die im Deutschen auf- und
untergehen. Und je nach den Künsten und nach den einzelnen deutschen Landschaften sind die fremden Ausstrahlungen und Einwirkungen verschieden, und werden von völlig andersartiger Bereitschaft
und Vorbedingtheit gespiegelt und beantwortet. Es sind anscheinend
abgegrenzte Bezirke, so reich und bunt wie die politische Landkarte

des heiligen römischen Reichs; und doch steht alles, was drin wächst und lebt, in innigster Verwandtschaft und tausendfältig verknüpftem Wechselwirken; und wie es nach außen hin ein wenn auch schwer beschreibliches Ganzes bildet, so muß es auch innerlich sich auf große gemeinsame Grundtriebe und Gestaltungskomponenten zurückführen lassen.

Dabei ist es kein bewußter Agon, kein wissend gewollter und gepflegter Wettstreit, der die Fülle der geistig-kulturellen Leistungen hervortreibt und aneinander steigert; ja man kann sagen, daß sogar die vollendeten und vor aller Augen aufgerichteten Werke keineswegs, auch nachträglich nicht, zu gegenseitiger Kenntnis und Beeinflussung gelangen müssen — sie ahnen meist nichts voneinander, sind blind, wie es geniale Einzelmenschen für ihresgleichen sind, und schließen sich zu keiner erkannten und bejahten Ganzheit zusammen. Erst eine spätere Zeit erblickt das Ganze und erfaßt seinen Sinn: der eben darin besteht, daß jedes, ohne vom andern viel zu wissen, nur für sich strebt, sich zu verwirklichen sucht, als wäre es das Einzige auf der Welt, und darum auch das Ganze einzig in sich zu fassen meint, hierzu das Höchste von sich fordert — und dabei doch in einem geheimen eingeborenen Instinkt in gleicher Richtung und mit gleichem Willen wie das andere sich bewegt, unabhängig von ihm dieselben Stoffe, Gestaltungen, Probleme in Angriff nimmt. Es sind unzählige Kinder e i n e r Mutter, von ganz verschiedener, ja entgegengesetzter Erziehung und Begabung, getrenntem Aufwachsen in jeweils anders gearteter Umwelt, verschiedenen Alters, daß ihre Schicksale in immer andern Zeiten spielen, und eine völlig eigene Chronologie jedem als das am meisten Unterscheidende mitgegeben scheint: und in denen allen eben doch dasselbe Wesen, der angestammte gleiche Charakter trotz aller denkbaren Nuancierung und Abweichung sich ausdrückt und verwirklicht. Nie hat vielleicht ein Maximum heterogener Bedingtheit ein derart organisches Wachstum ausgelöst, das so gar nichts von menschlicher Absicht und Planung an sich hat, dafür alles dem weisen und doch verschwenderischen Treiben und Wuchern einer unsäglich fruchtbaren Natur überläßt und verdankt. Es ist reines Schöpfertum in höchster Potenz, überall ganz auf eigne Gefahr, und doch wie von einem allgegenwärtigen Schicksal geleitet, das alles zum Höchsten und Besten fügt.

8.

Der geschichtliche Raum, in dem diese Schöpfung sich entfaltet, ist politisch abgegrenzt und zugleich durchschnitten von den gewaltigsten äußeren Ereignissen. Der Beginn des Jahrhunderts sieht, im Spanischen Erbfolgekrieg, noch Ludwigs XIV. Eingreifen in die deutschen Geschicke, sieht Prinz Eugens siegreichen Widerstand bis zu Ludwigs endgültiger Niederlage in Italien, Deutschland, den Niederlanden. Und am Ende des Jahrhunderts steigt Napoleons Stern schon herauf, künden die Namen von Lodi, Arcole, Marengo von einem furchtbar Kommenden. Aber nicht nur der Westen und Süden des Reichs wird durch Kriege erschüttert: im Nordosten dringt Schweden ein wie einst im 17. Jahrhundert, und mitten im Sachsen Augusts des Starken lagern die Heere Karls XII. die Jahre 1706 und 1707 hindurch. Im Südosten aber droht abermals die Türkengefahr, die zu Ende des 17. Jahrhunderts schon einmal gebannt schien: 1716, 1717 wird sie durch Prinz Eugen bei Peterwardein und Belgrad für immer beseitigt. Österreich steigt seitdem im deutschen Verbande zu seiner größten politischen und kulturellen Höhe und Macht. Aber um die Mitte des Jahrhunderts beginnt der andere Aufstieg: Preußens, und zieht in Friedrichs schlesischen Kriegen den scharfen Schnitt auch zwischen den Kulturen: die hohe Blüte Sachsens und des Theresianischen Barock wird schwer getroffen, und Joseph II. scheint mit seinen Reformen dem Geist des großen Gegners sich zu fügen. Und während nun der Friede der siebziger und achtziger Jahre eine endliche Konsolidierung der deutschen Verhältnisse verspricht, wird die Erschütterung durch die Revolution im Politischen wie im Geistigen auch zur innerdeutschen Bedrohung: seit 1792 zwingen die Koalitionskriege zu neuem Kampf im Westen, in Städten wie Mainz etabliert sich ein Sansculottenregiment, bis um die Jahrhundertwende in Paris der Erste Konsul die Macht ergreift.

So gefährdet das Hineinreichen Ludwigs XIV. und Napoleons in die Epoche die deutsche Existenz erscheinen läßt, die schlimmsten Leiden bleiben dem Jahrhundert erspart: Deutschland erlebt nicht mehr Verwüstungen wie die des Dreißigjährigen Kriegs oder wie sie sich zu Ende des voraufgehenden Jahrhunderts mit Ludwigs Einfall in der Pfalz abgespielt haben, ist noch nicht Schauplatz Napoleonischer

Kriege und Eroberungen — die Bedrohungen bestehen fast nur an der Peripherie. Die eigentliche politische Krisis mit ihren zerstörenden Folgen entspringt vielmehr in Deutschland selbst; das Zusammengehen eines Max Emanuel von Bayern mit den Franzosen, seine Kämpfe auf deutschem Boden gegen Österreich und Tirol sind hier ein Vorspiel zu dem, was in den friederizianischen Kriegen symbolisch und weltbewegend wird: es erweist sich die Unhaltbarkeit der Struktur des Reiches, das jedem seiner Gliedstaaten seit dem Westfälischen Frieden erlaubt, auf eigene Faust Bündnisse mit aller Welt abzuschließen und gegen einander gleichsam europäische Kriege zu führen. War durch die immer eigentümliche Rolle des Kaisertums eine ähnliche Zerklüftung auch dem Mittelalter nicht fremd, so ist sie doch jetzt auf eine besondere Weise verschärft: es ist der Individualismus der Renaissance, der im absoluten Fürstentum nun erst wirklich deutsche Formen annimmt und ähnlich wie früher in Italien zu einer Atomisierung der Gewalten führt; und es ist zugleich die Folge der Glaubensspaltung seit der Reformation, daß die kleinen und kleinsten Individualismen noch von einem größeren verstärkt und getragen werden, der im konfessionellen Gegensatz zum Ausdruck kommt und das Reich in einen protestantischen Norden und in einen katholisch gebliebenen Süden zerreißt, als dessen deutlichste Exponenten eben die Vormächte Preußen und Österreich um die Mitte des Jahrhunderts kollidieren.

Aber die religiösen Gegensätze sind hier nun längst zu vorwiegend kulturellen Gegensätzen geworden. Das 17. Jahrhundert hat im Dreißigjährigen Krieg um den Glauben gekämpft; doch dieser Glaubenskampf ist unentschieden geblieben — weder Protestantismus noch Katholizismus haben gesiegt, keiner hat den anderen vernichten können: sie haben einander hinfort zu dulden, sich mit der Neben- und Mitexistenz des andern abzufinden. Doch was sie aus ihrer religiösen Haltung und Bedingtheit an unterschiedlicher Kultur gewonnen haben, das bleibt.

Will man eine vorläufige Umschreibung der nördlichen und südlichen Geisteshaltung geben, so wird man in der einen die Verhaftung in Wort und Begriff mit der Tendenz zu größerer Freiheit in Verstandesdingen als Erbschaft der lutherschen Revolution erkennen müssen, dazu den weitgehenden Verzicht auf Architektur und bildende Kunst überhaupt im Sinne eines eigenen und notwendigen Ausdrucks, und einzig in der Musik eine frühe Zusammendrängung der höheren Gefühlswelt; dagegen wird die andere mehr auf Bild und Anschauung, Symbolisches und Sinnliches gegründet scheinen und wesentlich in Bau- und Schaukunst ihre Verwirklichung erweisen, wie es der kirchlichen Tradition und einem uralt-gestalthaften Kultus entspricht. Die eine Haltung wird sich mehr an das Verwandte in den Niederlanden, England und den nordischen Staaten anlehnen oder sich zur wachsenden Aufgeklärtheit und Skepsis moderner französischer Bildung hingezogen finden; die andre wird mit natürlicher Schwerkraft nach dem romanischen Süden tendieren, der ihr durch die gleiche kirchliche Ordnung verbunden ist und in Rom sein kulturelles Zentrum hat.

Innerhalb dieser allgemeinen Umrisse aber sind die Verhältnisse noch weitgehend differenziert. Im Norden sind neben Brandenburg, das erst 1701 zum Königreich Preußen wird, eine Reihe anderer Fürstentümer vorhanden, die noch keineswegs die Züge friederizianischer Aufgeklärtheit und Geistesfreiheit tragen, die streng lutherisch sind oder reformiert, wohl auch in den Dynastien katholische Konversionen erleben; sie können andern fremden Einflüssen stärker offen stehen, wie etwa Hannover durch die Personalunion mit England, wie Celle durch französisch-hugenottische Verbindung; und außerdem bestehen in den freien Reichsstädten am Küstensaum, in Hamburg, Lübeck, Bremen ausgesprochene Sonderkulturen, die von dem Typus der fürstlichen Zentren starke Abweichungen zeigen. Freie Reichsstädte aber gibt es auch im Süden; sie stellen, wie Nürnberg und Frankfurt etwa, protestantische Enklaven in einer sonst katholischen oder gemischt-konfessionellen Bevölkerung dar. Dagegen gehört der Westen, auch der nördliche mit Münster und Köln, kulturell zum Süden, wo die geistlichen Fürstentümer, die Erzbistümer, großen und kleinen Abteien den Charakter neben den weltlichen katholischen Höfen bestimmen. Überall sind außerdem noch kleinere und kleinste Besitztümer eingesprengt, die je nach den Neigungen ihrer Herren ihre kulturellen Nuancen haben, und die Vielfalt des Bildes ins Unendliche vermehren — man zählt damals insgesamt zweitausend selbständige „Herrschaften" im Reich.

In dem früheren Grundsatz „cujus regio, ejus religio" muß im 18. Jahrhundert das Wort Religion tatsächlich durch den Begriff Kultur ersetzt werden; denn ihre Art bestimmt der absolute Herr — und die Zahl autonomer kultureller Zentren wird durch die städtischen

Paläste und ländlichen Schlösser der nicht regierenden Adligen, aber auch Patrizier um ein weiteres Maß privater Initiative und schöpferischen Mäzenatentums vermehrt. Die politisch so bedenkliche Zerklüftung und unwahrscheinliche Aufteilung ergibt kulturell ein vielgestaltiges Terrain fruchtbarster Möglichkeiten — man vergleiche etwa damit die französische Situation der klassischen Zeit, wo der Hof eines einzigen Monarchen für die gesamte Geisteskultur des ganzen Landes seit Richelieu bestimmend und allein maßgebend ist, während in Deutschland Zahllose in zahllosen Kreisen die gleiche souveräne Rolle spielen: und man wird ermessen, welche Bedeutung ein so multiplizierter Individualismus, wenn er ernstlich der geistigen Dinge sich annahm, für die schöpferische Entfaltung der Nation in sich bergen mußte: der Vielgestaltigkeit der politischen Räume und der sie beherrschenden Persönlichkeiten antwortete die Vielgestaltigkeit des Geistigen und die Vielfalt der Genies.

9.

Was bedeutet die souveräne fürstliche Persönlichkeit, was bedeutet die autonome geistige Persönlichkeit, das Genie, für Struktur und Wesen der Kultur? Muß nicht Kultur aus dem Volke und Volksganzen erwachsen, wenn anders sie dauern soll und auch für spätere Zeiten volksverbindend sein will als geistige Selbstdarstellung der Nation? Augenscheinlich spielt die Masse im 18. Jahrhundert keine Rolle, und der Zug der Zeit scheint ausschließlich aristokratisch zu sein. Man hat das auch im Verlauf der Epoche damals selber empfunden und die bestehende Kultur ob ihrer Künstlichkeit bekämpft und angeklagt, ihr schließlich den Prozeß gemacht; aber der wildeste Sturm und Drang mit seinem revolutionären „in tyrannos" hat wieder nur das aristokratische Prinzip des Originalgenies der aristokratischen Standeskultur entgegensetzen können, das souveräne Schöpfertum erst seiner ganz bewußt gemacht, und in einer Gestalt wie Goethe zuletzt geradezu einer geistigen Monarchie gehuldigt. Dies ist das letzte Wort des 18. Jahrhunderts, wie es mit dem majestätischen Aristokraten und Fürstenfreunde Leibniz das erste war; und das muß in der Tat zu denken geben. Hat es demgegenüber noch Sinn, von anonymen Bewegungen und Volksnotwendigkeiten, von allgemeiner Entwicklung und metaphysisch-nationaler Schicksalsfügung in diesem Zeitalter zu sprechen? In weiten Strecken der Geschichte, denken wir an die gotische Architektur und Bildkunst oder an Epos und Lied der Vorzeit, scheint in ganz anderem Sinne das Volk der Träger der geistigen Schöpfung und Entwicklung zu sein: Genie ist da, so könnten wir sagen, dem Volke immanent. Aber im 18. Jahrhundert ist gleichsam das Volk dem Genie immanent: es wird im großen Menschen ganz eigentlich verkörpert. Auch hier holt Deutschland nur nach, was es längst nach seiner Begabung und Reife sich und der Menschheit schuldig war: es stellt sein Wesen in Gestalten heraus, wie es keine große Kultur je anders getan hat, wie es bei den Propheten und Religionsstiftern des Orients, bei den Dichtern, Künstlern und Philosophen der Griechen am Anfang steht, wie es seit Dante in Italien lebte die große Menschenreihe der Renaissance hindurch, wie es in Shakespeare, Rubens, Rembrandt auch im Norden aufgestanden war und nur bei uns als weithin sichtbare Verkörperung des schöpferischen Geistes fehlte. Solche Menschen können allen Bild und Aufblick, Führer und Vorbild sein, prägen die ewigen Menschenzüge ins bloße Werk, sprechen unverkennbar das geistige Wesen aus, das eine Volkheit unaussprechlich in sich trägt, und werden die Götter und Könige, durch welche eine ganze Welt ihrer selbst bewußt wird, sich in ihr selbst repräsentiert, um sich damit auf eine neue Stufe zu heben.

Unter der Hülle des spät übernommenen Individualismus der Renaissance reift im 18. Jahrhundert die unverwechselbare Form der deutschen Geistespersönlichkeit heran; notwendig können hier die fremden Züge zunächst nicht fehlen, doch wirken ebenso stark ganz eigene Kräfte der Freiheit, Unbedingtheit und Selbstverantwortlichkeit mit, die von der Reformation sich herleiten und jetzt auch erst zum Ziele kommen. Aber protestantische und katholische Herkunft macht hier kaum einen Unterschied mehr, sie mischt sich auf die verschiedenartigste Weise mit Eigenschaften entgegengesetzten Ursprungs, und eine starke Familienähnlichkeit kristallisiert den Typus des genialen Menschen, Zeiten und Räume überbrückend; selbst der Einschlag alter gotischer oder römischer Gläubigkeit ändert hieran nichts, auch nicht die Unbewußtheit und Anonymität, mit welcher manche sehr Große ihr Genie vor sich selber zu verbergen scheinen. Fast paradox erweist sich das Verhältnis zum zeitbeherrschenden Ideal der Antike:

die am wenigsten von ihm wissen und es sich nicht zum Vorbild nehmen, kommen ihm oft näher in der Geschlossenheit und Undurchdringlichkeit der Gestalt, als die es sich bewußt zur Norm erwählen, aber in der offenen Darlegung ihrer Entwicklung, im unaufhaltbaren Bekenntnis ihres Inneren höchst unantike Eigenschaften verraten.

Ihrer aller Volkhaftigkeit aber wird durch die vorherrschende Zuordnung zu Adel und Fürstentum nicht berührt; nicht nur, weil sie selber Männer des Volkes sind und oft aus den niedersten Schichten stammen, sondern weil sie damit selbst, durch überhöhte Bildung, ja Gelehrsamkeit, die notwendig distanzierte Stellung halten, die zum Emporheben des Ganzen ermächtigt, Höheres stufenmäßig zu Erreichendes aufrichtet und vorbildet, und die wahrhaft erzieherische Mission verbürgt, die einem Volk in einem bestimmten europäischen Augenblick notwendig war, um die Erbschaft einer Weltkultur anzutreten und zu vollenden.

Wer aber das Los unsrer großen Männer im 18. Jahrhundert darin beklagenswert findet, daß sie den aristokratischen Gönnern, von denen sie abhingen, kaum je als Freunde und Gleichgeordnete galten, sondern meist nur Bedienstete bedeuteten, die sich nicht nur gesellschaftlich, sondern auch künstlerisch allerlei zumuten lassen mußten, was keineswegs immer ihrem geistigen Rang und ihren Schöpfernotwendigkeiten entsprach: der bedenke, daß der Genius nirgends und zu keiner Zeit die ihm wahrhaft und völlig entsprechenden Bedingungen gefunden hat und finden wird. Denn die Menschheit vermag aus den Leiden und Nöten der genial Begabten nichts zu lernen, keine besseren Existenzformen für sie zu finden, weil dem jetzt und hier Erscheinenden nie das gemäß wäre, was man ihm aus den Erfahrungen mit einem Früheren zu schaffen streben würde; vor allem aber, weil er in seinem Werden unerkennbar ist, ja oft sein Erdenleben hindurch es bleibt, da er der Zeit weit voraus ist. Es ist schon ein Glücksfall, wenn die Mächte der Zeit sich seiner auch nur vielleicht einer unbeträchtlichen Seite wegen annehmen, die ihnen einleuchtet und ihnen brauchbar scheint. Und mit der wirklichen irdischen Macht wird er vielleicht noch besser fahren als mit der zufälligen und unberechenbaren Einstimmung einer Allgemeinheit, der er auf eine nur feinere und verhülltere Weise doch auch dienstbar wird, indem er seine Leistung als bezahlte Ware in den Handel bringt; wenn nicht ein günstiges Geschick ihn mit völliger

Freiheit und materieller Unabhängigkeit begnadete. Die untertänigen
Widmungen von Büchern oder Tonwerken an adlige und fürstliche
Gönner, wie wir sie im 18. Jahrhundert nicht ohne Beschämung lesen,
sie hatten den höchst realen Sinn, daß damit wirklicher Dank für
dauernde Stellung und Unterstützung abgetragen wurde, oder ein
neues Verhältnis solcher Art begründet werden sollte, das alle weitere
Sorge um Vertrieb und Erfolg überflüssig machte. Das „freie" Schaffen, das auf den Verleger oder Impresario angewiesen ist, findet die
uns heute geläufigen Formen erst etwa seit der Mitte des 18. Jahrhunderts und sehr allmählich; für weite Gebiete, wie bildende Kunst
und Musik, bleibt der Auftrag oder das Mäzenatentum das Übliche
bis ins 19. Jahrhundert hinein; auch die beamtete Anstellung bei manchen Berufen, nicht nur die private, sondern auch die staatliche, ist
weitgehend von fürstlicher Gunst und Initiative, aber damit auch von
persönlicher Liebhaberei und Sachkunde abhängig; nur die Städte
machen hier schon früh eine Ausnahme.

Daß man die höfische Stellung auch bei eigener materieller Unabhängigkeit nicht verschmäht und, auch wenn sie hemmend und unbe-
quem wird, nicht aufgibt, dafür bleibt Goethe das bedeutsamste Beispiel: das ist ganz im Geist des Jahrhunderts, mit aller dazugehörigen
Devotion, die gerade bei diesem Menschen jeden erstaunt, der die
historischen Voraussetzungen des Zeitalters nicht kennt. Das bürgerliche Verhältnis zum Fürsten und herrschenden Adel ist ganz allgemein
das einer unüberbrückbaren Distanz; daran ändert weder die geniale
Überlegenheit etwas, noch die Herkunft aus der Unabhängigkeit einer
Freien Reichsstadt, noch die nachträgliche eigene Nobilitation. Und
gerade die Künstler haben alle Ursache, dieses Verhältnis zu bejahen:
denn nur der Lebensstil von Fürstentum und Adel gibt der Kunst damals die großen fast unbegrenzten Möglichkeiten der Anwendung und
verwirklicht in sich selbst eine ihrer Grundbedingungen: die Muße.
Und damit wird das absolute Fürstentum auch für das Volk als Ganzes im höchsten Grade repräsentativ: es lebt ihm vor und spielt ihm
vor die Zweckentbundenheit eines freien Daseins der Schönheit und
Form, das sich als Fest und Feier gegenüber dem Alltag mit seiner
Mühe und Last in ewigem Glanz heraushebt — Etikette und Schau-
gepränge dienen dem nicht weniger wie Dichtkunst und Musik und
die allesumfassende Märchenwelt der Architektur von Kirche und

Theater, Park und Schloß. Die Kunst, die hier eine unerschöpfliche Betätigung fand, ist Zeugnis und Denkmal geblieben eines Lebens, das wie ein letzter Protest aufgerichtet war gegen die schon anrückende Welt des Nutzens, des Betriebs, der allgemeinen materiellen Zweckgebundenheit. Für einen hohen Augenblick war Leben selber Kunst geworden, wie alles errungene Schöne gewiß im einzelnen teuer genug bezahlt; und dieses Leben strahlte in tausend Augenblicken auf Schauende aus, die sich in ihm selbst erhöht wiederfanden, strahlt bis zu uns, die wir seinen Glanz noch heute in zahllosen Spiegelungen erblicken. Ja selbst in denjenigen, die sich in der Zeit von diesem Schauspiel abwandten, war noch etwas von seiner geistigen Leidenschaft und freien künstlerischen Enthobenheit gegenwärtig und ließ sie Werke des Geistes überhaupt vollbringen.

10.

Man wird immer nur darüber Vermutungen anstellen können, was außer der Umwelt, in die einer hineingeboren ist, die Entfaltung spezifischer Begabung und genialer Begabung überhaupt ermöglicht. Es bieten sich da leicht Hypothesen dar, die in das Gebiet des Metaphysischen führen. Daß nach großen Kriegen mit ihrer massenhaften Vernichtung von Menschenleben die Fruchtbarkeit wächst und durch einen Geburtenüberschuß Ausgleich erstrebt, wird als biologisches Gesetz von der Wissenschaft ohne weiteres heute angenommen, obgleich es durchaus schon ins Metaphysische reicht, daß einem Volksorganismus solche automatische Erneuerungskraft innewohnen soll. Es sind Analogieschlüsse aus Vorgängen am individuellen menschlichen Körper, die solche Annahmen nahelegen; und es wäre von hier aus auch nur ein weiterer solcher Analogieschluß, daß nach der Zerstörung kultureller Werte, wie sie in großen Kriegen ebenfalls stattfindet, die Kraft zum Ersatz dieser Werte sich in einem hohen und ungewöhnlichen Maße steigere. Nach Beendigung des Dreißigjährigen Krieges hätte dieser Vorgang, von großen summierenden Einzelerscheinungen abgesehen, etwa zwei Generationen später eingesetzt, welches für die erbmäßige Herausbildung geistig und künstlerisch schöpferischer Potenzen innerhalb der gesteigerten allgemeinen Fruchtbarkeit durchaus einleuchtend wäre. Das Erstaunliche nun aber, was die Erklärung kompliziert, ist, daß im 18. Jahrhundert plötzlich spezifische Begabungen in einer Fülle und Höhe auftauchen,

wie sie die voraufgehenden Jahrhunderte nicht kennen. Das gilt die
ganze Epoche hindurch von der Musik, in der ersten Hälfte außerdem
von der Baukunst, wie in der zweiten von der Literatur; so daß wir
von 1700 bis um 1750 ein bauendes und musizierendes Jahrhundert
anzusetzen hätten, von 1750 bis 1800 ein musizierendes und dichten-
des Jahrhundert.

Es ist nun für den rückschauenden Historiker relativ einfach zu
sagen, daß, in Hinsicht auf die bisherige deutsche Entwicklung und
auf die der andern Völker, ein ungeheures Nachholen die geschichtlich
notwendige Aufgabe war, wie wir es früher zu begründen suchten. Wie
aber sah dieser Vorgang aus von den Menschen der Zeit betrachtet, wie
spielte er sich im einzelnen ab? Man kann etwa da antworten: es war
nach dem Kriege viel zerstört worden, und der Wiederaufbau, das
Bauen vor allem, war eine naheliegende, die nächstliegende Aufgabe.
Aber es wurde alsbald weit über jedes praktische Bedürfnis hinaus im
Sinne der Kunst gebaut und keineswegs bloß für den Notbedarf des
Alltags; es wurde für einzelne gebaut, welches vom Ganzen aus gesehen
ein unerhörter Luxus war. Sagt man nun weiter, daß eben das absolute
Fürstentum die Macht hatte, Bauten in diesem Maße anzuordnen und
hervorzurufen, so bleibt immer noch ungeklärt das künstlerische „Wie“,
sowohl bei Auftraggebern als bei Erfindenden und Ausführenden.
Woher kam mit einem Male die Reihe wahrhaft kunstsinniger regie-
render Persönlichkeiten, an deren Spitze Geschlechter wie die Schön-
borns stehen; woher kamen Vollstecker ihrer Planungen wie etwa diesen das Genie eines J. B. Neumann? Fast noch auffallender ist die
Korrespondenz zwischen Mäzenatentum und Künstlerschaft bei der
Musik. Hier sind die Fürsten und Aristokraten selber Ausübende, von
Sebastian Bachs Fürst Leopold von Köthen und Emanuel Bachs König
Friedrich bis zu Kaiser Franz beim jungen Mozart und dem Wiener
Hochadel beim jungen Beethoven — woher kommt es, daß diese Herrscher und Aristokraten plötzlich alle musikalisch sind, selber ihr Instrument spielen, sich Kammermusiken, Orchester, Operntheater halten müssen? — Man kann in früheren Epochen bereits dasselbe oder
entsprechende finden: wie Fürstentum und Adel im 18. Jahrhundert
der Musik ergeben sind, so haben im 12. und 13. Jahrhundert die Ritter und Kaiser und Könige gedichtet: der Minnesang war auch eine
höfische Kunst, und das erste Gedicht der Manesseschen Sammlung

stammt von dem gewaltigen Staufen Heinrich VI. Hinwieder ist die Architektur des 14. und 15. Jahrhunderts fast ausschließlich von der Bürgerschaft der Städte getragen: hier ist der Sinn für bildende Kunst plötzlich allgemein geworden, der in den früheren Jahrhunderten bei Klöstern und Bischöfen lag. Die Baulust, ja Bauverpflichtung der Kirchenfürsten scheint begreiflich; daß aber das Volk der Städte sich nicht mit dem Vorhandenen begnügte und etwa in einer schlichteren Weise weiterbaute, sondern an Höhe und Fülle alles Bisherige überbot und manches herrliche überlieferte Romanische für ihre erst in Jahrhunderten sich vollendenden Planungen zerstörte: das bleibt so wunderbar, wie daß etwa die Ritter in der Zurückgezogenheit ihrer Burgen im 15. und 16. Jahrhundert keineswegs mehr dichteten, sondern aus ihrer Rolle im geistigen Leben ausschieden.

Im 18. Jahrhundert nun hat der Adel gleichsam die Mission mehrerer deutscher Kulturzeiten der geschilderten Art in sich vereint: er pflegt die Musik, wie seine Vorfahren im 12. Jahrhundert die Poesie, er trägt die Baukunst, wie das Bürgertum der Gotik sie trug, und er hat, bei Leibniz, Klopstock, Wieland, Heinse, Winckelmann, Herder, Goethe, Schiller, auch Literatur und Wissenschaft in seine Hut genommen. Die eigentlichen schöpferischen Kräfte kommen jetzt aber, in allen Künsten, fast ausschließlich aus dem Bürgertum: das Volk steht keineswegs abseits bei dieser neuen höfischen Kultur, es ermöglicht durch seine vorhandene, von dem höheren Stand allerdings oft erst entdeckte und geschulte Begabung den Aufbau dieser Kultur — wir haben eine Vereinigung aller Kräfte der Nation vor uns, wie in keiner andern Epoche. Hier kann man wirklich nur die Barock-Metaphysik selber zu Hilfe rufen und einen der Grundgedanken von Leibniz aus der Sicht des Makrokosmos auf den deutschen Mikrokosmos übertragen: hier wenn irgendwo ist prästabilierte Harmonie mit Händen zu greifen.

Der Eindruck des Wunderhaften und wie von einer höheren Macht Geplanten wird durch die Plötzlichkeit verstärkt, mit der die schöpferische Vielfalt einsetzt: schon daß Händel und Bach im gleichen Jahre 1685 geboren sind, nur durch einen Monat getrennt, gehört zu dem geheimnisvoll Vorbestimmten, mit dem zwei ganz verschiedene, nun aber das ganze Phänomen für eine Generation umfassende Seiten der Musik ans Licht wollen; aber in den nächsten beiden Jahren sind auch Cosmas Damian Asam und Balthasar Neumann, 1686 und 1687, geboren, die

Vollender des bayrischen und des fränkischen Barock, die in einer ähnlichen Spannung des rein Sakralen und Weltlich-Philosophischen zu einander stehen wie Bach und Händel und mit diesen zusammen die gleiche stilbildende Macht des höchsten Protestantischen und des höchsten Katholischen in so weit entfernten und tiefgetrennten Teilen Deutschlands als etwas notwendig im gleichen Augenblick Hervorbrechendes erweisen. 1750 stirbt Bach, stirbt der jüngere der Brüder Asam; 1753 J. B. Neumann; 1759 Händel — um die Mitte des Jahrhunderts ist die Harmonie von Baukunst und Musik dahin; es beginnt die andre Harmonie und Gleichzeitigkeit von Musik und Dichtung sich vorzubereiten: zwischen Goethes und Schillers Geburtszeit fällt die von Mozart, wie vorher die von Haydn zwischen Lessing und Wieland; und noch für das letzte Menschenalter des Jahrhunderts ergibt sich das seltsame Zugleich, daß Beethoven und Hölderlin das Geburtsjahr 1770 gemeinsam haben. —

Vergegenwärtigen wir uns, wie mit jedem dieser Schöpfer eine neue Welt ins Dasein tritt, die es zuvor nicht gab, und wie dies nun sukzessive ein Jahrhundert hindurch geschieht: so will uns der Raum der Epoche, nur durch sie erfüllt, ursprünglich und ohne sie gedacht als eigentümlich leer und unberührt erscheinen. Schon Goethe hat dieses Gefühl in Worte gefaßt, daß in jenen Zeiten es leicht war, sich vernehmlich zu machen — es war sozusagen noch nichts da; es war alles erst zu tun. Noch verdeckte kein Kunstgetriebe, kein Literaturbetrieb die hervortretenden großen Persönlichkeiten und Werke; so lokal begrenzt die Wirksamkeit des einzelnen war, in seinem Kreise setzte er sich schnell und mit erstaunlicher Sicherheit durch. Alles war noch neu und frisch, die Aufgaben und Probleme wie zum ersten Male gestellt. Jeder hatte noch eine unendliche Domäne vor sich; keiner brauchte sich zu mühen, original zu sein, er war es; und er blieb es, auch wenn er unbefangen etwas von einem andern nahm, der es als zufälligen Überschuß seines Reichtums nebenbei hatte liegenlassen: denn es wurde nun erst seiner wahren Bestimmung zugeführt. Und hier, bei diesem selbstverständlichen Nehmen und Geben, entdecken wir auch die Rolle der kleineren Talente, die den großen voraufgingen oder folgten: erst ein historisches Mikroskop gleichsam zeigt uns, daß der Raum dennoch nicht leer war, daß er bewohnt war, ja wimmelnd belebt von einer Fülle von Begabungen, deren Erzeugnisse, vor allem in Baukunst und

Musik, denen der hohen Meister im einzelnen oft zum Verwechseln gleichen, die aber vergessen oder gar namenlos blieben, da ihr Tun in dem der Großen schließlich völlig aufging: sie sind vielleicht noch mehr als diese die unmittelbare metaphysische Substanz des beseelenden Zeitgeists — sie bereiten, wie auf ein geheimes Stichwort, die Formen, Fundamente, Instrumente, Mittel und Kunstgriffe aller Art, oder bilden sie aus der zerfallenden Hinterlassenschaft des einen Großen in einer neuen Zusammensetzung und Richtung für den nächsten Großen weiter: sie sind es, durch die Stil allumfassend möglich wird und Stil besteht; sie ermöglichen es, daß das Leben der zuhöchst Berufenen nicht mit Suchen und Tasten und Experimentieren zu einem guten Teil vergeht, wie es in Zeiten der Stilferne, der Konventions- und Formlosigkeit der Fall ist. Das alles zusammen verleiht der Epoche die Geschlossenheit und Abgeschlossenheit, ihrem Schaffen zugleich die vermeintliche Leichtigkeit und Mühelosigkeit. Es ist, als habe auf jeden seine Aufgabe nur gewartet, und als hätte er sich kaum anzustrengen brauchen, um sie spielend zu lösen. Man frage sich, ob in irgendeiner andern Zeit, geschweige einer späteren, dergleichen Vorstellung uns noch anwandelt.

Gewiß zeigt jeder Blick ins Einzelleben dasselbe Ringen und Mühen, dieselbe Summe von Fleiß und Arbeit und auch oft von Elend und Not, die zum menschlichen Leben, und gerade zum genialen Leben, notwendig gehört. Ja, manchmal ist die Armut und Hilflosigkeit der Anfänge erschütternd und der Wunderaufstieg unbegreiflich. Dennoch bleibt fürs Ganze das Geglückte, wirklich bis ins letzte Erreichte und Vollendete so sehr der vorherrschende Eindruck, daß wir diese Menschen für Wesen einer andern Ordnung halten möchten: selige Götter, die hoch über uns von irdischer Schwere gelöst ihr makelloses Werk vollbringen. Trotz aller Erdbedingtheit erscheinen sie in hohem Maße unabhängig von der Erde, und mehr von einem allgemeinen geistigen als von einem persönlichen Schicksal geleitet, in welchem eben jener metaphysische Sinn der Epoche sich darlebt.

Uns Nachlebenden aber muß, dem Bild vom leeren Raum dieser so ganz ursprünglichen Schöpfung entsprechend, das Uranfängliche in der Zeit noch in einem besonderen Sinne zu einer fast erschütternden Erkenntnis werden: wenn wir bedenken, daß, was wir unter Dichtung oder Musik verstehen und was uns als Baukunst jener Welt noch um-

gibt, vorher nicht war, und also alles, wovon wir geistig und künstlerisch leben und organisch weiterleben, in diesem Jahrhundert entstand. Das Mittelalter ist uns reine Vergangenheit, in die kein Weg
mehr führt; erst spät, und auch in jenem Jahrhundert, wiederentdeckt,
und unsrer liebenden Versenkung gewiß, aber durch einen Bruch von
uns geschieden, und auch von jenem Jahrhundert bereits geschieden, in
welchem für uns das uns bestimmte Geistesleben beginnt, aus welchem
es sich jetzt noch nährt, und ohne welches nichts von unserm Wissen,
Können und Erleben möglich wäre.

Zweites Buch
Philosophen-Vorspiel

II.

Es unterscheidet den Mythos, wie er in Sage und Legende sich spiegelt, von dem Geschehen, welches der historischen Betrachtung unterliegt, daß er gestalthaft in sich abgeschlossen ist und in seiner Entstehung der Erforschung und Erklärung unzugänglich, während das geschichtliche Geschehen, auch das geistige und künstlerische, in seinem Werden dargelegt und begriffen werden kann, seien seine Werke auch noch so „ursprünglich" und zu einer wiederum für uns fast mythischen Bedeutsamkeit gelangt. Darum wird jedes Bild, mit dem wir uns den absoluten und geschlossenen Eindruck einer späteren Epoche vergegenwärtigen, eben immer nur Bild bleiben, Aussage unsres Gefühls, das zu einem Gleichnis des Vollkommenen und Einmaligen greift; und es kann uns nicht erspart werden, nach der Entstehung, der Vorgeschichte, dem Zusammenhang mit allem übrigen Geschehen zu fragen.

Stellt sich demnach das 18. Jahrhundert für sich betrachtet als harmonische Einheit schöpferischer Kräfte dar; so muß diese Einheit im weiteren Zusammenhang mit den übrigen geistigen Epochen als eine Vereinigung von an sich und früher Getrenntem erscheinen. Damit wird sie aber zum Glied eines Verlaufs, der ganz allgemein in solchen Vereinigungen und Trennungen sich abspielt; mit Goethe gesprochen: als Teil des Rhythmus, in welchem auch unser persönliches Leben vor sich geht, das in Systole und Diastole, in Einatmen und Ausatmen, in Bindung und Lösung sich immer wieder zusammenzieht und ausdehnt. Was aber im Persönlichen nach Tagen und Jahren sich mißt, das stellt im großen Geistesleben der Allgemeinheit im Abstand von Jahrhunderten sich dar. In diesem Sinne sprechen wir von „gebundenen" Zeitaltern, im Gegensatz zu gelösten und aufgelösten; und als letzte Bindung solcher Art werden wir vor dem Barock die Gotik zu bezeichnen haben, welche durch die gelockerte und aufgelöste Zwischenzeit der Renaissance von ihm getrennt ist, wie diese Gotik wiederum von der Romanik durch die Zwischenzeit des 13. Jahrhunderts geschieden ist, die ähnlich wie die Renaissance durch soziale und allgemein geistige Veränderungen und Einflüsse ganz neue Grundlagen für alles weitere schafft.

Als Wesentliches hierbei ergibt sich nun, daß das, was wir vorausnehmend als Auflösung und Zerstörung der Kultur um die Mitte des 18. Jahrhunderts andeuteten, nicht als ein schlechthin Neues und Beispielloses gesehen werden muß, sondern als in ihm und vor ihm bereits in seinen wirkenden Elementen Vorhandenes, das nur eine Zeitlang in ihm gebunden und damit in einen andern Zustand erhoben und unsern Augen nicht mehr erkennbar war. Die Leistung des 18. Jahrhunderts wird dadurch nicht verkleinert, sie erscheint im Gegenteil noch viel gewaltiger: daß es Mächte zu binden vermochte, die sich im Grunde widerstritten, daß es Auseinanderstrebendes noch einmal zusammenzwingt, ihm Formen verleiht und Leistungen abgewinnt, die gar nicht anders als so ihre geschichtliche Verkörperung finden konnten und darüber hinaus zu ewiger symbolischer Bedeutung gelangten.

Was wir bis jetzt zu umreißen und in seinen Grundlagen deutlich zu machen suchten, hat uns das Auseinandertreten wesentlich zweier Mächte gezeigt: der Macht des Glaubens, die in der überlieferten Religion lebendig war und blieb, und der Macht der menschlichen Vernunft, die diesem Glauben bereits kritisch: negierend oder reformierend, gegenüberstand, und, an der Antike geschult, nach eigenen, vom Glauben unabhängigen Erkenntnissen strebte.

Was das ganze Mittelalter hindurch nicht geschehen war, das war seit dem Westfälischen Frieden der Fall: es gab in demselben Lande zweierlei Glauben. Und wenn auch der eine den andern als Ketzerei betrachtete, die mittelalterliche Praxis der Ausrottung war gescheitert; man mußte sich damit abfinden, daß andere Menschen, ja Stämme und Landesteile anderen Glaubens waren: und das ist wohl die erste und tiefste Erschütterung der Glaubensgrundlagen selbst gewesen. Das souveräne mittelalterliche Gefühl, das aus der Geborgenheit einer einigen christlich-europäischen Gemeinschaft heraus die Angehörigen etwa des Islam als „Ungläubige" abgetan hatte, ähnlich wie einst die Griechen Menschen anderer Kultur als Barbaren, war nicht mehr aufrecht zu erhalten. Wohl konnte man der augenscheinlichen Vielfalt der Religionen, die durch die Entdeckung neuer Weltteile ins unmittelbare Erlebnisbereich gerückt war, noch mit der Gegenwirkung christlicher Mission begegnen, die insofern eine Glaubenseinheit herzustellen meinen konnte, als sie zunächst allein von der katholischen Kirche ausging; aber den Menschen gleicher Kultur, den Landsgenossen und Nachbarn gegenüber war die Verfemung zu Ungläubigen nicht mehr durchzuführen. Befanden sich die verschiedenen Konfessionen zwar im Bewußtsein des „rechten" Glaubens — daß ein anderer mit und neben ihnen bestand, mußte notwendig den eigenen schwächer und gefährdeter erscheinen lassen als zuvor. Nicht zuletzt hieraus ist bei allen Konfessionen allmählich der Trieb entstanden, eine höhere und auch für andere wirksame Rechtfertigung ihres Glaubens zu suchen: den Erweisen durch Zeugnisse der Heiligen Schrift, durch Sprüche von Kirchenvätern, Päpsten und Konzilien gesellte sich das Unternehmen, die Vernunft zur Begründung der Glaubenswahrheiten heranzuziehen. Und so trat die rein im Menschen gegründete Vernunft, die zuerst nur partielle Funktionen ausgeübt hatte, oder rein negativ, etwa vom klassischen Ideale aus, die christliche Überlieferung entbehrlich fand, in eine neue Phase allgemeinen Ansehens: sie begann allerseits als übergeordnete Instanz, mindestens als willkommene Hilfe in Anspruch genommen zu werden, wenn auch zunächst noch ohne direkte Gegnerschaft zur Religion.

Aber außer zum Glauben war der Mensch zu zwei andern Gebieten in ein neues Verhältnis getreten: zur Natur und zur Kunst.

Von beiden hatte die Wiederentdeckung der Antike einen veränderten Begriff gegeben: wie sie, an Hand der klassischen Philosophie, ein rein menschliches Denken über die Glaubensdinge gelehrt hatte, so hatte sie auch ein menschliches Erforschen der Natur und eine weltliche Betrachtung und Übung der Kunst auf die Bahn gebracht.

Im Mittelalter waren beide in den geistigen Kosmos des religiösen Weltbilds einbezogen gewesen. Die Kunst war sakrale Funktion, durch die Jahrhunderte fortgeerbt; nur die handwerkliche Technik und Meisterschaft ihrer Ausübung trat den Schaffenden ins Bewußtsein, nicht irgendein persönliches Genie oder eine persönliche innere Welt, der sie etwa Ausdruck hätten verleihen wollen. Die Natur war ebenfalls nicht außer der Gottheit und göttlichen Ordnung zu denken; ihre Erforschung war, bei allem schon wirkenden antikischen und arabischen Einfluß, theologisch bestimmt und begrenzt, war mit christlicher

Symbolik und Auslegung durchzogen. Selbst ein so großer Neuerer wie Paracelsus hat noch im 16. Jahrhundert seine tiefen Erkenntnisse von Gesundheit und Krankheit mit göttlichen Kräften und mit Verhaltungsweisen zum Überirdischen in Zusammenhang gebracht und die Welt anders als göttlich und durchgottet gar nicht denken können und mögen. Außer dieser zwischen den Zeiten aufsteigenden Medizin brachte die Renaissance deutsche Taten der Naturerforschung vor allem in der Astronomie; es ist bekannt, welche geistigen Umwälzungen diese, gerade in Hinsicht auf die in der Bibel niedergelegte Anschauung, hervorbringen mußten.

In der Kunst aber wirkte ganz allgemein die Tatsache verändernd, daß es eine andere als die christliche Kunst in hoher Vollkommenheit bereits gegeben hatte. Die Kunst der Antike schien religiös neutral: auch die Götter waren als Menschen gebildet, ein sich aufdrängender kultischer Gedanke stand nicht hinter ihnen, nur die allgemeinste Naturbedeutung, die sich ohne Bedenken übertragen ließ; ein von Priestern streng verwaltetes Dogma war nicht zu spüren.

Aber der Anblick jeder fremden Kunst verleiht Distanz zum künstlerischen Phänomen selber, ja er macht des eigenen Kunstvermögens erst bewußt, und schafft ein neues Kunstgefühl. Erst der Antike gegenüber wurde eigentliche ästhetische Betrachtung möglich, da sie nicht mehr durch das Medium christlicher Gefühle und Symbole zu erleben war, die einzig im Mittelalter den Gehalt der Kunst ausgemacht hatten: eine neue Erlebnisweise der Kunst, ja ein Kultus der Kunst an sich trat ins Bereich der Möglichkeit: Kunst als menschliche Schöpfung, die ihre höhere Weihe durch den im Menschen wohnenden Schöpfer-Genius empfing, nicht mehr durch ihre Stellung allein zu dem durch sie verherrlichten Göttlichen der Religion.

Naturgefühl und Naturerkenntnis, Kunsterlebnis und Kunstbewußtsein waren also die neuen Kategorien des geistigen Verhaltens, neben der der selbständig denkenden Vernunft. Und da alle drei vom Geistlichen aufs Weltliche zu ihrer Ausbildung verwiesen waren, so konnte es nicht ausbleiben, daß sie einander durchdrangen. Die Bezirke der Natur und Kunst wurden weitgehend rationalisiert; aber sie wirkten auf das Erkenntnisvermögen selber zurück. Natur- und Kunstgeschehen ließ sich nicht gänzlich von der Vernunft erfassen: in den Bereich der Erkenntnis drang etwas ein, was es im Mittelalter auch nicht so gegeben hatte:

das „Irrationale" als ein in sich selbst und nicht im Glauben Ge-
gründetes.

Dem Zwiespalt zwischen Glauben und vernünftiger Erkenntnis gesellte sich also der Widerstreit des Rationalen und Irrationalen innerhalb der Erkenntnis selbst. Erwägt man, welche Fülle von Kräften und
Formen im Rahmen dieser allgemeinen geistigen Gegebenheiten nun
nach der einen oder andern Richtung drängten, was an Gestaltungswille und Erlebnis von Mittelalter, Renaissance, Antike durcheinander
wogte, was an Sozialem und Politischem, an Heimischem und Fremdem überall besondere Färbung und Schattierung geben mußte: so
scheint die Möglichkeit der Bindung all dieser widerstrebenden und aus-
einandertreibenden Mächte Kräfte Formen Elemente bereits ins Unwahrscheinliche gerückt. Kann diesem Chaos wirklich noch eine Ordnung, diesem ungeheuerlichen Ausgeweitetsein noch eine sinnvolle Zu-
sammenziehung und Zusammenfassung zuteil werden? Kündigt sich
hier nicht schon die vollkommene Auflösung aller Formen und Werte
an, wie sie dann für die moderne „Zivilisation" charakteristisch geworden ist?

Sollte hier noch einmal eine Kultur errungen werden, so mußte sie
von den am weitesten entfernten Polen her gebunden sein: vom Rationalen ebenso wie vom Irrationalen, vom mathematisch-abstrakten Denkertum wie vom Konkreten und fast Unbewußten des tiefen persönlichen Lebens selbst.

Aber wir würden das Errungene, wie es als Kunst- und Kultur-
gestalt des 18. Jahrhunderts vor uns steht, weiter nur wie ein unbe-
greifliches Wunder anzustaunen haben, wäre es uns nicht in einem Falle
vergönnt, es in seinem wesentlichen Werden am Werke zu sehen und
das sonst Verborgene zu belauschen. Es ist die Gestalt eines Einzelnen,
die uns zum Verständnis des Ganzen leitet und vorbereitet; und in ihr
ist schon die große polare Spannung enthalten: daß ein höchstes Denkertum sich verwirklicht in einem praktisch angewandten, sinnlich erfaß-
baren Leben, eine geistige Welt sich darstellt als Person. Das konkrete
Individuum des großen Leibniz nimmt in sich das Jahrhundert voraus.

12.

Leibniz hat seinen Rang als der Begründer, der „Urvater" der deutschen Philosophie; seine Lehre wird in Beziehung auf die vorangehen-

den oder gleichzeitig entstehenden fremden und auf die nachfolgenden
deutschen Denksysteme behandelt und gewertet, in jenem zeitlosen
Mit- und Nebeneinander, wie es mit den großen Leistungen gerade auf
diesem Gebiete geschieht, als handle es sich um ein über den Jahrhunderten und ihrer Erde fortdauerndes Gespräch, das nichts mit den jeweiligen Menschen zu tun hat, sondern mit seinen von Fall zu Fall
durchprüften Lösungen des einen immer gleichen Problems der Erkenntnis der Menschheit selber angehört. Dennoch widerstrebt das
Denkertum von Leibniz, möge es sich noch so sehr im zeitlosen Bereiche
als notwendig und unentbehrlich behaupten, einer ausschließlichen Behandlung und Bewertung solcher Art, und die Fachwissenschaft hat
dies auch gespürt, indem sie immer zuletzt das abgeschlossene Werk,
das System bei ihm vermissen mußte und damit einen Mangel an Begrenzung und einen Mangel an Form festzustellen hatte, der die Gültigkeit seiner Äußerungen beeinträchtigte. Ein solcher Mangel: daß
einem siebzigjährigen Leben kein völlig geformtes und abgeschlossenes
Denker-Resultat entsprang, kann aber einer anderen Betrachtungsart
gerade als Stärke erscheinen: daß eben immer nur er selbst und sein
Geist es ist, der allgegenwärtig in jeder einzelnen Äußerung wirkt, der
selber das Ganze ist, von dem in seinen Schriften nicht etwa Teile und
Fragmente sich ablösen, sondern Organe tätig sind, die Welt zu erfassen und jeweils mit vollkommener Sicherheit und Vollendung auf sie
zu reagieren. Dieser Geist strahlt aus, durchstrahlt jedes Problem, verwirklicht sich von Fall zu Fall, und würde diese lebendige Wirksamkeit eingebüßt haben, wenn er für alle Fälle etwas Abschließendes hätte
formulieren wollen. Er gleicht hierin Geistern wie Lionardo und
Goethe, denen auch die verschiedenen Wissenschaften und Künste nur
Gelegenheiten waren, sich allgegenwärtig und ungeteilt zu manifestie-
ren, und deren Leistung auch im einzelnen Werke nicht gefaßt wird,
sondern in der unendlichen schöpferischen Tätigkeit gegenüber dem
unendlichen, unerschöpflichen Leben selbst. Es ist kein Zufall, daß
Goethe in seinem Bekenntnis zur unendlichen Tätigkeit, die ihm auch
über den Tod hinaus ein Weiterwirken (und nicht nur Fortbestehen)
verbürgte, an Leibnizens Monadenlehre anknüpfen mußte, um sich zu
verdeutlichen.

Wir verstehen nun den Vorrang der Tätigkeit über das Werk gerade
noch beim Künstler, dessen Aktivität uns dann eben als sein tieferes

Schöpferisches selbst erscheint; beim Denker muß es uns befremden, wenn das Allgemeine nur im Besonderen, der Geist nur in seiner Betätigung bei bestimmtem Anlaß zum Ausdruck kommen soll. Denn das Denken ist an sich ohne Form, und entbrennt es nur an bestimmten Zufällen zu seiner ganzen Kraft, so wird es sich sehr ungleich und verschiedenartig äußern und ihn weniger geschlossen und einheitlich dokumentieren als ein notwendig und organisch in ihm erwachsenes „System" oder „Werk". Wenigstens scheint dies unsern philosophischen Gewohnheiten so, welche die Improvisation nicht kennen, mit welcher etwa die Untersuchungen eines Sokrates dem einzelnen Falle, der sich bietenden Gelegenheit entsprangen und sich ihr anzupassen und anzuschmiegen suchten. Aber vielleicht kehrt dieses frühe und erste Verfahren auf einer sehr ausgebildeten Stufe wieder, und was die Denk-Ungewohnheit der athenischen Bürger in Sokrates auslöste, das konnte die Denkbesessenheit und fachliche Erudition der Zeitgenossen bei Leibniz ähnlich nötig machen: das persönliche Eingehen auf jede sich darbietende Frage und ihr alsbaldiges Emporheben in eine souveräne Denksphäre, die wie ein leuchtendes Element zur letzten Klärung alles Begegnenden bereit lag. Wenn Sokrates seines Nichtwissens sich rühmte, so kehrt dies bei Leibniz als die Betonung seines durchgängigen Autodidaktentums wieder und in der gleichen, nicht nur vorgegebenen, Bereitschaft, von allem und jedem zu lernen und immer alles neu zu sehen. Er ist der geborene Fachmann für alles und hat doch nichts auf bloß fachmäßige Weise erlernt: „Häufiger findet derjenige etwas Neues", schreibt er „welcher eine Kunst nicht versteht, als derjenige, welcher sie versteht, gleichermaßen ein Autodidakt eher, als ein anderer. Er öffnet sich nämlich eine von den übrigen noch nicht betretene Bahn und Pforte und gewinnt eine andere Ansicht von den Dingen. Alles bewundert er, was ihm neu ist, während die übrigen daran, als an etwas Bekanntem, vorübereilen." So lernt er Sprachen, lernt er Wissenschaften, eine nach der andern, und behauptet jedem Neuen gegenüber das ursprüngliche philosophische Staunen, das ihn sofort ins Zentrum der Dinge führt. Aber die Zeit, in die er hineingeboren ist, trägt kein einfaches und geistig harmonisches Gepräge; sie ist denkbar zerklüftet, nicht nur von den Ansprüchen des Glaubens und Wissens, sondern von unendlichen Kontroversen innerhalb jedes Faches, jeder Disziplin; und hier kommt ihm eine andere Gabe zugut: seine angeborene Duldung.

„Wenn ich mich irre", schreibt er „so irre ich mich lieber zum Vorteil der Personen. Ich bin auch von diesem Temperament beim Lesen der Autoren. Ich suche bei ihnen nicht, was ich tadeln könnte, sondern was darin gebilligt zu werden verdient, und wovon ich lernen könnte. Diese Methode ist nicht besonders Mode; aber sie ist die billigste und nützlichste." Oder ein andermal: „Wisse, niemand hat weniger zensorischen Geist als ich. Es klingt seltsam: ich billige das meiste, das ich lese, auch bei andern, geschweige bei Dir. Mir, der ich weiß, wie verschieden die Dinge genommen werden, steigt beim Lesen meist etwas auf, was die Schriftsteller entschuldigt oder verteidigt." Aber es stieg ihm immer auch das die andern Meinungen Überhöhende auf; und in dieser zuerst kaum bewußten Überlegenheit konnte er sich allem Fremden und Andersartigen hingeben. Es ist die unserm Begriff der mühsamen Behauptung des Originalen so sehr widerstreitende Haltung des Genies gerade im Andrang einer unermeßlichen Vielfalt der Welt — wir finden dasselbe bei den großen Baumeistern der Epoche, wir finden es bei Bach und Händel, am ausgesprochensten bei Mozart: dessen Jugend ein unwahrscheinliches Eingehen auf alle Formen und Inhalte war, und dadurch zugleich ein Inbesitznehmen, das der eignen höheren Synthese immer instinktiv gewiß blieb. Und solche Synthese und Bindung ist Leibnizens Mission in dieser zerrissenen Zeit in Hinsicht auf alle Wissenschaft und alles Denken gewesen: überall ist er als der große Harmonisierende, Schlichtende aufgetreten, wo die Systeme und Theorien der englischen und französischen Denker und Forscher: Bacon, Descartes, Locke, Newton, Hume, Bayle unter den Fachleuten und Gebildeten die unendlichsten Diskussionen ausgelöst hatten — er sieht den Zwiespalt oder das Unzulängliche; und indem er dieselben Begriffe und das mannigfache Einleuchtende am Gegebenen aufgreift, führt er es nur um einige Strecken weiter und höher, um es mit sich und seiner universalen Überschau zusammenzubringen, ja ein geheimes Neues daraus zu entwickeln.

Kleine Traktate, Dissertationen, „Specimina" sind seine Beiträge; wachsend dann die Kontroversen in Gespräch und Brief — die persönlichen Unterredungen, sind uns nicht bewahrt, wenn auch in ihren Resultaten der Bezauberung und Überredung — besonders den Großen der Welt gegenüber — bezeugt; aber das ungeheure Werk seiner Korrespondenz ist uns zur Hälfte etwa erhalten — man zählt hier 1054 Personen als Briefpartner, darunter 32 fürstliche — und in ihm lebt die eigentliche originale Darlegung fast seiner ganzen Philosophie. Nur die Theodicée hat er, und erst als Vierundsechzigjähriger, als einziges größeres Werk zu seinen Lebzeiten veröffentlicht; und zwei Jahre vor seinem Tode, 1714, entsteht, an den Prinzen Eugen gerichtet, die Niederschrift seiner Monadologie.

Ganz hat ihn nur die Zeit selber empfangen; und damit wird es nötig, einen kurzen Blick auf dieses Leben in der Zeit zu werfen, durch das er sich als das harmonisierende Prinzip einer ganzen Welt verwirklichte.

13.

Noch im Dreißigjährigen Krieg, am 21. Juni 1646, ist Leibniz geboren. Es klingt wie aus einer alten Legende, was sein Vater bei der Taufe, die ihm die Namen Gottfried Wilhelm gab, lateinisch in seine Hauschronik eintrug: daß das Kind in diesem Augenblick, zur Verwunderung der Umstehenden, das Haupt emporhob und mit emporgerichtetem Haupt und Augen sich gern von dem Wasser benetzen ließ — „So wünsche und weissage ich, daß dies ein Merkmal des Glaubens und gutes Vorzeichen sei, daß er Zeit seines Lebens hindurch mit Augen zu Gott erhoben ganz göttlich sein, in Gottes Liebe brennen und Wunderwürdiges wirken werde, zu Heil und Wachstum der Kirche Christi und seinem und unserem Heil." Noch ein anderer Vorfall, wo das Kind bei einem Sturze wie durch ein Wunder heil blieb, bestärkte den Vater in dem Glauben an Großes und Ungewöhnliches für die Zukunft des Sohns, und er nahm damit voraus, was er nicht selber mehr an ihm erleben sollte, da er schon 1652 starb, als das Kind sechs Jahre zählte.

Wesentliches in der Richtung von Leibniz ist schon in den Eltern vorgebildet. Im Vater die gelehrte Bestimmung: er hatte die sächsische Fürstenschule zu Grimma besucht, war Jurist und Professor der Moralphilosophie an der Universität Leipzig geworden; er vereinigte philosophische Begabung mit praktischem Sinn, war ein angesehener Notar und hatte es zu beträchtlichem Wohlstand gebracht. Von ihm erbte der Sohn wohl die Maxime: in den Worten auf Klarheit, in den Dingen auf Nutzen zu sehen, das heißt — entgegen dem gelehrten Habitus der Zeit — an die praktische Anwendbarkeit zu denken. Von der Mutter überkam er einen andern wichtigeren Grundzug des Charakters, der sich noch mehr ausbilden konnte, da sie nun von seinem sechsten bis siebzehnten Jahr allein die Erziehung leitete: sie war eine fromme, vor allem aber tief friedfertige und harmonische Natur.

In der von Glaubenskämpfen und Verelendung gezeichneten Zeit bedeutete es etwas, daß Leibniz in gesicherter und friedlicher Umgebung heranwuchs und gänzlich einer geistigen Bildung sich widmen konnte. Grundlage war ihm hier zunächst ein gläubiges lutherisches Christentum, wie es ihm von seiner Mutter vorgelebt wurde in der stillen und echten Art, die sich später im Pietismus durchsetzte; es fand damals seinen lebendigsten Ausdruck im Choral, in welchem die beste verbliebene dichterische Kraft des Deutschtums sich mit der neuen Kunst der Musik vereinte — es spricht für das nicht konventionelle, sondern innerliche Verhältnis zu dieser Überlieferung, wenn Leibniz noch spät, als ein bald Vierziger, ein frommes Karfreitagslied dichtete, das im kirchlichen Gesangbuch hätte Platz finden können. Eine andere Verankerung im Alten, und zwar unmittelbar in der gotischen Geisteswelt, fand er früh darin, daß er in der Scholastik heimisch wurde und ihre dialektische Methode bald mit einer Gewandtheit beherrschte, wie sie sonst nicht mehr üblich war; das gab ihm später ein Übergewicht gegen seine philosophischen Zeitgenossen, die rein naturwissenschaftlich gerichtet waren, und entwickelte seinen metaphysischen Trieb. Die Lektüre der Kirchenväter verdankte er der Bibliothek seines Vaters, die ihm vom achten Jahre an offen stand: nachdem man ihn erst auf Katechismus und einen nur langsam fortschreitenden Lateinunterricht hatte beschränken wollen, entdeckte man, daß er den schwierigen Text eines Livius, der ihm zufällig in die Hände geraten war, durch bloßes immer wiederholtes Lesen des zunächst auch Unverständlichen durchdrungen hatte, und gab nun seinem Lesehunger freie Bahn. Nun lernte er weiter antike Autoren kennen, Platon, Herodot, Xenophon und Seneca, und machte solche Fortschritte, daß er in seinem fünfzehnten Jahre schon die Universität seiner Vaterstadt beziehen konnte. Einer ersten philosophischen Dissertation „De principio individui" folgt eine juristische Abhandlung, durch die er, achtzehnjährig, die Magisterwürde erwirbt. Aber wegen seiner Jugend will man ihn in Leipzig nicht zur Doktorpromotion zulassen; und so wendet er sich fort, zumal ihm inzwischen die Mutter gestorben ist. Nachdem er schon vorher in einem Semester in Jena versucht hatte, seine mathematischen Kenntnisse zu

erweitern, für die es in Deutschland damals keine bedeutenden Lehrer
gab, geht er nach der Universität Altdorf, die damals zur freien Reichsstadt Nürnberg gehört, und setzt dort die Professoren bei der juristischen Doktor-Disputation durch freie lateinische Rede in Verwunderung und durch Vortrag derselben Materie in lateinischen Versen, zu
denen er besondere Neigung und Fähigkeit besitzt. Die Professur, die
man ihm daselbst anbietet, lehnt er ab — sein Sinn stünde nach anderem. Sein Bestreben, überall zu lernen und seine Weltkenntnis zu bereichern, hält ihn noch den Winter 1667 in Nürnberg fest, wo er eine
Stadt kennenlernt, die als eine der wenigen nicht nur Industrie und
Wohlstand, sondern auch alte nationale Überlieferung, Gesittung und
Gesinnung durch den großen Krieg hindurch gerettet hatte; er rühmt
sie später ausdrücklich wegen dieser Eigenschaften, wie dann hundert-
fünfundzwanzig Jahre nach ihm noch Wackenroder. Das halb mystische, halb wissenschaftliche Wesen einer Rosenkreuzer-Gesellschaft
lernt er hier kennen mit ihren alchymistischen Bemühungen und wird
eine Zeitlang ihr Sekretär, der sich durch eine parodistisch gemeinte
gelehrte Abhandlung einführt. Aber das wichtigste Ergebnis seines
Aufenthalts wird die zufällige Bekanntschaft mit dem Baron Johann
Christian von Boineburg.

Dieser ist einer der bedeutendsten Diplomaten der Zeit, hat in
Schweden noch den Umgang des großen Kanzlers Oxenstierna genossen, ist in Vermittlung von Streitigkeiten zwischen deutschen Höfen
hervorgetreten und war schließlich in den Diensten des mächtigsten
Kurfürsten des Reichs, des Fürstbischofs von Mainz, Johann Philipp
von Schönborn, Mitspieler in der großen europäischen Politik geworden. Als er Leibniz traf, hatte er diesen Dienst schon verlassen und
lebte als Privatmann in Frankfurt, wohin ihn Leibniz alsbald begleitete.

Die Freundschaft mit Boineburg schließt ihm nun völlig neue Möglichkeiten auf. Er tritt in die große Welt, von der er erkannte, daß sie
ihm allein eine Wirkung ins Weite vermitteln konnte, auch in geistigen
Dingen. Wohl sehen wir auch andere bedeutende Wissenschaftler und
Künstler im Barock zu politischem Einfluß gelangen und mit diploma-
tischen Missionen betraut; aber das geschah erst, wenn sie durch andere
Leistungen Berühmtheit erworben hatten, wenn etwa Rubens als großer Maler schon das persönliche Gewicht besaß, daß man ihn zu Ge-
sandtschaften verwendete. Aber den noch völlig unbekannten einund-

zwanzigjährigen Jüngling hat nur eigne Genialität empfohlen, wie sein persönlicher Umgang sie ausstrahlte, und seine unwahrscheinliche Fähigkeit, sich praktisch sofort auch in das Fremdeste einzuarbeiten und mit universaler Intuition den richtigen Punkt jeder Sache zu treffen. So gewinnt er auch sogleich den Kurfürsten im benachbarten Mainz für sich, wohl auf den Rat, aber ohne alle Empfehlung Boineburgs; wird zunächst juristischer Berater bei einer Umarbeitung des Corpus juris für deutsche Verhältnisse und erhält bald Gelegenheit, eine Reihe politischer Traktate in wichtigen Welthändeln abzufassen, bis er zuletzt sogar als Sonderbeauftragter von Kurmainz an den Hof Ludwigs XIV. geht, um einen Plan ganz eigener Erfindung zu vertreten.

Der Kurfürst von Mainz war einer der seltenen damaligen Staatsmänner, denen wirklich das Reich und nicht irgendein persönliches dynastisches Interesse am Herzen lag. Man nannte ihn den Erhalter des Gleichgewichts im Reich und des Friedens in Europa; in diesem Sinne hatte er bereits beim Abschluß des Westfälischen Friedens das Möglichste getan, und hatte jetzt in der kritischsten Periode die Übergriffe des französischen Königs abzuwehren. Schon im polnischen Thronstreit hatte Leibniz ihm und Boineburg mit der Abfassung einer Schrift gedient, die, vom Standpunkt eines polnischen Edelmanns geschrieben, die Kandidaturen Frankreichs und Rußlands unmöglich machen und einem deutschen Prätendenten die Bahn bereiten sollte. Bei dem „Consilium Aegyptiacum" an Ludwig XIV. handelte es sich um einen weit vorausschauenden Gedanken: da sollte Frankreich von dem Krieg gegen Holland, den es eben zu beginnen im Begriff war, dadurch abgehalten werden, daß es seinen Gegner als Kolonialmacht träfe, um ihm den Handelsweg nach Ostindien zu verlegen; sogar der Bau eines Kanals ins Rote Meer wird dabei vorgeschlagen! Zugleich sollte auf diese Weise die Türkei bedroht werden, um ihren Druck auf Österreich abzufangen. Aber diese Rolle, die das Reich gestärkt hätte, war für Ludwig nicht annehmbar, und nach anfänglichem Interesse für den Plan lehnte er schließlich ab. Napoleon hat später von sich aus die Idee Leibnizens wiederaufgegriffen, um Englands Macht in Ägypten zu bedrohen, und man hat sogar eine Zeitlang geglaubt, daß er in unmittelbarer Kenntnis von Leibnizens Denkschrift, die sich in den Pariser Archiven befand, gehandelt habe, und Napoleon selbst hat nachträglich diese Schrift mit Interesse studiert. So kann der Zeit die Intuition eines großen Genius utopisch scheinen, und hundert Jahre später wird sie praktische Politik.

Wenn Leibniz hier auch keine greifbaren Erfolge beschieden waren, so brachte ihn doch der Aufenthalt in Paris in eine Umgebung, die er längst ersehnt hatte: er kam mit den großen Gelehrten, den Mathematikern und Philosophen, in Berührung und unterließ dabei nicht, die französische Volkswirtschaft zu studieren und Beobachtungen über allerlei gewerbliche Fortschritte und Erfindungen nach Hause zu berichten. Eine zweite Gesandtschaft führte ihn 1673 nach London, wo er diesmal seinen Zweck erreichte, die Friedenskonferenz nach Köln verlegen zu lassen, wieder aber wichtige Bekanntschaften mit englischen Forschern anknüpfte, und nun auch in der Londoner Royal-Society bekannt wurde, wie vordem in der Französischen Akademie. Da starben kurz hinter einander Boineburg und Kurfürst Johann Philipp, und die amtliche Mission Leibnizens hatte ein Ende. Aber er blieb zunächst in Paris, ja gedachte sich auf die Dauer hier einzurichten. Erst 1676 folgte er einer Einladung an den Hof des Herzogs von Braunschweig-Lüneburg nach Hannover, in dessen Diensten er dann bis zu seinem Lebensende verblieb; von seinem dreißigsten bis in sein siebzigstes Jahr.

14.

Leibniz ist nun zwar keineswegs von jetzt ab völlig seßhaft geworden, hat diesen größeren Teil seines Lebens nicht in Hannover ausschließlich zugebracht; aber die aufnehmende Zeit liegt hinter ihm, er hat zwei Weltstädte gesehen, hat sich an den bedeutendsten Gelehrten seiner Zeit gemessen, hat das ihm Fehlende, vor allem die Mathematik, hinzugelernt und kann nun in der Stille daran gehen, sein eigenes Bild der Welt zu formen und den andern herrschenden Bildern gegenüberzustellen. Vertreter der neueren Philosophie, wie Arnaud und Malebranche, unmittelbare Schüler noch von Descartes, waren ihm bekannt geworden, der Physiker Christian Huygens hatte ihn in die höhere Mathematik eingeführt; auf der Rückreise über Holland hatte er Spinoza aufgesucht. Pascals Rechenmaschine hatte er in Paris bereits durch Erfindung einer eigenen vollkommeneren überboten, und schon trug er in sich die Grundzüge seiner größten wissenschaftlichen Entdeckung, der Differential- und Integralrechnung, die er dann 1677 von Hannover aus in einem Brief an Newton ausführlich darlegte, der mit seiner Flu-

xionstheorie, die er aber noch streng geheim hielt, auf ähnlichem Wege
war. Es beginnt die Zeit der großen wissenschaftlichen Korresponden-
zen, in denen er auch seine Metaphysik allmählich herausstellt. Aber
auch die Aufträge seiner amtlichen Stellung beim Fürsten benutzt er,
um immer neue Wege zu seinem zentralen Problem zu finden und in
immer neuen Richtungen sich darüber auszusprechen. Die Stellung am
Hannöverschen Hof gibt ihm allerdings keine Möglichkeit mehr, große
Politik im vaterländischen Sinne zu treiben; der Herzog Johann Friedrich ist Verehrer und Parteigänger Ludwigs XIV. und in Deutschland
wesentlich nur auf die Erhöhung seiner dynastischen Stellung bedacht:
er strebt nach dem Kurhut; aber erst sein Nachfolger wird ihn durch
Leibnizens Bemühungen erringen. Doch selbst die Rechtsbegründung
der bedenklichen Ansprüche des absoluten Fürstentums, zu der Leibniz
schon im Jahre 1677 veranlaßt wird, gibt ihm nicht nur die Möglichkeit, die Erhöhung der Fürsten durch eine gesteigerte Betonung der
Reichs- und Kaiseridee auszugleichen, sondern den ihn beseelenden
Harmoniegedanken seiner Philosophie noch viel bedeutsamer anzuwenden; ja man kann sagen, daß sein juristisches Denken, wie es in
dieser Schrift „De jure Suprematus" sich entwickelt zeigt, mit der ihm
innewohnenden Gerechtigkeitsidee einen gar nicht wegzudenkenden
Bestandteil seines Systems bedeutet. Aus der Idee der Theokratie, der
Idee des Reichs, da Gott allein der König ist, leitet nämlich Leibniz
hier alles ab: sie steht mit den individuellen Staaten gleichsam in prä-
stabilierter Harmonie, wie die Einzelwesen, die Monaden, die Kraft-
substanzen der Welt, mit Gott zusammenklingen. Aus der allesdurch-
dringenden Gemeinschaftsidee ergibt sich der Begriff einer umfassenden Republik der christlichen Völker; und in dieser geschichtlichen Anwendung seines Gedankens nimmt er bereits die Konzeption des Novalis „Die Christenheit oder Europa" mit ihrer übertragenen und
vergeistigten Katholizität voraus.

Die Vorstellung des Gottesstaates schloß praktisch den Kirchenfrieden zwischen Lutheranern und Katholiken in sich, ja die Wiederver-
einigung der getrennten Konfessionen. Leibniz hat frühe an diesem
großen Projekt gearbeitet, das der Zeit nahe lag und in den verschiedensten Vorgängen von beiden Seiten aus sich vorzubereiten schien.
Die Konversionen häuften sich gerade bei hochgebildeten Männern,
die das Wohl des Ganzen im Auge hatten und die Zerklüftung beenden

wollten. So war schon Boineburg katholisch geworden, und es hatte Leibniz nicht in der Freundschaft und Zusammenarbeit mit ihm gestört, wie er auch dem katholischen Schönborn diente und dieser höchste geistliche Würdenträger des Reichs vorurteilsfrei genug war, ihn als Protestanten an sich zu ziehen. Auch der jetzige Herr Leibnizens, der Herzog von Braunschweig, war zur katholischen Kirche übergetreten; ihm hatte er noch in Mainzer Diensten eine theologische Schrift über die Transsubstantiation gesandt, die sein Stehen über den Konfessionen erwies und auch den Katholizismus in seine philosophische Rechtfertigung einbezog. Schon Boineburg urteilte von Leibniz, er sei im Glauben „sua sponte", von eigener Überzeugung und Gesinnung; und er selbst hat später die Anträge, zur römischen Kirche zurückzukehren damit beantwortet, daß er zugab: wäre er katholisch geboren, so würde er in der Kirche geblieben sein, wenn man ihn nicht seiner Philosophie wegen zum Austritt gezwungen hätte; so aber sehe er keinen Grund, diese Möglichkeit zu provozieren. Und man erkannte diese seine überlegene und übergeordnete Stellung an; er selber hat sie mehrfach benutzt, eine Versöhnung der Getrennten zu versuchen, der einmal beinahe Erfolg beschieden gewesen wäre.

Von der anderen Seite war Bossuet, der spätere Bischof von Meaux, mit einer Schrift hervorgetreten, die zum ersten Male sich auch an die Reformierten wandte, um die Lehren des Tridentinischen Konzils zu verteidigen und so auszulegen, daß jenen gleichsam die Rückkehr zur Kirche offenstand. In diesem Sinne begann man vom kaiserlichen Hof in Wien aus durch den Bischof Spinola praktisch Fühlung zu nehmen, und auf Leibnizens Einladung kam dieser auch nach Hannover, während Leibniz gleichzeitig durch Bossuet Ludwig XIV. zu einer entgegenkommenden Haltung veranlaßte. Aber die Verhandlungen wurden für diesmal unterbrochen, weil noch im selben Jahre 1679 der Herzog, auf dessen Vermittlung es wesentlich ankam, plötzlich starb und einen protestantischen Nachfolger erhielt. Dieser, Ernst August, war aber seinerseits von der größten Mäßigung und Toleranz; und so konnte es im Jahre 1683 wiederum zu einem Besuche Spinolas in Hannover kommen und in der Folge zu sehr weitgehenden Besprechungen, in die auch der Papst persönlich bei einem Besuche Spinolas in Rom einbezogen wurde. Es waren bereits Regeln für diese Union aufgesetzt, nach welchen die Protestanten in die römische Hierarchie aufgenommen werden, die Dogmen einstweilen zurückgesetzt und ihre Schlichtung einem späteren, auch von den Protestanten zu beschickenden Konzil vorbehalten sein sollten. Aus dieser Zeit stammt der Entwurf einer philosophischen Exposition des Glaubens, das „Systema Theologicum", das sich in Leibnizens Nachlasse fand und zu allerlei Mißdeutungen Anlaß gab; das jedoch nur, seiner eigenen Erklärung gemäß, als Versuch abgefaßt war, ob man eine Meinung in der Kirche dulden würde, wie sie hier ohne Nennung von Namen und Partei dargelegt werden sollte. Leibniz hielt diese Vorsicht für geboten, einmal, weil er dem Charakter eines späteren Konzils mißtraute, andrerseits, um zu beweisen, daß man das möglichste getan habe, um nicht „im Schisma" zu sein. Aber der Herzog verstand sich nicht dazu, und so blieben auch die weiteren Bemühungen um die Reunion, die bis in die neunziger Jahre dauerten, ohne Erfolg. Nur noch in Briefen zwischen Leibniz und Bossuet gingen die Auseinandersetzungen über den Kirchenfrieden weiter.

Diese theologisch-diplomatischen Verhandlungen waren nicht das einzige, was Leibniz neben seinen eigentlichen philosophisch-mathematischen Meditationen in Hannover beschäftigte. Als Direktor der herzoglichen Bibliothek war ihm als vordringliche Aufgabe die Abfassung der Geschichte des Welfenhauses aufgetragen, die unter seinen Händen zu einer Reichsgeschichte gedieh, aber des ungeheuren Quellenstudiums wegen, das er als erster deutscher Historiker trieb, zu einem solchen Ausmaß anschwoll, daß er den verschiedenen Herzögen nur Fragmente vorlegen konnte, und das Ganze im Staub der Bibliothek vergraben blieb, bis es erst im 19. Jahrhundert von Pertz als eine der größten Leistungen auf diesem Gebiet veröffentlicht wurde.

Praktische Anlässe, wie der Braunschweigische Bergbau, führten Leibniz sowohl zu technischen Erfindungen für die Bergwerke, wie zu Reflexionen über die Erdgeschichte, die er 1691 in seiner „Protogäa" niederlegte, wo er aus den Fossilien und Versteinerungen im Harz das Alter der Erde und die Geschichte ihrer Evolutionen zu erschließen suchte. Der Bergbau brachte ihn auf das Münzwesen, über dessen Verbesserung für das ganze Reich er Grundsätze ausarbeitete. Ebenso befaßte er sich mit der Schlichtung der Streitigkeiten über die damalige Erfindung des Phosphors, schrieb eine Geschichte darüber und sogar ein großes lateinisches Gedicht, das unter seine besten gerechnet wird.

Die geschichtliche Quellenforschung führte ihn nach zehn Jahren Aufenthalts in Hannover wieder auf eine große Reise: über Süddeutschland und Wien bis nach Rom und Neapel, wo er überall, in Bibliotheken, Archiven und an Grabmälern seine genealogischen Studien anstellte, aber auch diplomatische Aufträge ausführte und wichtige gelehrte Beziehungen anknüpfte. Das Jahr 1688 verbrachte er in Wien, wo er den Sieg über die Türken für sein altes Projekt auszunutzen suchte, Frankreich an der Aufteilung der Türkei zu beteiligen, um es vom Westen Deutschlands abzulenken; als Ludwig XIV. dennoch wieder in Deutschland einfiel, entwarf Leibniz gegen ihn das kaiserliche Manifest. Nebenbei studiert er den ungarischen Goldbergbau, wie bald darauf von Venedig aus die Quecksilbergruben in Istrien. Im Oktober 1689 ist er in Rom, wo sein Weltruf ihm alle Pforten öffnet. Man trägt ihm sogar die Stelle eines Kustoden an der Vaticana an; aber die Bedingung des Religionswechsels läßt ihn ablehnen, obgleich er weiß, daß mit diesem Amt oft der Kardinalshut verbunden ist. Ein Jesuiten-Pater vermittelt ihm unmittelbare Kenntnis von China, die später von bedeutenden Folgen für seine Studien wird: es beschäftigt ihn die Frage, ob seine eben erfundene binarische Arithmetik den Schlüssel zum Buche Yekin des Fohi enthalte; ein Briefwechsel mit China und Indien wird über die Jesuiten angeknüpft. Durch sein produktives Eingehen auf alle Interessen und durch seine Liebenswürdigkeit und Güte erregt er, wo er hinkommt, die Liebe und Begeisterung der Italiener. Aber in Venedig, wo Geschäfte und Aufträge ihn überlasten, sucht er Beruhigung in neuer philosophischer Spekulation, teilt andern, wie er an Arnaud schreibt, seine „eigentümlichen Gedanken mit, um von ihren Zweifeln und Schwierigkeiten zu lernen". Als er nach zweieinhalbjähriger Abwesenheit nach Hannover zurückkehrt, wird er von neuem gleich durch die Aufgabe in Anspruch genommen, die Erlangung der Kurwürde für seinen Herrn zu fördern und, als sie erlangt ist, gegen den verbleibenden Widerstand der übrigen Fürsten durchzusetzen.

In den folgenden Jahren wächst die Masse von Gedanken, Entwürfen und übernommenen Aufgaben lawinenartig. 1695 schreibt er an einen Freund: „Wie außerordentlich zerstreut ich bin, läßt sich nicht sagen. Ich suche Verschiedenes in den Archiven, nehme alte Papiere vor die Augen und suche ungedruckte Manuskripte zusammen, mit deren Hilfe ich für die Geschichte des Hauses Braunschweig Licht zu gewinnen hoffe. Briefe empfange und erwidere ich in großer Anzahl. So viel Neues aber habe ich in der Mathematik, so viele Gedanken in der Philosophie, so viele andere literarische Beobachtungen, welche ich nicht umkommen lassen möchte, daß ich oft nicht weiß, was ich zuerst tun soll."

„Ich möchte vor allem meine Dynamik vollenden, in welcher ich endlich die wahren Gesetze der materiellen Natur gefunden zu haben glaube, mittelst deren ich über die Tätigkeit der Körper Probleme lösen kann, bei welchen die bisher bekannten Regeln nicht ausreichten. Meine Freunde, welche von der durch mich gegründeten höhern Geometrie Kenntnis haben, treiben mich, meine Wissenschaft des Unendlichen herauszugeben, welche die Fundamente meiner Analysis enthält. Dazu kommt eine neue Characteristica situs, an welcher ich arbeite, und noch viel allgemeinere Dinge über die Erfindungskunst. Aber diese Arbeiten alle, die historischen ausgenommen, geschehen wie verstohlen. Denn Sie wissen, an den Höfen sucht man und erwartet man ganz andere Dinge! Daher habe ich von Zeit zu Zeit Fragen aus dem Völkerrechte und aus dem Rechte der Reichsfürsten, besonders meines Herrn, zu behandeln. So viel habe ich jedoch durch die Gnade des Fürsten erlangt, daß ich nach Ermessen mich der Privatprozesse enthalten kann." Er ist ja auch Geheimer Justizrat und muß als solcher auch noch in der juristischen Tagespraxis tätig sein!

Wenn man fragt, warum Leibniz diese zersplitternde Tätigkeit am Hof nicht mit der stillen Privatexistenz des bloßen Gelehrten vertauschte, so findet man immer nur die Antwort, daß nicht nur sein Temperament und seine universale Neigung ihn in der einzigen Gesellschaft festhielten, die es für anspruchsvolle Menschen damals gab, sondern daß seine dauernde Richtung auf gemeinnütziges Wirken, in die auch seine philosophischen und theologischen Interessen eingeschlossen waren, einen andern Ausgangspunkt gar nicht finden konnte als von den höfischen Beziehungen aus: der beste Beweis dafür ist die rastlose Bemühung seiner späteren Jahre um die Begründung von Akademien, die alle Wissenschaften harmonisieren und zum Wohl des Ganzen organisieren sollten.

15.

Unser Auge muß hier auf einem Bilde verweilen, das symbolisch für alle Folge an der Schwelle des neuen Jahrhunderts sich uns darbietet: im Frühjahr 1700 wird am Berliner Hof das glänzendste Fest der Zeit, die Vermählung einer Tochter des Kurfürsten von Brandenburg, mit dem erdenklichsten Pomp gefeiert, und Leibniz ist dabei gegenwärtig, der gleichzeitig dort die Stiftung seiner Akademie in die Wege leiten soll. Wochen und Monate ziehen sich die Feierlichkeiten hin, und der Philosoph kann sich keiner der höfischen Lustbarkeiten, von den prachtvollen Einzügen und Aufzügen bis zu den Maskeraden und Opern, entziehen. Schließlich wird der Geburtstag des Kurfürsten, der 11. Juli, der zugleich der Stiftungstag der Sozietät der Wissenschaften ist, durch ein Maskenfest gefeiert, das die Kurfürstin Sophie Charlotte, Leibnizens Geistes-Freundin, auf ihrem Lustschloß gibt, dessen ausführliche Beschreibung von Leibnizens Hand in einem Brief an seine andre hohe Gönnerin, die Kurfürstin Sophie von Hannover, uns erhalten ist.

Es ist ein Dorfjahrmarkt, der von den hohen Herrschaften da gespielt wird: der Markgraf Christian Ludwig und andere Fürstlichkeiten halten Buden mit Schinken, Würsten, Wein und Schokolade; der Kronprinz tritt als Taschenspieler auf, die Kurfürstin macht die Doktorin in einer Marktschreierbude; Kammerherren und Hofdamen treiben als Possenmacher, Springer, Zigeunerinnen ihr Wesen, und auch ein Astrolog ist da, dessen Rolle man ursprünglich Leibniz zugedacht hat, witzigerweise wegen seiner bekannten Abneigung gegen die Sterndeuterei — aber ein Graf löst ihn „gutherzig" ab — als einziger entzieht er sich dem Spiel, das er wohl doch unter seiner Würde empfindet; er erwählt die Rolle des Zuschauers und begründet das galant seiner Fürstin: „Ich stellte mich vorteilhaft mit meinem Augenglase, um Ew. Durchl. Hoheit darüber Bericht zu erstatten."

So werden sich nun überall unsre Musiker, Maler, Architekten und Dichter in das höfische Spiel mischen, seltener allerdings als bloße philosophische Zuschauer in der gleichberechtigten Stellung eines Leibniz, sondern als dienstfertig Mitspielende und Aufspielende, als eigentliche Verherrlicher und schaffende Träger dieses ewigen Festes — der Bund von Macht und Geist bleibt, wenn auch nicht in dieser ersten souve-

ränen Zuordnung, wo der Geist noch leise die irdische Macht und ihre
Schaustellung belächeln darf und dabei des Einverständnisses mit den
geistreichen ihrer Inhaber gewiß sein darf. An seiner hannöverschen
Kurfürstin und ihrer Tochter, der Kurfürstin von Brandenburg, hat
Leibniz solche bedeutende und verständnisvolle Freundinnen und
Schülerinnen gehabt: die letztere, seit 1701 Königin von Preußen, die
in der Blüte ihrer Jugend schon im Jahre 1705 starb, hat auf ihrem
Sterbebette, zu dem sie vergeblich noch Leibniz herbeizurufen suchte,
die Worte gesprochen, die uns ihr Nachfahr Friedrich der Große überliefert: „Beklagen Sie mich nicht", sagt sie zu einer ihrer Hofdamen,
„denn ich gehe jetzt, meine Neugier zu befriedigen über die Urgründe
der Dinge, die mir Leibniz niemals hat erklären können, über den
Raum, das Unendliche, das Sein und das Nichts; und dem Könige,
meinem Gemahl, bereite ich das Schauspiel eines Leichenbegängnisses,
welches ihm neue Gelegenheit gibt, seine Pracht darzutun." Leibniz,
der aus Schmerz über den Tod seiner Gönnerin selbst in eine gefährliche Krankheit fiel, hat später von ihr geschrieben: „Diese große Königin besaß eine unglaubliche Wissenschaft höherer Dinge, und die
außerordentlichste Begier, immer mehr zu erforschen; ihre Unterredungen mit mir gingen dahin, ihre Wißbegier immer mehr zu befriedigen,
und die Welt würde dereinst großen Nutzen davon gesehen haben,
hätte nicht der Tod sie uns so früh geraubt." Aber die Welt hatte doch
zuletzt noch den Nutzen von dieser Geistesfreundschaft: die Theodicee ist daraus hervorgegangen, die Leibniz noch bei Lebzeiten der
Königin in ihrem Schlosse Lützenburg nach und nach niederzuschreiben
begann, im Anschluß an die Gespräche, welche die gemeinsame Lektüre
von Bayles Dictionnaire historique et critique ihnen aufgeregt hatte.
Im Druck erschien die Theodicee allerdings erst 1710, als das einzige
größere Werk Leibnizens, das noch bei seinen Lebzeiten herauskam
und sofort eine gewaltige Wirkung ausübte, ja für den ersten Teil des
18. Jahrhunderts seine Geltung fast ausschließlich bestimmte.

Er hatte indes seine Kenntnis der Höfe und der entscheidenden zeitgenössischen Persönlichkeiten immer weiter ausgedehnt, teils in diplomatischer Mission, teils um auch in andern Hauptstädten den Typus
seiner Akademie ins Leben zu rufen, der ihm immer mehr der eines
gemeinnützigen Instituts mit allgemein kultureller Mission wurde. Im
Juni 1707 geriet er in den Brennpunkt kriegerisch geführter europä-

ischer Politik, als er im Lager zu Altranstädt bei Leipzig eintraf, wo Karl XII. von Schweden nach dem Sieg über August den Starken sich für ein Jahr mitten im Herzen Sachsens mit seinem Heere niedergelassen hatte, unter Bedrückungen, Einquartierungen und Kriegssteuern, die an die Rolle der Schweden im Dreißigjährigen Kriege gemahnen mochten. Man verhandelt damals über den Frieden, gekrönte Häupter und die Gesandten aller Mächte sind anwesend. Der Philosoph beobachtet den König während eines Mittagessens: „Dies dauerte eine halbe Stunde, aber Seine Majestät sprach kein Wort während des Essens, und hob nur einmal die Augen auf, als ein junger württembergischer Prinz zu seiner Linken mit einem Hunde Kurzweil trieb, was er auf diesen Blick sogleich einstellte. Man kann sagen, daß die Physiognomie des Königs sehr gut ist; aber er trägt und kleidet sich wie ein ‚Reiter‘ nach der alten Mode. Da ich über eine Woche auf seine Rückkehr gewartet hatte, so konnte ich mich nicht verweilen. . . Aber was hätte ich ihm sagen können? sein Lob hört er nicht gern, selbst nicht das wahre; und von Geschäften spricht er nicht. Aber er spricht sehr gut über Kriegsangelegenheiten . . .“ Leibnizens Resignation hier mag auffallend sein: daß er, der doch mit Königen und Fürsten umzugehen gewohnt war, an der Möglichkeit zweifelt, dem Schweden etwas „sagen“ zu können. Durchschaut er das Wesen dieses in sein Schicksal Eingekerkerten, dem mit keiner Menschenansprache zu helfen ist? Jedenfalls erscheint der Kriegsheld und Abenteurer, der eben auf der Höhe seiner Macht steht, als ein Fremdling äußerlich und innerlich in der Kultur dieses Jahrhunderts; und es ist bezeichnend, daß Leibniz sich Karls großem Gegenspieler, der ihm doch weit fremder hätte sein müssen, bis zur Vertraulichkeit nähern konnte: dem Zar Peter dem Großen, der eben dieser Kultur sich leidenschaftlich zuwandte und von seiten des Geistes ihm einen ganz anderen Zugang bot. Schon vom ersten Sehen, 1697 auf dem hannöverschen Schlosse Koppenbrück, hatte er von ihm geschrieben: „Obgleich dieser Fürst unsre Manieren nicht hat, so hat er dessen ungeachtet viel Geist“; doch damals verbot sich bei Peters Inkognito eine weitere Annäherung. Sie kam erst 1711 in Torgau zustande, als Karls XII. Stern durch die Niederlage von Pultawa längst im Niedergang war. Leibniz ist stark von den „großen Eigenschaften“ des Zaren eingenommen, dessen Weg er schon lange verfolgt hatte und von dessen Macht er sich große Möglichkeiten auch

für die Wissenschaften versprach, die bei der Kultivierung seines großen Reichs von besonderer Bedeutung werden mußten — vor solchen
Perspektiven verschwand ihm die Besorgnis gegenüber der bedrohlichen
östlichen Nachbarschaft, die er im polnischen Erbfolgestreit 1669 so
scharf als die einer doppelten Türkengefahr formuliert hatte. Jetzt
war das erste, was der Zar ihm versprach, daß er „in seinem unermeßlichen Reiche Beobachtungen über die magnetische Deklination anstellen lassen werde"; und eine Reihe anderer Vorschläge vom Justiz-
und Geschichtswesen bis zur Errichtung von Bibliotheken und Obser-
vatorien werden von Leibniz an die Minister in Petersburg gerichtet.
Eine zweite Zusammenkunft findet im Sommer 1712 in Karlsbad statt;
Leibniz begleitet sogar den Zaren von dort bis nach Dresden und verabschiedet sich erst im November von ihm. Das letzte Mal sehen sie
sich 1716 in Pyrmont und bleiben noch zwei Tage auf Schloß Herren-
hausen beisammen, wo Leibniz wieder mit der höchsten Auszeichnung
behandelt wird und seinerseits die Bewunderung ausdrückt „nicht nur
über die Humanität, sondern auch die reichen Kenntnisse und das
scharfe Urteil bei einem solchen Fürsten". Schon vorher hat der Zar
ihn zu seinem Geheimen Justizrat ernannt mit einer beträchtlichen
Pension, und die Grundideen zur Errichtung einer Akademie der Wissenschaften in Petersburg von ihm entgegengenommen, die allerdings
erst nach beider Tode wirklich in Funktion trat. Er ist für Leibniz jetzt
der Mann, von dem er das meiste zur Durchführung seiner vielfältigen
praktischen Pläne erwartet — bei jeder neuen Entdeckung, die der
Förderung bedarf, wendet er sich an ihn, der wohl wie kein anderer
Großer mit Verständnis und Bereitschaft auf seinen Geist reagiert hat.

Aber auch überall sonst sucht Leibniz gerade die Lieblingsidee seiner
Akademie zu pflanzen — er achtete es nicht für einen Raub an seiner
Berliner Gründung, wenn er schon drei Jahre später, 1703, August dem
Starken das gleiche für Dresden vorschlug; und 1712 begibt er sich
vom Zaren in Dresden nach Wien, um dort entsprechende Verhandlungen zu führen. Der Kaiser, dessen Vorgänger Leibniz schon in den
Reichsfreiherrnstand erhoben hatte, ernennt ihn zum Reichshofrat, die
höchste Würde, die einem Protestanten verliehen werden konnte, weil
er ihm Dank für wichtige politische Dienste schuldig wird; denn
Karl VI. sieht in ihm einen Verteidiger seiner Rechte und einen wichtigen Berater in den Schwierigkeiten, in die ihn der Utrechter Friede

damals versetzt, oder in den Streitigkeiten um die Erbfolge in Florenz; und Leibniz hat unmittelbaren Zutritt zu seinen Gemächern zur Verhandlung dieser geheimen Staatssachen. Aber das wichtigste Ereignis in den zwei Wiener Jahren wird für ihn die Begegnung mit dem Prinzen Eugen: im geistigen Umgang mit ihm gelangt er zur Niederschrift einer der kurzen Zusammenfassungen seiner Metaphysik, die für ihn charakteristisch sind, die „Principes de la nature et de la grâce". Prinz Eugen bewahrte die Handschrift, die 1714 entstand, als eine Kostbarkeit, die er selbst Freunden nicht anvertraute; worüber der Graf Bonneval Leibniz gegenüber spottend klagte „Er hält Ihre Schrift wie die Priester zu Neapel das Blut des heiligen Januarius, das heißt, er läßt sie mich küssen, und darauf verschließt er sie wieder in das Kästchen." —

Über die letzten Lebensjahre von Leibniz ist, bei aller solcher Liebe und Anerkennung von seiten großer Einzelner, die Tragik gebreitet, die gerade weltberühmten Deutschen das Ende ihrer Laufbahn so oft umschattet hat: von denen mit Undank gelohnt zu werden, für die er das meiste getan hatte, die aber sein Wesen nur eingeschränkt verstehen konnten oder wollten und, als seine Dienstherren, in diesen Schranken festzuhalten suchten. Es ist ein unwürdiger Anblick, wenn der Kurfürst von Hannover den großen Philosophen, dessen er sich, wenn es ihm paßte, als seines bedeutendsten Untertans rühmte, einzig auf die Arbeit an seiner Geschichte des Hauses Braunschweig in jenen letzten Jahren festlegen will, die er nach Leibnizens Tode nicht einmal des Druckes für wert erachtete, so daß erst das 19. Jahrhundert sie aus der Vergessenheit ziehen mußte. Wohl spielte fürstliche Eifersucht mit, wenn er jetzt auf strenger Einhaltung dieses Dienstes bestand; denn die günstige Aufnahme bei andern Monarchen, besonders der lange Aufenthalt in Wien, hatte ihm deutlich machen müssen, daß sein Hof-Historiograph im Grunde eines anderen Wirkungskreises bedurfte und in einer Weltstadt mit ihren Anregungen sich wohler gefühlt hatte als in der kurfürstlichen Residenz, wo er, seit die Kurfürstin-Mutter Sophie 1714 gestorben war, keinen Freund und keinerlei geistigen Austausch mehr besaß. Außerdem war ihm Leibnizens Überlegenheit lästig, seit er endlich, und nicht zuletzt durch dessen unablässige Bemühungen, der Königin Anna auf dem englischen Thron gefolgt war; denn Leibniz vertrat als Kenner Englands und seines Parteiensystems eine andere Politik, als Georg I. sie mit seinen hannöverschen Ministern dort durchzuführen unternahm; und so wurde ihm die Mitreise nach London abgeschlagen, wo er unter der verstorbenen Herrin Sophie, wenn sie noch zum Thron gelangt wäre, die einflußreichste Rolle gespielt haben würde, da sie mit seinen Ansichten völlig übereinstimmte. Leibniz fügte sich in diese bedenkliche Auswirkung absolutistischer Herrschaft, die auch er zuletzt zu spüren bekam, zwar äußerlich mit der heiteren Gelassenheit, mit der er, wie er sagte, weder Freuden noch Schmerzen allzustark empfand; aber innerlich trachtete er aus dem auch politisch zum zweiten Range herabsinkenden Hannover, wo er wie ein Schüler vom Minister Bernstorff zu seiner Arbeit angehalten wurde, hinweg, und richtete seine Blicke nächst London auf Paris und auch auf Wien, um in einer großen Stadt im Verkehr mit bedeutenden Gelehrten einen ruhigen Lebensabend zu genießen. Aber allem diesem Planen machte ein plötzlicher Tod an Gicht und Steinleiden am 14. November 1716 ein Ende, in einem Alter von siebzig Jahren. Während einem Newton, dem andern großen Geist, dessen sich der Hannoveraner als englischer König als seines Untertans zu rühmen pflegte, bei seinem Leichenbegängnis ein Jahrzehnt später Herzöge und Grafen folgten und der stolze Anteil der Nation, ward Leibnizens Sarg einzig von seinem Sekretär geleitet, ohne jede Beteiligung von Hof, Gesellschaft, Geistlichkeit. Ein Fremder spricht es aus, der schottische Ritter Ker von Kersland, der gerade in Braunschweig eintrifft, daß sein alter Freund „eher wie ein Wegelagerer begraben wurde, als wie ein Mann, welcher die Zierde seines Vaterlands gewesen war." — Wir denken unwillkürlich an Mozart voraus, der, nur in kürzerer Zeit, denselben Wandel vom bestaunten Weltwunder zur völligen Welt- und Menschenverlassenheit durchzumachen hatte, und dessen Bahre auch kein Freund, Verwandter oder Kunstbegeisterter folgte.

16.

Es ist oft nur, weil ein großer Geist gelebt hat, daß die Welt nach ihm verändert scheint und gleichsam Ton und Farbe von ihm angenommen hat, auch wenn sie nicht überall im wörtlichen Sinne unter seinem Einfluß steht. Bei Leibniz ist diese atmosphärische Wirkung besonders auffallend: das ganze 18. Jahrhundert steht in seinem Bann, obgleich es oft kaum etwas von ihm kennt oder seine Gedanken, bis hin zu Kant, aus zweiter und dritter Hand in ziemlicher Entstellung empfängt. Oft schimmert die Erinnerung an ihn fast mythisch durch, und viele, die nichts von ihm wußten und wissen konnten, erscheinen als Vollstrecker seines Geistes. Er hat die Linien nicht nur des Denkens, sondern auch des Schaffens vorgezeichnet, und die Entwicklung des Jahrhunderts spielt sich ab in dem von ihm gesetzten und begrenzten geistigen Raum. So haben scholastische Denksysteme die Baukunst der Gotik ermöglicht; so haben deutsche Mystiker, trotz ihrer Abkehr von allem Bild, die alten Malerschulen inspiriert. Ja, man kann sagen, Leibniz habe mehr getan: er hat nicht eine noch herrschende Weltanschauung nur ausgelegt und tiefer vorgedeutet — er hat eine zerfallende Weltanschauung noch einmal zusammengebunden und zum Gesetz eines Jahrhunderts gemacht, das nur in dieser Bindung zu seinen großen Leistungen hat gelangen können, und selbst aus einem zweiten Zerfall so viel des höheren Menschlichen und Göttlichen rettete, daß auch die folgenden Zeiten davon noch geistig lebten.

Wir haben das Leben dieses Mannes so ausführlich vor Augen bringen müssen, weil die Bindung der Vielfalt als Inkarnation in einem Einzelnen das Außerordentliche ist, was durch seine Reichweite in die erdenklichsten menschlichen und geistigen Bezirke die Tendenzen der Epoche schon gestalthaft vorauszeichnet. Dieses höchst Persönliche gibt schon den Glanz und die Überzeugungsmacht einer Autorität, wie sie in der Geschichte selten ist, und gar im unmächtigen und bedrängten Deutschland, das noch kaum die Verluste und Einbußen eines Dreißigjährigen Kriegs verwunden hatte, eine ungeheure Aufrüttelung und Stärkung des geistigen Selbstbewußtseins bedeuten mußte. Seit Luther hatte keiner, der nicht Fürst war, so sichtbar über die Nation emporgeragt. Ja, Leibniz war überhaupt der erste weltliche Denker und Weise, der sich ebenbürtig neben die politischen Herrscher stellte, und über die Grenzen des eigenen Landes hinaus den großen Geistern und den Mächtigen Europas ein selbstverständlicher Begriff, ein geehrter und gesuchter Repräsentant der höchsten geistigen Möglichkeiten geworden war. Er ist nicht, wie Luther, Mann des Volks, trotz seiner bürgerlichen Herkunft, er appellierte nicht an schlichte Frömmigkeit und einfaches anschauliches Verstehen wie dieser — er wendet sich nur an seinesgleichen, an Menschen, die wie er auf den Höhen des

Geistes leben und die Problematik eines späten Zustands überschauen; denn die geistige Welt ist so differenziert und kompliziert geworden, daß sie nur von solchen, die sie ganz durchgründet und durchlebt haben, noch geordnet, vereint, vereinfacht werden kann. Sein Wollen und Wirken ist symbolisch dafür, daß Kultur fortan nur von oben herab gepflanzt, geplant, verwirklicht werden kann, bis sie wieder die Kräfte der schöpferischen Volkssubstanz entbindet und zu neuem Aufbau fruchtbar macht.

Welches war nun die Bindung der Mächte, die Leibniz vollzog und durch die er den möglichen Gehalt der Epoche bestimmte, wie er durch seine Gestalt und Haltung ihre Struktur vorausnahm?

Drei Gedankenkomplexe sind es, die sich hauptsächlich in seinem philosophischen Werk abzeichnen: das Verhältnis zwischen Vernunft und Glauben; das Verhältnis zwischen Leib und Seele; und die übergeordnete Idee der prästabilierten Harmonie mit ihrer unbeirrbar optimistischen Tendenz.

Mit dem ersten griff er in das eigentlich zeitbewegende Problem. Er hat es in der Theodicee abgehandelt, die an Werk und Person des merkwürdigen Pierre Bayle anknüpft, dessen Erscheinung zu Beginn des Jahrhunderts etwa das bedeutet, was in seiner Mitte durch Voltaire vertreten ist: die allseitige Skepsis des gebildeten Menschen am Überirdischen und Übersinnlichen, durch welche die Fragwürdigkeit und Hinfälligkeit der christlichen Dogmen erwiesen scheint. Es ist für jenen Zeitpunkt bezeichnend, daß die Kritik am Christentum sich noch nicht direkt hervorwagt, wie dann etwa bei Voltaire und den Enzyklopädisten; daß vielmehr bei vorgegebener oder vielleicht wirklich noch vorhandener Überzeugung von den Glaubenswahrheiten die Fähigkeit der Vernunft bezweifelt wird, sie zu begreifen und zu erweisen. Aber der Effekt war beinahe schon derselbe; denn die Leidenschaft für die Vernunft war schon so groß, das Vertrauen zu ihr so souverän, daß die mangelnde Übereinstimmung schließlich zuungunsten des Glaubens ausschlagen mußte. Das war die Situation, die Leibniz vorfand. Die Wirkung des zwischen 1695 und 1697 erschienenen Werks von Bayle war außerordentlich, es erfreute sich des größten Ansehens bei Gelehrten und Gebildeten und machte z. B. auch auf Leibnizens Schülerin, die Königin Sophie Charlotte von Preußen, die Bayle in Holland selber aufgesucht hatte, solchen Eindruck, daß, wie wir schon erwähn-

ten, die Lektüre dieses Buches von beiden gemeinsam vorgenommen
ward. Und hier ist nun Leibnizens Gegenwirkung erfolgt: aus Verant-
wortungsgefühl für das Ganze. Er fühlte durch das Lautwerden dieser zügellosen Skepsis die Grundlagen der christlichen Kultur bedroht;
und wenn er dagegen noch einmal den Versuch unternahm, mit Aufbietung alles seines Scharfsinns und Wissens die Übereinstimmung der
Vernunft mit dem Glauben zu erweisen, so ist er dabei kaum überall
mehr als Philosoph zu verstehen, wenigstens nicht im modernen Sinne
dessen, dem es auf unbedingte Mitteilung seiner letzten Denkergebnisse
ankommt ohne Rücksicht auf ihre mögliche Wirkung; er ist hier wirklich Staatsmann, oder Philosoph im antiken, platonisch-staatlichen
Sinne, der vor allem an das für die Gesamtheit Notwendige und Zu-
trägliche denkt. Weit vorausschauend mußte er von einem Auseinan-
derfallen von Vernunft und Glauben den Ruin des Abendlandes erwarten; und dagegen stemmte er sich, in dem einzigen Buch, das er der
Öffentlichkeit übergab, in der richtigen Eintaxierung des Begriffs der
Öffentlichkeit, mit aller seiner Kraft. Man hat ihm bei dieser subtilen
Rechtfertigung des christlichen Weltbilds Unaufrichtigkeit und Doppel-
züngigkeit vorgeworfen, indem man auf manche andere seiner Äußerungen, auch nachträglich über die Theodicee, hinwies, und es nicht
wahrhaben mochte, daß ein so großer Geist sich ernstlich zum Katechismus des gemeinen Mannes habe bekennen können. Und man hat
andrerseits diesen Widerspruch entschuldigen wollen aus der inneren
Zwiespältigkeit der ganzen Zeit, da ein Descartes nach Loretto wall-
fahrtete und ein Newton eine Erklärung der Offenbarung Johannis
schrieb. In der Tat kann man sich die Macht mindestens der religiösen
Konvention in jener Zeit nicht stark genug vorstellen und es durchaus
begreifen, wenn auch freie Geister an den kirchlichen Formen festhielten; wie denn gerade auch Bayle den überlieferten Glauben nicht angriff, sondern sich noch gegen die Vernunft zu entscheiden schien, die
sich nur eben als unvereinbar mit diesem Glauben erwies. Aber es ist
ein Unterschied, ob man in seinen Verlautbarungen die Kollision mit
der herrschenden Überzeugung vermeidet, oder sie ausdrücklich und
aus freien Stücken zu stützen und zu verteidigen unternimmt, wie
Leibniz es in der Theodicee nun wirklich tat. Er handelte eher umgekehrt wie die andern: er nahm es mit der Beobachtung der äußeren
religiösen Formen keineswegs genau, ging nicht in die Kirche und hielt

sich nicht zum Abendmahl; das Volk von Hannover übersetzte sich seinen Namen in „Löwenix", das ist Glaubenichts, und kein Geistlicher folgte seinem Sarg. Daß er persönlich über den Konfessionen stand, beweist manche seiner Äußerungen, aber ebenso, daß er seinen überlieferten Protestantismus deshalb nicht aufzugeben gesonnen war, trotz der wiederholten Aufforderungen zur Konversion, die ihm noch im letzten Jahr, bei seinen Bemühungen in Paris unterzukommen, nahegelegt wurde. Es war die Ehrfurcht und Treue seines bewahrenden Instinkts, daß er am einmal Gegebenen und in seinem Lebenskreise allgemein Angenommenen festhielt; er hat es einmal ausgesprochen, daß keine Meinung zu echter Gültigkeit gelangen könne, in der nicht eine tiefe Wahrheit enthalten sei. Und so hat er sich fast demütig in die Geheimnisse der Religion versenkt, um die in ihr enthaltenen Wahrheiten ins philosophische Bewußtsein zu erheben. Diese Haltung erscheint uns heute fremd; und doch nehmen wir keinen Anstoß daran, daß Platon, Leibnizens großes Vorbild, dasselbe Verhältnis zum Glauben seines Volkes hatte und es nicht verschmähte, den Mythos zu empfehlen und sich seiner zur Verdeutlichung eigener Gedanken zu bedienen. Er war, wie dieser, der Gegentypus eines Revolutionärs, und hat ganz bewußt, wie er in später Stunde seinen Staat, die Welt zu retten geglaubt, als er sich zu den abendländischen Glaubensgrundlagen bekannte. Schon in seinen Nouveaux essais von 1704 hatte er prophetisch die Folgen dieser unterwühlenden Tätigkeit der Freigeister ausgemalt, die aus dem Bruch mit aller höheren Bindung kommen mußten: „Indem sie sich der lästigen Furcht vor einer überwachenden Vorsehung und strafenden Vergeltung überhoben wähnen, lockern sie nicht bloß ihren eigenen bösen Leidenschaften die Zügel, sondern verführen und verderben auch andere; und sind sie ehrgeizig und hartherzig, so sind sie imstande, zu ihrem Vergnügen und Vorteil die Welt an allen vier Ecken anzuzünden, wie ich selbst Leute dieser Art gekannt habe. Ich finde sogar, daß diese Meinungen, wie sie sich jetzt auch bei den Großen, von denen die Staatsgeschäfte abhängen, durch modische Bücher einschmeicheln, alle Dinge für einen allgemeinen Umsturz vorbereiten, von welchem Europa bedroht ist, und daß sie vollends zerstören, was in der Welt noch übrig ist von jenen edelmütigen Gefühlen der alten Griechen und Römer, welche die Liebe zum Vaterland und zur öffentlichen Wohlfahrt und die Sorge für die Nachwelt über ihr eigenes

Glück und selbst über ihr Leben stellten. . . . Man spottet jetzt laut über die Vaterlandsliebe und macht diejenigen lächerlich, welche um das Gemeinwesen Sorge tragen; und wenn ein wohlgesinnter Mann fragt, was aus der Zukunft werden solle, so erhält er die Antwort, daß diese uns nicht kümmere. Aber es kann sich ereignen, daß jene selbst noch die Übel zu erleiden haben, welche sie anderen vorzuhalten meinen. Bessert man sich noch beizeiten von dieser epidemischen Geistesverwirrung, deren üble Wirkungen schon jetzt sichtbar zu werden beginnen, so kann der Gefahr vielleicht noch vorgebeugt werden; schreitet aber jene Krankheit wachsend vor, so wird die Vorsehung die Menschen durch die Revolution selbst, welche daraus entstehen muß, bessern . . .“

Allgemeiner Umsturz, der Europa bedroht, Revolution — das ist es, was dieser Weitschauende als einziger damals heraufkommen sieht; und die Entwicklung hat ihm recht gegeben. Nur daß er eben für ein halbes Jahrhundert die Katastrophe noch aufgehalten hat, als er sich mit vollem Bewußtsein zu den konservierenden Mächten des Abendlands bekannte. Bei allem seinem überfliegenden Denken als Mathematiker und reiner Philosoph hat er doch nicht die Vermessenheit besessen, die Einsicht in die mechanische und verstandesmäßige Erklärbarkeit der Welt an die Stelle des überlieferten Bilds einer göttlich erschaffenen und durchgotteten Welt zu setzen — wir sehen hier höchste rationale Fähigkeit in der seltenen Vereinigung mit dem Verzicht auf bloße Kritik und Auflösung irrationaler Werte. Er wollte kein Umwerter sein, sondern ein Durchgründer, Rechtfertiger, Bewahrer der Werte; er wäre nicht stolz darauf gewesen, Dynamit in die ahnungslosen Massen zu schleudern und den Triumph letzter freier radikalster Erkenntnisse zu genießen, ob auch die Welt um ihn herum dadurch zerstört werde.

Es läßt sich hier eine Bemerkung darüber nicht unterdrücken, für wen und in welcher Sprache Leibniz schrieb. Denn man mag sich wohl verwundern, daß dieser große Patriot und Wiederhersteller des deutschen Ansehens in der Welt nur selten der Landessprache sich bediente und seine wesentlichen Erkenntnisse in der alten internationalen Sprache der Gelehrten, dem Lateinischen, oder in der neuen Sprache der höheren Gesellschaft, dem Französischen, niederlegte. Aber gerade im Zusammenhang mit dem eben Gesagten erscheint dies von tiefem

Sinn. Spielt auch hier die Konvention der Zeit ihre Rolle, so besagt doch eben das Festhalten an dieser Konvention, daß auch Leibniz der Überzeugung war, daß die höchste, die philosophische Erkenntnis zuerst in einem Kreis annähernd Ebenbürtiger, vor einem Gremium von wirklich Sachverständigen erörtert werden müsse, daß sie hier geprüft, diskutiert, in echtem Austausch von Mensch zu Mensch von möglichen Einseitigkeiten und Irrtümern befreit werden möge, ehe sie hinaustrete und auf das Ganze eine Wirkung übe. Es lag hierin eine große Weisheit und die Möglichkeit einer echten Führung durch die Philosophie, die in dem Augenblick verscherzt wurde, wo der Publikumserfolg der Maßstab des Wertes wurde und das Anreden der Masse der Unbekannten, die nicht mehr Rede und Antwort stehen konnten, ganz andere und zuletzt fast journalistische Fähigkeiten forderte. Wir heute mögen es bedauern, daß wir das Gesamtwerk von Leibniz nicht in originalem Deutsch besitzen; für jene Zeit kam im Gebrauch der Fremdsprache ja aber noch das andere in Betracht: daß das Ganze, auf das es schließlich ankam, nicht nur das einzelne Land, sondern noch Europa war, und daß diese europäische Solidarität in geistigen Dingen nicht nur den umfassendsten Austausch aller Erkenntnisse und Entdeckungen bedeutete, sondern auch die gemeinsame Sorge und Verantwortlichkeit, wie sie etwa aus Leibnizens oben zitierten Worten über die Revolution spricht, die, wie die Folge zeigte, ja auch auf keine einzelne Nation beschränkt blieb. Gerade in der Philosophie sind die großen Köpfe immer zu zählen und können gleichzeitig in einem Lande nicht in der Masse beisammen sein, daß sie einander fördern und korrigieren, ja überhaupt nur verstehen und aufnehmen. So hat Leibniz mehr mit Franzosen, Holländern, Engländern, Schweizern in Philosophie, Theologie und Mathematik in Briefen und Traktaten sich auseinandergesetzt, als mit deutschen Lands- und Zeitgenossen; und so blieb ihm auch jene gänzliche Isolation erspart, wie sie später einen Schopenhauer, einen Nietzsche in Resignation oder Verzeiflung trieb.

17.

Vielleicht ist gerade von diesem Sorgen, Planen und Wirken für das Gemeinwohl und in Gemeinschaft mit Gleichstrebenden aus etwas von Leibnizens „Optimismus" zu begreifen, wie umgekehrt die Kraft zu solchem Tun aus dieser ja-sagenden Weltanschauung kommt, die aus so gänzlich anderen Quellen fließt als Nietzsches erzwungene dionysische Bejahung des Daseins. Auch hier lebt Leibniz noch ganz aus dem christlichen Mysterium, dessen letzter Grund die unüberbietbare irdische Tragödie des Cruzifixus ist, die dennoch erlösenden Sinn gewinnt in höherer Sphäre. Man hat, von Bayle und Voltaire an bis zu Schopenhauer, die überzeugendsten Gründe gegen die „gute" Einrichtung der Welt, gar gegen die Hypothese von der „besten der möglichen Welten" angeführt; und zweifellos hat der Pessimismus recht, soweit er tiefe und erschütterte Einsicht ins Leiden der Welt ist, welche ja auch dem Christentum innewohnt. Dennoch wird Leibnizens Annahme dadurch nicht widerlegt — sie bleibt unverstanden, wenn man sie nicht, wie auch die christliche, auf eine Welt bezieht, die zugleich irdisch und göttlich ist, und deshalb, bei allem Wissen um die Furchtbarkeiten und Fragwürdigkeiten des Daseins, doch einen geheimen Sinn in ihr verehrt, einen harmonischen Sinn, der durch alle scheinbaren Dissonanzen hindurch sich behauptet, ja der das Erlebnis der Dissonanz voraussetzt, um die Seligkeit der Harmonie überhaupt zu empfinden.

Die Überzeugung vom Geisterglück der Erkenntnis, die im Grunde allen großen Schöpfermenschen die Existenz ermöglichte, hat wohl in keinem so bewußt gelebt, wie in Leibniz, und ihn bis zuletzt über alle faktische Isolation, über alles Scheitern seiner Planungen hinausgehoben in jene Zuversicht zu einem geordneten All, in dem seine individuelle Intelligenz immer höher hinaufwuchs in die Ahnung von der Gesetzlichkeit des Kosmos, ja von einem Schöpferglück, das an dem Walten der höchsten Intelligenz selber teilzuhaben meinen konnte. Und hier ist auch die Stelle, wo ihm seine Mathematik über die Fachwissenschaft hinaus zu metaphysischer Bedeutung wurde; gerade in der Form, zu der er sie ausgebildet hatte: in der Erfassung des Unendlichen im Größten und Kleinsten und aller Beziehungen und Übergänge, verbürgte ihm ihr Kalkül die Notwendigkeit der Welt, wie sie ist, als der bestmöglichen; und auch die göttliche Vernunft schien ihm gleichsam auf die Mathematik verpflichtet. Man hat mit Recht von einem Optimismus des rein vernünftigen Erfassens der Dinge gesprochen, und aus der gewaltigen Rolle des Rationalen bei Leibniz den flachen Optimismus der Aufklärung hergeleitet; aber das Rationale geht bei ihm überall ins Irrationale über, und man muß als von ihm herstammend auch die andre Seite der Geistigkeit des 18. Jahrhunderts, die in diesem Zusammenhange meist nicht mit bedacht wird, heranziehen: diejenige, durch welche Architektur und Musik ermöglicht wurde. Denn auch diese beiden fußen zunächst auf rationalen, technisch-mechanischen Grundlagen, aber erheben sich andrerseits über sie weit empor ins Irrationale: wie sich uns später zeigen wird, herrscht gerade in der Raumkonzeption des Spätbarock und in den Tonwelten von Bach und Händel eine sinnlich gewordene Mathematik, die, berechenbar und vom Schöpfer aus in technisch-mechanischer Bewußtheit geplant, doch die höchste Seelenmacht zugeordnet besitzt; so daß etwa die Kunst der Fuge ebenso als fast unmenschlich hochgetriebener Kalkül sich darstellt, wie als überrationale Jenseitsvision, ja als göttliche Offenbarung.

Wir ziehen dieses Beispiel jetzt schon heran, weil sich an ihm Hauptbegriffe der Lehre unsres Philosophen: die prästabilierte Harmonie und das Verhältnis zwischen Leib und Seele, besser noch zwischen Seele und „Materie" in der Monadologie am ehesten in eine uns zugängliche Anschauung übersetzen lassen.

Denn die überaus künstlich scheinende Beziehung, die Leibniz hier gesetzt hat, läßt sich wirklich in jenen musischen Bezirken als in organischen Schöpfungen des Geistes erleben und vorstellen, und diese Anwendung oder Übereinstimmung ist desto entscheidender, als der Philosoph sie nicht beabsichtigt hat und, nach dem Stande der Kunst zu seiner Zeit, in dieser Vollkommenheit selber nicht ahnen und voraussehen konnte. —

Wenn seit Descartes die Zerfällung der Welt in Geist und Materie erwiesen schien; wenn die Entseelung der einst göttlich geglaubten Schöpfung vor den ernüchterten Sinnen lag und das einsam den Außendingen gegenüberstehende „Ich" nur noch im abstrakten „Denken" sich als lebendig empfand, den wahrgenommenen „Körpern" aber, Pflanzen und Tieren, das Empfinden und Fühlen, Leiden und Freuen absprach und aus ihnen, wie aus Maschinen, alles Leben herausdemonstrierte: so hat wiederum Leibniz hier die Menschheit von einer rein mechanischen Erklärung der Welt zurückgerissen und sie noch einmal in einen großen organischen Zusammenhang des All hineingestellt. Aber er tat dies nun, indem er die mechanische Begreifbarkeit und Berechenbarkeit dessen, was sich abstrakt von der Körperwelt „denken" läßt, zugab, jedoch, als ihre Grundursache nicht die „Materie" setzte, da bei einer solchen Annahme das All nichts als eine tote und zufällige Anhäufung und Zusammenwürfelung unendlicher Stoffteile wäre; statt der meßbaren „Ausdehnung", die Descartes allein zugestanden hatte, sah er in den letzten Bestandteilen der Körper substantielle Formen oder formende Atome, und fand, „daß ihre Natur im Begriff der Kraft bestehe, und daß in dieser Kraft etwas liege, das mit Empfindung und strebender Tätigkeit verwandt sei". Diese Kraft sei mit dem, was wir Seele nennen, verwandt; er vermeidet diese Bezeichnung aber, weil man dieselbe nicht auf niedere Naturstufen übertragen dürfe. Er nennt sie, nach Aristoteles, Entelechien, ursprüngliche Kräfte, „forces primitives"; erst relativ spät, 1797, taucht dafür der Name „Monaden" auf, kleinste „Einheiten", aus denen die große Einheit der Welt besteht. In jeder dieser Monaden spiegelt sich das All, aber in unterschiedlichen Stufen des Bewußtseins; so daß hier zuerst der Begriff des „Unbewußten" eigentlich ins Denken eingeführt wird. Diese Monaden, aus denen Stein wie Pflanze, Tier- wie Menschenkörper besteht, sind auch im Ruhen aufgespeicherte Kraft und tragen den Keim zu aller Entwicklung und zur Unendlichkeit in sich; sie sind in sich unergründlich und komplizierter wie die komplizierteste Maschine — die Energiequanten der modernen Atomforschung scheinen in ihnen vorweggenommen: Unendlichkeit eines inneren Mikrokosmos, entsprechend dem Makrokosmos der kraftbewegten Welten des All. „Jedes Stück Materie kann als ein Garten voller Pflanzen oder als ein Teich voller Fische aufgefaßt werden. Aber jeder Zweig der Pflanze, jedes Glied des Tieres, jeder Tropfen seiner Feuchtigkeit ist wiederum ein derartiger Garten oder ein derartiger Teich. Und wenngleich die Erde und die Luft zwischen den Pflanzen des Gartens und das Wasser zwischen den Fischen des Teiches weder Pflanze noch Fisch ist, so enthalten sie doch immer wieder solche, in den meisten Fällen jedoch in einer für uns unmerklichen Feinheit. Es gibt demnach im Universum nichts Ödes, nichts Unfruchtbares, nichts Totes, kein Chaos und keine Verwirrung außer dem Anscheine nach." „Infolgedessen gibt es auch niemals eine gänzliche Zeugung, noch im strengen Sinne einen vollkommenen Tod, der in der Abtrennung der Seele bestünde. Was wir Zeugungen nennen, sind Entwicklungen und Steigerungen, wie das, was wir Tod nennen, Rückentwicklungen und Verminderungen sind."

5 *

„Diese Prinzipien haben mir ein Mittel in die Hand gegeben, um die Vereinigung oder besser die Übereinstmmung der Seele und des organischen Körpers auf natürliche Weise zu erklären. Die Seele folgt ihren eigenen Gesetzen und der Körper ebenfalls den seinen, beide treffen indes miteinander kraft der prästabilierten Harmonie unter allen Substanzen zusammen, da sie ja alle Vorstellungen eines und desselben Universums sind. Die Seelen handeln gemäß den Gesetzen der Zweckursachen durch Begehrungen, Mittel und Zwecke. Die Körper handeln gemäß den Gesetzen der wirkenden Ursachen oder der Bewegungen. Und diese beiden Reiche, das der wirkenden und das der Zweckursachen, stehen in Harmonie untereinander." Dieser Parallelismus der Seelen und Körper ist es nun, wie wir sagten, was wir uns am Beispiel der Musik am lebendigsten vorzustellen vermögen. Die Tonkörper haben ihren Zusammenhang und Gang „nach den Gesetzen der wirkenden Ursachen oder der Bewegungen": in meßbaren Schwingungen und technisch-rationalen Zusammensetzungen entfalten sie sich in einer Gestalt gewordenen Mathematik; aber die Beseelung, die wir als Eindruck des Kunstwerks empfangen, ist diesen Körpern wie durch vorbestimmte Harmonie zugeordnet. Auch hier geschieht, was Leibniz sagt: die Körper handeln, als ob es keine Seelen gäbe, die Seelen, als ob es keine Körper gäbe — oft tritt, bei der Musik, nur eines oder das andere in das Bewußtsein des Schaffenden und des Zuhörenden; und doch geschehen alle beide „als ob eins das andere beeinflußte". Und wenn schließlich Leibniz zwischen den gewöhnlichen Seelen und den „Geistern" den Unterschied macht, daß die Seelen im allgemeinen lebende Spiegel oder Abbilder des Alls der Geschöpfe sind, die Geister jedoch außerdem Abbilder der Gottheit oder des Urhebers der Natur selbst, fähig „das System des Universums zu erkennen und durch architektonische Proben wenigstens in etwas nachzuahmen, da ein jeder Geist innerhalb seines Bereiches wie eine kleine Gottheit ist" — so dürfen wir auch hier das Beispiel der Künste, der Musik und Architektur insbesondere, heranziehen, welche in jener Epoche des hohen Barock in Wahrheit noch Gott zu erkennen und zu spiegeln und ihn in ihren Werken in etwas nachzuahmen streben, da denn in seinem Bereich der geniale Schöpfer wie eine kleine Gottheit selber verfährt.

Und so erhebt sich Leibniz am Schluß seiner Monadologie zu der Schau des Gottesstaates als dem Inbegriff aller Geister: die Geister treten zuletzt in eine Gemeinschaft mit Gott, in welcher er sich zu ihnen wie ein Fürst zu seinen Untertanen und nicht mehr bloß wie der Schöpfer verhält. „Dieser Gottesstaat, diese wahrhaft allumfassende Monarchie, ist eine moralische Welt in der natürlichen und stellt das erhabenste und göttlichste unter den Werken Gottes dar. In ihm liegt wahrhaft der Ruhm Gottes; denn er besäße keinen, wenn nicht seine Größe und seine Güte von den Geistern erkannt und bewundert würde.... Wie wir oben eine vollkommene Harmonie zwischen zwei natürlichen Reichen, dem der wirkenden und dem der Zweckursachen, festgestellt haben, so müssen wir hier noch eine andre Harmonie beobachten, die zwischen dem physischen Reiche der Natur und dem moralischen Reiche der Gnade, das heißt zwischen Gott als Architekten des Universums und zwischen ihm als Monarchen des Gottesstaates der Geister besteht." Gott der Architekt muß schließlich Gott den Herrscher und Gesetzgeber in allem zufriedenstellen, so daß kraft der mechanischen Struktur der Dinge auch alle Verfehlungen ihre Strafe und alle guten Handlungen ihre Belohnungen mit sich führen, „wenngleich dies nicht stets sogleich eintreten kann und eintreten darf". Und wir würden bei einem richtigen Verständnis der Ordnung des Universums finden, „daß es alle, auch die weisesten Wünsche weit übertrifft, und daß es unmöglich wäre, es besser zu gestalten, als es ist, nicht nur in betreff des großen Ganzen, sondern für uns selbst im besondern, wen wir dem Urheber des Ganzen in gebührender Weise ergeben sind, nicht nur als dem Architekten und der wirkenden Ursache unsres Seins, sondern auch als unserm Hern und als der Zweckursache, die das ganze Ziel unsres Willens ausmachen muß, und die allein zu unserm Glücke wirken kann."

Dieser Glücksklang des einsamen Denkers, dieser siegende Klang seines Bekenntnisses zur Weltharmonie hallt nun wider und weiter in allen großen Geistesschöpfungen des Jahrhunderts, das sich so eröffnet. Ob Goethe Leibniz bewußt zitiert, wenn er an seine Monadenlehre die Schau des Fortlebens nach dem Tode als einer ewigen rastlosen Tätigkeit knüpft; ob Jean Paul die Geisterreihe von den „schlafenden" Monaden bis zu den höchsten weiterdichtet in jene Jenseitsvision „Ein Geister-All der Zukunft! Alle Monaden wachen — Seelen nichts erkennend als Seelen!", und wie sonst echte Kunde oder ferne Sage Gedanken des Stifters aufnimmt und fortbildet — wissend oder unbewußt ist die ganze Epoche eine einzige Vollstreckung eines geistigen Ja zur Welt gewesen, wie dieser zuerst es ausgesprochen hatte.

Aber als seine größte, gleichsam metaphysische Rechtfertigung erscheint es, daß neben ihm schon die Meister lebten und zu wirken begannen, die am genauesten und kongenialsten die Vision seines harmonischen Universums widerspiegelten: die Architekten, die den wirklichen geistigen Raum des Jahrhunderts schufen, „das System des Universums in etwas nachahmend"; und die Musiker, die gleichermaßen noch bauten und in unsichtbaren Tonräumen die Gesetzlichkeit des All verkörperten. Ihrer Geschichte wenden wir zunächst uns zu.

Drittes Buch
Bauende Welt

18.

Für das 18. Jahrhundert pflegt man für gewöhnlich der Regel nicht
mehr zu gedenken, die unsres Wissens sonst alle Kulturen regiert: daß
nächst dem wertesetzenden Denker oder Glaubensstifter der Baumeister der Erste ist; daß er den Grund zu allem legt, was geistig sonst
erwächst, daß er den Raum gestaltet, in dem dann die übrigen Künste
wohnen, die nirgends sonst zu ihrer Sinngebung fürs Ganze gelangen
als hier, und erst mit der Baukunst zusammen den Stil der Epoche formen und tragen. Freilich kann man das Ignorieren dieser gesetzlichen
Zusammenhänge beim 18. Jahrhundert damit zu entschuldigen suchen,
daß eben dessen weitere Entwicklung darin bestanden habe, daß der
Raum und Stil, den es errichtete, nicht wie im Mittelalter für Alle mehr
galt, daß er die anderen Künste bald aus sich entließ; ja daß, wenn wir
Deutschland insonderheit betrachten, nur bestimmte und begrenzte
Landesteile diesen Raum je wirklich besessen hatten, andere aber ohne
ihn geblieben waren, wenn ihnen auch ein wunderbarer Ersatz erwuchs:
in jener unsichtbaren Baukunst der Musik. Dennoch oder gerade deshalb
muß man jenen Primat der Architektur auch fürs 18. Jahrhundert aller
Betrachtung zugrunde legen, da nur so das Ganze verstanden wird, auch
in den Folgen, die sich aus der Abweichung von der Regel ergeben. Wir
fügen noch hinzu, daß jede die Menschen umgebende Architektur zu
allen Zeiten zu dem allzu Gewohnten und selbstverständlich Gewordenen gehört, das den Menschen kaum mehr ins Bewußtsein tritt, und
daß wir ihre unwillkürliche Einwirkung auch dort anzunehmen haben,
wo man nicht von ihr spricht und nichts von ihr zu wissen, ja zu sehen
scheint, gar, wo man sich instinktiv gegen sie wendet und noch im Abfall ihrem Dasein verpflichtet bleibt. Und so muß denn auch beim
Barock, dessen noch vorhandenes Dasein etwa bei unsern „Klassikern"
kaum mehr eine Beachtung erfährt, immer gefragt werden, was ganz

allgemein von seinem Stil auch in der zweiten Hälfte des Jahrhunderts noch wirkte und welche Erscheinungen auf anderen Gebieten es noch beeinflußte und mitbestimmte, da es hier Metastasen und Transformationen gibt, die den handelnden und schaffenden Menschen der Zeit selber unbewußt sind, und in dem, was ihre theoretische Überzeugung und Absicht war, oft nicht zum Ausdruck gelangen. Hier wird uns das Verfahren zu Hilfe kommen, daß wir streng die Gleichzeitigkeit in den verschiedenen Künsten beachten, in der Gewißheit, daß der durchgehende Geist, der eine Epoche formt, in jeder Erscheinung irgendwie sich wiederfinden muß, wenn wir einmal, an den zutage liegenden Gebilden, die Haupttendenzen des Zeitalters erkannt haben. Das soll uns nicht den Blick für die Zeitlosigkeit großer Werke und Leistungen verschließen; aber überall werden wir uns hüten müssen, unsre nachträgliche Wertung solcherart in den Gang des geschichtlichen Geschehens selbst zu mischen und die posthume positive oder negative Geltung der Schaffenden mit ihrer Rolle im historischen Augenblick zu verwechseln.

Es kompliziert das Problem der Architektur im Deutschland des 18. Jahrhunderts, daß wir es scheinbar in stärkerem Maße als sonst mit einem „fremden" Stil zu tun haben, der so weitgehend als „undeutsch" von den Späteren empfunden worden ist, daß man in den maßgebenden Kulturgeschichtswerken des 19. Jahrhunderts und noch bis in unsere Zeit ihn fast nur als das typische Zeichen würdeloser Verwelschung ansah und ihn meist nur spöttisch und in Anführungsstrichen zu zitieren pflegte. Vor allem dachte man dabei an den französischen Einfluß seit Ludwig XIV. und sprach das Urteil über den Absolutismus und seine Kunst in Deutschland, wenn man formulierte, daß auch der kleinste Fürst „sein Versailles" hätte haben müssen und für diesen schmachvollen Luxus etwa sein Volk in Fron gehalten und mindestens ausgeplündert und mißbraucht habe wie ein Pharao seine Sklaven für ägyptische Pyramiden. Anscheinend wurde dabei die mindestens ebenso gewaltige Entfaltung des Kirchenbaus kaum in Betracht gezogen, an dem doch wohl das gläubige Volk einigen Anteil hätte gehabt haben müssen; oder man war hier mit dem andern Bannspruch zur Hand, daß eben nur auch eine fremde, diesmal geistliche Macht im „Jesuitenstil" in einigen deutschen Landesteilen erobernd eingedrungen wäre und nicht weniger wie die fürstliche das Volk versklavt habe, wenn auch eben auf eine etwas geistigere, aber wohl noch bedenklichere Weise.

Damit hatte man aber zunächst für das ganze Problem des Barock in Deutschland den Schwerpunkt verschoben: man hielt sich lediglich — von der Bewertung ganz abgesehen — an die früheren Stadien dieses Stils, die seine Herrschaft im übrigen Europa bezeichnen. Denn gewiß war er in Italien schon von 1550 an vorhanden und kulminierte in Frankreich schon im 17. Jahrhundert, während er in Deutschland wesentlich erst im 18. heimisch wurde und allerdings bis dahin nur erst als fremder Import bei uns vorhanden war, von fremden Meistern ins Land gebracht. Dieser Ursprung blieb seltsamerweise für die historische Vorstellung und Beurteilung maßgebend. Wollte man aber eine Baukunst auf deutschem Boden nur deshalb ablehnen, weil sie da nicht geboren sei, so müßte man nicht nur der Gotik ihrer französischen Herkunft wegen das Heimatrecht verwehren, sondern schließlich dem Steinbau überhaupt, wie wir ihn von vornherein von der südlich-antiken Kultur übernahmen. Hier aber erscheint unser historisches Verhalten oder Empfinden merkwürdig inkonsequent: denn etwa der Klassizismus um die Wende vom 18. zum 19. Jahrhundert wird von den wenigsten als Fremdkörper empfunden und das Vorbild des antiken Tempels oder mindestens antiker Säulenordnungen hat sich bis heute behauptet, ohne daß der Vorwurf schmachvoller Überfremdung dagegen erhoben würde.

Hier hat wohl etwas anderes den Ausschlag gegeben: es ist die psychologische Verbindung, in der wir im Barock die Baukunst noch mit dem Kostüm und der gesamten Lebenshaltung der Zeit zusammen sehen, welches schon beim Klassizismus nicht mehr der Fall ist. Das aber ist und war immer das Kennzeichen des großen Stils, daß er die Ganzheit des Menschen und aller seiner Werke und Bekundungen formte; und in diesem Sinne ist der Klassizismus eben schon nicht mehr großer Stil, wenigstens nicht im Sinne einer allumfassenden Kultur — er geht mit dem „Natürlicherwerden" des Menschen Hand in Hand; und es dürfte vor allem eine der uns kaum bewußten Nachwirkungen der Dogmen unsrer „Klassiker" sein, daß wir antiken, griechischen Stil weitgehend als „Natur" empfinden und es nicht für unvereinbar mit unserm modernen Kostüm und unsrer Großstadtexistenz empfinden, unsre Plätze mit Bauten und Plastiken zu schmükken, die in ihrem Ursprungsland eine ganz anders gekleidete und wesentlich anders lebende und denkende Menschheit als die unsrige zur

Voraussetzung hatten. Ja man kann vielleicht sagen, daß mit dem Eintreten der Nachahmung der „echten" Antike das Unvermögen sich bezeugt, noch Eigenes und schließlich völlig von ihr Abweichendes an den aus ihr ursprünglich übernommenen Formen zum Ausdruck zu bringen — Baukunst als Stilkunst hat mit dem wieder „richtig" gesehenen Bild der Antike aufgehört; denn sie setzte jetzt etwas als wörtlich Wiederzugebendes voraus, was die verwandelnde Schöpferkraft in den großen Kulturepochen, von ihrem eigenen inneren Bilde erfüllt, so gar nicht hatte wahrnehmen können. Mit dem Ausscheiden der Baukunst als großer und eigentlich erster und höchster Kunst wird, unter noch so veränderten Umständen, die Lage wiederhergestellt, wie sie vor dem Eindringen des „Fremden" im Norden künstlerisch war: seit Goethe hat unter den ernst zu nehmenden Künsten wieder die Dichtung den Primat, wie in altgermanischer Zeit.

Vom Standpunkt moderner Sachlichkeit und scheinbar wiedererlangter Natürlichkeit aus gibt der Stil des Barock als Lebensstil nun allerdings manches Rätsel auf. Der durchschnittliche Mensch von heute, schon durch den Sport an den Anblick der unverkünstelten Menschengestalt gewöhnt, wird oft kaum begreifen, daß jene Männer und Frauen in Perücke, Staatskleid und Reifrock sich nicht selber ein wenig lächerlich vorgekommen seien, wenn er auch, bei historischer Bildung und einiger Kenntnis von Oper und Theater, bald zugeben wird, daß eine andre Tracht zu den Kirchen, Schlössern, Parks, ja zu den Möbeln jener Zeit schwerlich sich als angemessen denken lasse. Immerhin bleibt es merkwürdig, daß ein Zeitalter, welches die Natur bereits außer sich entdeckt hatte und ihr auf vielen Wegen nahezukommen suchte, das in der Maschine, die heute unsern Lebensstil bestimmt, das Vorbild für die Gesetzlichkeit der Natur und des Weltalls sah und, nach Descartes, die Tiere als seelenlose Automaten betrachtete, das der Vernunft und Vernünftigkeit in Denken und Handeln den Vorrang gab — daß ein solches Zeitalter in allem, womit es sich kleidete, schmückte und umgab, das nach unserm Maßstab Unnatürliche und Widervernünftige bevorzugte, ja auch nur ertrug, und hierin keinen Gegensatz zu so vielen Elementen seiner sonstigen geistigen Haltung empfand. Hat wirklich nur der Stil der Baukunst so allmächtig auch das Äußere jener Menschen geformt, oder ist das Körperäußere in Selbstdarstellung und Haltung im Einzelnen und Kleinen derselbe Ausdruck für eine

geistige Entscheidung, wie ihn die Baukunst im Großen und Allgemeinen bedeutet? —

Ohne Zweifel ist selbst in stillosen Zeiten die Konvention der Mode
ein Rest und Residuum von Stil. Die den Zeitgenossen oft unerklär-
liche Art ihres Ursprungs und der dennoch unabweisbare Zwang ihrer
Herrschaft spricht für einen tieferen Grund, als es die persönliche Eitelkeit und Neuerungssucht dafür besonders interessierter und begabter
Individuen oder das unwillkürliche Vorbild hochgestellter oder berühmter Einzelner sein kann, falls eben nicht dieses Tiefere in ihnen
zuerst Ausdruck findet. So scheint es uns heute kein Zufall, daß in der
Zeit seit 1848 plötzlich Vollbart und Schlapphut in Aufnahme kommen oder in der französischen Revolution das Freiheitsgefühl sich in
einem Freimachen und Freilegen des Körperlichen äußert, welches für
eine kurze Zeit auch die Gleichung von Natur und Antike verwirklichen wollte. Entsprechend mußte nun aber die Tracht des Barock
komplexer sein, weniger einfach und einsinnig, sondern den gewaltigen geistigen Spannungen der Zeit gehorchend bis zum Paradoxen
getrieben. Denn dem Rationalen, das dann in der Revolution als nackte
Göttin auf den Altar gesetzt werden konnte, hält hier noch gleichstark
das Irrationale überall das Gegengewicht, und beide bemächtigen sich
der Natur als Künstlichkeit und Kunst, durch welche der Mensch sein
souveränes geistiges Schöpfertum ausübt, das aber nicht Hingabe an
die Elemente ist, sondern, als ein kleiner Gott den großen Schöpfer
nachahmend, alles in seinen eigenen Kosmos einbezieht. Dieser Kosmos
ist geistig und drängt doch zur Versinnlichung; er scheint abstrakt,
und strebt doch sich darzustellen, ja zur Schau zu stellen. Und was im
Makrokosmos als Stufenfolge erscheint, wie bei Leibniz von der be-
wußtlosen zur höchsten geistigen Monade, das spiegelt sich im Mikrokosmos menschlicher Beziehungen als Rangordnung und Abgestuftheit
gesellschaftlicher Haltung bis in die höfische Etikette. Das durchgehend
Aristokratische der Zeit zieht seine tiefere Berechtigung aus dem geistigen Schöpfergefühl, das sich auch der neu gesichteten Natur noch gewachsen weiß, und das Mittel zur Veranschaulichung dieses Verhältnisses wird die strenge Beobachtung der Distanz: der Mensch sucht sich
gerade durch Veränderung, Vermummung und Maskierung seines Natürlichen von der ihn umgebenden rohen und unverfälschten Natur
abzuheben und symbolisch zu unterscheiden. So bejaht er aufs nach-

drücklichste seine Kultur als das Kunsthafte und Künstliche und gewährt sozusagen der Natur in seinem engeren Bereich nur Zutritt, indem er sie ebenfalls zur Kunst erhebt und künstlich umgestaltet — das geht von der Beschneidung und künstlichen Verkrüppelung des Pflanzenwuchses im Park bis zu jenem in der abendländischen Kultur sonst beispiellosen Phänomen der Beraubung des Natürlichen zugunsten der Kunst im Kastratentum der großen Sänger.

All dieses Fremde — denn ohne Zweifel ging hier die Barockkultur des Südens und Westens der verzögerten deutschen Entwicklung voran — hätte bei uns nie Eingang gefunden, wenn es nicht einem überall wirkenden Grundtrieb der Zeit entsprochen hätte. Der Pomp und Prunk der kleinen deutschen Fürsten entspringt nicht nur der Geltungssucht und Eitelkeit — er drückt ein Weltverhältnis aus. Im großen über Natur und gewöhnliche Irdischkeit erhöhten Individuum symbolisiert die Epoche sich selbst und ihre neue souveräne Stellung zu den Dingen; sie schaut sich in ihm selber an und gesteht ihm eine olympische Existenz ewiger Feier und Festlichkeit zu, die ihr ihren unwillkürlichen optimistischen Daseinsaspekt bestätigt. Und dieses eine symbolische Bild und Vorbild wird ins Unendliche weitergespiegelt: vom Hof, vom Adel, vom höheren Beamtentum und Bürgertum, welches alles in vielfältiger Abstufung auf seine Weise in Haltung, Lebensform, Tracht, Luxus, Künstlichkeit und Kunst ihm nachformt. Das niedere Volk aber, Kleinbürger- und Bauerntum, war trotz vieler unleugbaren sozialen Mißstände keineswegs bloß Objekt der Ausbeutung für die Genußexistenz von Fürst und höheren Ständen: es schaute nicht nur neidlos das große Schauspiel an, es wirkte daran mit, trug es mit seinen besten Schöpferkräften selbst — in den Künsten hat es daran teilgenommen wie nur je zur Zeit der bürgerlichen Kultur des Mittelalters. Die Entfaltung der wahrhaft königlichen Kunst, der Architektur, ist nicht nur ein Werk tausendfach sich regender Hände, sondern von Geist und Seele des Volks gewesen. Hier setzte die große Umwandlung ein, die allmählich das Fremd-Importierte zum Eigenen umschuf, die welschen Meister eines Tages überflüssig machte und dem Barock die deutsche Vollendung gab, mit einer Überschwenglichkeit und Leidenschaft, welche die volle Gegenwart der innersten genialen Kräfte der Nation bezeugt.

19.

Nicht aus blinder sklavischer Nachahmung des Fremden, vorab des Französischen entspringen die ersten Regungen eines deutschen Barock, sondern in ausgesprochener Spannung zu ihm: die Macht, die dem Frankreich Ludwigs XIV. Gegenspielerin war, Österreich, hat in wirklicher politischer Erstarkung und Selberfindung den neuen Stil ins deutsche Leben eingeführt. Es sind die Türkenkriege, die Österreich eine neue Stellung im Abendland verleihen, sehr verschieden von der Frankreichs, welchem damals politisch der Einbruch der östlichen Macht zur Schwächung des Reiches erwünscht ist. Die siegreiche Beendigung der Belagerung von Wien 1683 setzt dem Vordringen der Türken ein Ende und beseitigt für die Dauer diese Bedrohung, die seit dem 15. Jahrhundert über Deutschland und Europa schwebte. Die Schlacht bei Mohacz und die Eroberung von Belgrad, 1687 und 1688, wo schon der kaiserliche Feldherr Prinz Eugen von Savoyen sich auszeichnet, drängen die Türken aus Slawonien, Kroatien, Siebenbürgen und erweitern die Grenzen der Monarchie — es ist im Jahre 1688, wo wir Leibniz in Wien finden, als eine türkische Gesandtschaft dort eintrifft und um Frieden bittet, und wir sahen schon, welche Pläne er damit verknüpfte; denn er ist, mit Prinz Eugen und dem jungen Thronfolger, Joseph I., das tätigste Mitglied der patriotischen Partei. Und als, noch bei Lebzeiten Kaiser Leopolds I., dieser Joseph I. zum römischen König gekrönt wird, bereitet ihm Wien nach der Krönung im Jahre 1690 einen glänzenden Empfang, der wie zum Ausdruck des nationalen Hochgefühls zugleich mit einem Sieg der deutschen Kunst gekrönt wird. Denn im Wettbewerb um die Triumphpforten bei diesem Einzug gewinnt zum ersten Male ein Deutscher den Preis über die bisher das Feld beherrschenden ausländischen Architekten: Johann Bernhard Fischer aus Graz, sieben Jahre später als Fischer von Erlach in den Adelstand erhoben, siegt mit seinen Entwürfen über Galli Bibiena, den italienischen Konkurrenten. Dieses Ereignis wird ein Jahr später in dem „Ehrenruf Teutschlands" von Wagner von Wagenfels ausdrücklich als Triumph deutscher Kunst gefeiert. Und diese Dekorationen aus vergänglichem Material zeigen tatsächlich bereits alle Eigenheiten des deutschen Barock, das nun mit einem Schlage sich Weltgeltung errungen hat und der italienischen und französischen Lösung

ebenbürtig gegenübertritt. Fischer von Erlach überträgt ihren Stil alsbald in große gewaltige Planungen: bereits 1691 entsteht der Entwurf
des königlichen Schlosses Schönbrunn, ebenfalls für Joseph I., zu dessen „Lehrer in der Architektur" er schon im Jahre 1687 berufen worden war; aber dieser Plan, der Versailles übertreffen sollte und dessen
Anlage um großartige, fast sakrale Motive bereichert, ist so nie ausgeführt worden. Dagegen hat Fischer von Erlach um 1704 den Stadt-
palast des Türkensiegers Prinz Eugen errichtet; und in demselben
Jahre sehen wir ihn in Berlin, wo er Schlüters Schloßbau in seinem
Stile weiterführen soll. Auch aus diesem frühen Übergreifen des österreichischen Barock nach Norddeutschland ist nichts geworden, zu dem
sich noch einmal die Gelegenheit bot, als Fischer das Gebäude für die
von Leibniz begründete Akademie der Wissenschaften in Berlin aufführen sollte — es war schon in Leibnizens Todesjahr, 1716.

Dennoch muß Fischer von Erlach gerade mit Leibniz in nicht zufälliger Berührung, vielmehr in engster Gemeinschaft genannt werden.
Nicht nur, weil er zu den wenigen Künstlern gehört, von denen wir
wissen, daß Leibniz sie gekannt und geschätzt hat — ihm ist er ohne
Zweifel schon 1788 bei Joseph I. begegnet, zu dessen Hofstaat Fischer
gehörte; er hat ihn dann auf der Höhe seines Ruhms in den Jahren
seines langen Aufenthalts in Wien von 1712 bis 1714 gesehen, wo er
dem Kaiser Karl VI. den Plan einer Wiener Akademie unterbreitete:
denn damals hat er ihn dem Kaiser zum Mitglied der Akademie vorgeschlagen. Bedeutsamer ist, daß Fischer von Erlach ja noch beinahe
der Generation von Leibniz angehört — er ist 1656, zehn Jahre nach
Leibniz, geboren — und daß in ihm schon deshalb eine ähnlich vorwegnehmende und begründende Stellung in der Kultur vermutet werden
muß wie bei jenem. In der Tat gewahren wir bei ihm im Architektonischen ein ganz verwandtes Verfahren wie bei Leibniz im Philosophischen: er ist der große Synthetiker gewesen, der die europäischen Systeme der Baukunst auf die gleiche Weise band, wie Leibniz die der
Philosophie, und ein eigenes Neues daraus gestaltete, dem die Zukunft
gehören sollte. Fischer von Erlach ist nämlich ein ausgesprochener Denker und bewußter Gestalter, der alle überlieferten Lösungen prüfte
und das für ihn Brauchbare daraus entnahm. Er ist wie kein anderer in
der Geschichte der Baukunst zu Hause und wahrt ihre europäische
Kontinuität — sein „Entwurf einer historischen Architektur" bezieht

sogar den alten Orient ein und hat in diesem Stichwerk den Tempel
Salomonis nach dem Propheten Ezechiel rekonstruiert und die Königs-
burg zu Persepolis „nach denen davon überbliebenen Ruderibus"; wie
er denn auch die größten seiner eigenen wirklichen Planungen in gezeichneten Visionen hinterließ — Erweis für ein Schöpfertum, das überall von der geistigen Vorstellung ausging und auch hierin als ein grün-
dendes und uranfängliches sich bezeugt.

Als historisch wissender Synthetiker hat er, wie Leibniz die Systeme
der englischen Naturwissenschaft und der französischen Philosophie,
die beiden Hauptrichtungen der Architektur zu vereinen gesucht, die
damals im italienischen Barock und in der französischen Klassik gegeben waren, und sie, wie jener, mit älteren und eigenen Elementen
unterbaut und durchtränkt: mit einer selbständigen Benutzung der
Antike, und mit einem bei ihm nun unbewußteren Erbe gotischen
Formtriebs, das bei Leibniz deutlicher als Herkunft von der Scholastik
zutage liegt.

20.

Aber hier müssen wir nun einen Blick auf die Beschaffenheit der
Überlieferung selber werfen, wie Fischer von Erlach sie antrat. Der
Stil des Barock bedeutete bereits in seinem Ursprungsland Italien eine
Bindung der Mächte, eine Synthese: er war eine zweite Vermählung
antiker Form mit christlichem Weltgefühl, nachdem die erste roma-
nisch-gotische zerrissen war und der Versuch der Renaissance, das antike Element oder was man als solches empfand, zum alleinherrschen-
den zu machen, noch nicht durchdrang. Die klassisch-antiken Elemente
treten im Barock nun zunächst klarer und greifbarer zutage als in
irgendeinem mittelalterlichen Stil: der Tempelgiebel wird übernommen, die körperhafte Tempelsäule tritt an die Stelle des strebenden
Pfeilers. Für die Vereinigung dieser Elemente mit der Kuppel kann
man sich schon auf römische Lösungen wie das Pantheon berufen; und
bei fortschreitender Entwicklung fühlt man sich aus einer epochalen
Wahlverwandtschaft immer mehr zu späteren Vorbildern hingezogen,
die wir nicht mehr als klassisch bezeichnen können, sondern die wir als
ein antikes Barock uns zu sehen gewöhnt haben, zu den Denkmälern
der römischen Kaiserzeit, vor allem des zweiten Jahrhunderts. Da
sind jene Ballungen der Kraft, jene Summierungen der Bauglieder
vorgebildet; dem immer in Italien heimischen und auch von der Re-

naissance trotz klassisch-antiken Vorbilds übernommenen Rundbogen
gesellt sich allgemein die Rundung, die Kurve, im Einziehen und Ausladen der Wandflächen, dadurch schwere plastische Massen ein Eigenleben, eine Bewegung erhalten, eine Dynamik, die allmählich den klassischen Ausgleich von Last und Stütze sprengt. Schon in der Spätantike
entspricht dieser Stilwandel einer inneren Spannung, der aus dem Zustrom neuer weltanschaulicher Elemente entspringt: die klare beharr-
rende Diesseitigkeit des rein Hellenischen ist bereits von Kulten und
Philosophien unterwuchert, die mit Jenseitsvisionen und religiösen
Sehnsüchten geladen sind, wie die Klassik sie nicht kannte. Und eben
diese Spannung sucht auch im 16. und 17. Jahrhundert ihren Ausdruck.
Hier ist es das Christentum, dessen Grundlagen von einem anderen
Weltgefühl bedroht sind — das Barock ist noch einmal der Sieg über
alle Bedrohung; aber er wird errungen um den Preis, daß man die
neuen weltlichen Elemente in den Stil hineinnimmt, welche nach dem
Ereignis der Renaissance als „heidnisch"-antik hätten perhorresziert
werden müssen. Daß sie das christlich Gegebene, den sakralen Zweck
und Sinn, durchdringen dürfen, deutet auf ein neues Verhältnis zum
Göttlichen auch in der christlichen Andacht selbst. Sie ist nicht mehr
das einzige in der Welt, was es gibt; sie ist nicht mehr fraglos und unbestritten, sondern erkämpft und nach außen neu behauptet — sie ist
nicht, wie im Mittelalter, reine Jenseitigkeit, sondern das leidenschaftliche Sehnen zu ihr hin, der immer neu mit Inbrunst erstrebte und voll-
zogene Aufschwung von dieser Erde, die wider Wollen und Wissen
bereits die eigentliche Heimat des Menschen geworden ist, in der er
nicht mehr nur wie der flüchtige Pilger, sondern als der sich einrich-
tende Beherrscher der Dinge mit allen Sinnen festgebunden verweilt.
Wohl spürt der Mensch noch seine Begrenzung und Endlichkeit; aber
gerade deshalb wirft er sich ins Unendliche — die Gottheit wird ihm
ein unerreichbares erschütterndes und in steter Annäherung gesuchtes
Gegenüber; sie ist nicht mehr das schlicht Gegebene, ihm selbstverständlich Gewisse und Eigene, das jede Lebensäußerung durchdringt.
Diese Distanz und Spannung ist es, die all die erstaunlichen Mittel der
Überbrückung und Annäherung ersinnt und gewaltsam und ekstatisch
im Bau zum Ausdruck bringt. Nicht mystischer Dämmer willenloser
Versenkung herrscht in diesen Kirchen, sondern asketisches Dunkel
wechselt mit grellen Lichtfluten, die durch farblose Fenster einbrechen;

durch Erlebnisse und Ereignisse des Raums wird der Mensch symbolisch hingeführt und hingehalten bis zur Erlösung durch die Himmels-
vision der Kuppel, von welcher wiederum das Licht geführt und wissend geleitet wird aufs Allerheiligste, das in Gold- und Silberschimmer
aufrauscht und farbenfunkelnd die Lichtfluten zurücksendet. Mit allen
Aufwendungen und Triumphen einer bewußten Kunst, bewußt wie
etwa die Seelenführung der Jesuiten, wird der Irdische von den Offenbarungen des Himmlischen überwältigt — ein unermüdliches Ersinnen
neuer Führungen durch eine immer erstaunlichere Mathematik wird
verkörpert in sich überschneidenden Kreisen und Ovalen der Grund-
risse, in vorspringenden und zurückweichenden, hemmenden und ent-
hüllenden Pfeilern und Wänden, strengen Tonnengewölben und frei
ausbrechenden Kuppeln, reich bewegten pompösen Fassaden und kühnen, oft seltsam gedreht aufstrebenden und wieder gehemmt ausladenden Türmen. Wechselnde Reihungen von Säulen und Figuren rhyth-
misieren die Portale und Altäre; und eine neue Fresko-Malerei läßt
schließlich durch realistische Verkürzungen und andre perspektivisch
täuschende Künste den emporsteigenden Menschen den Engeln und
Heiligen sich gesellen, bis das Körperliche immer ferner im Unendlichen verschwebt und verflattert und der Himmel selber in den Decken
und Kuppeln als erreichtes Sehnsuchtsziel sich auftut.

All diese Möglichkeiten sind schon im römischen Kirchenbau in den
Grundzügen verwirklicht oder doch gesichtet. Von der ernsten Gehaltenheit und prunkvollen Selbstbehauptung von Il Gesù, der ersten
Jesuitenkirche Della Portas (seit 1575) mit dem Grabaltar des Stifters
von Andrea Pozzo, geht es über S. Ignazio mit Pozzos Fresken zu
Borrominis Wunderbauten, in der Mitte des 17. Jahrhunderts, denen
zum ersten Male der Name des „Barocken" beigelegt wird. Die geniale
Phantasie dieses Mannes übertrifft bei weitem die kühnen Neuerungen
seines Altersgenossen Bernini; er ist eine der stärksten Persönlichkeiten
dieses an Persönlichkeiten und individuellen Richtungen so reichen
Stils. Es ist bezeichnend, daß jetzt immer die Namen der Baumeister
überliefert sind, was bei einer Kunst auffallen muß, die aus dem Kirchlichen und aus dem wiedererstarkten Glauben der Gemeinschaft ihren
Ursprung nimmt — im Mittelalter war hier die Anonymität die Regel,
während man bei der Hochrenaissance und ihrer primär weltlich-
künstlerischen Gesinnung die Wahrung des individuellen Ruhms ver-

steht. Auch hierhin drückt sich das veränderte Verhältnis zum Übersinnlichen aus, das eben nicht mehr selbstvergessene Hingabe ist, sondern triumphale Bekundung der Persönlichkeit auch in ihrem Dienst
am Göttlichen. Und die Weltgeltung ist jetzt noch schneller da als in
der Renaissance, die neue Bauweise breitet sich mächtiger und sicherer
aus, sie erobert nicht nur Europa, sondern wird durch die jesuitische
Mission alsbald nach Asien und Amerika getragen und bringt von hier
schließlich wieder exotische Anregungen zurück — die Welt ist weiter
geworden als im Mittelalter, und der letzte Stil alsbald annähernd der
planetarische.

Dennoch bleibt seine Heimat, Rom, die eigentliche Hohe Schule des
Barock. Hier hat im 17. Jahrhundert und bis ins 18. hinein durch die
großartige Baupolitik der Päpste und die Baulust der Großen der Kern
der uralten und doch jetzt wieder modernsten Großstadt seine völlige
barocke Durchformung erhalten. Reiche Stichwerke der Bauten Roms
werden für die Künstler die unentbehrlichen Vorbildsammlungen. Gar
der Baumeister aus dem Norden, der Lehr- und Studienjahre hier ver-
bringen kann, findet auf Schritt und Tritt eine Fülle von Anregung
und Vergleichsmöglichkeit wie an keinem andern Ort der Welt, und
kann hier zu den ursprünglichen und genialen Lösungen zurückgreifen,
die ihm die eingewanderten Architekten und im Norden heimisch gewordenen italienischen Künstlerfamilien oft nicht mehr aus erster
Hand bieten. In den achtziger Jahren des 17. Jahrhunderts, als Borrominis Bauten vollendet dastanden und Bernini noch lebte, ist auch
Fischer von Erlach in Rom gewesen und hat hier die entscheidenden
Eindrücke für seine Kunst gewonnen.

21.

Aber der Kirchenbau bleibt nicht die einzige Domäne des Barock.
Schon in Rom wird von ihm auch der Palastbau gestaltet, worin sich
dann Genua am bedeutendsten anschließt; aber hierfür wird eben doch
Paris das andere Zentrum, wo der neue Stil die erste grundsätzliche Umwandlung erfährt. Der Invalidendom zeigt bereits den Rückgriff auf
St. Peter und gleichsam damit ein Überspringen des Barock — in Jahren seiner gewaltigsten italienischen Entfaltung, um 1675 — hin zu
einer kühleren, klassischen Auffassung, wie sie dem vorherrschend

rationalen Zug des Franzosen entspricht. So wird überhaupt das Sakrale nicht der wesentliche Ausdruck Frankreichs in der Architektur — Borrominis Schüler Guarini hat hier mit seinen Kirchenentwürfen nicht Fuß fassen können. Seine Weltleistung vollbringt der Erbauer des Invalidendoms, Hardouin Mansart, nicht hier, sondern im Schloß von Versailles, das nun seinerseits der erobernde europäische Typus wird wie der gleichzeitige italienische Kirchenbau Borrominis, Guarinis und Berninis.

Von den inneren Motiven her geschaut ist in Frankreich die Selbstverherrlichung des großen Individuums wichtiger geworden als die Verherrlichung der Gottheit; ja, es vollzieht sich geradezu eine Vergöttlichung und Vergottung des Monarchen, die um so erstaunlicher erscheint, als sie noch auf dem Boden eines strengen Katholizismus geschieht, der für den barocken Kunst- und Lebensstil zunächst ja überall Grundlage ist und bleibt. Aber vielleicht wird das absolute Fürstentum in dieser höchsten Ausprägung verständlich gerade dadurch, daß es in einem Lande erwächst, wo am augenfälligsten die überlieferte Religion nicht alles mehr umfaßt und beherrscht und weite Gebiete des Weltlichen hat aus sich entlassen müssen, die bei protestantischen Völkern noch irgendwie vom Glauben durchdrungen werden, da dieser selber weltgerichteter und weltbejahender beschaffen ist. Es kommt in Frankreich — im Gegensatz zu Italien — hinzu eine ausgebildete Geistigkeit, eine eben zu klassischer Höhe sich hebende Literatur und Philosophie, und die am weitesten fortgeschrittene Zivilisation und gesellschaftliche Durchbildung, aber auch soziale Schichtung und Distanzierung: so daß alles Weltliche nicht nur reicher und vielfältiger sich ausgebreitet zeigt als irgendwo sonst, sondern schon auch, nach Denkart und Sitte und politischer Tendenz, die Keime zu Verfall und Zerfall in sich trägt. Dem aber kann nur gesteuert werden durch die gewaltigste Entfaltung der königlichen Macht, die allein noch alles zusammenhält und desto mehr ausgreifen muß, je reifer die Situation wird und je bedenklicher sie sich durch die Weltmachtspolitik des Herrschers mit ihren ewigen Kriegen und der Zerrüttung und Not des Landes gestaltet. Die Kirche wird dabei mehr als autokratische Bundesgenossenschaft genutzt und bewertet, und dem entspricht der mangelnde Schwung und Hochsinn im künstlerischen Ausdruck des Religiösen: es wird nicht mehr von der Innigkeit und freiwilligen Hingabe des

ganzen Volks getragen. Dagegen im König kann sich das Volk noch
zusammengefaßt und repräsentiert empfinden: mit dem echt französischen Enthusiasmus für kriegerischen Ruhm und äußere Geltung
überträgt es Glauben und Verherrlichungsbereitschaft auf den Herrscher, der es über Europa erhöht, und spiegelt sich selbst in der Prunkentfaltung seiner Kunst und Hofhaltung. Das ist es, was eine Schöpfung wie Versailles ermöglicht und zur Weltsensation macht.

Man versteht, daß Ludwig XIV. den Ausbau der alten königlichen
Stadtresidenz, des Louvre, vernachlässigte, wenn man sich klar macht,
daß das Symbolische an Versailles nicht die Ausdehnung und nicht
der Luxus der inneren Ausstattung ist, sondern die Lage, die im Freien
und Weiten die herrscherliche Distanz von Hauptstadt und Einwoh-
nerschaft und zugleich die regierende Übersicht über das Ganze darstellt, ja, mit Park und unendlichen Ausblicken, den Sieg über Natur
und Welt verkündet. Hier erst thronte der absolute Fürst unerreichbar
abgeschlossen und doch von weither sichtbar und in seiner ganzen göttlichen Existenz empfunden. Und damit war für alle fürstliche und
aristokratische Repräsentation der Welt der Typus gefunden, mit dem
sich die irdische Macht vor aller Augen erst wie auf einer Bühne ein-
richten und darstellen konnte. Dies erst war Schöpfung einer Allmacht,
die nicht nur die Materie des Steins zu ihrer Verherrlichung zwang,
sondern auch die Natur durch Kunst verwandelt und in Dienst genommen zeigte — die Parks, mit Alleen dem Land verbunden und in
weiten Prospekten wieder ins Unendliche geöffnet, umschlossen nachdrücklicher, als Garten und Gitter eines Stadtpalasts es vermögen, diese
ganz von der übrigen Menschheit getrennte Existenz, die Land und
Stadt in einem war, Kirchen und Kapellen mit in sich barg wie Theater
und Konzertsaal, und vor einer unendlich reichen und wechselnden
Folie von Natur und Kunst die festliche Selbstdarstellung von Herrscher und Hof erst in ihrem ganzen Umfang ermöglichte.

Das zentralisierte Frankreich kannte nur einen Monarchen und einen
Hof — es gab nur ein Versailles; und der durchweg an den Hof gebundene Adel konnte es auf seinen Landsitzen nur in relativ kleinem
Maßstab spiegeln. Dagegen war in Deutschland die Möglichkeit einer
unzählbaren Vielfalt gegeben, wo nun außerdem eines das andre zu
überbieten und sich durch neue und individuelle Lösungen abzuheben
trachtete. Vor allem aber gab die religiöse Situation dem Ganzen ein

anderes Gesicht: der noch echt und leidenschaftlich herrschende Volksglaube wie die Existenz souveräner geistlicher Fürsten von den erzbischöflichen Trägern der Kurwürde bis zu den Äbten der großen und reichen Klöster leisteten einer Durchdringung der Bauaufgaben und Baurichtungen Vorschub, in welcher der Typus des Schlosses von dem der Kirche, Kirche und Kloster vom Wesen des Hofes architektonisch dauernd empfing, und immer neue Abwandlungen sich ergaben.

22.

So ist auch Fischer von Erlachs grundlegende Tat die einer Verschmelzung des geistlichen und weltlichen Stils, der italienischen und französischen Gegebenheiten. Der Wiener Hof in seiner besonderen Struktur, die im Begriff der apostolischen Majestät zum Ausdruck kommt, gibt weitesten Spielraum für solche Durchdringung der Elemente. Und so kann der Meister es wagen, die klassisch ruhigen rationalen Außenformen von Versailles in seinem Schloßentwurf mit der hochbewegten Körperlichkeit des italienischen Kirchentyps zu vereinen, deren Wille zur Rundung und zum Irrationalen den Zentralbau im Hintergrund hat: das Mittelstück des Schönbrunner Plans, das die einwärts gebogenen Gebäudeteile wie St.-Peters-Kolonnaden vorbereiten, wirkt völlig sakral, und über seinem antiken Tempelgiebel krönt noch ein Turm das Ganze, dessen phantastische Erfindung die Herkunft von Borromini verrät. Türme solch unerhört neuer und freier Gestaltung geben auch Fischers Salzburger Kollegienkirche von 1696 den Charakter, auf der aber wieder freistehende Plastiken vorkommen, wie sie die flachen Dächer seiner Schloßbauten im Rückgriff auf späthellenistische Vorbilder schmücken. Nicht anders ist es mit den Innenräumen: der Ahnensaal eines Schlosses (Schloß Frain in Mähren, schon vor 1690 begonnen) erscheint mit seinen ovalen Lichtöffnungen im Gewölbe der Kuppel wie ein Kircheninneres, das in einem französischen Palais undenkbar ist, aber in dieser Verpflanzung ins Weltliche auch in Italien kein Vorbild hat. So summiert Fischer die ausländischen Tendenzen des 17. Jahrhunderts, geht über sie selbständig, historischer Kenner der er ist, auf die Spätantike zurück, aus der jene selber sich herleiten, und läßt die Elemente wirkend sich durchdringen, daß ein organisch Neues und Nochnichtdagewesenes entsteht.

Am deutlichsten und auch für den Laien kenntlich hat Fischer von Erlach seine antiquarischen Träume in der Karlskirche zu Wien, einem Spätwerk, verkörpert (sie stammt aus dem Jahre 1716, er starb 1723): hier scheinen Pantheon und Peterskirche vereint; aber die zwei Trajans-säulen sind mit dem Bau verbunden, überragen den Tempelgiebel, rahmen die Kuppel ein und sind flankiert von völlig barocken Durch-gangspforten mit zweigeschossiger Front; so daß der Gesamtaspekt ein Maximum von Repräsentation wie bei einem ausgedehnten Schlosse ausdrückt, nur eben zusammengedrängt und durch und durch mit Symbol und historischer Reminiszenz beladen. Es ist das Bedeutsame, daß eine Kirche die Repräsentation von Macht und Geschichte übernimmt. Zwar haben auch andre Monarchen Votivkirchen erbaut, wie sie hier während der Pest im Jahre 1713 von Karl VI. gelobt worden war; aber der Plan nimmt Dimensionen an, die eine bewußte Selbstdarstel-lung der Kaiserherrlichkeit bedeuten — Leibniz entwirft das Programm, nach welchem ursprünglich die Säulen Reliefs aus der Vorgeschichte des abendländischen Kaisertums tragen sollten: man besinnt sich auf Karl V. und Karl den Großen, und Fischers Konzeption schließt die imperiale Tradition der Antike ebenso wie die apostolische ein.

Man könnte versucht sein, den künstlerischen Eindruck dieses Bau-werks mit einer andern monarchischen Konzeption zu vergleichen: dem neuen München König Ludwigs I., das ähnlich moderne, antike und mittelalterliche Elemente bis zum wörtlichen Zitat addiert und die vor-nehme Kühle des Nachgeahmten ausströmt. Aber die Münchner Ro-mantik ist eben nur noch Erinnerung, Traum vom Süden in allen sei-nen Erlebnismöglichkeiten; während in Wien der erfaßte historische Augenblick eine viel naivere und echt triumphale Haltung geschenkt hat, wie sie am stärksten vielleicht in dem gleißenden Gold zum Aus-druck kommt, in welchem die Trajanssäulen mit ihren heraldischen Tieren sich krönen. Vor allem aber fehlt in München, was keine Ro-mantik wieder herzustellen imstande war: der schöpferische Raum-gedanke, den man bei der Karlskirche über der repräsentativen Sym-bolik des Äußeren leicht vergißt, weil er seither gewohnt ward — die ovale Kuppel in ihrer grandiosen Höhenführung ist schließlich Fischers Eigenstes und Epochales, ist das, was die tiefste Triebkraft der Epoche, die sakrale, eben noch vermochte, und womit ein wahres Neues be-gann, was die politisch-historische Konstellation überdauern sollte.

Die Karlskirche bezeichnet den Abschluß der politischen Kraftentfaltung Österreichs um die Jahrhundertwende — seit der Ehrenpforte Fischers für Joseph I. haben sich ja noch die großen Siege Prinz Eugens über Ludwig XIV. ereignet, und in den ersten Baujahren der Karlskirche werden die Türken bei Peterwardein und Belgrad endgültig geschlagen. Dieser historische Augenblick hat Fischers Kunst die Entfaltungsmöglichkeit, die Resonanz und Reichweite gegeben: die neue deutsche Synthese des Barock wirkt sich von Wien für Böhmen, Mähren, Schlesien und die übrigen österreichischen Lande, bis Bayern, Franken und Schwaben aus, wie vorher die französische Barockklassik von Versailles. Sie ist die Grundlage; aber auf ihr wird nun anders weiter gebaut — nicht mehr im „heroisch-phantastischen" Stil Fischers, den er selbst noch überall im Land einer Reihe von Kirchen, Palästen, Lustgartengebäuden aufprägte, sondern in einer beruhigteren, heimisch gewordenen Weise, welcher allmählich neue Bewegung aus andern, mehr innerlichen Quellen zuströmt.

Fischer selbst hat in dieser Richtung ebenfalls noch ein vollkommenes Werk an den Anfang gestellt: die Wiener Hofbibliothek. Sie ist sein Spätwerk, 1722, ein Jahr vor seinem Tode begonnen. Der schlichte, fast gedrungene Außenbau mit seinen einfachen Portalen und seiner unauffälligen Dachzier von Figurengruppen und Globen birgt ein Kleinod: den durch die Stockwerke durchgehenden großen Saal, dessen Raumgestaltung ebenso intim wie großartig ist. Hier wird einem modernen geistigen Sinn und Zweck, dem literarischen Leben, der Forschung und Wissenschaft die fast sakrale Weihe zuteil in der wunderbaren Bewegungssynthese aller Teile bis zur ovalen Überkuppelung, die ein wahres weltliches Sanktuarium schafft.

Schon sein großer Konkurrent Lucas von Hildebrandt gibt seinen Kompositionen einen zarteren weicheren Klang, seinen Innenräumen intimeren Reiz. Ihm ist es vergönnt, das Belvedere für den Prinzen Eugen zu errichten, wo die typische „Führung" des Barock, von der Fernsicht mit der Wasserspiegelung um diese herum bei einem weltlichen Bau zuerst in ihre Rechte tritt. Er baut neben dem Liechtensteinschen und anderen Palästen die Peterskirche in Wien, im Marchfeld das Schloß Hof, und in Salzburg Mirabell, wirkt aber bereits auch nach Franken hinein, wo er zum Bau des Schlosses Pommersfelden bei Bamberg und dann der Würzburger Residenz zugezogen wird, hier von demselben Schönborn, für den er bereits, da dieser noch Reichsvizekanzler ist, in Wien und Göllersdorf baut. Schließlich stammt von ihm auch der Entwurf zum Neubau des Stiftes Göttweig, womit wieder eine neue deutsche Form begründet wird, die Gestaltung von ausgedehnten Klosteranlagen, welche den Typus von Schloß und Kirche vereinen, ja Stadt und Burg gleichsam in sich schließen, und in ihrer Lage auf Höhen und an Flüssen gerade in Österreich die herrlichsten Lösungen gefunden haben.

Hildebrandt ist 1668 geboren, also schon zwölf Jahre jünger als Fischer von Erlach, und gehört mit seinem Schaffen nun ganz dem 18. Jahrhundert an. Sein Vater ist kaiserlicher Offizier, seine Mutter Italienerin, er ist in Genua geboren, für das er früh schon ein Stiftsgebäude entworfen hat. Er widmet sich dann der militärischen Laufbahn, als Feldingenieur, wie später noch mancher bedeutende Architekt, kämpft unter dem Prinzen Eugen mit. Seit der Jahrhundertwende entstehen seine Wiener Schöpfungen: 1702 (bis 1722) die Peterskirche, 1705 das Seitenportal des Palais Liechtenstein, 1706 das Palais Schönborn, seit 1714 das Belvedere, 1725 Schloß Hof (auch für den Prinzen Eugen); bis zu seinem Tode 1745 ist er der maßgebende Architekt der Stadt, seit 1723 Fischers Nachfolger im Amt als Oberhofbaumeister.

Hildebrandts Kunst wirkt auf uns um einige Grade wärmer und musikalischer als die Fischers von Erlach. Schon seine Treppenhäuser: im Oberen Belvedere, in Mirabell, haben einen reicheren Klang. Vor allem aber ist es sein Kirchenbau, mit dem er schon die Brücke zu den großen innerlichen Erlebnissen der folgenden bayrischen und fränkischen Kunst geschlagen hat.

Die Peterskirche in Wien enthält im Keim, was dann sich rauschhaft weiter entfaltet: die Aufgabe der Gestaltung des Einen Raums läßt alles zusammenschließen, was bei den Schlössern über viele Raumteile ohne bedingungslose Entsprechung von Innen und Außen sich verstreut und ausgebreitet zeigt. Dieses ist hier in vollkommenem Gleichgewicht; dem Äußeren spürt man die Kraftkonzentration an im Einziehen und Ausladen der schlichten, fast kahlen Wandflächen, die innen den herrlichen Raum in Bewegung zu setzen und emporzutreiben vermag — der Aufschwung der Kuppel ist jubelnder, das Licht wärmer und gestaltender eingefangen als in irgendeinem vorangehenden Bau: schon setzt die kreisende Bewegung ein, die inneres Tönen entbindet, und Deckenmalerei wie Schmuck der Altäre sind schon wirkend einbezogen in ein lebendiges Ganzes, wie es nun wachsend und immer organischer der Erfüllung im wahren Gesamtkunstwerk aller bildnerischen Ausdruckskräfte zustrebt.

Neben diese beiden großen höfischen Architekten, die, vom Kaiser geadelt, eine Sonderstellung einnehmen, wie kaum andere Künstler sie damals erreichten (kein großer Musiker wurde je geadelt), treten nun als schlichtere Meister der Provinz die Erbauer der Klöster: Prandtauer und Munggenast. Prandtauer ist Tiroler, 1660 geboren; sein unvergängliches Werk ist Melk, mit dem neuen Jahrhundert, 1701, begonnen. 1706 folgt St. Florian bei Linz. Er stirbt 1726; sein Vetter Joseph Munggenast, schon bei seinen Lebzeiten noch der Bauführer seiner Werke, vollendet das von ihm Begonnene und hat als bedeutendste eigene Schöpfungen die Klöster Altenburg, Geras und Dürnstein hinterlassen, die in den dreißiger Jahren abgeschlossen werden. An der Stiftskirche Zwettl und in Dürnstein ist der bedeutende Matthias Steinl (oder Steindl) sein Mitarbeiter, wohl aus Bayern (1644) gebürtig, aber seit 1688 in Wien als Elfenbeinschnitzer und Zeichner tätig, nach dessen Vorlagen die meisten Goldschmiede, Schlosser, Maler, Stukkateure arbeiten. Von ihm stammt das Portal in Dürnstein und, wie in Zwettl, der Entwurf der Türme. Am vielseitigsten bezeugt er sich in Klosterneuburg, wo er nicht nur den Umbau leitet, sondern auch die ganze Ausstattung entwirft, vom Hochaltar der Stiftskirche bis zum Chorgestühl und den Möbeln der repräsentativen Räume. Er stirbt 1727, Munggenast 1741 — ältere und jüngere Generation arbeiten so überall zusammen, und es entsteht unter den Händen dieser Männer, die nicht nur planende und leitende Architekten sind, sondern alle Stufen des Gesamtkunstwerks vom Maurermeister bis zum Ornamentisten beherrschen, ein vorbildlicher natur- und volksverbundener Stil, der die Wiener Errungenschaften für neue Zwecke abwandelt, örtlichen, landschaftlichen Gegebenheiten angleicht, und das in den Leistungen der hohen Kunst Gewonnene durch eine Reihe von Schülern, dörflichen und bürgerlichen Meistern auf die geringeren und alltäglicheren Bauaufgaben an Dorfkirchen, Klöstern, Wohnhäusern von Landstädten überträgt.

Dabei bieten die großen Stiftsanlagen der reichen Orden, wie der Benediktiner in Melk, der Augustiner Chorherren in St. Florian auch neue Möglichkeiten zur Entfaltung von Luxus und höfischer Repräsentation. Für die bedeutenden Klöster wird hier zuerst der „Kaisersaal" obligatorisch, für den festlichen Empfang des Monarchen bestimmt, wie es bald auch im übrigen südlichen Deutschland die Verbundenheit mit dem Reich symbolisiert. Der zweite Raum, der große Konzeptionen fordert und für reichen malerischen und plastischen Schmuck Gelegenheit bietet, ist die Klosterbibliothek, wie sie in Melk zuerst beinahe zur Hauptbetonung wird. Die dritte Entfaltungsmöglichkeit, die das Kloster jetzt mit dem Schloßbau gemeinsam hat, wird die Anlage prunkvoller Treppenhäuser, in welcher sich das deutsche Barock vielleicht am nachdrücklichsten vom französischen und italienischen abhebt — hier ist die „Führung", die Vorbereitung zum Erlebnis wechselnder Raumeindrücke, durch das Schreiten und Steigen zu besondrer Eigenheit ausgebildet worden, mit welcher die durchgehende Dynamik und Bewegtheit des Stils am deutlichsten die Hingabe an Wandel und Bewegung vom Menschen selber erzwingt. Was Fischer im Palais Trauthson vorgebildet hatte, Hildebrandt im Belvedere, in Mirabell und in der Kaisertreppe des Stiftes Göttweig, das nimmt Prandtauer in St. Florian auf, mit der besonderen Note einer durchbrochenen Schauseite, die den Blick ins Freie öffnet, womit das Erlebnis von Kunst und Natur auf eine neue, sehr deutsche Weise kontrastiert und zugleich harmonisiert wird.

Aber das größte Wunderwerk nicht nur Prandtauers und der Klosterbaukunst im besonderen, sondern des gesamten österreichischen Barock, ja vielleicht dieser ganzen Epoche, ist und bleibt doch Melk. Landschaftliche Lage und geniale Benutzung dieser Lage, Innenräume und Außenbau vereinigen sich hier zu einem der ganz großen Monumente des Zusammenklangs von Kunst und Natur, die in wirklicher Vollkommenheit auf dieser Erde so selten sind — Limburg oder die Komburg verschwinden dagegen, und auch Italien hat nichts Ähnliches aufzuweisen; man greift kaum zu hoch, wenn man an die Akropolis oder die Alhambra denkt.

Hier ist zunächst im Inneren der Kirche bereits das Höchste früh erreicht, was es mit aller sonstigen Barockgestaltung aufnimmt: in gewaltigen Dimensionen wölben sich die Gurtbögen zur Kuppel hin, feierlich still gegründet auf ihren Pfeilern in mattem tiefrotem Marmor mit Gold, welches den satten, gedämpften Farbeneindruck des

Ganzen bis zur Grenze der Kapitäle bestimmt; wo darüber dann unvermittelt die Helligkeit hereinbricht und die bunte Farbenvielfalt
von Rottmayers Fresken bis in verschwebende, immer leichtere Bewegung, die der unteren großartigen Ruhe und Dunkelheit mit ganz
gelöstem Aufschwung antwortet. Durchschreitet man darnach die
Räume, welche aus dem Komplex der flankierenden Klosterbauten
über die Fassade der Kirche nach der Flußseite vorstoßen — links den
Marmorsaal, der hier den Kaisersaal ersetzt, rechts die Bibliothek, dieses Wunder für sich in Gold und Braun zu den goldbedruckten brau-
nen Lederbänden — so tritt man unvermittelt ins Freie hinaus auf eine
luftige Terrasse, die wie ein Riesenbalkon oder eine geschwungene
Brücke im Halbkreis von einem Trakt zum andern führt, und steht
hoch oben der Fluß- und Hügellandschaft gegenüber. Unter einem unmittelbar fassen die Donauarme eine Weiden- und Erleninsel ein im
undurchdringlichen Grün einer Urnatur ohne Spur von Menschen-
werk; wendet man aber den Blick zurück, so gewahrt man erst, daß
jetzt die Kirchenfassade sich einem in ganzer Schaubarkeit darbietet,
in der Distanz bloß von einigen Dutzend Metern über die halbrunde
Schlucht des tiefen Hofes hinweg — es ist, als ob Pavillons des Dresdner Zwingers einem Gotteshause vorgelagert wären; und so wandelt man auf ihren Dachterrassen auf der Grenze zwischen Natur und
Kunst wie auf einem steilen hohen Grat. — Ist man dann ins Tal herab-
gestiegen, so umfaßt das Auge, von Fluß und Brücke aus, erst den
ganzen gewaltigen Kunstkomplex, der triumphal da thront oder wie
ein seliges Schiff mit strahlendem Bug in die Welt hineinsegelt. Er-
glänzen noch Mauern und Fenster im Abendsonnenschein, so zergeht
das Ganze von den herrschenden Türmen bis zum luftigen Terrassen-
vorsprung in reine Erscheinung, wird zum Blend- und Zauberwerk,
das sich für einen Augenblick auf unsre Erde niederließ, als sollte es
sogleich unsern irdischen Sinnen wieder entschwinden.

Gäbe es nur dieses eine Werk des deutschen Barock: dieser Stil wäre
mit ihm schon für ewig gerechtfertigt als eine der großen unbegreif-
lichen Schöpfungen der Menschheit. Aber es gab noch mehr und anderes, und vor der nun mit Allgewalt sich ausbreitenden Fülle steht
selbst Melk nur als ein vereinzelter Beginn, in welchem freilich rasch
schon höchste Möglichkeit durchmessen ist.

23.

Die Fülle von Spannungen, die gerade beim Klosterbau in dem Neben- und Gegeneinander von Andacht und Repräsentation, Einsamkeit und Gesellschaft, Kirche und Schloß, Luxus und Natur zu bewältigen war, bedeutet eine Steigerung und Vervielfältigung des Gesamtkunstwerks der Architektur, welcher die italienischen Künstler, die vordem im Land saßen und die Bauten oft noch begonnen hatten, auf die Dauer nicht gewachsen sein konnten; wie Fischer in Wien und Salzburg Bibbiena und Zuccali ausschaltete, so sehen wir Prandtauer in St. Florian und Kremsmünster den Carlantonio Carlone verdrängen; und so geschieht es bald allerorts — auch in Böhmen und Schlesien, wohin die deutsch-österreichische Tradition sich schnell ausbreitet, um bald durch so weitverzweigte Künstlerfamilien, wie die Dientzenhofer von Prag, in andere Teile des Reichs getragen zu werden.

Auf einem andern Gebiete gelingt es nicht, die Italiener zu verdrängen: in der Bühnenarchitektur. Das hängt im tiefsten damit zusammen, daß das Theater der Zeit wesentlich Oper ist, und daß Musik und Sprache dieser Oper italienisch auch auf deutschem Boden bleibt, daß hier die italienischen Textdichter, Komponisten, Sänger, Virtuosen auch den italienischen Bühnenbildner auf das selbstverständlichste herbeiziehen. Musik ist ja neben der Architektur die andre große Macht, die vom Süden nach dem Norden ausstrahlt: aber sie wird, wie im 17. Jahrhundert die Baukunst, in ihrer fremden Originalform übernommen, und verharrt, im Gegensatz zu jener, noch fast das 18. Jahrhundert hindurch als reiner Import, von den an die Höfe berufenen Ausländern gepflegt, und das gilt für das ganze südlich-katholische Deutschland.

Wien ist auch hier führend. Daß auf der Grenzscheide zum naturmusikalischen slawischen und magyarischen Osten die italienische Sangeskultur ihre bedeutendste Hochburg außerhalb des Mutterlandes errichtet, wird von höchstem Sinn und Wert für die Zukunft, da eben nur hier die großen Synthesen zwischen Norden, Osten und Süden dann haben erfolgen können. Aber einstweilen bedeutet es völlige Überfremdung; und wir müssen uns bereits jetzt mit der Tatsache vertraut machen, daß zum deutschen Barock der Architektur die italienische Barockmusik gehört und immer als der Klang gedacht werden muß, der sie erfüllt, ja mit an ihr gebildet hat. Schon in Italien ist die Wechselwirkung dieser Künste von Anfang an vorhanden: ihr beider Aufbruch ist gleichzeitig gewesen. Wenn Palestrinas reine vokale Polyphonie in ihrer klassischen Gehaltenheit und Klarheit noch dem St. Peter streng gleichzeitig wie innerlich entspricht, in überirdisch schwebenden Ordnungen das heilige Wort verklärt und noch einmal ganz vernehmlich macht; so tritt mit der Erfindung der Oper um die Wende des 16. zum 17. Jahrhundert jener moderne Dualismus hervor, der eine weltliche Musik der geistlichen zur Seite stellt, beide aber mit dem neuen instrumentalen Element durchdringt. Durch den Gebrauch der Instrumente kommt das Technische und Handwerkliche in die Musik, das bald seine Autonomie erlangt, in Italien aber lange Zeit dem Ideal der singenden Menschenstimme sich nachbildet und das überlieferte kontrapunktisch Rechnerische der Herrschaft des Liedhaften, Melodischen unterwirft. Es ist dieselbe Stellung des individuell Menschlichen, die auch in der Architektur gegenüber dem Göttlichen sich ausdrückt. Und wenn in der Dynamik und Bewegtheit des barocken Baukörpers geheime Musik zu drängen und zu schwingen scheint, so spiegelt sich in der Musik aller Gattungen und Grade der Pomp und die ornamentale Verzierung und Verstärkung, die ohne das Instrument in der Musik nicht zu leisten wäre. So zieht die Instrumentalmusik auch in die Kirche ein, die Musik mit Pauken und Trompeten; in der Oper aber wächst ebenbürtig ein Gesamtkunstwerk heran, entsprechend der Gesamtkunst von Plastik, Malerei und Baukunst, wo Synthese von Wort und Ton nun auch das Zusammenwirken mit Raum und Bild und Plastik des Theaters erfordert. Im Szenenbild und in der Bühnenarchitektur wirken die bisher getrennten Künste zusammen: Schauen und Hören im Theater bedeuten eine Einheit des Erlebens, wie man sie bisher unwillkürlich beim Erklingen der Musik nur in der wirklichen Architektur der Kirche erfuhr und nun vor einer Traum- und Scheinwelt wiederfindet, in der die Baukunst, in vergänglichem Materiale aufgeführt und auch im Wechsel und Wandel des Bühnenbilds vorübergehend und vergänglich, eine völlig andere Rolle spielen muß.

Hier ist an die enge Verwandtschaft zu erinnern, in der die Bühnenarchitektur zu den Improvisationen der höfischen Feste steht, die ja ihrerseits bereits wunderbare Schauspiele waren und bei denen die

Grenze zur dramatischen Aufführung sich oft verwischen mochte. Vom Festzug durch Triumphpforten, über allegorische lebende Bilder, über Turniere, höfische Bälle und Maskeraden mit Wasserkünsten, Feuerwerken und in Lüften erscheinenden Göttern und Genien war ein unmerklicher Übergang zu dem eigentlichen Kunstwerk der Oper, das dieses alles in sich konzentrierte und wiederholte. Die festlich-momentane Architektur, die bis zur Errichtung großer Gebäudekomplexe ging, müssen wir immer zu der in Stein erhaltenen hinzudenken, um die ganze Darstellung und Schaustellung barocker Existenz zu ermessen und etwas von dem alles erfüllenden Leben zu ahnen, von dem die stummen wirklichen Denkmäler nichts mehr künden. Es war ein Leben, das jeden flüchtigen Augenblick feenhaft verklärte und eine olympische Heiterkeit und elysische Seligkeit einmal auf dieser Erde der Not und des Bedürfnisses zum Wach- und Wahrtraum werden ließ.

Die eigentliche Oper brachte fast ausschließlich antike Stoffe auf die Bühne: daraus erklärt sich, daß sie architektonisch in gewisser Annäherung an das Klassische zu bleiben suchte und sich eben deshalb an die kanonischen italienischen Vorbilder hielt, ja anfangs lange noch palladieske Formen bewahrte. Sie hat also selten, fast nie die neuen Errungenschaften des deutschen Barock verwenden können, und schon deshalb blieben italienische Meister ihre Beherrscher.

Mit Beginn des 18. Jahrhunderts tritt insofern ein Umschwung ein, als die architektonische Umrahmung, die bis dahin mit einer gewissen Strenge und Ruhe dem bewegten Bühnengeschehen mit seinen Wundern, Flug- und Donnermaschinen, Feuer- und Wasserkünsten ein Gegengewicht gebildet hatte und das kunsthaft Ferne und Unwirkliche der Szene unterstrich, einem ausgesprochenen Illusionismus Platz macht, wie er in die wirkliche Baukunst mit ihren malerischen Täuschungen längst eingezogen war. Es ist Andrea Pozzo, der die optischen Errungenschaften der Freskomalerei auf das Bühnenbild überträgt. Er stammt aus Trient und ist zwar Italiener, aber doch immerhin Tiroler, der eine gewisse Verbindung der beiden nationalen Elemente darstellt. 1644 geboren, gehört er noch der älteren Barockgeneration an; seine ersten Leistungen im Jesuiten-Orden bestehen in den Dekorationen, die man Theatra sacra nennt: gemalte, meist nur flächige Prospekte zu geistlichen Feierlichkeiten, Aufführungen und Musiken in der Kirche; in den achtziger Jahren entstehen seine Fresken an den Gewölben von S. Ignazio in Rom, wo zum ersten Male die Decke durchstoßen und in einen wimmelnden Überschwang jenseitiger Vorgänge aufgelöst wird. Um die Jahrhundertwende siedelt er nach Wien über, und neben eignen architektonischen Entwürfen widmet er sich nun ganz dem Theater und begründet geradezu den modernen Bühnenstil, der eine Wirklichkeit mit allen Künsten des Scheines vortäuscht. Sein großer Nachfolger ist Ferdinando Bibbiena aus Bologna, der Bruder jenes Francesco Bibbiena, der 1690 im Wettbewerb mit Fischer von Erlach unterlag. Zwar muß auch er 1718 als Architekt dem Deutschen in der Konkurrenz um die Karlskirche weichen; aber als kaiserlicher „Theatral-Ingenieur" ist er bereits der große Dekorateur der höfischen Feste, denen er von der Schloß- und Parkillumination und den symbolischen Feuerwerksarchitekturen bis zur Inszenierung der heroischen Opern märchenhaften Schimmer verleiht. Ende der zwanziger Jahre verläßt er Wien, und sein Sohn Giuseppe tritt vielleicht noch glänzender an seine Stelle und hat bis in die vierziger Jahre den Stil der Wiener Bühne bestimmt; aber auch über Wien hinaus trägt ihn sein Ruhm: 1719 schon eröffnet er die Dresdner Oper mit festlichen Inszenierungen, und noch in den fünfziger Jahren finden wir ihn als Theaterarchitekten Friedrichs des Großen in Berlin mit den Dekorationen für die Opern Grauns beschäftigt.

Wenn in Wien der Ursprung und lange Zeit der Schwerpunkt dieser sublimen Schaukünste der Oper liegt, so kommt das nicht nur von der erstmals hier von einem hohen Sinn geleiteten monarchischen Repräsentation, wie sie vor allem in der Baukunst lebt — eine Reihe günstiger Faktoren wirken zusammen. Da ist vor allem, bereits in Leopold I., die anscheinend im Kaiserhause erbliche Musikbegeisterung und Musikalität. Durch bedeutende Bauten haben sich Herrscher immer zu verewigen gewußt; daß sie aber selber Musik treiben und Musik bei keinem Lebensvorgang mehr entbehren können, das gehört zu der tiefen metaphysischen Sinnhaftigkeit der Epoche, die sich gleichsam an den höchsten irdischen Stellen die Existenz und Leitung ihrer wunderbarsten Kunst sichert, ohne die sie ihre Weltbedeutung nicht gewonnen hätte. Riesenopern, wie die 1666 zu Leopolds Vermählung aufgeführte „Il pomo d'oro", wurden bereits europäische Sensation; ein eigenes Theater wird von dem berühmten Burnacini dafür aufgeführt, ein improvisierter Holzbau für 5000 Personen; viele Stunden

dauern die 67 Auftritte, in denen die ganze christliche und antike Mythologie beschworen wird und nach den wunderbarsten Vorgängen im
Himmel und auf der Erde und in den Elementen eine großartige Apo-
theose des Kaiserhauses und seiner historischen Herkunft und Mission das Ganze beschließt. Der Kaiser, der Musik und Stoffe auswählt
und auch selber Opern komponiert, ja bei höfischen Festen selber mit-
spielt, ist aber auch dem stilleren Sinn der Kammermusik ergeben —
man liest nicht ohne Erschütterung, daß 1705, da er sich nach einem
schweren, von wechselvollen Kämpfen erfüllten Leben zum Sterben
legt, nach dem Empfang der letzten Ölung seine Hofkapelle an sein
Lager befiehlt, um unter ihren Klängen die Seele auszuhauchen. Sein
Sohn und Nachfolger Joseph I. ist ebenfalls Musikliebhaber und Komponist, und auch dessen Bruder Karl VI. setzt die große Tradition fort.
Und hier verstehen wir noch etwas anderes, was Musik in diesem
Österreich bedeutet: es ist die allen vernehmbare und alle einigende
Sprache, welche das bunte Völkergemisch der Monarchie zusammenhält und die Magyaren und Slawen mit den Deutschen Gleiches fühlen
und erleben läßt. Auf der Bühne und in der sonstigen Repräsentation
wirkt in gleichem Sinne die Allegorie: sie ist eine Bildersprache, die
auch von den verschieden Sprechenden gleichmäßig „gelesen" werden
kann, und alle Bedeutung anschaulich versinnlicht, bis zu einem Verständnis im Volk, dessen Vertrautheit auch mit fremden mythologischen Vorstellungen durch dauernde Verknüpfung mit dem Monarchen wir uns gar nicht ausgebreitet genug vorstellen können.

Andrerseits ist Wien die einzige deutsche Stadt, die damals bereits
eine wirkliche Gesellschaft besitzt, die im Mäzenatentum für Baukunst
und Musik mit dem Kaiser wetteifert. Ungarische Magnaten und böh-
mischer Hochadel haben hier neben der deutschen Aristokratie ihre
Paläste und ziehen zu den italienischen Künstlern etwa die Musiker
ihrer Länder in ihre Hofkapellen und Kammermusiken herein und ermöglichen den Wettstreit, der gegen Ende des Jahrhunderts zu dem
Sieg einer neuen deutschen Musik führen wird, die aus beiden fremden Quellen Entscheidendes für sich gewinnt. Wir müssen dieses große
innere Leben — wenn auch in fremden und oft befremdlichen Formen —
sich schon vorbereiten denken, wenn wir die ganze südöstliche Gesamtkultur der ersten Hälfte des Jahrhunderts im Raum ihrer deutschen
Baukunst uns vorzustellen versuchen.

24.

Ein Blick auf das polar Entgegengesetzte im deutschen Norden kann uns zeigen, wie wenig selbstverständlich die Allseitigkeit einer solchen Entfaltung des Barock bei uns um diese Zeit noch ist.

Wohl ist hier um die Jahrhundertwende eine große künstlerische Kraft am Werke gewesen, einem Fischer von Erlach und Hildebrandt ebenbürtig: Andreas Schlüter. Aber persönliche Tragik und ein ungeeignetes Milieu lassen das Mögliche hier nicht zu voller Wirklichkeit werden.

Schlüter, um 1660 geboren, im Alter also zwischen Fischer und Hildebrandt, stammt aus dem hohen Nordosten, aus Danzig, und ist seinem Wesen nach ursprünglich Plastiker: eine der seltenen, fast zeitlosen Begabungen in dieser Kunst, die dem Deutschen der neueren Zeit kaum je mehr wirklich hat entsprechen können, seit er die reine Körperdarstellung der Antike sich zum Vorbild hatte setzen lassen. Er hat in Warschau gearbeitet und muß wohl schon in Italien gewesen sein und sich auch sonst in der Welt umgetan haben, als er in den neunziger Jahren nach Berlin berufen wird und fürs Zeughaus die Köpfe der sterbenden Krieger meißelt. Hiermit verherrlicht Brandenburg seinen Anteil an einer gemeindeutschen Sache: an den Türkenkriegen, zu denen ja das ganze Reich vom Kaiser noch einmal aufgeboten worden war — der Anstoß zur großen selbstbewußten Kunst geht also hier aus denselben Motiven hervor, wie Fischer von Erlachs Triumph: aus einer politisch-nationalen Selberfindung.

Die weitere Tätigkeit Schlüters steht unter dem Zeichen des typischen dynastischen Individualismus des Barock: aus demselben Grunde, aus dem der Nachfolger des Großen Kurfürsten die preußische Königswürde erstrebt, um die ererbte Konsolidierung und höhere Geltung seines Landes durch eine neue Weltstellung darzutun, sucht er mit einer gewaltigen Prunkentfaltung und mit einer ausgedehnten künstlerischen Repräsentation sich dem Stil der andern europäischen Monarchen anzugleichen; nicht aus bloßer persönlicher Freude an Macht und Pracht und Luxus, sondern wie er selber es formuliert, „aus Necessität". So schickt er Schlüter 1696 abermals nach Italien, um ihn für die großen seiner harrenden Bauaufträge vorzubereiten; denn gerade für das Land ohne bauliche Tradition muß das Ursprungsland der

neuen Architektur die hohe Schule sein. Eine Art Wahlverwandtschaft
scheint Schlüter mehr zu Bernini, der ebenfalls primär Bildhauer war,
hingezogen zu haben, dessen Stil soeben in Österreich unter den Nachwirkungen Borrominis verdrängt zu werden begann. Am stärksten
aber hat ohne Zweifel Michelangelo auf ihn gewirkt, ohne welchen
seine tragenden Männer- und Jünglingsgestalten im Treppenhaus des
Berliner Schlosses nicht denkbar wären: eine ähnliche Kraft in stetem
Kampf mit einer unsichtbaren Last hat hier im Norden etwas Echtes
und Notwendiges an Plastik erstehen lassen, was eigentlich anderthalb Jahrhunderte früher fällig gewesen wäre, wenn die Hochrenaissance wirklich so wie sie war in Deutschland eingezogen wäre und
einen kongenialen Schüler gefunden hätte. Plastisch ist auch die gesamte Baugesinnung — die vier Säulen des Hauptportals des königlichen Schlosses sind nicht eins mit dem Bau, erfahren keine Bewegung
von Innen, die an einem organischen Gesamtausdruck teilnähme, sondern sind monumental als Eigenkörper vor eine Fensterfassade auf-
gebaut, um ein Gebälk zu tragen, dem nur die Krönung durch einen
antiken Giebel fehlt, um ein eigenwillig vorgelagertes Baugerüst zu
sein, das zu dem wirklichen Portal darunter in seinen winzigen Maßen
und seiner bloßen Zweckfunktion in keinerlei Beziehung steht. Eine
große Gesinnung, tragisch gebunden an die fremde antike Körperlichkeit, steht hier vereinzelt und vereinsamt in einer Welt, die überall
sonst dem Gegenprinzip der Plastik, dem musikalischen Ausdrucks-
willen gehorcht. Man kann hier die Ansätze zu einem „preußischen
Stil" sehen, der eine völlig andre Art von Kraft und Ernst symbolisiert, als sie sonst in diesen leidenschaftlichen Kunstzeiten sich äußert —
es ist, wenn man will, die preußische Mission der Tat und einer römisch-
spartanischen Machtgesinnung und Kampfbehauptung vorausgenommen und vorausverkündet, die um die Mitte des Jahrhunderts die hohe
Kultur des Südostens sprengen wird; mit deutschem Barock als einem
seelisch-geistigen Phänomen, wie wir es sonst verstehen, hat es so gut
wie nichts zu tun.

Dies, und nicht das zufällige Unglück mit dem Münzturm, das allerdings auch wohl die Unzulänglichkeiten des ursprünglichen Nicht-
Architekten zutage treten läßt, hat Schlüters große Planungen scheitern lassen — er war der weltfreudigen und kulturbejahenden Reprä-
sentationslust seines Monarchen unzeitgemäß voraus, dessen Nachfolger

ja erst die Grundlagen zur preußischen Großmacht legte, aber seinerseits zu nüchtern war, ihr durch irgendeinen künstlerischen Willen Ausdruck zu geben; und so ist dieser ungewöhnliche Mensch Preußen verlorengegangen und hat auch in Petersburg, wo eine ähnliche Vorausgestaltung künftiger Größe auf kulturell jungfräulichem Boden ihm hätte beschieden sein können, keine bleibende Schöpfung großen Stils verwirklichen können. Als 1706 der kühn gedachte Münzturm wegen Einsturzgefahr wieder abgetragen werden muß, wird Schlüter die Bauleitung des Berliner Schlosses, die er seit 1698 innehatte, entzogen, wenn er auch, in wahrer Würdigung seines eigentlichen Wesens, Hofbildhauer bleibt. Aus dem Jahre 1711 ist in Berlin von ihm noch das Kameckesche Landhaus erhalten, wo er in bescheideneren Dimensionen und bei einem Auftrag, der keine persönliche Kraftentfaltung zuließ, gezeigt hat, daß er an sich Genie genug besaß, in den Geist der Zeit sich einzufühlen: hier ist in geschwungenen Flächen der Front und einer organischeren Bewegtheit des ganzen Baukörpers der Einfluß Borrominis zu gewahren, den vielleicht Fischer von Erlach vermittelte, dem er bei dessen Berliner Aufenthalt begegnet sein muß und dessen Entwurf eines Lustschlosses für Friedrich I. ihm kaum verborgen geblieben sein kann.

Wir wissen, daß auch Fischer in Berlin nicht Fuß faßte, und daß nun Preußen weiter das Schicksal des deutschen Nordens teilte, im ganzen und großen außerhalb der Entwicklung des neuen deutschen Baustils zu bleiben. Vor allem fehlte ja den protestantischen Ländern das religiöse Zentrum, aus dem das Barock hervorgegangen war; und mit dem katholischen Kirchenbau war auch die geistige Kraft- und Formquelle nicht vorhanden, die von da aus auch immer auf den Schloßbau einwirkte. Turmbauten, wie an der Garnisonkirche in Potsdam, von Philipp Gerlach 1731 bis 1735 errichtet, sind schöne glückliche Einzelfälle, die ohne ebenbürtige Raumgestaltung des Kircheninneren gleichsam ohne metaphysischen Hintergrund bleiben mußten. Für den Profanbau und die ganze städtebauliche Anlage blieb, wie schon unter dem Großen Kurfürsten, der nüchterne holländische Klassizismus angemessenes Vorbild; und erst unter Friedrich dem Großen ist eine späte Welle von Pracht und Festfreude auch in der fürstlichen Baukunst Preußens aufgerauscht, wie es dem musischen und musikalischen Wesen dieses Menschen entsprach. Freilich ist Sanssouci selber schon mehr Kammermusik als großes Barockorchester, dem Inhalt entsprechend, ist nicht mehr große Repräsentation oder gar Machtentfaltung, sondern ein Ausruhen von Macht in der Intimität eines philosophisch-musikalisch resignierten Privatdaseins.

25.

Zwischen dem gestaltloseren Norden und dem bildefreudigen Süden aber liegt vermittelnd ein Land, das wie kein anderes ganz von oben herab durch die großartige Kunstentfaltung seiner Fürsten geformt worden ist: Sachsen. Es hat nicht, wie Österreich und Bayern, ein Jahrhundert italienischen barocken Kirchenbaus hinter sich, ist überhaupt nicht vorwiegend bildnerisch und schauspielerisch veranlagt, sondern im Musikalischen und Literarischen groß; es ist das Ursprungsland der Reformation und allem geistig Revolutionären von jeher zugetan, was sich zunächst wenig zu einer Entfaltung des Absolutismus zu eignen scheint.

Auch hier ist der Aufschwung bildnerischer Kultur mit der großen politischen Wende in Österreich verknüpft, hat aber dann in einer ganz selbständigen Vertiefung solcher Anfänge zu einer reichen und vielgestaltigen Kunstentwicklung geführt und sich auch unter weniger günstigen politischen Verhältnissen als etwas Dauerndes behaupten können, das bis in die jüngste Zeit seiner Hauptstadt einen Hauch jener Epoche bewahrte.

Kurfürst Friedrich August II., der in die Geschichte unter dem populären Namen August der Starke eingegangen ist, hatte im Jahre 1694 als Vierundzwanzigjähriger die Herrschaft angetreten, alsbald mit Kaiser Leopold ein Bündnis zur kräftigsten Beteiligung am Türkenkrieg geschlossen und machte in den folgenden beiden Jahren die Feldzüge in Ungarn mit, zuletzt als Oberbefehlshaber der kaiserlichen und Reichsarmee. Da ward durch den Tod Sobieskis die polnische Königskrone frei, und im Einverständnis mit dem Wiener Hofe bewarb sich August um sie, da er den Einfluß Frankreichs, das einen Bourbonen als Thronfolger präsentierte, damit durchkreuzen und dem Kaiser die Freiheit im Osten sichern konnte; außerdem machte er durch seinen Weggang vom Heer dem Prinzen Eugen die Bahn fürs Oberkommando frei. Zur Feier der glücklichen Rückkehr vom ungarischen Feldzug wird in Dresden im Opernhaus das erste der glänzenden

„Opera-Balletts" aufgeführt, das „Musenfest", wo die Geliebte des Kurfürsten, die Gräfin Königsmark, als Minerva und Euterpe auftritt. Denn vor seinem Regierungsbeginn hat August mit offenen Sinnen und viel Geschmack und Kunstverständnis die europäische Kultur der Zeit in sich aufgenommen, in einer ersten jener „Kavalierstouren" durch die Hauptstädte, wo er in Paris, Venedig, Turin, Neapel die neue Musik, Architektur und Literatur an den Quellen erlebt und studiert. Französisches Wesen scheint ihm den größten Eindruck zu machen; das klassische Drama Corneilles, Racines, Molières tut es ihm an, aber auch die Oper Lullys und die Pracht der Ballette und Festlichkeiten. Entscheidend wird jedoch, daß er seiner polnischen Pläne wegen es für zweckmäßig halten muß, zum Katholizismus überzutreten: dies wird eine weitere Bindung an das Kaiserhaus — in Baden bei Wien erfolgt ja 1697 seine Konversion — man stellt ihm dort gewaltige Geldmittel zur Verfügung, die nicht zuletzt der Befriedigung seiner Prachtliebe zugute kommen; aber ganz allgemein wird auch der Einfluß des Südens und Italiens dadurch verstärkt: katholischer Kult, katholischer Kirchenbau und Kirchenmusik, italienische Oper und italienische Künstler als Architekten, Sänger, Komponisten, Instrumentisten ziehen in Sachsen ein, das nun durch seinen Herrscher aus einem protestantischen Lande zum wichtigsten Vorort südlich-katholischer Kultur in Mitteldeutschland wird. Die Kurfürstin, welche die Konversion nicht mitmacht, zieht sich weitgehend vom Hof auf eigene Schlösser zurück und behält dort etwa ihre deutsche Musikkapelle bei; während der Kurfürst, seit 1697 bereits König von Polen, nun nicht nur seine französischen und italienischen Liebhabereien befriedigt, sondern in großzügigster Weise seine Residenz zu einem künstlerischen Zentrum ersten Ranges umgestaltet.

August der Starke erscheint uns heute als der typische Vertreter des barocken Absolutismus, nicht als historische Größe, wohl aber als Gestalt das stärkste deutsche Gegenbild zu Ludwig XIV. Gegenüber Kaiser Leopold und Prinz Eugen, aber auch Friedrich I. von Preußen ist er die wahre überschäumende barocke Kraftnatur, die sich in Kampf und Liebe, Kunstgenuß und Kunsterfindung gleichermaßen ausgibt, königliche Selbstdarstellung und religiöse Gebundenheit, Galanterie und Intrige, Mäzenatentum und Günstlingswirtschaft wie zu einem Schulbeispiel in sich vereint. Sein Selbstgefühl und seine Genußfähigkeit werden durch die politischen Rückschläge, die er im Kampf mit Karl XII. von Schweden und um seine ewig gefährdete polnische Herrschaft überhaupt erleidet, keineswegs gebrochen. Er scheint den Frieden kaum zu ertragen, da er schon wieder 1708, kaum daß er von dem Schweden Ruhe hat, am Kampf gegen Frankreich unter Prinz Eugen teilnimmt; erst seit 1716 kommt er in den ruhigeren Genuß seiner Macht und seiner Besitztümer, und nun beginnt allerdings eine glänzende Epoche, wo die großen Bauten vollendet werden, größere als riesenhafte Planungen sich abzeichnen, wo der Charakter Dresdens erst ganz geformt und durchgebildet wird und in und um dieses in Stein Beharrende die ebenso reiche und herrliche Welt des Vergänglichen Verwehenden: in Fest, Theater und Musik sich entfaltet. Und hier sind es nun deutsche Meister zunächst der bildenden Kunst, die der König das Glück hat seinem Werke zu verpflichten.

An der Spitze steht Matthäus Daniel Pöppelmann, den August der Starke 1704 zum Landbaumeister ernennt. Er ist Westfale, 1662 in Herford geboren, ist also schon über vierzig Jahre, als sich ihm die Dresdner Laufbahn eröffnet. Wir wissen nicht, wodurch er die Aufmerksamkeit des Königs auf sich zog; dieser geht jedenfalls mit Umsicht zu Werk, den europäischen Horizont dieses seltenen Mannes zu vollenden; er schickt ihn 1710 nach Wien und Rom, 1715 nach Paris. 1711 ist der Zwinger begonnen worden und 1722 vollendet; es folgen die großen Schloßbaupläne für Dresden und Warschau, die nie Wirklichkeit werden sollten, der Umbau von Moritzburg, vom Japanischen Palais; 1720 entsteht Schloß Pillnitz, 1727 die Dresdner Augustusbrücke; das Schloß Großsedlitz für den Grafen Wackerbarth wird begonnen. Den Kirchenbau hat die Wirksamkeit dieses genialen Meisters nur indirekt beeinflußt: durch den Aufruf gleichsam zu einem Agon, zu einer höchsten Anspannung andrer schöpferischer Kräfte, der durch sein vorhandenes Werk gegeben war. Denn nur hier hat sich protestantische Baukunst zu der einmaligen Höhe erhoben, wie sie in Bährs Frauenkirche erscheint, die 1726 begonnen wird; und nur hier hat sich ein Italiener so kühn und eigen auf nordischem Boden erzeigt, wie Chiaveri, der 1738—1754, schon nach Augusts und Pöppelmanns Tod, die katholische Hofkirche erbaut. In diese Zeit (1737) fällt auch erst eine Anlage, die aus dem Gesamtbild Dresdens nicht wegzudenken ist und es lieblich-harmonisch abschließt: das Brühlsche Palais mit der

Brühlschen Terrasse, von Knöffel, der auch Großsedlitz für den König zu Ende führt und ebenso Hubertusburg.

In verhältnismäßig kurzer Zeit und wie durch nichts vorbereitet entsteht so der barocke Charakter einer Stadt, zu dem auch die Leistungen der bürgerlichen Baukunst gehören, die mit ihren hohen, meist fünfstöckigen Häusern den Quartieren um Schloß, Altmarkt und Neumarkt bei aller Gedrängtheit Sichten von einer Großheit und einem Wohlklang schafft, wie sie uns sonst nur in Italien begegnen. Im italienischen Stil war vor August dem Starken nur das Palais im Großen Garten erbaut worden, der von dem Oberlandbaumeister Karger 1679—1680 geschaffen wurde. Hier ist der Park nicht Vorbereitung und Folie eines gewaltigen Schlosses; sondern ein Lustgartengebäude, nicht zum dauernden Wohnen des Fürsten bestimmt, wird von ihm bloß naturhaft eingeschlossen und beherbergt, und so wird der klassisch kühlere Bau in solch dekorativer Funktion ein Vorspiel dessen, was sich in organischer Fülle und Bewegtheit etwa im Zwinger gestaltet.

Man hat den Zwinger graziöses spielerisches Rokoko genannt; tatsächlich ist er quellendes, kraftstrotzendes Barock, nur in seinem überschäumenden, fast pflanzlichen Detail von einer hohen Weisheit der Anlage und Gewichtsverteilung gezügelt. Wenn sein Erbauer auch Rom und Österreich aufgenommen und Versailles gesehen hat — es kehrt von alledem nichts greifbar wieder; er ist in Wahrheit unvergleichlich. Es war allerdings auch eine einzigartige Aufgabe, die hier gelöst sein wollte: einen zum Turnier- und festlichen Spielhof erweiterten Ehrenhof zu schaffen, zu welchem das zugehörige Schloß erst in dem zur Elbe hin verbleibenden Raum in Riesendimensionen sich anschließen sollte. Ein Raum im Freien also nur für festliche Begehungen, die einzige Arena des Barock, deren begrenzende Gebäudetrakte gleichsam als Zuschauerlogen gedacht sind, aber mit ihren gekrönten Pavillons und ihren mit Statuen bevölkerten Buchten wie dem Nymphenbad schon selber zu einem entzückten Schauen hinreißen. Die Natur spielt hier nur leise in den wenigen Baumgruppen des umgebenden Walles als Hintergrund herein, von dem sich das steinerne Volk der Putten, Nymphen, Götter auf den Gesimsen und in den Grotten als eine zweite wirklichere Natur abhebt, als das erst Lebendige und Belebende in Menschengestalt, das mit dem Gewirr und Geriesel seiner holden Unordnung sich den herabstürzenden und wieder hinaufsprühenden Was-

serkünsten wieder wie mit einem Vegetabilischen verschmilzt. So erscheint Garten und Park ins steinerne Gebäude selber gebannt und das
Naturerleben in die festliche Handlung einbezogen, die hier vor allem
bei Nacht, wenn der Bau durch die zahllosen hohen Fenster zu glühen
begann und im umschlossenen Viereck Illumination und Feuerwerk
antwortete, eine feenhafte Wirkung ausüben mußte. Daß hier Musik,
die sonst im Raum die wahre Heimat hat, im Freien klingen konnte,
von Fassaden umschlossen, die bis ins letzte Ornament wie Chladni-
sche Figuren von ihr selber zusammengespielt schienen, das gibt eine
völlig neue und in sich einzigartige Form des barocken Gesamtkunstwerks; und man erstaunt, zu welchen verschiedenen Lösungen das
gleiche Kunstwollen die immer gleichen Probleme der Epoche führte.

26.

Es ist hier vielleicht der Ort, von dem Leben zu sprechen, das sich
da abspielte. Mit den allgemeinen Redensarten von sinnlosem Luxus
und verschwenderischer Pracht, die sich durch die Geschichtsbücher
ziehen, die etwa Augusts des Starken gedenken, ist uns wenig gedient; desgleichen, wenn wir die moderne Art, Feste zu feiern, einfach
nur multipliziert und in einem andern Kostüm denken wollten. Greifen wir also einmal aus der Fülle der Tatsachen, die gerade hier durch
minutiöse archivalische Forschungen herausgearbeitet und bis auf Taler
und Groschen der Aufwands- und Besoldungsbeträge belegt sind, einen
Komplex heraus, der einigermaßen ein Bild zu geben vermag.

Im Jahre 1718 war von Pöppelmann das neue Opernhaus errichtet
worden, in engem Zusammenhang mit dem Zwinger, von dem eine
Freitreppe in Richtung der Sophienkirche dazu hinaufführte. Der plastische Schmuck stammte von Permoser, der auch die Skulpturen des
Zwingers geschaffen hat, das Deckengemälde und die Innenausstattung von dem Italiener Mauro. Es war in der kurzen Zeit von elf
Monaten fertig geworden, trotz großer Schwierigkeiten, und hatte
rund 150000 Taler gekostet; es sollte im Zusammenhang mit den
Feierlichkeiten zur Vermählung des Kurprinzen eingeweiht werden.
Es war eines der größten und glänzendsten Häuser der Art und ist erst
durch die Revolution 1848 vernichtet worden. — Der Kurprinz, der
acht Jahre auf einer europäischen Tour sich befunden und zuletzt meist

in Venedig gelebt hatte, war im August 1719 mit der Erzherzogin
Maria Josepha in Wien getraut worden und hielt am 2. September des
Jahres mit seiner Gemahlin seinen prachtvollen, oft beschriebenen
Einzug in Dresden. Die anschließenden Vermählungsfeierlichkeiten
dauerten nun den ganzen Monat hindurch. Am 3. September begann
es mit einem Te Deum in der katholischen Hofkapelle (Chiaveris Hofkirche war noch nicht errichtet); bei der anschließenden Tafel gab es
ein Konzert der Hofkapelle. Abends erfolgte die Einweihung des
neuen Opernhauses mit einer Oper des Dresdner italienischen Kapellmeisters Antonio Lotti aus Venedig „Giove in Argo"; unter berühmten andern Sängerinnen hörte man auch die Tesi, die aus Händels
Leben bekannt ist. Am 5. war französisches, am 6. italienisches Schauspiel im Komödienhause; am 7. führte Lotti seine Oper „Ascanio" auf.
Am Sonntag, dem 10. September, begannen die „Sieben-Planeten-Lust-
barkeiten" mit einem Sonnenfest im japanischen Garten und Palais.
Nach einer Kantate von dem deutschen Kapellmeister Heinichen erschienen in einer Wolke die sieben Planeten, von Mitgliedern der italienischen Oper dargestellt, deren jedes zu einem eigenen Feste des
Planeten einlud, den es darstellte. Ein Sonnenfest machte noch am
gleichen Tag den Anfang; nach einem glänzenden Souper im Japanischen Palais sah dann der Hof einem auf der Elbe abgebrannten
Feuerwerk zu. Am 13. wurde Lottis und Pallavicinis Oper „Teofane"
aufgeführt, dazu Balletts von Duparc mit Musik von Volumier. Am
Schluß verwandelte sich die Szene in einen Tempel Hymens, wo Germania, von einem Italiener dargestellt, die Vereinigung Österreichs
und Sachsens verherrlichte; die historische Anspielung der Oper, welche
ihrerseits die Vermählung Kaiser Ottos mit der byzantinischen Kaiser-
tochter darstellte, war dabei schon sinnreich genug. Am 15. September
wurde im Zwinger als weiteres Planetenfest ein Jupiterfest gefeiert,
mit einem „Caroussel der 4 Elemente": an der Stelle, wo später der
Sempersche Bau den Zwinger schloß, war ein hölzerner Pavillon errichtet, wo Königin und Kurprinzessin Platz nahmen; vor dem entgegengesetzten Portal war eine Maschine aufgestellt, vom Maschinen-
meister und Dekorationsmaler Mauro verfertigt, die das Chaos darstellte — sie bewegte sich durch den ganzen Zwinger auf den fürstlichen
Pavillon zu, aus ihr erhob sich Boschi als Jupiter und sang eine Fest-
kantate; dann verschwand die Maschine, und die vier Elemente hielten

mit einer Quadrille ihren Einzug. Am 17. war Türkenfest und Nacht-
schießen mit einer 24 Mann starken Janitscharenmusik. Am 18. war
Dianenfest auf einer Wiese an der Elbe; bevor die Jagd begann, sah
der Hof unter einem großen Jagdschirm das Nahen eines versilberten
und vergoldeten Schiffes mit dem Wagen der Diana in Muschelgestalt
und von vier Hirschkühen gezogen; Nymphen und Waldgottheiten
führten vom Schiff aus die Kantate „Diana sul' Elba" auf. Am 20. fand
das Merkuriusfest als eine große Messe oder „Wirtschaft aller Nationen" im Zwinger statt. Der französische Schauspieler Poisson hatte
einen bunten Jahrmarkt entworfen, an dem sich der Hof, die Schauspieler und verschiedene Musikchöre und Kapellen beteiligten. Es gab
französische und italienische Komödien, Marionettentheater, Wunder-
doktoren und Seiltänzer, das Serail des türkischen Kaisers und aller-
hand Rezitationen und Improvisationen. Nachdem man in den Pavillons des Zwingers soupiert hatte, war große Illumination, bei der die
verschiedenen Waren in den Boutiquen besichtigt und verkauft wurden, welche die Dresdner Kaufmannschaft da zur Schau gestellt hatte.
Den Beschluß machte ein Ballett, in dem Merkur mit Architektur, Malerei und Musik als den angewandten Künsten gleichsam auftrat. —
Nach der Wiederholung der Oper „Teofane" am 21. September fand
am 23. das Venus- oder Damenfest im Großen Garten statt. Ein großer Zug begab sich vom Schloßhof in offenen Wagen durch die Stadt
mit dem Personal für die Festaufführung, das diesmal nur bei den
Chören und Musikkapellen aus Theater- und Opernmitgliedern bestand, für die mythologischen Rollen aber — Venus, Minerva, Apollo,
der Elbstrom, der Frühling, der Sommer, der Herbst, der Winter, Ceres
und Bacchus usf. — Damen und Herren des höchsten Adels, 51 insgesamt, vereinigte; um 1 Uhr langte man draußen an, und nach einem
„Damenrennen" wurde das französische Divertissement „Les quatre
saisons", Text von Poisson, Musik vom deutschen Kapellmeister
Schmidt, in dem dortigen Gartentheater aufgeführt, von dem man
heute noch die Reste sehen kann. Dann folgte Illumination des Großen
Gartens, Tafel im Palais; darnach Entenjagd und Wasserfahrt auf
dem Palaisteich, und endlich Ball im Venustempel, der hinter dem
Teich errichtet war, bis 5 Uhr in den Morgen hinein. Am 24. war
Wiederholung der Oper „Ascanio", am 26. das Saturnusfest im
Plauenschen Grunde. Hierfür hatte man an der Felswand (an der

Stelle des heutigen Felsenkellers) eine Bühne errichtet, auf welcher italienische Komödie gespielt wurde, „während welcher die anwesenden hohen Personen noch einiges großes und vieles kleines Wildbret von den hinter dem Prospekt und an den Seiten herumstehenden großen Bergen und Felsen geschossen". „Das Theatrum war von natürlichen grünenden Bäumen, Sträuchern und Reißig erbaut. Mitten im Prospect war eine große Cascada, die mit dem dahinter stehenden hohen Felsen ein sehr schönes Aussehen machte, und das unten an der Seite vorbey rauschende Wasser gab eine große Annehmlichkeit." Bei Einbruch der Nacht war Souper im erleuchteten Saturnustempel, und eine Illumination mit dem berühmten Bergaufzug machte den Beschluß. Mit der Wiederholung der Opern am 27. und 29. und mit einem französischen Schauspiel im Komödienhause fanden die öffentlichen Feiern ihr Ende; aber der Hof begab sich noch vom 4. bis 12. Oktober nach Moritzburg zur Jagd, wo wiederum französische Balletts und Schauspiele und italienische Serenaden zur Aufführung gelangten.

Diese Festlichkeiten zogen nicht nur Schaulustige, sondern eine Anzahl ernster Künstler aus allen Gegenden an, die hier vor allem die italienische Musik und Sangeskunst kennenlernen und studieren wollten, wo solche Berühmtheiten wie die Tesi und der Kastrat Senesino mitwirkten. So finden wir im September die noch werdenden Musiker, die Brüder Graun, anwesend, die als Alumnen auf der Kreuzschule für ihr Fach ausgebildet wurden; wir finden den bereits weitberühmten deutschen Musiker Telemann; und selbst Händel war von England herübergekommen, um sich hier Sänger anzuhören und Verträge für sein Opernunternehmen abzuschließen. Er trat damals auch bei Hof als Klavierspieler auf, hielt sich aber sonst, seiner Art nach, zurück, daß selbst der allmächtige sächsische Minister, der Feldmarschall Graf Flemming, sich darüber beklagte, daß er sich krank melden lasse oder abwesend sei, wenn man ihm einen Besuch mache; was indes nichts an seiner Verehrung für den Meister änderte.

Fast zehn Jahre später, im Karneval 1728, empfing ein anderer Großer hier entscheidende Eindrücke: Friedrich von Preußen war als Kronprinz mit seinem Vater König Friedrich Wilhelm I. bei August dem Starken zu Besuch, hörte hier zum ersten Male italienische Sänger und ein bedeutendes Orchester und sah zum ersten Male etwas vom Reichtum echter barocker Architektur; vor allem muß Pöppelmanns

Opernhaus es ihm angetan haben — noch in den vierziger Jahren gibt Knobelsdorffs Berliner Oper davon Zeugnis.

27.

Die Breite materieller Genußfähigkeit, wie sie in jener Hofgesellschaft lebte, können wir Heutigen uns nur schwer vereinigt denken mit einem hochentwickelten Urteil und Gefühl für alles Künstlerische, nicht zuletzt, weil unser Kunsterlebnis wesentlich der Einsamkeit gehört und kaum des Luxus zu seiner Ausbildung bedarf. Aber jene Vereinigung war vorhanden, und die hohe Qualität der gesellschaftlichen Kunst wird durch Interesse und Beteiligung der auch für uns noch gültigen hohen Geister bezeugt, deren wir hier gedachten. Selbst der auf so gänzlich anderen Grundlagen erwachsene Bach, dessen abweichende Kunstart uns noch später zu beschäftigen hat, verschmähte es nicht, dieser höfischen Welt seinen Tribut darzubringen: in Weimar und Anhalt-Köthen war er sogar selber höfischer Musikus und Musikdirektor gewesen, hat in Leipzig bei der Anwesenheit Augusts des Starken und seines Nachfolgers Kompositionen zur Verherrlichung seiner Landesfürsten aufgeführt, sich öfter in der Hauptstadt als Klavier- und Orgelspieler hören lassen und seine Hohe Messe dem katholischen Dresdner Hof gewidmet. Die damals im Gegensatz zu seinem Stil melodiöse und galante Oper hat er sich, so fremd sie ihm war, gelegentlich gern angehört, mit jener bekannten Wendung zu seinem Sohn Friedemann: „Wollen wir nicht wieder die schönen Dresdner Liederchen hören?" Er war sogar mit dem berühmtesten Künstlerpaar dieser Richtung persönlich befreundet: mit Johann Adolf Hasse und seiner Gattin Faustina Bordoni, die im letzten Regierungsjahr Augusts des Starken, 1733, in Dresden einzogen und bis zum Siebenjährigen Krieg dort ihre Heimat fanden: er, „il gran Sassone" genannt, vollkommener Meister des italienischen Stils und anerkanntes Haupt der neapolitanischen Opernschule; sie die berühmteste Sängerin Europas aus der letzten großen Zeit. In dem unabsehlichen Reichtum damaliger Musik ist mit dem Vielen, was nur für den Augenblick geschaffen wurde und wieder mit ihm verging, auch Hasses Musik für uns verklungen, am bedauerlichsten vielleicht seine Messen und andern Kirchenkompositionen, die er neben seinen Opern für Dresden schuf. Aber hier ist nun einer andern Seite jenes Kunstlebens noch zu ge-

denken, eben der katholischen Kirchenmusik, die in Dresden an den
einen Bau, an Chiaveris Hofkirche, geknüpft ist und im einzigartigen
Zusammenklang mit ihm noch das ganze Jahrhundert beherrschte, ja
bis in die Romantik und über sie hinaus ein Zentrum dieser Musik auf
dem vorgeschobenen Posten südlicher Kultur für ganz Nord- und
Mitteldeutschland blieb. Wir haben noch von Kleist und Ph. O. Runge
ums Jahr 1800 Berichte darüber, welche kaum glaubliche Gewalt ein
noch ernst genommener Kult mit der sinnlich blühenden Musik in diesem Raume übte, ja von Kleist das Zeugnis der Trauer über einen Verlust, der dem nordischen Menschen hier inne wird — „ein Tropfen
Vergessenheit, und mit Wollust würde ich katholisch werden": das ist
auch eine Formel für den Auf- und Untergang des Barock, dessen
selbstverständliche Glaubensgrundlage für alle Kunst hier voll zutage
tritt und immer auch zu seiner sinnlichen Welt- und Festfreude hinzu-
zudenken ist, die in solcher Unbefangenheit nur auf diesem Grund
gedeihen konnte.

Es ist von symbolischer Bedeutung, daß dennoch hier in Dresden
die dem Volk als Ganzem fremde Konfession auch in fremder italienischer Baugestaltung sich darstellt; welches um diese Zeit, von Ende der
dreißiger bis Mitte der fünfziger Jahre, in Deutschland sonst eine Sel-
tenheit ist — diese Spätstufe des Barock ist überall sonst fast nur noch
von deutschen Meistern repräsentiert, da der Stil ein völliges Heimatsrecht erworben hat. Aber es ward schon angedeutet, daß auch auf den
Italiener Chiaveri hier Einflüsse der Umgebung wirkten, und der
Wettkampf mit den beiden deutschen Genien Pöppelmann und Bähr.
Durch Kontrast einerseits, durch Angleichung und Summierung andrerseits hat er sich zwischen die geistliche und weltliche Konkurrenz
mit wunderbarer Sicherheit gestellt — er faßt die Zierlichkeit und
Festlichkeit des Zwinger- und Schloßkomplexes noch einmal in einem
geistigeren Sinne zusammen, verleiht der Welt des Höfischen den krönenden Ausdruck des Kirchlichen und antwortet dem, was in der
Frauenkirche elementar als Wille der Stadt und protestantischen Bürgerschaft in dem gewaltigsten deutschen Zentralbau sich empordrängt,
mit einer Übergipfelung fast gotischen Höhenaufschwungs in leich-
testem spielendem Emporwachsen des Turms, was durch das stufen-
artige Aufsteigen der statuenumsäumten flachen Dächer über den Schif-
fen noch lebendigste Vorbereitung und Bewegungssteigerung erfährt.

Die Rollen haben sich in dieser merkwürdigen Stadt jetzt fast vertauscht: denn dem Ratszimmermeister Georg Bähr schwebt ohne
Zweifel der römische St. Peter vor, wie er es im kleinen schon in den
Kirchen zu Loschwitz, Schmiedeberg u. a. gleichsam skizziert hat.
Während der Protestantismus sonst überall in Deutschland ein nach-
trägliches Bündnis mit der Gotik eingegangen ist, indem er aus Mangel
einer eigenen neuen Bauidee sich einfach in den gegebenen oder begonnenen Bauten einrichtete, sie lediglich ihres bildnerischen Schmuckes
entblößend, wird plötzlich hier, mit einem echten späten Bautrieb überhaupt, die römische Kuppel zum Vorbild, als solle den andrängenden
Italienern gezeigt werden, was ein Deutscher aus ihrem Ideale Neues
und Eigenes schaffen kann.

So mächtig erweist sich der Geist der Epoche, daß er ein bis dahin
wenig bildnerisches Volkstum dazu zwingt, den um ihn herum zu
wunderhafter Verkörperung strebenden fremden Idealen das eigene
entgegenzusetzen, welches sich doch eben nur in der fremden Form den
andern deutlich machen läßt. Und es ist, tiefer gesehen, zuletzt doch
der revolutionäre und reformatorische Geist dieses Landes, der das
alte Luthertum endlich seinen eigenen Baugedanken finden läßt: in
dem Augenblick, wo der fremde und einst bekämpfte Glaube sich durch
den Monarchen ihm gleichsam überordnet. Ohne äußeren Widerspruch,
an welchen die dynastische Ergebenheit dieser Menschen nicht zu
denken gewagt hätte, aber in einem tief innerlich unbewußten Auf-
stand werden bildend-bauende Kräfte zur Selbstbehauptung geweckt,
wie sie vom Mittelalter her in den Seelen schlummerten und sonst nur
indirekt, in Transformationen und Metastasen zum Ausdruck gelangten, die uns noch eingehend beschäftigen werden. Denn hier ist ein Bild
und Vorbild aufgedrungen und bewundernd hingenommen worden,
das zu Nachfolge und Wetteifer, zu womöglich höherer Leistung auf
dem gleichen Gebiete reizen mußte. Nur hier war dieser Zusammen-
stoß, diese fruchtbare Überwältigung möglich, und so ist nur hier das
sonst Unmögliche und Unwahrscheinliche entstanden: ein protestan-
tisches Barock, das dem einstigen Jesuitenstil in seinen eigenen Formen ein Gegenbild gegenüberstellt. Und es ist so gewaltig und einzigartig geglückt, daß unter allen Herrlichkeiten der Augusteischen Epoche
sich diese Leistung als die persönlich größte und deutscheste behauptet — nicht zufällig ist die Frauenkirche das „Wahrzeichen" Dresdens

gewesen, an dem man es von den fernen Rändern des Elbtals und noch vom Erzgebirge her erkannte.

Daß über dem Ratsbaumeister ein tragisches Schicksal waltete, daß er unter ähnlichen nur unbegründeteren Vorwürfen wie Schlüter scheinbar zusammenbrach und der Legende nach beim Sturz vom Gerüst freiwillig sein Ende soll gefunden haben, beweist nur die Tiefe seiner Konzeption, die in einem Vordergrundssinn unzeitgemäß sein mußte, wenn sie auch den Grundtendenzen der Epoche auf eine wunderbare Weise gemäß war.

Manches, was Bähr verwirklichte, war nämlich damals von protestantisch-kirchenpolitischer Seite bereits als theoretische Forderung ausgesprochen worden: Leonhard Christoph Sturm hatte soeben, 1718, eine Reform des Kirchenbaus vorgeschlagen, die eine Angleichung an die wirklichen protestantischen gottesdienstlichen Erfordernisse bringen wollte — es ist bezeichnend, daß erst jetzt, nachdem die Musik in eine beherrschende Stelle im Kult gerückt war, ihre Gleichordnung mit Kanzel und Altar empfunden wurde, und im Gegensatz zu aller bisherigen Anlage Orgel und Sängerchor mit Altar und Kanzel in eine Achse gebracht werden sollten. Wie aber Bähr das nun ins Werk setzte, das ging weit über alle Vorstellungsmöglichkeiten solcher Theoretiker hinaus — die Anlage als Zentralbau ermöglicht es, daß der Chor geradezu zur Orgel wird, daß sie den Aufbau über dem Altar krönt, ja den Altar klein und unwirklich macht unter der riesenhaften Ausdehnung des Orgelwerks und dem Herabstrahlen ihrer ornamentalen Fassung, ihrem Hinaufreichen bis zum Wölbungsbeginn der Kuppel. Nie ist der Triumph der Musik so eindeutig architektonisch ausgedrückt worden, wie hier, wo er so einbricht in den altkultischen Bereich der Anbetung und Verkündung, wie etwa der Gnadenstuhl mit der Dreifaltigkeit selbst in der Münchner Asamkirche, die, aus denselben Jahren, das theologische Gegenstück zur Frauenkirche darstellt, die katholische Gegenlösung mit der gestalthaften Vision gegenüber der musikalischen. Aber Bähr geht noch weiter. Wie er zur Überraschung seiner Bauherren und aller Unglück prophezeienden Kollegen sich plötzlich mitten im Bauen entschließt, die hölzern geplante Kuppel in Stein auszuführen, so wird unter seinen Händen die Wölbung abermals zu einer fast ungewollten Verherrlichung der protestantischen Hauptkunst, der Musik. Während seit Pozzos Wirken in S. Ignazio in Rom alle katholische Versinnlichung des Überirdischen dahin strebte, den Kuppelraum als Himmelsgewölbe zu gestalten und Engel, Heilige und Kindergenien im Unendlichen verschweben zu lassen, übernimmt in der Frauenkirche die Musik auch hier die Funktion der bildenden Kunst: eine Glaskuppel schwebt innen unter der steinernen Kuppel, und durch ihre Fenster schallte an hohen Festen ein Gesang herab, der durch das Erklingen aus solcher Ferne und Höhe wahrhaft überirdisch wirkte und, realer und irrealer zugleich, das Himmlische auf eine Weise versinnlichte, die weit über jedes Vortäuschen des Überirdischen in Menschengestalt hinausgeht. Wir werden erst später ganz verstehen, wie diese Umdichtung des römischen Barock ihre völlige Entsprechung im barocken Tonraum des Händelschen Oratoriums besitzt, weit mehr als in den gotischen Raumvisionen Bachs; wenn auch in der zeitlichen Wirklichkeit dieser Bach es war, der die Silbermannsche Orgel der Frauenkirche im Jahre 1736 durch sein Spiel einweihte, noch vor der Vollendung von Bährs Schöpfung — aber auf der Orgel waren sich ja die beiden großen gleichzeitigen Meister ebenbürtig.

Wir ahnen hier nur erst, wie das Barock in alle Gestaltungen deutschen Seelentums hineinwirkt, und wie andrerseits das Wesen dieses Stils überall in Deutschland nach innewohnenden Gesetzen des Volkstums sich wandelt und wachsend eigene Formen annimmt. Die universale dreifach gegliederte Lösung, die dieses Stilproblem im nordischen Vorort des Südens, im augusteischen Dresden erfuhr, in königlich-Weltlicher und in katholischer und protestantischer Kirchenkunst, war freilich ein Glücksfall zwischen den Kulturen. Wenn die größten Planungen auch hier nicht Wirklichkeit wurden: das Dresdner und das Warschauer Königsschloß Pöppelmanns, so bleibt doch genug, bleibt eine Symbolik der Mitte, die wir über den anderen Entfaltungen des Nordens und Südens nicht vergessen dürfen.

28.

Die großen Architekten, die bis jetzt unsern Blicken vorüberzogen, gehören mit ihrem Geburtsjahr noch der Mitte des 17. Jahrhunderts bis in die sechziger Jahre an; sie machen, in Österreich und Sachsen, die erste Generation aus, die aber im 18. Jahrhundert sich erst entfaltet und es bis in die zwanziger und dreißiger Jahre bestimmt. Aber gleichzeitig greift nun auch schon eine Anzahl jüngerer Meister in die Entwicklung ein und führt sie, als zweite Generation, bis in die fünfziger Jahre weiter: es sind, nach den Beginnern, die Vollender, denen hauptsächlich Bayern, Schwaben und Franken seine Gestaltung verdankt.

Für Bayern mußte die Bauentwicklung natürlicherweise vom benachbarten österreichischen Vorbild stark beeinflußt werden. Hier war das nahe Salzburg ein ähnlich vorgeschobener Posten, wie es Dresden für Norddeutschland war; es spielt als hohe Schule für Architekten und Plastiker damals eine große Rolle, gibt etwa für Künstler wie Permoser (der allerdings im Chiemgau geboren war) die erste Lehre ab, übt immer wieder Anziehungskraft auf ihn aus und hat für andere geradezu Italien ersetzt. Es war das geschlossenste Beispiel italienischer Bauart auf deutschem Boden, bis in den Charakter der Bürgerhäuser hinein mit ihren flachen Dächern; hier stand der früheste italienische Dom, von Solari 1614 begonnen, 1628 vollendet, die Türme von 1655; hier hatte 1685 Gasparo Zugalli im schweren römischen Stil die Cajatanerkirche erbaut, und eine Reihe glänzender italienischer Kuppelbauten schloß sich an. Hier hatte aber auch Fischer von Erlach in drei Werken die gewandelte Form hingestellt, und in der Kollegien-, Dreifaltigkeits- und Ursulinenkirche Beispiele der deutschen Fortbildung gegeben; er hatte auch zuerst die kühne Verschmelzung des Neuen mit dem Altdeutschen unternommen, als er in der Franziskanerkirche Pachers Madonna goldumstrahlt in einen barocken Hochaltar faßte, der sich herrlich in Stetenheimers gotischen Hallenchor fügt. In seinem Schloß Klesheim und in Hildebrandts Mirabell war auch der Charakter der höfischen Kunst neu geprägt, die in diesem Sitz eines der mächtigsten Kirchenfürsten nicht die letzte Rolle spielte — wie Dresden und später nur noch Würzburg verdankte ja hier eine einzelne Stadt ihre künstlerische Durchformung lediglich den Herrschern, von denen Salzburg in seinen Erzbischöfen seit Wolfdietrich von Raitenau eine glänzende Reihe besaß. Ihr Machtgebot ließ auf dem denkbar engsten Raum zwischen Gebirgsfluß und Fels eine italienische Weiträumigkeit entstehen, die eben durch das Sichdrängen der Baukörper auch die Plätze — Domplatz, Residenz- und Kapitelplatz — zu Raumerlebnissen machte; wodurch denn etwas von strenger Form und bindendem

Maß auf Schritt und Tritt erlebt wird, was uns das Werden eines so gestalthaften Künstlers wie Mozart in einer schon aufgelösteren und subjektiveren Zeit unmittelbar begreiflich macht.

Gegenüber diesem aristokratisch betonten Süden stellt sich das stammverwandte Bayern nun in einem eminenten Sinne als volkstümlich dar. Hier haben Handwerker gebaut, die nach und nach vom Maurer- und Zimmermeister oder vom Stukkator empor die Höhen der großen Kunst erreichten; und sie bauten nicht für Fürsten und Adlige, sondern für Städte, Dörfer und Klöster. Nur bei den letzteren war in den großen österreichischen Stiftsanlagen ein Vorbild gegeben, welches sich jedoch in derselben Großartigkeit in Bayern nicht wiederholte; während allerdings das Volk- und Landschaftsverbundene davon noch stärker wiederauflebte, wie auch nun überall der Typus des schlichteren Meisters wiederkehrt, der uns in Prandtauer und Munggenast zuerst begegnet war. So steht Bayern in einer ganz anderen Struktur vor uns, deren wesentliche Grundlage noch ein starker allumfassender kirchlicher Glaube ist.

Auch hier hatten im 17. Jahrhundert noch die Italiener geherrscht: Agostino Barelli aus Bologna beginnt 1663 die Münchner Theatinerkirche nach dem Vorbild von S. Andrea della Valle in Rom, die Türme fügt zehn Jahre später Enrico Zuccalli hinzu; die Fassade stammt allerdings erst aus dem späten 18. Jahrhundert, wird 1775 nach dem Plane des bayrischen Hofbaumeisters Cuvilliés errichtet. Neben dem Ausbau der Theatinerkirche ist von Zuccalli hauptsächlich das Kloster Ettal von 1709 zu nennen und das Schloß Schleißheim. In dieser späteren Zeit ist von besonderer Bedeutung noch das Wirken von Giovanni Antonio Viscardi gewesen, der 1711 in München die Dreifaltigkeitskirche erbaut und 1718—1736 die Cisterzienserkirche in Fürstenfeldbruck, in der sich schon deutsches Raumempfinden meldet, wie mit der Zeit hier wachsend bei den in Bayern heimisch gewordenen Italienern; wozu dann hier schon ganz organisch das Deckenfresko der Brüder Asam sich fügt.

In diesen Brüdern Asam ist nun das Eigene und Neue wie mit einem Schlage plötzlich da. Es bedeutet, nach dem österreichischen und sächsischen Barock, die dritte völlig originale Lösung, die nun ganz vom Malerischen bestimmt ist, vom optischen Eindruck des Innenraums, der durch Plastik, Stukkatur und eigentliches Fresko gestaltet wird, weniger von einem autonomen Baugedanken, der vielmehr den malerischen Effekt zu stützen, zu tragen, vorzubereiten hat. Die Wirkung des Außenbaus tritt relativ zurück; selten sind, wie in Dresden und Wien, die Türme mit ihrer Silhouette etwa für ein Stadtbild maßgebend; bei den Bauten in entlegenen Dörfern fällt dies von selber weg, sie gleichen sich bescheiden oder nur leicht betont der Landschaft an und lassen, mit wenigen Ausnahmen, kaum ahnen, welches Wunder das schlichte Gehäuse birgt.

Bei den Asam ist dies am radikalsten schon dadurch ausgesprochen, daß ihre Haupttätigkeit, durch die sie berühmt werden und weit hinaus über ihr engeres Bayern nach Schwaben, Tirol und der Schweiz, nach Böhmen und Schlesien und bis an den Rhein wirken, keine primär architektonische ist, sondern in der malerisch-plastischen Gestaltung von Innenräumen besteht; ob diese der eigenen Zeit oder der Romanik und Gotik entstammen, sie werden durch sie zu neuen Schöpfungen einer großartigen unverwechselbaren Phantasie. Nur drei Kirchen haben sie selber auch gebaut; diese sind dann allerdings auch das Größte und Konsequenteste, was dieser Stil hervorgebracht hat, und von einer organischen Gesamtausbildung bis ins letzte Detail, wie sie eben nur der Zusammenarbeit von zwei aufeinander vollkommen eingespielten Bruderseelen möglich war, in denen die Rollen zum Gesamtkunstwerk wie niemals sonst verteilt waren.

Von diesen Brüdern ist der Ältere, der Baumeister und Maler Cosmas Damian Asam, 1686 geboren; der Jüngere, Egid Quirin Asam, 1692 geboren, wird Bildhauer und Stukkator und ist der eigentliche Architekt. Sie stammen aus einer alten Stukkateur- und Malerfamilie in Wessobrunn; der Vater Hans Asam war Freskomaler in Rott am Inn. 1712—13 sind sie in Italien gewesen; sie studieren auf der Accademia di S. Luca in Rom, die 1577 für die bildenden Künste gegründet worden war. Die Plastik Berninis, die Architektur Borrominis, die Dekorations- und Freskenkunst von Pozzo und Pietro da Cortona machen das Milieu aus, in dem sie sich bilden, und aus dem neuesten, eigen geschauten Italienischen entwickeln sie unmittelbar die deutsche Konsequenz, ohne daß französischer Einfluß dazwischen kam; die errungene östereichische Synthese stand für diese später Geborenen bereits als selbstverständlich Gegebenes im Hintergrund, das eben den Mut zur Eigenheit schenkte. Schon drei Jahre später beginnen sie ge-

8*

meinsam die zwei Bauten, in denen ihr Stil gleich zum Höchsten vollendet dasteht: Weltenburg und Rohr.

Die beiden Kirchen sind annähernd gleichzeitig entstanden; sie liegen nicht allzuweit voneinander: Weltenburg unten an der Donau, Rohr oben in hügeligem Berggelände, beide stromaufwärts nach Kelheim hin nicht leicht zu erreichen, in völliger Einsamkeit. Weltenburg ist um 1716 begonnen, Rohr 1717; das erste von Cosmas Damian, das zweite von Egid Quirin als Entwerfer und Bauleiter, doch ist der Anteil der beiden wie überall kaum zu trennen. Beide Male ist das eigentlich Tektonische nur Vorbereitung, Hinführung zu dem Wunder, das sich innerhalb der Sonderarchitektur ereignet, welche als Hochaltar die Blicke magisch an sich zieht. In Weltenburg ist der vorbereitende Raum gleichsam stärker instrumentiert mit der vollen Ausmalung, welche in Rohr fehlt: ein Gold- und Farbendämmer umfängt einen um so überraschender, als der Außenbau betont schlicht, ja asketisch an die andern Klostergebäude sich schließt und die Vorhalle noch licht und klar gehalten ist. Und in dem dämmernden Raum kommt nun der gewaltige Lichteinbruch allein vom Hochaltar her, aber auch da nicht direkt durch Fenster des Chors, sondern seitlich als schmal geführte Beleuchtung auf die plastische Gruppe konzentriert, die wie lebendig in Glanz und Schatten zugleich hereinstrahlt, als ob sie die Mauer durchbräche: in gold- und silberschimmernder Rüstung reitet St. Georg aus einer fremden Sphäre herein, mit flammender Lanze auf den züngelnden Drachen gerichtet, erhaben auf einem Podest, zu dessen andrer Seite die Prinzessin von Lybien sich staunend und erschreckend weg- und aufbeugt. Was Altdorfer als Märchengeschehen in den deutschen Hochwald verlegte, das spielt sich hier in völliger Illusion als Märchendrama im steinernen Walddämmer einer Kirche ab; plastisch betastbar, und doch ganz in Geheimnis erhoben, malerische Vision, an deren Dauer und Bestand man nicht zu glauben vermag. Erst allmählich kann der Blick das Ganze des übrigen Raumes erfassen: einen gewaltig wirkenden Aufbau, dessen Decke und Abschluß wunderbar leicht zu schweben scheint, sich wirklich als eine Lichtwelt himmlischer Erscheinungen öffnet, deren Farben wie von selber strahlen; während doch wieder nur das Außenlicht unter einem von Engeln getragenen Kronreif hereinfällt, auf dem die ovale Kuppel mit ihrem Fresko des Empfangs der Madonna im Himmel nur wie flüchtig aufruht oder sich herabzulassen scheint. Die Transzendenz der beiden Ereignisse von Altar und Kuppel ist hier weit über alles Bisherige sinnlich erlebbar gemacht, mit Mitteln der Illusion des Wirklichen, wie sie sonst nur die Bühnenkunst kennt, aber nicht an die Erscheinung des Heiligen wendet. Und zur Verstärkung dieser Illusion ist überall das Reale mit dem Irrealen in Beziehung gesetzt; so, wenn der Künstler selbst, Cosmas Damian Asam, sich abbildet, lebendig greifbar im Kostüm der Zeit über die Brüstung unterhalb des Kuppelreifs gebeugt, mit einem verzückten Lächeln, ganz von dem eigenen Werke und seiner Feierlichkeit und Heiligkeit hingerissen und wie zur Glorie über ihm gehörig — ein völliges Gegenstück etwa zu C. D. Friedrichs vom Beschauer abgewandten und in die große Musik der Natur versunkenen einsamen Figuren, dieser gleichsam gesellig der Gemeinschaft der Heiligen noch zugehörige und ihrer triumphierenden Musik selig gewisse Künstler. Dieser selbstverständlichen Frömmigkeit, die alles zur Verherrlichung des Göttlichen wagt und für erlaubt hält, muß man stets eingedenk bleiben, wenn man mit dem voreiligen Begriff von Theater und Theatralik hier zur Hand ist, angesichts etwa auch der unerhörten Kulissen- und Lichtregie: denn es hat nichts mit unserm profanen Theater zu tun, ist wahrhaft ein theatrum sacrum, nicht im engen Sinne der jesuitischen Einrichtung, sondern als eine Summierung alles Bild- und Gestaltwerdens des Heiligen von den Mysterienbühnen des Mittelalters an. Aber hier wird uns zugleich der Abstand klar, das undurchdringlich wie hinter Glas Gebannte dieser ganzen unwiederbringlichen Welt, die zum alleinigen Lobe Gottes erschaffen wurde von der Inbrunst eines Gefühls, das noch das höchste und einzig sinnvolle Leben dieser Menschen war. Erst in zweiter Linie mögen wir uns erinnern, daß der Hang zu Verbildlichung und Verkörperung nicht nur zum Wesen des katholischen Kultes und die Darstellung und Schaustellung insbesondere zum Geist der Epoche seit dem Aufkommen des römischen Barock gehörte, sondern daß der bayrische Stamm unter den deutschen von je diese Eigenschaften in sich trug und von Natur auch gerade dem Schauspielhaften zugeneigt ist — hier hat er sich zu seiner höchsten Kunsthöhe erhoben, weit großartiger und ewiger, als es in der Entfaltung eines wirklichen Bühnendramas hätte geschehen können: das Drama, die Szene wird noch einmal sakral und kann die Geister in volle Sinnlichkeit beschwören, die im Norden nur auf der unsichtbaren Szene von Passion und Orato-

rium gleichzeitig im selben Jahrhundert lebendig wurden. Das ist das
Große und Neue, was dieses süddeutsch-bayrische Barock der Entwicklung der Architektur hinzufügt und eingestaltet. — Nicht weniger als
in Weltenburg ist auch in Rohr diese heilige Schaukunst Wirklichkeit
geworden. Hier ist die Szene fast noch kühner und nun ganz die
Hauptsache, da der Bau der überschwenglichen Ausstattung sonst fast
ermangelt und einzig der Beherbergung des gewaltigen Altars dient.
Da stehen die plastischen Gestalten der Jünger am leeren Sarkophag
der Madonna; die einen sehen nur mit Entsetzen, daß sie verschwunden ist, die andern gewahren ihre Auffahrt in die Lüfte, Petrus reicht
ihr noch eine rote Rose hinauf — sie aber schwebt völlig frei, von
Wölkchen und Engeln getragen, die ebenso plastisch, dem Gesetz der
Schwere entgegen, im Raum sich fliegend erhalten; verzückt, mit wunderbar königlicher jasagend-hingenommener Geste, und doch zugleich
mit den ausgebreiteten Armen wie um das Gleichgewicht bemüht, steigt
sie empor, jugendschön und kostbar gewandet unter den fast nackten
harmonisch um sie bewegten Engelsgestalten — es ist ein Aufschwung,
wie ihn noch nie ein Mensch ersann und mit plastischen Mitteln irdischer Körperwirklichkeit darzustellen unternahm. Wir werden auch
hier an die Mittel barocker Theaterkunst erinnert, an die Flugmaschi-
nen der Oper — die heilige Szene ist für das Volk in Dorf und Land,
was die italienische Oper dem Hof und den Städten mit ihrer aristokratischen Gesellschaft ist — aber diese bildhaft verharrende Szene
darf ja schließlich konstruktive Mittel in Anspruch nehmen, die von
Strebepfeilern und Wölbungssystemen nur dem Grad, nicht dem
Wesen nach verschieden sind, und die schräge Eisenstange, die durch
den gebauschten, die Figuren am Rücken berührenden roten Damast-
vorhang aus Stuck hindurch die plastische Gruppe hält, hat keine
andere Funktion als sonst ein architektonischer Gerüstteil oder Skulp-
turkern. Denn die malerisch-plastische Vision ist hier nur die letzte
bewegte Schwingung der Baukunst geworden, wie sie sich seit Borromini immer kühner und entmaterialisierter entwickelt hatte.

1725 ist Rohr, 1721 Weltenburg vollendet worden; von 1733 bis
1734 entsteht ihre dritte Kirche, St. Johann von Nepomuk in der
Sendlingerstraße in München, im Rohbau, die Innenausstattung wird
erst 1746 vollendet, nach 1739, wo der ältere Bruder stirbt, von dem
jüngeren allein. Es ist keine repräsentative Stadtkirche, sondern, auch

darin einzigartig, ein von den Brüdern aus eigenen Mitteln errichteter
Bau. Der jüngere Bruder, Egid Quirin, hat sie als seine Grabstätte gestiftet; aber ganz allgemein kommt in diesem von Künstlern privat
unternommenen Werk die uns schon vertraute Art zum Ausdruck, wie
diese Männer sich mit ihrem sakralen Gegenstand identifizieren. Hier
herrscht nun letzter Ernst und hohe Feierstimmung. Das Märchen von
St. Georg, das holde Wunder der Assunta können noch irgendwie als
weltliche Einwirkungen der Gottheit gelten und die blühend irdische
Gestaltung rechtfertigen; jetzt geschieht der Einbruch von oben, wiederum über dem Hochaltar, durch die Erscheinung der Dreifaltigkeit
selbst, und das Heitere, Schöne und Lockende fällt ab. Gott Vater mit
der Tiara gekrönt, hält ernst herabgeneigt das Kreuz, an dem der
Sohn den Tod erleidet; über ihnen schwebt der heilige Geist, dessen
Strahlenkranz sich frei entfaltet, kaum merklich von den letzten zarten Spitzen von Flügeln der Engel getragen, die sich über der Gruppe
schließend wölben und mit anderen Engeln seitlich und unten zusammen die himmlische Sphäre abgrenzen. Es ist die alte gotische Vorstellung des „Gnadenstuhls", die hier wiederkehrt, in barocke Musik aufgelöst und mit vollem Orchester instrumentiert. Der ganze Raum der
hohen schmalen Kirche strebt einer einzigen Auflösung nach oben ins
Unendliche zu — der Reichtum seines vielfältigen Prunks, seiner un-
übersehbaren plastischen, malerischen, ornamentalen Details wird wie
ausgelöscht durch das Deckengemälde und die Erscheinung über dem
Altar, auf welche beide wie in Weltenburg das wiederum künstlich geführte Licht gesammelt ist und den überwältigten Beschauer in inbrün-
stiger Ekstase hinaufreißt. Die Heiligengestalten am Eingang nach der
ovalen schönbegitterten Vorhalle sind düster und todesnah, atmen
Dämonie und fanatische Religiosität, lassen eine Wandlung von Jugend-
seligkeit zu Altersfrömmigkeit ahnen; und doch besagt all dies Einzelne da unten wenig gegen den orgelhaft feierlichen Aufschwung, der
die Grenzen des Raums bewegt und sprengt und das Unendliche selber
hereinbrausen läßt. Wenn Rohr und Weltenburg zur selben Zeit entstehen, in der der Dresdner Zwinger vollendet wird und seiner irdischen Schaukunst mit geistlicher Bühne antworten, so müssen wir zu
der Nepomukkirche noch einmal an die Gleichzeitigkeit mit der Frauenkirche erinnern und mit den nordischen Musikern Händel und Bach —
ein Jahr nach Händel und Bach ist ja der ältere Asam geboren, und

der jüngere stirbt in Bachs Todesjahr: es ist der gleiche Ausdruck echter Volksfrömmigkeit, der in ihnen allen schwingt, einmal auf nordische, einmal auf süddeutsche Weise, die im Katholizismus der Asam sich zu derselben ewigen Höhe schwingt.

29.

Wir müssen uns gewöhnen, in so verschiedenen Erscheinungen wie der süddeutschen Kirchenkunst des Barock und der norddeutschen Polyphonie der Musik etwas völlig einander Entsprechendes im Grunde Gleiches zu sehen, das in zeitlich genauer Parallele den Einen Schöpfertrieb der Epoche ausspricht, nur jeweils in dem verschiedenen Medium, das sich durch konfessionelle Trennung, Stammes- und Landesart und nach anderen Richtungen orientiertem Einfluß von außen notwendig hat ergeben und entwickeln müssen. Es ist in beiden Fällen typisches 18. Jahrhundert, daß das wissenschaftlich Rationale und skeptisch Aufgeklärte, was seit der Renaissance wachsend die andern Länder zu beherrschen begann und in Deutschland einzudringen im Begriff war, plötzlich seine glaubensfeindliche und kunstzerstörende Macht verliert, in den Gemütern einer tiefen starken Frömmigkeit Platz macht und von den eigentlich erst jetzt zum Ziele kommenden positiven Kräften abgelöst wird, die den feindlichen Bruderzwist von Reformation und Gegenreformation hervortrieben. Genau wie Leibnizens Theodizee im Gegensatz zur philosophischen Skepsis und Geistesrevolution des Westens ist diese Kunst reaktionär, reißt noch einmal die Entwicklung zurück zu mittelalterlicher Glaubenzuversicht, wenn auch in völlig neuen, eine noch unerlebte Sinnenwelt in sich saugenden Formen; aber es fehlt vollkommen das kämpferisch Negative, was sich als Glaubensgegensatz im Dreißigjährigen Krieg ausgetobt hatte — alle Glaubensinbrünste strömen in das Friedensreich der Kunst; nur daß eben die immer noch währende konfessionelle Abgeschlossenheit der Länder und Stämme meist nichts von dem neuen Leben weiß, das sich bei den Angehörigen derselben großen Nation an andern Orten regt. Wenn man bedenkt, daß Leibnizens Theodizee 1710 geschrieben und erschienen ist und nun von diesem Jahrzehnt ab die süddeutschen Kirchenplanungen beginnen, um schon in den zwanziger Jahren zu den ersten großen Vollendungen zu gelangen, und daß um diese Zeit Bach seine erste Passion, die Johannes-Passion schreibt, seine Kantaten begonnen hat und bereits mit Händel in der Orgelkunst um den Preis ringt: so zeichnet sich die neue geistige Schöpfung in ihren wesentlichen Formen als ein notwendiges und sinnvolles Ganzes ab, das in seinem Jenseits- und Unendlichkeitsstreben Macht über die Menschen so verschiedener Art und Herkunft gewonnen hat.

Die genaueren Entsprechungen der getrennten Kunstwelten werden uns noch später zu beschäftigen haben. Hier sei zunächst auf einen Unterschied in dieser parallelen Entwicklung bis in die fünfziger Jahre hingewiesen: im Norden und in der Musik sind es wesentlich nur zwei, allerdings ungeheuer summierende und vollendende Persönlichkeiten, Bach und Händel, in denen der Geist der Epoche schöpferisch erscheint — im Süden und in der Baukunst ist es eine unendliche Zahl, in denen das gleiche zum Licht drängt: die seit dem Mittelalter ungebrochene Entwicklung der Musik, durch keine künstlerische Fremdherrschaft beeinträchtigt, hat Bach und Händel die Unzahl der vorbereitenden Meister voraufgehen lassen, deren Leistung sie nur erhöhend abschließen; in der Architektur wird eine fast noch bestehende Überfremdung durch die Vielzahl bedeutender, oft gleichhoher Künstler gesprengt und das Errungene über das ganze Land ausgebreitet, in einer Weise, die in der Musik nicht mehr stattfindet.

Und so erleben wir denn allein schon in Bayern dasselbe wie bei den Brüdern Asam bei einer Reihe andrer großer Meister, wenn auch die einzigartige Zusammenarbeit zum Gesamtkunstwerk, wie sie diesem Bruderpaare möglich war, nicht wiederkehrt — dafür ist aber eben die unerhört ausgebreitete Tätigkeit der Brüder als Plastiker, Maler, Stukkateure und Dekorateure, die sie außerhalb ihrer eigenen drei Kirchen übten, die vielfache Ergänzung der andern Architekten gewesen. Und hier zeigt sich der tiefere Grund, warum in der Musik nur zwei Schöpfer, in der Baukunst unzählige uns begegnen: der bildende Künstler des Barock stellt all sein Können — sofern es nicht dem höfischen Gesamtkunstwerk des Schlosses dient, und das ist bei den deutschen Meistern Bayerns kaum der Fall — in den einen Raum der Kirche hinein, der für das gesamte Volk noch der einzige Kunst- und Kulturraum ist, vielmehr wieder geworden ist wie einst im Mittelalter; dagegen der Musiker trifft selbst mit seinem frommen Werk nicht mehr das ganze Volk: Händel führt seine Oratorien nicht mehr in der Kirche auf, und Bachs Passionen und Kantaten werden nur in einem Gotteshaus seiner

Stadt gespielt, nicht in allen Kirchen des Landes oder der gesamten protestantischen Landschaft; gar die anderen Formen der Musik außer der Orgelkunst haben nirgends eine Statt, sind einsam oder für Lernende und Liebhaber, ja oft für bloß Lesende entstanden, sie dringen nicht mehr in eine Gemeinschaft des Volks, wie es sich für den süddeutschen Künstler in der Kirche sammelt, Kirche ist im Norden nur Sonntag und Feiertag, nicht Untertauchen zu jeder Stunde des Alltags — die gebildetere, vielfach schon rationalisierte Bevölkerung des Nordens hat ihre größte Kunst nicht so mehr gewollt und gebraucht, nicht so mehr aufgenommen und so noch ganz um den Kern der Volksreligion geschlossen wie die süddeutsche Menschheit. Trotz des gewaltigen Musikgetriebes der Zeit findet das höchste geistige Verlangen nur in wenigen Einzelnen Ausdruck, weil musikalische Geistigkeit nur in Wenigen lebt — die Musik entzieht sich wachsend dem bindenden Boden, auch des kultischen Zwecks, steigt zuletzt in eine unzugängliche Sphäre, aus der sie später wieder herabwirken konnte und im Lauf der Jahrzehnte und Jahrhunderte doch ihr Volk eroberte; südliche Baukunst baut dem ganzen Volk ein Haus, das erst von den nicht mehr Gläubigen einer späteren Epoche verachtet und gemieden wurde und zu dem die Ehrfurcht und Andacht auch Andersgläubiger erst in unsren Zeiten zurückfand.

Alle Künste schmücken dem Volk dies Haus — Malerei und Plastik, seit dem Einbruch der Renaissance sonst die schlechthin unpopulären Künste, haben hier noch einmal für eine begrenzte Landschaft die Gültigkeit und Volksmäßigkeit erlangt wie einst im Mittelalter: nicht in den Porträts, Landschaften und Stillleben, nicht in vereinzelten Denkmälern auf Marktplätzen, nicht im Ringen um zeitlose Formprobleme in Ateliers hat man die wahre Geschichte der neueren Malerei und Plastik zu suchen, sondern in ihrem Dienst an den Räumen der großen Architektur. Und hier ist sie noch einmal auch mit dem Urelement germanischen bildenden Triebes, mit dem Ornament, in einen unauflöslichen Bund getreten, genau wie im Mittelalter. Nicht nur, daß, für den ersten Gesamtblick, die Funktion von Malerei und Plastik im Ganzen des Gebäudes immer zunächst als eine ornamentale erscheint, wie es auch im gotischen Dom der Fall ist; sondern daß das Ornament als Dekoration sich über alle Flächen und Bauglieder erstreckt und eben mit umrahmter Malerei und eingefaßter etwa schwebend gehaltener Plastik eine völlige Verschmelzung eingeht. Nur daß, dem Mittelalter gegenüber, an die Stelle von Wandgemälden und Glasfenstern die Deckenfresken treten, an die Stelle der Triptychen und Schnitzaltäre die gesamtkünstlerischen Altaraufbauten; und daß zu der altüberlieferten Steinmetzkunst die neue, ganz entscheidende Tätigkeit des Stukkators sich gesellt, der nicht nur Profile und Ornamente, sondern auch lebensgroße Plastiken bildet.

Es ist sozusagen die „absolute" Kunst von Meistern wie den Asam, was sie als Maler, Plastiker, Stukkateure in den Kirchen, die sie nicht selber bauen, an selbständigem Schmuck- und Bildwerk über Decken, Wände und Altäre ausgebreitet haben, vergleichbar den Sonaten, Suiten und Konzerten der großen Musiker außerhalb ihrer Oratorien und Kantaten — aber es bleibt hier dem Raume vermählt und zieht sich nicht in Einsamkeit oder liebhaberische Gesellschaft und wissenschaftliche Lehre zurück. Wir dürfen nie vergessen, daß deutsche Maler, Plastiker, Ornamentisten es waren, die zu einer Zeit, wo im Süden die Musik noch fremd-italienisch in den neuen Räumen erklang, eine stumme Musik überschwenglichsten dekorativen Bildens über alles ausgegossen haben, die bis in die letzten Verästelungen und schwingenden Auflösungen des Rokoko der tönenden entspricht und einen ebenbürtigen Ausdruck tiefsten deutschen Kunstwillens darstellt.

Weniger noch als bei der Architektur ist bei dieser freieren Kunst eine strenge Trennung zwischen geistlich und weltlich möglich, selbst in den Werken für Kirchen und Klöster: auch die Asam haben antike Allegorien gemalt, und oft gehen auf den Deckenfresken die Gestalten des christlichen und klassischen Olymp eine ganz selbstverständliche Vereinigung ein, da eine ausgebildete malerische Symbolik und Poetik sich aller erdenklichen Bedeutungswerte ebenso gelehrt wie naiv bedient. Auch hier haben wir ein Analogon in der Musik: Bach hat mit völliger Unbefangenheit Kompositionen, die auf Texte höfisch-antikischer Allegorik für seinen Fürsten entstanden waren, seiner Hohen Messe oder dem Weihnachtsoratorium untergelegt, und bei Händel ändert sich nichts im Stil, ob er das Alexanderfest oder ein biblisches Oratorium schreibt.

Freilich gelangt vor allem die Plastik unter den Händen der süddeutschen Meister zu dem äußersten Gegensatz, der zu antiker Auffassung möglich ist. Sie wird nicht nur von innen bewegt, gleich der

gotischen, statt von außen geformt, und verleugnet alle Gesetze der
Statik; sie wird vom Raum in einem malerischen Sinne abhängig, ist
nicht mehr denkbar ohne bestimmte Beleuchtung, in die sie wie eine
Bühnengestalt gesetzt ist, erhebt sich aber über jede Illusion durch die
Vereinigung, die sie wieder mit allem Ornamentalen und übersinn-
lich Malerischen eingeht. Hier ist gerade in den bayrischen Kirchen
durch flammende Inbrunst und oft wilde Ekstase die Musikalität der
Plastik zur letzten Grenze getrieben worden und läßt die Freiskulp-
turen in den Parks und Treppenhäusern und Brunnen der Schlösser,
ja selbst in den Grotten des Zwingers weit hinter sich, vor allem, wo
das Material des Stukkes das leiseste Nachgeben jeder Regung und
das Verfließen in den Gesamtaufschwung der Schwesterkünste erlaubt.

30.

Namen zu nennen, wird hier nahezu unmöglich — vieles ist für uns
noch anonym, und wo Namen der Meister überliefert sind, besagen sie
dem heutigen Gebildeten immer noch so gut wie nichts, da der „dienende" Maler und Plastiker dem modernen biographisch orientierten
Welt- und Kunstgefühl weniger bedeutet, als der geringste „selbständige" Landschafter, Denkmalschöpfer und Porträtist, der auch in
karger und niedergehender Zeit die legitime Repräsentation in Museum
und Ausstellung besitzt.

Aber schon im bayrischen Schloßbau, der durch des Kurfürsten Max
Emanuel Politik und Schicksal im spanischen Erbfolgekrieg, wo er
gegen den Kaiser für Ludwig XIV. Partei ergreift, weitgehend unter
französischen Einfluß gerät, ist neben dem französischen Belgier Cuvillés der Dachauer Gärtnerssohn Joseph Effner (1687—1747) tätig
gewesen, der ähnlich wie die Asam die Eigenschaften des Architekten
und Dekorators in sich vereint. Er hat 1714 den Ausbau von Nym-
phenburg geleistet, und im dortigen Park die Pagodenburg und Baden-
burg erbaut; das Preysingpalais verdankt ihm seine Gestalt, die vor
allem durch die überquellende Ornamentik der Fassade charakterisiert
wird, er hat Schleißheim ausgebaut und die Ausstattung der Reichen
Zimmer der Münchner Residenz begonnen. Als Stukkateur und Dekorateur wird auch Johann Baptist Zimmermann, der Bruder des Architekten, an den Münchner Hof berufen und hat dann einer Reihe bay-
rischer Kirchen den Schmuck verliehen. Ein unmittelbarer Schüler von

Cosmas Damian Asam ist später Matthäus Günther, der dessen Fres-
kenstil nach Augsburg trägt, aber auch in Amorbach oder Rott am Inn
sich betätigt. Unter den Stukkatoren-Bildhauern sind etwa die beiden
Feuchtmayr zu nennen: Johann Michael, der in Zwiefalten, Ottobeu-
ren, Bruchsal, Amorbach schuf; Joseph Anton, der seine Kunst in die
Bodenseegegend, nach Weingarten, Überlingen, Birnau, Meersburg,
St. Gallen trug; unter den Malern der geniale jungverstorbene Joh. Ev.
Holzer. Den Abschluß der Freskenmalerei der Epoche bilden dann
die beiden Zick: Johannes, der Vater, der Bruchsals Treppenhaus und
Säle malt, und Januarius, der Sohn, der noch im Jahre 1778 die
Klosterkirche Wiblingen bei Ulm ausgestattet hat.

Lebendigere Vorstellungen verknüpfen wir mit den Baumeistern
selbst, die neben und nach den Asam Bayerns Kirchen schaffen und
dann nach Schwaben und bis in die Schweiz gewirkt haben. Aus den
vielen Namenlosen, denen die zahllosen Barockkirchen des Landes
ihre Entstehung verdanken, ragen besonders zwei große Persönlichkeiten hervor: Dominicus Zimmermann und Johann Michael Fischer.

Dominicus Zimmermann stammt wie sein Bruder, der schon erwähnte Maler und Stukkator Johann Baptist, aus Wessobrunn, der
Heimat so vieler Künstler dieser Zeit; er ist fast gleichzeitig mit dem
älteren Asam, 1685, geboren, genauer Altersgenosse von Händel und
Bach. Seine Hauptwerke sind: die Wallfahrtskirche Steinhausen bei
Schussenried (1727—33), Günzburg (1736—39) und die Wies (1746
bis 1754); noch später, 1752, der Bibliothekssaal des Klosters Schussenried; 1766 ist er, einundachtzigjährig, in der ländlichen Zurückgezogenheit von Wies, wo seine Hauptschöpfung stand, gestorben. Wie schon
sein Leben auf dem Lande (in Landsberg am Lech und dann in Wies)
es zeigt, ist er auch in der Kunst ein naturhafter, naturnaher Meister —
der Haydn in der Architektur des Barock. Licht und hell sind seine
Kirchen, in zarten Farben erstrahlend. In Steinhausen etwa öffnet sich
im Deckengemälde hinter weißen Ballustraden sogar die freie Natur
mit hohen grünen Bäumen und Springbrunnen, und erst über ihr der
heitere Himmel mit seinem wirbelnden Figurenspiel, das von fern wie
ein seliger Kinderreigen anmutet. Aber es ist die Auffahrt der Maria,
der unten in der arkadischen Landschaft die Herrscher der vier Erd-
teile zuschauen; in paradiesischer Nacktheit ist da auch das erste
Menschenpaar hingelagert, und selbst der Strahlenglanz darunter im

Orgelfenster wirkt mit seiner Silhouette organisch strebend wie ein
Palmenbaum. — Zu den Malereien hat Zimmermann hier seinen Bruder Johann Baptist zugezogen und sich mit ihm ähnlich glücklich verbunden, wie es gleichzeitig die Asam taten; aber das Tragende bleibt
die Konzeption des Raums, der eine seltsame Wiederkehr der gotischen Pfeilerkirche bedeutet, deren Leichtigkeit durch den ovalen
Grundriß nur noch stärkere Schwingung erhält, schließlich jedoch das
gotische Prinzip wie in einer Umkehrung zeigt, indem die Fenster
nicht farbige Kunstsubstanzen sind, die den Raum in Dunkel und
Dämmer hüllen, sondern reine Lichtquellen, die zur Erhellung der
frohen Farbigkeit dienen, auf welche die Kirche von vornherein angelegt ist, und die nun über die Pfeiler, Wände und Wölbungen eine
Symphonie von Weiß, Rotgold, Hellblau verbreitet. Die Farbwunder
von Zimmermanns Kirchen gewinnen ihre Eindringlichkeit noch durch
die Schlichtheit und Schmucklosigkeit der Außenbauten, die durch nichts
als die seltsam gekurvten Fenster auf den Traum und Rausch im Inneren vorbereiten. Das höchste in solchem umstürzenden Gegensatz leistet die Wies. Sie hat von der Bergmatte ihren Namen, auf die man
durch Wälder wandernd hinaustritt — eine einfache Dorfkirche scheint
einen zu erwarten; und dann steht man plötzlich im Märchen, das
alle Poesie der Natur mit einem Feenreich der Kunst übergipfelt, das
seinesgleichen nicht hat. Wenn irgend etwas die Volkhaftigkeit dieses
bayrischen Barock erweist, so ist es diese Konzentration der höchsten
Kostbarkeit und glitzernden Schmuckfülle in einer entlegenen Stätte
der Wald- und Wiesennatur. Hier ist nichts von Repräsentation, nichts
vom souveränen Gültigkeitsanspruch des großen Individuums, dem
die Bauten des Barock sonst so oft ihre Entstehung verdanken; und
dennoch ist es ein höchst persönliches Werk, das Alterswerk des Meisters, das er zwischen seinem sechzigsten und siebzigsten Lebensjahr
geschaffen hat, als ein Zeugnis letzten verklärten Aufschwungs seiner
reinen und harmonischen Natur. Gegenüber der gedämpfteren Pracht
seines mittleren Werks, der Günzburger Kirche, ist hier das Lichte,
Schwebende noch über Steinhausen hinaus gesteigert: ein unregelmäßi-
ger Rhythmus von Pfeilern und Säulen vor doppelt durchbrochenen
Wänden trägt über den Wölbungen noch einmal runde gekurvte Fenster, durch welche die Kuppel materielos im Freien wie aus der Luft
selber aufzusteigen scheint, und aus ihr sendet das Deckengemälde

wunderbar wechselnde Wolkenbildungen herab, über welche die Vision der Herabkunft hingezaubert ist. Dennoch ist es keine Dramatik, mit der das Überirdische hereinbricht, keine theatralisch vorbereitete erschütternde Erscheinung, wie bei den Asam; aus dem ganzen Raum tönt es wie die lobpreisende Musik eines frommen friedlichen Herzens empor, das dem entscheidenden Gericht in vertrauensvoller Ergebung entgegenschaut. Alles, wohin man den Blick schweifen läßt, ist in bunte märchenhafte Farben getaucht und mit golden-weißem Schmuckwerk überzogen, indem jetzt die Rocaille, das eigentliche Rokokoornament, seine auflösend-verklärende Macht und Pracht entfaltet; und die Säulen im Chorraum prangen in weißblauem und rötlichem Marmorgefaser. Eine selige Stille hüllt den Menschen ein, wie nicht von dieser Welt. Wie vom Glanz geblendet oder lächelnd in sich versenkt stehen auch die Figuren der Kirchenväter da, selber seltsam ferne märchenhafte Wesen mit den unwirklich gelockten Bärten.

Schussenried, noch vor der Vollendung der Wies vom Siebenundsechzigjährigen geschaffen, ist die Übertragung des gewonnenen Kirchenstils auf einen Klosterbibliotheksraum, wo ein mehr irdischer Zweck doch ganz in die absolute Sphäre spielender ornamentaler Musik einbezogen wird. Wenn aber nun der Meister, von seiner Schöpfung ruhend, in die Umgebung seines liebsten Werks, der Wieskirche, sich zurückzieht, ähnlich wie die Brüder Asam neben der Münchner Nepomukskirche sich ihr Wohnhaus bauen, so werden wir von diesem höchst Persönlichen berührt, mit dem diese Barockmeister nicht anonym wie im Mittelalter vor ihrer Schöpfung verschwinden, sondern sich in ihr heimisch machen, als ob sie immer wieder der von ihnen ersonnenen Musik des Raumes lauschen müßten. Und wir erfahren es in dieser Kunst, die zwischen den mittelalterlichen und unsern Kunstbegriffen doppelgesichtig mitten inne steht, daß es auch hier Vollendung in einem Altersstil gibt, wie wir es sonst nur bei den großen Malern und Dichtern kennen, deren bekanntes und durchforschtes Leben uns auch die rätselhaften Ausklänge hat vertrauter werden lassen — wir müssen bei solchen letzten Zusammenfassungen, und wenn gar das Erlebnis des Eigenen sich dazu gesellt, eine Bewußtheit annehmen, die uns mit der Welt dieses übermächtigen und fast pflanzenhaften Wachsens ihrer Gebilde sonst kaum vereinbar scheint. Daß Stil, das Unwillkürlichste und scheinbar Zeitgebundenste, bewußteste Verwirklichung nicht nur

des Rechnens und Planens, sondern des inneren Wertgefühls sein kann,
ist eine der großen überraschenden Lehren des Barock und läßt uns
vielleicht das Sublime und Zerbrechliche, die schnelle Blüte und kurze
Dauer dieser letzten Ganzheitsentfaltung des Bildenden begreifen.

31.

Auch der zweite große Meister neben den Asam hat eine solche bewußte Entwicklung gehabt. Wie Zimmermann mit dem älteren, so hat
Johann Michael Fischer mit dem jüngeren Asam die Geburtszeit —
1691 — gemein, so daß wir mit diesen vier Meistern in vollkommenen
Parallelen die wesentliche Entfaltung des spezifisch bayerischen Barock
übersehen. Fischer fügt ein neues Element diesem Ganzen hinzu: während die Asam und Zimmermann den Raum hauptsächlich durch eine
malerische Auffassung und auf einen malerischen Gesamteindruck hin
gestalten, die Asam dramatisch durch Vorbereitung auf ein optisches
Ereignis, Zimmermann mehr für ein gleichmäßig überall haftendes
Schauen einer zuletzt fast lyrischen Versunkenheit, ist in Fischer das
Konstruktive das Primäre, die eigentlich plastische Baugesinnung, die
mit der klaren Berechnung des Gehäuses das Raumerlebnis bewirkt. Es
ist hierfür schon bezeichnend, daß er nicht aus der Maler- und Stukka-
torenschule stammt, sondern ausgesprochener Bauhandwerker von
Lehre und Herkunft ist. Er wird als Sohn eines Stadtmaurermeisters
in Burglengenfeld geboren, hat bei dem Münchner Stadtmaurermeister
Johann Mayr gelernt, erwirbt in München das Bürger- und Meister-
recht und ist selber als Stadtmaurermeister dort 1766 gestorben. Wichtig ist, daß er sich auch an fremden architektonischen Lösungen orien-
tiert: er hat in seinen Wanderjahren bis nach Mähren hinein die österreichische Synthese in der Wirkung und Verbreitung Fischer von Erlachs kennengelernt und später den Wandel des Geschmacks in München
miterlebt, als mit Cuvillés der französische Einfluß Boden gewinnt —
er bleibt zwar seinem schlichten bayrischen Wesen getreu und ist so
bodenständig gewesen wie die andern, aber er gewinnt seiner Stamm-
mesart die fremden Anregungen hinzu, die er in sein Werk hineinver-
arbeitet. Er hat viel geschaffen; 32 Kirchen und 23 Klöster nennt sein
Grabstein, vieles vor allem von den Klosterbauten ist schlichte Zweck-
arbeit und auch anonym geblieben wie das meiste, dadurch ein Stil
seine allseitige und volksmäßige Ausbreitung erfährt; auch bei den

großen Aufgaben, die ihm zuteil wurden, war es ihm nur selten vergönnt, ganz aus dem Vollen und von Grund auf zu schaffen — er mußte fremde Pläne und Anfänge übernehmen, mußte manchmal erst Geschaffenes wieder niederreißen, um seine Idee durchzuführen; aber seine Kraft zeigte sich oft gerade darin, daß an solchem Widerstand das Eigene ganz groß und klar erwuchs und sich dennoch unverwechselbar durchsetzte. So hat er sein Leben lang im Grunde dem Langhausbau widerstrebt und übernommene Anlagen dieser Art mit Gedanken des Zentralbaus zu durchdringen gesucht, bis ihm zuletzt in seinem Alterswerk die reine Verkörperung seines Ideals gelang. Osterhofen, Dießen, Zwiefalten, Ottobeuren und schließlich Rott ragen aus seinem umfangreichen Werk als die bedeutendsten Stationen hervor.

In der Damenstiftskirche Osterhofen an der unteren Donau, 1726, erreicht er seinen Zweck durch die Einfügung von ovalen Seitenkapellen, mit denen ihm jene Rhythmisierung gelingt, die für ihn typisch wird, da ein Abschreiten des Raumes erst der ganzen musikalischen Struktur teilhaft werden läßt. Er arbeitet hier mit den Brüdern Asam zusammen, von denen der plastische und malerische Schmuck stammt; aber sie fügen sich hier dem architektonischen Gesetz eines andern Meisters, und entwickeln dadurch andere neue Seiten, daß sie nicht selbst das Ganze auf den einen dramatisch-visionären Blick und Eindruck haben anlegen können. Ihre zauberhaft üppige Dekoration, die sich gleichmäßig über den ganzen Raum breitet und ihm zuletzt doch den gewaltig hinreißenden Schwung und Auftrieb verleiht, erlaubt hier das Verweilen bei herrlich hervortretenden Einzelheiten, und Ruhe und innige Menschlichkeit spricht hier aus ihrer Plastik, die des Effektes sich begibt, um wahrer stiller Andacht zur versunkenen Schau sich darzubieten. In der Mutter St. Anna mit dem Kind hat Egid Quirin Asam wohl sein Meisterwerk geschaffen, ein zeitloses Werk, das sich über viele Jahrzehnte hinweg auf die erstaunlichste Weise mit Ph. O. Runges Mutter- und Kinderdarstellungen berührt. Aber das menschlich Ergreifende in der lächelnd verstehenden Altersgüte der Heiligen Anna, in dem selig spielenden mädchenhaften Kind wird von einem Himmlischen überhöht in krönenden Engeln von einer wahrhaft überirdischen Bildung. Man steht fast betroffen vor der Macht und dem inneren Reichtum dieses Barock, das so gleichsam nebenher das, was man immer nur als Mittel zum Zweck, als Ornament in einem Ganzen aufzufassen geneigt ist, zum absoluten Kunstwerk selbständiger Geltung zu erhöhen vermag. Mit Putten, Engeln, Amoretten ist dieser Raum überall belebt; und dieser Sinn fürs Kindhafte, der am unmerklichsten ins selig Spielende des Märchens hinreißt, ist eine der schönsten Seiten des Barock, die einer besonderen Betrachtung würdig wäre. Wir begegnen diesen Kinderdarstellungen ja ebenso in Schloß und Park, sie bilden den Schmuck der Treppengeländer, der Brunnen und Grotten, sie lassen auf den Gemälden die abstrakteste Allegorie noch innig menschlich erscheinen, genau wie bei Runge, der mit der ganzen Romantik hier unbewußt an eine der herrlichsten deutschen Überlieferungen anknüpft; sie nehmen, vor allem in dieser Spätstufe der Dekoration, die wir Rokoko nennen, auch den spielenden Genius Mozarts voraus, den Jean Paul als den „Kind-Engel" charakterisierte, als er das unschuldvoll Schwebende und Scherzende an ihm zum Ausdruck bringen wollte. —

Das nächste bedeutende Werk Fischers ist Dießen am Ammersee, 1732 begonnen. Hier mußte Fischer den schon bis zum Dach gediehenen Neubau niederlegen lassen, um seinen Zweck zu erreichen; die rhythmische Steigerung aus dem einfachen Langhaus heraus gilt hier vor allem dem Chor, dessen Eigenleben durch überschwengliche Malerei und Dekoration mit dem übrigen zusammengehalten wird; sogar die Kunst Tiepolos ist hier mitbeteiligt gewesen. Das wimmelnde Leben von Putten führt hier über die Nebenaltäre ebenfalls verbindend an den Pfeilern zum Hochaltar hin. Dort aber ist die dominierende Plastik der Kirchenväter von Joachim Dietrich keine in sich ruhende Eigenwelt, wie in Osterhofen bei den Asam — diese seltsam fremden kühlen Gestalten sind schon von einer Routine geformt, die nur erträglich wird durch die Funktion ihrer rauschenden Gewänder und Bewegungen im architektonischen Ganzen.

Ein Wunder von Vollkommenheit und Stille bei heiterster schwelgerischer Farbigkeit ist dann Zwiefalten, von 1741—53, wo die rhythmische Durchseelung des Raums durch die einschwingenden Logen und gepaarten Säulen einen Höhepunkt erreicht. Dekorativ triumphiert hier schon das Rokoko in den Bildwerken und Stukkaturen von Michael Feichtmayr. Wie in Dießen, so ist auch hier die Fassade von besonderer Bedeutung, die bei den schlichten bayrischen Kirchen im Gegensatz zu Österreich sonst selten etwas von den Raumerlebnissen des Inneren ahnen läßt — sie bleibt unvergeßlich mit ihren gewaltigen Säulen, ihrem herben, aber herrlich ausschwingenden Giebelaufbau, ihrer ganzen steinernen Wucht, die aufs wunderbarste mit dem farbig aufgelösten Inneren kontrastiert. Selbständiger noch und eigenwertig ausgebildeter ist die äußere Erscheinung von Ottobeuren (1748 bis 1766): hier hallen Fischer von Erlachs Gedanken nach, die Salzburger Kollegienkirche ist ohne Zweifel hier in der Erinnerung gestanden, die an einem anderen Orte Schwabens, in Weingarten, bereits früher eine Wiederauferstehung erfuhr. Eine Reihe von Entwürfen und mehrere Ausführende gehen Fischer hier voraus, es spielt das Vorbild Weingartens und auch der Kollegienkirche bereits ganz bewußt eine Rolle. Aber die dennoch einheitliche Gestaltung geht in Ottobeuren, der Kirche des reichsten und ältesten Reichsstifts Oberschwabens, weit über Weingarten hinaus, sie ist Fischers am größten gedachtes und stolzestes Werk. Hier vermählt sich klarer tektonischer Sinn mit dem Trieb zur Auslöschung aller Grenzen, und die Stukkaturen und Plastiken Feichtmayrs unterstützen kongenial den Willen des Architekten.

Und doch war Fischer noch eine Steigerung beschieden: in seinem Alterswerk Rott am Inn. 1759, als Achtundsechzigjähriger, hat er den Neubau dieser Benediktiner-Klosterkirche begonnen und hier seinen Grundgedanken der Durchdringung von Langhaus und Zentralbau zu wunderbarem Ausgleich geführt, indem er den großen überkuppelten Mittelbau mit Räumen einschließt, die auch zentral und mit Flachkuppeln gestaltet sind, so daß der Eindruck eines völligen Rundbaus entsteht, der in sich steigernden Rotunden zum Mittelpunkt strebt. Aber dieses Werden und Streben ist wie im höchsten erreichten Augenblick in ein Verharren von beinahe kühler Stille gebannt, und der Genuß der geglückten reinen Form wird durch den seltsamsten Farbenzauber vollendet: die Pfeiler und Wände sind in lichtes Weiß getaucht, das durch das sparsame Gold und Hellrosa der Kapitäle noch durchsichtiger wird. Auch über den weißen Ballustraden der geschwungenen Loggien erhebt sich rosa Gegitter und Gerank, dessen blühendes Leben durch einzelne aufgesetzte purpurrote Rosen zu fast naturalistischer und doch irrealer Wirkung gelangt, die durch eingeflochtene goldene Tiere und Gefäße noch märchenhafter wird. Auch der Hochaltar hat diese Mischung von Körperlichkeit und Schein: die Plastiken von Ignaz Günther, Kaiser Heinrich und Kunigunde mit bischöflichen Heiligen,

9*

wären in natürlicher Bemalung wie bei den Asam unerträglich, so geziert und preziös sind sie in Form und Haltung; aber im reinen Weiß des Stucks, zu dem nur das Gold der Kronen, Mitren, Scepter und Bischofsstäbe und des Kirchenmodells hinzutritt, das Kaiser Heinrich trägt, bekommen sie etwas Unwirkliches und Geisterhaftes, das mit der Farbgebung des übrigen Raums wunderbar zusammenstimmt. Es ist, als sei hier alles irdische Streben ganz zu Traum und Schein geworden, gegenüber dem einzig Wirklichen des Droben: denn nur hier, im Deckengemälde der Kuppel, herrschen reale Farben — das Bild der Gründung des Benediktinerordens von Matthäus Günther ist gleichsam das Ziel, das einzig Wahre und Beharrende über dem geisterhaften Weben des übrigen Raums. Freilich ist es ein weiter Weg von der hinreißenden Instrumentation der Osterhofener Kirche Fischers durch die Asam zu dieser kühlen, fast morbiden und paradoxen Schöpfung des Hochbetagten — der Lebenstrieb in dieser Kunst ist nicht mehr allmächtig und erobernd, er zeigt eine leise Müdigkeit und Überreife, ein stilles transparentes Verebben. Altersweisheit individuellen Künstlertums geht mit dem wirklichen Altern des Stils zusammen, der sich hier einsam in ungemäßer Zeit behauptet. So schließt mit dem Doppelakkord von Wies und Rott die große bayrische Kirchenbaukunst ab und enthüllt ihre letzten Wunder, während Winckelmanns erste Schriften schon erschienen sind und der große äußere Angriff auf das Barock beginnt.

32.

Wir sahen bereits, wie sich in Ottobeuren Bayrisches mit Schwäbischem kreuzt und die vom Stammland übergreifende Kunst Johann Michael Fischers, die schon in Zwiefalten auf fremdem Boden baut, im Grenzland des „bayrischen" Oberschwaben auf einen Einfluß stößt, der vom Seeschwäbischen Raum ausgeht, den man mit Einschluß von Vorarlberg und der Schweiz auch schwäbisch-alemannisch nennen kann. Hier hat schon früh die sogenannte Vorarlberger Schule ihre Meister vorgesandt, die Thumb und Beer und Mosbrugger, die alle in verwandtschaftlicher Beziehung zueinander stehen. In Obermarchtal an der Donau im Württembergischen steht der früheste Bau dieser Art, schon zu Beginn des 18. Jahrhunderts vollendet, von Michael Thumb aus dem Bregenzer Wald, dessen Werk der Sohn Christian Thumb und der Vetter Franz Beer vollenden. Es sind selbständige Fortbil-

dungen des italienischen Barock durch deutsche Meister, dem strengeren einfacheren Zweck der Klosterkirche dienstbar gemacht, zunächst
noch ohne den dekorativen und malerischen Überschwang, wie ihn
Bayern dann auch hier zum Siege führt. In Weingarten, dessen bereits
als Vorbild für Ottobeuren Erwähnung geschah, ist die Berührung mit
dem österreichischen Barock maßgebend geworden: die Front von
Fischer von Erlachs Salzburger Kollegienkirche hat hier eine gewaltige
Nachbildung gefunden. Doch ist mit Cosmas Damian Asams Deckenfresko und mit Franz Schmuzers Stukkaturen auch schon das andere
Neue, das bayrisch Dekorative, Malerische eingedrungen, und struk-
turell wird die saalartige Mönchskirche zum imposanten Kuppelbau
erweitert. Über den eigentlichen Baumeister herrscht hier Ungewißheit;
neben anderen wird Franz Beer genannt, wahrscheinlich ist aber an
dem zwischen 1715 und 1722 entstandenen Bau der Benediktinerbru-
der Caspar Mosbrugger führend tätig gewesen, der jedenfalls Entwürfe
lieferte und dessen schon 1703 veröffentlichter Plan für das Kloster
Einsiedeln in der Schweiz für die Anlage von Weingarten mitbestimmend war. Einsiedeln selbst, die hochgelegene Wallfahrtskirche mit
dem schönen Terrassenvorplatz, ist eine monumentale Anlage, wie sie,
großartiger noch geplant, in Weingarten nicht zur Ausführung kam.
Das Innere, 1723 vollendet, hat einen reichen Klang durch einander
steigernde Kuppeln; auch hier haben die Asam mitgearbeitet, die Mos-
bruggers geistreicher Konstruktion das dekorative Leben gaben. Von
Mosbrugger stammt auch der Plan zu St. Gallen, das indes erst von
Peter Thumb in den fünfziger Jahren ausgebaut wird. Die Fassade ist
wie Weingarten, Ottobeuren, Einsiedeln eine weitere Abwandlung
des Typus der Salzburger Kollegienkirche; aber das Innere mit dem
beherrschenden großen Rundraum ist nun die tektonische Vollendung
alles dessen, was in diesem Gebiete an machtvoller Kuppelgestaltung
erstrebt war. Ein idyllisches Zwischen- und Nachspiel dieser repräsentativen Stiftsplanungen ist Peter Thumbs Neubirnau von 1746.
Diese Wallfahrtskirche ist ähnlich in die Landschaft des Bodensees ein-
komponiert wie die österreichischen Klosterbauten in Strand und An-
höhen der Donau; und wieder wie vor der Wies oder vor Rott ergreift
es uns sonderbar, wie diese Menschen es mit einer kaum bewußten
Kühnheit wagten, ihre sublime Kunst inmitten der reinen und großen
Natur sprechen zu lassen. Wohl konnte die Antike Tempel auf Felsen

und Berggipfel stellen, plastische sich selbst behauptende Körper; wohl
hatte das Mittelalter beherrschende Höhen mit trotzigen Burgen sich
krönen lassen und in der Romanik auch Kirchen und Klöster wehr-
haft isoliert über Städte und Dörfer ragend gebildet — aber den Raum,
das Innenerlebnis der Seele, aus der steinernen Welt der zahllosen
menschlich-persönlichen Räume der Städte zu lösen und ganz heraus-
zurücken in die Gesellschaft von Wald und Feld und See, sein ganz
geistiges Unendlichkeitsstreben unter der wirklichen Unendlichkeit des
freien Himmels als etwas zu behaupten, dessen man bedurfte, um des
großen All erst wahrhaft froh zu werden — das hat unter allen Kulturen nur das Barock vermocht, wohl weil seinem Glauben das Spä-
teste, das Naturgefühl, das Naturerlebnis sich schon so innig vermählt
hatte, daß es der Natur außer ihm verschmelzen und mit ihr zur Einheit werden konnte. Denn eben die höchste Kunst und Künstlichkeit
ist hier Natur: Schöpfernatur des Menschen, die noch nie Dagewesenes
aus sich als neues lebendiges Gebilde erzeugt. Die gleitenden Doppel-
linien der Ballustraden, die hier in Birnau die Emporen auf den Käm-
men der Pfeiler sogar bis in den Chorraum schwingen lassen, das kreisende Rund der Kuppel mit der rotierenden Sonnenglorie über der
auffahrenden Madonna, das tageshell in das Geschlängel und Gezüngel
brechende Licht — das sind elementare Erlebnisse trotz aller zarten
statisch-klaren Form des Einzelnen, trotz des unwahrscheinlich Be-
harrenden, darein dieses Naturgebilde verzaubert ist, in welchem wieder märchenhaft die Kindergenien spielen. So verklingt in leiser Bran-
dung diese große Kunst im äußersten deutschen Süden an den Ufern
des schwäbischen Meeres, während gleichzeitig an der nördlichen Grenze
des Raums, in Franken, in einer andern Wallfahrtskirche noch einmal
große Geistmusik ein Neues dröhnt.

33.

Balthasar Neumanns Name wird heute von uns mit einem ähnlichen
Gefühl genannt wie der Name von Johann Sebastian Bach — wir meinen dabei nicht nur die überragende Stellung der beiden in den zwei
größten neueren Künsten der Architektur und der Musik, sondern es
ist uns zugleich ihr Besonderes als verwandt bewußt: daß sie als Letzte
eine Epoche abschließen, eine lange Entwicklung in sich zu Ende führen und außerdem mit ihrem verhältnismäßig bekannten Werk für

zahllose Vorgänger und Mitstrebende einstehen, die verschollen sind und in ihrer Größe summiert und aufgegangen, so daß hier wirklich von einer symbolischen Vertretung für das Ganze gesprochen werden kann. Auch darin mag man sie vergleichen, daß sie in ihrer Kunst wohl alle Möglichkeiten ihrer Zeit erfüllten und auch das absolute Weltliche zu einer Höhe führten; daß aber ihr Wesentliches noch im Dienst der Kirche geschaffen worden ist. Muß man dann zwar, bei der größeren Vielfalt, die der süddeutsche Raum, nach unsrer früheren Erkenntnis, in der religiösen Schöpfung entwickelte, auch die Wesenszüge anderer Meister, besonders der Asam, zu Neumanns Art hinzudenken, um der Glaubensinbrunst Bachs und dem Umfang seinner Theologie das einigermaßen Entsprechende gegenüberzustellen; so ist dennoch auch in dieser Sphäre Neumann mit ihm das Spezifische gemein, wie zuletzt die am kirchlichen Werk entwickelte Form in eine reine Geistigkeit abstrakt-mathematischer Struktur gelöst wird, die doch in einer einzigartigen transzendierenden Sinnlichkeit ausschwingt. So grundverschieden Zweck und Sinn der beiden höchsten Alterswerke dieser Meister sich darstellen und darstellen müssen — ein Unsagbares von geistiger Sphärenmusik ist der Kunst der Fuge und dem Raum von Vierzehnheiligen gemein.

Daß wir im Grund von der inneren Welt beider so gut wie nichts wissen, davon nämlich, was sie etwa von ihrem Willen und Werk gewußt, gedacht und ausgesprochen haben, das gehört zur Signatur ihrer Epoche und auch wohl ihrer besonderen handwerklichen oder baumeisterlichen Art. Was unser modernes biographisches Bedürfnis, das ohne kennzeichnende Aussprüche und Bekenntnisse der Großen nicht auf seine Rechnung zu kommen meint, vor allem bei den Dichtern in so reicher, oft verwirrender Fülle findet, das wird hier freilich nicht gestillt; und wir können uns dabei nur mit der Einsicht trösten, daß eben das ganze Wesen ohne Rest dann in die Gestaltung der Werke einging, wie es den bewußteren Schöpfern einer späteren Stufe nicht mehr vergönnt war — auch in der geistigen Natur wird nichts Großes ohne irgendeine Einbuße erreicht.

Freilich erscheinen dann solche Männer, deren Namen uns heute weitleuchtende Symbole sind, in ihrer Zeit gleichsam wie anonym, nicht als das erkannt und von allen gepriesen, was sie wirklich waren und als was sie uns heute gelten, auch wenn sie in ihrem Fach Berühmtheit genossen und es zu bürgerlichem Rang und Ansehen brachten. Verbirgt sich das Genie bei Bach hinter der Gestalt des Kantors der Thomaskirche und -Schule, so lebt es bei Balthasar Neumann noch seltsamer unter der Hülle des Artillerieobristen und Ingenieurs, dem Feldzüge, Festungsbauten, Wasserbohrungen und artilleristische Berechnungen so wichtig sind wie die Architekturen von Schlössern, Klöstern, Kirchen. Seine Laufbahn ist am ehesten unter den Baumeistern mit der von Lucas von Hildebrandt zu vergleichen, der auch als Offizier und Feldingenieur beginnt.

Über den allgemeinen Lebensgang Neumanns sind wir verhältnismäßig gut unterrichtet. Er stammt aus Eger, wo sein Großvater als Bürger und Tuchmacher 1575 zuerst erwähnt wird, auch der Vater ist Tuchmacher daselbst, und der Sohn Johann Balthasar wird am 30. Januar 1687 geboren; sein Taufpate ist der berühmte Glockengießer Balthasar Platzer, in dessen Werkstatt er dann auch zuerst in die Lehre geht. Die südöstliche Herkunft ist bemerkenswert. Auch Bachs Vorfahren stammen daher, sind zwar alten thüringischen Stammes, aber nach Ungarn ausgewandert und von dort wieder zurückgekehrt. Wir wissen nicht, ob die Neumann schon immer in Böhmen saßen oder wie die Dientzenhofer aus Bayern eingewandert waren; jedenfalls hat der Rückstrom oder Zustrom aus dem Südosten die deutsche Kunst oft und mannigfach bereichert, etwas von der Weite und Unendlichkeit des Raumes mitgebracht und von der elementaren Musikalität, wie sie die Berührung mit Slawen und Magyaren auch dem angrenzenden oder verstreuten Deutschtum erwecken mußte.

Es erscheint als reiner Zufall, daß der junge Balthasar Neumann, schon zweiundzwanzigjährig, auf der Wanderschaft nach Würzburg gerät, das seine zweite Heimat und das Zentrum seiner großen Wirksamkeit werden sollte. Er tritt in die Werkstatt des Stück- und Glockengießers Ignaz Kopp, macht also jetzt auch Kanonen und gewinnt den Sinn für die artilleristische Wissenschaft, die ihn sein Leben lang beschäftigen wird. Aber seine wache Intelligenz ist auf umfassendere technische Ausbildung gerichtet: wir kennen Gesuche von ihm an seine Vaterstadt um Geldvorschüsse, die er 1710 mit der Erlernung der Büchsenmacherei, der Brunnenmacherei und der Feuerwerkerei, 1712 mit dem Studium der Feldmesserei und Architektur begründet. 1713 finden wir ihn wieder in Eger, mit dem ersten Entwurf einer Brunnenanlage beschäftigt. Aber 1712 ist er bereits als Gemeiner in die fränkische Artillerie eingetreten und hat es 1715 zum Fähnrich im Dienst des Hochstifts gebracht. In dieser Eigenschaft nimmt er an den Türkenfeldzügen des Prinzen Eugen von 1716 bis 1718 teil, kommt so nach Österreich, Ungarn und bis Belgrad. Jetzt mag sich in Wien, beim Anblick der neuen Architektur, sofern er sie nicht schon von seiner böhmischen Heimat her kannte, sein Hang zur Baukunst entscheidend durchgesetzt haben; denn 1719 wird er in Würzburg hochstiftlicher Beamter als Oberingenieur, Premierarchitekt und Baudirektor. Schon 1721 hat er das Baumandat im Oberrat der Stadt, und der neue Bischof von Würzburg, Johann Philipp Franz von Schönborn, der 1719 die Regierung antritt, macht den jungen, noch unbekannten Baumeister in einer sicheren Witterung seiner Fähigkeiten zum Vollstrecker seiner großen Planungen, die 1720 mit der Grundsteinlegung der Würzburger Residenz ihren Anfang nehmen. —

34.

Die Dienste bei den Schönborns haben für Balthasar Neumann eine Wirkung in die Weite bedeutet, wie sie kaum den kaiserlichen Architekten Fischer und Hildebrandt vergönnt war. Das alte Rittergeschlecht der Schönborn stammt vom Rhein, hat aber im 17. und 18. Jahrhundert durch eine Reihe geistlicher Fürsten außer dem Mittelrhein auch Franken beherrscht und bietet geradezu das seltene Bild einer kirchlichen Dynastie, das für die Entwicklung der deutschen Kunst und Geistigkeit von der allergrößten Bedeutung geworden ist.

Der erste große Schönborn, Johann Philipp, ist uns schon in Leibnizens Leben begegnet, wo er die ersten politischen Schritte des jungen Philosophen leitet. Er war 1642 Fürstbischof von Würzburg, 1647 zugleich Erzbischof und Kurfürst von Mainz geworden und starb zu Würzburg 1673. Seinem Bruder Philipp Erwin verlieh er das Erbschenkenamt Mainz und das Erbtruchsessenamt Würzburg und ließ ihn in den Reichsfreiherrnstand und 1671 in den Reichsgrafenstand erheben. Die Söhne dieses weltlichen Schönborn begründen die eigentliche Kunstdynastie: sein Sohn Lothar Franz ist von 1693 bis 1729 Bischof von Bamberg, seit 1695 auch Kurfürst von Mainz, residiert aber hauptsächlich in Franken — Schloß Pommersfelden bei Bamberg ist seine erste große Schöpfung. Lothars Bruder Melchior hat zwei

Söhne: Johann Philipp Franz, der 1719 Bischof von Würzburg wird, aber schon 1724 stirbt; und Friedrich Carl, Reichsvizekanzler in Wien, intimer Freund von Prinz Eugen, der 1729 — nach einer kurzen Regierung des Bischofs Johann Christoph von Hutten — dem Bruder in Würzburg folgt und im gleichen Jahr durch den Tod seines Onkels Lothar Franz auch Fürstbischof von Bamberg wird. Die Vereinigung von Bamberg, Würzburg, Mainz in einer Hand bedeutet schon ein gewaltiges Einflußbereich quer durch das mittlere Deutschland von den Grenzen Böhmens und Thüringens bis an den Rhein; es wird noch dadurch verstärkt, daß auch in Speyer und Trier Schönborns sitzen: in Speyer der Kardinal und Bischof Damian Hugo Schönborn, in Trier der Kurfürst und Erzbischof Franz Georg; damit ist auch der Weg den Rhein hinab geöffnet, die Verbindung mit dem nachbarlichen Köln ermöglicht, wo der Kurfürst Clemens August in den Bann der Schönbornschen Kunstkultur und Baulust gerät.

Denn dieses ganze Geschlecht will nicht nur irgendwelchen Luxus und pompöse Repräsentation, es ist mit innerster Leidenschaft und großem Sinn der Baukunst zugewandt, die Balthasar Neumanns erster Herr und Gönner, Johann Philipp Franz, geradezu als den „Bauwurm" bezeichnet, von dem er besessen sei. Sein Oheim Lothar Franz von Bamberg besitzt an Pommersfelden eignen schöpferischen Anteil: das Treppenhaus, die erste ganz großartige Anlage dieser Art, die schon allein das deutsche Schloßbarock vom französischen und italienischen scheidet, ist seine persönliche Erfindung, die er durch die verschiedensten Baumeister: durch Welsch, Dientzenhofer, Hildebrandt in die Tat umsetzen läßt; Welsch schafft nach seinen Angaben Schloß Favorite bei Mainz. Aber sein Nachfolger Friedrich Carl ersetzt bei seinem Regierungsantritt 1729 den kurmainzischen Hofarchitekten Maximilian von Welsch alsbald durch Balthasar Neumann, der bis zu seinem Tode 1746 der Vollstrecker seiner weitgreifenden Pläne bleibt. Und durch ihn hat nun Neumann seine Tätigkeit auch in den Westen Deutschlands tragen können: er wird zur Vollendung von Bruchsal berufen, das Damian Hugo Schönborn seit 1719 mit Schloß und Kirchen und Kapellen völlig neu gestaltet; er baut dem Trierer Kurfürsten das berühmte Schönbornlust bei Koblenz und die Paulinerkirche in Trier; er hilft Karlsruhe mitgestalten und hat schließlich Brühl für den Kölner Erzbischof vollendet, wo er den westfälischen Meister Conrad

Schlaun ablöst. Südwestlich erstreckt sich Neumanns Tätigkeit bis nach Meersburg am Bodensee; südöstlich ist sein Planen durch einen seiner großartigsten Entwürfe, den zum Stiegenhaus der Wiener Hofburg, 1750, gekrönt. So erhebt sich auf der breiten Basis eines kirchenfürstlich-dynastischen Gefüges, das in sich selbst ein seltener Glücksfall ist und nur wenige Jahrzehnte, bis zur Mitte des Jahrhunderts, währt, die Leistung Neumanns als eines Einzelnen zu allgemein deutscher Geltung und europäischem Ruhm. Die von Anbeginn und auf die Dauer reichsfreundliche und kaisertreue Haltung der Schönborn macht sein Wirken noch in einem besonderen Sinne symbolisch: er wird allsichtbar der Erbe und Vollstrecker dessen, was in Wien mit Fischer und Hildebrandt begann, und gewinnt als Neues die noch unerweckte Eigenart fränkischen Geistes an Main und Rhein hinzu, die in ihrer heiter-harmonischen Gestalthaftigkeit von ihm, dem Fremden, kongenial erfühlt und klassisch verkörpert wird.

35.

Balthasar Neumann ist als Architekt in erster Linie Techniker, Konstrukteur, der seine Visionen mit ungeheuerster Rationalität, rechnerisch-abstrakt in Gestaltung umsetzt. Er, der Vollender, ist hierin dem Beginner verwandt, dem großen geistigen Synthetiker Fischer von Erlach; er faßt das spannende Widerspiel der Epoche, das Rationale und Irrationale in einer letzten Harmonie zusammen. Wenn aber Fischer in der Vermählung des italienisch Plastischen mit dem französisch Optischen vor allem dem Außenbau seinen eigentümlichen Charakter verlieh, so gewinnt über Neumann als dem Angehörigen einer späteren Generation das Problem des Innenraums hauptsächlich Macht; und hierin ist er den gleichzeitigen bayrischen Meistern verwandt. Im Gegensatz zu diesen jedoch, die ihr Raumgefühl wesentlich mit malerischen Mitteln aussprechen oder es doch durch den Überschwang von plastisch-malerischer Dekoration erst ganz ins Unendliche lösen und durch optische Illusion, Kulisse und Szene das Wunder beschwören, wird bei Neumann ein reines Raumdenken durch das mathematisch Konstruktive selbst verwirklicht; er schafft Raumkunst an sich, von aller Illusion und Theatralik unabhängig und des schmückend verhüllenden und auflösenden Beiwerks weit weniger bedürftig. Das ist mit nichten ein Purismus oder gar der Weg zu irgendeiner „Klassik" —

es gelingt einfach das Unwahrscheinliche, daß durch die polyphone
Musik des Raumes selbst in seinen Kurven und Schwingungen, seinen
Gewölben und Pfeilerstellungen eine sphärische Harmonie sich dar-
stellt, die das Wunder der Unendlichkeit in menschliche Grenzen bannt.

Es ist eine seltsame Fügung gewesen, daß Neumann in Franken dem
musikalischen Geist seiner Heimat gleichsam noch einmal begegnete
in dem Baugeschlecht der Dientzenhofer, die Prag die deutsch-barocke
Gestalt gegeben hatten und nun im Bereich von Bamberg als die Vor-
gestalter seiner Ideen erscheinen. In Böhmen hatte der unmittelbare
Freund und Schüler Borrominis, Guarini, besonders stark auf das werdende Deutsche gewirkt, Pläne für Prager Kirchen entworfen, vielleicht
sogar persönlich vertreten; er gehörte wie sein Meister der Richtung
an, die durch eine komplizierte Mathematik phantastische Lösungen
erstrebte. Christoph Dientzenhofer, der vierte von sechs Baumeister-
brüdern, deren Vater aus Au bei Aibling in der Rosenheimer Gegend
nach Prag eingewandert war, hat diese Anregungen aufgegriffen und
die Bildung der Wände aus gekurvten Flächen über die Italiener hin-
ausentwickelt: seine Innenräume zeigen ein freies sphärisches Wöl-
bungssystem, bei dem schon die seltsamen Gewölbegurten und -kappen
auftreten, die dann noch in Banz den Eindruck bestimmen. Christoph
Dientzenhofers Hauptwerke sind die Kleinseitner Jesuitenkirche St. Niklas in Prag (1703—1711), die Klosterkirche in Breunau (1709—1715),
Maria Loreto in Prag (1717—34); sein bedeutender Sohn Kilian Ignaz
vollendet den Chor von St. Niklas (1737—52) und baut als eigenes
Werk vor allem die Benediktinerkirche St. Nikolaus in der Altstadt in
Prag (1732) — er bleibt in Böhmen und hat seine vielfältige Tätigkeit
bestimmend bis Schlesien ausgebreitet.

Zwei jüngere Brüder des Christoph nun ziehen ins benachbarte
Franken und tragen die neuen Anregungen nach dem Westen. Von
ihnen ist Johann Dientzenhofer zufrühest mit einem Werk vertreten,
das wenig von seiner österreichisch-böhmischen Art verrät: er hat 1704
die Abteikirche in Fulda gebaut, die unvermittelt auf die frühe römische Überlieferung zurückgreift. Gegenüber der kühlen und klaren
Monumentalität dieses Domes im Jesuitenstil ist seine Schöpfung Banz
ein höchst lebendiges und verwickeltes Gebilde mit seltsamen rhythmischen Verschiebungen in der Überschneidung der ovalen Räume, in
der Durchsetzung der Gewölbe mit jenen breiten, bald flach, bald spitz

gekurvten Gurtbändern; es hinterläßt einen starken kühnen, aber etwas verworrenen Eindruck, die Mathematik des Raumes ist gleichsam noch im Werden, und seine Ruhelosigkeit wird nur durch den warmen goldenen Dämmer wie in einem Zwielicht gedämpft und gebannt. Die Kirche ist von Johann Dientzenhofer von 1710 bis 1718 erbaut, das dazugehörige Kloster von seinem Bruder Leonhard zwischen 1698 und 1704, von Balthasar Neumann später erweitert und mit der groß ausladenden Freitreppe versehen. Der ganze Komplex ist wunderbar in die große Landschaft vorgesetzt und krönt voll herrlichen Ausblicks die eine Bergseite des weiten breiten Tals, auf dessen anderer sich Vierzehnheiligen erhebt. Es ist historisch und ästhetisch gleich richtig und wichtig, zuerst den Eindruck von Banz in sich aufzunehmen und dann erst ins Tal hinab und wieder hinauf zum Hügel von Vierzehnheiligen zu wallfahrten — eine gewaltige Spanne liegt dazwischen: man durchschreitet innerlich eine Bahn, an der die künstlerischen Reifestationen eines ganzen Menschenalters liegen.

Da hat Johann Dientzenhofer im Jahre 1711 zunächst das Schloß Pommersfelden begonnen, wo er aber mit anderen Meistern wie Welsch und Hildebrandt zusammen die Ideen des Kurfürsten vollstreckt, wenngleich Anlage und Außenbau von seiner Hand sind. Gartensaal und Kaisersaal werden an Ausdehnung und Macht durch das berühmte Treppenhaus (1714) übertroffen, das die erste ganz autonome Gestaltung dieser tiefen und deutschen Barockkonzeption ist, welche das Durchschreiten von Räumen zum Erlebnis höchster Steigerung erhebt durch die Bewegung hinauf, wie sie etwa auch die instrumentalen Stufungen in Bachs Brandenburgischen Konzerten erleben lassen; und das alles flankiert von sich öffnender und schließender Kulissenpracht, die ein völlig neues Gefühl von Architektur durch Wandeldekoration vermitteln; ein freier lichter eigener Bau durch die Stockwerke hindurch, der gegenüber dem Rest des Schloßkomplexes zum Selbstzweck wird.

Zwanzig Jahre später hat Balthasar Neumann der Würzburger Residenz das größere Wunder seiner Treppenanlage geschenkt, das organischer ins Ganze sich fügt und unter der Kuppel mit Tiepolos Fresken in Räume wie den Kaisersaal mündet, die immer weitere Steigerung bedeuten. Wieder ist, wie meist bei Neumann, das Äußere des Baues von monumentaler Schlichtheit und vornehmer Gelassenheit, um die Bewegung im Innern desto intensiver wirken zu lassen. Der erste Plan der Residenz stammt von 1719; das Treppenhaus von 1734; noch vorher, 1731, hat Neumann in Schloß Bruchsal auf bescheidenerem Raum vielleicht noch Größeres vollbracht: hier gesellt sich dem Erlebnis des Steigens das der Ahnung und Erwartung, da man die beiden engen schwingenden Trakte wie verhüllten Auges emporgeführt wird und dann überwältigt in dem hellen Rund der ausschwingenden Halle steht, die einen mit ihren Ballustraden aufnimmt, geöffnet wie eine erblühte Blume, da sie ja auch gleichsam wie auf einem Stengel ruht, auf dem freistehenden ovalen Block, an dessen Seiten die Treppen sich heraufdrängen; während sich über einem die Kuppel mit den Fresken des Johannes Zick öffnet und die Tore zum Festsaal und Marmorsaal sich auftun. Vor diesen Werken Neumanns hat der alternde Burckhardt sich von dem Vorurteil seines Jahrhunderts gelöst und seine Bekehrung zum Barock erfahren — es will etwas sagen, wenn er im Jahre 1877 hinschreibt: „In Würzburg ist Barock und Rokoko in grenzenloser Fülle und Auswahl in fast sämtlichen Kirchen und vollends in der ganz gewaltigen, kaiserlich prächtigen Residenz der alten Fürstbischöfe, letztere ganz, völlig harmonisch, aus einem Geld und Stück gebaut und dekoriert um 1750. Hier paßt geradezu alles zusammen; als Dekorationsmaler aber funktionierte der große Giovan Battista Tiepolo. Es ist wieder eine andere Schattierung als zu München in den Zimmern Karls VII., und auch die fünfzehn Jahre (cirka), welche zwischen beiden Bauten liegen, sind schon etwas fühlbar. Aber man muß eben allgemach, wie ich, diesen Sachen nachgehen, um in diesen Nuancen den unermeßlichen Reichtum von Geist und Können zu ahnen, welcher in den damaligen Dekoratoren waltete. Auf morgen nachmittag habe ich mir das Schloß von Bruchsal ausersehen, wo ein genialer Mensch im Bischöflich Speyerischen Dienst mit viel geringeren Mitteln hat arbeiten müssen." ... „Endlich auf dem Heimwege Bruchsal! An Genialität der Anlage bei zwar großen, doch noch nicht Würzburgischen Geldmitteln ist geleistet, was zu leisten war, und der große mittlere Rundbau mit der Treppe ist geradezu ersten Ranges und ginge allen jetzt lebenden Architekten weit über den Kopf! Das könnte keiner, und keinem fiele es ein. Die zwei anstoßenden Säle: der Speisesaal und Kaisersaal bilden damit ein Ensemble von ganz überwältigender Wirkung. Ich habe hernach aus Dankgefühl hier eine Vorlesung über den Rokoko gehalten." —

Neumann hat das Thema des Treppenhauses, das er zu allerfrühest wohl im Kloster Ebrach in unmittelbarer Anlehnung an Pommersfelden behandelt hatte, noch mehrere Male variiert: in Schönbornlust und in Brühl (1740); der großartigste Entwurf der Art, für die Wiener Hofburg zehn Jahre später, blieb auf dem Papier. Doch lebt die Anlage des intimsten und zugleich volksmäßigsten Bauwerks des Meisters von demselben Gedanken: das „Käppele", Würzburg gegenüber auf der Seite des Marienbergs. Die Himmelsleiter zur Kirche hinauf zeigt das am Schloßbau entwickelte Prinzip ins Religiöse übertragen und auf den uralten Begriff des Stationswegs gewendet: in die Natur eingebettet, von Bäumen durchwachsen, zieht sich in immer neuen Doppelschwingungen der Treppenanstieg mit seinen Geländern und rhythmisch eingestreuten Stationskapellen den steilen Berg endlos hinan, bis droben der Gold- und Farbenzauber der kleinen, als Zentralbau errichteten Kirche, die mit ihren leichten Zwiebeltürmen so fröhlich über allem schwebt, den Angekommenen wunderbar stillend aufnimmt. Es ist ein Spätwerk reifsten Könnens, 1748 begonnen und also schon den letzten großen Schöpfungen des Meisters benachbart, mit dem der große weltberühmte Architekt fast demütig die schlichte Werkfrömmigkeit des Volksglaubens verherrlicht.

Aber es ist ja nun die Zeit, wo die großen weltlichen Planungen seines Fürstbischofs abgeschlossen sind — als das Käppele begonnen wird, ist Friedrich Carl von Schönborn schon zwei Jahre tot, und mit dem Nachfolger verzichtet das Bistum vorübergehend sogar auf Neumanns Tätigkeit — der Glanz des höfischen Barock beginnt überall langsam zu verbleichen; aber nur um so reiner treten im Stil noch einmal die geistigen Ursprungskräfte hervor, die kirchlich-religiösen, und verklären seine letzte Vollendung. Es sind schließlich Kirchenbauten, in denen Neumann sein Höchstes sagt; nicht anders wie die gleichzeitigen bayrischen Meister, wie in Dresden Bähr und Chiaveri.

Immer hatten Neumann Kirchenbauten neben seinen großen Schloßplanungen beschäftigt — man zählt siebzig Gotteshäuser, die mit seiner planenden oder ausführenden Tätigkeit zusammenzubringen sind. Von der Schönbornkapelle neben dem Würzburger Dom hat er sich in den verschiedensten Lösungen versucht und solche Gegensätze hingestellt wie die großartig repräsentative Kuppelkirche des Neumünsters und die spirituelle Dominikanerkirche, wo im umgebauten gotischen

Chor ein plastisch-dekorativ bewegtes Höhenstreben innig zart verflattert. Als Vorstufe zu seinem Persönlichsten erscheint die Hofkirche
der Residenz, konstruktiv im System ovaler sich durchdringender Kuppeln, dekorativ in dem leuchtend-feierlichen Ernst, mit dem bei der
Durchwanderung der überschwenglichen Pracht und Macht der Schloß-
gemächer dieser Raum wie ein Klang aus einer anderen Welt berührt.

In zwei Werken zieht er dann, im letzten Jahrzehnt seines Lebens,
die geistige Summe seiner Existenz: in der Wallfahrtskirche Vierzehnheiligen und in der Klosterkirche zu Neresheim. 1743 wird Vierzehnheiligen begonnen, 1748 Neresheim; 1753 ist Balthasar Neumann gestorben, ohne die Vollendung beider Bauten zu erleben, wenn sie auch
nach seinen Plänen zu Ende gebracht werden — Vierzehnheiligen wird
erst 1772, Neresheim 1792 geweiht. Es gehört zu den großen Leistungen der Epoche, daß in so später Zeit in einer ganz anderen Trieben
und Strömungen gehörigen Welt das Testament des größten Meisters
des Barock noch kongenial vollstreckt werden konnte.

Wollen wir diese Zwillingswerke in ihrer Bedeutung im Leben des
Meisters charakterisieren, so werden wir etwa sagen: Vierzehnheiligen
ist religiös-musikalische Transzendenz; Neresheim philosophisches Bekenntnis, in das auch die Schönheit des Diesseitigen hereingenommen
und bis ins letzte durchleuchtet wird. Es ist eine ähnliche Doppelheit,
wie sie in Bachs Kunst der Fuge mit ihrer Losgelöstheit von Instrument
und Erde und in dem noch irdisch inspirierten Musikalischen Opfer
waltet. Aber solche andeutende Vergleiche können nur den geistigen
Umfang dieser Genien und ihren Rang konfrontieren wollen; in allem
einzelnen sind ihre Welten nach Art und Herkunft zu verschieden, als
daß man etwa ihren Zusammenklang in der Weise denken möchte, daß
die Musik des Einen den Raum des Anderen erfülle — im Einen
ist der Raum Musik geworden, im Andern die Musik zum geistigen
Raum, und jedes besteht als Denkmal einer Stunde, in der ein deutsches
und abendländisches Doppelschicksal in zwei Menschen sich gleichgroß
und ewig symbolhaft vollzieht.

Beide Male müssen Worte im Grund bei der Schilderung der Werke
und ihres Eindrucks versagen — hier sind Offenbarungen von Ur-
phänomenen zuletzt nur schweigend zu verehren. Im Falle von Neumann und insbesondere seiner Neresheimer Kirche drängt sich ja unwillkürlich Goethes Name und Haltung auf, und man könnte sein

Fränkisches: gestalthaft, klar und freudig auch in völliger Vergeistigung, hier wiederzufinden suchen. Der Begriff einer Klassik mag aufklingen, die doch himmelweit von allem Klassizismus geschieden ist
(wie in Wesentlichem auch bei Goethe), und wo das Barock in einer
letzten Steigerung erzeigen würde, daß es in sich auch die Möglichkeiten gestalthafter Harmonie und „stiller" Größe besaß, die gegenüber
dem Rausch dynamischer Bewegtheit einmal irgendwie sich wieder geltend machen mußten, hier aber noch innerhalb des Stils verwirklicht
wurden, schöpferisch, nicht in kritischer Auflehnung und im theoretischen Zwang zur Nachahmung eines fremden Unwiederbringlichen.
Man soll das Geschehene der Geschichte nicht mit Erwägungen eines
andern sinnvolleren Verlaufs nachträglich zu korrigieren sich vermes-
sen, da alle unsre Betrachtungen hier vordergründig bleiben und mit
dem Unheil oft das Heil negieren würden, das, wenn auch spät, in der
Regel daraus erwuchs; aber man darf auf der Würdigung ihrer ganzen
Wirklichkeit bestehen, die im Barock damit gegeben ist, daß ihm in
seiner Vollendung auch die Eigenschaften nicht fremd waren, die man
sonst einzig an den ihm entgegengesetzten und ihn zuletzt ablösenden
und zerstörenden Bestrebungen rühmt, ohne daß seine Grundprinzi-
pien im geringsten verleugnet zu werden brauchten: die Wies und Rott
am Inn erweisen dies nicht weniger als Neresheim, wo es allerdings noch
reiner und zeitenthobener erscheint. Es zeigt sich da das letztlich Organische der Entwicklung, daß Elemente, die von vornherein in diesem
Stile angelegt waren: das Vorbild der Tempelkuppel in seinem Verhältnis zum rhythmisch bewegten Langhaus, nicht nur im schöpferischen Widerstreit dialektisch ein Neues gestalten konnten, sondern von
einem überlegenen Geist durch Übersteigerung ihrer Möglichkeiten zu
völligem Ausgleich gebracht wurden: die Vierung des Schiffes und damit die alles beherrschende Kuppel rückt in die genaue Mitte des Lang-
hauses, und dessen verbleibende Eigenteile werden ihrerseits überkup-
pelt, wie kleinere Kuppelrotunden aus den Vierungsarmen geworden
sind; so daß die allseitige Bewegtheit im Zentrum zur Ruhe kommt
und nun auf freien Säulenpaaren die Hauptkuppel schwerelos und still
zur Höhe dringen kann: Denkmal alten Strebens ganz vergeistigt und
aus seinem Materiezwang erlöst in eine heitere erdenfreie Existenz.

Freilich, gegenüber der denkerischen Gelassenheit, die in echter
Altersaufgeschlossenheit auch mit dem bisher Fremderen den Frieden

schließt und auch das Widerstrebende souverän in seine Schöpfung einbezieht, wird das irrationale Zwillingswerk Vierzehnheiligen stets die gewaltigere Offenbarung bleiben. Zeigt Neresheim die Bejahung des schönen plastischen Baukörpers, soweit nordischer Gestaltungswille dies ohne Selbstaufgabe vermag, da er denn eher die Aufgabe des fremden Prinzips in reine Geistigkeit vollzieht: so ist in Vierzehnheiligen Musik Gestalt geworden, das ewige Gegenspiel aller plastischen Welt überhaupt. Unmittelbarer spricht hier alles zu uns und wahrhaft irrational, da unsre Vernunft nicht ergründen kann, wie das Beharrende und Stumme in einer unendlichen Bewegung aufklingt. Wir haben gesehen, mit welchen immer neuen Mitteln die Bewegung und das Unendliche des Raumes von der deutschen Baukunst angestrebt war; wie konstruktive Möglichkeiten erprobt wurden oder malerische Mittel die Auflösung des Festen und die Illusion des Unwirklichen, des Wunders zu erreichen suchten. Von dem für das übrige Barock so wesentlichen Malerischen und in einem hohen Sinne Theatralischen, der kulissenhaften Wandlung und Verwandlung und der Zentralisierung des Optischen findet sich nun bei Neumann nichts. Was uns so unergründlich scheint, wird einzig durch den genauesten Kalkül der Bauglieder bewirkt, allerdings durch eine Rechenkunst im Sinne des Infinitesimalen der hohen Mathematik. Und hier ist eben wieder nur Bachs Kunst zur Verdeutlichung herbeizuziehen, wie sie etwa im Prinzip der Fuge — auch eines bauenden Prinzips — die verwickeltsten Berechnungen handhabt, und diese Abstraktionen dennoch klingen und die Seele ins Unermeßliche reißen.

Ein baulicher Irrtum hat eigentlich Neumann die ungeheure Lösung des Raumproblems in Vierzehnheiligen an die Hand gegeben: sein Vorgänger und Vertreter — das Kloster wollte ursprünglich Neumann nicht, sein Gönner mußte, als Bischof von Bamberg, erst ein Machtwort sprechen — hatte entgegen dem ursprünglichen Plan den Chor nicht über dem altgeheiligten Mal der Nothelfer angelegt, wo er unter der Vierungskuppel seinen zukommenden Platz hatte finden sollen. Bei der Revision sah sich Neumann genötigt, das Mal, auf dem sich der Gnadenaltar zu erheben hatte, zu einem zweiten Raumzentrum außerhalb des Schnittpunkts der Vierung, innerhalb des Längshauses zu machen; und indem er nun um beide Zentren seine Pfeiler und Gewölbe konstruierte, erreichte er die rotierende Bewegung, die jeder als

ersten Eindruck erlebt, die er nun durch die Führung der Emporen wie
der quergestellten rahmenden Säulen verstärkte und durch verdeckte
und offene Lichtquellen zu der Transparenz und Transzendenz stei-
gerte, die das Verweilen in diesem tönenden Raumgebilde zu einem un-
irdischen und fast außermenschlichen Ereignis werden läßt. Das Auf-
schäumen des Gruppenmals der Nothelfer, das die Bewegungen des
Raums wie Ströme in sich leitet und kaskaden- oder springbrunnhaft
versteinert dennoch wieder weiterleitet und abgibt an den Raum, die
nur wie hinaufgeschleuderte Ornamentik der Kappen und Wölbungen,
das Fliehen und Wiedernahen der Säulen und Pfeiler, die fast regellos
wie zu einem Tanze zusammengespielt sind — das alles wird schließlich
von einem tieferen Sinn als dem bloß vermittelnden Auge aufgenommen; es wird vernommen, geht wie ohne Umweg in uns ein, und unser
ganzes Gefühl wird dieser lichten flutenden Unendlichkeit preisgegeben, die nicht aufhört auf uns einzudringen, wohin wir auch in diesem wunderbaren Labyrinth uns tragen lassen; es gibt keinen Still-
stand, kein endgültiges Verweilen, sowenig wie auf den Flügeln der
Musik. Immer wieder ist man versucht, durch das Portal der hoch-
strebenden herrlichen Fassade, die einzig Ruhe kündet und seltsam unergründlich das Geheimnis drinnen hütet, hindurchzuschreiten und des
seligen Wirbels und unablässigen Geschehens teilhaft zu werden: man
gelangt an kein Ende und ist immer aufs neue von dieser orpheisch die
Materie verzaubernden Geistmusik getroffen.

Heraustretend zum letzten Male umfaßt man unter der golden-
gelben Sandsteinfassade mit seinen Blicken die Weite der Landschaft
und grüßt hinüber nach Banz, wo einst Johann Dientzenhofer die
Probleme sichtete, die hier wie im Spiel einer ungeahnten Lösung zugeführt wurden; umfaßt im Geiste das Menschenalter von dreißig Jahren, das zu solcher Reife der Meisterschaft durchlebt werden mußte —
das letzte Menschenalter einer großen Kunst, das hier zu Ende geht in
einer jubelnd-triumphierenden Herrlichkeit, als wäre mit ihm nun erst
eine neue Ewigkeit des Geistes angebrochen, wie sie seliger kaum unsre
große Musik uns aufgetan hat.

Viertes Buch
Singende, klingende Welt

36.

Wie so vieles Große, zu letzter Vollendung gelangt, mit anderem
Großen sich berührt, sei dieses auch von ganz verschiedener, ja entgegengesetzter Art und Herkunft: so ist uns bei der Betrachtung der hohen
Werke barocker Baukunst immer wieder Musik in Vergleichs- und Er-
lebnisnähe gerückt; zuletzt gar schien sie mit elementarer Kraft aus
der Baukunst selbst hervorzubrechen und zieht uns förmlich zu sich
hin, als wäre sie der eigentliche Inhalt und Sinn, den alles bildend Wer-
kende mit seinen unendlichen Anstrengungen erstrebt und gemeint hätte.

Tönende Baukunst, musikalische Architektur scheint die Signatur
dieser Epoche vor allen andern Epochen zu sein. Denken wir aber nun
an die wirkliche Musik, wie sie zu eben diesen Zeiten lebte, so fragen
wir unwillkürlich: war solche ihrerseits bauende Tonkunst, architektonische Musik, und klingen beide in wahrer Wechselwirkung zusammen?

Da zeigt sich nun das Seltsame, worauf wir im Vorübergehen hie
und da schon hinzudeuten hatten, daß in den wirklichen Räumen des
deutschen Barock, zu der Zeit, da sie geschaffen wurden, deutsche Musik überhaupt noch nicht erklang: es war die schöne Sang- und Klang-
welt Italiens, welche die Schlösser und Parke, die Kirchen und Klöster
erfüllte — keine bauende Kunst abstrakter transzendenter Gesetzlichkeit, sondern bildend-plastische Kunst irdischer Melodik: Gesang von
Stimmen, wohl in üppiger Koloratur malerisch-ornamental umspielt,
aber dem Ausdruck menschlicher Affekte leidenschaftlich zugewandt;
Klang von Geigen, wohl in prachtvollen Steigerungen oft feierlich ter-
rassenhaft emporgeführt und in zärtlichen Kadenzen wieder sich herab-
senkend, aber im Genusse individueller Existenz eher dem festlichen
Begehen, prunkvollen Schreiten und tänzerischen Spiele bereit, als dem
selbstvergessenen Rausch und der mystischen Entrückung, zu welchen
die vergeistigte Baukunst uns hinzureißen schien.

Dennoch gab es in der gleichen Zeit eine Musik, die auf ihre Weise Seelenräume wölbte und Baugedanken türmte; aber sie hat nicht in den wirklichen Bauten des Barock entstehen und erklingen können und konnte nicht ihre innerliche geistige Entsprechung sein, wenn sie gleich ihre große unbewußte Rivalin und vollkommene historische Parallelerscheinung war. Denn sie hätte gar nicht selber tönende Baukunst sein und werden können, wenn es für sie einen greifbar fassenden Raum von Stein und Form und Farbe gegeben hätte.

Und so ist es denn mehr als ein billiges Gleichnis unsrer im Sprechen von künstlerischen Dingen so schnell erschöpften Sprache, wenn wir von dieser Musik als von einer bauenden Kunst und dem wahren Gegenstück und Zwillingswerk der großen wirklichen Architektur des Jahrhunderts sprechen und in einem unsichtbaren und völlig geistigen Element denselben Trieb am Werke sehen, der die ganze Epoche erfüllt. Denn wo diese bauende Musik entsteht, da hat jener Trieb keine reale Architektur emporwachsen lassen: in wahrer Stellvertretung hat die Musik die Aufgabe der Baukunst dort übernommen, wo in einem tiefsten Sinne, das heißt aus religiösem Grund, ein Bauen nicht mehr möglich war.

Aber hier verwirren sich uns zunächst die Ereignisse und Wirkungen. Wir stehen in einem Jahrhundert, dessen höchstes Ergebnis ebenso Musik ist wie Architektur; das von zwei Architekturen, einer wirklichen und einer ganz vergeistigten, beherrscht sein soll und ebenso von zwei Musiken, einer, die frei aus sinnlichem Seelenausdruck lebt, und einer, die unpersönlicher in abstrakter Gesetzlichkeit sich formt: einer, die irdisch sang, einer, die geistig klang — wie existieren diese Welten des „cantare" und „sonare" mit- und nebeneinander; da doch diese Begriffe schon, sowie sie Historisches bezeichnen, vertauschbar werden und die „Kantate" zuletzt den höchsten geistlichen Formen jener Jenseitskunst zuzuzählen ist, die „Sonate" aber die ersten Regungen eines freien Weltlichen ausspricht? Singende, klingende Welt — wie haben die Menschen der Zeit, die von unsern nachträglichen Stilbegriffen nichts ahnten, sie empfunden? Waren hier wirklich getrennte Welten, die voneinander nichts wußten und in strenger Isolierung ihr Eigenes herausgestalteten? Oder war hier ein dauerndes Hin und Her, wo eines vom andern nahm und dann doch Verschiedenes und Unverwechselbares sich ergab? Wo geistig Instrumentales erst durch Aufnahme sinnlichen Gesangs zu seiner höchsten Höhe gedieh und der reine Geang aus dem Herzen des Menschen erst durch die absolute Kunst der Instrumente und ihre Geistgesetze sich vollendete? —

Wir spüren, daß hier ein viel komplexeres und komplizierteres Geschehen am Werk gewesen ist, als selbst in den großartigen Synthesen der Architektur, und daß dieses Geschehen weiter reicht, und schließlich sogar die Wirkungen der großen wirklichen Baukunst in sich sublimierte und bis zu uns hin über die Jahrhunderte rettete.

Wir müssen die Fäden dieser Entwicklungen zu entwirren suchen; wir müssen untertauchen in dem Erlebnis der Zeit und müssen aus ihm in frühere Zeiten und zu den Ursprüngen zurück, um den ganzen Aufbau der Epoche und seinen harmonisierenden Sinn zu begreifen.

37.

Im Jahre 1700 erschien in Dresden ein Buch, das den Titel trug: „Der musicalische Quack-Salber, nicht alleine denen verständigen Liebhabern der Music, sondern auch allen andern, welche in dieser Kunst keine sonderbahre Wissenschafft haben, In einer kurtzweiligen und angenehmen Historie zur Lust und Ergetzlichkeit beschrieben von Johann Kuhnau.“ Es handelt von einem Abenteurer, besser Hochstapler der Musik, der Dresden, Leipzig und andre mittel- und norddeutsche Musikzentren heimsucht und, ein völliger Nichtskönner, durch sein Auftreten es doch fertig bringt, immer eine Zeitlang auch die besten Kenner zu täuschen: einzig, indem er sich als Italiener ausgibt; zu welchem Zwecke er auch seinen Spitznamen „Theueraffe“ in „Caraffa“ verwandelt hat. Er wird zuletzt entlarvt, ja bekehrt, was dem Verfasser Gelegenheit gibt, sein Ideal eines „wahren Virtuosen und glückseligen Musicus“ der angemaßten Scheinexistenz des Musikschmarotzers gegenüberzustellen.

Nicht die Gelassenheit des Humors und die überlegene und doch liebevolle Schilderung des Zuständlichen ist es, was dieses Buch zu einem Kulturdokument ersten Ranges macht; sondern der darin zitternde Ingrimm gegen die italienische Vorherrschaft und Fremdherrschaft in der Musik und die Entrüstung des deutschen Musikers über seine eigenen Landsleute, denen der Nimbus des Welschen genügt, um alle ihre gründliche Erfahrenheit und Kenntnis in der Kunst zu ver-

gessen und blindlings dem Glauben an die gottgewollte Überlegenheit
des Fremden zu erliegen. Dreierlei spiegelt sich in dieser Satire: zunächst die Tatsache der ungeheuren Bedeutung Italiens und seiner noch
unumstößlichen Gültigkeit in Deutschland; zweitens, daß nicht nur
im süddeutschen Raum, aus dem der Musikbetrüger stammt, sondern
auch schon im nördlichen Bereich der fremde Einfluß spürbar ist, und
bereits zu Beginn des Jahrhunderts; und drittens, daß es daneben nun
doch eine eigene deutsche Tradition schon gibt, die ihrer bewußt genug ist, um gegen die Mode der Zeit sich aufzulehnen und an dem
scheinbar Überlegenen in aller Form Kritik zu üben.

Denn wie schon früher angedeutet ward, ist um diese Zeit, da die
große deutsche Baukunst entsteht, in der ersten Hälfte des Jahrhunderts, im Südraum die musikalische Herrschaft Italiens noch völlig unbestritten, ja es gibt geradezu in dieser Zeit dort nur italienische Musik,
sei sie nun durch Italiener selbst oder durch deutsche Meister vertreten,
die völlig selber zu Italienern geworden sind.

Daß die neue Kunst der Oper, als italienische Erfindung, auch in
italienischen Vertretern im 17. Jahrhundert ihren Einzug in Deutschland halten mußte, war selbstverständlich genug. Immerhin ist das
früheste Werk dieser Gattung, Rinuccinis „Dafne", vom sächsischen
Hof in Torgau 1627 noch in deutscher Übersetzung — von Martin
Opitz — und in deutscher Komposition aufgeführt worden: durch
Heinrich Schütz, der aber selbst schon Schüler Italiens war. Nach dem
großen Krieg, da der eigentliche Aufstieg des fürstlichen Absolutismus
beginnt, finden wir dann an den Höfen fast nur noch Italiener: München hat seit 1654, Dresden seit 1656, Wien seit 1666 seine italienische
Oper, und sie bleiben die Vororte der großen Opernkultur. In München ist es der unmittelbare Nachfolger des großen Monteverdi in der
venetianischen, noch feierlich rezitierenden Opernkunst, Francesco Ca-
valli (1602—1676), der dort das Theater leitet. Mit ihm gleichzeitig
ist zwar noch ein Deutscher, Johann Caspar Kerrl aus dem Vogtland,
als Hofkapellmeister tätig; aber auch er hat bereits in Italien gelernt,
bei den Orgelmeistern Carissimi und Frescobaldi; und 1674 wird Ercole Barnabei, ein Kantatenkomponist der Römischen Schule, sein
Nachfolger. Im folgenden Jahre gesellt sich ihm Agostino Steffani
aus Venedig, der übrigens noch bei Kerrl studiert hat; er schreibt sechs
Opern für München, ist später aber auch am Hof von Hannover und

Düsseldorf tätig, nicht nur wieder als Opernkomponist, sondern auch in diplomatischer Mission: er ist uns ein Beispiel, mit welcher Vorsicht wir die an sich begreifliche Befehdung der Italiener, vor allem auch ihrer menschlichen Eigenschaften, aufzunehmen haben; denn er war ein bewußter Vermittler zwischen Deutschem und Italienischem — seine selbstlose Protektion des jungen Händel ist bekannt genug, dem er seine Stelle in Hannover überläßt; er ist ein vornehmer, mit allen Würden ausgestatteter Mann, päpstlicher Protonotar und seit 1709 apostolischer Vikar für Norddeutschland, der, mit Leibniz zusammen, die Widerstände gegen die Kurwürde Hannovers beseitigt.

Wiens große Zeit beginnt mit Marc'Antonio Cesti (1623—1669), der die schon geschilderte Festoper „Il pomo d'oro" zur Hochzeit Kaiser Leopolds I. 1666 komponiert; nach ihm ist Antonio Draghi (1635 bis 1700) kaiserlicher Oberhofkapellmeister. Seit 1691 und bis 1716 ist Giovanni Battista Bononcini in Wien (1635—1748), der als Händels Rivale in London später berühmt wird; ihm folgt Antonio Caldara (1670—1736), der bereits von der venetianischen zur neapolitanischen Oper überleitet. Neben ihm wirkt Francesco Bartolomeo Conti (1682—1732), seit 1701 als Hoftheorbist (die Theorbe ist die barocke Baßlaute), seit 1713 Hofkomponist in Wien. Johann Joseph Fux, seit 1696 Organist, seit 1715 sogar Hofkapellmeister, spielt als Deutscher hier wesentlich nur die Rolle des Theoretikers: er ist durch seine „Gradus ad Parnassum" bedeutsam und auch für die Folgezeit wirksam geworden. Aber der italienische Charakter der Wiener Musik bleibt; ja seit 1724 befindet sich sozusagen das Zentrum der ganzen europäischen Opernkunst in dieser Stadt, als der italienische Textdichter Metastasio sich hier niederläßt und 1729 einem andern Italiener, dem Apostolo Zeno, im Amt eines gekrönten kaiserlichen Hofpoeten nachfolgt. An ihn wenden sich alle, die seine zahllosen Operntexte komponieren, im Dramatischen und Musikalischen um Rat. Auch Gluck gehört bis zu seinem „Orpheus" noch ganz der italienischen Schule und der Gefolgschaft Metastasios an und hat sein Amt am Wiener Hof; noch Mozart beginnt und endet mit Texten Metastasios, und der letzte Italiener in Wien, Glucks Schüler Salieri, ist noch Beethovens und Schuberts Lehrer gewesen.

Nicht anders ist es in Dresden, wo Giovanni Andrea Bontempi (1624 bis 1703) und Carlo Pallavicini (1630—1688) als frühe Vertreter des venetianischen Stils erscheinen, Antonio Lotti (1667—1740) als späterer — wir sind ihm bereits bei den Festlichkeiten des Jahres 1719 am Dresdner Hof begegnet. Von 1731 bis 1760 wird dann Dresden durch den größten italienischen Opernmusiker deutscher Nation, durch Johann Adolf Hasse beherrscht, der als Haupt der neapolitanischen Schule gilt und in ganz Europa unter dem Namen „Il gran Sassone" oder „Il divino Sassone" gefeiert wird. Eine ähnliche Stellung nimmt um jene Zeit der Neapolitaner Niccolò Jomelli in Stuttgart ein, wo er von 1753 bis 1769 als Hofkapellmeister wirkt und großen Einfluß auf Deutschland übt, aber bereits auch selber Deutsches annimmt.

Um 1700 ist sogar Berlin für kurze Zeit ein Mittelpunkt italienischer Musikkultur gewesen: Attilio Ariosti ist hier von 1697 bis 1703 Hofkomponist, Bononcini 1703, zwischen seinen Wiener Ämtern, Hofkapellmeister — es ist eine bedeutende Frau, um die sich dieses Musikleben entfaltet, die Königin Sophie Charlotte, die Freundin Leibnizens, die ja auch mit Steffani einen Briefwechsel unterhält, der uns überliefert ist. Wenn wir damals von musikliebenden oder gar musikausübenden und komponierenden Fürstlichkeiten hören, so ist es immer allein italienische Musik, um die es sich da handelt — ob die kaiserlichen Majestäten in Wien bei ihrer Kammermusik mitwirken, Opern entwerfen, ja in ihnen auftreten; ob die sächsische Kurprinzessin und spätere Kurfürstin Maria Antonia bei Porpora singen und bei Hasse komponieren lernt und in ihren selbstverfaßten Opern mitsingt, ihr Bruder, der Kurfürst Maximilian Joseph von Bayern, bei der Aufführung ihrer „Talestri" die Violine spielt; ihr hoher Freund, Friedrich der Große, die für ihn von Quantz komponierten Flötenkonzerte aufführt oder in den Opern seines Graun dem dirigierenden Kapellmeister sachkundig und kritikbereit in die Partitur schaut — es ist alles im italienischen Stil. Nicht nur die Komponisten und Librettisten sind Italiener, auch die ausführenden Virtuosen. Um 1700 ist Torelli, der Begründer des Soloviolinkonzerts, als Geiger an den Höfen von Wien und Ansbach; der große Vivaldi sogar ist eine Zeitlang Hofkapellmeister eines deutschen Fürsten, des Landgrafen Philipp von Hessen-Darmstadt. Und wenn neben den italienischen Orchestermitgliedern auch immer mehr deutsche erscheinen — das in der Oper Entscheidende, der Gesang, bleibt den Italienern bis ans Ende des Jahrhunderts so gut wie ausschließlich vorbehalten. Von Friedrich

dem Großen stammt das Wort „Eine deutsche Sängerin? — ich könnte
ebenso leicht erwarten, daß mir das Wiehern meines Pferdes Vergnügen machen könnte!" —

Es ist nur allzu begreiflich, daß bei aller Bewunderung für das Neue
und Große Italiens allmählich ein Widerstand gegen eine so absolute
Vorherrschaft sich geltend machen, Kritik und Polemik sich einstellen
mußte, wie sie in jenem satirischen Roman zum Ausdruck kommt. Wenn
aber ein deutsches Musikempfinden mit einem überraschenden Selbstbewußtsein schon um 1700 sich meldet — worauf kann es sich als nationale Tradition und Leistung berufen? Der Verfasser jenes Romans,
Johann Kuhnau, war nicht ein beliebiger Schriftsteller über Musik —
er war der Amtsvorgänger Bachs im Leipziger Thomaskantorat.

38.

Mit dem Begriff des „Kantor" tut sich unserm Gefühl eine ganze
Welt: die Welt der protestantischen Kirchenmusik auf; eine so völlig
andere Welt als die soeben geschilderte, daß wir zunächst kaum glauben können, wie sie mit dieser gleichzeitig war und in demselben Volk
wie diese ihre Stätte und Heimat hat haben mögen. Sie gehört dem
mittel- und norddeutschen Raum, überall dort, wo Fürstenhöfe und
Adelssitze nicht die italienische Weise eingeführt haben: ihre Heimat
ist nicht der „Hof", sondern die „Stadt", wo sie um 1700 das Zentrum
geworden ist einer ganz eigenen städtischen Kultur.

Ihre Überlieferung reicht weiter zurück als die der italienischen Musik, welche der Renaissance Ursprung und Weltwirkung verdankt; sie
bewahrt die Grundlagen und die Grundgestalt europäischer Musik
überhaupt, wie sie sich im Mittelalter als Vielstimmigkeit herausgebil-
det hatte, und es ist, paradoxerweise, der neue protestantische Glaube
gewesen, der dieses Alte am reinsten in sich hatte fortleben lassen.

Auch den Italienern sind Norddeutsche: die Niederländer, Lehrmeister der Kunstmusik geworden; aber in der bedeutsamen Wandlung, welche wir schon an der römischen Baukunst beobachten konnten,
ist in Italien die eigentümliche Vermischung des mittelalterlich Sakralen
mit einem heiter Weltlichen, ja Heidnischen eingetreten, das, wenn
auch hier nur theoretisch, seinen Impuls von der wiederentdeckten und
als alleiniges Vorbild verehrten Antike empfängt. Schon in der Ars

Nova der Florentiner des 14. Jahrhunderts kündigt dieses Weltgefühl
sich an; es bewirkt in Palestrina, der noch aus flämischer Schule stammt,
den Durchbruch aus der übersteigerten gotischen Polyphonie zu einer
harmonischen Klarheit und Schönheit; um dann in der Erfindung der
Oper sich zu vollenden, die mit der Vorherrschaft der singenden Einzel-
stimme und ihres instrumentalen Abbilds, der singenden Geige, allmählich auch die alten Formen der Kirchenmusik und die neuen von Konzert und Madrigal im Sinne des menschlichen Gefühlsausdrucks, des
Affekts, der Leidenschaften durchdringt.

Dieser Individualismus der Renaissance bleibt der bodenständigen
Musik des Nordens noch lange Zeit fremd: das neue protestantische
Gemeindebewußtsein bewirkt noch einmal eine überindividuelle Bindung, wie sie die mittelalterliche Kunst gehalten und getragen hatte.
Aber es ist nicht dieses Religiöse an sich, wie es im protestantischen Ge-
meindechoral mit seiner Glaubenszuversicht und geistigen Weltbejahung
am vernehmlichsten hindurchbricht, was für die ganze Zukunft dieser
Kunst entscheidend geworden ist; sondern von mindestens gleicher Bedeutung und unwegdenkbar ward es, daß Luther die überlieferte
gotische Kontrapunktik unmittelbar von den niederländischen Meistern für seinen Kult übernahm, indem er zunächst die kunstvolle viel-
stimmige Aufführung von Gesängen seinem Gottesdienste eingestal-
tete. Hier war er, wie später noch einmal Bach, künstlerisch konservativ, ja reaktionär. Während er einerseits das Volkslied in die Gemeinde-
choräle leitete, wollte er doch Chor und Kunstgesang in der Kirche nicht
missen: er sagt es ausdrücklich in seiner Vorrede zu dem ersten protestantischen, dem Waltherschen Gesangbuch von 1524: „Auch daß ich
nicht der Meinung bin, daß durchs Evangelium alle Künste sollten zu
Boden geschlagen werden und vergehen, wie etliche abergeistlichen für-
geben, sondern ich wollt alle Künste, sonderlich die Musica gerne
sehen im Dienst des, der sie geben und geschaffen hat." Dieses erste
Kirchenchoralbuch war in der Tat gar kein Gemeindegesangbuch in
unserm Sinne, sondern enthielt die Chorstimmen zu vier- und fünf-
stimmig gesetzten Chorälen: Choralmotetten, wie sie damals in der
Kunst der Niederländer üblich waren. Luther war ein persönlicher
Verehrer des Josquin des Près und hat über Wesen und Wirkung der
kontrapunktischen Polyphonie jene berühmten, ewig denkwürdigen
Worte geschrieben: „Wo die natürliche Musica durch die Kunst ge-

schärft und poliert wird, da siehet und schauet man erst zum Teil, denn gänzlich kanns nicht begriffen noch verstanden werden, mit großer Verwunderung die große und vollkommene Weisheit Gottes in seinem wunderlichen Werk der Musica, in welchem vor allem das seltsam und zu verwundern ist, daß einer eine schlechte Weise oder Tenor, wie es die Musici heißen, her singet, neben welcher drei, vier oder fünf andere Stimmen auch gezwungen werden, die um solche schlechte Weise oder Tenor, gleich als mit Jauchzen rings umher um solchen Tenor spielen und springen und mit mancherlei Art und Klang dieselbige wunderbarlich zieren und schmücken und gleichwie einen himmlischen Tanz reigen führen, also daß diejenigen, so solches ein wenig verstehen und dadurch bewegt werden, sich heftig verwundern müssen, und meinen, daß nichts Seltsameres in der Welt sei denn ein solcher Gesang mit vielen Stimmen geschmücket." Mit dem Gemeindegesang, wie gesagt, hatte solche Musikaufführung nichts zu tun — diesen müssen wir uns im frühen protestantischen Gottesdienst gesondert davon, ohne Chor- und auch ohne Orgelbegleitung, unisono gesungen denken. Alle Elemente späterer Kirchenmusik waren also wohl vorhanden, aber noch voneinander getrennt; erst später flossen sie zusammen. Daß aber eine eigene große Kunst daraus werden konnte, das war der Übernahme des reinen Kunstelements der Polyphonie zu verdanken, Luthers höchst persönlicher für unsre ganze Musik entscheidender Tat.

Auch für den Gemeindegesang, der gewöhnlich für das Wesentliche von Luthers Stiftung gehalten wird, weil er hier selber als erster Liederdichter und zum Teil auch Komponist erschien, ist damals die grundlegende Sammlung geschaffen worden: im Erfurter Enchiridion vom gleichen Jahre 1524. Es zählt nicht mehr als 26 geistliche Gesänge und Psalmen; um die Mitte des 17. Jahrhunderts hat sich dann die Zahl verzehnfacht, um 1700 steigt sie in manchen Gemeinden bis zu 2000, ja 5000. Dieses gewaltige Anschwellen der Choraldichtung allein schon bekundet, was sich da vollzieht: das musikalische Bekenntnis der Gemeinde tritt als selbständiges Gegengewicht und Gegenspiel der Predigt gegenüber, auf welcher allein Luther ursprünglich den geistigen Sinn seines Kultes gegründet hatte; und die Choralmelodien wirken wiederum auf die Kunst der Orgel zurück, die allmählich die Choralmotetten Lutherscher Stiftung ablöst und ihre Polyphonie auf das Instrument überträgt. Da aber, entsprechend dem Bibeltext der Predigt,

jedem Sonntag des Kirchenjahres auch seine bestimmten Choräle zugeordnet sind, so übernimmt neben der Choralmusik und -Dichtung
auch das Orgelspiel, im freieren Weiterspinnen und Verzieren der
Choralweise, die geistige Deutung des jeweiligen Gehalts der sonntäg-
lichen Feier: es wird eine Predigt in Tönen, die in der Sphäre der
Kunst vollendet und gestaltet, was als Wortverkündung allzuleicht
im Begrifflichen und Rationalen verhaftet bleibt. Alle Errungenschaften einer freien Kunst ziehen mit dieser Funktion der Orgel in die
Kirche ein: es beginnt mit Choralvorspielen, die zu einer eigenen Kunstform erwachsen, wenn die Orgel dem schlichten Gesange zunächst prä-
ludiert; es wird fortgesetzt im Alternieren mit der Gemeinde, indem
die Orgel den Gesang in einzelnen Versen ablöst und in ihrer Vielstimmigkeit zu Gehör bringt; es wird gekrönt in Fugen, Toccaten und
Passacaglien, in denen das Instrument seine ganze Gewalt entfaltet
und in ein völlig eigenes Reich geistiger Gestaltung hinreißt.

39.

Was zu Beginn des 18. Jahrhunderts in der einen Gestalt von Bach
als protestantische Kirchenmusik die reinste Vollendung der von Luther
ausgehenden religiösen und künstlerischen Überlieferung darstellt, das
scheint in seiner unerschöpflichen Fülle und unermeßlichen Vielfalt eine
ganze Welt in sich zu fassen und alles zum Ziele zu führen, was an
musikalischem Trieb im deutschen Wesen angelegt war. Und doch dürfen wir uns nicht darüber täuschen, daß Bach in seiner Zeit bereits vereinzelt und vereinsamt dasteht, daß er in bewußter Entscheidung für
die norddeutsche Kantoren- und Organistentradition etwas leistet, was
eigentlich im Geist der Zeit schon nicht mehr möglich war und nur
durch ihn noch einmal Geist der Zeit geworden ist; daß er in gewalti-
ster Reaktion noch einmal in den Kreis des Kirchlichen und Kultischen
bannt, was überall sonst schon in die freien Bezirke des weltlichen
Lebens strömte; daß er durch diese Einengung zwar erst ganz die ungeheure Macht des Bauens in die Höhe gewann, daß er aber vieles
draußen lassen mußte, was noch im 17. Jahrhundert zum Ganzen
deutscher Musik gehört hatte und das nun in einem andern Großen
neben ihm Ausdruck fand: in Händel. In Händel und Bach teilt sich,
was in Heinrich Schütz noch eine Einheit war — nur so verstehen wir
den Reichtum der Zeit, die in zwei Zwillingsgenien auf ganz verschie-

dene Weise ausgestalten mußte, was zusammen gesehen erst den ganzen Umfang norddeutsch-protestantischer Geistigkeit in jener Epoche ausmacht.

Ein Blick ins 17. Jahrhundert zeigt, daß die weltliche und geistliche Sphäre hier noch nicht in voller Deutlichkeit geschieden sind. Die höfische Kultur ist noch in ihren Anfängen, und da im norddeutschen Bereich noch keine nennenswerten katholischen Fürsten herrschen, gehört auch die kirchliche Musik noch in den Kreis des Hofes, da der Landesherr zugleich auch summus episcopus, Oberhaupt der Landeskirche ist. So kann ein Heinrich Schütz in Dresden Hofkomponist sein, und ebenso Opern im neuen Stil der Zeit komponieren, wie seine geistlichen Musiken und Passionen schaffen. Alles verbindet damals, Altes wie Neues, die Kultur des Gesangs, sie verbindet Geistliches und Weltliches, und sie verbindet die Klassen und Stände. Symbolisch dafür ist die Rolle des Studententums, das dem Adel und Bürgertum gleichermaßen angehört, und zwar keine eigene Gesellschaft darstellt, aber das Element der Geselligkeit und Gesellschaftlichkeit repräsentiert, das wie niemals vorher und nachher du.ch die Ausübung der Musik zusammengehalten wird. Das Singen zur Laute, zur Gambe und Flöte ist die vorherrschende Form dieses Musizierens, das vom schlichten Volkslied ebenso entfernt ist wie von professioneller Kunstmusik, wenn es auch immer nach beiden Seiten hin offenbleibt und einen lebendigen Kreislauf musikalischer Substanz in Gang hält. Aber die Aufnahmefähigkeit erstreckt sich auch auf die neuen, vom Süden kommenden Einflüsse: die ererbte Vielstimmigkeit beginnt sich mit der italienischen Monodie auseinanderzusetzen, ohne daß doch eine Überfremdung einträte — der Seelenausdruck im schönen Melodischen gewinnt über die Gemüter Macht und wird doch mit den alten polyphonen Künsten verziert und vokal wie instrumental in ein reiches phantasievolles Leben verwoben, das in einer Fülle verschiedenartiger Lied- und Tanzformen improvisatorisch sich darstellt, im Wechsel von Chor und Einzelstimmen, von instrumental begleitenden und selbständigen Partien, von Variationen und Echowirkungen. Es ist die bunte Blüte echten wilden Lebens der Musik, ohne welches die Frucht und Ernte des 18. Jahrhunderts nicht zu denken ist — das deutsche Wesen mußte erst einmal ganz mit freiem Singen und Spielen durchdrungen sein, ehe der Ausdruck des Geistes in den großen strengen Formen möglich wurde.

Es ist nicht leicht, sich den Reichtum und die Vielfalt damaligen deutschen Musiklebens zu vergegenwärtigen. Während wir uns als Vorgänger in diesem Jahrhundert meist nur die Organisten und Kantoren und die großen Choraldichter vorstellen, eingeschlossen in ihre karge nordische Welt, sehen wir doch eben diese protestantischen Meister auch schon über die Alpen ziehen und in Italien die neue fremde Musik aufnehmen. Bereits Leo Haßler, zwanzig Jahre älter als Schütz, ist Schüler Gabrielis in Venedig, und obgleich er dann als Domorganist in Augsburg, Nürnberg, Ulm wirkt, sind seine Hauptwerke Liedkompositionen, wie vor allem seine „Neue teutsche Gesang" von 1596, sein „Lustgarten" von 1602. Hermann Schein, Leipziger Thomaskantor, wird gleichfalls durch seine Lieder hauptsächlich berühmt: Venuskräntzlein, Hirtenlust, Studentenschmaus lauten die Titel seiner Gesänge, die er neben seinen Cantiones sacrae, Musica divina, Tedeum usw. herausgibt. Und noch Adam Krieger, Schüler des Orgelmeisters Samuel Scheidt in Halle, selber Organist an St. Nicolai zu Leipzig, zeichnet sich durch seine weltlichen Liedersammlungen (seit 1657) aus, in denen er, wie die andern, gleich lebendig als Textdichter und Komponist erscheint.

Am umfänglichsten spiegelt sich diese Freiheit des Werdens in Heinrich Schütz, dessen Lebenswerk fast das ganze 17. Jahrhundert begleitet. Er ist 1585, genau hundert Jahre vor Bach und Händel, geboren und hat allein fünfundfünfzig Jahre, von 1617 bis zu seinem Todesjahr 1672, als Hofkapellmeister in Dresden gewirkt; freilich mit Unterbrechungen, als der große Krieg ihn Dänemark aufsuchen ließ. Zweimal ist er in Italien, bei Giovanni Gabrieli und bei Monteverdi in Venedig gewesen, und seine erste musikalische Tat, von der wir wissen, ist die Vertonung der von Martin Opitz übersetzten Oper Dafne des Rinuccini; leider ist dieses Werk nicht erhalten, es müßte, bei seinem sonstigen dramatischen Vermögen, entscheidend für unsre Vorstellung von ihm sein. Seine geistlichen Werke hat er verhältnismäßig spät herausgegeben: 1629, 1647, 1650 die Symphoniae sacrae, 1636 und 1639 die kleinen geistlichen Konzerte, 1648 die Motetten; 1645 die Sieben Worte am Kreuz, 1664 das Weihnachtsoratorium, 1666 die Passionen nach Matthäus, Lucas und Johannes. Tiefer Seelenausdruck, in den Passionen von stärkster Dramatik, verschmilzt sich bei ihm mit der Herbigkeit der Frühe, die dem mittelalterlichen Mysterium noch nahesteht: es ist die Synthese des neuen persönlichen Stils der Italiener mit seiner überkommenen Polyphonie, die oft großartig archaisch anmutet, wenn etwa die Rede der Einzelpersonen noch vielstimmig gebracht wird. Seine Tat ist die Beseelung des objektiven Tonelements, die Wandlung des gerade in der Polyphonie bisher fast nur physikalisch-mathematisch benutzten Tonwerts in den reinen Gefühlsausdruck, durch welchen für uns erst eigentlich Musik besteht. Daß er damit die strenge kirchliche Bindung sprengte, das hat er selbst gespürt, wenn er von seinen Oratorien sagte, sie seien „um die österliche Zeit in fürstlichen Kapellen oder Zimmern zu gebrauchen" — es war ihm bewußt, daß seine Kunst über das eigentlich Kultische, dem bisherigen Kult Gemäße hinausging. Aber so spricht eine Zeit, die noch allenthalben im Religiösen lebt und der hohen christlichen Feiertage in den Sälen der Großen nicht weniger fromm gedenkt als in der Kirche.

Kein einzelner geistiger Bezirk hat sich noch völlig isoliert und abgekapselt, die Wirkungen gehen noch überall hin und her. Und so versteht man, daß der von Italien her einwirkende moderne persönliche Gefühlsausdruck, der in der melodischen Erfindung sein wesentliches Charaktristikum besitzt, nicht nur dem deutschen Liede allgemein, sondern dem religiösen Lied, dem Choral im besonderen zugute kam: das Jahrhundert der Madrigale und weltlichen Gesänge ist zugleich das Jahrhundert des Heldenlieds der jungen Kirche: aller jener Ergüsse des inneren Lebens, des Glaubens, der alltäglichen Sorgen und der visionären Jenseitszuversicht des kämpfenden und siegenden Protestantismus.

40.

Dieser protestantische Choral ist als Dichtung nicht weniger merkwürdig wie als Musik: in ihm allein lebt vom Mittelalter herüber ein echtes reines deutsches Dichten fort; zu einer Zeit, wo Dichtung sonst von außen überfremdet, von innen rationalisiert war und den Ausdruck eines tiefen Menschlichen, welches uns heute noch zu ergreifen vermöchte, nicht mehr hat leisten können. Man fragt sich selten, warum wir uns in die sogenannte Barock- oder Renaissancepoesie des Martin Opitz, des Lohenstein und Hofmannswaldau, ja selbst des Gryphius kaum anders mehr als historisch versenken, der Text der alten Kirchenlieder aber auch über den Nichtkirchlichen noch lebendige Gewalt behauptet. Das ist nicht nur die Gewohnheit früher Erziehung und die

Ehrfurcht vor dem religiösen Gehalt: es ist der echte Klang einer naiven und innerlich notwendigen, gemußten Dichtung, in der etwas Ewiges unsres Seelenlebens seinen Ausdruck fand, was uns da über die Zeiten berührt; und es ist natürlich zugleich ihre Verbundenheit mit der Musik, mit der auch beim Lesen unwillkürlich mitgehörten Sangesweise, welche in dieser ursprünglichen Einheit unsre neuere Dichtung nicht mehr besitzt. Wort und Ton, ehemals als gesungenes Lied ungetrennt, sind hier noch einmal zusammengefügt worden in einer schon späten Zeit, wie wir es nach dem naiven anonymen Volkslied in keiner andern Kultur, bei keinem andern Volke finden.

Denn das Merkwürdige ist, daß diese Choraldichtung nun eben keineswegs anonym ist, daß wir bis auf wenige Ausnahmen die Dichter der bedeutendsten Texte kennen; und daß diese ganze Poesie, so objektiv sie an den Glaubensinhalt der Religion gebunden ist, doch durch und durch subjektiven Charakter besitzt und in wechselnden Stimmungen der Seele Persönliches aussagt, wie es sonst in keinem Gottesdienste der Welt je Wort geworden ist. Sie ist Gottesgefühl und Weltbekenntnis in einem, und eben hierin die Quintessenz der protestantischen Haltung, wie sie ursprünglich wohl in der Verkündung der Predigt gedacht war, als solche aber nur selten Kunst zu werden und gar nicht Dauer zu gewinnen vermochte und vor allem nicht, trotz des Persönlichen, im Sinne der Gemeinschaft ausgesprochen und erlebt werden konnte: für welche hier der Dichter noch einmal den Ausdruck fand, um alsbald von allen und für immer verstanden zu werden. Dies war bisher nur dem altüberlieferten heiligen Buch, der Bibel, vorbehalten gewesen, das für den Gläubigen als göttlich inspiriert und nicht von Menschen verfaßt galt; hier aber ward es modernen Persönlichkeiten zugestanden, die, als „Dichter", menschliche Erfinder waren, nun aber einer Inspiration teilhaft schienen, wie sie sonst am Anbeginn vorweltlicher Zeiten steht und für die doch auch der späte stellvertretende Begriff des schöpferisch Genialen noch nicht vorhanden und anwendbar war. Man wird kaum fehlgehen, wenn man annimmt, daß durch diese Erhöhung des Dichterischen, das in Deutschland noch nie am Kulte mitgewirkt, geschweige einen wesentlichen Bestandteil des Gottesdiensts gebildet hatte, die Kunst des Wortes eine neue Heiligung empfing, die nun zugleich vom Text auf die Musik übertragen wurde, und diesen beiden Künsten ganz allgemein den Vorrang im protestantischen Bewußtsein sicherte, für das sie etwas von der Weihe behielten, die der Ursprung aus der Religion nun ihrem immer persönlicheren Ausdruckscharakter überhaupt verlieh und auch dort noch an ihnen haften ließ, wo sie aus der geistlichen in die weltliche Sphäre hineinwuchsen: und damit stellt der Choral sich im eigentlichsten Sinne als die mythische Epoche der neueren Geistigkeit dar, insofern Glaube und Dichtung hier zu einer Einheit geworden waren. Man braucht nur an die bildende Kunst zu denken, die jene Weihe vom Protestantismus nicht erhielt, um zu begreifen, warum sie für die neuere Welt, soweit sie protestantisch war, nie sehr viel mehr als eine Liebhaberei bedeutet hat; es sei denn, daß Begegnungen mit andern Kulturen andre Erlebnisse schenkten. Hier hat dann nachträglich im Klassizismus die Mythisierung der bildenden Kunst durch wörtliche Übernahme der Antike nachgeholt werden sollen, gerade im protestantischen Kulturkreis, da in ihm weder der Mythos noch die Antike für das Bildende vorhanden war in jener Verschmelzung etwa des Christlichen und Antiken wie im katholischen Barock.

Die Vorarbeit für all dies Kommende ist bereits im 17. Jahrhundert geleistet und abgeschlossen worden: im 18. selbst, so entscheidend es noch unter der Herrschaft des Chorals steht, ist keine Choralmelodie mehr entstanden, ist zum Gesamtbestand des Kirchenliedes auch textlich nur weniges noch hinzugefügt worden. Man muß dabei das uns so selbstverständlich Gewordene einmal mit fernerem Blick betrachten, um zu begreifen, wie selten und ungewöhnlich es eigentlich ist: daß nämlich diese Gesänge in ein Buch, das Gesangbuch, gesammelt und durch die Autorität der Kirche weiterüberliefert wurden, so daß nichts, wie beim Volkslied, dem Zufall anheimgegeben, verlorenging, sondern seinen Bestand bis heute behauptet. So lebten die Lieder der Reformation von Luthers eigenen Schöpfungen an fort, und aus dem 16. Jahrhundert ragen noch in die folgenden Epochen hinein nicht nur die Kampf- und Bekenntnisgesänge, sondern so persönlich-stille Dichtungen wie des Johann Mathesius (1504—1565) Morgenlied „Aus meines Herzens Grunde“, des Erasmus Alberus (1510—1555) „Christe, du bist der helle Tag“ oder das Abendlied des Nicolaus Hermann († 1561) „Hinunter ist der Sonne Schein“. An der Wende des Jahrhunderts steht der wunderbare Philipp Nicolai (1566—1608) mit dem berühmten „Wie schön leuchtet der Morgenstern“ und dem großartig

visionären „Wachet auf, ruft uns die Stimme". Johannes Heermann
(1585—1647) folgt mit dem Passionslied „Herzliebster Jesu, was hast
du verbrochen", das aus der Matthäuspassion Bachs uns in den Ohren
tönt; Martin Rinkart (1586—1649) singt sein unsterbliches „Nun
danket alle Gott". Von Josua Stegemann (1588—1649) stammt „Ach
bleib mit deiner Gnade", von Johann Matthäus Mayfarth (1590 bis
1642) „Jerusalem, du hochgebaute Stadt". Paul Flemings (1606 bis
1640) bekanntestes Lied ist wohl „In allen meinen Taten"; am reichsten aber ist Paul Gerhardt (1607—1676) lebendig geblieben: von dem
Morgenlied „Wach auf, mein Herz, und singe", dem herrlichen Natur-
lied „Geh aus, mein Herz, und suche Freud", dem Abendlied „Nun
ruhen alle Wälder", bis zu dem Sterbelied „Befiehl du deine Wege"
und der größten Passionserhebung „O Haupt voll Blut und Wunden".
Ganz dem 17. Jahrhundert gehört noch an das „Lobe den Herrn" von
Joachim Neander (1650—1680) und „Was Gott tut, das ist wohl-
getan" von Samuel Rodigast (1649—1708), oder des Johannes Neu-
mark (1621—1681) „Wer nur den lieben Gott läßt walten". Auch der
sonst ganz eigene Angelus Silesius (1624—1677) ist ins Gesangbuch
eingegangen mit „Liebe, die du mich zum Bilde" und „Mir nach spricht
Christus, unser Held".

Das 18. Jahrhundert hat dann nicht mehr vieles beigesteuert: am
reichsten Gellert (1715—1769), dann Matthias Claudius (1740 bis
1815) „Der Mond ist aufgegangen"; bis endlich Novalis die große
Reihe abschließt, der als einziger unsrer großen Dichter den Gemeinde-
ton getroffen hat, wie er jenen älteren Zeiten so selbstverständlich war.

Denn diese uns zeitlos gewordenen Gesänge wurzeln eben doch in
einer Zeit, in einem Weltzustand, der dann unwiederbringlich ver-
lorengeht und auch der echtesten Frömmigkeit nicht mehr erreichbar ist; höchstens einem Einfühlungsvermögen und einer Liebe, wie
nur die Romantik sie besaß, aus der heraus ihr ja auch einige Volks-
lieder gelangen, die sich von den alten nicht unterscheiden lassen. Beim
Choral aber ist es die Gesinnung, die nicht nur in einzelnen Augenblicken der Andacht sich zum religiösen Ausdruck erhebt, sondern die
schlechthin alles vor die Gottheit trägt, auch das, wofür andere Zeiten
dann einen anderen Ausdruck gefunden haben: das Weltliche, das
Irdische, die persönlichen Freuden und Leiden, die Nöte und Bedrän-
gungen der Zeit, die Erlebnisse des Alltags, die Ergriffenheit durch die

Natur. Was uns „Erlebnis" heißt im umfänglichsten Sinne, das haben unsre Vorfahren in diese religiöse Gemeinschaftsform bringen müssen, wenn es sie so anrührte, daß sie die göttliche Offenbarung darin empfanden. Damit war nach dem Zwischenspiel der Renaissance, das dem Menschen in seiner vollen Irdischkeit sein Recht hatte erobern wollen, etwas wiederhergestellt, was wir sonst nur im Mittelalter kennen: wo auch die Kirche noch der einzige Kulturraum für alles und alle war; wo es wohl Geistliche und Laien gab, aber nichts Weltliches, was nicht im großen Kosmos der christlichen Sinndeutung und ihrer Heilstatsachen enthalten war. Noch mehr als die Dichtung ist die Melodie des Chorals nur in diesem mythischen Zustand möglich gewesen: sie ist das Unerfindbare, das wie von selbst Gewachsene, das aus der Dichte einer Gemeinschaftsatmosphäre lebt, die auch vom größten Genie sich nicht erschaffen läßt — selbst Bach hat keine Melodie eines Chorals mehr erfinden können, wenn er seinen vollen Sinn auch erst ganz ausgeschöpft hat: er stand schon allein und lebte als Letzter aus einer Substanz, die bereits am Versiegen war.

41.

Neben dem Choral hat im 17. Jahrhundert auch die Orgelkunst bereits eine höchste Ausbildung erreicht. Es sind Männer der gleichen Generation, welche für den Aufbau der deutschen Musik in ihren verschiedenen Elementen repräsentativ sind und in bedeutsamem geschichtlichem Rhythmus genau ein Jahrhundert vor Bach und Händel hervortreten: der Begründer des geistlichen Konzerts in Deutschland, Heinrich Schütz, wird 1585 geboren; Johann Hermann Schein, der Meister des Liedes, 1586; 1587 Samuel Scheidt, der Begründer der deutschen Orgelkunst.

Scheidt war Organist in Halle; seine Tabulatura nova erschien 1624, sein Tabulaturbuch „100 geistlicher Lieder und Psalmen Doctoris Martini Lutheri und anderer gottseliger Männer" 1650. Mit ihm ist der schon früher angedeutete Prozeß, daß die Orgel die Anführung des Gemeindegesangs und die Ausführung der eigentlichen Kunstmusik übernimmt, zum Abschluß gekommen. So groß und alles befruchtend das Können der venezianischen und römischen Orgelmeister war, es besaß nicht das geistige Zentrum, welches jetzt die deutsche Kunst erhält: daß sie vom Choral her die Inspiration empfängt und durch ihn

kultisch an die Festtage und Sonntage des Jahres gebunden wird. Denn
diese Ausdeutung und Ausschöpfung des Bibeltextes und der ihn ly-
risch auf mannigfache Weise bereits umschreibenden Lieder, in Nachahmung und allmählicher Übergipfelung der Predigt, läßt Kunst und
Denken des Organisten immer neu um die einzelnen Heilstatsachen
und Stationen der göttlichen Offenbarung kreisen, wie das Kirchen-
jahr sie ein für allemal in bestimmter Folge in die Erinnerung der
Gläubigen ruft. Und dieser Zwang zur Versenkung in den sakralen
Stoff, der schon im Kirchenliede selbst eine vielfältige Bereicherung
und schmückende Weiterbildung erfahren hatte, läßt nun eine Unzahl
individueller Spiegelungen des Heiligen entstehen, wie sie der gleichzeitigen katholischen Kirchenmusik notwendig fremd sein mußten, in
der katholischen bildenden Kunst dagegen als etwas durchaus Vergleichbares und Entsprechendes uns bekannt sind: in der Gestaltenwelt der Heiligenlegende, die hier noch aus den älteren Zeiten fortlebte und auch, im Heiligenkalender, den einzelnen Tagen des Kirchenjahres zugeordnet war. Im Protestantismus entspringt also aus dem
Evangelium allein, was im Katholizismus außerdem den Martyrologien
und Heiligenleben entstammt: eine wenn auch nicht gestalthafte und
sichtbar gedachte, doch genau charakterisierte und heilsbedeutende
Zwischenwelt, in deren wechselnde Arten und Formen der Verkehr
mit der Gottheit eigentlich geleitet und gebannt ist. Eine Reihe religiöser Vorstellungen haben beide Bekenntnisse noch gemein: die Weih-
nachts-, die Osterbotschaft, die Pfingstandacht, die Feier der Passion.
Was aber in der alten Kirche und fortwirkend im Katholizismus des
Barock die Andacht zum Bild des einzelnen Heiligen ist, das erwächst
jetzt im Protestantismus als Hingabe an die Seelendeutung und Seelenführung des Chorals und seiner Paraphrase durch die Kunst der Orgel:
Musik wird, jetzt erst, ebenso mythenbestimmt und symbolhaltig, wie
mittelalterliche oder kirchlich-barocke bildende Kunst — sie tritt, im
Protestantismus, das Erbe der verlorenen gotischen Kunst an.

Diese Entwicklung ist von unabsehbarer Tragweite. Das moderne
Bewußtsein wird es niemals völlig fassen und nachempfinden können,
wie ein fest Geglaubtes und innerlich unverwechselbar bildhaft Er-
lebtes nur zu Tönen sich verdichtet und in musikalischen Erhebungen
die mystische Berührung mit dem Göttlichen geschieht. Der bestimmte
Sinn, den noch die Bachsche Zeit mit dem Choral und aller choralischen

Musik verband, ist den meisten von uns entschwunden, und wir besitzen den Zugang zu den unendlich vielgestaltigen Grundlagen nicht mehr, auf denen sie doch einzig ihr wunderbares Kunstgebäude errichtete. In jener gestaltlos-unsichtbaren Sphäre, in welche auch der damals noch gewußte und geglaubte Sinn als Wort nicht mehr gänzlich empordringt, vernehmen wir nur noch die Kunst, höchstens etwas von der allgemeinen Tatsache ihrer religiösen Gebundenheit ahnend und empfindend; legen wir hinein, was wir als religiöses Gefühl aufzubringen vermögen. Und in dieser Gewalt protestantischer Kirchenmusik, dem Göttlichen „an sich" Ausdruck zu geben in einer beinahe jeder religiösen Auslegung fähigen Form, ruht allerdings ihre ungeheure Überlegenheit über alle andre gebundene Kunst und ihre Fähigkeit, sich über ihre Zeit und ihre Gemeinde fortwirkend zu behaupten, auch gerade etwa über die ekstatische Bildnerei des Barock und schließlich über alle gebundene Architektur hinaus: denn jene ihr zugrunde liegenden choralischen Gebilde waren bereits in einer Zeit des Übergangs geboren und tragen schon den Stempel von Eigenheiten unsrer Welt, indem eben schon das individuelle seelische Erlebnis überall Anteil hat, von der grüblerischen Versenkung nordischen Denkertums bis zum leisen Anhauch italienischer lösender Weltlichkeit und Leidenschaft. Vom historischen Standpunkt aus müssen wir aber das andre uns immer wieder deutlich machen: daß dieses zwischen Gebundenheit und Gelöstheit schwebende Weltverhältnis streng eingeordnet und klar eingefügt war in den noch einmal allumfassend aufgeführten Bau des Kirchenjahrs, genau wie einst im Mittelalter, und einzig durch diese architektonische Bedeutsamkeit als notwendiges Glied in einem Ganzen jener mühseligen und unermüdlichen Ausbildung fähig war, wie sie künstlerische Bestandteile eben nur am heiligen Bau, im heiligen Raume finden. In verwandelter Materie, in ein unsichtbares Element erhoben, sind diese Choralgestaltungen und was auf ihnen an Schmuck und Zier, Struktur und Ornamentik in Chor und Orgelspiel erwächst und sich zu den großen Formen der Kantaten, Passionen, Oratorien bildet, die genaue Wiederkehr dessen, was der gotische Dom an Portalskulpturen, an Wand- und Glas- und Tafelgemälden zur Verdeutlichung des gleichen Heilssinns in sich faßte und aus sich hervortrieb. Und es bestätigt sich uns wiederum, in welchem keineswegs nur gleichnishaften Verstande von dieser Musik als von einer Bau- und Raumkunst gesprochen werden kann, in welcher alles sonst Verschwebende dieser Kunst geistig beharrende Gestalt und bildende Struktur geworden ist.

An diesem geistigen Aufbau haben Generationen unscheinbarer Organisten und Kantoren in Städten und Dörfern in einem geheimnisvollen Müssen gewirkt, haben die Sonn- und Feiertage einer verschollenen Zeit unerschöpflich Neues, Notwendiges hinzugetragen, bis schließlich der Eine kam und alles in seinem Riesenwerk zusammenfaßte und alles daran gewandte unzählbare Menschenleben in ein ewiges Leben rettete.

Nur wenige dieser alten Meister sind ins Licht der Geschichte getreten und haben in einzelnen Werken, soweit sie erschließbar wurden, das Leben ihrer Kunst unmittelbar auf uns gebracht. Nach Scheidt sind da vor allem Buxtehude (1637—1707), Pachelbel (1653—1706) und Georg Böhm (1661—1733) zu nennen, die die verschiedenen Formen des Choralvorspiels vor allem entwickelten. Pachelbel hat Bach am frühesten vernommen; bei Böhm hat er noch in seiner Lüneburger Zeit gelernt und entscheidende Jugendeindrücke empfangen; sein späterer Besuch bei Buxtehude in Lübeck ist bekannt. Von 1672 an leitet Buxtehude die berühmten Abendmusiken in der Lübecker Marienkirche. Aber obgleich Buxtehude der eigentliche Schöpfer der Orgel-Toccata war und seine Choralvorspiele zu großen Phantasien ausgebaut hatte, dürfen wir uns seine Abendmusiken nicht als von dem heiligen Instrument allein bestritten denken — es waren vielmehr schon richtige Konzerte mit voller Orchesterbegleitung und Chor, an fünf Sonntagen vor Weihnachten, nachmittags unter dem Andrang der Bürgerschaft aufgeführt. Buxtehude baut seine Kantaten zwar noch allein auf Choral und Bibelvers auf; aber gegen Ende des Jahrhunderts kommen plötzlich ganz neue Tendenzen herauf, und auch die geistliche Musik scheint eine Entwicklung zu nehmen, die zu ganz anderen Idealen hinstrebt, als wir sie später in Bach verwirklicht sehen.

Wir begreifen weder Bachs einsame und reaktionäre Stellung in seiner Zeit als Leipziger Thomaskantor, noch, wie ein Händel gleichzeitig aus ganz anderen künstlerischen Quellen leben konnte; ja wir würden gewisse neue und fremde Elemente unterschlagen, die auch in Bachs Werk schließlich eingingen: wollten wir in ihm nur eine Zusammenfassung der im 17. Jahrhundert entwickelten musikalischen Formen des protestantischen Gottesdienstes sehen und nun denken, daß er an diese allein organisch hätte anknüpfen können. Wir wiesen bereits darauf hin, welche ganz anderen Wege vor ihm ein Heinrich Schütz gegangen war; wir gedachten der Fülle weltlichen Gesangs, die sich im 17. Jahrhundert ausgebreitet hatte; und könnten noch vieles aufzählen, was zur Gesamtkultur der deutschen Musik jener Zeiten gehört: so etwa die Ausbildung weltlicher Instrumentalmusik durch Johann Rosenmüller, der im Geburtsjahr Bachs gestorben ist; die Begründung der Klaviersuite durch Froberger in den vierziger Jahren; die Entwicklung der Klaviersonate um 1700 durch Kuhnau, den Amtsvorgänger Bachs. Aber selbst dieses alles erscheint plötzlich in Frage gestellt, als auch in das Gebiet der norddeutschen Organisten und Kantoren etwas eindringt, wovon man bisher nur indirekte Wirkungen verspürt hatte: das Prinzip der Oper selbst.

42.

Es spricht für die Selbstbewußtheit des norddeutschen Musikertums, daß im letzten Viertel des 17. Jahrhunderts, da allenthalben das Eindringen der italienischen Oper fühlbar wird und die deutschen Höfe schon ganz unter ihrer Herrschaft stehen, in Hamburg der kühne Plan gefaßt wird, eine deutsche Oper zu begründen. Dem Zug zu dem neuen Ideal kann man zwar nicht mehr widerstehen; aber aus Bürgerstolz und protestantischer Tradition heraus begehrt man deutsches Wort und deutschen Gesang wie in der Kirche so auf dem Theater. Ja, die Oper wird begründet zunächst als geistliches Theater: der Organist an St. Katharinen, Jan Adams Reinken, ist, mit einem Theologen zusammen, unter den Männern, die 1678 unter der Führung des nachmaligen Ratsherrn Gerhard Schott der Bürgerschaft ihre Musikbühne eröffnen; biblische Singspiele füllen in den ersten Jahren das Repertoire, und Johann Theile, ein Schüler von Heinrich Schütz, der sich durch Kantaten und Passionen bereits hervorgetan hat, ist der erste Kapellmeister. Adam und Eva: „Der erschaffene, gefallene und aufgerichtete Mensch. In einem Singspiel dargestellt", so heißt die erste Oper; und „Michal und David", „Die maccabäische Mutter", „Die Geburt Christi", „Esther", folgen nach. Und gerade diese Tendenz, die Bibel auf der Schaubühne dramatisch-musikalisch zu gestalten, ist von höchster Bedeutung: sie entspricht etwa der mittelalterlichen Entwicklung, da das Mysterium aufhört, heilige Handlung der Kirche zu sein und als dramatisches Spiel vor die Kirche und auf die Marktplätze übersiedelt. Eine zunehmende Verweltlichung war hierbei unausbleiblich; und die groben und burlesken Texte der Hamburger Opern lassen ahnen, was etwa aus der Passion geworden wäre, wenn diese an sich natürliche und scheinbar unvermeidliche Überführung der inneren Schau in die äußere Darstellung weitergetrieben und zum gültigen Stil geworden wäre. In der Tat ist damals die christliche Oper auch in geistlichen Kreisen mit dem größten Ernst und unter Aufbietung aller Bildungsargumente erörtert worden, und theologische Fakultäten, um ihre Stellungnahme ersucht, entschieden sich für die Bühne. Ein Geistlicher, Heinrich Elmenhorst, der selber Texte für die Bühne verfaßt und von der Kanzel herab den Besuch der Oper empfiehlt, schreibt eine „Dramatologia antiquo-hodierna", in der er das Ideal der griechischen Tragödie beschwört: auch sie sei religiösen Ursprungs gewesen und habe im Zusammenwirken von Dichtung und Musik die Erhebung ihrer Gläubigen bewirkt — die geistliche Oper stelle nur die Verchristlichung des antiken Kunstwerks dar. Man sieht, wie hier mit der Rezeption der Oper sofort die Theorie ihres Ursprungs lebendig wird, nur vom Norddeutschen logischer und traditionsbewußter zu Ende gedacht, mit dem christlichen statt mit dem fremden klassischen Stoff. Die Konzeption ist tief und wahr genug für unser historisches Verstehen, wenn sie damals auch nur eine Abwandlung der Mode war: tatsächlich kehrt ja in der Haltung dieser Stadtgemeinden etwas von dem sakralen Kunstgeist der Polis wieder — das kultische Drama als Angelegenheit der Bürgerschaft, die Mitwirkung der Ratsmusikanten und der Gymnasien in Orchester und Chor, das Zusammenwirken von Dichtung und Musik, die Tatsache überhaupt eines aus dem Gottesdienst hervorgegangenen Chors: all das ist verwandt genug. Wir staunen, daß die Ausbildung solcher Formen wie der Passion von einem solchen wachen Bewußtsein begleitet war; und doch ist es hier wie mit so mancher andern vermeintlichen Nachfolge der Antike im Barock gegangen: man zitierte das Ideal, war aber im Grunde schöpferisch zu erfüllt und zu sehr noch im unaufhaltsamen instinktiven Vorwärtsstreben, als daß man wirklich rückwärts geblickt und die echten Verwandtschaften und unüberbrückbaren Unterschiede wahrgenommen hätte. Man hätte sonst merken müssen, daß eine äußere Darstellung des heiligen Stoffs, als bildhaft-körperliche Handlung, der Musik die Fähigkeit zu symbolischer Darstellung, in der sie schon begriffen war: zur geistigen Malerei fürs innere Auge, ertötet hätte. Auch die hohe Bühne des kultivierten Barock hätte nicht mehr die Verbildlichung dessen leisten können, was der Innerlichkeit des Protestantismus vorschwebte, die bisher vom Klang der Orgel und vom Choral geleitet worden war; gar die Hamburger Bühne, weit entfernt von der orphischen Feierlichkeit der ernsten italienischen Oper, war in keiner Weise imstande, dem geistlichen Spiel einen angemessenen Rahmen zu geben. Es ging hier auf Volkswirkung hinaus; selbst in den Tragödien, sogar in den biblischen Stücken war das Auftreten eines Clowns, der vom Shakespearschen Narren durch die wandernden englischen Komödianten sich herleiten mochte, unentbehrlich, und der Realismus, wie wir ihn sonst vom Drama des 17. Jahrhunderts kennen, ließ nichts zu wünschen übrig, so daß man das Spielen geistlicher Opern schließlich aufgeben mußte. Auch das geistliche Schauspiel des Mittelalters hatte wohl seine komischen Szenen; aber um 1700 war die Entwicklung der Musik der Volksbühne schon zu weit voraus, als daß hier noch ein neues Werden hätte einsetzen können, das unter andern Bedingungen vielleicht organisch zu echter Tragödie und Komödie möchte geführt haben. Von ihrem Ideal geleitet hatten die Begründer der Hamburger Oper die Möglichkeiten der deutschen Bühne wie der deutschen Sprache und Dichtung jener Zeit überschätzt; und so war es ein Glück, daß sie das religiöse Element ausschieden und der originalen Stoffwelt der Oper, der antiken, wieder Platz gaben. Freilich war es auch hierfür im Grunde noch zu früh — was erst hundert Jahre später, durch Goethe, Gluck und Mozart, nach langen Entwicklungen möglich wurde, das hat auch die geniale Begabung Reinhard Keisers nicht aus dem Stegreif schaffen können, dessen blühende Melodik der Hamburger Oper trotz aller ihrer sonstigen Mängel noch längere Zeit einen Glanz verlieh. Seit 1693 wirkte er hier, hat aber den Verfall sowenig wie Telemann aufhalten können, wie er aus jenen tieferen Gründen schon um 1730 eintrat.

Um die Jahrhundertwende aber war in Hamburg doch noch alles im Aufstreben, und bedeutende Persönlichkeiten fanden sich zeitweise hier zu gemeinsamem Tun zusammen. Mattheson, der Theoretiker der neuen Musik, war bis 1705 selber Sänger und Schauspieler an der Oper

gewesen, seit 1715 Kantor am Dom; so sind die Unterschiede zwischen
weltlicher und geistlicher Musik jetzt verwischt. Er hielt den sanghaften Opernstil für die angemessene Form der Kirchenkantate und berief
sich dabei in seinen Streitschriften ebenfalls auf das antike Vorbild;
für eine seiner größten Taten hielt er es, daß er bei Antritt seines Kantorats der Frauenstimme die Mitwirkung bei der geistlichen Musik verstattete und der Sängerin den Orgelchor öffnete, von dem sie bisher
ausgeschlossen war; denn die Stimmen der Schulknaben genügten seinen künstlerischen Ansprüchen nicht mehr. Von 1703 bis 1705 war der
junge Händel in Hamburg als Erster Geiger an der Oper und als Opernkomponist; seine Almira, sein Nero sind hier entstanden und aufgeführt worden. Opern in deutscher Sprache stehen also am Anfang seiner Laufbahn, auch eine Passion nach Postel und später noch die auch
von Mattheson und Telemann komponierte nach dem Hamburger Ratsherrn Brockes. Im Kreise von Mattheson und Händel spricht man ab-
schätzig von der italienischen Oper und merkt doch nicht, wie man
ihren Einwirkungen überall schon verfallen ist; man will ein fort-
schrittliches deutsches Musikleben, wie es Mattheson mit der Loslösung
von der steifen Kontrapunktik und der Verteidigung der melodiösen
Schreibart verkündet, und gleitet damit doch gänzlich in die italienische Bahn. Gleichzeitig werden zum ersten Male französische Einflüsse wirksam: mit Keiser kommt Kusser 1693 nach Hamburg, der in
Braunschweig sein Lehrer gewesen war und selber Lullys Unterricht
genossen hatte; und dieses Vorbild der französischen Oper, die dem
italienischen Eindringling gegenüber mit Beibehaltung der Volkssprache
und Einfügung des tänzerischen Elements einen selbständigen Stil her-
ausgebildet und behauptet hatte, wird nicht wenig die nationale Haltung der Hamburger Oper bestärkt haben. Aber der Wahl-Franzose
Lully, der ja selber aus Florenz stammte, hatte in Paris bereits eine
klassische Dichtung vorgefunden; er konnte aus der Deklamation der
Tragödie sein Rezitativ entwickeln und die höfisch-nationale Neigung zum Ballett zur Einführung seiner Charaktertänze nutzen —
alles Vorbedingungen, die in Deutschland nicht gegeben waren. Bleibender Gewinn wurde deshalb für die deutsche Musik nur die instrumentale Anregung, wenn jetzt durch Kussers Vermittlung die französische Ouvertüre als Einleitung der Orchestersuite Eingang fand und
die Suite überhaupt als Folge von Charaktertänzen ihre klassische

Ausprägung erlebte. So wurde Hamburg der wichtigste Kreuzungs-
punkt und Umschlagplatz musikalischer Einflüsse. Hier war ja auch
noch die Orgelkunst durch den schon erwähnten Reinken, einen bedeutenden Virtuosen aus der niederländischen Schule Sweelincks, vertreten, mit der sogenannten koloristischen Manier, der Auflösung der
Choralmelodie in reiche Koloratur über einer frei erfundenen harmonischen Begleitung, wie sie auch sein Schüler Böhm im nahen Lüneburg
übte. Und im benachbarten Lübeck war die strengere Kunst Buxte-
hudes zu hören — Händel hat ihn damals mit Mattheson besucht und
soll sich ernstlich um seine Nachfolge beworben haben.

Aber das Erregendste war doch die große Umwandlung, die sich damals in Italien selber vollzogen hatte und überall schnell spürbar ward:
das Heraufkommen eines neuen Opernstils. Wenn wir vom italienischen Einfluß sprechen, so dürfen wir ja nie vergessen, daß hier ein
beständiger Wandel vor sich ging und daß es immer andre Künstler
und Kunstwerke waren, die ihn trugen: bei einer zweihundertjährigen
Herrschaft, wie Italien sie ausübte, kann das nicht genug betont werden. Zur Zeit von Schütz, der Monteverdi noch persönlich zum Lehrer
hatte, war es das beseelte Dramatisch-Deklamatorische einer feierlichen
Rezitation, was als Neues in diesen ersten Opern ergriff. Im Verlauf
des 17. Jahrhunderts bildete sich dieser venetianische Stil unter Cavallo
und Cesti als hochpathetische Ausdruckskunst zu seiner Blüte, wohl zu
üppiger Pracht der äußeren Darstellung gesteigert, aber in seiner
Haltung noch dem Sinn des Dramas angemessen, mit durchkomponier-
tem Rezitativ, das noch nicht wesenhaft von den ariosen Partien sich
unterscheidet. In Legrenzi und Caldara bahnt sich der Übergang an,
der in Alessandro Scarlatti (1659 zu Palermo geboren) sich am deutlichsten vollzieht: die Arie wird als Dacapo-Arie das eigentliche Zentrum der Oper, das Rezitativ verliert seinen dramatischen Ausdrucks-
wert und sinkt zum „secco“, zum unbegleiteten Sprechgesang herab,
der notdürftig die inhaltliche Verbindung zwischen den großen Ent-
ladungen der Sangeskunst in der dreiteiligen Arie aufrecht erhält. Der
Schwerpunkt verschiebt sich von der Handlung auf die affektvolle
Reflexion, wie sie in den Ruhepunkten als Arie auftritt und nun das
eigentliche und bald nur einzige künstlerische Ereignis im Drama bildet. Wilhelm Heinse hat die Arien Seen und Staubecken der Empfindung genannt, in denen der Fluß des Ganzen sich sammeln müsse:

„Bei solchen Sammlungen scheint auch die Handlung stillzustehen; der Strom derselben wird unmerklich; die Kehlen großer Sänger und Sängerinnen können darin, vollkommen der Natur gemäß, ihre ganze Gewalt, ihren ganzen Reichtum zeigen. Ein zu rascher Fortgang beraubt die Musik ihrer größten Schönheiten, die Oper ihres vorzüglichsten Reizes vor der Tragödie, die solche Stellen nur durch Pantomime und Stillschweigen, bei weitem nicht so lebendig, Herz und Sinn ergreifend durch glänzende Läufe, entzückendes Schweben auf süßen Tönen in allen Graden von Stärke und Schwäche und den Zauber der Manieren auszudrücken vermag." Es ist die neapolitanische Schule, in der die neue Arienoper ihre üppige Vollendung erreicht; um 1684 wird sie von Scarlatti begründet, seine ersten Nachfolger sind Leo und Vinci, beide um etwa zehn Jahre jünger als Händel und Bach. Aber schon bei Legrenzi und Caldara tritt die Arie, wenn auch noch nicht alleinherrschend, in ihrer neuen Form zutage, und sie und Scarlatti sind es, die um 1700 bereits diese Form auch für die konzertierende Gesangsmusik aufstellen und für ganz Europa verbindlich machen.

Unter diesen Vorzeichen steht das beginnende Jahrhundert. Und es war gar nicht anders möglich, als daß auch die deutschen Musiker — immer noch ausschließlich Nord- und Mitteldeutsche — dieser neuen Kunstform unterlagen und, bei aller angestammten oder angelernten polyphonen Fähigkeit und Fertigkeit, der Arie, das heißt dem Sanghaften, Melodiösen schlechthin, Eingang gewähren mußten. Man kann solche künstlerische Revolutionen, die nicht einer willkürlichen Erfindung ihren Ursprung verdanken, sondern aus einer Umwandlung des Zeitgefühls geboren werden, nicht einfach ablehnen; man muß sie mindestens durchmachen und vielleicht zu meistern versuchen kraft eines ebenso starken Gefühls lebendiger Tradition. Daß das Letztere geschehe, dazu schien damals wenig Aussicht: die meisten gingen widerstandslos zum Neuen über, ja verfochten es mit Leidenschaft. In Hamburg hat um jene Zeit auch die protestantische Kirchenmusik den Übergang zum neuen Stil vollzogen: alle konzertierende Musik wenigstens, Kantate und Passion und Oratorium, nimmt die Arie auf, verzichtet auf den Choral und ersetzt nach italienischem Vorbild den rezitierten Bibeltext durch zeitgenössische Dichtung. Es wird eine geläufige und keineswegs sehr ernst genommene Nebenbeschäftigung von Dichtern aller Grade, Kantatentexte zu verfassen, wie die Italiener Libretti schreiben für die Oper: affektvoll reflektierende Arientexte für den Gesang, explizierende Strophen für das Rezitativ; denn die Kantate tritt geradezu an die Stelle der Oper. Von Hamburg aus werden Hunold-Menantes, Postel, Brockes, Neumeister als Dichter für den Bereich der theatralischen Kirchenmusik in ganz Deutschland maßgebend. Daneben dauern die Bemühungen um die Oper mit wechselndem Erfolg an oder werden hie und da in neuem Anlauf wieder aufgenommen. Aber auch die weltliche Instrumentalmusik lockert ihre objektive Haltung, läßt subjektive Ausdruckselemente, Arioses und affektvoll Virtuoses einfließen, wechselt allmählich von der Suite zum Konzert und gleitet ins Galante und Empfindsame hinüber. Die Entwicklung hat bereits um 1700 angehoben, die in ausgesprochenen Meistern der Zeit zu Philipp Emanuel und Christian Bach und den Böhmen um die Mitte des Jahrhunderts in gerader Linie weitergeht. Nur nachträglich wird diese Entwicklung uns verdeckt durch die beiden Riesenerscheinungen von Bach und Händel. Aber nicht sie sind die führenden Meister der Zeit, die anerkannten und hochberühmten. Der Repräsentant des deutschen Musiklebens in der ersten Hälfte des 18. Jahrhunderts heißt Telemann.

43.

Vier Jahre älter als Händel und Bach ist Georg Philipp Telemann 1681 in Magdeburg geboren. Er stammt aus einem Geschlecht protestantischer Pastoren, und seine Begabung sind die klassischen Wissenschaften, aber bald zeigt sich auch ein ungewöhnliches Talent für die Musik. Doch die Lehrstunden bei einem Organisten behagen ihm bereits nicht mehr. Rückblickend hat er erzählt: „In meinem Kopffe spuckten schon muntrere Töngens, als ich hier hörte. Also schied ich, nach einer vierzehntägigen Marter, von ihm; und nach der Zeit habe ich, durch Unterweisung, in der Musik nichts mehr gelernet." Als Zwölfjähriger beginnt er bereits zu komponieren, vertritt einen Kantor mit seiner Musik in der Kirche, erlebt die erste Aufführung einer eignen Oper. Aber wie wir es in jener Zeit so oft finden, wählt er die Musik zunächst nicht zum Hauptberuf; wie bei Händel ist das Elternhaus dagegen, er wird wie dieser Jurist, was z. B. auch Kuhnau war, der bis zum Antritt seines Thomaskantorats den Rechtsanwaltsberuf ausgeübt hatte. Aber innerlich bleibt er der Musik getreu, wie er es schon auf dem Gymnasium in Hildesheim gehalten hatte: er nennt schon damals als die Meister, nach denen er sich in der Stille bildet, Steffani und Caldara für die Oper, Rosenmüller und Corelli für die Instrumentalmusik; und noch als Schüler hat er von Hildesheim das nahe Hannover und Wolfenbüttel besucht, wo an dem Hof der einen Stadt der französische Musikstil ihm bekannt wird, in der andern die venezianische Oper. Das „Empfindungsvolle und Singende" wird sein Ideal. 1701 trifft er als Student in Leipzig ein. Aber auf der Reise dorthin hat er in Halle den jungen Händel kennengelernt, der, auch als Jurist inskribiert, doch zugleich an der Dom- und Schloßkirche als Organist tätig ist und bereits als Orgelspieler von sich reden macht. Die beiden schließen Freundschaft, und das Vorbild Händels mag in Telemann weiterwirken, daß er in Leipzig bald die selbstauferlegte Musikentsagung fahren läßt — durch die Indiskretion eines Stubengenossen wird die Komposition eines Psalms von ihm bekannt und alsbald in der Thomaskirche aufgeführt, er wird vom Rat geehrt und beschenkt und zur regelmäßigen Abfassung von Musik für die Kirche verpflichtet.

Der Thomaskantor — kein anderer als der uns schon durch seine Gegnerschaft gegen die italienische Musik bekannte Kuhnau — empfindet das mit Recht als einen Eingriff in sein Amt und muß nun die neue Richtung, gegen die er polemisiert hat, in seiner eigenen Stadt und Kirche triumphieren sehen: denn nicht nur zieht der Opernstil jetzt in die Kirche ein — die Oper selbst, die seit 1693 auch in Leipzig eine Stätte gefunden hatte, wird Telemanns eigentlicher Wirkungskreis und wächst sich praktisch zu einer Nebenbuhlerin des kirchlichen Musiklebens aus. Kuhnau muß es erleben, daß die Studenten, die bisher „ohne Entgelt mit zu Chore gingen" und die Kirchenmusik aufführen halfen, „unsern Chor verlassen und dem Operisten helfen", nämlich Telemann, der neben dem Organistenamt der Neuen Kirche auch die Operndirektion erhalten hat und im Theater die Studenten gegen Bezahlung beschäftigt. Kuhnaus Eingabe an den Rat bleibt ohne Erfolg, er muß der neuen Strömung weichen. Telemann bezaubert mit seinem auf allen Gebieten erstaunlichen Können und seiner unermeßlichen Schaffenskraft die Leipziger so sehr, daß sie ihm schon jetzt, 1704, das Thomaskantorat zusichern, falls Kuhnau sterben sollte. Aber neben der Oper, die Telemann während ihres ganzen Leipziger Bestehens (bis 1720) auch von auswärts noch beherrscht und für die er 21 Stücke

geschrieben hat, läßt er sich auch die Pflege der Instrumentalmusik an-
gelegen sein: er gründet ein Collegium Musicum und leitet diese ersten
öffentlichen Konzerte. Dabei lernt er unablässig und verschmäht es
nicht, von seinem Gegner, den er als Musiker schätzt, sich Wichtiges
anzueignen: „Die Feder des vortrefflichen Hn. Johann Kuhnau diente
mir zur Nachfolge in Fugen und Contrapunkten", berichtet er selbst;
und mit Händel stand er in dauernder musikalischer Korrespondenz,
sie sandten sich ihre Werke zur gegenseitigen Kritik.

1705 verließ Telemann Leipzig, um dem Ruf eines Grafen von
Promnitz als Kapellmeister nach Sorau in Schlesien zu folgen. Der
Graf, soeben aus Paris zurückgekehrt, gibt französischer Musik den
Vorzug: Telemann schreibt französische Ouvertüren, zweihundert in
zwei Jahren, und studiert die Werke von Lully und andern Franzosen.
Er begegnet aber hier auch östlichen Einflüssen und·lernt die „polnische
und hanakische" (mährische) Musik kennen. Diese Volksmusikanten,
Geiger und Holzbläser, machen ihm einen starken Eindruck: „Man
sollte kaum glauben, was dergleichen Bockpfeiffer oder Geiger für
wunderbare Einfälle haben, wenn sie, so offt die Tantzenden ruhen,
fantaisieren. Ein Aufmerkender könnte von ihnen, in 8 Tagen, Ge-
dancken für ein gantzes Leben erschnappen. Gnug, in dieser Musik
steckt überaus viel gutes; wenn behörig damit umgegangen wird. Ich
habe, nach der Zeit, verschiedene große Concerte und Trii in dieser
Art geschrieben, die ich in einen italiänischen Rock, mit abgewechsel-
ten Adagi und Allegri, eingekleidet."

1709 finden wir Telemann am Hof von Eisenach, wo Pantaleon
Hebenstreit, der sich in Paris einen Namen gemacht hat (er hatte das
„Pantaleon", ein vervollkommnetes Hackbrett, erfunden), die Ka-
pelle auch ganz im französischen Stil leitete. Telemann vollendete hier
seine Ausbildung, hauptsächlich in der Kammermusik, aber auch die
Kantate beschäftigt ihn — in Eisenach war ja Johann Bernhard Bach
Organist, ein entfernter Vetter von Johann Sebastian; auch diesen
selbst lernt er kennen, der damals am Weimarer Hofe wirkt. Die
Freundschaft war immerhin so nah, daß Telemann 1714 bei Bachs
Sohn Carl Philipp Emanuel Pate stand und ihm den zweiten Namen
gab. Das ist nicht ohne symbolische Bedeutung und Fügung: denn
Philipp Emanuel ist mehr Telemanns als seines Vaters Erbe gewesen und
ist ihm 1768 ja faktisch im Hamburger Kapellmeisteramt nachgefolgt.

Vor seiner langen Hamburger Tätigkeit hat Telemann aber erst noch
eine wichtige Zwischenzeit in Frankfurt am Main erlebt, wohin er
1712 als Kapellmeister an mehreren Kirchen ging. Er gründete auch
hier ein Collegium musicum, für das er eine große Anzahl Kammer-
musikwerke schrieb. Unter seinen Oratorien und Passionen erregte die
nach Brockes besonderes Aufsehen: sie wurde 1716 in der Hauptkirche
vor „einer unsäglichen Menge von Zuhörern" aufgeführt, und zwar
zum Besten des Waisenhauses und an Wochentagen, also gegen Entgelt. Er notiert es selbst „als etwas sonderbares, daß die Kirchthüren
mit Wache besetzt waren, die keinen hineinließ, der nicht mit einem
gedruckten Exemplar der Passion erschien"; und bekundet über den
Erfolg: „Sonst hat diese Passion in vielen Städten Deutschlands die
Chöre und Klingsäle erschallen gemacht."

So war Telemann schon eine große, ja wohl die größte deutsche Berühmtheit, als er 1721 nach Hamburg berufen wurde. Zwar wurde er
1723, als Kuhnau starb, dem alten Versprechen gemäß, als Thomaskantor in Leipzig vorgeschlagen, wurde trotz ungewöhnlicher Bedingungen, die er stellte (Befreiung vom Unterricht an der Thomasschule),
einstimmig gewählt („weil er nun wegen seiner Music in der Welt bekannt wäre") und nahm auch an, sagte aber nach seiner Rückkehr nach
Hamburg ab, als ihm dort sein Wunsch nach einer Erhöhung seiner
Besoldung erfüllt wurde — erst nachdem der Freund nicht mehr als
Bewerber in Betracht kam, hat ja Bach sich zur Kandidatur entschlossen.

Auch in Hamburg hat Telemann alsbald ein Collegium musicum
geschaffen und für die Dauer dort die öffentlichen Konzerte begründet.
Seine Produktion blieb unwahrscheinlich groß; in den zweimal wö-
chentlich, Montag und Donnerstag stattfindenden Konzerten dirigierte
er kaum je andere als seine eigene Musik. Außerdem hatte er für die fünf
Hauptkirchen die Musik zu liefern und schrieb für das Theater 35 Opern.
Man zählt insgesamt 600 Instrumentalwerke, 700 Arien, 19 Passionen,
39 vollständige religiöse Zyklen für alle Sonn- und Feiertage des Jahres, 20 Oratorien, 40 Serenaden. Er erreichte allerdings ein Alter von
sechsundachtzig Jahren und schrieb seine besten Sachen, als er über
achtzig war (die Kantate „Ino", das Oratorium „Der Tag des Ge-
richts"). Ein Höhepunkt seines Lebens war sein Triumph in Paris, wo
er von 1737 auf 1738 acht Monate verweilte. Seine Quartette für Violine, Flöte, Gambe, Cello wurden von den besten Virtuosen „auf eine

bewunderungswürdige Art" gespielt; „sie machten die Ohren des Hofes und der Stadt ungewöhnlich aufmerksam, und erwarben mir, in kurtzer Zeit, eine fast allgemeine Ehre, welche mit gehäuffter Höflichkeit begleitet war." Er ließ die Quartette in Paris stechen, führte in den Concerts spirituels einen Psalm auf, schrieb französische Kantaten und komische Symphonien auf Modelieder und „schied mit vollem Vergnügen von dannen". In Hamburg hatte er 1728 die erste deutsche Musikzeitung begründet „Der Getreue Music-Meister", worin er Stücke von Zeitgenossen veröffentlichte, unter andern auch einen Kanon von Bach. Er war, neben den deutschen Opernkomponisten italienischer Schule, als der größte Komponist der Zeit anerkannt und hat den deutschen Namen in der Musik zu allgemeinem, auch internationalem Ansehen gebracht. Eine spätere Zeit hat ihn dann als Vielschreiber gering geschätzt, die heutige kennt längst eine Telemann-Renaissance und hat vor allem herrlichste Instrumentalwerke unserm Konzertleben wieder gewonnen. Er ist der deutsche Musiker der ersten Hälfte des 18. Jahrhunderts, wie ihn die Zeit selber gleichsam hervortreiben mußte, wenn einer mit großer Begabung und vielseitigem Ehrgeiz alles Überlieferte und Fremde aufnehmen und allen Strömungen einer überreichen Musikbewegung gerecht werden wollte. Was sich im nord- und mitteldeutschen Raum an musikalischen Richtungen sammelte und begegnete, das finden wir bei ihm; in einem Umfang, der von der ererbten Polyphonie bis zum galanten Spiel und südlichen Ausdruck reichte und dazu Wesentliches der neuen westlichen Spielart aufgenommen hatte. Er war ein bewußter Anhänger und Verteidiger französischer Musik und folgte ihr vor allem auch in ihrer Neigung zur Tonmalerei; mit Graun hat er in den fünfziger Jahren einen ausführlichen Briefwechsel über Rameau geführt. In seiner „Ino" von 1765 berührt er sich schon mit Gluck — er hat nicht nur der melodischen Schönheit nachgetrachtet, sondern hochdramatische Rezitative und feierliche Chöre geschrieben. Er hatte Humor und war der erste, der in Deutschland komische Intermezzi schuf; aber wo er es wollte, stand ihm auch die alte Kontrapunktik zu Gebote, die er sonst gern verspottete. Man staunt, wenn man hört, daß Bach ganze Kantaten von Telemann mit eigener Hand abschrieb, und zwar in seiner reifen Zeit; er schätzte ihn wirklich und hat sich ohne Neid an der Existenz dieses tüchtigen Musikers gefreut, wie denn in jener Zeit die Musiker einfach noch die zünftige Hand-

12*

werksfreude aneinander haben und nach geschlossenem Stil und Welt-anschauung oder selbst Ruhm und Vorrang wenig fragen.

Aber gerade die Vielfalt und Vielseitigkeit, die sorglose Durch-mischung des Bedeutenden und Trefflichen mit Schwachem und Tri-vialem, die Unfähigkeit zu einer letzten Entscheidung und vollen Kon-zentration hat diesem Mann, der die deutsche Entwicklung wie kaum ein andrer vorwärts trieb, nie stehenblieb und immer an der Spitze der neuesten Wendung zu finden war, die große geschichtliche Stellung versagt, die von der Nachwelt nur denen zuerkannt wird, in welchen sich das Zeitliche mit dem Ewigen durchdringt. Dieselbe Grausamkeit, die darin liegt, daß der Geniale vom versierten und talentierten Be-herrscher der Zeit verdeckt und in den Hintergrund gedrückt wird, sie wendet sich nachträglich gegen den einst Begünstigten und läßt ihn un-verdient in die Tiefe gänzlicher Vergessenheit sinken. Der Zeit genug zu tun, sie fortschrittlich zu leiten und eine ·spätere Entwicklung vor-zubereiten, ist ebenso ein historisches Amt, als das in ihr noch Unvoll-endete zu dauerndem Ausdruck zu bringen — beide Tendenzen leben in jeder Zeit; aber eine Zeit ist nur groß, wenn sie ihr Widerstreitendes und Suchendes, ihr Vorwärts- und Zurückbegehrendes in überzeitliche Gestaltung faßt, in der das Flutende, in bloßem Werden und Vergehen sich Entwickelnde besteht und so allein zu ihrem Denkmal wird.

Telemann entschloß sich nach langem Zögern, auf das Thomaskan-torat zu verzichten und wählte Hamburgs freiere, reichere Wirksam-keit. Bach zögerte gleichfalls lange, um das Kantorat sich zu bewerben, das, nach seiner eigenen Einschätzung, einem Director Musices, einem bisherigen Kapellmeister, unangemessen sei, und entschied sich doch dafür. Die Schicksale sind hier unvertauschbar. Es ist nicht vorzustel-len, was aus der deutschen Musik geworden wäre, wenn Telemann statt Bach in Leipzig eingezogen wäre, sowenig sich ausdenken läßt, welchen künstlerischen Weg Bach gegangen wäre, wenn er in Ham-burg, nach dem er gleichfalls strebte, Oper und öffentliches Konzert-wesen als Perspektive gehabt hätte.

Das Jahr der Leipziger Kantorwahl, 1723, schien, auch für Bach, ein Rückschritt in der Entwicklung zu sein und schien es für die ganze deutsche Musikentwicklung den Rest seines Lebens; und war doch der Schritt zur Vollendung.

44.

Das Denkmalhafte ist es, was die Musik in Bach und Händel gewinnt und was aus dem bisher Flutenden, Verwehenden, Vergehenden, wie es seit Jahrhunderten und Jahrtausenden dieses strömende Element zur bloßen schnell verklungenen Begleitung menschlicher Geisterhebung und hohen Zeit- und Stilgeschehens hatte werden lassen, nun Dauer und Bestehen formt.

Denn selbst das Größte, was sonst im Europa des 18. Jahrhunderts geschaffen worden ist und als zeitliche Erfüllung sowohl wie innere Triebkraft der Architektur des Barock erscheint: es ist vergangen, ist ein für allemal dahin, kann niemals wieder in seinem Leben uns erweckt werden: die italienische Oper. Denn sie ist an einen Menschentyp gebunden, der nicht wiederkehrt: den singenden Menschen, der mit einmaliger, uns verlorener Kunst das musikalische Geschehen erst verwirklichte und zu einem uns nicht mehr vorstellbaren Sinnen- und Seelenereignis machte. Schon daß das Tragende dieser Gesangswelt, die Stimme des Kastraten, uns keine Erlebnismöglichkeit mehr ist, würde alle Wiederbelebungsversuche scheitern lassen, auch wenn nicht damals alles so einzig auf den unwiederholbaren Augenblick der gesanglichen Verwirklichung konzentriert gewesen wäre, daß ein Kunstwerk das andere alsbald vernichtete und verschlang, da es von Jahr zu Jahr, von Ort zu Ort nur durch die Darstellung vorhanden und nur für sie geschaffen war, darüber hinaus aber keine Wirkungskraft besaß: es ist von all dem unsäglichen Reichtum fast nichts durch Überlieferungswillen bewahrt worden, so gut wie nichts durch Stich und Druck verbreitet worden — was wir noch kennen, historisch studieren und doch nicht mehr zu Gehör zu bringen vermögen, hat der Zufall in Bibliotheken und Archiven handschriftlich auf uns gelangen lassen; die Zeit hat selber nichts für ihre Verewigung getan: sie fühlte sich ewig im genossenen Augenblick.

Daß wir jedoch Bach noch hören als etwas wie für uns Geschaffenes, ihn wieder hören, ja ihn umfänglicher hören, als seine Zeit ihn hat vernehmen können, wenn auch bei ihm erst vieles durch Zufall wiedergefunden, aus Handschriften und Abschriften ans Licht gezogen werden mußte: das bedeutet einen Unterschied gegen alles Gleichzeitige und Frühere, der dem Beginn einer neuen Existenz der Musik gleich-

kommt. Denn was uns das Selbstverständlichste dünkt: daß wir
Werke der Musik uns zu jeder Stunde wieder hervorrufen können, das
ist erst seit ihm möglich geworden; erst mit ihm beginnt Musik sich zu
akkumulieren, beginnt ein nicht mehr verlierbarer Bestand, ein geistiger Besitz der Jahrhunderte zu werden, wie bisher nur Literatur und
bildende Kunst. Diese Tendenz zum Bewahren findet bei ihm schon
Ausdruck in dem extremsten Gegensatz, der sich zu dem verwehenden
Augenblicksgeschehen etwa der Opernkunst denken läßt: daß er, wo
Mittel und Gelegenheit es ihm gaben, instrumentale Werke durch den
Stich veröffentlichte, und zwar Werke, die nicht so sehr für die Aufführung, als — für das Lesen gedacht waren. Die für kein Instrument
sogar mehr aufgezeichnete Kunst der Fuge ist auch hier der radikale
Schlußpunkt unter sein Werk.

Aber wir ahnen dabei nun gleich, wie Bachs Verhältnis zur Musik
seiner Zeit und sonderlich der im nord- und mitteldeutschen Raum
beschaffen sein muß: so verschieden diese von ihm und seinem Grund-
wesen ist, so ist sie doch auf eine gewisse Weise in ihm enthalten, ja
in ihm mit in die Vollendung eingegangen: die Vorarbeit der Kantoren
und Organisten, aber auch das gleichzeitige, so anders gerichtete Streben, wie es in Telemann etwa seinen repräsentativen Ausdruck findet.
Nicht nur, daß uns von Telemann und so manchen andern jetzt hervor-
gezogenen kaum etwas bekannt wäre, wenn nicht das Mühen um die
Erforschung von Bachs Werk uns auch die Welt seiner Zeitgenossen
wieder erschlossen hätte; sondern weil in ihnen allen etwas von dem
sammelnden, summierenden, bewahrenden Instinkt gewaltet hat, wie
er in der gleichen Tendenz zur Aufzeichnung und Veröffentlichung des
Klingenden und Erklungenen sich ausspricht, in der unermeßlichen
Regsamkeit überhaupt eines handwerklichen Geistes, der unbewußt
Material verarbeitete und herbeitrug wie in einem Zwang zu einem
ihnen nicht bekannten oder in fremder Verhüllung erscheinenden Ziel;
so daß sie zwar nicht selber einen geistigen Bau zu planen und zu errichten vermochten, aber gleichsam überall die Bausteine häuften, die
dann dem Zugriff eines höher Vermögenden bereit lagen.

Denn es ist kein Zweifel, daß im nördlichen Raume Deutschlands,
dessen gewaltige musikalische Fundamente wir im 17. Jahrhundert
sich gründen sahen, seit der Wende zum 18. Jahrhundert ein Getriebe
in allen Formen und Arten dieser Kunst geherrscht hat, welches wir

nur dem wimmelnden Leben auf einem gewaltigen Bauplatz vergleichen können: daß zahllose Hände am Werk sind, Errungenschaften zu
meistern, die nach einer einheitlichen Zusammenfassung drängen; daß
ganze Handwerkergeschlechter auf den Ruf nur warten, der den geistigen Sinn all dieser Bemühungen ausspricht. Nur in der deutschen
Musik der ersten Hälfte des 18. Jahrhunderts ist noch eine solche Fülle
von gestaltendem Trieb, von Form- und Zierverlangen lebendig gewesen, wie wir es in der gleichzeitigen Architektur des Südens gleich
einer Volksbewegung hervorbrechen sehen. Und hier enthüllt sich eben
der tiefere Grund: Musik ist im Norden dem Deutschen damals gegeben
und hat von ihm so elementar Besitz ergriffen, weil eine Möglichkeit
wirklichen Bauens in dieser Bauepoche der Welt ihm versagt war. Wir
können es auch umgekehrt und eben so wahr dahin formulieren, daß
die südliche deutsche Welt die gemeineuropäische Baukunst nur deshalb so in reine deutsche Gestaltung überführen konnte, weil sie innerlich von einer Musik erfüllt und getrieben war, die in wirkliche Tonkunst umzusetzen ihr von der Entwicklung noch versagt war.

Und da muß denn noch einmal das Problem des Barock, und nun
für den Norden, zur Erörterung kommen.

45.

Eine Baukunst, wie sie sich seit der Jahrhundertwende im Süden
entwickelt hatte, konnte auf das übrige Deutschland, auch wo sie nicht
wie dort vom ganzen Volke getragen war, kaum ohne Einfluß bleiben — wir haben wichtige Beispiele davon schon in Preußen und vor
allem in Sachsen betrachtet. Aber es wurde im Norden sozusagen nur
das von der großen Welle des Zeitstils erfaßt und geformt, was zu
allen Zeiten aus praktischem Bedürfnis gebaut zu werden pflegt und
in Neubau oder Modernisierung der herrschenden Weise folgt: Bürger-
und Patrizierhäuser nahmen überall etwas vom barocken Wesen an,
und die Formen von Portalen und Fenstern wurden mehr oder weniger dem im Süden Gültigen nachgebildet, wie Tapeten und Stuckdecken
im Inneren, das ja auch in Möbeln und Gegenständen des täglichen
Gebrauchs den Stempel des neuen Stiles trug. Dafür sorgte schon der
Zusammenhang der Bau- und Handwerkergilde mit ihrer Lehrzeit und
Wanderschaft in der Fremde, sorgte das Wandern italienischer und
süddeutscher Meister nach dem Norden. Was jedoch fehlte, das war

der Bautrieb aus der Tiefe des metaphysischen Lebensgrunds, der im Abendland noch immer mit dem religiösen Grunde, mit dem sakralen Bauziel identisch war. Schlösser und Paläste, Theater, Parkanlagen und Rathäuser und was sonst der weltlichen Repräsentation im Sinne der Zeit diente, konnte von Meistern des Südens oder von Norddeutschen, die sich an ihnen und Italien gebildet hatten, hingestellt werden, Fürsten und Adlige mit ihren weltweiten Verbindungen und Reiseeindrücken durften den Wettkampf mit der großen Kunst des Südens hie und da erfolgreich aufnehmen — die Seele des Volkes war nicht bei diesem Werk.

Hier muß schon die Wesensart des nördlichen Volkstums, zunächst ganz abgesehen von der Konfession, mitgesprochen haben — in den katholischen Gegenden des Niederrheins und Westfalens, die doch innerlich dieselben Bedingungen für eine kultische Baukunst hätten besitzen müssen, fehlen die ganz genialen Kirchenschöpfungen, die mit dem süddeutschen Spätbarock verglichen werden könnten. Während noch in Mainz und Trier das Kirchenbarock Triumphe feiert, ist in Köln und Münster allein das profane Barock von Bedeutung, sein größter Meister, Schlaun, ist nicht, wie Neumann, zugleich der Visionär sakraler Räume — was an Kirchenbauten Neues entsteht, benutzt italienische und deutsche Elemente der Zeit, ohne etwas überzeugend Eigenes daraus zu formen. Im Profanen aber war der Einfluß Frankreichs und Hollands — schon früh klassizistischer Länder — so stark, daß zu der Gehaltenheit und Nüchternheit des Bodenständigen eine weitere Hemmung kam, es dem südlichen Überschwang gleich zu tun. Die im Flachland gegebene Technik des Bauens mit dem Backstein leistete an sich schon dem Schlichten, Kühlen, Schmuckloseren wie dem holländischen Einfluß Vorschub — aus solcher Verwandtschaft heraus sehen wir ja schon unter dem Großen Kurfürsten Brandenburg ganz bewußt dem niederländischen Vorbild folgen. Hier und in Niedersachsen wie Obersachsen kommt aber nun entscheidend der Geist des Protestantismus hinzu, der an sich zur Baukunst ein höchst neutrales, um nicht zu sagen negatives Verhältnis besitzt.

Denn das ist nun die seltsame Paradoxie der deutschen Entwicklung seit der Reformation: daß der alte Glaube eine neue Baukunst aus sich zu erzeugen vermag, der neue Glaube aber, von dem man dies viel eher, wie von jeder weltanschaulichen und kulturellen Wandlung, hätte erwarten sollen, nicht — er nimmt vielmehr mit den gegebenen alten Räumen fürlieb und hat lange Zeit in den Kirchen derselben Gotik weiter gehaust, deren eigentlichen Lebenstrieb er vernichtet hatte. Weitergebaut hat nämlich der Protestantismus an der Gotik keineswegs im Sinne einer organischen Entwicklung; er hat zum irdischen Bauen kein künstlerisches, sondern ein bloßes Zweckverhältnis besessen: seine Geistigkeit ging über das bildnerisch und baulich Darstellbare hinaus und nutzte die ihm zufallenden Kirchen des alten Glaubens lediglich für seine kultischen Bedürfnisse, denen ein Raum für Predigt und Musik, für eine lauschende und singende Gemeinde vonnöten war. Das Göttliche war ihm im Wort gegeben, und nicht im Bild, in Rede und Gesang, und nicht in einer kultischen Handlung; und was im gotischen Raum auf Bild und Handlung ausgerichtet war: die Flügelaltäre, vor denen die Messe zelebriert wurde, der bildnerische Schmuck, in welchem Heilsgeschichte und Legende Gestalt geworden war, das ließ sich meist entfernen, ausräumen oder übertünchen, bis etwa das Ideal eines schlichten Saales hergestellt war. Es war reiner Zufall, wenn etwa von seiten der Landesfürsten oder adligen Patrone dann hie und da wieder etlicher Schmuck hereinkam, Epitaphien und andere Erinnerungsmäler im Stil der Renaissance oder eines weltlichen Barock, Verkleidungen der Orgel oder der anderen Emporen, die der kultische Zweck erheischt — mit einer notwendigen Kunstentwicklung und bewußten baulichen Leitung hatte das nichts zu tun. Die Innerlichkeit des Protestantismus hat der „Stein- und Mauerkirche", wie es Jacob Böhme am radikalsten formuliert hat, immer im Tiefsten widerstrebt; sein ganzes Sinnen war auf das Unsichtbare der Innenwelt und Überwelt gerichtet. Daß in dieser ganz vergeistigten Welt dennoch zuletzt der geheimnisvolle Bautrieb der Epoche wirksam wurde; daß ein unsichtbarer und doch sinnlich erfahrbarer Raum sich schließlich über dem Kult des reinen Wortes wölbte und eine hohe Kunst die Verkündigung des schlichten Evangeliums krönte und am Ende ganz in sich hineinnahm, ja verwandelnd in ein neues zeitenthobenes Erleben rettete — das ist ein Geschehen von geschichtlich einmaliger Macht, in dem sich Altes und Neues, Gotik und Barock, auf das wunderbarste durchdrang, um den ursprünglich revolutionären und Überlieferung brechenden Protestantismus als schöpferische Wiederbringung unsrer geistigen Vorwelt zu vollenden.

46.

Bach trägt wohl Kleid und Perücke des Barock und lebt wie alle in den äußeren Formen der Zeit, ja hat nicht weniges von ihrem Stil auch in seine Kunst übernommen und auch in ihrem Sinne zuzeiten ausgeübt; aber er zieht seine eigentliche Kraft aus einer älteren Welt, die um ihn herum den Menschen allerdings schon zu entschwinden begann. Es erfüllt ihn der bauende Trieb der Epoche und kommt in ihm als Musik zu jener stellvertretenden Entfaltung, in welcher die Sonderart des nördlichen Deutschtums den Ersatz für die ihr fehlende wirkliche Architektur erhält; aber was sich ihm in Tonräumen aufbaut, muß unwillkürlich anderen Gesetzen folgen, als wir sie an den Werken des österreichischen, bayrischen, fränkischen Barock herrschen sehen. Beiden Welten ist die Tatsache der sakralen Grundlage gemeinsam, auf der allein in einem hohen Sinne Baukunst möglich ist; aber bei der Herkunft Bachs aus der protestantischen Tradition muß in ihm auch jene andere Stilkraft nachwirken, die durch Luthers Übernahme der kontrapunktischen Polyphonie in das neue Werden herübergerettet worden war: und das ist, was man als das „Gotische" bei Bach empfunden und bezeichnet hat. —

Es klingt zunächst paradox, daß Gotik und Barock in einem Menschen zusammenkommen und sich durchdringen sollen; und man hat gegen die Verwendung des Begriffes Gotik hier sehr ernsthafte und begründete Einwendungen gemacht. Es scheint, daß hier ein Vordergrundsmißverständnis trennt: denn ohne Zweifel wäre es falsch und wird mit der Beschwörung des Namens Gotik auch keineswegs in Anspruch genommen, daß die wirkliche einstige Musik der Gotik nun in Bach noch einmal wiederkehren solle. Was Luther von der Gotik übernahm, das wurde ja weiterentwickelt und kann schon deshalb nicht der Klang mehr sein, der einst den gotischen Dom erfüllte. Aber war denn die Musik zur Zeit der Gotik schon zu der hohen Kunst entwickelt, die der Baukunst, Bildnerei und Malerei ebenbürtig gewesen wäre und etwa auch für uns dasselbe wie diese ausspricht? Sie war erst auf dem Wege dazu; sie hatte noch kein Werk vollendet, das wie der Isenheimer Altar oder das Straßburger Münster noch heute zu unserm Geist und unsern Sinnen spräche — sie lebte noch in einer anderen, naturhafteren Funktion. Die Musik der Gotik war wohl schon durch die Vielstimmigkeit ein ornamentales Gewebe und damit in derselben Gesetzlichkeit angelegt, welche die spezifische Architektur der Gotik hervortrieb. Aber sie war zunächst nur Klang, der diesen Dom erfüllte, noch dahinflutend ohne rhythmische Gliederung und Akzentuierung, reiner allgemeiner Ausdruck einer hingegeben-geborgenen Frömmigkeit. Im weichen Element ineinander verwobener Menschenstimmen ohne instrumentales Gerippe war noch nicht ein eigentliches Bauen und Höhenstreben, keine symbolische Übertragung und geistige Darstellungskraft. Der eigenwillige Gang der Stimmen, ihr doch erzwungenes, für unser Ohr noch unharmonisches Zusammenklingen läßt kühne Möglichkeiten ahnen; aber es ist für einen Aufbau erst Möglichkeit und Keim: die im wirklichen Raum noch wahrhaft geborgene Seele braucht ja aus Tönen noch keinen stellvertretenden Raum zu entwickeln! Die geistige Baukraft wächst der Musik erst zu durch das Hinschwinden des wirklichen Bauvermögens; und wenn in Bach eine Gotik in Tönen wiederkehrt, so ist es gotische Baukunst, die in andrer Sphäre übertragen weiterwirkt, nicht die einstige historische gotische Musik: aus welcher sich ja, durch Choral und Orgelkunst, eine völlig neue Tonwelt entwickelt hatte.

Spricht man sogar beim Barock von einer „heimlichen Gotik“: so liegt in der gleichzeitigen Musik die Gotik offen zutage, indem all das von ihr abgefallen ist, was als italienisches und antikes Erbe die Grundzüge des Heimischen dort verbirgt. Man darf dabei niemals vergessen, daß diese Musik ja nicht nur direkt aus der mittelalterlichen Tonkunst herkam, sondern nun auch in mittelalterlichen Räumen weiterlebte, für weiterbestehende gotische Kirchen und in gotischen Kirchen geschaffen wird: denn diese nahm ja der Protestantismus in Ermangelung einer eigenen neuen Architektur überall in Gebrauch. Die Kantoren und Organisten des 16. und 17. Jahrhunderts haben fast alle in gotischen Räumen gewirkt; und auch Bach, zur Zeit des blühenden Barock, keineswegs in barocken Kirchen: in seiner Vaterstadt Eisenach ist das nicht anders, als in Lüneburg, wo er in St. Michael lernt, in Hamburg und Lübeck nicht anders als in St. Blasius und St. Bonifatius in Arnstadt und Mühlhausen, und mit den beiden Hauptkirchen, die ihm in Leipzig unterstehen, St. Thomae und St. Nicolai: es sind allesamt gotische Gebäude. Sollte wirklich bei einem solchen dauernden Zusammenleben mit einer bestimmten Architektur nichts auf die Kunst übergegangen

sein, die hier geschaffen und geübt ward? Sie war für Generationen
der gegebene kultische Raum, gewiß kaum in ihrem stilistischen Wesen
bewußt erkannt, aber desto mehr mit jener Sinnlichkeit erlebt, die den
Musiker in seinem mathematisch-physikalischen Element zum nächsten
Nachempfinder von Raumverhältnissen und konstruktiven Gesetz-
mäßigkeiten macht (wie etwa gerade aus dem Leben Bachs bezeugt ist,
der in einem neuerbauten Saal eine vom Architekten angebrachte Echo-
wirkung rein im Schauen erriet). Aus der Distanz, die durch die neue
protestantische Geisteswelt gegeben war, mußte mit der geformten
Kunstwelt des Doms, die man täglich um sich erblickte, ein unwillkürlicher Wettkampf entstehen, es dem Höhenstreben, den Pfeiler-
fluchten und Wölbungen gleichzutun. Und so wuchs aus dem unrhyth-
mischen Wogen und Weben einstiger gotischer Vielstimmigkeit, getragen und gefestigt von der instrumentalen Kraft der Orgel, der tosende
Aufbau der Chormassen empor, in immer neuem rhythmischem Auf
und Ab sich türmend und krönend, ornamental umspielt von dem
Farbklang der Geigen, Flöten, Oboen, Hörner und Trompeten in unerschöpflicher Pracht und Zier, in sich bergend und enthüllend das
Menschenbild des Einzelgesangs und ihres Zusammenklangs mit den
anderen Stimmen in einem gewaltigen einheitlichen Ganzen.

Das ist es, was wir in Bachs Musik als Wiederkehr der gotischen
Bau- und Bildwelt erleben; und was jedem einigermaßen erfahrenen
Kunstempfinden als etwas anderes erscheinen muß als die auf ihre
Weise musikgeladene Form des Barock. Dennoch hat selbst diese, als
Herrscherin der Zeit, auch zu Bachs Werk manche Elemente hinzu-
gegeben — Bach ist durch sie mit wachen Sinnen hindurchgegangen und
gerade dadurch befähigt worden, seine Ausdrucksmöglichkeiten noch
höher zu steigern; und hat dies alles doch in den Dienst des einen Bau-
gedankens gezwungen, der ihm als Sinn und Ziel seines Lebens in jener
endgültigen Entscheidung aufgegangen war, die ihn aus einem Musiker
der Zeit zum letzten Vollender einer großen Vergangenheit machte.

47.

Wir dürfen es uns ruhig eingestehen, daß Bach in seinem ersten
Werden kein wesentlich anderes Bild bietet, als wir es etwa nach dem
Leben Telemanns als typisch und charakteristisch für den nord- und
mitteldeutschen Musiker kennen: er lernt im guten handwerklichen

Sinne, was und wo er kann, und versucht sein Können auf den mannigfaltigsten Gebieten und in den verschiedensten Stellungen. Nur, daß wir dabei nicht wissen, was er etwa im Innersten gedacht hat, was er bewußt an Eindrücken suchte oder unwillkürlich aufnahm — er hat nicht, wie Telemann es dreimal unternahm, uns seine Selbstbiographie aufgezeichnet; dieses schon so modern anmutende subjektivistische Sich-Rechenschaft-Geben lag nicht in seiner Art: er gehört zu den starken Naturen einer untergegangenen Welt, die alles in die künstlerische Tat zu bannen vermochten und keinen anderen Ausdruck außerdem kannten. Wir werden nie erfahren, was sich in seinem Innersten abspielte, ob es bei ihm eine andere künstlerische Reflexion als die über die Wahl der besten technischen Mittel mag gegeben haben und welches sein Urteil über fremde Werke und das Verhältnis der eigenen zu ihnen war. Über das letztere gibt aber einigen Aufschluß, was er von deutschen, französischen, italienischen, sogar englischen Meistern sich abschrieb; und wir können daraus schließen, daß er allem Tüchtigen und Bedeutenden offenstand und keineswegs nur seine Art und seinen Geschmack bei andern suchte: und so mag er auch praktisch überall gelernt haben, was das bewegte Werden der Musik in dem ihm zugänglichen Raume an ihn herantrug.

Bach kommt nicht unmittelbar von der Orgel her, auf welcher manche aus seiner weiteren Verwandtschaft schon Bedeutendes geleistet hatten: seine direkten Vorfahren, von Hans dem Spielmann an, sind alle der weltlichen Musik ergeben gewesen, auch sein Vater, Ambrosius Bach, der ein hervorragender Geigen- und Bratschenspieler war. Geigen- und Bratschenspiel war auch des Knaben Bach erste Fertigkeit, auf Grund deren er ja später seine erste berufliche Anstellung (im Kammerorchester des Herzogs Johann Ernst von Weimar, 1703) erhielt. Den ersten regelmäßigen Klavierunterricht empfing er, als er als verwaister Neunjähriger zu seinem Bruder Johann Christoph, Organisten in Ohrdruf, übersiedelte; hier traten auch schon die großen Meister des Klavier- und Orgelspiels in seinen Gesichtskreis: Johann Christoph war Schüler Pachelbels gewesen, und die Kompositionen von ihm, von Froberger, Kerrl, Buxtehude und Böhm, die er besaß, hat der junge Sebastian, da der Bruder sie ihm noch vorenthielt, durch heimliche Lektüre und Abschrift sich anzueignen gesucht: womit sich denn zum erstenmal deutlich erweist, wohin es ihn zieht. In dieser Richtung geht es auch in der Lehrzeit zu St. Michael in Lüneburg weiter, wo er von Böhms lebendiger Orgelkunst Eindruck und Einfluß erfährt und alsbald auch dessen Lehrer Reinken in Hamburg aufsucht — von dem übrigen regen Musikleben Hamburgs um diese Zeit (1700—1703) hat er nicht Notiz genommen. Das kann nicht nur an dem kurzen Aufenthalt liegen, den er sich jedesmal mit mühseliger Fußwanderung erkämpfen mußte — die Oper hatte keine Anziehungskraft für ihn; denn die Reise nach Celle, das noch einmal so weit von Lüneburg entfernt war, hat ihn öfter und länger an diesen Hof geführt, der ganz nach französischem Zuschnitt lebte, weil es da französische Instrumentalmusik zu hören und zu lernen gab, zu der er anscheinend als gelegentlicher Mitspieler in der herzoglichen Kapelle Zugang fand. Die erste Anstellung findet er dann nach seiner Rückkehr in die Heimat ebenfalls an einem Hof, in der Kammermusik des schon erwähnten Johann Ernst, eines jüngeren Bruders des regierenden Herzogs von Weimar. Dennoch scheint dies zunächst nur eine Übergangsbeschäftigung gewesen zu sein: er wartete auf das Organistenamt in Arnstadt, dessen Antritt durch die Erstellung einer neuen Orgel verzögert wurde. Bach wurde erst zu ihrer Prüfung eingeladen, dann zum Organisten gewählt und hatte nun das erste Mal ein eigenes Instrument zu voller Verfügung. So vollzieht sich denn hier in Arnstadt in den Jahren von 1703 bis 1707 seine Entwicklung zum Meister der Orgel. Wieder fällt ein Licht auf seinen uns sonst verborgenen Kunstwillen: er findet es nun an der Zeit, dem jetzt erworbenen Können die letzte Vollendung zu geben und es vor dem größten lebenden Meister zu prüfen — er reist zu Dietrich Buxtehude nach Lübeck, um die Zeit der berühmten Abendmusiken und darüber hinaus, vom Oktober 1705 bis in den Januar 1706, und hat also auch ohne Zweifel dessen persönlichen Unterricht genossen. In Arnstadt „confundiert" er nach seiner Rückkehr die Gemeinde durch jetzt noch kühneres Spiel; sie kann der Begleitung mit dem Gesang nicht folgen und nimmt Anstoß an den freien Phantasien der Zwischenspiele. Die Beschwerden darüber und Bachs Antworten sind uns erhalten: man muß ihm ja außerdem eine Urlaubsüberschreitung um Monate für die Lübecker Reise vorwerfen, ferner seine Weigerung, mit dem Chor zu üben, welches er hier nicht seines Amtes glaubt, da seine Kirche St. Bonifazius keinen eigenen Kantor hat und er mit den fremden Gymnasiasten nicht auskommt. Er bleibt hartnäckig auf sei-

nem Standpunkt, daß man ihm einen eigenen Director Musices für
Choraufführungen beigeben müsse, und scheint sich gänzlich auf sein
Orgelspiel beschränken zu wollen, das ihn nun weithin auch bereits bekannt, ja berühmt gemacht hat. Es fällt ihm so nicht schwer, einen
anderen Posten zu erlangen: von 1707 auf 1708 hat er das Organistenamt in der freien Reichsstadt Mühlhausen bekleidet. Hier gerät er in
eine andere schwierige Situation, die uns die religiöse Krisis der Zeit
vor Augen führt: der Pietismus kommt herauf und steht im Kampf
mit der erstarrten Lutherischen Orthodoxie. Innerlich hätte sich Bach
ja zum Pietismus hingezogen fühlen müssen, dessen persönlich-innige
Frömmigkeit, dessen Jesus-Liebe in seinem Werk überall zum Ausdruck kommt; aber der Pietismus ist andrerseits kunstfeindlich und
gegen die wachsende Vorherrschaft der Musik, für welche wieder die
orthodoxe Richtung sich einsetzt. Der Superintendent und Pastor seiner eigenen Kirche, Frohne, ist Pietist; der einer andern, orthodox, ist
Bachs Freund und verfaßt ihm die ersten Kantatentexte: zu diesem,
Pastor Eilmar, hält sich Bach; denn seinem Herkommen und wohl auch
seinem rationalen Bewußtsein nach ist er strenger Lutheraner, wenn
auch sein Herz dem Kampf Frohnes, der ein Schüler Speners war,
gegen den Glaubensformalismus Recht geben mag. Er entzieht sich diesem Zwiespalt, indem er wieder weiter wandert — er tritt in die
Dienste des Herzogs Wilhelm Ernst von Weimar; wobei die bessere
Besoldung nicht ohne Einfluß sein mochte, da Bach seit 1707 verheiratet war und die Familie Ansprüche machte. Er ist offiziell an die
Hofkapelle und Kammermusik berufen, erhält den Titel Konzertmeister, wird aber gelegentlich auch Hoforganist genannt und hat
jedenfalls auch kirchliche Befugnisse ausgeübt; denn sein Ruhm als
Orgelspieler breitet sich in der Weimarer Zeit nun immer mehr aus
und wird durch den bekannten, nicht zum Austrag gelangten und doch
für Bach triumphal beendeten Wettstreit mit dem französischen Kla-
vier- und Orgelvirtuosen Marchand am Dresdner Hof auch der großen Welt schon kund. Und gleichzeitig beginnt seine erste zusammenhängende Schöpfertätigkeit als Kantatenkomponist, bei welcher seine
Zusammenarbeit mit dem Liederdichter Salomo Franck wichtig wird,
der in Weimar als Konsistorialsekretär und Vorsteher der herzoglichen Bibliothek und Münzsammlung lebt. Die angenehmen Verhältnisse in Weimar werden durch komplizierte Nachfolgestreitig-

keiten in den musikalischen Ämtern gestört; seit 1716 kann Bach keine
Kantaten in der Schloßkapelle mehr aufführen, hat folglich dort keine
mehr verfaßt, und fühlt sich schließlich bei der Besetzung des Haupt-
kapellmeisterpostens, der ihm seiner Meinung und seinen Leistungen
nach zuzustehen schien, übergangen. Dabei hatte er dem Hof durch
sein auswärtiges Auftreten Ehre gemacht — außer in Dresden hatte
er in Weißenfels und Kassel bei Einladungen mit seinem Herzog Erfolge gefeiert mit weltlicher wie geistlicher Musik, und hohe fremde
Gäste hatten ihn in Weimar bewundert. So entschloß er sich, dem Ruf
des Fürsten Ernst Leopold von Anhalt-Köthen zu folgen; und als er
gegen den Widerspruch seines Herrn darauf bestand, mußte er sogar
eine Haftstrafe hinnehmen, während sein Haushalt sich bereits in
Köthen befand.

Man hat es vielfach unverständlich gefunden, daß Bach, schon als
der gewaltigste Orgelspieler der Epoche anerkannt und zum größten
Kantatenkomponisten gereift, eine Stellung annehmen konnte, die
ihm auf keinem dieser beiden Hauptgebiete seines Schaffens mehr
eine Wirkung verstattete; denn der Köthener Hof war reformiert, es
gab da keine Kirchenmusik, und auch eine Orgel stand Bach nicht zur
Verfügung. Da es ein „freies" Schaffen, bloß zum persönlichen Ausdruck des Innern, damals in der Musik noch nicht gab, sondern Amt
und Schaffen noch identisch waren, mußte Bach auf seine bisherige
wesentliche Tätigkeit verzichten — oder wollte er noch einmal lernen
und ein Neues beginnen, ja konnte dies Neue vielleicht seine eigentliche künftige Richtung sein? In der Tat hat sich hier erst die Kammermusik, die Klavier- und Orchestermusik bei Bach in ganzer Breite
und Tiefe entwickelt; er ist von 1717 bis 1723 zum weltlichen Komponisten geworden. Wahrscheinlich spürte er in sich die Kraft auf
weite Sicht zu leben, ähnlich wie Goethe, der, wenn auch wesentlich bewußter, sein Leben auf ein langsames Tempo und ohne Scheu vor
Umwegen anlegte, „als solle er hundert Jahre alt werden"; und so
überließ er sich ohne viel Bedenken den Aufgaben, die die Zeit an ihn
herantrug. Wir verstehen erst ganz den umfassenden Sinn der Musik
in diesem Jahrhundert, wenn wir uns klarmachen, daß in solchen Mo-
menten nichts anderes geschah, als was in der Architektur gleichzeitig
sich überall täglich ereignete: daß der Erbauer von Kirchen und Klöstern plötzlich für den Schloßbau herangezogen wurde, daß der Hof-

und Schloßarchitekt einen Kirchenbau übernahm, und wechselseitig die Gesetze der einen Form und Gattung auf die andere dabei übertragen wurden und durch solche dauernde Befruchtung das organische Wachsen eines alles in sich fassenden Stiles entstand.

Denn auch Bach, der sich, um einen Augenblick bei diesem Vergleiche zu bleiben, nach dem Durchgang durch manches Profane, vom zwanzigsten bis zum zweiundreißigsten Lebensjahr zum großen kirchlichen Architekten entwickelt hatte, konnte diesen Erwerb nicht einfach innerlich verleugnen, als er zum Hofkapellmeister in Köthen ernannt wurde: unbewußt hat er die errungene Größe der Auffassung musikalischer Massen, die Vertiefung und Beseelung musikalischer Werte auch auf die weltlichen Formen übertragen, deren Erfüllung jetzt von ihm verlangt wurde; und er hat dabei wohl geahnt, wie diese Erweiterung des Formenkreises seinem Ausdrucksvermögen zugute kommen mußte, wenn er in die abgebrochene Bahn je wieder einbiegen würde. Was er dem musikhungrigen Fürsten, mit dem ihn bald eine Art wirklicher Freundschaft verband, an Kammermusik vorzusetzen hatte, das mußte er zu seinem und unserem Glücke bald ganz nur aus sich selbst bestreiten; denn wie man aus dem damaligen Bestand der Bibliothek der Köthener Kapelle nachgewiesen hat, war an Suiten, Violinkonzerten, Trios und Quartetten nur bescheidenstes Mittelgut Namenloser vorhanden; einige Symphonien von Hasse und Galuppi waren das Beste, weder Couperin noch Vivaldi und Corelli waren vertreten — Bach mußte hier noch viel mehr von Grund auf beginnen als in Kantate und Orgelkunst; denn eine wirklich große deutsche Instrumentalmusik gab es noch nicht. Unter all dem Zahllosen, was Bach hier an Gamben-, Flöten- und Violinsonaten und -konzerten, an Klavierkonzerten und Orchestersuiten schuf, ragen zwei Werke heraus, die allein schon genügen würden, die Köthener Existenz als eine der herrlichsten Schaffensepochen der Musik zu rechtfertigen: die Brandenburgischen Konzerte und das Wohltemperierte Klavier. Die Dedikation der Konzerte „A son Altesse Royale, Monseigneur Crêtien Louis, Marggraf de Brandenbourg" stammt aus dem Jahre 1721. Es ist also die gleiche Zeit, als Balthasar Neumann die Würzburger Residenz beginnt, daß Bach diese seine sechs höfisch-weltlichen Bauwerke errichtet; denn der Begriff des Architektonischen drängt sich gerade in diesen Werken, die uns Bachs symphonische Orchesterschöpfung darstellen, unmittelbar auf; Albert Schweitzer gesteht vor ihnen: „Die Brandenburgischen Konzerte sind die reinste Offenbarung des polyphonen Stils Bachs. So lebendig hatte er den architektonischen Aufbau weder auf der Orgel noch auf dem Klavier durchführen können." Nicht im eigentlichen „Konzertieren" erschöpfen sich diese Konzerte, daß die Tutti im Wechsel mit den instrumentalen Solostimmen dasselbe zum Vortrag bringen, wie es bisher bei den Italienern der Fall war; sondern alles durchdringt sich geheimnisvoll, wie der Raum mit seinen Pfeilern und einzelnen Strebungen ein sich aufsteigend wölbendes Ganzes ist. Der Raum ereignet sich als Zeit; in immer neuen Ansätzen erleben wir sein Entstehen, mit voller Kraft emporgehoben, mit der Mystik anders klingender Stimmen in uns versenkt und nach dem Stillehalten wie auf neuer höherer Ebene wieder weitergeleitet in wechselnd ziehendem, tragendem Leben, bis in flimmernder Ornamentik scheinbar entschwindend das Ganze wieder mit ungeheurer Macht auf seinen Grundsteinen gründet. Die sanften oder frohen Farbklänge lassen unser inneres Auge wahre wunderbare Weltfreude erleben und die unbeirrbar bauende rhythmische Kraft schenkt doch die himmlische Geborgenheit, wie keine andere Kunst sie spendet. So wird aus dem Musizieren zur edlen höfischen Unterhaltung fast absichtslos und mühelos die große geistige Erhebung, die es mit den herrlichsten Werken der späteren deutschen Symphonik aufnimmt, ja vor ihr das Einzigartige voraus hat, daß sie mit dem ungewollten Seelenausdruck der großen Persönlichkeit die objektive Gebundenheit der Beheimatung im altüberlieferten Raum vereint. Noch erstaunlicher ist die Spannung zwischen dem erstrebten praktischen Zweck und der künstlerischen Wirkung dann beim Wohltemperierten Klavier, dessen Präludien und Fugen zunächst nichts weiter als die Spielbarkeit des Klaviers in einer bis dahin umstrittenen Stimmung erweisen sollten, in Wahrheit aber die Bibel aller pianistischen Ausdruckskunst geworden sind, in welcher wiederum die unerreichte Technik thematischen Aufbau- und Ausbauvermögens durch die selbstverständliche Gegenwart des großen Menschen und seiner strömenden Innerlichkeit die innigste Beseelung und geistige Belebung erfährt. Als dritter Werkkomplex gehört noch in die Köthener Epoche die Sammlung der Französischen und Englischen Suiten. Es ist die von norddeutschen Meistern im 17. Jahrhundert schon ausgebildete Übertragung von Tanzweisen auf das Instrument des Klaviers (entsprechend den nach der französischen Ouvertüre benannten Übertragungen aufs Orchester), die hier ihre Übersetzung ins Geistige findet und, wie jene andern Werke alle, den weltlichen Menschen Bach zu uns sprechen läßt, der die Freuden und Schmerzen des Lebens in ihrer einfachen Wahrheit ausdrückt, aber nicht als Kämpfender und Ringender, dem Erlebnis Hingegebener, sondern immer über das Erlebnis friedevoll Erhobener, für dessen Glaubensgewißheit die Kunst selber zu einem Gottesdienst geworden ist. Nicht nur auf den Handschriften der geistlichen Werke, sondern auch der weltlichen steht die innerlichst gemeinte Anrufung „Jesu juva" oder „Soli Deo gloria". Wenn dieser Bach es mit der großen Architektur der Zeit gemein hat, daß derselbe Stil in seinem weltlichen wie geistlichen Werke waltet, so hat er vor ihr doch noch die gänzliche Geschlossenheit voraus, daß ihm auch der weltliche Auftrag zuletzt zum religiösen Bekenntnis wird und es in seinem Riesen-Tongebäude schließlich einen Unterschied der beiden Lebens- und Geistessphären nicht mehr gibt.

Dennoch hätte es sich denken lassen, daß die Köthener Epoche nicht Episode geblieben wäre; daß er in sein Amt als Meister der weltlich-absoluten Musik immer tiefer und breiter hineingewachsen wäre, um uns vielleicht schon das in ganzer Fülle zu schenken, was Menschenalter nach ihm dann auf gänzlich anderen, auch weltanschaulich anderen Grundlagen erwuchs. Nicht daß er selbst ein anderer geworden wäre — wir sahen ja, daß er auch in seiner weltlichen Kunst der gleiche blieb, der er in seinem kirchlichen Werk geworden war; aber er hätte zu einem anderen Stil, dem Stil der Zeit hinfinden können, wie ihn Mattheson und Telemann und Keiser repräsentierten: zur neuen monodisch-melodischen Art, wie sie dann auch seine Söhne weiterbildeten, als wäre er nie gewesen. Ein Zufall hat hier den Ausschlag gegeben und das höfische Verhältnis gelöst, das ihm ohne Zweifel das persönlich liebste und angenehmste Berufsverhältnis gewesen ist, in dem er sich je befand: die Verheiratung seines noch jungen Fürsten mit einer „Amusa", wie Bach sie nannte, einer, die für seine Musik und die Liebhaberei ihres Gatten keinen Sinn besaß. Die Bewerbung ums Thomaskantorat machte einem Dienstverhältnis ein Ende, das seinen Inhalt verloren hatte, und damit war die Laufbahn des weltlichen und höfischen Musikers Bach beschlossen. Er wurde nicht der

Bahnbrecher in eine von allen Zeitgenossen schon gespürte und ersehnte Zukunft, sondern der Vollender einer Vergangenheit.

48.

Es ist nicht leicht, sich von dem geistig-kulturellen Zustand Leipzigs ein Bild zu machen, der Stadt, in welcher Bach nun siebenundzwanzig Jahre, bis zu seinem Tode, wirkte. Fortschrittliche und konservative Züge, materielle und geistige, rationalistische und mystische zeigen sich seltsam vermischt. Die Stadt hatte bisher im Geistesleben keine überragende Rolle gespielt; seit der Mitte des 17. Jahrhunderts gewinnt sie plötzlich durch die Handelsmesse eine auch kulturell weitgreifende Bedeutung: ein fast internationales Getriebe in diesen Messezeiten zieht Theater und Oper herbei, der sächsische Hof sucht hier alsdann noch buntere Unterhaltung als in Dresden; so findet er sich etwa im Jahre 1699 mit 99 fürstlichen Personen, Grafen und Herren, 40 polnischen Magnaten, großer Leibgarde und Janitscharen ein. Und nicht nur die zum Teil exotischen Schaustellungen von wunderlichen Tieren und fremden Waren, von Zauberkünstlern und Quacksalbern; auch literarische Qualitäten geben dem großen Markt den Charakter: der Buchhandel hat sich jetzt von Frankfurt ganz hierher gezogen, Kritik und Journalismus müssen hier gedeihen, die Universität blüht auf, und eine allmählich durch dieses weltmännische Milieu zu feineren Sitten erzogne Studentenschaft gibt die Note jugendlicher Belebung in das Ganze. Immerhin gehören in die Jahrhundertwende noch die satirischen Romane und Dramen von Christian Reuter, der in seinem „Schelmuffsky" und in seiner „Ehrlichen Frau" genial, aber höchst realistisch und derb Leipziger Verhältnisse zur Grundlage seiner Schilderungen nimmt, die noch keineswegs mit der gerühmten Politesse in Einklang stehen. Aber 1724, ein Jahr nach Bach, zieht Gottsched in Leipzig ein, und von da ab wird ein Leipziger Universitätskatheder die Sprechbühne für ganz Deutschland, und in ähnlichem, womöglich noch größerem Ruhm löst ihn seit 1734, immer noch zu Bachs Zeit, Gellert ab.

Aber daneben besteht in unverminderter Kraft der „Leipziger Kirchen-Staat", wie man von der damaligen Bezeichnung der Fest- und Gottesdienstordnung (Status, Statut) vom Jahre 1710 die ganze Verfassung des religiösen Lebens nennen könnte. Leipzig war keine

freie Reichsstadt wie Hamburg und Lübeck, sie war sächsische Land-
stadt; dennoch war z. B. die Kirchenmusik eine städtische Angelegenheit, der Kantor und der Organist städtische Beamte, die z. B., wie
noch Bach es in seinem Anstellungsdekret zu unterzeichnen hatte, sich
nicht ohne Erlaubnis des regierenden Bürgermeisters aus der Stadt be-
geben durften. Für die etwa dreißigtausend Einwohner standen sechs
Kirchen zur Verfügung, und der Gottesdienst war keineswegs auf die
Sonn- und Feiertage beschränkt, sondern es gab auch welchen an Diens-
tagen und Donnerstagen, und Früh- und Vespergottesdienste. An den
Wochentagen war die Musik nur durch Chorgesang vertreten; der
Sonntag hatte in den beiden Hauptkirchen, die Bach unterstanden,
St. Thomae und St. Nicolai, vier Gottesdienste: der Hauptgottesdienst
begann um 7 Uhr und dauerte bis gegen mittag; an gewöhnlichen Sonntagen war nur er mit großer Musik ausgestattet — vor der Predigt
wurde die Kantate mit Orgel- und Orchesterbegleitung aufgeführt;
an hohen Festen und solchen, die, wie Weihnachten, Ostern und Pfing-
sten, drei Tage lang gefeiert wurden, war auch zur Vesper große
Musik; die Passion gelangte in der Karfreitagsvesper zur Aufführung.
Insgesamt hatte der Kantor 59 Kantaten im Jahre aufzuführen und
meist neu zu komponieren; bei der Benutzung eigener früherer Werke
rechnet man, daß Bach im Monat mindestens eine neue Kantate schuf.
Als gottesdienstliche Musik kamen noch hinzu zu Beginn der Feier
Orgelvorspiel und Motette, Intonieren und Präludieren der Choräle,
Musizieren des Sanctus während der Kommunion, des Kyrie an Fest-
tagen wie dem 1. Advent, die ohne Kantate waren, Komponieren und
Musizieren des Magnificat.

Für das sonstige öffentliche Musikleben waren nur noch die beiden
Collegia Musica der Universität wichtig, deren eines, von Telemann
begründet und nach ihm benannt, Bach seit 1729 leitete. Die Oper, die
von dem Dresdner Hofkapellmeister Nicolaus Adam Strungk 1693 mit
einer „Alceste" eröffnet worden war und für die dieser noch 16 Werke
schrieb, die dann zu Telemanns Zeiten so vorherrschend gewesen war,
hatte, als Bach nach Leipzig kam, schon nicht mehr regelmäßig gespielt;
1729, im Jahr der Matthäus-Passion, fand sie ihr Ende. Es ist dasselbe,
wie zur gleichen Zeit in Hamburg: die deutsche Oper kann sich gegen
die wachsende Bedeutung der italienischen nicht halten; ihre Kräfte
strömen der dem kirchlichen Geist des damaligen Bürgertums doch

schließlich besser entsprechenden musikalischen Passion und Kantate zu. Dafür dringt eben Opernhaftes in die geistliche Musik; und hier sind nun die Meinungen anscheinend noch geteilt: Bach unterschreibt noch die Forderung des Rates bei seiner Anstellung, „die Music dergestalt einzurichten, daß sie nicht zu lang währen, auch also beschaffen sein möge, damit sie nicht opernhafftig herauskomme, sondern die Zuhörer vielmehr zur Andacht aufmuntere"; andrerseits war Bachs Vorgänger Kuhnau vom herrschenden Geschmack geradezu gezwungen worden, eine Passion im modernen Konzertstil zu verfassen, und das war erst 1721 geschehen, so daß also gerade erst kurz vor Bachs Kommen die alte motettenhafte Passion weggefallen war, und statt des A-capella-Gesangs die instrumental begleitete Aufführung sich durchsetzte. War das zeitgenössische Urteil, das uns über die Matthäus-Passion überliefert ist: daß sie „wegen der allzuheftigen Affekte eine widrige Wirkung gehabt", das allgemeine? Die einen mögen an der Einführung der italienischen Dacapo-Arie und der vollbegleiteten Rezitative Anstoß genommen haben; die andern hingegen mögen die Polyphonie seiner Chöre, die Beibehaltung der Choräle und des Bibelworts in der Evangelistenerzählung altmodisch gefunden haben — er wird es keinem ganz recht gemacht und doch die Gemeinde durch die echte Frömmigkeit überzeugt haben, die trotz der modernen Errungenschaften, ja gerade durch sie, in seiner Musik zum Ausdruck kam. Denn Klagen über den Charakter seiner Kunst im religiösen Sinne sind nicht, wie einst in Arnstadt, gegen ihn erhoben worden: wir müßten von ihnen wissen, da mit der Zeit so vieles bei den häufigen Zerwürfnissen mit dem Rat zur Sprache kam. Etwas mag ihn dabei getragen haben: die unbestreitbare Verinnerlichung, die in jenen Jahren die protestantische Frömmigkeit erfuhr. Gelegentlich der Vorkommnisse in Mühlhausen ist schon vom Pietismus die Rede gewesen; jetzt, in den zwanziger Jahren, begann in Sachsen die Wirksamkeit von Zinzendorf, und eine neue stärkere Welle religiöser Inbrunst, ja Ekstatik kam herauf, gerade in der Zeit, wo Bach seine größten kirchlichen Werke schuf — die Texte seiner Passionen und Kantaten legen Zeugnis von dieser zeitlichen Bedingtheit ab, und seine Musik kann als eine höchste Summierung und Verklärung auch dieser Elemente gelten.

So hat, trotz des sonstigen bunten weltlichen Lebens in Leipzig, das wohl auch in der „excessiven Teuerkeit" Ausdruck fand, über die Bach mehrfach klagt, doch seit den Tagen Telemanns sich die Lage der Musik verändert. Ein größerer Ernst scheint eingezogen, die weltliche Konkurrenz der Oper besteht nicht mehr, und die Stadt darf wirklich von uns, besonders an den hohen christlichen Festtagen, noch als der Gegenpol des höfischen Wesens vorgestellt werden, im Sinne des einstigen gotischen Stadtstaats, da auch die Kirche, nur mit bildender statt musischer Kunst, noch der bergende geistige Kult- und Kulturraum für die gesamte Bürgerschaft war, die nicht nur in privatreligiöser, sondern in gleichsam staatlicher Gesinnung das alles selbst verwaltete und mit ihren Ratsmusikanten, Studenten und Gymnasiasten, mit ihrem selbsterwählten Kantor die Aufführung etwa der Passion als das große von ihr selbst bereitete kultische Kunstwerk empfing. Über das ihr Selbstverständliche und Gewohnte schweigt jede Zeit; und so dürfen wir es nicht als völlige Echolosigkeit deuten, wenn über Bachs kultische Musik uns kein Zeugnis der Zuhörerschaft überliefert ist und etwa die Matthäuspassion spurlos an den Menschen vorübergegangen zu sein scheint. Freilich werden wir aber wohl auch immer etwas Idealisierendes in die Vorstellung jener Zeit und ihrer musikalisch-kultischen Existenz hineintragen, da uns die Größe Bachs und das Erlebnis seines Werks, davon wir Späteren nun wissen, das Zeitlich-Irdische um ihn nur undeutlich erkennen und kaum wie durch einen Schleier gewahren läßt.

49.

Was uns das Urteil über die damalige Zeit erschwert, ist nicht nur das Schweigen der Mitlebenden über die Eindrücke der Kunst, es ist das besondere Schicksal der Musik in jenem Übergangszustand von einer nur für den Augenblick und momentanen Zweck gedachten Existenz zu einer Fixierung für die Dauer, in welcher sie sich erst eben den Bedingungen nähert, die wir bei Dichtung und bildender Kunst in weit entlegene Zeiten zurückverfolgen können. Die Möglichkeit zeitweiliger Vergessenheit zwar teilen beide Künste; sie mag bei der Baukunst noch verwunderlicher erscheinen, da sie allen sichtbar besteht und doch zu Zeiten andern Geschmacks buchstäblich nicht mehr gesehen wird; von der Musik aber pflegt mit dem Geschmack auch der Wille zu ihrer Aufführung sich abzuwenden, durch welche sie allein am Leben kann gehalten werden; und selten wird die einmal geübte

Unterlassung korrigiert. Überdies wird es keiner Zeit je möglich sein, das historisch Vorhandene aller Musik gleichzeitig so durch Aufführungen lebendig zu erhalten, wie es der bildenden Kunst in Bauten und Museen, der Literatur in Bibliotheken selbstverständlich ist: immer nur relativ Weniges gelangt von ihr auf die Nachwelt. Bachs Werk ist auf diese Weise im Laufe der Zeiten gerettet worden und darf heute in einem großen Umfang als noch oder wieder lebendig unter uns vorausgesetzt werden; das seiner Zeitgenossen nicht. So fehlt uns der Vergleich mit dem, woran die Zeitgenossen ihn gemessen haben oder was sie etwa ihm vorzogen; gelegentliche historische Aufführungen im Gefolge irgendeiner Renaissance geben der Allgemeinheit keinen ausreichenden Begriff, und der historische Kenner, der in die höchst fragmentarische Überlieferung eindringt, spricht von etwas, wovon sich keine umfassende Vorstellung vollziehen läßt. So gerät man, um sich verständlich zu machen, unwillkürlich in die posthume Betrachtung: in die Betrachtung dessen, was für uns noch gilt; aber diese ist seltsamerweise bei der Musik aus Wesen und Schickal die natürliche, welches, bei ihrer Gebundenheit an den verwehenden Augenblick auf der andern Seite, ein wahres Paradoxon darstellt.

So haben die Bachschen Kantaten und Passionen in ihrer Zeit das Schicksal der Oper geteilt, welches wir früher charakterisierten: ihre Existenz war meist mit der einmaligen Aufführung bei der Feier, für die sie geschrieben waren, erfüllt, und sie sind tatsächlich dann dem Bewußtsein der Menschen entschwunden. Bei Bach geschah dies, für einen großen Teil der Werke, nicht für immer: hier hat es eine der seltenen Auferstehungen vom Tode gegeben; bei seinen Zeitgenossen hat sich jenes Schicksal einer grausamen Auslese erfüllt, ihre Werke gingen unter, für immer; und wenn wir von protestantischer Kirchenmusik sprechen, so sprechen wir wesentlich nur von Bach: er hat durch seine Größe und die mit ihr verbundene Einzigkeit von Überlieferung und Geltung alles andre ausgelöscht. Das ist bei einem solchen Phänomen wie dieser Musik, die mindestens quantitativ die protestantischen Landesteile so völlig beherrschte wie die gleichzeitige Baukunst die katholischen, nicht nachdrücklich genug hervorzuheben: sie hat nur einen Repräsentanten noch für uns, während die Architektur in unzähligen Meistern sich darstellt. Es läßt sich nur durch den Vergleich anschaulich machen, wie wenn von einer weitverbreiteten Baukunst nur ein einziges Denkmal erhalten wäre; aber allerdings von einer Größe und einem Umfang, als ob es alles Baustreben der ganzen Epoche in sich zusammenfasse.

Wenn Bach, wie wir wissen, fünf Jahrgänge von Kantaten schrieb, so ist dies auch bereits, als ob er fünf Dome gewölbt und mit allem Bild- und Zierwerk ausgestattet habe: denn der einzelne Kirchenjahrgang entspricht ja in seiner Symbolik dem, was an einem einzelnen Münster im Laufe oft erst von Jahrhunderten zu Aufbau und bildnerischer Darstellung kam. Es erscheint im flüchtigen Tonelement zusammengeballt und in einem imaginären Raum als Zeit zusammengedrängt, was im Mittelalter unzählige Räume und Zeiten füllte. Und was als Sinn und Zentrum alles Bauens damals am Hochaltar seine Vergegenwärtigung fand, die tausendfach immer wiederholte Darstellung der Kreuzigung, der Passion, das wird nun hier ebenfalls zum Mittelpunkt und Gipfel alles geistigen Verherrlichungsstrebens: als Krönung des Kirchenjahrs wird es das Höchste, worin sich Raum und Zeit durchdringen und alle Grenzen durchbrechend zu einer Ewigkeit gelangen: die große kultische Tragödie, die einzige Tragödie auch für uns Deutsche, die, wie die griechische, noch unmittelbar aus der Religion, ja aus dem Gottesdienst entspringt.

Hier geht die Leistung der protestantischen Kultur weit über die der gleichzeitigen katholischen hinaus: sie hat das Christentum noch wirklich fortgebildet; einmal, indem sie im Drama höchsten Ranges es in eine neue geistige Gestalt verwandelte, die, wie die Folge erwies, vom Kult sich ablösen ließ und über jede gottesdienstliche Wirkung hinaus und ins Leben der Menschheit hineinwuchs; zum andern, indem der kultische Dramatiker diese Tat nicht nur als großer Künstler, sondern als religiöses Genie vollbrachte, dem es gelang, ein neues Christusbild der Überlieferung von fast zwei Jahrtausenden hinzuzufügen, in dem einstweilen der tiefste Sinn dieser Religion vollendet scheint.

Man hat im Gefühl dieses unerhörten Vorgangs mit einem etwas belletristischen Anhauch von Bach als dem fünften Evangelisten gesprochen. Aber die Verwandtschaft ist da; nur entzieht sich das im geheimnisvollen Element der Töne Gestaltete jeder Klassifizierung in Worten der Sprache, jeder historischen Analogie. Man soll nur nie vergessen, daß in diesem 18. Jahrhundert, in einer uns so relativ noch nahen Zeit, sich etwas vollzogen hat, was uns sonst in mythisches Dun-

kel gehüllt ist; von dessen Stifter uns sonst nur die Legende berichtet,
während er hier die Züge einer Persönlichkeit trägt, die wir uns noch
vorzustellen vermögen. Die revolutionierende Tat Luthers ist in diesem Ereignis ebenso gerechtfertigt wie das orakelhaft zweideutige
Wesen der Musik, wie Wackenroder es nennt: welches sich hier als
gleichmäßig fähig erweist des Persönlichkeitsausdrucks wie der Bewahrung und Rettung, ja Erneuerung des Mysteriums. Damit empfängt
die Musik eine Weihe wie keine andre Kunst: soeben erst dem wört-
lich-strengen Dienst der Kirche entwachsen und zum selbständigen
Sagen-Können aufgestiegen, verbleibt ihr doch das religiöse Amt, verbleibt ihr der Mysteriencharakter schlechthin in einem merkwürdigen
gelösten und erweiterten Sinn. Und so hat sie, einmal dieser Weihe
durch eine größte Persönlichkeit teilhaft geworden, auch noch in späterer ringsum schon ganz verweltlichter Zeit Konzeptionen von welt-
anschaulichem Rang und religiösem Ernst aus sich erzeugen können,
auch als sogenannte weltliche und nicht mehr einzig religiös gebundene
Kunst; während die große Architektur mit dem strengen sakralen
Zweck und Sinn wirklich zu Ende war und keine Nachfolge im bildnerischen Gestaltungsbereich hat finden können.

Es ist das Denkwürdige, daß Bach seine Mission nur hat vollbringen
können, indem er neue und fremde, nicht zur religiösen Überlieferung
gehörige Elemente der Kunst mit in sein Werk hineinnahm. Der gewaltige Aufbau auf den Säulen des alten, von ihm nur wunderbar neu
harmonisierten Chorals zwar wäre vorhanden, und auch die Eingangs-
und Schlußchöre sind ja aus überlieferten Mitteln bestritten; aber bereits das Bibelwort, das er, im Gegensatz zur Zeit, ohne moderne Umdichtung, in ganzer Kraft und Klarheit übernimmt, wird in eine Verwandlung hineingezogen, die ihm ohne die Übernahme des italienischen recitativo accompagnato in seinem ganzen affektgeladenen zeit-
barocken Überschwang nicht vollbringbar gewesen wäre. Und eben
hiermit gelangt er geistig-ausdruckmäßig auf eine völlig neue Ebene.
Der Bericht des Evangelisten in der Matthäuspassion erweckt uns das
Gefühl, als ob diese Worte zum ersten Male in ihrer vollen Bedeutung
erklängen, während sie bisher, trotz alles tönenden Aussprechens, nur
gelesen worden seien; sie empfangen eine sinnliche Gewalt, die in dem
leidenschaftlichen Auf- und Abgleiten durchs ganze Reich der Töne
den tragischen Vorgang mit dem Schmerz und den Tränen des Zeugen

zu einer unlöslichen Einheit verschmilzt. Es ist die Übersetzung einer Übersetzung in Töne, die uns das Geschehen wie zum ersten Male lebendig macht; und ist schon Luthers Übertragung ein höchstes Werk deutscher Kunst, so wird sie in Bachs Übertragung die Enthüllung des ursprünglichen Sinns, die vollkommene Offenbarung, die mit der Einzigkeit dieses Leidens zugleich seine ewige Sinnbildlichkeit verkündet. Tritt dann in diesem Bericht die Rede Christi gesondert hervor, so erscheint, mit den Klängen des bloßen Saiteninstrumentenspiels wie mit einem Heiligenschein umstrahlt, wirklich die Christus-Gestalt, als die Gestalt des letzten lebendigen Gottes, dessen Erde-Verstrickung wir als das erschütterndste Drama erleben. Aber dieses Drama umspielen nun die Klänge einer Himmelsmusik, in welcher der Ausdruck des Schmerzes nicht nur mit dem des Glaubens und der Zuversicht wechselt, sondern die eine Liebe und selige Freude überall auch das Dunkelste durchdringt. Neben symphonischen Herrlichkeiten, wie den kurz triumphierenden Orchesterklängen während der Einsetzungsworte und unzähligen Ausdrucksmalereien bis zum ergreifenden Schweigen und Verstummen, ist es wieder die fremde Form, die Bach es ermöglicht hat, die ganze Fülle eigensten Sagens über seinen Stoff zu gießen: die große italienische Dacapo-Arie und ihre Vorbereitung, das ariose Rezitativ. Die Anverwandlung dieser Formen, die sonst der Wiedergabe weltlicher Leidenschaften dienten, gehört zu den unwahrscheinlichen Verdeutschungen des Romanischen, wie wir sie durchweg in der gleichzeitigen Baukunst, aber auch in der späteren Musik von Gluck bis Mozart erleben; hier, bei Bach, ist sie bis zum äußersten Gegensatz ihres bisherigen Sinns: zum Ausdruck der mystischen Versenkung getrieben. Denn in der Arie sprechen nicht Personen des Dramas; sondern die gläubige Seele kündet von ihrem Erleben unmittelbar, welches das vorübergleitende Drama ihr aufregt. Was einst im Mittelalter die Schar der Mystiker und Mystikerinnen aus der Versenkung ins Leiden Christi an Schmerz und Lust, an Inbrunst und Zartheit in Gedicht und Vision zum Worte werden ließ, das kehrt hier in Tönen wieder, wie die männliche und weibliche Stimme im Umfang ihrer Menschenmöglichkeiten von Tenor und Baß, Sopran und Alt es zu versinnlichen vermag; und gleichberechtigt mit der Stimme spricht der geistigere Klang des Instruments, der mit ihr zu einem Ausdruck sich verschlingend ihren letzten Erdenrest entkörpert. Hier ist es, wo Bach nun nicht mehr nur als Dramatiker, als Gestalter und Vergegenwärtiger der heiligen Handlung redet, wie die christliche Überlieferung sie ihm darreicht; sondern wo sein freies Dichten in Gesängen unerschöpflich sich ergeht, die wohl alle um das Heilsereignis kreisen, aber darüber hinaus eine ganze neue Seelenwelt zur Erscheinung bringen, wie es vorher noch kein religiöser Dichter aus seinem Glauben gewann. Wie gebunden an den Stoff bleibt hiergegen auch das wunderbarste und ergreifendste Gemälde der Passion, das nur stumm mit Blick und Geste über das Dargestellte hinaus in die Erlebniswelt hin deuten kann; welche, in der Musik, nun in reinen seligen Himmeln darüberschwebt, die von ihrem Sagen und Singen erfüllt sind. Nicht die Passion allein wird hier zum Klang, sondern alles, was sich je und einst um sie herum in Schweigen sammelte: in der zeitlosen und fast gegenstandslosen Andacht und Versenkung etwa, wie wir sie im Dämmerraum des gotischen Doms erleben; dessen Unsagbares durch Bach nach langen Jahrhunderten sagbar wird.

50.

Daß die Matthäus-Passion, hundert Jahre nach ihrem Erklingen in der Thomaskirche, ihre erste Wiederaufführung in einem Konzertsaal erlebte und seither im modernen Konzertsaal heimisch ward, daß auch Wiederaufführungen in der Kirche sie nicht mehr dem Gottesdienst einordnen, wo sie einst in der Karfreitagsvesper ihre Stelle vor und nach der Predigt hatte: das spricht deutlich aus, wie sehr Bachs Werk zwischen den Zeiten steht und weder ganz dem Kult, noch ganz der modernen Kunstwelt angehört — es ist der Sinn dieser geistigen Baukunst, daß sie ihren heiligen Raum überall aufzubauen vermag, auch für uns noch geistiger Raum geworden ist, unabhängig von allem irdischen, und, erdentbunden, der Zeit anheimgegeben, doch Zeitlosigkeit errang.

Eine verwandte Entwicklung wird aber schon in Bachs persönlichem Leben und Schicksal wahrgenommen: trotzdem er zeitlebens Thomaskantor blieb, ist er doch nicht einzig kultischer Gestalter geblieben; er hat sich innerlich und schließlich auch praktisch-äußerlich allmählich von seinem Amt zurückgezogen und ist als absoluter Musiker in die Vollendung eingegangen.

Auch hier haben wieder äußere Ursachen mitgespielt. Wenn man sieht, wie Bach im ersten Leipziger Jahrzehnt auch der Textgestaltung der Passionen sich annimmt, wie er sucht, Ungemäßes verwirft und schließlich das Vollkommene findet, nach der Matthäuspassion aber in dieser höchsten Form nichts Neues mehr schafft: so kommt hierin nicht nur Enttäuschung darüber zum Ausdruck, daß die Mühe sich nicht lohnt und auch eine läßlichere Erfüllung seiner inneren Anforderungen den Zeitgenossen genug tue; sondern die dauernden Konflikte, in die er mit Stadt und Schulbehörde gerät, sind es, die ihm die Amtsausübung verleiden.

Die Johannespassion war als Erstes für Leipzig bei der Übernahme des Kantorats 1723 geschrieben: die strenge Hoheit seines Christusbildes kommt in ihr zu großartigem Ausdruck — er lehnt sich im Text wohl an die damals berühmteste Passion, die Brockes'sche an, ersetzt jedoch mit tiefem Instinkt die Verse, in denen der Bericht des Evangelisten gegeben war, durch den Bibeltext, und stellt so sein in diesem Sinne konservatives Ideal bewußt hervor. Erst für die zweite Aufführung im Jahre 1727 hat er sie aber ganz vollendet, indem er die Anfangs- und Schlußchöre, wie wir sie heute hören, hinzukomponierte. Dazwischen hat ihm im Jahre 1725 der Dichter Picander, der mit bürgerlichem Namen Henrici hieß und seines Berufs sonst höherer Post- und später Steuerbeamter war, eine rein „poetische" Passion im schwülstigen Stil der Zeit angeboten: „Erbauliche Gedanken auf den Grünen Donnerstag und Charfreitag über den leidenden Jesum in einem Oratorio entworfen", die Bach kaum befriedigt haben mag — die Komposition ist nicht erhalten —; jedenfalls hat er dann in der Matthäuspassion, zu der er wiederum Picander heranzog, persönlich über die Verse zu den Arien und ariosen Rezitativen gewacht, und unter seiner Führung hat sich der Textdichter oft zu echtem, ja ergreifendem Ausdruck erhoben. Aber hier geht es dann nicht weiter — für 1730 hat Bach anscheinend das Werk eines andern bloß bearbeitet, die „Lucaspassion"; und für seine „Marcuspassion" vom Jahre 1731 hat er eigene frühere Musik verwendet: aus der Trauerode, die er 1727 auf den Tod der Königin Christine Eberhardine zu einem Text von Gottsched komponiert hatte.

In diese Jahre nach der Matthäuspassion fällt nun sein erster Konflikt mit dem Rat, der Bach in dem bekannten Brief an Erdmann vom

Jahre 1730 nach Schilderung all der Enttäuschungen, die Leipzig ihm gebracht hat, zu dem Urteil ermächtigt, daß hier eine „wunderliche und der Musik wenig ergebene Obrigkeit" sei. Er sucht seine Position in der von ihm hartnäckig durchgeführten Streitsache dadurch zu stärken, daß er sich zur Erhöhung des Ansehens um das Prädikat eines Hofkapellmeisters in Dresden bemüht. Von 1733, dem Regierungsantritt Augusts III., stammt sein erstes Gesuch, dem Teile seiner Hohen Messe für den sächsischen Hof beigefügt sind, und in einer Reihe von weltlichen Gelegenheitskompositionen hat er in den nächsten Jahren der königlichen Familie seine Dienstbereitschaft und Ergebenheit bezeugt, bis er dann, 1736, den gewünschten Titel erhielt, der ihn endlich wirklich vor den Übergriffen vor allem des Thomas-Rektors schützte. Schon im Jahr der Matthäuspassion hatte sich Bach beim Rat darüber beschweren müssen, daß man bei der Aufnahme der Schüler die musikalische Eignung nicht beachte und ihm die Mittel für gute Aufführungen damit verderbe; der Rat antwortete mit Rügen gegen Bachs Eigenmächtigkeiten und setzte seine Bezüge herab. Das Verhältnis besserte sich vorübergehend unter dem neuen Rektor Geßner; als diesem aber der jüngere Ernesti folgte, spitzte sich der Konflikt schärfer zu: denn Ernesti gehörte zu den neuen Humanisten, die ihre Schüler nur noch für die klassischen Studien ausbilden wollten und ihre traditionelle Heranziehung zur Musik für unerwünscht hielten und wo es ging erschwerten. Kurz vor Bachs Tod, 1749, ist dieser Standpunkt sogar literarisch vertreten worden durch den Rektor Biedermann in Freiberg, der eine Streitschrift „De vita musica" schrieb, die Bach am liebsten selbst beantwortet hätte; er ließ es aber, schon erkrankt, durch einen andern tun und äußerte seine Genugtuung mit den Worten: „er zweifle nicht, daß durch solche Refutationes des Autoris Dreckohr gereinigt und zur Musik geschickt gemacht würde". Es war der Kampf um die musische Erziehung, in welchem Bach, gegenüber den philologischen Humanisten, die im Grunde antike Auffassung vertrat. Aber Deutschland steuerte damals schon, seine eigne klassische Musiküberlieferung nicht mehr achtend, dem Klassizismus zu, der nicht im Nachleben, sondern nur in der Nachschrift und Nachahmung der Antike sein Heil suchte.

Merkwürdig ist, daß Bach durch sein Werben um die Gunst des sächsischen Hofes damals gerade gezwungen wurde, sich klassischen

Stoffen, allerdings in der barocken Form, zuzuwenden: denn sie waren für die höfische Huldigung nun einmal das Gegebene. Schon 1725 hatte er für eine Universitätsfeier den „Zufriedengestellten Aeolus" komponiert, dessen Musik er 1734 dann zur Feier der polnischen Krönung Friedrich Augusts III. für die Kantate „Blast Lärmen ihr Feinde" wiederverwendete. Diese weltlichen Werke führte er mit dem Telemannschen Collegium Musicum auf (im Sommer und meist im Freien); so weiter zu des Kurprinzen Geburtstag 1733 das Dramma per Musica „Herkules am Scheidewege"; zu der Königin Geburtstag das Dramma per Musica „Tönet ihr Pauken, schallet Trompeten" im gleichen Jahr: von beiden Werken gingen die Hauptstücke in sein Weihnachtsoratorium von 1734 über. Als im Herbst 1734 das Königspaar nach Leipzig kam, „brachten Ihro Majestät die allhiesigen Studierenden eine alleruntertänigste Abendmusik mit Trompeten und Pauken, so Hr. Capell-Meister Joh. Sebastian Bach Cant. zu St. Thom. komponiret. Wobey 600 Studenten lauter Wachs Fäckeln trugen und 4 Grafen als Marschälle die Musik aufführten". Es war die Kantate „Preise dein Glück, gesegnetes Sachsen". Zwei Tage später führte Bach die Kantate „Schleicht, spielende Wellen" zum Geburtstag des Königs auf, zu der Picander den Text geschrieben hatte, in dem Weichsel, Elbe, Donau, Pleiße als mythologische Wesen den Herrscher preisen, was Bach zu wunderbarer Naturmalerei Anlaß gibt. Im Jahre 1738 wiederholte sich eine ähnliche Huldigung mit Fackelzug auf dem Marktplatz, zu der die Musik verloren ist, die Bach auf den Text „Willkommen ihr herrschenden Götter der Erde" verfaßt hatte; sie wird in einer späteren Verteidigung Bachs gegen die Kritik von Scheibe als „rührend, ausdrückend, natürlich, ordentlich und nicht nach dem verderbten, sondern besten Geschmack" gerühmt.

Es mag hier nur nebenbei erwähnt werden, daß die Beziehungen Bachs zum Hof auch in Dresden selbst gepflegt wurden. Er fuhr öfters hinüber, um die „schönen Liederchen zu hören", wie er halb ironisch zu seinem Sohn Friedemann zu sagen pflegte: schon 1731, noch unter August dem Starken, war ja Hasse mit seiner Gattin, der großen Sängerin Faustina, dorthin gezogen worden, wenn er auch 1734 erst ganz dahin übersiedelte, um fast dreißig Jahre das gesamte Musikleben zu beherrschen. Bach war mit ihm befreundet und schätzte seine Musik. 1731 war er bei der Erstaufführung von Hasses „Cleofide"

anwesend, mit welcher die italienische Oper neu inthronisiert wurde,
von der man seit den berühmten Festen von 1719 — bei denen Händel
anwesend gewesen war — nichts Großes erlebt hatte. Tags darauf, am
14. September 1731, gab Bach selbst ein Orgelkonzert in der Sophienkirche, wo Hasse und viele andre Künstler anwesend waren. Die
„Dresdner Merkwürdigkeiten" brachten damals das oft zitierte Gedicht auf ihn, das mit den Worten schließt: „Man sagt, daß wenn Orpheus die Laute sanft geschlagen / Hab alle Thiere er in Wäldern zu
sich bracht / Gewiß, man muß dies mehr von unserm Bache sagen /
Weil er, sobald Er spielt, ja alles staunend macht." So ergab sich 1733
auch Friedemann Bachs Anstellung an der Dresdner Sophienkirche. Er
wurde auch der Lehrer von Goldberg, dem Klavierspieler des Grafen
Keyserlingk, des russischen Gesandten in Dresden, für den Sebastian
Bach 1741 die Goldbergvariationen schrieb. Die neue Orgel in der
Frauenkirche, von Gottfried Silbermannn erbaut, wurde — noch vor
gänzlicher Vollendung der Kirche — am 15. November 1736 durch
Friedemann Bach dem Dresdner Rat übergeben; durch Kabinettsbefehl
vom 19. November erhielt Sebastian Bach damals auch sein lange er-
strebtes Prädikat als „Compositeur bey der Hof-Capelle" — „umb
seiner guten Geschicklichkeit" wie es heißt; am 1. Dezember ließ er
sich auf der neuen Orgel in der Frauenkirche „in Gegenwart des Russischen Gesandten von Keyserlingk und vielen Proceres auch starker
Frequentz anderer Personen und Künstler mit besonderer Admiration
hören". Anscheinend ist Bach also in Dresden mehr geschätzt worden
als in Leipzig; denn hier, und nicht in Leipzig, erschien bei seinem
Tode eine Lobpreisung wie die des bekannten Sonetts in den Curiosa
saxonica, das mit den Worten beginnt: „Laßt Welschland immer viel
von Virtuosen sagen / Die durch der Klänge Kunst sich dort berühmt
gemacht: / Auf deutschem Boden sind sie gleichfalls zu erfragen . . ."
Und an einem anderen Hofe, in Potsdam bei Friedrich dem Großen,
hat Bach ja dann in seinen letzten Jahren die höchste Anerkennung
gefunden, die ihm je zuteil ward, und mehr: Verständnis und schöpferische Anregung durch einen Monarchen, dessen „königliches Thema"
ihm das „Musikalische Opfer" inspiriert und noch über dem Größten,
der Kunst der Fuge, schwebt.

Hat der „Kantor" Bach, ohne sein Amt noch einmal zu wechseln,
doch innerlich eine Wandlung erlebt und eine Entscheidung getroffen,

die den Kapellmeistertitel als etwas anderes denn bloße Hilfe bei seinem Existenzkampf erscheinen läßt: als Rückkehr zu seinem Köthener
Ideal eines freieren Musikers, als Option für den „Hof", die andere
und ihm im Grunde so entgegengesetzte Welt der Musik seiner Zeit?
Doch er ging zwischen beiden Welten seinen eigenen Weg.

In der Tat ist das Jahr 1736 auch ein innerer Abschnitt. Vor seiner
Erhöhung im Herbst hat er, im Frühjahr, noch einmal seine Matthäuspassion aufgeführt, zum zweiten Male soviel wir wissen. Und die beiden Jahre 1735 und 1736 sind die letzten reichen Kantatenjahre:
ganze 30 Kantaten entstehen, gegen die 95, die er in dem Jahrzehnt
zwischen 1723 und 1734 für Leipzig schuf. In den letzten 14 Jahren
sind uns nur noch 40 überliefert, die letzte datierbare trägt sogar schon
die Jahreszahl 1744. Und seit den kritischen Konfliktsjahren 1730
und 1733 wendet er sich bereits und immer ausschließlicher der absoluten Musik von Klavier und Orgel zu: 1731 erscheint der erste Teil
seiner „Clavir Übung", „bestehend in Präludien, Allemanden, Couranten, Sarabanden, Giguen, Menuetten und andern Galanterien", zunächst im Selbstverlag. Bach hat Erfolg und kann die nächsten Teile
der „Clavir Übung" bei Nürnberger Verlegern erscheinen lassen: 1735
das „Italienische Konzert" und die h-moll-Partita, 1739 die Orgelchoralvorspiele, 1742 die Goldberg-Variationen. 1744 stellt Bach den
sogenannten zweiten Teil des Wohltemperierten Klaviers zusammen;
er selber betitelt es nur als „Vierundzwanzig neue Präludien und
Fugen"; aber das Werk ist zu umfangreich, als daß er an die Verbreitung durch den Druck denken könnte. In den letzten Jahren beschäftigt ihn hauptsächlich die Vorbereitung seiner großen Orgelwerke (der
Orgelpräludien) für den Stich. Hinzukommt im Jahre 1747 der Druck
des „Musikalischen Opfers", Friedrich dem Großen gewidmet, und
der Stich der „Kunst der Fuge", 1750, über welchem Bach gestorben ist.

Die Betonung der Orgel neben dem Klavier, das wachsende Hervortreten der Fugenform und andrer kontrapunktischer Künste (auch
im „Musikalischen Opfer") bezeichnet den Sinn der Bachschen Wandlung. Nimmt man hinzu, daß die späte Folge der Kantaten zwischen
1737 und 1744 nicht mehr freie dichterische Texte zur Unterlage
nimmt, sondern ausschließlich Choräle, wenn auch meist von Picander
in Madrigalform hergerichtet: so wird die ungeheure Synthese deutlich, die sich da vollzieht — tritt auch die absolute Musik immer mehr

an die Stelle der kultischen, seit dem Jahre des zweiten Wohltemperierten Klaviers ausschließlich, so nimmt doch Bach auch in sein Freiestes die kirchliche Überlieferung hinein, wie sie sich im Choral und in den auf der Orgel erwachsenen polyphonen Formen symbolisiert. Er hat sich in diesem letzten Lebensabschnitt wenig mehr um die kirchlichen Aufführungen gekümmert, und man hat ihn scheinbar gewähren lassen, auch wenn er ohne Erlaubnis in andere Städte und auf kleine Dörfer fuhr, um Orgeln zu prüfen und als Spieler wesentlich nur noch sich hören ließ — aber der sublimste Geist der protestantischen Tradition ist nun vollkommen auch in sein Persönlichstes eingegangen und hat ihn ermächtigt, die in diesem angelegte Architektonik zur Vollendung zu führen.

In der „Kunst der Fuge" steht zuletzt der erhabenste Bau vor uns, den menschlicher Geist errichtet hat: wahrhaft absolut, losgelöst nicht nur vom irdischen Material, wie es gleichzeitig, wenn auch noch so vergeistigt, ein Balthasar Neumann handhabt, sondern losgelöst auch vom irdischen Instrument der Musik. Nur in Partitur geschrieben, ohne Instrumentenbezeichnung, ist die „Kunst der Fuge" scheinbar vollkommenste Abstraktion: sie ist für kein Instrument geschrieben und doch für alle, je nachdem menschliche Werkfreudigkeit sie ins Sinnliche zu beschwören begehrt. Was ihm innerlich erklang, was sich ihm in Tönen fügte und baute, vom strengsten ungeheuerlichsten Kunstverstande geleitet: Entwicklung des Unendlichen, Unermeßlichen aus einem rational bis ins Äußerste durchgeführten Prinzip, das ist die Vision des All in ihrem ebenso gesetzlich-mechanischen wie überirdisch-wunderhaften Aufbau. Er bleibt frommer, die Schöpfung anbetender Mensch auch in seinem höchsten Schöpferaufstieg; er tritt vor dem Wunder seiner Schöpfung zuletzt demütig zurück, da er als Allerletztes den Choral diktiert „Vor deinen Thron tret' ich hiemit", sein Sterbelied — und ist doch der Allgewaltige, dem es gegeben war, zu sagen „wie es sich in Gottes Busen, kurz vor der Weltschöpfung, möchte zugetragen haben", wie des greisen Goethe Ehrfurcht es von ihm bekannte. Nordische Baukunst begreift in ihm auch alle irdischen sakralen Baumöglichkeiten in sich und errichtet darüber das Ebenbild der großen heiligen Schöpfung selbst in bitterem mitleidlosem und doch seligem Gang, im Sphärenklang.

Musik aber ist damit endgültig hinausgetreten aus dem irdisch-gebor-

genen Raum in den Weltenraum; sie überflügelt alle bisherigen Baugedanken und gründet einer späteren Zeit die Möglichkeiten, im Unbehausten, Strömenden doch Sinn und Stand zu finden.

51.

Wenn wir Händel mit Bach zusammen nennen, so ist es nicht zuletzt, weil am Ende auch von dessen Leben und Wirken dieses Zeitlose und in die Zukunft Weisende offenbar wird, womit eine andere
Art von Geist und musikalischem Bauvermögen sich über den irdischen Anlaß erhebt. Denn anders ist diese Kunst, wenn sie auch aus
verwandten Grundlagen wächst und wie in einer für uns notwendigen
Ergänzung des Bachschen Werkes gipfelt; und es hat in der Zeit so
gut wie keine Berührung zwischen diesen beiden Größten ihrer Epoche
gegeben. Wir fragen uns wohl, was Bach innerlich meinte und was
ihn trieb, wenn er mehrere Male versuchte, sich Händel zu nähern und
die persönliche Begegnung herbeizuführen. War es dasselbe, was ihn
nach Dresden führte, um Hasses fremder schöner Melodik zu lauschen? Bei dem, was Händel in den Jahren 1719 und 1729, die hier
in Betracht kommen, von London nach dem Festland trieb, wäre die
Frage gar nicht so unangebracht; denn beide Male reiste er nur, um für
neue Opernunternehmungen Sänger und Sängerinnen anzuwerben,
und sein Auftreten etwa am Dresdner Hof als großer Herr, der allmächtige Minister vergeblich bei sich antichambrieren ließ, war wesentlich in seiner Stellung als Günstling der Zeit auf dem Gebiet begründet, wo man mit Mächtigen verhandelte, wenn man selber eine Macht
war: auf dem Gebiet der Opernkultur der internationalen Gesellschaft.
Aber es ist so gut wie sicher anzunehmen, daß Bach von Händels
Opernschaffen nichts gekannt hat, denn ganz Deutschland hat nichts
davon lebendig erfahren können — außer in Hamburg, wo die ersten
Aufsehen erregenden Opern Händels von seinem alten Freunde Mattheson zu Gehör gebracht wurden, hat man im ganzen 18. Jahrhundert hier keines der Werke aufgeführt, denen Händel seinen Welt-
ruhm verdankte und um deren Durchsetzung er bis an die Schwelle
seines Alters rang. Aber über diesem bloßen Hörensagen vielleicht von
seinem eigentlichen damaligen Schaffen wölbte sich bereits die Legende von seinem gewaltigen Klavier- und Orgelspiel, genau wie bei
Bach selber über seinem sakralen Werk; hier schien er die Herkunft

aus der nordischen Kontrapunktik nicht zu verleugnen, wenn er auch durch die Schule und den lebendigen Einfluß der großen italienischen Pianisten und Orgelmeister wie Pasquini und Domenico Scarlatti hindurch gegangen war — gerade dieses Vertraute mit dem möglichen Fremden im Verein muß Bach angezogen haben, der ebenso des unermüdlichen Lernens fähig war wie der neidlosen Anerkennung und Bewunderung. Der Besuch vom nahen Köthen aus in Halle, wo Händel bei seiner Mutter auf der Rückkehr von Dresden 1719 verweilte, traf ihn nicht mehr an; aber als Bach im Juni 1729, schon der Schöpfer der Matthäuspassion, seinen Sohn Friedemann nach Halle sandte, um ihn, da er selber unpäßlich war, nach Leipzig einzuladen, war dies ebenfalls vergeblich — wußte Händel zu wenig von Bach oder wußte er schon zu viel, indem er etwa vermutete, man wolle ihn zu einem Wettstreit laden, den manche damals zwischen diesen beiden schon mögen herbeigewünscht haben: darüber werden wir immer im Ungewissen bleiben. In der absoluten Sphäre hätte es sicher eine Beziehung gegeben, wie sie beiden mit Buxtehude möglich gewesen war oder Bach mit Reinken, Händel mit Scarlatti; in allem andern wahrscheinlich nicht: Händel hätte mit dem Kantor, der sonntägliche Kantaten schrieb, im Grunde so wenig anfangen können, wie Bach mit dem Opernkomponisten — hier trennte sie eine Welt. Hat dies den tieferen Sinn gehabt, daß die beiden in ihren verschiedenen Bahnen sich nicht stören sollten, oder müssen wir es eine Tragik nennen, wenn sie mit dem größten Teil ihres Lebenswerks sich fremd blieben, ja daß für ganz Deutschland das eine nicht über die Mauern einer Stadt, das andre nicht aus dem fernen England herüberklang? Sonderbar bleibt es, daß Deutschland diese beiden nicht in ihrem ganzen Umfang aufgenommen hat. Bei Bach weiß man es; bei Händel, dem Erfolgreicheren und Weltberühmten, macht man es sich selten klar, daß er mit dem größeren Teil seines Werkes hier so unbekannt blieb wie Bach mit seinen Passionen und Kantaten, ja daß sich auch in der Folge zu seinen Opern keine Beziehung ergab, bis zu den Wiedererweckungsversuchen in unserm Jahrhundert, seit 1920. Weder Mozart noch Beethoven, ja nicht einmal Gluck, der zugestandenermaßen Händel so viel verdankte, haben seine Oper als verpflichtendes Vorbild gekannt. Und es ist nicht leicht, eine Kulturepoche richtig zu beurteilen und darzustellen, wo die Verbindung zwischen den einzelnen Großen nicht nur ständig abreißt, sondern oft sich gar nicht knüpft. Und doch haben wir in eben diesem Schicksal ein wesentliches Charakteristikum der neueren deutschen Kunst zu sehen, die den besonderen Reichtum und die unerhörte Vielfalt, welche die politischen und sozialen Bedingungen nebst der ständigen Auseinandersetzung zwischen Eigenem und Fremdem ihr schenkten, mit schweren Einbußen an einer zusammenfassenden Überlieferung und Pflege hat bezahlen müssen. Der Ausgleich liegt hier nicht nur in dem beinahe metaphysischen Zwang zu einer um so stärkeren posthumen Wirkung, sondern in dem an sich so widersinnigen Factum, daß die innere Entwicklung bedeutender Geister oft nur durch die Fremde und in der Fremde möglich war, da die deutschen Verhältnisse für manches noch nicht die Gunst der völligen Ausbildung und freien Entfaltung gewährten. Wir begreifen dies am besten, wenn wir ein typisches Schicksal deutschen Zeiterfolgs zunächst betrachten, um an ihm die Sonderart und den Eigenwuchs Händels zu ermessen und die abnormen Bedingungen, die sich dieser im Ausland suchen und schaffen mußte.

52.

Wir haben Telemann kennengelernt, der mit Bach in Wettbewerb trat und statt seiner die deutsche Berühmtheit wurde. Er hat in all den Gattungen exzelliert, die im norddeutsch protestantischen Raume ausgebildet worden waren, geistlichen wie weltlichen; und wenn er auch für die Leipziger und Hamburger Oper schrieb, die Oper war nicht Zentrum seines Schaffens. Er ist nie in Italien gewesen, wenn er auch vieles unvermeidlich daher übernahm; er neigte französischen Einflüssen zu, hat Polnisches und Mährisches aufgenommen, wie es dem stärker instrumentalen als gesanglichen Charakter seines Schaffens entsprach. Ihm gegenüber stellt nun ein anderer Jüngerer den reinen italienischen Einfluß und die europäisch-internationale Geltung und Reichweite dar: Johann Adolf Hasse, den wir noch zu Bachs Zeiten das Dresdner Musikleben beherrschen sehen, dem wir als Bachs Freund in den letzten Jahrzehnten dieses Meisters begegnen, der aber viel mehr Verwandtschaft und Ähnlichkeit mit Händel aufweist, ja dessen eigentliches, wenn auch etwas verspätetes Gegenbild in Deutschland darstellt: er ist für Deutschland, was Händel in der italienischen

Oper für England war, ist wesentlich nur dies, ein Händel ohne Entwicklung zu dem, was jenem die zeitlose Vollendung und Geltung
brachte.

Hasse ist Norddeutscher, aus alter Lübecker Kantorenfamilie, wird
1699 in Bergedorf bei Hamburg geboren. So ist er bereits ein halbes
Menschenalter jünger als Bach und Händel, und ein Schwanken zwischen kirchlich-kontrapunktischem Stil und italienischer Zeitmode
kommt für ihn schon nicht mehr in Betracht. Seine Begabung weist ihn
auch auf den Gesang: 1718 finden wir ihn als Tenorist an der Hamburger Oper, 1722 als Hofopernsänger in Braunschweig, wo er bereits 1724 eine Oper eigener Komposition, „Antioco", aufführt. Das
melodische Talent Keisers, den man ja einen verfrühten Mozart genannt hat, schätzte er lebenslang und hat von ihm zweifellos seine
erste Richtung empfangen; seine Ausbildung findet er aber in Italien,
wohin er sich 1724 begibt; er wird in Neapel Porporas und Alessandro Scarlattis Schüler, zeichnet sich aber zugleich durch ein bedeutendes Klavierspiel aus, worin sein nordisches Erbe durchschlägt. In Neapel macht seine Oper „Sesostrato" 1726 Glück, und eine zweite,
„Attalo Re di Bitinia"; 1727 geht er nach Venedig, wo er Kapellmeister am Conservatorio dell'Incurabili wird. Hier fällt die Entscheidung seines Lebens: er lernt die schon weltberühmte Sängerin
Faustina Bordoni, eine Venetianerin, kennen, die soeben, ein Jahr
zuvor, unter Händel in London Triumphe gefeiert hatte, und wird
ihr Gatte. 1730 schreibt er für sie die Hauptrolle in seinem „Artaserse". Die beiden vereint stellen vollkommen das damalige Ideal von
Komposition und Sangeskunst dar und bedeuteten eine künstlerische
Macht. Für das Jahr 1731 verpflichtete August der Starke sie nach
Dresden, wo die Aufführung der „Cleofide" eine Sensation war. Der
Komponist erhielt dafür 500 Speziesdukaten, die Sängerin aber 1000:
das zeigt die Rangordnung an, in der man damals die beiden sah; denn
durch den Gesang wurde auch die beste Musik erst zu jener sinnlichen
Wirklichkeit, von der wir uns heute keine Vorstellung mehr machen
können. In den „Curiosa saxonica" von 1731 wird festgestellt: „Dieses ungemeine Ehepaar kann wohl itziger Zeit vor die größeste Virtuosen in der Music von gantz Europa passieren, indem der berühmte
Herr Hasse in der Composition, die unvergleichliche Madame Hassin
aber im Singen und in der Action ihres gleichen nirgends haben."

Hasse erhielt den Titel eines Königl. Polnischen und Kurfürstl. Sächsischen Kapellmeisters und wurde, nach neuem Aufenthalt in Venedig, 1734 für dauernd in Dresden angestellt. Trotzdem die Schlesischen Kriege und dann der Siebenjährige Krieg häufige Abwesenheit des Hofes mit sich brachten und die beiden Hasse dann immer wieder auch auf italienische Kunstreisen gingen, beherrschten sie doch jetzt wesentlich das Dresdner Musikleben fast dreißig Jahre hindurch. Jahr um Jahr führte Hasse seine Opern auf, deren er so zahllose schrieb, daß er selber sagte, er würde manche davon nicht mehr kennen, wenn sie ihm wieder zu Gesicht oder zu Ohren kämen. Er gestand, daß er mehr Vergnügen in der Zeugung als in der Erziehung seiner Abkömmlinge habe und verglich sich mit den fruchtbaren Tieren, „deren Junge entweder gleich in der Kindheit wieder umkommen oder dem Zufall überlassen werden." So tritt in ihm, der völlig zum Italiener geworden ist, auch das Schicksal der italienischen Kunst dieser Zeit zutage: ihre schnelle Vergänglichkeit, die durch ein ebenso schnelles und unermüdliches Produzieren für die Lebenszeit des Komponisten ausgeglichen wird.

Hasses Musik erweist sich damals als ein harmonisierendes und bindendes Element inmitten der Zwietracht des Krieges. Als im Januar 1742 Friedrich der Große nach Dresden kommt, um mit dem König über die Fortsetzung des Krieges zu beraten, wird die Oper „Lucio Papirio" ihm zu Ehren wiederholt, die tags zuvor ihre Première erlebt hatte: als die Verhandlungen stocken, macht Graf Brühl auf den Beginn der Oper aufmerksam, worauf beide Monarchen ins Theater eilen. Friedrich gefällt die Oper so, daß er sich aus ihr durch den Freund Algarotti Arien abschreiben und nachsenden läßt. Im Zweiten Schlesischen Krieg zieht Friedrich 1745 als Sieger nach der Schlacht bei Kesselsdorf in Dresden ein und befiehlt als erstes die Aufführung von Hasses neuer Oper „Arminio". Außerdem hält er an jedem der neun Tage seines Aufenthalts sein übliches Kammerkonzert, wo Hasse am Flügel zum Flötensolo des Königs sein Klavierspiel produziert. Friedrich läßt beim Abschied Hasse einen kostbaren Ring, dem Orchester tausend Taler als Geschenk überreichen. 1753 läßt er in Berlin Hasses „Didone abbandonata" aufführen; der Erfolg ist so groß, daß er Hasse nach Berlin kommen läßt und reich beschenkt. Um diese Zeit ist Hasse auf der Höhe seines Ruhms. Mit „Solimano", „Artemisia" und vor allem mit „Ezio" (Aetius) werden in den Jahren vor dem Siebenjährigen Krieg Wunderwerke verschwenderischer Ausstattung, bezaubernder Musik und Sangeskunst gegeben; das Opernorchester gilt jetzt als das bedeutendste von Europa, wird von Kennern selbst dem neapolitanischen vorgezogen; die Aufstellung der Spieler wird für alle Länder vorbildlich, J. J. Rousseau veröffentlicht in seinem Dictionaire de Musique davon den Grundriß.

Aber der Krieg, der seit 1756 Dresden mit allen seinen Folgen heimsucht, macht diesem letzten überschwenglichen Kunsttraum des Barock ein jähes Ende. Der König flieht mit Brühl und den Prinzen nach Polen. Noch hat der preußische Sieger anfangs im Brühlschen Palais residiert, sich die Kirchenmusiken in der katholischen Hofkirche unter Hasses Direktion angehört und mit seiner Zuziehung seine Konzerte gegeben; aber bei der Beschießung von 1760, die schwere Zerstörungen der Stadt einleitet, geht auch vieles von der Musik unter: die gesamte Kirchenmusik und die Instrumentensammlung werden vernichtet, Hasse selbst verliert seine Habe, und alle Manuskripte seiner Kompositionen verbrennen, die er eben zum Druck in Ordnung gebracht hatte. Er verläßt Dresden, und mit ihm ist der Glanz dieser Stadt als Musikstadt dahin. Er wendet sich nach Venedig, hat noch in Neapel Erfolge und in Wien, wohin er 1763 nach dem Hubertusburger Frieden übersiedelt, bis er 1773 wieder nach Venedig zieht, wo er seine Tage 1783 in Ruhe beschließt, als uneigennütziger Förderer der Kunst und vor allem junger Komponisten. So hat ihn Mozart noch erlebt: als dessen „Ascanio in Alba" 1771 Hasses „Ruggiero" in Mailand schlägt, ruft dieser aus „Der Jüngling wird alle vergessen machen". Man nannte ihn in diesen späten Jahren den „Musikvater"; und es ist schön zu denken, daß ein solches glänzendes Leben einen würdigen Ausklang hatte und sich der Verehrung vieler noch erfreuen konnte. Er behielt in den Augen der jüngeren Generation, halb bejaht und halb bekämpft, die besondere Herrscherstellung, die er dadurch weithin ausgeübt hatte, daß er im engsten Bunde mit Metastasio das schlechthin Vorbildliche für die Verbindung von Opernmusik und Opernlibretto geleistet hatte. Er hat Metastasios Texte fast sämtlich, viele zwei- und dreimal, komponiert; und es ist, bei dieser Riesenproduktivität, sehr wichtig zu wissen, daß es sich dabei nicht um flüchtige Improvisationen und oberflächliche Wiederholungen des immer

Gleichen handelte, sondern daß in dauerndem Briefwechsel mit dem Dichter der Ausdruck jeder Szene, jedes Verses erörtert wurde. Metastasio, sagt man, hatte ein genaues Ahnungsvermögen für die besondere Art von Musik, die sein Libretto jeweils erforderte: er schrieb sich selber jedesmal, wie er sagt, eine „einfache" Musik dazu, und beriet den Komponisten aus seiner eignen Musikvorstellung heraus auf das genaueste. Auf diese Weise hat er mit Hasse gewisse Wandlungen in der Oper bewirkt, die schon auf Glucks Reformen weisen, wie die Wiedereinführung des Chors in manchen Stücken, die Bevorzugung des Instrumental-Rezitativs statt der Arie auf Höhepunkten der Handlung, sogar den sonst verpönten tragischen Schluß (in der Dido). Aber man kann sich denken, daß gerade durch dieses Ernstnehmen der dichterischen Intention, des sprachlichen Ausdrucks, des Sprachakzents der deutsche Komponist vollkommen zum Italiener wurde und außer italienischer Musik nichts gelten ließ. Es war bei ihm keine Rede davon, daß er als Deutscher irgendeine Wandlung der Oper für besondere nationale Bedürfnisse und Möglichkeiten erstrebte, daß er versucht hätte, das Fremde im Volke wirklich heimisch zu machen — dazu war er viel zu einseitig gebunden an den Hof, der nichts andres als das international Gültige zu seiner festlichen Verherrlichung brauchen konnte. Auch in seiner zum Teil bedeutenden Kirchenmusik kam sein Schaffen nicht einem Volksganzen zugut, da es nur dem katholischen Monarchen in einem protestantischen Lande diente; und auch in seinen Opern ist vieles an Feierlichkeit und Würde neben dem Galanten und ausdrucksvoll Affekthaften für die deutsche Entwicklung auf diese Weise verlorengegangen.

Solche Grenzen zog in Deutschland die höfische Kultur überall der Musik, wo sie doch der Baukunst ein so eigenes Wachstum verstattete. Und es änderte wenig, wenn ein Deutscher einmal Hofkapellmeister war, anstatt daß, wie sonst überall, wie schon geschildert wurde, die Italiener selber ihre Kunst vertraten. In Dresden hatte die Sache, bei Hasses Bedeutung, noch Größe und Stil; dagegen berührt es paradox genug, daß in Preußen Friedrich der Große sich etwas darauf zugute tat, in seinen deutschen Musikern Graun und Quantz eine eigene Musik zu besitzen, da doch diese Musiker bloß weniger Talent und europäische Berühmtheit als die maßgebenden Meister in Dresden, Stuttgart, München, Wien besaßen, aber im übrigen vollkommen dem

italienischen Ideal verpflichtet waren. Es gibt ein ganz falsches Bild,
wenn man mit Graun immer nur die Vorstellung seines empfindsamen
Oratoriums „Der Tod Jesu" verbindet — die Hauptleistung für seinen Monarchen, der ihn schon 1735 als Kronprinz nach Rheinsberg
berufen hatte und ihm seit 1740 die Errichtung der Berliner Oper
übertrug, hat in 33 italienischen Opern bestanden, mit welchen er so
gut wie ganz das Monopol im Lande besaß. Graun bürgerte in Preußen, das unter Friedrich Wilhelm I. keine Oper gekannt hatte, den
italienischen Stil regelrecht ein, und Friedrich der Große hielt tyran-
nisch an diesem Stile fest, als er schon längst nicht mehr zeitgemäß
war und Jomelli und Traetta die älteren Meister Scarlatti, Vinci, Leo
verdrängt hatten, bei denen Graun in die Schule gegangen war. Noch
1770, längst nach Grauns Tode, kann der englische Reisende Burney
von dort melden: „Die Namen Graun und Quantz sind zu Berlin
heilig, und wird mehr darauf geschworen als auf Luther und Calvin."
„Denn obgleich hier in Ansehung der verschiedenen christlichen Reli-
gionsmeinungen eine völlige Toleranz herrscht, so ist doch derjenige,
der nicht graunisch und quantzisch ist, vor Verfolgung nicht sicher."
Er urteilt: „Graun war vor dreißig Jahren elegant und simpel, denn
er war einer der ersten unter den Deutschen, welche die Fugen und
andre dergleichen schwerfällige Arbeiten beiseite setzten." Von der
jetzigen Zeit aber meint er: „Die Musik ist in diesem Lande vollkommen im Stillstehen, und sie wird es so lange bleiben, als Seine Majestät
den Künstlern so wenig Freiheit in der Kunst läßt, wie den Bürgern
im öffentlichen Leben, da er zu gleicher Zeit Herrscher über das Leben,
das Vermögen und die Geschäfte seiner Untertanen sein will, wie der
Regulator ihrer kleinsten Vergnügungen."

Graun starb 1759, im gleichen Jahr wie Händel. Man ahnt, daß für
diesen in Deutschland keine Stätte gewesen wäre, weder an den
Luxushöfen wie Dresden oder Wien, noch in der strengen Atmosphäre
des großen Friedrich; welcher wohl in gelegentlichen Begegnungen bei
Hasse oder Bach das Bedeutende zu würdigen vermochte, aber eine
selbstherrliche Kraft wie Händel kaum auf die Dauer um sich geduldet hätte.

53.

Die Lebensentscheidung Händels kündigt sich, man möchte sagen
trotz seiner musikalischen Erziehung und frühesten Begabungsäuße-

rung, merkwürdig sicher schon in seiner Kindheit an. Zwar die ersten Entschlüsse scheint ihm sein Vater abgenommen zu haben. Er ist anfangs gegen des Sohnes musikalische Ausbildung, muß sich aber dem Rat seines Gönners, des Herzogs Johann Adolf von Sachsen, der in Weißenfels residiert, schließlich fügen, als dort die Begabung des Knaben an den Tag tritt, indem er eines Sonntags auf dem Orgelchor das Postludium improvisiert. Ein ausgezeichneter Unterricht bei F. W. Zachow legt den Grund zur Beherrschung der kontrapunktischen Polyphonie als Voraussetzung von allem andern, bringt ihm aber auch schon eine Übersicht über die verschiedenen andern Gattungen der Musik und die Stile der einzelnen Nationen. Als Zwölfjähriger, der bereits Orgel- und Cembalospiel beherrscht, wird er auf eine Reise nach Berlin mitgenommen; er ist ja geborener preußischer Untertan, und die Musikkultur am Hof der oft schon erwähnten Kurfürstin Sophie Charlotte steht gerade in ihrer ersten kurzen Blüte: Agostino Steffani ist ihr musikalischer Berater, mit dem sie Briefe über die Kunst wechselt, Attilio Ariosti ist ihr Hofkomponist, der Geiger Torelli, der Kastrat und Opernkomponist Pistocci sind damals in ihrem Gefolge, und der junge Händel erlebt dort die ersten Eindrücke der großen Welt mit ihrem Zentrum, der italienischen Musik. Er sucht vor allem bei Ariosti zu lernen, der sich seiner annimmt; der Kurfürst wird auf ihn aufmerksam und schlägt die Ausbildung in Italien vor. Aber der Vater lehnt ab — er will den Sohn noch in seinen letzten Zeiten um sich haben, denn er stand schon in seinem 75. Jahr. Der Verzicht auf die preußische Protektion erwies sich als richtiger Instinkt: der Nachfolger Friedrichs I., Friedrich Wilhelm I., streicht 1713 bereits den ganzen Etat der Hofmusik. Während Händel sich an der Halleschen Universität als Jurist immatrikulieren läßt, nimmt er zugleich die Stelle eines Probeorganisten an der Domkirche an; in jene Zeit fällt seine Begegnung und Freundschaft mit Telemann, durch den wir wissen, daß ihre musikalische Korrespondenz und ihre Besuche bereits „melodische Sätze" zum Gegenstand der Unterhaltung und Untersuchung hatten. Hierzu stimmt nun die erste bewußte Entscheidung Händels in seinem Beruf: er nimmt nach Ablauf des Probejahrs die Kirchenstelle nicht endgültig an, sondern wendet sich — der Vater ist inzwischen gestorben — nach Hamburg. Es zieht ihn nach der Freiheit der großen Stadt; er sucht dort nicht, wie vorher und nachher

Bach, die alte Orgeltradition eines Reinken, sondern die neue Kunst
der Oper, und wird von Keiser 1703 im Opernorchester als zweiter
Geiger angestellt. Der damaligen Blüte der Hamburger Oper ward
schon gedacht — Händel tritt hier bald selber als Opernkomponist
hervor und rivalisiert in seiner „Almira" von 1704 sogar mit Keiser
selbst. Und als er da gelernt hat, was von deutschen Zeitgenossen in
diesem Fache zu lernen war, beschließt er 1706, auf eigene Faust nach
Italien zu gehen; das Angebot eines Prinzen von Toscana, mit ihm zu
reisen, lehnt er ab, er will um jeden Preis seine Selbständigkeit bewahren.

So geht der eben Zwanzigjährige mit unbeirrbarem Instinkt seinen
Weg. Er ist der erste aus der strengen norddeutschen Schule, der sich
bewußt für das fremde südliche Ideal entscheidet. Aber seine Ablehnung der sonst so gesuchten und fast unentbehrlichen Protektion der
Fürsten weist im Verein mit dem weltlichen Zug auf etwas Besonderes hin: er ist der erste, der den Sinn und die Lehre Italiens für den
Deutschen schon früh in aller Tiefe erfaßt. Im Gegensatz zum Überlieferten bedeutet ihm Italien und die neue Musik Welt und Freiheit
zugleich; schon daß er in Deutschland nicht nach einem Hofe, sondern
nach einer freien Reichsstadt trachtet, spricht dieses Bedürfnis nach
einer Entsprechung von Kunst und Wirklichkeit aus: das schaffende
Hingegebensein an die Gefühls- und Geisteswelt des reinen Menschlichen in der Musik, gelöst vom Zwang der Kirche, begehrt auch in
der Realität ein Menschentum, das nicht vom andern Zwang der Konvention und Etikette eingeengt wird. Er dringt durch die Formen des
höfischen Barock zu Grundtendenzen der Renaissance hindurch und
zurück, wo die Freiheit des Menschlichen mit der bürgerlich-demokra-
tischen Freiheit zusammenging; und trotz aller aristokratischen Kultur kann ihm hier zunächst Italien noch etwas von dem alten Renais-
sancecharakter weisen, da das Land der Oper zugleich das Land ihrer
natürlichen Volkstümlichkeit noch ist, und sich, besonders in Neapel,
ständig auch musikalisch noch aus der Substanz des Volksgesangs ergänzt.

Wir ahnen hier den tiefen Gegensatz zu Bach: alles, was bei Bach
nicht vorkommt, was in Hinsicht auf das irdische Leben und alles
neuere Geistesstreben hier fehlt, das gerade wird Händels Domäne:
denn es lebt bereits in seiner Zeit so stark, wie das Alte bei jenem

noch wirkend hereinragt. Und doch gehört Händel zu den Großen, die nicht Revolutionäre und bewußte Reformatoren sind, sondern in starker Tradition fest wurzelnde Gestalter, Synthetiker der Leibnizschen Art — er verleugnet sein gotisches Erbe nicht vor den jetzt erst erfaßten Kräften und Wirkungen der Renaissance, er gestaltet das Neue organisch dem Alten ein und läßt seine Kontrapunktik mächtig über einer mit allen Sinnen bejahten reichen und bunten Welt immer wieder spielen und zuletzt triumphieren. Es ist nicht Ehrgeiz, was ihn zu der Form der Musik jetzt treibt, die in höchster Macht und höchstem Ansehen steht — es ist Eroberergesinnung, die ein noch nicht Erfahrenes bewältigen und beherrschen muß und will. Er hat hierzu schon früh den Stil seiner Menschenbehandlung wie Kunstaneignung gefunden: er wird jetzt auch sich darbietende vornehme Beziehungen, kollegiale und fürstliche Protektion nicht verschmähen, wenn sie ihn seinem Ziele näher bringen; denn Selbstzweck zu einer reichen und glänzenden Stellung wird solches Streben nie, so wenig die völlige Aufnahme italienischer Kunst im Sinne wie etwa später bei einem Hasse Selbstzweck wird — beides dient einem innerlich stark gefühlten, äußerlich ihm selbst noch verhüllten Sinn, für den er bald in leidenschaftliche und paradoxe Kämpfe treten wird, bei denen eines immer deutlicher in Erscheinung tritt: daß er sie ausficht als der erste unabhängige, ganz persönliche Künstler der Musik.

54.

Unser biographisches Interesse an der großen Persönlichkeit, gewohnt, durch direkte Selbstaussage alles Wesentliche über die Eindrücke und Erlebnisse des Künstlers zu erfahren, kommt allerdings bei Händel noch nicht auf seine Kosten. Was gäben wir darum, zu wissen, wie sich die Welt des Südens in diesem gewaltigen Nordmenschen spiegelte, wie das Rom des Barock, das Meer an den Küsten und Inseln Neapels, das märchenhafte Bild Venedigs sich in seine Sinne malte. Denn von ihm steht fest, daß er nicht gleichsam geschlossenen Auges und nur auf das Innerliche der Musik lauschend durchs Leben geschritten ist — auch wenn wir nicht wüßten, daß er Bilder sammelte und liebte und später sogar zwei Rembrandts besaß, sinnvoll genug in der Zeit seiner biblischen Oratorien, wäre doch seine Musik uns Zeugnis dafür, die geladen ist mit anschaulichen Elementen

und in der Tonsprache erst das Bild der lebendigen Wirklichkeit eingefangen hat. Er war ebensosehr Augenmensch wie Ohrenmensch,
und wenn er auch nur das eine sinnliche Vermögen schöpferisch beherrschte, so schmolz er doch das andre vollkommen darin ein; und so
kann auch sein Erlebnis des Südens nicht nur in der Aneigung der Formen der italienischen Musik bestanden haben — wir könnten wahrscheinlich manches ohne weiteres auf ihn übertragen, was zwei Menschenalter später die sprachmächtige Einfühlkunst Wilhelm Heinses
von italienischer Landschaft, Atmosphäre, Bau- und Bildwelt festgehalten hat, zumal bei diesem auch der bildnerische Sinn dem musikalischen die Waage hielt und seine Schilderungen südlichen Musiklebens zu Venedig und Rom immer noch das einzige sind, was uns die
Realität des Barock von den Sirenenstimmen der jungen Nonnen in
den venetianischen Hospitälern bis zu der hinreißenden Kunst der
großen Kastraten zur Anschauung bringt. Bei Fischer von Erlach, der
kurz vor Händel, bei den Brüdern Asam, die bald nach ihm Italien
erlebten, steht uns noch als Denkmal vor Augen, was sie schauten und
studierten und dann in ihre architektonische Bild- und Farbenwelt in
der Heimat umwandelnd übertrugen. Aber die Musik, die in jener
Zeit in Italien lebte, und wie sie erklang, das findet heute der spürende Sinn nicht mehr, es ist verschollen und vergessen — schon Heinse
vermochte am Ende des Jahrhunderts nur noch durch Worte von der
einstigen Herrlichkeit einen Begriff zu geben, die verklungenen Werke,
die er mitveröffentlichen wollte, fanden schon keinen Verleger mehr
und sind uns auch heute nur in lächerlich geringen Fragmenten aus
dem Staub der Bibliotheken gehoben. Denn was im übrigen Europa
bloß Repräsentation und Luxus war, wenn auch von der höchsten Art,
das war hier lebendiges Leben gewesen, von den Sitten und Leidenschaften, von den Gesetzen und geistigen Notwendigkeiten des Volkes unabtrennlich.

Viel zu sehr suchen wir bei den Italienfahrten unsrer großen Meister bloß die fremde Form, bloß die Technik, bloß den Lern- und
Lehrstoff samt der fremden Sprache und Dichtung, die sie aus Deutschen zu völligen Ausländern zu machen schienen; wir vergessen das
Sinnliche und Menschliche, das große Leben, das wir doch bei Goethe
und noch bei den geringsten römischen Künstlern der Romantik als
das Entscheidende notieren — aus keinem andern Grunde, als weil da

in später literarischer Zeit die Unsumme der selbstbiographischen Zeugnisse vorliegt. Aber die Früheren haben auch erlebt, obgleich sie über
Wesentliches schwiegen — es war die Zeit der Architektur und der
Musik, die keine Alltagssprachen sind, nicht der Literatur; sie schwiegen oder beschränkten sich im Reden auf das, was das Sachliche ihres
Handwerks anging. So finden wir es bei dem weltoffenen Händel
nicht anders als bei dem weltferneren, fast mythischen und anonymen
Bach; und so muß unsre Einbildungskraft das jenen Selbstverständliche immer wieder für die innere Anschauung ergänzen, und darf nun
auch bei einem Händel nie außer acht lassen, was das in ihm wirken
mußte, was noch jetzt für jeden die große Wende in Italien bedeutet:
daß hier das Leben anders gefühlt und erfaßt wird als im Norden,
daß es in Wesentlichem nur hier Leben zu heißen verdient, wo der
Mensch überall im Zentrum steht, und nun gar im 18. Jahrhundert
gegenüber dem Engen, Betriebsamen, Künstlichen und Gelehrten des
Nordens das Natürliche und Menschliche den Sinnen wirklich werden
ließ, nach dem man jenseits der Alpen bereits leidenschaftlich, wenn
auch nur theoretisch, verlangte. Wir müssen uns mit dem Gedanken
vertraut machen, daß auch durch die hohe Stilisierung der Oper dieses
Menschliche in erster Linie sprach, ja daß sie das Bereich war und
blieb, in welchem eine geliebte und bejahte Diesseitigkeit zuerst mit
eigenem geistigen Anspruch hervorgetreten war. Der antike Grund-
gedanke des dramma per musica, der vorherrschend gebliebene klassische Stoff war hierfür das Symbol, trotz aller Wandlungen, die
beide erfahren hatten — in der Musik ist die Antike in ihrer menschlichen Autonomie, mit ihrer Einkleidung der Leidenschaften von Liebe
und Haß, Eifersucht und Rache in den schönen Schein, zuerst und
epochemachender erfahren worden als später in Klassik und Klassizismus; und die Italienfahrt Händels darf wohl mit der Goethes an
Gewicht für unsre geistige Entwicklung mindestens verglichen werden:
die ganze Freiheit und Weltzugewandtheit unsrer Entwicklung hängt
daran. Denn das Sagenkönnen der Musik ward von ihm unermeßlich
bereichert, Stimmung der Natur, Stimme des menschlichen Herzens,
Sprache der Umwelt, Offenbarung des Charakters hat er zuerst im
großen beschworen, im Bereich noch einer Ausnahmewelt, der hohen
überdeutlichen des durchweg Heroischen; und das Dramatische in den
Grundzügen des antiken Tragischen, wie es in der Oper lebte, hat

ihm Italien geschenkt. Hier war ein Feld für seine Kraft, wie keine andere Form es ihm geboten hätte; hier war, durch die Überlegenheit des alten Kraftstils der Kontrapunktik, für ihn zugleich die neue Möglichkeit letzter Zusammenfassung und Beherrschung, ein Emporreißen des bloß Schönen und Lebendigen zum wertesetzenden Geist, zu einem Ethos von religiöser Macht, durch welche er als ein Eroberer höheren Auftrags erschien, um die bisher getrennten Welten der Musik in eine zu zwingen, aus welcher dann die ganze Haltung der neueren Kunst bis zur Symphonik Beethovens entsprang. Italien war der notwendige Hindurchgang; er war es auch für Händels späteres Schaffen und Leben. Nur so begreift man den fast lebenslangen Kampf, den er um den Sinn seines Menschendramas führte.

55.

Bis zu dem Punkt, da Händel in den Kampf seines Lebens eintritt, bis 1720, ist er in schnellen Schritten seiner künstlerischen Vollendung und Ausrüstung an Wehr und Waffen zugeeilt.

Im Winter von 1706 auf 1707 finden wir ihn in Florenz; er versucht sich hier und in Rom, wo er das Frühjahr 1707 zubringt, in einer Form, die schon alle Ausdrucksmöglichkeiten der Oper enthält, nur ohne Bühnenwirklichkeit: der Kammerkantate, in welcher Alessandro Scarlatti, der Begründer der neapolitanischen Oper, ein ebenso großer Meister war. Schon hier kommt ihm das Lebensgeheimnis der italienischen Musik nahe: er entdeckt, daß Darstellung und Ausdruck durch bestimmte Sänger erst das Ganze der Kunst ausmachen, daß hierauf die Musik angelegt werden muß; daß es nicht mit der Erfindung allein getan ist, in der er sich bereits in Deutschland dem meisten Italienischen überlegen fühlte, sondern daß alles auf Wesen und Sprachakzent der Ausführenden bedacht sein will; und so muß er zunächst mit der Angleichung der Musik an die Texte sich beschäftigen und der fremden Sprache wie der eigenen Herr werden. Er wählt ernste und leidenschaftliche Stoffe: für Florenz eine Lucrezia, für die Kammersängerin des toskanischen Hofes, für Rom Kirchensachen wie Psalmen und später (1708) ein Oratorium La Resurrezione. In Rom beginnt die Beziehung zu bedeutenden Musikern der Zeit: Scarlatti, Vater und Sohn, treten ihm nahe; der Vater Alessandro, der Opern-

und Kantatenkomponist, ist damals vorübergehend dort Kapellmeister an Santa Maria Maggiore, der Sohn Domenico glänzt als Cembalospieler und Komponist. Bei einem Wettkampf zwischen ihm und Händel im Palazzo Ottobuoni bleibt der Kampf auf dem Klavier unentschieden, auf der Orgel erweist sich Händel als der völlig Überlegene; statt Feindschaft aber begründet dieser Wettstreit zwischen den beiden die innigste Freundschaft und öffnet dann Händel weiter den Weg nach Neapel. Neben dem Pianisten Scarlatti ist es der Geiger Corelli und der alte Orgelmeister Pasquini, denen Händel in Rom nahekommt. Von ihnen allen wird er in seinem Eigensten, was er als nordisches Erbe mitbringt, neidlos anerkannt, im Klavier- und Orgelspiel; und wir müssen unwillkürlich hundert Jahre zurückdenken und uns des andern Großen vor ihm, Heinrich Schützens Italienfahrt vergegenwärtigen, um zu erkennen, welche Vollendung der Deutsche seither in einer Gattung der Musik, im instrumentalen Absoluten erreicht hat — Schütz war noch bloß als Lernender gekommen; Händel erscheint als Meister einer Kunst, die hier nicht bis zu solcher selbstverständlichen Vollkommenheit weitergebildet worden ist. Aber bald soll sich ergeben, daß „der Sachse", der bereits durch sein Orgelspiel in S. Giovanni in Laterano die Aufmerksamkeit der großen Welt auf sich gezogen hat, auch auf ihrem eigensten Gebiet, in der Oper, die Italiener zu erreichen vermag — auch hier wird er der erste Deutsche, der die völlige Ebenbürtigkeit erringt. Er verdankt dabei Alessandro Scarlatti Wichtiges, den er nun in Neapel wieder trifft, wohin dieser gerade als Hofkapellmeister zurückkehrt, wie er von Pasquini klanglich und melodisch für seine Orgelkunst hinzulernt und Corellis „Concerti grossi" und Sonaten in sich weiterwirken läßt. Er zeichnet sich in Neapel die Hirtenweisen der Pfifferari aus den Abruzzen auf, von Tanzweisen wird ihm die „Siciliana" wertvoll. Als Gelegenheitswerk entsteht hier die erste Fassung von „Acis und Galathea"; aber der große Gewinn dieses Aufenthalts wird die Aussicht auf eine Oper: er gewinnt die Gunst des Vizekönigs von Neapel, des Kardinals Grimani, eines Venetianers, dem das Theater S. Giovanni Crisostomo in Venedig gehört; dieser erklärt sich bereit, ihm ein Textbuch zu schreiben, und so entsteht die „Agrippina", die im Karneval 1709 in Venedig zur Aufführung gelangt. Auf dem Wege dahin schließt er eine weitere für seine Zukunft wichtigste Verbindung: mit Agostino Steffani,

der mit ihm nach Venedig reist und dort Zeuge seines für einen Deutschen unerhörten Triumphes wird — „viva il caro Sassone" sollen
die Zuschauer der „Agrippina" immer wieder gerufen haben, und die
öffentliche Meinung ist, daß er italienische Melodie mit nordischer
Harmonie genial verbunden habe, in einer Weise, daß er die verwöhnten Südländer überzeugt, die hier die europäischen Erfolge bestimmen.

Der Zufall will es, daß er schon früher in Venedig dem Bruder des
Kurfürsten von Hannover begegnet war und der englische Gesandte,
der Herzog von Manchester, ihn bereits nach England eingeladen
hatte; jetzt trifft er in Venedig noch andre hannöversche Edelleute,
die den Weg nach Hannover mit bereiten helfen, wo der neue Freund
Steffani zu seinen Gunsten auf den Kapellmeisterposten verzichten
will. Gleichzeitig ist Steffani selbst päpstlicher Generalvikar für Norddeutschland geworden mit der Residenz in Hannover, und so vereinigt
sich alles, Händel die Annahme einer ersten höfischen Stellung so
bequem wie möglich zu machen, die er indes sich nur als Übergangs-
stadium denkt. Mit Empfehlungen an den kurpfälzischen Hof in Düsseldorf sorgt Steffani, der auch hier nahe Verbindungen hat, für weitere Möglichkeiten, die Händel alsbald benutzt; denn kaum daß er in
sein neues Amt als Leiter der Hofmusik in Hannover eingesetzt ist,
nimmt er gleich einen längeren Urlaub und geht 1710 über Düsseldorf
zum erstenmal nach England hinüber. Sein junger Ruhm geht ihm voraus; in London interessiert sich sofort der reiche Opernunternehmer
Aaron Hill für ihn, entwirft ihm ein Textbuch „Rinaldo", und mit
dieser Oper nach Tasso erringt Händel einen noch viel gewaltigeren
Erfolg als in Venedig — es ist nun europäische Tatsache, daß ein Deutscher die Italiener in einem hundert Jahre lang allein behaupteten Bezirk erreicht, ja übertrifft. Symbolisch dafür wird, daß man den „Rinaldo" einige Jahre später sogar in Neapel wiederholt; und Hasses
schnelle italienische Erfolge in den zwanziger Jahren sind wohl mit
dem großen Vorgänger verpflichtet, der für das Deutschtum so gewaltig Bahn gebrochen hatte.

Nachdem der „Rinaldo" im Frühjahr 1711 in London fünfzehn
Aufführungen erlebt hatte, kehrt Händel nach Hannover zurück,
nicht ohne in den englischen Adelskreisen und auch am Hof der Königin Anna durch sein Orgel- und Klavierspiel großen Eindruck hin-

terlassen zu haben. Für seinen Kurfürsten verfaßt und dirigiert er kaum ein Jahr hindurch die Kammermusik, als er schon wieder für eine neue Spielzeit in London Urlaub nimmt. Zwei Opern, „Pastor fido" und „Teseo" (1712) haben weniger Erfolg, man ist hier von dem Zufall der Opernunternehmung, von ihrem Aufwand für Kostüme und Dekorationen abhängig. Dagegen gewinnt er in der englischen Gesellschaft immer mehr Bewunderer und Freunde, wird zum Musizieren auf vornehme Landsitze eingeladen; die Gunst der Königin Anna verschafft ihm die Komposition des Tedeums zur Feier des Utrechter Friedens (1713) und bewirkt ihm ein bedeutendes Jahresgehalt. Noch ehe Händel wieder zurückgekehrt ist, stirbt 1714 die Königin, und als ihr nächster Erbe folgt ihr auf dem Thron der bisherige Herr Händels, der Kurfürst von Hannover, als Georg I. Er findet also seinen Kapellmeister bereits in England vor; und so fügt es sich, daß zur Feier seiner Krönung der „Rinaldo" wiederholt wird, daß Händel Hofkapellmeister auch in London bleibt, wenn auch von engerer Bindung an den Hof und besonderen musikalischen Verpflichtungen wenig berichtet wird — das Berühmteste, was er für den König leistet, ist 1717 die große „Wassermusik" auf der Themse, wo das Boot mit der Musik sich dicht neben der königlichen Barke befindet.

Um diese Zeit ergibt sich für Händel eine merkwürdige Situation. Die nationale englische Musik war 1695 mit des großen Henry Purcell Tod zu Ende. England war das Land des Dramas; die Oper hatte noch keinen rechten Eingang gefunden, auch Purcell hatte nur eine einzige, die „Dido", geschrieben, sonst nur Theatermusik zu Stücken, die wesentlich gesprochen wurden; so hatte er auch Shakespeares „Sommernachtstraum" als „The Fairy Queen" bearbeitet. Trotz der ersten Erfolge der Opern Händels war um 1717 das allgemeine Interesse an der Oper wieder eingeschlafen, man wandte sich derberen Volksstücken zu. Aber Händel muß gerade in diesem für die neue Musik noch uneroberten Land eine große Möglichkeit zur Durchsetzung seiner Kunst gespürt haben. Innerlich mag er eine starke Berührbarkeit durch ernste Musik bei vielen hier gewahr geworden sein; der Sinn für den Volksgesang war noch überall lebendig, es gab an alte Formen, wie die „Anthems", anzuknüpfen, kurze geistliche Kompositionen, in denen auch Purcell groß gewesen war, und für Klavier- und Orgelmusik fand er in den höheren Kreisen leidenschaftliches Interesse. So konzentriert er sich gerade in jenen opernmüden Jahren auf diese untheatralische Musik und schreibt als Gast des Herzogs von Chandos die berühmten Chandos-Anthems, hat als sein Kapellmeister Orgel, Kirche und Musiksaal zur Verfügung und widmet sich seinen Klaviersachen, von denen 1720 die erste Folge der Suiten erscheint; auch „Acis und Galathea" hat damals seine endgültige Form gefunden. Aber die schöpferische Abgeschlossenheit auf Schloß Cannons scheint nur Vorbereitung und Sammlung zu neuer Tätigkeit zu sein — wirklich erobern kann er England nur durch Wirken in der breiten Oeffentlichkeit, und dies bedeutet damals einzig die Oper; ein Konzertleben gibt es hier noch so wenig wie auf dem Festland. Aber die Oper ist nicht höfisches Reservat in diesem demokratischen Lande, sie pflegt schon ein richtiges Geschäftsunternehmen zu sein, wenn auch viel davon abhängt, ob der Adel oder gar der Hof sich daran beteiligt. Diesmal ist es ein Schweizer, Heidegger, der sich als Unternehmer darbietet, und es sind wohl die aristokratischen Gönner Händels gewesen und der Adel überhaupt, der die ausländische Unterhaltung nicht länger entbehren mochte, durch welche der König bewogen wird, selbst die Anregung zur Gründung einer Oper auf Subskription zu geben: er geht mit gutem Beispiel voran und zeichnet 100 Pfund. Und auf seinen Befehl reist Händel auf das Festland, „um eine Truppe hervorragender Sänger für die Oper auf Haymarket zusammenzustellen". Das ist im Herbst 1719, wo Händel in solchem Auftrag nach Düsseldorf und dann auch nach Dresden gelangt und dort gerade in die großen Festlichkeiten Augusts des Starken trifft, um bei den glanzvollen Opernaufführungen italienische Sänger zu hören und zu engagieren.

Es wirkt wie eine geschichtliche Ironie, daß der kraftvoll männliche Deutsche aus ältester nordischer Kunsttradition dem kraftvoll männlichen national bewußten England, zu dem es ihn in gespürter Stammesverwandtschaft hinzieht, die fremde welsche Kunst in fremder Sprache mit fremden anspruchsvollen Sängerinnen und verwöhnten Kastraten bringen soll, daß er die ganze Macht seiner schöpferischen Persönlichkeit einsetzen will, einem unvolksmäßig Internationalen zum Siege zu verhelfen. Dennoch war es der rechte Weg, wenn er auch schließlich fast ungewollt zu einem ganz anderen Ziele führte und gerade den Triumph des Volksmäßigen bewirkte. Was Händel

im Augenblick ausschließlich am Herzen lag, das war ohne Zweifel
das Verlangen und kaum mehr zu bändigende Müssen, das in ihm
Aufgestaute an schöpferischer Kraft und Möglichkeit und auch an er-
worbener eigner wie fremder Kunst und Erfahrung zu entladen, und
zwar in einem freien, von keinerlei Amt und höfischem Dienst beeng-
ten Schaffen. Dergleichen war aber nur in einem Lande möglich, dessen demokratische Gesinnung auch die Unabhängigkeit des Künstlers
respektieren würde, wenn es ihn auch dabei auf seine eigne Gefahr
planen und handeln ließ wie jeden andern Unternehmer großen Stils.
Und dieses Land war in sichtlichem Aufschwung, wuchs eben in seine
weltpolitische Rolle hinein, hatte und machte lebendige Geschichte, an
der sich teilnehmen, die sich verherrlichen ließ. Händel trug nicht ein
bestimmtes Kunstideal in sich, wie später Gluck, in dessen Sinne er
hätte die Oper reformieren und seinen oder der Engländer germanischen Instinkten etwa angleichen mögen. Er brachte ihnen einfach
Musik, die beste, die er schaffen konnte, und in der höchsten Form, die
es damals gab. Bei der nationalen Abneigung der Mehrheit der Engländer gegen das italienische Wesen konnte das nicht ohne Kämpfe
abgehen; und wenn Händel als ein Kämpfer für das Unvolksmäßige,
Fremde unwissentlich eine historische Schuld auf sich geladen hat, so
ist sie durch die unsäglichen Mühen und Leiden und Niederbrüche, die
dieser Kampf ihn kostete, reichlich bezahlt worden. Das Große aber,
was sich hier vor aller Augen zutrug, das war, daß zum ersten Male in
der Musik eine freie Persönlichkeit sich frei entfaltete und in dieser
Unabhängigkeit ein Vorbild aufstellte, mit dem eigentlich die moderne
Geschichte dieser Kunst erst beginnt. Das andre Große aber war, daß
schließlich ein ganzes Volk dem antwortete; nicht selbst mehr musikalisch produktiv, ihm seine Musikerziehung verdankte und zuerst zur
Rolle der aufnehmenden weltlich freien Gemeinde sich verstand, von
welcher unser ganzer Begriff des modernen Musiklebens sich herleitet.

56.

Das Opernunternehmen auf Subskription, das die erste Phase im
nun zwanzigjährigen Kampf um die Oper für Händel darstellt, erweist sich bald als eine zweischneidige Sache: der reiche und sehr unabhängige Adel, der die finanzielle Garantie übernimmt, läßt sich

keineswegs von der königlichen Gunst imponieren, in welcher Händel steht, im Gegenteil, sie wird Anlaß zu unwillkürlicher Opposition; vor allem aber betrachtet er die fremde Luxuskunst sehr äußerlich als amüsante Unterhaltung, ja als Gegenstand eines ausgesprochen sportlichen Interesses für Wette und Wettkampf: er will sich nicht an dem einen Meister genügen lassen, sondern ihn in Rivalität mit anderen erblicken. So hindert es der große Erfolg von Händels „Radamisto" — der sogar gedruckt und dem König gewidmet wird — in keiner Weise, ihm alsbald einen berühmten Italiener gegenüberzustellen: Bononcini, der in Wien und Berlin geglänzt hatte und besonders auch im Instrumentalen stark war. In der zweiten Spielzeit, 1721, läßt sich Händel zu dem seltsamen Experiment herbei, eine Oper mit seinem Nebenbuhler gemeinsam zu verfassen, den „Mucio Scevola"; aber wenn auch der letzte Akt Händels mehr Gewalt und Tiefe hat als der im italienischen Sinne schönere vorhergehende des Bononcini, so bleibt der Streit doch unentschieden; ja bald darauf hat die „Griselda" des Italieners größeren Erfolg als Händels „Floridante". Da wird Händel zur äußersten Kraftentfaltung gereizt und vermag mit einer glänzenden Reihe: mit „Ottone", „Giulio Cesare", „Tamerlano", „Rodelinda" in den nächsten Jahren nicht nur Bononcini endgültig aus dem Felde zu schlagen, sondern auch den andern, den man noch herbeigeholt hat, seinen früheren Berliner Gönner Attilio Ariosti.

Und nun geht von diesen Werken schon eine ganz neue Wirkung aus: ihre liedhaft-kraftvollen Melodien werden volksmäßig, man singt und spielt sie überall — das charakteristisch Ausdrucksvolle und Schlagkräftige erweist sich als lebendiger und dem Nationalen näher, als die italienische bloße Schönheit, die nur durch den großen Sänger wirklich wird. Schon werden die Lieblingsarien des Publikums von betriebsamen Verlegern zusammengestellt und gedruckt; ja vom „Tamerlan" läßt Händel selbst den Klavierauszug erscheinen, mit Übersetzung des Textes aus dem Italienischen ins Englische — beides völlig ungewohnte Dinge.

Die vier großen Opern bestreiten die Spielzeiten von 1723 bis 1725. Aber sie bringen nicht nur die großen Erfolge, sondern stellen in der Aufführung Händels Nerven auf die schlimmste Probe durch die Eitelkeit und Geltungssucht der Sänger und Sängerinnen. An der Spitze steht Senesino, der weltberühmte Kastrat, den Händel aus Dresden mitgebracht hatte; er sollte später ihm den meisten Schaden zufügen — zunächst sind die Sängerinnen am schwierigsten: die Cuzzoni, die Händel selber eine „leibhaftige Teufelin" nannte (und bekanntlich zum Fenster hinauszuwerfen drohte, als sie die Bildnisarie im „Ottone" zu singen sich weigerte) — und die Faustina. Die letztere war erst 1726 nach London gekommen und sofort in schwere Rivalität mit der Cuzzoni geraten; aber Händel zog aus diesen beiden vorzüglichen Kräften zunächst noch hohe Möglichkeiten der Charakterisierung, da er auf ihre ganz verschiedene Art die tragenden Rollen in seinem „Alessandro" gründen konnte: auf der einzigartigen Kehlen- und Zungenfertigkeit, fast instrumentalen Stimme und klugen sicheren Darstellungskunst der schönen Faustina die Roxane, auf dem süßen Gesang und tiefen Ausdruck der Cuzzoni die Lisaura. Dennoch war das Theater in zwei Parteien für sie gespalten, die durch geteilten Beifall, Pasquille, Zurufe sie schließlich in einer Oper Bononcinis auf offener Szene in ein richtiges Handgemenge trieben. Öffentliche Satiren und Flugschriften waren die Folge, und die Oper geriet dadurch in solchen Mißkredit, daß eine neue Reihe Händelscher Meisterwerke: „Riccardo I", „Siroe", „Tolomeo", „Admet" sie auch nicht mehr zu halten vermochte — die „Bettleroper" von Gay und Pepusch, 1728, eine volkstümliche Parodie auf alle Schwächen der italienischen Oper, erwies durch ihren ungeheuren Erfolg, wie würdelos und lächerlich diese Gattung in den Augen des großen Publikums geworden war, und machte der ganzen Unternehmung ein Ende.

Aber Händels Mut war nicht gesunken. Er tat sich alsbald mit Heidegger zu einer neuen Gründung, nunmehr auf eigene Rechnung, zusammen. Wieder brach er, Anfang 1729, nach Italien und Deutschland zum Anwerben vor Sängern auf. Er lernte dabei die neue Richtung kennen, die Leonardo Vinci der neapolitanischen Oper gegeben hatte, die den hohen strengen, mehr architektonischen Stil zugunsten des Volksmäßigen, Knappen, Dramatischen noch mehr gelockert zeigte. Als bedeutendste Kraft brachte er die Strada mit, die ihm am längsten die Treue hielt. Der „Lotario" ist zunächst kein großer Erfolg, ebenso „Partenope" (1729 und 1730) — er muß zugkräftigere ältere von seinen Opern wiederholen, bis „Poro" (1731), „Ezio" (1732), „Orlando Furioso" (1733) wieder Triumphe bringen. Aber Senesino, der in der Titelrolle des „Orlando" exzelliert, muß schließlich wegen seiner Anmaßung und Widersetzlichkeit entlassen werden, und damit verlassen Händel, außer der Strada, auch die übrigen Italiener.

Trotzdem gibt er sich nicht geschlagen; da geht die Adelspartei, unter der Führung des Kronprinzen, dazu über, mit einem eigenen Theater Händel Konkurrenz zu machen, mit dem berühmten Porpora an der Spitze, dem sie schließlich noch den Kastraten Farinelli als bedeutendsten Sänger der Zeit gesellt. Porpora führt dort Hasses „Artaserse" zu gewaltigem Erfolg — der jüngere deutsche Meister tritt dem älteren „Sassone" in London gegenüber. Händel siedelt mit seinem neuen Partner, dem Unternehmer Rich, in ein Theater in Covent Garden über, da seines am Haymarket von der Adelsoper gepachtet wird, und gibt dort seinen „Pastor fido", ein Tanzspiel „Terpsichore", einen „Oreste"; im „Ariodante" (1734) und in der „Alcina" (1735) versucht er mit Chor und Ballett den italienischen Stil durch französische Elemente zu erweitern und zu bereichern. Der Erfolg scheint sich ihm wieder zuzuwenden, da die Aussöhnung mit dem Kronprinzen zustande kommt; in angespannter Tätigkeit schafft er für die neue Spielzeit von 1736 auf 1737 noch die Opern „Arminio", „Giustino" und „Berenice" — da bricht seine gewaltige Kraft plötzlich zusammen, ein Schlaganfall lähmt seine rechte Seite, und die Umdüsterung seines Gemüts scheint an Wahnsinn zu grenzen.

Wider alles Erwarten stellt eine gewaltsame Kur in den Bädern von Aachen im Herbst 1737 seine Gesundheit wieder her; und er kehrt mit zwei neuen Werken nach London zurück, dem „Faramondo", der noch 1737 aufgeführt wird, und dem herrlichen „Serse" (Xerxes) von 1738. Aber der Bankerott ist nicht mehr aufzuhalten, er gerät in die äußerste Not, läuft Gefahr, ins Schuldgefängnis geworfen zu werden. Noch einmal kann er durch den Erfolg eines öffentlichen Konzerts seine Lage meistern; und wenn er auch für 1740 auf 1741 noch zwei neue Opern herausbringt, „Imeneo" und „Dedamia", so hat sich in ihm doch ein grundsätzlicher Umschwung vollzogen: er beginnt, sich auf seine neue Form, das Oratorium, zu beschränken, von dem seit 1735 schon so gewaltige Proben wie das „Alexanderfest" und „Israel in Ägypten" erschienen sind, und wendet sich endgültig vom Theater ab — mit „Dedamia" ist Händels Opernschaffen zu Ende und damit die italienische Oper in England überhaupt, der er so bis in sein sechsundfünfzigstes Jahr seine ganze Kraft geweiht hatte.

57.

Es ist für uns Deutsche nicht ohne Tragik, daß die größte und folgenreichste Umwandlung in der Musik der ersten Epoche des 18. Jahrhunderts sich wohl durch einen unsrer größten Meister, aber nicht bei uns und auch nicht unmittelbar zu unseren Gunsten vollzog: daß im großen öffentlichen Kunstwerk weltlicher Art zum erstenmal die bisherige Sprache der Musik, die italienische, verlassen wurde, um durch eine nationale Sprache ersetzt zu werden, aber eben nicht durch unser Deutsch, sondern durch das Englisch der Wahlheimat Händels, das ihm nicht einmal selbst zur völlig beherrschten Umgangssprache geworden war, und das ihm doch die große Möglichkeit allgemeinverständlicher dichterischer Texte bot und eine volksmäßige Wirkung geschenkt hat, wie sie für eine hohe, dem Worte vereinte Kunstmusik noch niemals dagewesen war.

Es gäbe Gründe genug, die Betrachtung dieses Ereignisses der englischen Kulturgeschichte zu überlassen, wie diejenige der Opern Händels zur Geschichte der internationalen italienischen Musik zu gehören scheint — wenn nicht in beidem, und vor allem im Übergang vom einen zum andern, deutsche Wesenszüge sich so erstaunlich geltend machten, daß wir etwas Grundbestimmendes vom deutschen Schicksal darin gespiegelt sehen müßten. Denn nur aus den Vorbedingungen norddeutsch-protestantischer Entwicklung konnte es geschehen, daß zur nationalen Sprache das noch Wesentlichere trat: der Verzicht auf die Bühne, auf die Schaubarkeit des dramatischen Vorgangs, die Erhebung eines sinnlich Dargestellten ganz ins Unsichtbare, völlig hineingerissen in die absolute Sphäre der Musik. Es wiederholt sich, was bei Bach in der Vollendung der Passion auf unsichtbarer Bühne sich ereignet hatte, obwohl um 1700 alles zur szenisch-theatralischen Darstellung dieses älteren Mysteriums zu drängen schien, wie die Hamburger Bestrebungen jener Zeit es zeigten — ja das Freiwerden der Drama-Handlung von der Bühne erscheint bei Händel um so wunderbarer, als er in lebenslangem Schaffen die Bühne gemeistert hatte und alle seine Begabung ihn zum wirklich Schaubaren zu drängen schien, besonders aber, insofern er diese Freiheit für sein Oratorium im Zusammenhang mit Stoffen eroberte, die zwar zum Teil biblischer Herkunft waren, aber keineswegs mehr für die Kirche und den Gottesdienst gedacht waren.

Nur der äußere Anlaß scheint indirekt und negativ vom Kirchlichen aus bestimmt, indem der Bischof von London die Aufführung seines Oratoriums „Esther" auf der weltlichen Bühne untersagte und damit eine Darstellung ohne Kostüm und Aktion, wenn auch auf dem Theater, erzwang — keinerlei Nötigung hätte für Händel vorgelegen, nun auch andere völlig weltliche Stoffe wie „Athalia", „Alexanderfest", „Semele", „Herakles" unter Verzicht auf die theatralische Darstellung zu konzipieren: es war eine innere Notwendigkeit, die den Meister im Oratorium schließlich seine Erfüllung und Vollendung finden ließ. Gerade daß er fast ein Jahrzehnt seit der Aufführung der „Esther" von 1732 noch für die Oper schrieb und um ihre Durchsetzung rang, erweist, daß ihm für bestimmte Stoffe schon ein anderer Stil aufgegangen war, den er dann, als seinen eigentlichen persönlichen Stil, auf alle andern Stoffe übertrug.

Dabei war die neue Form noch keineswegs gleich auch der volle und endgültige Erfolg. Er hat auch für sie kämpfen und leiden müssen und sah sich nach anfänglicher Sensation, den die bloß gesungene und nicht agierte Darstellung erregte, wiederum gehässiger Gegnerschaft und kleinlicher Schikane gegenüber. Oft stand er vor leeren Sälen, weil man irgendein Fest der großen Gesellschaft absichtlich auf den Tag seiner Oratoriumsaufführung gelegt hatte; er mußte dazu übergehen, als Zwischenspiel und Nachspiel seine Orgelkonzerte einzufügen, da denn sein persönliches Auftreten als Virtuos und Improvisator noch immer die Menschen anzog und bezwang. Im Jahre 1741, nach dem Abschluß des Opernschaffens mit „Dedamia" ist es so weit, daß Händel von Schuldenlast und Sorgen niedergedrückt London verlassen will. Da bringt ihm Jennens den Text zu einem Oratorium „Messias", der ihn elektrisiert: in vierundzwanzig Tagen schreibt er seine Musik; und gleichzeitig kommt die Einladung nach Dublin vom Vizekönig von Irland — und dort ist es nun, wo er um Weihnachten seine Konzerte mit höchstem Erfolg beginnt und im Frühjahr 1742 den „Messias" zum Siege führt. Aber wenn er nun, wieder in London, in den folgenden Jahren weitere Werke der neuen Gattung: „Samson", „Semele", „Joseph", „Belsazar" und „Herakles" aufführt — Anfeindung und Kränkung nimmt kein Ende, und 1745 ist wieder ein schwerer Zusammenbruch da mit tiefer Verdüsterung des Gemüts. Da reißt ihn ein nationales Ereignis plötzlich aus aller Not: der Kron-

prinz hat den schottischen Thronrivalen 1746 in der Schlacht bei Cul-
loden geschlagen, und in Händels „Occasional Oratorio" und in den
Heldengesängen des „Judas Maccabäus" sieht das englische Volk sich
in seinen Erlebnissen von Not und Kampf und Sieg bestätigt — er gehört nun zu England, ist selber Nationalheld geworden, und alle Opposition ist für immer zum Schweigen gebracht. —

Dieses Zusammentreffen von Händels Ruhm mit Englands nationalem Triumph darf nicht als Zufall angesehen werden. Daß das Werk
eines großen Genius schon zu seinen Lebzeiten erkannt wird und
Widerhall in einem ganzen Volke findet, gehört zu den großen Selten-
heiten; und öfter ist es dann eine weniger wesentliche Seite seiner
Kunst, der er einen Augenblickserfolg verdankt — bei Beethoven war
es etwa sein Tongemälde der „Schlacht von Vittoria", was ihm vor
den Monarchen des Wiener Kongresses und dem siegbegeisterten Publikum der Hauptstadt für kurze Zeit eine Wirkung verschaffte, die
über jene seiner Symphonien weit hinausging. Händel war bereits
durch seine Opern, vielmehr durch die Liedweisen seiner Arien, die aus
ihnen in die Allgemeinheit drangen, volkstümlich geworden; in den
Vergnügungsgärten von Vauxhall spielte man seine Musik und lud
sich dazu ein; in der Zeit seines schwersten Ringens um die Oper hatte
man ihm dort bereits ein Denkmal, von Roubillac, gesetzt; zu dem
Benefizkonzert, durch das sich Händel damals rettete, hatte der Eigentümer von Vauxhall aus Dankbarkeit fünfzig Eintrittskarten genommen. Aber das Volk — das waren eben nicht zugleich die Leute,
die auf die Oper subskribierten, dort Logen mieteten und den Beifall
bestimmten; und was sonst Händel für Hof und König und große
Welt geleistet hatte: die festlichen Anthems, die Feuerwerksmusik,
das Te Deum zum Utrechter Frieden, das Dettinger Te Deum und
was es sonst an höheren Aufträgen gab, das alles ging nicht über die
Art hinaus, wie auch politische Ereignisse in den Kabinettskriegen des
Barock die große Menge beeindruckten — es waren schnell vergessene
Feiern, die für den Augenblick wohl auch die Adelsfronde zum Schweigen brachten. Mit den Ereignissen von 1746 war es anders bestellt:
hatte man bisher die Früchte einer Weltpolitik geerntet, deren Reali-
täten sich fern von der Insel abzuspielen pflegten, so erfuhr man hier
ein letztes Mal den Krieg im eigenen Lande, erfuhr wirkliche Bedräng-
nis und erlebte nach Not und Gefahr den Sieg — man hatte als einiges

Volk Geschichte in unmittelbarer Gegenwart durchlitten. Und hier begegnete man nun der Kunst Händels, die in den letzten Oratorien in
eminentem Sinne historisch geworden war, Geschichte dargestellt, das
Schicksal von Völkern in grandiosen Zügen gemalt hatte und immer
das Walten Gottes in den menschlichen Dingen offenbar werden ließ.
Es war eine echte und schicksalhafte Begegnung; denn Händel hatte
nicht nur für die eine Gelegenheit, wie noch im „Occasional Oratorio",
mit seiner Kunst das alle erregende Geschehen verherrlicht; sondern er
hatte längst vorher sich in seinen Oratorien zu einem andern Begriff
von Heldentum, als er in der konventionellen Oper herrschte, durch-
gerungen, hatte ein anderes Ethos als Sinn und Lehre der Geschichte
entwickelt, als es bisher im Bereich des höfischen Barock gelegen war —
und hier konnte das Volk als Ganzes mit; denn es war selber jetzt
vom Atem der Geschichte gestreift: es war reif für Händel geworden.

Und nun wird uns erst deutlich, was bei allen Bühnenmöglichkeiten
die Oper Händel bisher nicht gegeben und verstattet hatte. Keineswegs zwar ist sie für ihn bloße Möglichkeit gewesen, schöne Musik zu
machen; so daß etwa seine Werke nur aus einzelnen unzusammen-
hängenden Arien bestanden oder großartigen ariosen Rezitativen, die
man womöglich vertauschen konnte oder ganz aus dem Werke lösen,
wie sie denn in Druck und neuer Zusammenstellung tatsächlich vielfach Verbreitung fanden. Der Bühnenvorgang scheint Händel allerdings nur selten interessiert zu haben, die Entwicklung von Handlung
und Charakteren hat er kaum musikalisch darzulegen gesucht, wie
später Gluck; aber er hat für die jeweilige bestimmte bildhafte Situation ein Maximum von Ausdruck und Charakteristik in Tönen geschaffen und das dramatische Gegen- und Nebeneinander mit erstaunlichen Nuancen meisterhaft geführt. Seelenregungen von zartester
Liebe und herrlicher Leidenschaft hat er mit derselben Wahrheit gemalt wie Ausbrüche von Stolz und Haß, Steigerungen zu Heldenkraft,
Verzicht und Größe; und dies alles eingebettet in Szenen erlebtester
Welt, vor allem gefühltester Natur — es gibt bei ihm Arien von Rosen
und Nachtigallen, es gibt Gesänge von der Feierlichkeit des Meeres,
wie sie vordem nicht erklungen waren. Aber wenn das Drama, vom
Textdichter vorwiegend auf Intrige und tieferen Sinns entbehrende
Verwicklung gestellt, ihn nicht zur musikalischen Verdeutlichung der
Logik des Geschehens reizen konnte und somit das Ganze in einzelne

selbstherrliche Bilder zerfiel, so war doch ein andrer Zusammenhang desto stärker gewahrt: der architektonische. —

Man hat für die gesamte Barockoper des 18. Jahrhunderts, die man sich gewöhnlich als ein sinnloses Nebeneinander von Rezitativen und Arien zu denken pflegt, in Wahrheit eine ganz bewußte Architektur im Verhältnis dieser Elemente nachgewiesen; besonders in Metastasios Texten bereits eine höchst rationale Anlage gefunden, in welcher etwa jedes Einzelgeschehen der verschiedenen Szenen auf die ruhevolle Gefühlsentladung in der Arie hinarbeitet, mit welcher jeweils die Spannung erfüllt und an einem Ende ist, um in immer neuen Ansätzen wieder bis ins kleinste ausgewogen zur Höhe geführt zu werden. Das aber ist ein statisches Prinzip bei aller sonstiger Bewegtheit; die Szenen sind Baukörper, die ein Ganzes wie gleichberechtigt tragen und zuletzt nicht den Ablauf in der Zeit bejahen, sondern die Gestaltung eines geistigen Raums. Bei Händel ist diese Baukunst noch viel beziehungsreicher und mächtiger ausgebildet, verstärkt und verdeutlicht noch durch sein ererbtes kontrapunktisches Können, mit dem er das menschlich Charakteristische und seelisch Sprechende ins geistig Absolute steigert, in jene Dynamik des Unendlichen, wie sie uns aus der wirklichen Architektur des deutschen Barock vertraut ist: in seinen Opern hat er die Musik geschaffen, die in Deutschland selbst als deutsche Kunst den steinernen Raumgestaltungen fehlte.

Aber in seinen Oratorien geht er darüber weit hinaus und bewegt sich in einer Freiheit, die erst seine ganze Macht entbindet. Er verläßt die italienische Tradition, in der die Arie doch das Tragende war, und macht das Wölbende zwischen den Ruheszenen gleichsam zur Hauptsache: den ungeheuern Aufbau durch die Massen des Chors. Der Chor war auf der wirklichen Bühne meist nur in einer Individualisierung an ganz wenigen Stellen zu brauchen, die solchen dauernden Hauptausdruck nicht verstattete — er mußte hier der Gelegenheit im Drama angepaßt werden, dem Aufzug etwa von Kriegern oder Priestern, dem seltenen Hervortreten des Volks, und war überhaupt nur in ganz wenigen Werken verwendet worden. Im Händelschen Oratorium ist der Chor nicht nur Betrachter, Zuschauer, vermittelnder Berichter und Deuter der Handlung: er hat geradezu die Funktion, wie sie Nietzsche dem Chor der antiken Tragödie zuschreibt: metaphysischer Träger der

Handlung zu sein. Ja mehr noch als dort, wo in Vertreter des Volks die Weisheitsrede des Dichters gebannt ist, wird bei ihm das Volk selber zum metaphysischen Ausdruck eines Geschehens, das es selbst nicht nur betrachtet, sondern erleidet — es sind Volksschicksale, die hier unmittelbar sich abspielen und in ihrem höheren Sinn offenbaren.

Händel mußte dem höfischen Spiel der Affekte und Leidenschaften, dem erdichteten und geistig fernen Heldentum der Bühne den Rücken kehren, wenn er große Sage und Geschichte darstellen wollte, die den heutigen Menschen noch berührte: das ist der Grund seiner Wendung zur biblischen Historie, zu den Geschichten besonders des Alten Testaments, in welchen überall es um das Schicksal eines Volkes ging, in seiner Unmittelbarkeit zu Gott, in seinen verhängten Prüfungen und Leiden, in seinen verschuldeten Niederlagen und durch Mut und Glauben errungenen Triumphen; und das alles in Gestalten und Ereignissen verkörpert, die jedem noch durch die kirchliche Überlieferung und Erziehung bekannt und wohlvertraut waren und damit zu allen sprachen.

In einer bestimmten Richtung ist also auch Händel ein Vollender des Protestantismus gewesen: er hat dort angeknüpft und weitergeführt, wo durch Luther ein neues Verhältnis zur Überlieferung geschaffen worden war, indem das Volk die Bibel zu freier Lektüre in die Hände bekommen hatte und nun gerade das Alte Testament in seinem geschichtlich-epischen Charakter als ein Volksbuch aufnahm; während im Mittelalter die Schicksale des auserwählten Volkes wesentlich nur als Vorbedeutung und Symbolisierung der Ereignisse des Neuen Testaments gepredigt und kultisch künstlerisch dargestellt worden waren, in der sogenannten Typologie. Selbst die Christusgestalt erscheint bei Händel in diesem Sinne geschichtlich und wird nicht zufällig unter dem jüdischen Königsnamen des Messias verherrlicht. Bach, der von der Versenkung ins Leiden des Erlösers nicht loskommt, erscheint dagegen als Erbe der Gotik, eben ihrer Mystik, und nicht des Luthertums; während Händel im engeren wie weiteren Sinne vielmehr eigentlicher Protestant gewesen ist und auch das kulturelle Bündnis mit der Renaissance ganz anders bejaht hat, das Luther und Melanchthon in ihrem Zusammengehen mit dem Humanismus bekräftigt hatten. Man darf hier an die Versuche zur Wiederbelebung der antiken Tragödie erinnern, die im Deutschland des 16. Jahrhunderts nur vom

Protestantismus ausgingen — unter Melanchthons Leitung wurde 1525 die Hekuba des Euripides in der Übersetzung des Erasmus aufgeführt, wurden weitere Versuche mit den Tragödien des Seneca gemacht: diese wenn auch noch tastende Richtung ist Händel, auf dem Umweg über die italienische klassische Oper, weitergegangen und hat in seinem Oratorium, das ja auch antike Stoffe behandelte, eine doppelte Erbschaft vereint. Denn es ist keine Frage, daß auch ihm Wesen und Sinn des Dramas durch die noch so ferne Berührung mit der Antike aufgegangen war, wenn er auch durch Übergehung ihres dialektischen Elements die äußere Ähnlichkeit verwischte, dafür aber die innere, durch seine Entscheidung für den Chor, desto tiefer traf; obgleich hier nur ein genialer Instinkt und keine bewußte historische Analogie ihn leitete, welche sich erst für den fernen geschichtlichen Blick ergibt, der das innerlich Verwandte von Altertum und Neuzeit gewahrt und vergleicht.

So erscheinen Bachs Passion und Händels Oratorium als Doppelgipfel einer Entwicklung, in deren Reifestadium aus dem gleichen Trieb sich das Phänomen des Tragisch-Dramatischen loslöst, wie einst aus ähnlichen Voraussetzungen in der Antike; aber zwiefach muß die Gestaltung trotz des zugrunde liegenden einheitlichen Triebes sein, weil das Wachstum nicht mehr, wie bei den Griechen, aus einer Wurzel kommt, sondern aus jener Duplizität, wie sie im antiken und christlichen Erbe des Abendlandes angelegt war und noch einmal im Barock in gewaltiger Spannung erschien. Deshalb kann der eine rein aus dem Kulte und in Summierung einer älteren Vorwelt seine geistige Bühne erschaffen, muß der andre in seine Konzeption die Weite erlebter Menschen- und Geschichtswelt einbeziehen. Dennoch wird beide Male aus dem gleichen Instinkt das sichtbare Theater verleugnet, aus der Mission und dem höheren Rang der Musik, die in Deutschland vor der reinen Dichtung zur Verwirklichung dieser ersten großen dramatischen Möglichkeit berufen war und sie in ihren absoluten Raum emporhob und nur dadurch zeitlos und weltgültig zu machen vermochte.

Denn in den Chören des Händelschen Oratoriums erbaut sich nun ebenso der absolute Raum, wie in den Werken Bachs. Und wenn bei diesem die klassische Form der Arie gerade zur innigsten Möglichkeit mystischer Versenkung wurde; so geschieht es bei Händel, daß die Arie für ihn, den großen Opernkomponisten, allmählich in den Hinter-

grund tritt und dafür der Chor immer mehr ihre Funktion übernimmt:
in den ungeheuren freien Liedweisen, den Triumphgesängen und heldischen Kraftentladungen, deren Nachklang in der deutschen Musik
bis zu Beethovens Schlußchor an die Freude nicht untergeht.

Und hier setzt nun die große Zeit- und Zukunftswirkung Händels
ein, mit welcher er als die erste moderne Künstlerpersönlichkeit unter
den Deutschen erscheint.

58.

Obgleich wir vom Allerinnersten Händels, dem Stil seiner Epoche
gemäß, nicht viel mehr wissen und nicht zahlreichere Selbstzeugnisse
besitzen als bei Bach: so weist doch sein ganzes Leben bereits die Fülle
individueller Züge auf, wie wir sie seither mit der großen schöpferischen Persönlichkeit und ihrem freien Künstlertum verbinden. Da ist
sein unbesieglicher Drang nach Freiheit und Unabhängigkeit, der sich
zu der herkömmlichen Rolle des fürstlichen Dieners oder städtischen
Beamten nicht mehr versteht; da ist das felsenfeste Vertrauen auf die
eigne Kraft, die es mit allen Widrigkeiten des Schicksals aufnimmt
und sie schließlich, trotz aller Niederbrüche, meistert; da sind die
Kämpfe, die Niederlagen und Siege selbst, die er fast herauszufordern
scheint, um zu erweisen, welchen äußeren Gewalten er gewachsen ist;
da ist die Unbedingtheit seines Künstlertums, das zu keiner Konzes-
sion zu haben ist und keine Rücksichten auf die eitle und verwöhnte
Schar der Prominenten Europas nimmt, durch die er seine Absichten
erreichen muß. Da ist aber auch die Melancholie, die ihn in kritischen
Zeiten fast an den Abgrund des Daseins führt, die Leidensfähigkeit,
die auf seelische Rückschläge mit Körperkrankheit, ja mit geistiger
Umdüsterung reagiert; und da ist vor allem die tiefe undurchbrech-
liche Einsamkeit, die keinen Menschen ihm wirklich nahe kommen
läßt, nicht Freund, noch Frau, noch Geliebte neben der allausfüllenden
Schöpfung duldet. Er schließt sich wochenlang in seine Zimmer ein,
schreibt unter Tränengüssen und ganz entrückt, als sei er „nicht im
Leibe, sondern außer dem Leibe", seine wunderbarsten Werke; und
vermag doch wieder unter den niederdrückendsten Umständen die
heiterste und reinste Musik zu schaffen, wie den „Xerxes" oder das
„Alexanderfest". Er beginnt als schnell Berühmter und Verwöhnter;
und muß doch über sechzig Jahre werden, ehe er endlich, ganz zu sich

selbst gefunden, über alles triumphiert. Aber als er endlich Herr ist und in gesicherter reicher Existenz, daß er seinen „Messias" nie anders als zu wohltätigen Zwecken aufzuführen vermag und der Menschheit, der er persönlich so fern bleibt, Findel- und Waisenhäuser stiften kann und trotzdem noch von einem großen Werk zum andern weiterschreitet: da überfällt ihn das letzte Schreckliche, gegen welches es keinen Widerstand gibt: er erblindet — mitten im Schaffen an seinem Oratorium „Jephtha" bricht das Verhängnis herein. Erst jetzt versiegt der tyrannische Schöpfertrieb, und wir gewahren noch einmal erschüttert, daß dieser Eroberer einer neuen Tonwelt abhängig ist von der geschauten schönen Welt des Lichts — daß er nichts innerlich mehr vor sich sieht, wann ihm kein Draußen mehr das lebendige Leben vormalt, das seine Klänge einfingen, zum Wurzeln brauchten, wenn er es dann auch im Geist in höchste Sphären trug. Nie ist die Weltzugewandtheit eines Musikers so bekräftigt und erwiesen worden, wie in diesem Versagen ohne wahrnehmbare Welt. Wohl hat ihn die Kraft seiner Orgelkunst nicht verlassen, noch scheint er herrlicher als je zu phantasieren, aber die großen Konzeptionen seiner Menschen- und Völkerdramen haben aufgehört; und so grausam aus seiner Bahn geworfen, muß er noch neun Jahre auf dieser geliebten und so königlich beherrschten Erde verweilen, bis er bewußt und willig in frommer Ergebenheit zwischen Karfreitag und Ostern 1759 von ihr scheidet.

Aber der großen Persönlichkeit hat nun ein ganzes Volk geantwortet: er hat es noch erlebt, daß ein neues Publikum sich um ihn sammelte, ein neues Hören von Musik durch ihn begründet wurde — nicht mehr nur Hof und Gesellschaft, jeder hat Zutritt zu den öffentlichen Konzerten, die mit seinen Oratorien erst wirklich und für immer in die Welt treten. Der seine beste Jugend- und Manneskraft an die vergebliche Durchsetzung der fremden Oper hingab, er schafft im Alter die neue dritte Möglichkeit neben Kirche und Oper: der weltliche Konzertsaal ist durch ihn der Schauplatz großen und ernsten musikalischen Geschehens geworden, ja ist es in der ersten Stiftung gleich auf die vollkommenste Weise gewesen, die so geschlossen und einheitlich nicht wiederkehrte — das Oratorium allein, unterbrochen und gekrönt nur durch sein eigenes Orgelspiel, ist einziger Inhalt gewesen, und durch diesen gewaltigen und persönlichen Inhalt hat es sich mit dieser Unmittelbarkeit durchgesetzt und als Einrichtung behaupten können.

Es wurde schon angedeutet, daß dies damals nur in England möglich war. Vieles kam hier zusammen: die fortgeschrittne Angleichung der sozialen Schichten, welche Musikbegeisterte aus allen Klassen wirklich teilhaben ließ, seit es diese Möglichkeit des öffentlichen Hörens von Werken in der Landessprache gab; die Neigung der Engländer zum Gesang, das Vorherrschen des Liedhaften in ihrer eignen Pflege der Musik; das Vorhandensein der besten Chöre, die es damals überhaupt gab; und inhaltlich nicht zuletzt die nationale Vorliebe für das Alte Testament, das von je der Tatgesinnung und dem geschichtlichen Instinkt des Inselvolks entsprach.

Und wie die Nation ihn als Eigenen angenommen hatte, unter den Großen der Geschichte in Westminster ihn beisetzen ließ, so hat sie auch sein Andenken bewahrt. Ein Menschenalter hernach noch hat sie ihm eine Gedächtnisfeier bereitet, wie sie keinem andern Musiker, keinem Künstler je sonst zuteil geworden ist: im Jahre 1784 — 1684 galt als sein Geburtsjahr — hat es seinen hundertsten Geburtstag mit dem ersten großen Musikfest gefeiert, das es gibt. Fünf Tage hat es gewährt. Am ersten, dem 26. Mai, wurde in der Westminsterabtei nach der Krönungsmotette die Ouvertüre aus der „Esther" aufgeführt und das Dettinger Te Deum, die Ouvertüre und der Begräbnismarsch aus „Saul", Stücke aus der Begräbnismotette, das Gloria Patri aus dem „Jubilate", die Motette „Singet dem Herrn" und der Chor „Der Herr wird König sein" aus „Israel in Ägypten". — Charles Burney, der als Augenzeuge eine eigene Schrift über die Feier veröffentlichte, schreibt von dem Eindruck dieser ersten Aufführung, daß eine Stille geherrscht habe, dergleichen nie vorher in einer so zahlreichen Versammlung gewesen sei; „Nie tönte die Mitternachtsstunde in einer so völlig ruhigen Stille, als jedwede Note dieser Kompositionen. Schon seit langer Zeit habe ich die Eindrücke guter Musik auf die Empfindungen der Menschen wachsam belauscht; aber nie erinnere ich mich, in irgendeinem europäischen Lande, wo ich Musiken in der Kirche, im Schauspielhause oder in Zimmern gehört habe, daß ich so viel rege Neugier, so anhaltende Aufmerksamkeit, so glühenden Beifall auf den Gesichtern der Anwesenden bemerkt hätte, als bei dieser Gelegenheit. Bei manchen waren die Wirkungen in der Tat so stark, als man sie in neuerer Zeit noch nie vorher gesehen hat. Die vereinte harmonische Gewalt der Chöre brachte einige zu Tränen und Ohnmachten, indes andre durch die ausnehmende Anmut einzelner Stimmen in Entzücken zerflossen. Ich hatte nicht viel Zeit, die Gesichter derer, die um mich waren, zu betrachten; wenn ich aber einmal meine Augen von dem Orchester wegwandte, so sah ich überall lauter Tränen des Entzückens und Blicke der Bewunderung und Freude." Selbst in den Pausen „war die Stille so ehrfurchtsvoll und so allgemein, als ob nur bloß die Gräber abgeschiedner Sterblichen zugegen gewesen wären". — Das zweite Gedächtniskonzert findet am 27. Mai im Pantheon statt; es bringt von Instrumentalmusik das 2. Oboenkonzert, und das 6., 5., 11. der „Concerti grossi" nebst der Ouvertüre zur „Ariadne"; dazwischen meist Arien aus Opern, aus „Orlando", „Sosarmes", „Riccardo I.", „Cesare", „Atalanta", „Tolomeo", „Ezio", „Ottone", „Rodelinda", „Alcina", bei deren Vortrag die große deutsche Sängerin Mara mitwirkte und der berühmte Kastrat Pacchierotti, den man aus Heinses begeisterten Schilderungen venezianischer Musik vom Jahre 1780 kennt; dazu Chöre aus Josua, Israel, Judas Maccabäus. — Das dritte Konzert am 29. Mai, wieder in der Westminsterabtei, brachte den ganzen „Messias" zur Aufführung. — Hier bricht Burney in die Worte aus: „Dante denkt sich in seinem Paradiese neun Kreise oder Chöre von Cherubim, Seraphim, Patriarchen, Propheten, Märtyrern, Heiligen, Engeln und Erzengeln, die unaufhörlich mit Hand und Mund den Ewigen, den er in den Mittelpunkt dieser Kreise stellt, loben und verherrlichen. . . . Da nun das Orchester in der Westminsterabtei in die Wolken zu steigen und sich mit den Heiligen und Märtyrern auf dem bemalten Glase des westlichen Fensters zu vereinigen schien, die völlig wie eine Fortsetzung des Orchesters aussahen; so konnte ich mich während der Aufführung des Halleluja kaum der Vorstellung erwehren, daß dies so herrlich eingerichtete, angefüllte und beschäftigte Orchester ein Stück oder Segment von einem dieser himmlischen Kreise sei. Und vielleicht gewährte noch keine Gesellschaft sterblicher Tonkünstler dem Auge einen ehrwürdigeren Anblick oder dem Ohr entzückendern und rührendern Wohllaut, als dieses." Am 3. und 5. Juni findet dann in einem vierten und fünften Konzert noch die Wiederholung des ersten und dritten statt, mit nur geringen Änderungen im ersten (Ouvertüre zu „Tamerlan"); für dieses veranstaltet man außerdem eine öffentliche Probe zu sehr hohen Preisen (der Platz zu einer Guinee, das sind über 20 Mark), für mildtätige Zwecke.

Die Gesamteinnahme der Aufführungen betrug 12736 Pfund, wovon nach Deckung der Unkosten (allein die baulichen Veränderungen in Westminster und Pantheon kosteten 2000 Pfund) 6000 Pfund an die Versorgungsanstalt für abgelebte Tonkünstler, 1000 an das Westminsterhospital abgeführt werden konnten. Burney bemerkt dazu: „Die Summen, die in so kurzer Zeit durch die Arbeiten eines einzigen Komponisten, so lange nach seinem Absterben und nach dem Tode fast aller seiner persönlichen Freunde und Bekannten, deren Parteilichkeit vielleicht dazu hätte beitragen können, aufgebracht sind, müssen unter die Wunderkräfte der neuern Musik gerechnet werden."

59.

Wir haben nicht der Kuriosität halber über dieses erste Musikfest der Welt so ausführlich berichtet, auch nicht nur, weil in ihm zum ersten Male das moderne Musikerlebnis sich ausspricht und, auf etwas Vergangenes gewendet, die neue Form der denkmalhaften Fortexistenz dieser Kunst bezeugt: sondern weil von hier die große Wirkung Händels auch für uns Deutsche ihren Ausgang nahm. Denn Burneys Schrift über die Gedächtnisfeier, welche mit der „Nachricht von Georg Friedrich Händels Lebensumständen" verbunden war, fand schon im Jahre 1785 einen deutschen Übersetzer in dem Braunschweigischen Professor Johann Joachim Eschenburg, der sich schon 1775 durch die Neuausgabe der Wielandschen Shakespeare-Übertragung einen Namen gemacht hatte; und hier stand im Vorbericht zu lesen, daß im folgenden Jahre, 1785, in London bereits wieder eine ebenso gewaltige, ja noch riesenhafter inszenierte Feier stattgefunden habe, so daß der Übersetzer nun an den Nationalstolz der Deutschen appellierte und zu gleichem Vorgehen aufrief. Er faßt Händels bisherige deutsche Geltung zusammen, wenn er sagt: „Soll es nun ferner genugsam seyn, daß unsre musikalischen Schriftsteller Händels Namen und Talente nur nicht ganz übergehen, ihn mit einigen, oft sehr allgemeinen, Lobsprüchen begleiten? daß jeder gründlich angeführte Musiker und Komponist seine Arbeiten im Stillen verehrt, studirt und benutzt? und wollen wir die Aufführung seiner Meisterstücke und allen den Genuß überschwenglicher Befriedigung, den sie so reichlich gewähren, uns vorsätzlich versagen, und ihn ganz einer fremden Nation überlassen?" und

auf das bisherige Schicksal der Musik weisend: „soll immer Ein Mode-
komponist den andern, Ein Zeitgeschmack den andern verdrängen?" —

Zwar war dies nicht das erste, was man in Deutschland von Händel
erfuhr: gleich nach Händels Tode waren 1761 Mainwarings „Memoirs
of the Life of G. F. Handel" erschienen, und noch von Händels einsti-
gem Freunde Mattheson 1761 ins Deutsche übersetzt worden. Aber
das Interesse beschränkte sich damals, wie Eschenburg es andeutet, auf
die Fachmusiker; und außer Gluck gab es kaum einen, der Händels
Größe zu würdigen vermochte. Erst durch das Londoner Musikfest
und Burneys Buch ist für die große deutsche Öffentlichkeit Händel ein
lebendiger Begriff geworden. Bisher hatte es gelegentlich Liebhaber-
aufführungen gegeben, wie die am Weimarer Hof bei der Herzogin
Amalia, wo Goethe 1780 und 1781 „Alexanderfest" und „Messias"
hörte. Jetzt kam es zu der für Deutschland entscheidenden Tat: 1786
wurde der „Messias" im Berliner Dom durch Hiller aufgeführt, und
unter Fasch und Zelter wurden auch seine übrigen Werke in der Berliner Singakademie heimisch; in Wien begann unter van Swieten ein
Händelkult, für den ja Mozart „Acis und Galathea", „Alexanderfest", „Messias" und „Cäcilienode" bearbeitete; wenn auch gerade
die Art der Bearbeitungen und Aufführungen stark von der jetzt geltenden Orchesterkunst beeinflußt war. Die Kunst der großen Wiener
Meister, so tiefe Anregungen sie durch Händel empfing, war nicht das
Klima, in dem eine eigentliche Händel-Renaissance gedeihen konnte —
diese ist erst nach dem Ausklang der großen Musik, da man das Starke
allgemein in der Vergangenheit zu suchen begann, ins Leben getreten,
seit den dreißiger Jahren des 19. Jahrhunderts, da auch Bach den Deutschen wiedergeschenkt war und nun eine systematische Pflege der älteren
Werke begann.

Aber gerade im Vergleich mit Bach bleibt es erstaunlich und charakteristisch genug, daß von Händel, ein Jahr nach seinem Tode bereits,
eine Biographie erschienen war: es war die erste, die einem Musiker
zuteil wurde. Mattheson, der sonst manches Kleinliche gegen Händel
vorzubringen hatte, konnte sich dem Eindruck dieser Wende nicht verschließen, wenn er schrieb: „Kein bloßer Musicus practicus ecclesiastico-
dramaticus, als Kapellmeister im hohen, und Organist im höchsten
Grad, der weder Sänger noch Acteur, am wenigsten aber ein Meß-
künstler gewesen, hat es jemals in der Welt, vor Händel, dahin ge-

bracht, daß ohne sein Zuthun ein besondres eigenes Buch ansehnlicher Auflage von seinem Leben geschrieben und übersetzt worden wäre." Es ist der Sieg der großen Persönlichkeit, was sich auch hierin spiegelt und ganz neue Formen künstlerischen Bewußtseins schafft, fruchtbare Begegnung zwischen Kunst und allgemeinem literarischen Interesse begründet.

So weist Händel über seine Epoche bereits hinaus, hilft schon ein neues Zeitalter mit heraufführen, nicht nur, weil seine Weltwirkung, insbesondere die auf Deutschland, erst nach seinem Tode einsetzt, sondern weil er die überlieferten Kunstformen sprengt, indem er sie vollendet, sie ins Zeitlose hebt, indem er ihren Gehalt in seiner ganzen persönlichen Tiefe offenbart. Wohl lebt in seinen großen Werken der Bautrieb des Barock, und zwar in viel genauerer Weise als bei Bach dem Stil der Zeit entsprechend, so daß seine Opern als Erfüllung der deutschen höfischen Baukunst gelten können, seine Oratorien als Analoga zur kirchlichen Architektur in den besonderen Fällen, wo diese von protestantischem Geiste getragen ist, wie in der Dresdner Frauenkirche — eine solche Entsprechung deutet ja auch Burneys Vision von Dantes Paradieseskreisen an, wenn er in Westminster den Zusammenklang zwischen Musik und gotischem Raum mit den Gemälden seiner Glasfenster empfindet; wie wir uns bei der Glaskuppel der Frauenkirche Händelsche Chöre imaginierten. Aber gleichzeitig wird, im Oratorium wenigstens, die Vergleichbarkeit mit dem Stil der Epoche überschritten, wie die strenge kirchliche Bindung durchbrochen wird: der Musiker gewinnt zuletzt einen eigenen persönlichen Stil, wie er bisher nur relativ zu gewahren war, jetzt aber absolut zu verstehen ist. Gewiß trägt die Persönlichkeit Händels auch die großen Züge des Barock: sein Kraftbewußtsein, das pomphaft Triumphale seines Wesens und nicht zuletzt seine sieghaft optimistische Betrachtung von Geschichte und Welt stellen ihn an Leibnizens Seite — das Walten seines Geschichtsgottes in den Völkerschicksalen der Oratorien ist eine einzige große Theodicee. Er wurzelt noch im felsenfesten Glauben an die Macht und Herrlichkeit des Herrn und ist insofern noch von einer Gemeinschaft getragen, spricht deren Glauben und Bekenntnis aus, in großem typischem, ethisch-charakterlichem Ausdruck, nicht in der einsamen Seelensprache individueller Freuden und Leiden, nicht in geistigem Ringen um den fragwürdig gewordenen Sinn der Welt, wie es später aus Mozarts und Beethovens Musik uns aufklingt. Aber indem er aus der barocken Konvention auf den letzten Grund des harmonischen Weltgefühls der Epoche hinabstößt, offenbart er im Typischen das Gültige, in der Bindung der Mächte die Schöpferfreiheit zu einer unendlich wirkenden Macht, welche von späteren Geschlechtern nicht anders empfunden und bewahrt wird, wie die zeitlose Erkenntnis des Philosophen. In seiner Persönlichkeit wird das große Individuum von Renaissance und Barock in der spezifisch germanisch-protestantischen Prägung weltgültig, und tritt, trotz allen zeitbedingten Zügen, aus der Zeit heraus, der Zukunft zugewandt; wie sein großer Rivale Bach in gleichem Überschreiten zeitlicher Grenzen einer Vergangenheit zugewendet verharrt, die durch ihn ewige Wiederkunft bedeutet. So erhebt sich in den beiden die deutsche Musik, alle singende, klingende Welt des Jahrhunderts in sich summierend, über das Jahrhundert, und gibt gerade damit das überwältigendste Zeugnis von dessen unermeßner Schöpfermacht.

Fünftes Buch
Schreibende Welt

60.

Wenn die deutsche Musik der ersten Hälfte des 18. Jahrhunderts in ihrer Wirkung als vorwiegend posthum erscheint und deshalb uns Heutigen so sehr vertraut, daß es nicht leicht für uns war, ohne Einmischung unsres späten Erlebens einen Begriff von ihrer zeitlichen Existenz zu gewinnen; so ist bei der deutschen Literatur der gleichen Epoche das Verhältnis nahezu umgekehrt: sie ist der allgemeinen Erinnerung und Erlebnismöglichkeit so gänzlich entschwunden, daß wir nur von ihrem einstigen Dasein und von ihrer ehemaligen Wirkung Kunde haben und kaum eine andre als die wissenschaftlich historische Beziehung zu ihr besitzen, durch welche wir sie etwa als Vorbereitung oder auch nur Vorbedingung zu einer späteren uns noch lebendigen Schöpfung erkennen.

Dieser Tatbestand schließt an sich noch kein Urteil ein: wir haben erfahren, daß sehr großartige Leistungen, die den ästhetischen Charakter ihrer Epoche bestimmten, spurlos untergingen, uns nicht mehr wirklich vorstellbar sind und nicht nur in ihrer Wirkung, sondern in ihrem Bestand in überwiegendem Maße unerkennbar wurden, wie etwa die italienische Oper. Aber hier lag der Grund des Verstummens für die Nachwelt in dem mangelnden Willen zur Aufzeichnung und im Genießen der sinnlichen Fülle der Gegenwart aus einer verschwenderischen Gesinnung großen Schöpfertums heraus; während bei der Literatur auch hiervon wiederum das Gegenteil der Fall ist: denn da ist nun alles aufbewahrt, was gedacht, gefühlt, geschrieben wurde; und damit ist zunächst nur ein ungeheurer Anspruch angemeldet, der vor jeder geschichtlichen Darlegung allererst zu prüfen wäre.

Es geht nun von allem Gedruckten eine seltsame Suggestion aus: ähnlich wie der einfache Mensch geneigt ist, alles für wahr und richtig zu halten, was er schwarz auf weiß vor sich sieht, so ist die gelehrte Forschung geneigt, für wirklich und wesentlich zu nehmen, was vermöge seiner

Aufbewahrung durch Schrift und Druck der Vergänglichkeit enthoben wurde und seine Urheber überlebte. So verzeichnet sie für das 17. und eine weite Strecke des 18. Jahrhunderts Autoren und Werke, die für unser Kulturbewußtsein doch beinahe nur Namen geblieben sind: von Opitz an über Gryphius, Lohenstein und Hofmannswaldau bis zu Canitz, Besser, König; von Brockes, Hagedorn und Gottsched bis zu Gellert, Ramler, Gleim ist kaum etwas, woran sich für uns ein bleibender Eindruck, ein wirkliches Erlebnis knüpft; und selbst Gestalten wie Lessing, Klopstock, Wieland sind den meisten Gebildeten nicht durch eigne geistige Begegnung lebendig, sondern werden nur noch gewußt und auf den Kredit von Rollen hin anerkannt, die sie einst irgendwie historisch mögen gespielt haben. Denkt man zum Vergleich an Händel und Bach oder an irgendein Werk barocker Baukunst, so merkt man erst, wie weitgehend uns ein analoges Verhältnis zur gleichzeitigen Literatur der Epoche fehlt; obgleich wir mit ihr in der Schule offiziell bekanntgemacht wurden, was doch mit Musik und Baukunst keineswegs geschah. Die Wissenschaft aber beschäftigt sich weiterhin mit ihr aufs lebhafteste und eingehendste und vermehrt noch täglich das ohnehin gewaltige „Material" dieser Literatur durch ein unübersehbares Schrifttum über ihre einzelnen Erscheinungen, Zusammenhänge, Einflüsse, als ob daran die Erkenntnis des ganzen Zeitalters hinge.

Machen wir uns aber auch von dem Vorurteil frei, in der rein materiellen Gegebenheit der unterschiedslosen Bewahrung alles Gedachten und Gedichteten seit der Erfindung der Druckkunst das Zeugnis vom echten und einzigen Leben einer Zeit zu sehen, und würde uns nichts ferner liegen, als bloße Namen und Daten, mit denen sich kaum mehr eine sinnliche Anschauung verbindet, zum alsbaldigen Vergessen noch einmal aufzuzählen oder mit einem Schein von Interesse für uns zu bekleiden: so müßte uns doch schon die Möglichkeit eines schöpferischen Vacuums in der Literatur im Vergleich zu den übrigen geistigen Bereichen der Epoche von so eminenter psychologischer Bedeutung sein, daß wir deshalb allein um eine genauere Beschäftigung mit ihr nicht herumkämen. Ja vielleicht erschließt uns die Betrachtung des im Worte Überlieferten, gleichviel, wie wir uns zu seinem dauernden Wert und zu seiner Beziehung auf uns Heutige stellen, tatsächlich erst die Erkenntnis des Zeitalters als eines Ganzen und läßt uns das Zustandekommen seiner besonderen Art und Größe erst völlig inne werden.

Eine weitere Aufforderung, sich auch mit einem möglicherweise wenig ergiebigen Stoff zu beschäftigen, wird für uns darin liegen, daß die Diskussion des Phänomens des Barock hier in ein entscheidendes Stadium tritt; indem in Literatur und Dichtung unter Barock rein zeitlich etwas anderes verstanden wird als in Musik und bildender Kunst. Während nämlich die frühere Literaturgeschichtsschreibung diesen Begriff für ihr Gebiet überhaupt nicht in Anspruch nahm, sondern bei gelegentlichem Ausblick auf die allgemeine Kultur am Rande nur einiges über den verkommenen und schwülstigen Stil der Architektur und etwa noch der Oper vermerkte, ist man neuerdings, dem Vorgang der Kunstgeschichte des 17. und 18. Jahrhunderts folgend, dazu gelangt, in einem positiveren Sinne diese Bezeichnung zu verwenden, nun aber, da man das 18. Jahrhundert bereits mit dem Begriff der Aufklärung belegt fand, das 17. Jahrhundert als die Epoche eines literarischen deutschen Hochbarock in Anspruch zu nehmen. Es wird sich zeigen müssen, wieweit wir es hier mit einer wirklichen zeitlichen Verschiebung in den Kunstgebieten zu tun haben, oder ob unter Barock Verschiedenes, ob Stil, ob Mode, ob Kultur verstanden werden kann.

61.

Begriff und Name des Barock gingen von der Baukunst aus, wie sie noch im 16. Jahrhundert in Italien entstand und dann in schneller Ausbreitung ein gesamteuropäisches Phänomen wurde. Erst sehr spät hat man die so naheliegende Konsequenz gezogen, die ganze Haltung der Epoche zwischen Renaissance und Klassizismus ebenfalls barock zu nennen, da die Architektur doch eben immer das augenfälligste und greifbarste Symbol für einen bestimmten inneren Zustand des Menschen gewesen ist. Wenn wir nun für Deutschland einen solchen Zustand erst von dem Augenblicke ab annehmen, wo der neue Stil eine echte nationale Ausprägung und Weiterbildung erfährt und nun erst von einer eigentlichen Barockkultur zu sprechen vermögen, wie wir sie für die erste Hälfte des 18. Jahrhunderts darstellten; so haben wir doch gesehen, daß der gemeineuropäische Stil des Barock in seiner italienischen Form und von Italienern noch getragen, bereits im 17. Jahrhundert auch in Deutschland heimisch wurde; daß in Kleidung, Haltung, Atmosphäre seit etwa 1650 schon das französische Barock sich durchsetzte: und es fragt sich nun, ob das, was sich sonst in diesem Rahmen

geistig abspielte, auch schon ohne weiteres mit dem hohen Begriff des
Barock in Beziehung gebracht werden kann, und etwa gerade der
Dichtung einen Charakter verliehen habe, der nur durch jene Stil-
merkmale sich erklären ließe. —

Beim vergleichenden Blick auf andre Nationen zeigt sich hier keineswegs ein gleichmäßiges und eindeutiges Verhalten. In Malerei wie
Dichtung sind es auf alle Fälle weitgehende Rezeptionen von Renais-
sanceerrungenschaften, die überall stattfinden — ergibt aber ihre
Durchdringung mit den Elementen des betreffenden Volkstums nun
ohne weiteres das Barocke und gar das Barock? Shakespeare wurzelt
noch im Mittelalter, gewinnt durch die Renaissance seine Weltweite
und Illusionslosigkeit — nennen wir ihn darum einen Dichter des Barock? Und der Puritaner Milton — stellt ihn der überweltliche Stoff
seines „Verlorenen Paradieses" und die kühle Großartigkeit seiner
Bilder in die wirkende Sphäre des Barock? Sein „Allegro und Pen-
sieroso", sein „Saul" haben erst durch Händels Musik etwas von großem Stil und sinnlicher Macht erhalten, genau wie Drydens „Cäcilien-
ode" und „Alexanderfest" — es ist für die Engländer charakteristisch, daß sie das Stoffliche der Renaissance und das Formale der
französischen dichterichen Klassik rezipieren, mit antikem Stoff und
strenger Form Dichtung und Sprache bereichern und zieren, aber nicht
mit dem eignen Gehalt in eine fruchtbare Spannung setzen, sondern
diesen wie gesondert wahren und schließlich eine profunde klassische
Bildung und Kultur mit einem unbeirrbaren Realismus zu vereinigen
wissen. In Drydens indianischen Dramen, in ihrer Häufung des Schreck-
lichen und Phantastischen bei Kühle, Wohllaut, Strenge der Sprache
mag man etwas finden, was der gleichzeitigen Schlesischen Schule in
Deutschland nicht unähnlich ist, wenn auch das Düstre und Verschrobene fehlt. Grazie und galantes Wesen kommt auch hier erst im
18. Jahrhundert mit Pope herauf, der auch den Mut hat, Homer im
Zeitstil zu übersetzen und in gewissem Sinne zu barockisieren. Aber
tief hat auch die Mode des Barock in England nie gesessen; trotz katholischer Strömungen, die aber auch für die Dichter — wie im Falle Drydens — stets politisch gefärbt sind, bleibt das Sakrale, wie im Norden Deutschlands, an die überlieferte Gotik gebunden, die nur hier
viel längere Lebenskraft bewiesen hat und im 18. Jahrhundert, kaum
daß ihre organische Überlieferung aufhört, bereits eine romantische

Erneuerung erfährt — das barocke Römertum der St. Pauls-Kathedrale bleibt isoliert. Und von England ist dann nicht nur die Welle der Aufklärung ausgegangen und nach dem Festland gebrandet, sondern auch der erste Stoß gegen die stilistischen Grundlagen Frankreichs und Deutschlands: das starke Naturgefühl und die Illusionslosigkeit dieses Volkes hat mit der Erfindung des „Englischen Gartens" den architektonischen Park des Barock um 1750 verdrängt und damit den Abfall vom herrschenden Stile eingeleitet.

In Frankreich wiederum haben wir wohl die vorbildliche Ausgestaltung des barocken „Menschen", seiner zeremoniellen und pompösen Haltung, seines dynamischen Lebensgefühls, seines Herrscherlichen und Heroischen, seiner Grazie und Galanterie; aber wie die Architektur den musikalischen deutschen Überschwang nicht kennt und trotz der originalen Ausbildung aller ornamentalen Stilphasen für das repräsentierende Äußere eine rationale Kühle und Ausgewogenheit wahrt, um ganz unmerklich und ohne Bruch dann in einen echten und großzügigen Klassizismus überzuleiten, so läßt sich auch die Dichtung nur mit klassischen, nicht mit barocken Begriffen einfangen. Sie hat die Antike unmittelbar und fanatisch zum Vorbild, wenn sie auch die modernen Leidenschaften der höfischen Gesellschaft spiegelt: der Ernst, mit dem sie ihre Tragödie für lange Zeit suggestiv an Stelle der griechischen setzt und diesen Anspruch für ganz Europa behauptet, so daß sie neben der Oper auf den Spielplänen der deutschen Höfe und noch der literarischen Aufklärer herrscht, ist Zeugnis für eine ganz eigne nationale Leistung, die wie außerhalb der tieferen metaphysischen Spannungen lebt, wie sie sonst in Musik und Architektur die Menschen bewegen.

Ähnliches gilt für ein Land, das damals noch nicht lange sich aus dem deutschen Reichsverband gelöst hat: von Holland. Hier war zuerst eine germanische „Renaissance" entstanden, die zu Beginn des 17. Jahrhunderts erfüllte, was im innern Deutschland zu Anfang des 16. Jahrhunderts vom Humanismus auf die Bahn gebracht worden war, durch die Kämpfe der Reformation und das Übergewicht des religiösen Interesses aber fast ganz in die Mauern der Schule zurückgedrängt wurde. Seit Scaliger und Lipsius war die klassische Philologie in Holland eine Staats-, ja Volkssache, und früher als in Frankreich erstand mit Hooft und Vondel hier eine klassische Bühne: von

1617 stammt der erste Theaterbau der literarischen Akademie, von 1637 die Schouwburg, an deren Stelle 1664 das große Amsterdamer Theater errichtet wurde.

Über das bloße Dialogisieren eines Vorwurfs, wie der Deutsche Hans Sachs es geübt hatte, ist dieses Drama hinaus; dafür hat es aber die Verbindung zur mittelalterlichen Tradition, aus welcher Shakespeare noch lebte, völlig abgeschnitten und sich formal ganz in die Schule der Antike gegeben. Vorbilder aber sind nicht die Griechen, sondern es herrscht der Römer Seneca, dessen Stücke schon in der Antike als reine Lesedramen konzipiert waren und deshalb das Gräßliche darstellten, was man wohl der Phantasie des Lesers, nicht aber der Wirklichkeit der Bühne zumuten konnte. Die Nachahmer ersetzen nun gerade den Mangel psychologischer Führung der Handlung durch äußerliche Wirkung und suchen in einer prunkenden überladenen Sprache das Unvermögen zur Erschaffung von Charakteren wettzumachen. Das Bedeutsame aber ist, daß in einem germanischen Dialekt, der zur Nachbildung klassischer Diktion so ungeeignet war wie das damalige Deutsch, dasjenige ausgedrückt wird, was bisher einzig in dem internationalen Neulatein der Humanisten gelebt hatte. Mit Lob- und Lehrgedichten in holländischer Sprache tritt Daniel Heinsius seinem Zeitgenossen Vondel an die Seite und hat zugleich als Philolog und Ästhetiker diese Dichtung theoretisch unterbaut.

Und hier ist nun der unmittelbare Einfluß auf Deutschland. Die Zeitverhältnisse fügen es, daß während des Dreißigjährigen Krieges das friedliche und blühende Holland für Deutsche ein stiller Hort geistiger Kultur wird und ein Ziel junger Studenten und Literaten, die den Wirren im Reich wenigstens für die Zeit ihrer Ausbildung zu entfliehen trachten. 1620 treffen wir Martin Opitz in Leiden, wo er die Bekanntschaft des Heinsius macht; 1638 ist Gryphius dort Student, seit 1639 sogar akademischer Lehrer, läßt Sonette, Oden und Epigramme daselbst erscheinen; und gleichzeitig studiert da Hofmannswaldau. Vertreter der deutschen Schlesischen Dichterschule sind es also, die bei den holländischen Renaissancepoeten und Theoretikern in die Lehre gehen und hier den Vorsatz fassen oder stärken, nach ihrem Vorbild die klassisch-antiken Formen und Prinzipien in ihre eigne nationale Sprache zu übertragen.

62.

Martin Opitz, der Begründer der Schlesischen Dichterschule, aber darüber hinaus der praeceptor Germaniae in allen Dingen der Poetik und Stilistik, gehört zu den seltsamen deutschen Gelehrtennaturen wie Gottsched und Winckelmann, die, ohne Dichter und Künstler zu sein, epochemachend geworden sind und der Dichtung und Kunst für Jahrzehnte, vielleicht Jahrhunderte den Weg gewiesen haben. Es ist kein Zufall, daß es fremde Ideale sind, die sie einzubürgern streben: denn nur das Fremde führt mit Notwendigkeit durch die Gelehrsamkeit hindurch und läßt sich „lehren" und erregt das Vorurteil, daß Kunst sich lehren lasse. Selbst in den bildenden Künsten und in der Musik kann dies aber immer nur das Handwerkliche, Technische betreffen: hier hat Lernen und in die Lehre gehen seinen Sinn, wenn auch nur bis zu dem Punkte, wo das eigentliche Schöpferische einsetzt; in der Dichtung jedoch ist Technik etwas durchaus Problematisches, ja Fragwürdiges, bei der deutschen Dichtung wenigstens, in welcher die Form vom Inhalt in einer ganz anderen Weise bedingt ist als in anderen Sprachen. Hier steht eine Rhythmik am Anbeginn, die sich der reinen inneren Betontheit fügt, ja von dieser geradezu erschaffen wird; und alles, was im Laufe der Entwicklung an fremden Formen übernommen worden ist, hat sich schließlich diesem Urgesetz gefügt. Bei der Lyrik hat außerdem, seit der lateinische Hymnus Einfluß gewann, die Musik die Formen bilden helfen, mit Strophe und Reim, bei allem gesungenen Lied; in der Epik sind andre fremde Einflüsse, wie die der französischen Reimpaare in der mittelhochdeutsch-höfischen Zeit, immer wieder in einen freieren rhythmischen Gebrauch übergeführt worden, wie er im 16. Jahrhundert beim Drama im sogenannten Knittelvers noch vorlag; ja schließlich war das epische Maß fast ganz von der Prosa verdrängt, wie sie von den Volksbüchern des 14. und 15. Jahrhunderts herkam und in Luthers Bibelübersetzung noch einmal höchste rhythmisch-dichterische Kraft erwiesen hatte. Der Schulhumanismus der Reformationszeit änderte hieran wenig; so künstlich man in lateinischen Versen dichtete, so klassische Perioden man in lateinischer Prosa zu bilden strebte — wer zum deutschen Worte griff, konnte noch immer unmittelbar bildhaft und klingend sprechen und schreiben, erzählen und singen; wobei der Unterschied von Prosarhythmus und Vers kein

wesenhafter war und nur durch einen frei gebrauchten Reim bedingt
würde, wenn nicht die begleitende Musik mit ihrer Melodie die Stro-
phenbildung bestimmte und ihre Nachahmung etwa, wie bei den
Meistersingern, zu Künsteleien führte, denen indes kein fortzeugendes
Leben beschieden war.

So sah etwa das Bild der deutschen Dichtung aus, als Opitz auftrat.
Er ging von vornherein als Gelehrter an Sprache und Dichtung heran
als einer von den vielen, die, nicht anders wie im Mittelalter, neben
der Muttersprache das internationale Latein als Ausdruck eines höheren geistigen Lebens pflegten. Aber der Inhalt dieses Lateinischen war
jetzt nicht mehr das Theologisch-Philosophische, Historische oder Juristische allein; eine neue reiche Welt der Bildung, die antike, war
darin nicht nur als im Originaltext bewahrt, sondern in immer neuen
Formen variiert worden, die eine eigne Kunstpoesie, eben die huma-
nistisch-neulateinische, in sich faßten, und Epos, Ode, Drama, nach
dem Vorbild der Antike, mit eigenem modernen Gehalt erfüllt hatten:
in welchem nun der humanistische Poet ganz eigentlich lebte, in bloßem Kontakt mit einer über alle Länder verstreuten Kameraderie von
gleichgesinnten Kollegen, die sich an der Spitze der Entwicklung fühlten und auf alle Volkspoesie als auf etwas Rückständiges und Unzeit-
gemäßes herabsahen. Dergleichen gelehrte Sonderexistenzen waren
im Mittelalter im Bereich ihres internationalen Latein geblieben und
hatten auf die Poesie in der Landessprache keinen Einfluß geübt; im
Gegenteil war das Lateinische von ihrer angestammten Sprache nicht
unberührt geblieben: sie hatte in ihm die Wandlungen hervorgebracht,
welche der Humanist nachträglich mit dem abschätzigen Namen des
Kirchenlateins zu bedenken pflegte. Traten jene mittelalterlichen Gelehrten als Übersetzer auf oder lehrten und schrieben sie gar, wie die
Mystiker, in beiden Sprachen, so war ihr Deutsch nach wie vor die
schlichte starke Volkssprache geblieben, der sie nicht einmal das Fremdwort zumuteten; wie denn etwa Meister Eckhart die subtilsten philosophischen Begriffe noch in deutsche Termini zu übertragen vermochte, wozu keine nationale Philosophie der Folgezeit dann mehr
imstande war. Aber so paradox es klingt: die Humanisten waren von
Anbeginn an bewußte und ausgesprochene Nationalisten; schon das
italienische Risorgimento war eine national-politische Bewegung, und
in Deutschland hatten die Humanisten an der Hand des Römers Taci-

tus die germanische Vergangenheit wiederentdeckt und in den Bereich
der Forschung und Begeisterung gezogen. Die bewußten, von neuen
Ideen getragenen Kämpfe der europäischen Völker hatten schon längst
das Nationalgefühl überall in einer dem Mittelalter nicht bekannten
Weise hervortreten lassen, und zum politischen Stolz war der Ehrgeiz der kulturellen Unterscheidung getreten, je mehr in Wirklichkeit
die von Italien ausgehende romanische Bildung und Kunst die Nationen nivellierte und in Deutschland allmählich als eine Fremdherrschaft
empfunden wurde. Dennoch wollte man nicht zurückbleiben und
konnte sich in den höheren geistigen Kreisen etwas anderes als die
Formen und Inhalte jener modernen romanischen Bildung bald nicht
mehr denken — was lag da näher, als sein Nationales darin zu behaupten, daß man das Fremde in die eigene Sprache übertrug? Hier war
Frankreich vorangegangen, das in Ronsard eine eigene neue Literatur
und Dichtung durch Assimilierung des Klassischen an die eigne Sprache
zu stiften unternommen hatte; und nun war gar durch ein stammver-
wandtes germanisches Volk, das niederländische, der Beweis geliefert,
daß in einer noch kaum literarisch bewährten Mundart die Schöpfung
einer klassischen Wissenschaft und Dichtung möglich sei. Ronsard und
Heinsius waren die Geleitmänner von Opitz, noch ehe er holländischen
Boden betrat; der dortige Aufenthalt tat das übrige, und sein Vorsatz
war bald gefaßt und schnell ins Werk gesetzt, den Deutschen seinerseits eine neue Literatur und sprachliche Gesetzgebung zu schenken,
indem er einfach die Stoffe und Inhalte, die Dichtungsgattungen und
Versmaße der neulateinischen, französischen und holländischen Klassik in deutsche Formen übertrug. Seine „Teutsche Poemata" erschienen
1624, von dem Heidelberger Studiengenossen Zinkgref herausgegeben;
1625 folgte die originale Edition durch Opitz selbst; aber schon vorher ersetzte er die Abhandlung „Aristarchus sive de contemptu linguae
Teutonicae" und Zinkgrefs Vorrede durch das in wenigen Tagen nie-
dergeschriebene „Buch von der deutschen Poeterei".

Als Dichter ist Opitz nichts weiter als Übersetzer und Nachahmer.
Man kann den Sinn seiner poetischen Praxis unter die gleichsinnige
Formel bringen, in welcher Winckelmann in seiner Erstlingsschrift sei-
nen Rat an die deutsche Kunst zusammenfaßte: „Der einzige Weg für
uns, groß, ja unnachahmlich zu werden, ist die Nachahmung der
Alten." Da werden alle Gattungen gebundener Sprache, an denen es

nach des Autors Meinung den Deutschen bisher gefehlt habe: Sonette, Elegien, Epigramme vorgeführt, Hirtengesänge, Lobgedichte, Hochzeits- und Neujahrscarmina exerziert, teils eigner nachgeahmter Fertigung, teils einfach Übersetzungen, genannt oder nicht genannt aus Italienern, und vor allem aus Ronsard und Heinsius, von welchem letzteren zum Beschluß in den neu empfohlenen Alexandrinern zwei Lobgedichte friedlich nebeneinander erscheinen, eines auf Jesus Christus und eines auf Bacchus, um die Zierlichkeit des Deutschen im Vergleich zum Original herauszustellen. Dabei ist Dichtung für ihn lediglich das Versifizierte. Mit einem scharfen Schnitt hat er erstmals „Poesie" von „Prosa" abgetrennt: nur das künstlich Geformte, uneigentlich, geschmückt, geziert Gesagte ist Dichtung, stecke auch hinter ihm die nüchternste — Prosa, wie in den meisten Gedichten von Opitz selbst. Aus dieser alleinigen Schätzung des Verses ergibt sich für Opitz die bei ihm überraschende Berufung auf die ältere deutsche Dichtung: soweit sie eben gereimt war. „So kann man auch keines weges zugeben, es sey unser Teutsches dermaßen grob und harte, daß es in diese gebundene Art zu schreiben nit könne füglich gebracht werden: weil noch biß auff diese Stundt im Heldenbuche vnnd sonsten dergleichen Gedicht und Reimen zu finden sein, die auch viel andere Sprachen beschemen solten. Ihm sey aber doch wie jhm wolle, bin ich die Bahn zu brechen, vnd durch diesen anfang unserer Sprache Glückseeligkeit zu erweisen bedacht gewesen. Solches auch desto scheinbarer zu machen, hab' ich einen zimlichen Theil diess Büchlins auß frembden Sprachen übersetzen wollen; daß man auß gegenhaltung derselben Reinigkeit vnd Zier der vnseren besser erkennen möchte. Wiewohl ich mich gar nicht gebunden; angesehen sonderlich der alten Lateiner Exempel, die mit dem Grichischen wesen auch nit anders umbgangen." Das ist eben die klug gefundene und für die ganze Auffassung dieser Renaissance so charakteristische Analogie: wir sind die Römer der neueren Zeit, bisher so gut wie ohne „Poesie", die wir nun, wie einst diese, der fremden höheren Kultur mehr oder weniger frei nachzudichten haben.

Welches Verhängnis damit über eine lebendige gewachsene Sprache hereinbrach, braucht man sich nicht auszumalen: die Spuren davon sind bis heute noch nicht aus unsrer Literatur getilgt. Hier erst wird besiegelt, was seit Reformation und Renaissance im 16. Jahrhundert als Möglichkeit drohend über unserm Geistesleben aufgerichtet war:

die dauernde Scheidung zwischen „Gebildet" und „Ungebildet"; wobei Gebildet eben das nur durch fremde Gelehrsamkeit noch Verständliche war. Fremde ausländische Bezeichnungen für alle Gattungen und Arten des Dichtens, fremde Formen, fremdes Versmaß, fremdes Ideal von Ausdruck und Stil; Herabschauen, Verachten, Schmähen gegenüber allem, was unberührt von dieser gelehrten Konvention noch ab und zu ans Licht drang, Verunglimpfung desselben als volksmäßig, das heißt pöpelhaft und gemein — das war das Resultat dieser patriotisch gemeinten Neubegründung unsres Schrifttums, das selbst später durch Herder und die Romantik nicht hat gänzlich aus der Welt geschafft werden können. Wohl hat, nach mehr als einem Jahrhundert, der deutsche Geist auch die fremden Formen schließlich aneignen und Großes und Ewiges darin zum Ausdruck bringen können; aber er hat eine hohe Leistung mit einer weitgehenden Wirkungslosigkeit bezahlt, da die hierfür erforderliche Bildung immer nur von einem kleinen, verschwindend kleinen Bruchteil des Volkes aufgebracht und erworben werden konnte; im Gegensatz zu den romanischen Nationen, die durch ihre aus dem Lateinischen stammenden Sprachen immer einen Zugang zu ihrer Poesie behielten. Uns hat in jener Zeit ein Genius gefehlt, wie er einem andern germanischen Volke in Shakespeare zuteil wurde, der vor dem Einbruch eines grundsätzlichen Klassizismus das allgemein Menschliche noch in einer volkhaft gewachsenen Form und Sprache zum Ausdruck bringen konnte; uns ward dafür ein in der Dichtung dilettierender Gelehrter geschenkt, der zwischen deutschem Altertum und deutscher Neuzeit, zwischen Volk und Bildung den radikalen Schnitt machte und das Lebendigste und Freieste, die Sprache, in künstliche Fesseln schmiedete.

Man hat zur Rechtfertigung dieser verhängnisvollen Tat Opitzens angeführt, daß er durch die Einführung einer strengen Form, durch den wenn auch einseitigen Kultus der Form an sich, einem verwilderten Zeitalter Halt und Mut und Kraft verliehen und unendliche neue Möglichkeiten des Schaffens erschlossen habe. Dagegen ist die einfache Tatsache anzuführen, daß die größten dichterischen Leistungen des 17. Jahrhunderts so gut wie ohne Opitz, ja trotz Opitz und seiner Lehre geschehen sind: das protestantische Kirchenlied hat seinen Vers nicht nach klassischer Poetik, sondern durch die Musik geformt, und die verachtete Prosa hat im Simplicius Simplicissimus des Grimmels-

17*

hausen das einzige epische Werk der Zeit hervorgebracht, das heute noch lebendig ist: in beiden hat die alte Kraft der Sprache, die Luther trug, noch ungebrochen fortgewirkt, in letzten Schöpfungen allerdings, die in dieser naiven Sicherheit keiner späteren Zeit mehr erreichbar waren. Andrerseits aber kann man fragen, ob die wenigen wirklichen Dichter, die nun unter Opitzens Einfluß gerieten, nicht auch ohne ihn ihr Werk vollbracht hätten, ja vielleicht auf eine Weise, die sie uns weniger entfremdet hätte, als es bei der einmal ergangenen historischen Entscheidung der Fall hat werden müssen.

63.

Die bedeutendste Gestalt der ˅sogenannten ersten Schlesischen Dichterschule und neben Paul Gerhardt dem Liederdichter und Grimmelshausen dem Erzähler die stärkste dichterische Kraft der Zeit ist Andreas Gryphius. Er steht im Alter mitten zwischen diesen beiden, ist, 1616 geboren, neun Jahre jünger als Gerhardt, neun Jahre älter als der Schöpfer des Simplicius. Seine Stellung in der Literatur hat er als erster Meister des schlesischen Kunstdramas, und hier geht er in Opitzens Spuren. Aber stärker dringt uns der Ton seiner Lyrik noch ans Herz, wo er sich um so viel freier und von dem Poetiker fast unabhängig bewegt — ein Gedicht wie die „Vanitas Vanitatum Vanitas" geht in den schlichten Formen eines Gesangbuchliedes: „Die Herrlichkeit auf Erden / Muß Rauch und Asche werden, / Kein Fels, kein Erz kann stehn. / Dies was uns kann ergetzen, / Was wir für ewig schätzen, / Wird als ein leichter Traum vergehn." Aber im Drama, vor allem in der Tragödie, trifft seine Natur mit der Verkündung und Lehre des Opitz und mit eignen Eindrücken in Holland und Italien zusammen, die jene gebrochene und schwierige Ausdrucksform bei ihm erzeugen, die man hier wohl zuerst als barock empfunden und schlechthin als Barockstil definiert hat.

Doch da überkreuzen sich nun die Einflüsse, und es wird schwer, eine klare und eindeutige Formel für diese Dichtung zu finden. Denn eben das, was von Opitz stammt, trägt schon die Merkmale einer ungemäßen Mischung, wie sie ganz natürlich von der Einführung eines fremden Prinzips in die Sprache verursacht werden mußte: hieraus entsteht das Groteske, oft unfreiwillig Komische, was man als geziert

und schwülstig wohl auch barock nennen mag, in jenem populären
Sprachgebrauch, der aber nicht mit unsrer Stilbezeichnung identisch
ist — diese braucht hier wahrlich nicht bemüht zu werden, wo es sich
noch um reine Einwirkungen der Renaissance handelt, die mit Opitz
eben jetzt erst wirklich rezipiert wird. Der Effekt der fremden Stilisierung ist, bei Opitz, kein Stil, sondern Stillosigkeit, gebildete Bar-
barei — es liegt keine innere Notwendigkeit zugrunde, kein Müssen
vom Gehalt her; nicht die großen Spannungen etwa zwischen bejahter
christlicher Transzendenz und bejahter heidnischer Diesseitigkeit drängen nach einer neuen Form, sondern die Eitelkeit des humanistischen
Poeten und Schulmeisters erfindet sie, der lebenslang in allen Ländern
und an allen Orten Beziehungen knüpft, um sich und seinem Land zu
einem neuen äußerlichen Glanze zu verhelfen. Mag die Prunkgesin-
nung mancher Fürsten des Barock verwandte Motive gehabt haben —
aus ihr allein wäre nie eine große Schöpfung hervorgegangen. Wie
leicht macht es sich Opitz mit der Einführung der klassischen Mythologie! Der heilige Geist habe wohl „die lehre der Heyden verworffen,
aber nicht die wort" — er weist nach, daß die Götter „dann auch offte
verhöhnet wurden von jhren eigenen Scribenten", ja daß durch Vul-
canus, Bacchus, Venus und andre Namen nichts andres oft bezeichnet
worden sei, als das Feuer, der Wein, die Liebe und andre Tugend und
Laster. Er bagatellisiert eine Mythologie, um sie zum unverbindlichen
Spiele frei zu haben, das nun die nüchternste Rede dadurch ansehnlich
macht, daß etwas Uneigentliches für die schlichtesten Begriffe gebraucht wird; und so herrscht überall das Bestreben, durch weither-
geholte, möglichst gelehrte Bilder und Vergleiche die eigne geistige
Armut zu verdecken und einen prunkenden Reichtum vorzutäuschen.
Er sagt es ausdrücklich, daß man in den hohen Dichtungsgattungen,
Lehr- und Lobgedicht, Epos und Tragödie volle und heftige Reden
vorbringen und ein Ding nicht bloß nennen, sondern mit prächtigen
hohen Worten umschreiben müsse.

Er hat für alle Dichtungsgattungen in diesem Sinne nicht nur Theorien, sondern Muster aufgestellt; am entscheidendsten wurde dies, gerade für Gryphius, in der Tragödie. Opitz hat zwar selber kein Drama
geschrieben, dafür aber das klassische Vorbild in den Trojanerinnen
des Seneca gegeben, die er aus dem Lateinischen in deutsche Alexandriner übersetzte. Wir deuteten bereits an, was schon für die Hollän-

der gerade das Vorbild des Seneca bedeutete: das blutrünstige Lese-
drama, das nicht zufällig nun auch hier am Anfang des deutschen
Wortdramas steht, im Gegensatz zur Oper, die sich an die Idee des
lebendigen Gesamtkunstwerks der echten griechischen Tragödie hielt;
der Oper, welche nie in Greueln schwelgte, vielmehr das Furchtbare
des Schicksals wohl erleben lassen wollte, aber immer durch die Musik
harmonisierte. Bei Opitz aber stand zu lesen, daß das heroische Drama
„nur von königlichem willen, Todtschlägen, verzweiffelungen, Kinder vnd Väter mörden, brande, blutschanden, kriege und auffruhr,
klagen, heulen, seuffzen und dergleichen handelt" — es war ein Programm, das aufs Grausigste mit den Erlebnissen und Eindrücken des
Dreißigjährigen Krieges übereinstimmte und uns die Leidenschaft begreifen läßt, mit der man eine gelehrte antiquarische Theorie in die
künstlerische Wirklichkeit zu übersetzen unternahm. Es war ein historischer Augenblick, in welchen das berühmte Wort des Aristoteles von
„Furcht und Mitleid" oder, wie man es sich übersetzte, von „Schrecken
und Elend" hineintraf, und eine autoritär sich darbietende Form mit
der furchtbaren deutschen Realität sich füllen ließ. Im letzten Jahr
des großen Krieges kehrte Gryphius von seinen langen Reisen in die
schlesische Heimat zurück und hatte 1646, beim Betreten Deutschlands,
in Straßburg seine erste Tragödie „Leo Armenius" vollendet.

Hier stößt nun wirklich eine echte Natur mit der Schreckenstheorie
der neuen Ästhetik des Tragischen zusammen: diese grausigen Aktionen sind Gryphius ernst, sein abgründiger Pessimismus, einer tief
melancholischen Anlage entsprungen und durch die entsetzlichen Erlebnisse der Zeit zum bewußten Weltgefühl gesteigert, erfüllt diese
erdachten oder aus der Historie beschworenen Schemen mit Blut, daß
sie zu Exempeln werden einer Sinnlosigkeit des Daseins, wie sie
Schopenhauer nicht überzeugender demonstriert hat. Vielleicht hat nur
mit solchen Gestaltungen seiner Pein der Dichter das Leben auszuhal-
ten vermocht; und aus ähnlichen Erlebnissen der Erlösung vom eigenen Leid durch Schauen des unschuldigen oder schuldbeladenen fremden mögen seine Zeitgenossen diese Erschütterungen ausgehalten, ja
aufgesucht haben. Und er hielt sie im Bann mit einer Sprache, deren
Kraft selbst den künstlich-starren Alexandriner zu erfüllen vermochte,
deren weithallender Klang die Sinne lebendig berührte, deren unerschöpfliche Bilderfülle die vorgeschriebene uneigentliche Diktion mit

einem tiefsinnigen Inhalt zu einer echten Seelenmalerei zu steigern wußte.

Dennoch wird vieles, was im einzelnen Gedicht durch die Begrenzung schon des Umfangs seine Intensität auch heute noch behauptet, in der Extension unendlicher Monologe überspannt und überladen, daß man kaum zu folgen vermag; und das notwendige Hereinziehen massenhafter Realität bis ins Alltäglichste durch die Schilderung der Vorgänge kann jenes oft groteske Nebeneinander hoher Worte und krasser Banalitäten nicht vermeiden, wie es bei Opitz den Eindruck bestimmt — eine noch im Anfang künstlicher Durchbildung stehende Sprache ist hier dem unbarmherzigen Schema fremden Skandierens noch nicht gewachsen und erleidet immer wieder den Rückfall in ein Prosaisches mit allen zufälligen Makeln einer barbarischen Zeitmode. Und hier wird nicht wie bei Shakespeare das euphuistische Zeitelement alsbald durch die Großartigkeit der Handlung, durch die selbstverständliche Darstellung genialen Schauspielertums überdeckt, sondern das berichtende Wort hat einzig das Geschehen zu verdeutlichen, und dieses Geschehen ist höchst ausgeklügelt, verrenkt und kompliziert und wird durch die dauernd eingemischte, oft sprunghaft vorgetriebene Reflexion in keiner Weise leichter verständlich gemacht.

Man hat, in irriger Gleichsetzung mit der Oper der Zeit, den Stil des Gryphius als ausgesprochen theatralisch aufgefaßt, ja die ganze Dramatik der Schlesier aus der Schaufreude des Barock und seiner, wie man es nennt, extravertierten Geistigkeit hergeleitet. Tatsächlich haben wir aber hier gar kein lebendiges Theater, keine üppige Luxusbühne des Barock vor uns — die Stücke des Gryphius sind vor allem in der Schule von Gymnasiasten aufgeführt worden, und die Tradition des protestantischen Schuldramas ist das einzig Lebendige von Bühne gewesen, woran das neue dramatische Wollen in Deutschland anknüpfen konnte. Wohl kannte Gryphius das weit reicher ausgebaute Schultheater der Jesuiten, er hatte in Amsterdam Vondels Stücke gesehen, und die heraufkommende Oper war ihm an sich nicht fremd; schon Opitz hatte ja für die erste deutsche Opernaufführung durch Heinrich Schütz Rinuccinis Dafne aus dem Italienischen übersetzt, und auch Gryphius schreibt den Text zu einer Festoper Majuma. Und so wird bei ihm auch im Wortdrama gelegentlich an die wirkliche Szene appelliert, Verwandlungen werden mit ihren Prospekten angedeutet, und etwa in „Cardenio und Celinde" ist ein höchst wirksamer Theateraugenblick, wo in der Gestalt von Olympia ein Gespenst dem Cardenio sich nähert, bei der Berührung aber als Totengerippe sich enthüllt, das mit Pfeil und Bogen auf ihn zielt; wo denn aus den szenischen Anweisungen „Der Schauplatz verwandelt sich in einen Lustgarten" für die erste Erscheinung, und „Der Schau-Platz verändert sich plötzlich in eine abscheuliche Einöde" für die zweite, von Regisseur und Dekorateur allerlei herausgeholt werden könnte. Doch sind dies Ausnahmen, die wir uns eben mit Mitteln einer Schulbühne dargestellt denken müssen; die ganze Anlage der Dramen ist sonst einzig und ausgesprochen für Deklamation und nicht für „Spiel" in unserem, dem Shakespearschen und Opernsinne. Die Werke bestehen aus einer Folge langer Monologe, in denen alles nötige Faktische berichtet wird und vor sich geht, und arbeiten an Höhepunkten mit Dialogen, die schematisch den beiden Sprechern jeweils nur eine kurze Verszeile in schnellem Wechsel verstatten. Auf eine besondere Ebene aber wird das Ganze gehoben durch die sogenannten „Reyen" (Reihen, ein Zwischending zwischen Chor und Ballett), in denen plötzlich freiere Maße in Strophenform auftreten und der Sinn des Ganzen oder einer Situation chorartig besungen und gedeutet wird, wahrhaft musikalische Einlagen, zum Teil von mythologischen Erscheinungen begleitet, die, wie die vier Jahreszeiten in „Cardenio und Celinde", mit Worten schon ganz als barocke Gartenstatuen gemalt sind. Und diese Intermezzi führen uns auf das Wort für den Stil, dem diese ganze Dichtungsgattung zugehört: es ist der Stil des Oratoriums, wie er damals in der italienischen Kammerkantate und in den geistlichen Werken von Heinrich Schütz die später getrennten Formen von Oper und Passion vorbereitet. Es sind deklamierte Oratorien in Worten, diese schlesischen Dramen, in den ausgesponnenen arienartigen Monologen nicht weniger wie in den eingestreuten knappen Dialogen und den Chorpartien der „Reyen"; und die Andeutung von Szene und Bühnengeschehen kann nicht darüber hinwegtäuschen, das der Nachdruck durchaus auf der Musik der Sprache liegt, deren Malerei und Bilderfülle die Bühne geradezu ersetzt, wie ja die Aufführung durch Schüler bei der ganzen Versgestaltung nichts wesentlich anderes sein konnte als Deklamation. Es ist ein unbewußter Wettkampf zwischen Wort und Musik, der damals noch möglich war, ja durch die klingenden fremden Versmaße das erstemal herausgefordert wurde — eine Wortmusik allerdings, die das natürliche Leben der Sprache selbst zum Opfer brachte und durch den vorgedrängten sinnlichen Wortleib den Geistes- und Seelenausdruck nur eigentümlich gebrochen in Erscheinung treten lassen konnte. Es gibt einen weiteren Beleg von der Fülle der Formen, die, wie wir früher sahen, dieses durchaus noch unentschiedene und tastende 17. Jahrhundert birgt, wenn es neben Choral und Gesellschaftslied und neben den Oratorien und Passionen von Schütz auch dieses Oratorium der Worte aus der protestantischen Geistigkeit entwickelte und es als die höchste Möglichkeit eines deutschen Theaters empfand. Und wir dürfen, ähnlich wie später bei Bach und Händel, gerade in der bildlich-malerischen Ausgestaltung der Sprache Ersatz und Nachholen der im Protestantismus zurückgedrängten bildnerischen Elemente und im oratorisch-chorischen Aufbau auch der architektonischen Sehnsüchte ahnen, durch welches dieses Heraustreten eines Innerlichen sich nun auch in der eigentlichen Weltlichkeit zu behaupten sucht.

Denn eigentümlich steht diese Dichtung zwischen Weltlichem und Geistlichem noch mitten inne: immer ist es bei Gryphius eine Transzendenz, auf welche alles irdische Geschehen hinarbeitet, ja durch welche alles Grauen der Welt ertragen und gerechtfertigt wird; in „Cardenio und Celinde" ist es geradezu Askese und Heiligkeit, Aufblick zu Gott, womit uns das grandiose Memento mori entläßt. Der Sinn und Eindruck der christlichen Passion liegt hier nicht allzufern; nur daß beliebige Menschenschicksale und nicht göttliche die Daseinsschuld mit Leiden büßen und eben die volle Weltlichkeit von Liebe, Haß und Leidenschaft, Zernichtung und Verbrechen zum Ausdruck drängt, die aus der illusionslos heidnischen Schau der Renaissance kommt. Und hier erscheint nun das dramatische Oratorium vermöge seines Inhalts weniger mit dem verknüpft, was wir als harmonische Lösung und Entscheidung in Musik und Architektur des 18. Jahrhunderts erleben, vielmehr ein Nachhall zu sein von Klängen, die am gewaltigsten an der Grenzscheide zwischen Mittelalter und Neuzeit herauftönen. Zwischen der frommen Versenkung und seligen Himmelsgeborgenheit etwa der Maler der Frührenaissance und den verklärten Aufschwüngen barocker Deckenmalerei hat die Schwere des Michelangelo gelebt, hat sich die Weltfreude Tizians und Tintorettos zuletzt in tragischen Dämmer und düstere Pracht verhüllt, hat in Spanien Ri-

bera und Greco das Grausige wie das asketisch Mystische beschworen,
zeigt uns Shakespeares Trauerspiel einen fürchterlichen Blick in die
Welt; und von den Zeitgenossen ist es Rembrandts Nacht, welche der
bacchantischen Lebensfreude eines Rubens den strahlenden Tag auszu-
löschen scheint. In diesem Ringen zwischen zwei Welten ist auch Gryphius begriffen und erscheint so als die deutsche Andeutung einer Spät-
renaissance oder eines Frühbarock; getragen von einer bereits ver-
ebbenden Strömung, die neben vielen andern noch das 17. Jahrhundert durchdringt; nur daß die unselige Sprachverkünstelung humani-
stischer Herkunft ihn zu keiner europäischen Gestalt hat werden lassen und auch die zeitlos deutsche Geltung tragisch beeinträchtigte. Das
Stärkste von ihm wird immer sein, was er aus dem furchtbaren Erleben der deutschen Not ins scheinbar zeitlich bedingte Gedicht gehoben hat, das aber in Zeiten, die Gleiches wieder erleben, mit Ele-
mentargewalt neu lebendig wird. Mit welchen Gefühlen lesen wir
heute ein Gedicht wie „Thränen des Vaterlandes, anno 1636", das
anhebt „Wir sind doch nunmehr ganz, ja mehr denn ganz verheeret",
und dessen zweite Strophe beginnt „Die Türme stehn in Glut, die
Kirch ist umgekehrt, / Das Rathaus liegt im Graus, die Starken sind
zerhaun" . . . Aber die Tragödien „Leo Armenius", „Catharina von
Georgien", „Carolus Stuardus", „Papinianus" bleiben uns als Ge-
samtwerke doch fremd und werden trotz vieler Schönheiten weder der
Lektüre noch der Bühne wieder ganz erschlossen werden. „Cardenio
und Celinde" scheint eine Ausnahme zu machen, es ist durch Arnim
entdeckt und in seinem „Halle und Jerusalem" weiter gedichtet worden; und wenn wir hier sehen, daß erst unter den Händen des späteren Dichters wahre ergreifende Gestalten aus den deklamierenden Figuren werden, so ahnen wir, was die deutsche Dichtung in jenem
Zwischenzustand noch schuldig bleiben mußte. Aber wer liest noch
Arnims Drama, dessen phantastischer Stil wohl geheim im Formenreichtum des Zweiten Faust weiterwirkte, in sich selbst jedoch nicht
die Konzeption des Schlesiers zu retten vermochte.

Hier ist von seiten der Forscher wie der Dichter manches versäumt
worden: die spätere rationale Begründung unsres „klassischen" Dramas
durch Gottsched und Lessing hat wohl noch Einflüsse Shakespeares aufgenommen, den früh- und spätbarocken Stil von Gryphius und Klopstock aber kaum des Hinschauens für wert befunden. Was hätte doch

gerade das Vorbild des Oratorienhaften in einem späteren ausgeglich-
neren Stand der Sprache und bei gereiften Mitteln der Charaktergestal-
tung für eine Bereicherung der Ausdrucksformen bedeutet, welche
musikalische Sphäre wäre für die Wortdichtung gewonnen worden
im Wetteifer oder gar im Zusammenwirken mit wirklicher Musik!

Aber die Überlieferung riß hier ab. Das Künstliche und Verschrobene, das in der übereilten Aneignung von Renaissanceerrungenschaf-
ten schon bei Gryphius Unheil gestiftet hatte, machte sich bei seinen
Nachfolgern immer stärker geltend. Daniel Casper von Lohenstein,
fast zwanzig Jahre jünger als Gryphius, hat dessen Sprachtalent und
Bilderfülle vielleicht noch in gesteigertem Maße besessen, aber das
große Ethos fehlt; und wenn Menschenkunde und -Beobachtung sich
verschärfen, in den Reyen neben grellen Tönen das Lockende und Ver-
führerische noch musikalischer schwingt, so wird doch eben der Selbstzweck dieser Mittel offenbar, kein ringendes Seelentum, keine geistige
Transzendenz legitimiert uns den Aufwand weder der Erotik noch
der Grausamkeit dieser Aktionen. Dafür ist alle seine Realistik nun
viel üppiger mit barocker Maschinerie ausgewogen: die mythologische
Allegorie spielt eine viel bedeutsamere Rolle, da seine Werke bereits
bis in die 8oer Jahre des Jahrhunderts reichen; aber bei aller Pracht
und Farbigkeit, die ihr das Wort zu verleihen sucht, wird der Kontrast
etwa zu dem, was gleichzeitig in der Malerei mit sicherem Können auf
diesem Gebiete begonnen wird, um so spürbarer: die immer wieder
hervorbrechende Roheit und Unbildsamkeit der Sprache verrät trotz
einzelner immer neuer Schönheiten, daß auf diesem Wege keine makel-
lose Kunst zu erreichen war — die Dichtung beginnt ersichtlich im
Wettkampf mit Malerei und Musik zu ermatten. Bei seinen Nachfolgern Hallmann und Haugwitz, die dann schon ins 18. Jahrhundert
reichen, wird Epigonentum und Verfall offenbar.

64.

Es gelingt auch Lohenstein nicht, jenes Element des Barock in einer
höheren Einheit zu binden, das wir damals im technisch Formalen wie
im Stofflichen immer gewaltiger anschwellen sehen: das gelehrte und
wissensmäßige. Was sein nur wenig jüngerer Zeitgenosse Leibniz in
einer märchenhaften Polyhistorie zu seinen großen Zwecken meistert,
das zerfällt bei ihm in Prunken mit dem rohen Material. So sind seine

Dramen mit entlegenem Wissen aus allen Zonen überschüttet; so ist
sein riesenhafter Roman „Arminius und Thusnelda" mit abstruser
Gelehrsamkeit überhäuft. Es ist dabei bedeutsam, daß sich diese Viel-
wisserei, die sich sonst im Klassischen und exotisch Orientalischen ergeht, auch einmal aufs Vaterländische wendet — es ist ja die Zeit
(um 1690), wo auch Leibniz die deutsche Vorgeschichte und Geschichte,
allerdings als wirklicher nach den Quellen arbeitender Historiker, zum
Gegenstand seines Studiums macht. Der Humanismus hatte dieses
nationale Interesse auf die Bahn gebracht, das dann im Spätbarock
des 18. Jahrhunderts vom einheitlich antikisch-christlichen Weltbild
verdrängt wird und doch geheim wie unterirdisch weiterarbeitet, um
dann in den Schweizern und in Klopstock wieder hervorzubrechen
und in Sturm und Drang und Romantik erst die breite Öffentlichkeit
einzunehmen.

Im Roman aber geht das gelehrte Wissensprunken, von Zesen, Buch-
holtz und Anton Ulrich von Braunschweig bis zu Lohenstein und dem
gleichberühmten Ziegler der gleichzeitigen „Asiatischen Banise", zusammen mit dem „Allamode"-Wesen, dem noch ganz Äußerlichen und
rein Kostümlichen des Barock. Es wird aus der sich bildenden höfischen
Sphäre vom Bürgertum so ungemäß und unorganisch angeeignet wie
die sprachliche Durchformung der Renaissance und bewirkt auch abseits vom tragischen Kothurn das Gestelzte und Unnatürliche, das
eine spätere Zeit nicht ohne Lächeln hat zur Kenntnis nehmen können.
Gryphius hat das noch bewußt in seiner Komik geschaut und zum
Stoff des Lustspiels machen können — der „Horribilicribrifax" ist
das satirische Sittengemälde einer Welt, in welcher militärisch-studen-
tisches Prahlen und Radomontieren das Kavaliertum der höheren
Stände mit seiner fremden französischen und italienischen Kultur
durch Übergebrauch an Fremdworten und mißverstandenem Latein
nachahmen und übertrumpfen will; doch ist das Spiel darüber selber
fast unverständlich und ungenießbar geworden und behauptet sich nur
durch seinen Rang als unschätzbares Dokument für den Kulturforscher.
Es ist für den geistigen Umfang des Gryphius bezeichnend, daß er als
eine so völlig sonst zum Tragischen prädestinierte Natur dieses Lachen
über die Torheit der Zeit vermochte, ja ihr zuletzt noch einen ethischen
Sinn in der Führung der Handlung abgewann. Und es ist wiederum
charakteristisch für Reichtum und Zwiespalt und Vielfalt dieser Über-

gangsepoche, daß derselbe Gryphius in seiner „Geliebten Dornrose"
die erste Dialektkomödie — in schlesischer Mundart — gibt, in seiner
„Absurda comica oder Herr Peter Squenz" sogar das derbe Volks-
spiel aufnimmt, in der Behandlung des gleichen Vorwurfs, den das
Rüpelspiel in Shakespeares „Sommernachtstraum" unsterblich gemacht
hat, aber fast im primitiveren Stil des deutschen Hans Sachs.

Fügen wir hinzu, daß der letzte bedeutende Vertreter der Schlesischen Schule, Hofmann von Hofmannswaldau, das Rivalisieren mit
der Musik nun fast ganz als Lyriker übt und von geistlichen bis zu
Liebesgedichten eine überlegene Kunst entfaltet; daß Scheffler, der
„Angelus Silesius", den bisher noch immer problematischen Alexandriner als einziger in deutscher Sprache unsterblich gemacht hat, indem
er daraus die knappe Spruchform für seine innige philosophische Mystik schuf; gewahren wir, daß auch außerhalb Schlesiens eine Lyrik
heranwächst, deren Lebensfrische bei dem bedeutenden Paul Fleming,
Pfarrersohn aus dem Erzgebirge, durch Opitzens verehrtes Vorbild so
wenig unterdrückt wurde wie bei dem schlichten Ostpreußen Simon
Dach; daß in Nürnberg eine eigene künstliche Schule mit Worten Töne
nachbildet; daß eine poetische Existenz in künstlerischen Orden und Gesellschaften gepflegt wird, die oft ihrerseits schon mit einem ausgesprochenen Purismus gegen das Fremdwortwesen ankämpfen — so vermag
man eigentlich nicht zu begreifen, wie alles dies noch vor der Jahrhundertwende im wahren Sinne des Wortes verwelkt war, in sich zu-
sammensank und keine Schößlinge und Triebe in die Folgezeit ent-
sandte, zu keinem großen Wachstum fürderhin die Vorbedingung
blieb. Umsonst sind damals Leibnizens „Unvorgreifliche Gedanken"
über die deutsche Sprache erschienen, die mit dem wenigen anderen,
was er auf deutsch hinausgehen ließ, auch die Denkersprache noch in
starker Ursprünglichkeit und Reinheit zeigen und die theoretische Einsicht in das, was Gut und Böse ist in der Sprache, dazu — die Entwicklung nahm mit einem Male einen völlig andern Gang, der Antrieb in
einem höheren Sinne dichterisch zu gestalten, erlahmte plötzlich; und
nichts blieb zurück als das unselige System der künstlichen fremden
Metrik, Syntax, Stilistik, der gelehrte Begriff und der technisch handwerkliche des Dichtens zugleich; und in der Alltagssprache, Prosarede,
brieflichen Mitteilung ein halb französisches Deutsch, von Fremdworten nicht nur, sondern auch von fremder Flexion der Worte durch-

setzt, welches fortan auch größte Geister fast ein halbes Jahrhundert lang mit rührender Naivität und Gravität gebrauchten.

Der ganze literarische Reichtum hatte sich als eine Scheinblüte erwiesen, die treibhausmäßig wider alle Natur gewuchert hatte, während der echte Schöpfertrieb längst insgeheim schon eine andre Bahn sich suchte. Die Besten hatten dies gespürt und mit der kommenden großen Kunst, der Musik, den Wettkampf aufgenommen — aber es zeigte sich, daß diese Musik nur so zur Höhe hatte dringen können, weil aus den letzten seelischen Gründen ein wahres allumfassendes Dichten noch nicht oder nicht mehr möglich war. Ein Schweigen in Worten war jetzt not, ein Stillehalten und Warten, wann das Schicksal wieder den göttlichen Funken in Sprache und Schrift entzünden werde.

65.

Das schicksalhafte Schweigen der Dichtung, ja fast jeder höheren Literatur findet schon in der seltsamen biologischen Tatsache seinen Ausdruck oder seine Begründung, daß die Generation der zwischen Bach und Hasse Geborenen im Schrifttum beinahe ganz zu fehlen scheint. Erinnern wir uns, wie das Schöpferische der ersten Hälfte des 18. Jahrhunderts gerade in der fast mystischen Gleichzeitigkeit der großen Baumeister und Musiker beruhte, deren Lebensdaten alle auf den Ursprung in den 80er und 90er Jahren des 17. Jahrhunderts weisen; bedenken wir, daß damit der nationale geistige Aufschwung in so getrennten und politisch wie konfessionell geschiedenen Landschaften doch als etwas großartig Einheitliches sich bestätigt: so ist es doppelt befremdlich, daß das Leben der Sprache hier versagt und weder im Süden die bildnerische noch im Norden die musikalische Schöpfung in der Dichtung eine entsprechende oder verwandte Entwicklung sieht. Besonders merkwürdig erscheint dieser Mangel im nordisch-protestantischen Bereich, da doch Musik und Dichtung Schwesterkünste sind und irgendwelche Beziehungen sie sonst immer verbinden — oder wird hier nur am deutlichsten, daß das große Vacuum die Bedingung des unwahrscheinlichen Hochflugs der anderen Künste gewesen ist?

So und nicht anders muß es wohl sein. Nicht nur für unsern nachträglichen Blick hebt sich Musik und Baukunst als überragend, ja alleinherrschend empor; auch die Zeitgenossen lebten in jenen beiden Landesteilen so ausschließlich in der einen oder andern Kunst, daß sie den

Mangel der Dichtung gar nicht empfanden. Eine solche Kultur ohne Dichtung ist beispiellos, wenn man an andre Nationen denkt: Frankreich, Italien, England haben ihre klassische Dichtung entweder als Grundlage oder als Gleichzeitigkeit mit allen anderen modernen Errungenschaften gehabt, am ausgeprägtesten Frankreich unter Ludwig XIV., wo sogar die machtpolitische Blüte mit dem klassischen Barock von Dichtung, Malerei und Baukunst zusammenfällt. Nur Deutschland hat bereits in seiner Vergangenheit ähnliches wie im 18. Jahrhundert erlebt: schon in der Gotik ist der Anteil der Dichtung am wahrhaft Schöpferischen gering gegenüber der Entwicklung der bildenden Künste, wenn auch hier noch eine volkhafte lebendige Prosa das Gegengewicht hält; aber in der Romanik, die man die deutscheste Stilepoche genannt hat, gibt es Dichtung und Literatur überhaupt in der Landessprache nicht, so daß man nach den Schriftdenkmälern meinen sollte, es mit einer völlig latinisierten Nation zu tun zu haben. Der Übergangsstil der Stauferzeit hat dann wohl gleichzeitig seine mittelhochdeutsche höfische Dichtung, aber auch in einer Diskrepanz, viel schneidender als sie zwischen protestantischer Kirchenmusik und höfischer Park- und Schloßkultur im 18. Jahrhundert ist; und es besteht wohl kaum ein Zweifel, wo die eigentliche Volkskraft am Werke war — doch wohl in den Naumburger, Magdeburger, Bamberger Plastiken und Domen und nicht in der ritterlichen Standespoesie.

Die Dichtung geht zu Zeiten vollkommen in anderen Künsten auf und unter — dieses spezielle deutsche Phänomen geistiger Sublimierung oder Pseudomorphose müssen wir auch für einen guten Teil des 18. Jahrhunderts, und zwar für die Zeit seiner eigentlichen in sich geschlossenen Kultur voraussetzen.

Denn diese Kultur ist nun auch im nordisch-protestantischen Bereich viel geschlossener und in sich erfüllter gewesen, als die wenigen literarischen Denkmale es ahnen lassen. Da hier die Baudenkmäler fehlten, hat man die Schriftdenkmäler ungebührlich überschätzt und uns die Geschichte des deutschen Geistes, mindestens die Beschaffenheit des Zeitgeistes an Werken demonstrieren wollen, die weder einen Ewigkeitswert besessen haben, noch zu ihren Lebzeiten über einen kleinen Kreis von Theoretikern und Poetikern hinausgelangten. Da das Gedruckte und Geschriebene zu allen Zeiten den Eindruck erweckt, als sei es auch das, wovon alle Menschen sprechen und erfüllt sind, so

wollte man sich die deutsche Öffentlichkeit zur Zeit von Bach beherrscht denken etwa durch die geistige Diktatur eines Gottsched oder
vom leidenschaftlichen Interesse an seiner Polemik mit den Schweizern. Aber das waren Angelegenheiten von Literaten und Professoren,
wie es noch heute akademische Fragen im wesentlichen sind; obgleich,
vermöge eben des Buchdrucks, auch weit entfernte Gelehrtenkreise
davon berührt wurden. Und diese Dinge fallen schon in eine relativ
späte Zeit, kulminieren in den dreißiger und vierziger Jahren, denn
ihre Vertreter sind schon ein halbes Menschenalter jünger als Bach:
Gottsched ist im Jahre 1700 geboren, seine Gegner Bodmer und Breitinger 1698 und 1701.

Und wenn·wir auch wissen, daß Bach nicht über seine Stadt hinaus
gewirkt hat außer mit seinem Ruhm als Virtuos, der immerhin dem
von Gottscheds Zelebrität gleichgekommen sein mag, mindestens in
den musikalischen Kreisen, die damals größer waren als die literarischen und eben wirkliche Kunstkreise; so war doch auch außerhalb von
Bachs persönlicher Wirkungsstätte das Interesse für Kammer- und
Hausmusik ohne Zweifel lebendiger und weiter verbreitet, als das
Interesse für ein Epos oder Gedicht. Vor allem aber war das eigentliche Volk noch ganz in der Kirche beheimatet, nicht nur konfessionell,
sondern kulturell; es hatte hier, in unzähligen Kantoren und Organisten, seine wahre Kunst an der Quelle, die alle seine Freuden und
Leiden begleitete, seine Festtage und Feiern verklärte und alle Seelen-
bedürfnisse vollauf stillte, daß es anderer Quellen nicht bedurfte. Wie
hätten Gedichte, wie sie damals gedruckt wurden, wetteifern können
allein nur mit dem Choral und seiner wundersamen Begleitung und
tausendfältigen Variation durch eine lebendige Orgelkunst; welches
Drama hätte diese Menschen ergreifen und im innersten Seelischen
erschüttern können wie die Passionen und Kantaten des Gottesdienstes? Diese Menschheit besaß noch große Kunst in dem unmittelbaren
Zusammenhang mit der Religion, wie das Mittelalter und die Antike
sie besaß, ohne um diese Größe und den eigentlichen Kunstwert zu
wissen; nur daß sie den Mythos nicht mehr als Gestalt der Bühne empfing wie der Grieche die Tragödie, und auch das Wort nicht als Schöpfung des kultischen Dramatikers, sondern untrennbar verwoben der
Musik des Tondichters. Dennoch vergesse man bei solchem Vergleiche
nie, welche Wortgewalt in der Rede Christi und des Evangelisten in

der Lutherschen Bibelsprache lebte und welche erhabene Dichtung den Chorälen zugrunde lag — ältere deutsche poetische Kraft ist hier den Gemeinden des 18. Jahrhunderts erst eigentlich ganz lebendig geworden, im Bunde mit der Musik, und schon damit war Dichtung im höchsten religiösen Sinne immer noch wirkend vorhanden, und es bestand, für das Volk als Ganzes, keine Notwendigkeit, sie in anderen Bereichen zu suchen.

66.

In gewissem Sinne hat dieser Zustand das ganze 18. Jahrhundert hindurch gedauert: solange wir von einer wirklichen allumfassenden Kultur hier sprechen können, sind Architektur und Musik ihre klassischen Künste, in deren Raum der Dichtung nur eine geringe oder noch dienende Rolle zukommt. Zu welchen Höhen jene Künste sich auch erheben, sie allein reichen zugleich an die Wurzeln zurück und sind vom ganzen Volk getragen und bejaht worden, wie sie denn auch die gültigen Denkmale der Epoche für die Nachwelt wurden. Sie sind aristokratisch und volkhaft zugleich; und trotz der Macht des Höfischen und der Kraft aus dem Volke hervorgehender Schöpfer sind sie weder Ausdruck der einzelnen Stände noch des vom Ganzen sich isolierenden Individuums.

Aber die Tatsache einer gleichzeitigen Literatur ist nun unleugbar, einer Literatur, die, von dürftigen Anfängen, in der Mitte des Jahrhunderts bereits zu gewaltigem Ausmaß gedeiht und von da ab so stark und immer stärker anschwillt, daß das rückschauende Bewußtsein der allein im Worte Lebenden sie lange Zeit sogar für das einzig Vorhandene hat ansehen können. Aber diese Literatur ist nun eben etwas völlig anderes und neues: sie ist nicht mehr große Kunst, wie in früheren Kulturen, sie ist sogar die Gegenmacht der Kultur oder wird es jedenfalls bis zu dem Grade, daß sie die letzte Kultur schließlich sprengt und auflöst. Und sie ist nun beides: individuell vom bisherigen Ganzen gelöst und doch zugleich Ausdruck einer bestimmten sozialen Schicht, vom Aristokratischen wie vom Volksmäßigen gleich sehr getrennt — sie ist der Ausdruck des heraufkommenden Bürgertums, das man hier in einem tiefen Sinne als „Mittelstand" zu verstehen hat, ja sie ist als solcher Ausdruck und durch diesen Ausdruck geradezu seine Emanzipation.

Für uns, die wir mit allem unserm bewußten Denken, mit allem
unsern Wertungen und Urteilen aus dieser bürgerlichen literarischen
Welt hervorgewachsen sind, erscheint ihre Art und Beschaffenheit als
das Normale; in Wahrheit ist sie das Abnorme, das Abweichende und
schließlich Revolutionäre und Sprengende gewesen, dessen Empor-
kommen und Sieg uns die Ganzheit der Kultur gekostet hat. Sie brachte
als Ersatz das persönliche Leben und Erleben, wie wir es uns einzig
noch vorstellen können; sie brachte die Freiheit, zu denken und zu fühlen, nach Willkür zu schaffen und zu gestalten, zu forschen und zu
produzieren, zu glauben oder nicht zu glauben und unermeßlich tätig
zu sein. Sie hat die großartigsten Errungenschaften heraufgeführt und
die bedenklichsten. Denn wenn das bürgerliche Wesen mit dem aristokratischen seine Gleichberechtigung erwies und errang und dieses selber
in seine Bahnen hineinzog, so hat es doch nicht aus sich selbst und als
Ganzes zu herrschen vermocht, und auch im Geistigen ist es nur in einzelnen sehr großen Individuen zum Ziele gekommen, die in sich den
aufreibenden Kampf zwischen Freiheit und Gesetz, Maß und Willkür
zum Austrag brachten, in großartigen Lösungen oft, die aber für das
Ganze unverbindlich blieben, dem Ganzen nicht mehr Form und Sinn
und Halt zu geben vermochten.

Auf jede große geschlossene Kultur folgen solche Zwischenzeiten der
Ungebundenheit und mannigfachen Zerlösung; im 18. Jahrhundert ist
es das Neue und Einzigartige, daß die Triebe zu beidem: zur letzten
Bindung und Gestaltung und zur Entformung und Lösung nebeneinander hergehen, ja sich mannigfach durchkreuzen oder widerspruchs-
voll vermischen und in denselben Menschen sich schon begegnen, ehe
die bewußten Kämpfe und Entscheidungen offenbar werden. So wächst
gleichzeitig mit der höchsten künstlerischen Verherrlichung und Vollendung der Religion Skepsis und Aufklärung heran, und der mühe-
lose Gebrauch reifster Formen in Musik und Architektur wird in der
Literatur begleitet von einem rührenden Tasten und Fragen nach Form
und Wesen des Poetischen, das man fast nur aus fremder Überlieferung kennt und als erlernbares Versifizieren versteht. Der ungeheuer-
sten Transzendenz und Irrationalität geht der platteste Rationalismus
selbstgewiß zur Seite, und während die Wunder der Kirchen und
Schlösser und Tonarchitekturen in die Wirklichkeit gebannt werden,
erörtert man mit leidenschaftlichem Für und Wider, ob das Wunder-

bare in der Dichtung erlaubt sei. Neben reinen Verstandesnaturen wie Gottsched und Nicolai gibt es auch in der Literatur Genies des Herzens wie Gellert und gefühlüberwältigte Sänger wie Klopstock; ja eine ganze Periode der „Empfindsamkeit" hält der Nüchternheit wachsender Aufklärung die Waage. Aber das Seltsamste ist, daß viele in beiden Welten: der gefühlhaft-musikalischen und der rational-verstandesmäßigen, zu Hause sind. Ja wir ahnen die tiefere Möglichkeit von alledem, wenn wir uns vorzustellen versuchen, wie das Absolute von Musik und Baukunst deshalb wohl entbunden werden konnte, weil noch keine hohe dichterische Geisteswelt selbständig die Schöpferkräfte an sich zog; und daß die Menschen, die etwa im Musikalischen mit voller Neigung lebten, das formalistisch Nüchterne der Poesie als ungewohnten Reiz empfanden und ungestraft an den neuen Orgien des Verstandes sich berauschen konnten. Auf die Dauer mochten manche unentschieden hin und her gerissen werden, und erst in den völlig wachen und begreifenden Geistern hat sich dann das Entweder—Oder und der Kampf der Gewalten eingestellt. Doch ist schon früh während der ausgebreitetsten Musikkultur die Polemik Einzelner gegen alles musikalische Wesen zu gewahren, während dann wiederum erst ganz am Ende des Jahrhunderts die eigentliche Überflutung der Dichtung durch den erlebten Klanggeist der Symphonik sich ereignet.

Aber wie in vielen dieser aufgeklärten Dichter und Gelehrten sich die angestammte Religion in irgendwelchen Formen behauptet, behutsam umgedeutet wird oder in vertieftes innerliches Leben sich zurückzieht, so schwankt auch das gesellschaftliche Bewußtsein zwischen Auflehnung gegen die aristokratische Kultur und Nachahmung ihrer Formen, ja Aufsuchen fürstlicher Protektion und Genuß ihres alten Mäzenatentums. Es ist meist mehr instinktives Entwickeln anderer Art als offene Revolution und grundsätzliches Bekenntnis. Das Bedeutsamste aber ist in eben dieser schillernden Vielfalt der Übergänge, Gegensätze, Ausgleiche die Mannigfaltigkeit des persönlichen Lebens, das schon durch so viel wechselnd starke Komponenten bei dem geringsten Poeten ein verschiedenes Aussehen bekommt, da nun allgemein das Schreiben im neuen bürgerlichen Zeitalter den Charakter der individuellen Aussage, des als unterschieden und eigen gefühlten Schicksals trägt. Dieser Lebenswert des Schriftstellerischen ist zunächst jenseits

18*

alles dessen, was Dichtung sein und heißen mag; er kann der gelehrten Existenz ebenso innewohnen wie der eigentlich poetischen, braucht bloß in Brief und Tagebuch oder Selbstbiographie seinen Niederschlag zu finden — es ist ein wachsendes Wichtignehmen des Ich, wie es die andern großen gleichzeitigen Künste nicht kennen, statt deren Objektivität und sichrer Objektivierung ein durchaus Subjektives, das in einer mehr oder weniger zusammenhängenden Konfession fast den durchgehenden Sinn des Daseins sieht. Die Gesamtmanifestation der Persönlichkeit wird wichtiger als das einzelne Werk, und wiederum das einzelne Werk will verstanden werden einzig durch die Persönlichkeit — dieses Streben, das zuletzt in Goethe kulminiert, ist tief vorher im ganzen Jahrhundert angelegt; und es bezeichnet wohl den unbedingtesten Gegensatz gegen die reine Werkbesessenheit der Kulturkünste.

Dieses Sich-wichtig-Nehmen des Einzelnen ist anfangs noch das Vorrecht Weniger und geht nicht so sehr von spontanem innerem Müssen aus, sondern von gelehrten Ambitionen, wird wesentlich auf gelehrtem Wege in Aufnahme fremder literarischer Anregungen lebendig. Die Beherrschung der alten Sprachen ist selbstverständlich, Gymnasialerziehung, vorzüglich auf den alten sächsischen Fürstenschulen, nebst kürzerem oder längerem Universitätsbesuch die Grundlage alles weiteren; und zur Kenntnis des Französischen, welche schon der Umgang und die Konkurrenz mit dem Adel nahegelegt in den typischen Hofmeisterstellungen der noch nicht beamteten Studierten, kommt außer einer gewissen Vertrautheit mit dem Italienischen, das die Musik unvermeidlich macht, die wachsende Rolle des Englischen als der Sprache, die am meisten fortgeschrittene freiheitliche Bildung vermittelt. Es wird damals enorm gelernt und in einem uns unvorstellbaren Maße gewußt und angeeignet, oft auch autodidaktisch, mit einer Unverbrauchtheit der Gehirnkräfte, von der man nur staunt, daß sie bei so vielfältiger Bildung noch Fähigkeit zu eigenem Ausdruck übrig hatte.

Und dieser Ausdruck ist keineswegs nur schriftlich und schriftstellerisch; die jungen Menschen vorzüglich sind von dem mannigfach Neuen, was ihnen zuströmt, so erfüllt und von ihren eigenen Reaktionen so begeistert, daß alles zu unmittelbarer persönlicher Mitteilung drängt und sich zu einem guten Teil in mündlichen freundschaftlichen Ergüssen ausströmt. Diese Menschen, die dann irgendwie literarisch hervortreten, kennen sich alle, haben ihre Richtung durch Berührung und Auseinandersetzung mit anderen gefunden, bilden noch so etwas wie eine große geistige Familie, die lebenslang zusammenhängt und wesentlich für sich allein vorhanden ist. Zeichnen sich auch wechselnde Bünde und Gruppen und Parteien ab, über allem steht der feste Kreis geistiger Erudition und irgendwelcher poetischen Verdienste, der sich selber Publikum und eigentliche Öffentlichkeit bedeutet; eine wahre Gelehrtenrepublik, die in den Herbst- und Frühjahrsmessen des Buchhandels ihre ständige Erneuerung erfährt und in bestimmten kritischen und schöngeistigen Journalen ihre Leitung und Gerichtsbarkeit besitzt. Es ist ein durchaus geselliger Individualismus, der durch den Austausch sich gegenseitig fördert und bestärkt, Einsamkeit und völliges Aufsichgestelltsein noch kaum erträgt, und mindestens durch ständigen Briefwechsel die persönlichen Beziehungen aufrecht erhält, die immer zugleich die sachlichen literarischen Verknüpfungen darstellen. Keine Klage ist so verbreitet wie die, fern von aller geistigen Anregung und mündlichen Mitteilung in einem weltentlegenen Ort, in einem unangemessenen Amt das Leben hinzubringen.

Auch hier ist wieder auf den Unterschied von den andern Künsten hinzuweisen: weder Baukunst noch Musik basieren auf einem Element der Gemeinsamkeit, das die Struktur der Freundschaft aufwiese; trotz aller Verankerung des Zwecks ihrer Gestaltungen noch in einer echten Gemeinsamkeit, trotz des zum Teil gemeinschaftlichen Arbeitens oder Ausübens, trotz der Nutzung aller Anregungen von Zeit und Welt sind ihre Konzeptionen im letzten nur als einsam vorzustellen — das Material dieser Künste ermöglicht Austausch wesentlich nur über das Technische; und gerade das, was uns am Eindruck der Werke als das eigentlich Künstlerische dünkt, läßt sich in Worten nicht sagen und ist von den großen Meistern selbst am allerwenigsten formuliert worden. Die Dichtung aber hat nun das Material der Worte nicht nur für die kunsthafte Gestaltung, sondern auch für die theoretische und ästhetische Betrachtung und Mitteilung ständig bereit, und schon die Nähe des Poetischen pflegt eine erhöhte Fähigkeit des allgemeinen sprachlichen Ausdrucks zu verleihen, auch wo dem Werk kein Gelingen beschieden ist; und vermag es auch sonst, aus welchen Gründen immer, keine Dauer zu behaupten, so bleibt doch meist das Andenken an alles Planen und Streben in jenem allgemeineren sprachlichen Element, das summarisch Prosa genannt wird, bewahrt, und der Schreibende gelangt durch solchen Ausdruck seiner Persönlichkeit dennoch auf die Nachwelt. So sind auch von einem bestimmten historischen Zeitpunkt an, den man mit dem Aufhören der strengen kulturellen und religiösen Bindung gleichsetzen kann, selbst die Leistungen der großen Dichter fast niemals allein im reinen Kunstwerk beschlossen, sondern immer auch außer diesem in einer über das ganze Leben gebreiteten sprachlichen Mitteilung enthalten, ob mehr denkerisch oder gefühlsmäßig, ob in Anrede der Öffentlichkeit oder des privaten Briefpartners; ja selbst die mündliche Äußerung wird durch Zufall oder bedachte Ehrfurcht als ein Dokument hohen Ranges bewahrt, da die Aussprache solcher Menschen überall eine besondere Dichte und innerlich suggestive Form angenommen hat, die wir ohne weiteres mit ihrem Kunstgestalten gleichsetzen, mindestens zu ihm hinzurechnen, wenn wir die Gesamtpersönlichkeit in Betracht ziehen.

Schon hieraus ergibt sich, welches ungeheure Bereich das Schrifttum als Domäne der modernen Persönlichkeit umfaßt. Vor allem schließt es das gewaltige Gebiet der Reflexion über das Künstlerische selbst und über das Weltanschauliche ein, welches alles in diesem Stadium bereits diskutabel, weil unsicher, fraglich und problematisch geworden ist. Auch für den späteren Leser besteht ein Hauptreiz der Beschäftigung mit solcher Literatur in dem Genuß der Unterhaltung mit einer Fülle verschiedengearteter Persönlichkeiten, welche keineswegs mit dem besonderen Erleben ihrer Dichtung identisch ist. Und hier kann man nun weiterhin fragen, inwieweit die moderne Allseitigkeit und Allfähigkeit des sprachlichen Ausdrucks und das Bedürfnis danach bloß Ergebnis einer sich plötzlich entdeckenden Reflexion aus rationaler und kritischer Einstellung zum Überlieferten ist, oder vielmehr eine Auslegung und Übersetzung der sprachlich „stummen" Künste in die Wortwelt aus ihrem unwillkürlichen dauernd erfahrenen Eindruck heraus. Denn gerade das, was wir, besonders bei der Musik, als das „Absolute" kennzeichnen, ist ja etwas, das über die Gegebenheiten und Notwendigkeiten der Überlieferung, vor allem der religiösen, hinausgeht und ein bis dahin Unausgesprochenes und Unaussprechliches, wohl auch nicht auszusprechen Gewagtes, mit andern Mitteln aussagt. Mußte dieses nicht, tief unter der Schwelle des Bewußtseins, bei denen, die allenthalben lebendiger musikalischer Einwirkung ausgesetzt waren, ein neues geistiges Fluidum, eine bisher unbekannte Gefühlswelt erzeugen und erwecken? und konnte nicht auf diesem Wege allmählich wieder dem Wort zurückgewonnen werden, was als eine Sublimierung des Dichterischen in das fremde stumme Medium der Töne eingegangen war? Wir würden dann auch das Andere verstehen: daß die Dichtung jener Epoche mit geringen Ausnahmen keineswegs in ihrer Sphäre die religiöse Gestaltung wiederholte, welche Musik und Baukunst geleistet hatten, sondern an das freiere Gefühlsmäßige sich hielt, das an dem scheinbar wörtlich genommenen Religiösen von jenen geheim und namenlos und unerkannt entwickelt worden war. Jene Künste hatten eine tausendjährige Überlieferung, die vordem aber auch im Wort, in Gedanke und Bekenntnis und in Bild und Gestalt lebendig gewesen war, zum Abschluß gebracht; die Dichtung begann mit völlig Neuem, das sie nennen konnte und zu dem wir die äußeren Vorbilder und Anregungen aus andrer Literatur wohl nachweisen mögen, das aber in der Gefühlsmacht, die es allmählich entfaltete, kaum begreiflich wäre, wenn hier nicht auch ein inneres Erbe sich vermuten ließe, aus dessen Substanz der dichterische Grundtrieb kam. Es würde hierzu stimmen, daß die ganze Schöpferkraft und Größe der Dichtung erst in dem Augenblick hervortritt, da es mit Baukunst und bauender Musik zu Ende ist, seit der Mitte des Jahrhunderts. Sehen wir das Geistesleben eines Volkes als eine organische Einheit, so kann nirgends eine plötzliche Schöpfung aus dem Nichts geschehen; wohl aber kann Vorhandenes aus einer Kunst, deren Verwirklichungsmöglichkeiten erschöpft sind, nun in die andere abwandern und überströmen, und Dichtung würde dann in sehr vielem und wesentlichem als Enthüllung und Deutung des noch unerkannten Geheimnisses anderer Künste, besonders der Schwesterkunst Musik sich darstellen, wenn sie auch wiederum nicht verleugnen könnte, was sie in Gegensatz und Kampf mit der Musik und ihren älteren Grundlagen bereits entwickelt hatte. —

In widerspruchsvollem und ungeklärtem Zustand finden wir nun allerdings die deutsche Dichtung noch zu Beginn des 18. Jahrhunderts; teils ist sie noch sachlich abhängig von der Musik, teils strebt sie, sich von ihr radikal zu emanzipieren. Aber schon greift sie die zwei großen Themen auf, mit denen sie scheinbar das bisherige Reich der Musik ergänzt, in Wahrheit aber das in ihrer absoluten Richtung schon Latente auszusprechen sucht. Es sind die gleichen Themen, die dann in der Vollendung der Dichtung fast alleinherrschend werden und den Inhalt der modernen Persönlichkeit ausmachen; gegenüber dem Inhalt der anderen Künste scheinbar säkularisiert und doch im Tiefsten religiös genommen, in einer Weise, wie frühere Zeiten es nicht kennen, entsprechend eben jenem doppelten, bewußten und unbewußten Geisteserbe, aus dem sie lebt: die Themen Liebe und Natur.

67.

Von den beiden, die diese großen Themen zukunftsvoll zum Inhalt ihres Schaffens erhoben, lebt der eine, der Naturdichter Barthold Heinrich Brockes, als ein Inbegriff des Altfränkischen fort, in Verbindung mit einem herrlichen Titel, dem Titel seines Hauptwerks „Irdisches Vergnügen in Gott“, welcher seine beste Erfindung zu sein scheint und wohl das einzige zu sein pflegt, was der heutige Gebildete noch von ihm weiß. Der andre, Johann Christian Günther, hat als erster neuerer Liebeslyriker einen bedeutenderen Namen in der allgemeinen Erinnerung zurückgelassen; über ihm steht Goethes Formel: „Er wußte sich nicht zu zähmen, und so zerrann ihm sein Leben wie sein Dichten“, die immerhin ein Talent, vielleicht ein Genie vermuten läßt, es aber gleichzeitig wieder als gescheitert ausstreicht — sie hat die Allgemeinheit jedenfalls nicht veranlassen können, mit diesem Leben oder Dichten sich näher zu befassen. Diese beiden können wir nun mit einigem Recht als diejenigen ansehen, durch welche das sonstige Vacuum dichterischer Entsprechung zu den großen Baumeistern und Musikern in etwas ausgefüllt wird, nach dem, was wir andeutend über die Epoche zusammenfaßten — sie sind annähernd gleichzeitig mit den andern Großen: Brockes, 1680 geboren, 1747 gestorben, umfaßt die größere Schaffenszeit von Bach und Händel; Günthers Leben reicht von 1695 nur bis 1723, ist also auch noch einer Strecke der großen Gesamtentwicklung angehörig gewesen.

Aber das Recht, diese beiden in solchem Zusammenhang zu nennen, erwächst uns eigentlich erst, wenn wir zuvor einen Blick auf das damalige Niveau deutscher Dichtung und Literatur geworfen haben, aus dem sie sich herausheben. Denn die Niederung, in welche Sprache und Dichtung um 1700 versunken sind, ist nahezu unvorstellbar. Wohl hat man es damals als einen Fortschritt empfunden, daß man von dem „Schwulst“ der Schlesischen Schule sich abwandte. Das Unnatürliche,

Gespreizte, Überladene war unerträglich geworden, und es war an sich ein gesunder Instinkt, nach dem Schlichteren, Klareren, Verständlichen zu streben. Aber auch hier ging es nicht ohne fremdes Vorbild ab — die Dichtung hatte auf lange hinaus anscheinend keine Kraft mehr, aus eigenen Mitteln zurecht zu kommen. Und so waren es jetzt die Franzosen, die an die Stelle der Italiener traten, welche bei Hofmanns- waldau und Lohenstein die Holländer abgelöst hatten. Von Giam- battista Marini, der seit dem ersten Viertel des 17. Jahrhunderts schon europäischen Einfluß ausübte und dessen Wahlspruch gewesen war: „Der Zweck des Dichters ist das Wunderbare; wer nicht versteht Stau- nen zu machen, mag lieber Pferde striegeln", ging es zu Boileau, der ja noch Zeitgenosse war (er starb erst 1711), und in seiner Poetik ver- nahm man den entgegengesetzten Rat: „Evitons ces exces" (mit aus- drücklichem Bezug auf die Italiener); „Aimez donc la raison"; „Tout doit tendre au bon sens" — der gesunde Menschenverstand war nun der Maßstab der Poesie, der korrekte Vers die Form, durch die sie sich einzig über die platte Prosa des Alltags erhob. Was für Frankreich nur Kodifizierung und allerdings auch Banalisierung der Errungen- schaften einer klassischen Literatur bedeutete, von seiten eines rein formalen Talents und kritischen, aber phantasielosen Kopfes, das mußte in Deutschland als Vorbild für ein Neubeginnen, an sich ver- standen, zur ödesten Versmacherei führen, die einer ungefügen Sprache kaum das Korrekte, noch weniger das Elegante abgewinnen konnte.

Boileau war Hofhistoriograph Ludwigs XIV. gewesen, und in einem rein äußerlichen und durch keine Tradition bedingten Sinne entsteht so auch in Deutschland eine „höfische" Poesie, ohne jeden eigenen Cha- rakter und durch nichts anderes gekennzeichnet, als daß ihre Verfasser an großen repräsentativen Höfen leben oder sich diesen zu empfehlen suchen. Der Freiherr von Canitz verdankt zeitgenössischen Ruhm und Vorbildhaftigkeit einzig dem Umstand, daß er als vornehmer Herr und verdienter Staatsmann der brandenburgischen Kurfürsten den guten Willen zeigte, deutsch zu dichten; die deutsche Poesie wurde mit ihm hoffähig, aber wirkliche höfische Kunst war und blieb allein die Musik, mit der es diese halbsatirische Poesie nach Boileau und Horaz weder an gesellschaftsbildender Macht noch an persönlichem Ausdruck aufnehmen konnte. Canitz war ein durchaus edler Mensch, kein höfi- scher Schmeichler und unterhaltsamer Charlatan; aber selbst das Ge-

dicht auf den Tod seiner Gattin, das echte und ernste Gefühle ausdrücken will, geriet ihm zu nichts anderem als endloser versifizierter
Prosa. Seine „Nebenstunden unterschiedener Gedichte" kamen erst im
Jahr nach seinem Tod, 1700, heraus und wurden nun verehrte Muster
beflissener Nachahmer. Johann Besser, ein kurländischer Pfarrersohn,
gleichen Alters wie Canitz und ebenfalls 1654 geboren, ist gegen diesen schon ein ausgesprochener Bewerber um höfische Gunst und verdankt sein Aufrücken in hohe Ämter bis zum Zeremonienmeister und
die Erhebung in den Adelsstand den Lob- und Ehrengedichten, mit
denen er alle erdenklichen Gelegenheiten am preußischen Hofe verherrlicht und unter dem prunkliebenden König Friedrich I. die Hof-
feste arrangiert. Unter Friedrich Wilhelm I. wird er 1713 samt allem
übrigen Luxus sofort verabschiedet und findet erst 1717 wieder eine
Unterkunft in gleicher Stellung bei August dem Starken. „Herrn
v. Bessers Schriften, beides in gebundener und ungebundener Rede"
erschienen 1711; es ist für die Gesinnung dieses Höflings bezeichnend,
daß er in seiner Vorrede die Poesie nur deshalb empfehlend preist,
weil sie ihm von seiten seines Königs viele Tausende eingebracht habe.
Er führt in Dresden den Dritten dieser Hofpoeten noch in seine Ämter
ein, der 1729 sein Nachfolger wird: den Schwaben Johann Ulrich
König; welcher dann seinerseits die Vorgänger verherrlicht, indem er
1724 eine Prachtausgabe der Schriften von Canitz herausgibt, 1732
die von Besser vollständig ediert. Er bringt es schon als Geheimer Sekretär und Hofpoet zu 1300 Talern Gehalt und wird nach Bessers
Tode Hofrat und Zeremonienmeister und in den Adelsstand erhoben.
Wird er auch, merkwürdig genug, dem italienischen Hofpoeten Pallavicini an Rang und Gehalt gleichgestellt, so ist doch seine Rolle als
Vertreter deutscher Dichtung keine gerade würdige — „Wenn wir bei
Hofe Büchsen- oder Schnepperschießen halten", heißt es in seinem Anstellungsdekret, „soll er mit seiner Poesie in einem Zeremonien- oder
Heroldskleide darbei aufwarten" — er muß also seine Gedichte, mit
denen er jede Gelegenheit zu verherrlichen hat, selber rezitieren; und
seinem Herrn muß immerhin so viel daran gelegen haben, sein Lob
auch auf deutsch gelegentlich zu hören, daß er in den Pausen der ernst-
hafteren Beschäftigung der Jagd es in Kauf nahm, die elenden Reime
dieses miserablen Versemachers anzuhören. Das non plus ultra von
Albernheit ist wohl das berühmt-berüchtigte Gedicht „August im

Lager" auf das Treffen des sächsischen und preußischen Hofes zu Radewitz im Jahre 1730, eine reine Reportage mit Beschreibung aller Kostüme und Persönlichkeiten, die sich ernstlich einredet, dieses hohe historische Ereignis samt den Namen seiner verschiedenen adligen Gönner und Freunde als etwas Unvergleichliches auf die Nachwelt zu bringen. Zur Charakteristik des Stiles genügen einzelne Zeilen wie die von den Rittern des weißen Adlerordens „Das blaue breite Band hängt links ab zu der Rechten, / Der Aufschlag ihres Rocks ist weder lang noch breit, / Der Degengurt gestickt als wie ihr Ordenskleid" usw.

Und doch ist dieser Mann, der bis 1744 das Deutschtum am sächsischen Hofe vertritt, nicht ganz ohne Interesse. Das eine ist seine wirkliche Neigung zur Musik, die, ganz typisch für die Zeit, seine Ahnungslosigkeit von der Dichtung mit entschuldigen mag; das andre ist sein Lebenslauf vor seiner höfischen Karriere, der ihn in allerlei Beziehungen zeigt, die uns noch deutlicher die damalige Stellung der Dichtung inne werden lassen. In der freien Reichsstadt Eßlingen 1688 geboren, studiert er zunächst in Tübingen Theologie, in Heidelberg Jurisprudenz, geht als Sekretär eines Grafen nach Brabant, um dann in Hamburg zu landen, wo das rege literarische und musikalische Treiben ihn anzieht. Er ist hier Brockes nahegetreten und hat mit ihm die „Teutschübende Gesellschaft" gestiftet, hat ferner, im gleichen Jahr 1715, den Vorbericht zu dessen Verdeutschung des „Bethlehemitischen Kindermords" von Marini geschrieben, die Biographie des „Ritters Marino". Schon vorher aber ist er für die Hamburger Oper tätig, für die er in den zehn Jahren seines Aufenthalts eine Reihe von Texten verfaßte. 1713 erscheinen von ihm „Theatralische, geistliche, vermischte und galante Gedichte"; 1715 verfaßt er für Keiser eine „Fredegunde", deren Musik erhalten ist, ferner einen „Heinrich der Vogler", das musikalische Lustspiel „Der geduldige Sokrates" und weiter Opern wie Diana, Carolus V., Calpurnia, Zoroaster, Cadmus; seine Alceste nach Quinault, noch von Wieland erwähnt, wird 1719 in Braunschweig aufgeführt. Auch ein ernstliches biblisches Oratorium, David, hat er verfaßt, und noch eine Reihe von Pastoralen, Singspielen und Serenaten, die meist von Keiser oder Telemann in Musik gesetzt sind. Er muß Verständnis und Urteil in musikalischen Dingen gehabt haben; denn ihm verdankte Hasse 1718 seine Empfehlung als Tenorist an Keiser und die Hamburger Oper und später seine Anstel-

lung am Braunschweiger Theater. Ebenso protegierte er in Dresden
später Graun; und wie grundsätzlich seine Einstellung zur Musik war,
beweist sein Verhalten Gottsched gegenüber: ihn hatte er auch anfangs
nach Kräften gefördert und ihm 1727 die Professur der Dichtkunst in
Leipzig verschafft; als dieser aber drei Jahre später seinen fanatischen
Kampf gegen die Oper begann, sagte er sich brüsk von ihm los, wobei
er ihm zu verstehen gab, daß er wie der Blinde von der Farbe rede, und
sich auf sein eigenes Opernschaffen bezog, das auch damals noch nicht
ruhte und ihm in Dresden im Tragischen wie im Komischen Erfolg
brachte.

Uns zieht aber hier noch einmal der frühere Schauplatz seiner Tätigkeit, Hamburg, an, das ja ein Beispiel gibt, wie es mit deutscher Dichtung aussah, wo keine höfischen Zwecke und Pflichten das freie Schaffen hemmten. Auch da ist um 1700 bereits das Konnubium mit der
Musik nicht nur für König charakteristisch, ja entscheidend: die Dichter alle, deren Namen uns überliefert sind, stehen in Beziehung mit ihr
und sind fast nur durch ihre Opern- und Kantatentexte in Erinnerung
geblieben. Aber auch das andre ist der Fall, daß der bedeutendste Musiker der Zeit wiederum von seinen Textdichtern weitgehend abhängig
ist und ohne diese nicht mehr auf seiner Höhe sich erhält. Reinhold
Keiser, ein ausgesprochenes Theatertalent, kommt 1693, ein Zwanzigjähriger, als Operndirigent nach Hamburg und hilft sich dort zuerst
damit, daß er Steffanis Opern in deutscher Übersetzung aufführt. Von
1696 an aber datiert nun seine engere Verbindung mit Postel, dessen
„Zerstörung Jerusalems" er schon 1694 aufgeführt hatte und mit dem
er nun eine Reihe seiner besten Opern auf die Bühne bringt: Adonis,
Irene, Die güldenen Äpfel, Ismene; 1699 „Die wunderbar errettete
Iphigenie", „Die Verbindung des großen Hercules und der schönen
Hebe"; Psyche, Orpheus, Ulisses, Pomona, alles bis 1702. Im Jahre
1703 nimmt Keiser das Theater selber in Pacht, und das beschleunigt,
innerlich und äußerlich, seinen Ruin. Er lebt über seine Verhältnisse,
fährt vierspännig mit gallonierten Dienern, meint es den fremden
Gesandten gleichtun zu können, die in Hamburg den Ton angeben
und große repräsentative Musikaufführungen veranstalten, wenn er
in ihren Assembleen mehr als Kavalier denn als Musiker auftritt; im
Theater selbst reißt ein wildes Genußleben mit Schauspielerinnen und
Sängerinnen ein, bei wachsenden Schulden. Er muß auf der Bühne zu

Sensationen greifen, und hier trifft er nun auf eine andre Abenteurernatur, auf Hunold, der mit Schriftstellernamen Menantes sich nennt und bereits 1700 einen Roman „Die verliebte und galante Welt" herausgebracht hat, 1702 „Galante, verliebte und satyrische Gedichte". Der schreibt ihm einen Salomon, und vor allem den Nebucadnezar, wo er den Titelhelden grasfressend mit Klauen auf allen Vieren auf die Szene bringt. Auch reißt die Stilverderbnis ein, italienische Arien bei sonstigem deutschem Text singen zu lassen, was die ganze Ohnmacht und Unzulänglichkeit der deutschen Dichter illustriert, aber auch die genialische Skrupellosigkeit des Musikers. Im Jahre 1706 muß Keiser Hamburg verlassen; gleichzeitig flieht auch Hunold, der sich durch seinen „Satirischen Roman" unmöglich gemacht hat. Es ist ein Wunder, daß Keiser 1709 noch einmal in Hamburg beginnen kann, sich jetzt verheiratet; dann ist er von 1718 bis 1724 wieder fort, vier Jahre davon in Kopenhagen, schließlich wieder in Hamburg, wo 1725 die grob realistischen Opern „Hamburger Jahrmarkt" und „Hamburger Schlachtzeit" als pöpelhaft verboten werden, bis er schließlich 1728 als Kantor am Dom zu einer gewissen Ruhe kommt. Aber Dom und Theater stellen schon zehn Jahre später ihre Musik ein, und 1739 ist Keiser gestorben. —

Wir haben schon bei der Darstellung der Musik die Gründe des Scheiterns der ersten deutschen Oper gestreift; und wenn wir jetzt noch einmal einen Blick auf den Komponisten geworfen haben, so geschah es nicht nur wegen seines engen Angewiesenseins auf die Dichtung, sondern auch, weil sein Leben fast mehr zur Biographik des damaligen Schriftstellertums gehört als in die Musikgeschichte, die in ihrem steten sicheren Vorschreiten in jener Epoche sonst kaum eine solche genialisch-abenteuerliche Erscheinung kennt, wie sie uns unter den Dichtern der Zeit so oft entgegentreten. Er, den man an Fülle und Leichtigkeit der Melodie Mozart verglichen hat, kam vielleicht zu früh, sicherlich zu früh für eine Verbindung deutscher Tonkunst mit deutscher Sprache, so sehr wir die ganze Zeit auch darum ringen sehen. Er hat die unzulänglichen Textverfertiger nicht, wie später Bach, in seine Welt hineingerissen, daß ihre Mängel in der Größe seines Werkes untergingen, er hat sich von ihnen zum Besseren oder Schlechteren leiten lassen, und ihr Versagen in jedem höheren Sinn hat seine Musik mit in Vergessenheit gesenkt.

Es mochte zudem für einen nicht allzu starken und sichern Charakter an sich schon schwer sein, im damaligen Hamburg einigermaßen die eigne Linie zu behaupten — neben der unbestreitbar großen Musikkultur älterer und neuerer Färbung hatte sich ein wildes Literatenleben aufgetan mit dauernden Zänkereien, Fehden und Skandalen. Die freie Reichsstadt unterscheidet sich hierin nicht wesentlich von den Universitäten, wo dergleichen gang und gäbe war. Das Auftauchen des berüchtigten Hunold-Menantes ist dafür besonders bezeichnend. Er stammte aus der Gegend von Arnstadt in Thüringen, war der Sohn wohlhabender Eltern (er ist 1680 geboren) und hatte als Student der Rechte in Jena schon früh ein großes Vermögen durchgebracht. Um 1700 erschien er in Hamburg, mußte eine Zeitlang mit Schreiberdiensten sich behelfen, trat aber bald als Schriftsteller auf. Er schloß sich Postel an und nahm für ihn Partei in dem Streit gegen den Epigrammatiker Christian Wernicke, der in seinen „Überschriften oder Epigrammata" abfällige Urteile über die Schlesische Schule geäußert hatte, welche Postel auf sich zu beziehen Grund zu haben meinte. Wie die meisten Dichter, die noch nicht der Nüchternheit von Canitz folgten, kam Postel tatsächlich aus der Schlesischen Tradition und war ein besonderer Verehrer von Lohenstein; schon die Titel seiner ersten Opern weisen darauf hin: „Die heilige Eugenia" (1688), „Die betrübte und erfreute Cymbria" (1689, beider Musik von Förtsch), „Die schöne und getreue Ariadne" (1691, Musik von Conradi) usw. Sein offener Angriff auf Wernicke wurde von diesem mit einer überscharfen Satire „Heldengedicht Hans Sachs genannt" (1702) beantwortet, wo er dem Gegner nichts Schlimmeres antun zu können glaubte, als ihn zum Nachfahr des alten Meistersingers zu stempeln. Hier griff nun Hunold ein, der sich den einflußreichen Postel verpflichten wollte, in derber Replik, die Wernicke nicht gerade vornehm mit einer politischen Denunziation beantwortete, was ihm bei seinen Beziehungen zu den fremden Gesandten ein leichtes war; Hunold entzog sich der Anklage geschickt und rächte sich durch eine noch viel gröbere und ziemlich geistlose satirische Komödie „Der törichte Pritschmeister oder schwärmende Poet", worauf dann Wernicke nicht mehr einging. So glitt diese erste literarische Fehde der Neuzeit aus dem ursprünglich Grundsätzlichen sehr schnell ins wüste Persönliche ab; was bei dem Rang von Wernicke zu bedauern ist; denn er war zweifellos der bedeutendste

der damals in Hamburg lebenden Schriftsteller — seine klaren, gefeilten Epigramme sind noch heute lesbar, und er steht ziemlich einsam
in seiner Zeit, von der Mitwelt so wenig gekannt und geschätzt, daß
uns nicht einmal Geburtsort und -Datum überliefert ist. Er muß im
Preußischen um 1666 geboren sein, sein Vater war Sachse, seine Mutter eine vornehme Engländerin; er studierte bei Morhof in Kiel, der sein
Talent entdeckte, erwarb die Gunst einer mecklenburgischen Herzogin, an deren Hof er einige Jahre zubrachte, ging dann auf Reisen
nach Frankreich und England, war eine Zeitlang in London Gesandt-
schaftssekretär, privatisierte seit 1696 in Hamburg und ist als dänischer Staatsrat und Resident am französischen Hofe zwischen 1710
und 1720 in Paris gestorben. Sein Gegner Postel, Sohn eines Predigers
aus der Hamburger Gegend und 1658 geboren, lebte in Hamburg als
angesehener Advokat, nachdem er auch die Welt gesehen und ausge-
dehnte Reisen nach Holland, England, Frankreich und Italien gemacht
hatte; bemerkenswert ist, daß er in Nachfolge von Lohensteins Arminius auch einen Stoff des deutschen, des niedersächsischen Altertums
behandelt hat, in seinem Epos „Der große Wittekind"; wie denn auch
in den Hamburger Opern eine Reihe deutsch-mittelalterlicher Stoffe
damals behandelt werden.

Aber selbst unter den Dichtern, die einmütig um die Hamburger
Oper geschart schienen, spielten sich heftige Streitigkeiten ab: so zwischen dem Holsteiner Fr. Chr. Feustking, einem Theologen, der als
Privatlehrer und Schriftsteller in Hamburg lebte, und Balthasar Feind,
dem Advokaten, von denen der erste als Verfasser der von Händel
komponierten Opern Almira (1704) und Nero (1705) bekannt ist, der
andere unter vielen Operntexten einen „Massagniello furioso" schrieb
„oder die neapolitanische Fischer-Empörung" (1706, Musik von Keiser), und mit so bedeutenden Stoffen wie Simson, Caesar, Rinaldo
hervortrat; auch war er einer der ersten, die grundsätzlich Ästhetisches
über die Oper schrieben. Wegen seiner Satire gegen den Pfarrer Krumb-
holz wurde Feind von 1707 bis 1709 verbannt, ward dann als Parteigänger Schwedens in Dänemark eine Zeitlang gefangen gehalten und
hat auch über den „Heldenmütigen Monarchen von Schweden, Carolus XII." ein Epos geschrieben. Mit ihm hielt Hunold zusammen gegen
Feustking und hat dann auch Hamburg verlassen müssen, vor allem
wegen seines satirischen Romans, in dem er mit ziemlicher Indiskretion

die ganze Hamburger Gesellschaft mitgenommen hatte. Auch er hat übrigens in seinen „Theatralischen, Galanten und Geistlichen Gedichten" über die Oper theoretisiert, und auch das, was Erdmann Neumeister in seinen Leipziger Kollegs über die Poetik der Oper beigebracht hatte, in seiner „Anweisung zur Galanten Poesie" (1707) bekanntgemacht. Er soll später seine schriftstellerischen Jugendsünden bereut haben; jedenfalls gelangte er noch in geordnete Verhältnisse, wurde in Halle Doktor und Privatdozent und las über „Moral, teutsche Oratorie, Poesie und den Stylum".

Nimmt man hinzu, daß ständig Differenzen zwischen dem Theater und der Geistlichkeit spielten, daß die Pastoren selber unter sich uneinig waren, da etliche für die Oper eintraten, und besonders über die Form der theatralischen Passion die Meinungen heftig aufeinanderstießen, wie wir es früher in der Darstellung der Musik schon zu erörtern hatten, so erscheint es fast als ein Wunder, daß in dem unruhigen, streitbaren, genußsüchtigen und vorwiegend rohen Milieu dieser Stadt gleichzeitig eine so stille und beschauliche Existenz möglich war von so durchaus eigenem und ganz in neue Bezirke weisendem Charakter, wie sie uns nun in Barthold Heinrich Brockes entgegentritt.

68.

In Einem ist Brockes seiner Zeit und speziell der besten Hamburger Tradition noch zugehörig: das Verhältnis zur Musik hat ihn grundlegend noch mit bestimmt, und hier erscheint er auch am ehesten im Zusammenhang mit den übrigen Gestalten, die an uns vorüberzogen. Das erste, womit er in der Öffentlichkeit hervortritt, ist seine Passion: „Der für die Sünde der Welt gemarterte und sterbende Jesus, aus den vier Evangelisten in gebundener Rede dargestellt". Sie erschien 1712 und wurde nacheinander von Keiser, Mattheson, Händel, Telemann komponiert, und lag zum Teil noch Bachs Johannes-Passion zugrunde. Was so die größten Komponisten der Zeit anziehen konnte, muß für die Zeit eine geistige Tat gewesen sein, wenn wir das Schwülstige und manchmal Rohe heute auch hier nicht mehr recht zu genießen vermögen. Denn auch Brockes steht anfangs noch unter dem Einfluß, der in den letzten Vertretern der Schlesischen Schule vorherrschend war, dem italienischen, und seine zweite literarische Leistung ist geradezu

dem geweiht, der hier der große Neuerer war, eine Übersetzung des
Marini: „Verdeutschter Bethlehemitischer Kindermord des Ritters Marino", die 1715 erschien, mit dem Vorbericht über das Leben Marinis
von Ulrich König, dessen wir bereits erwähnten.

Um so mehr erstaunt man, nach keinen zehn Jahren einen völlig
anderen Ton bei ihm aufklingen zu hören. Es muß sich schon vieles
und lange Zeit bei ihm aufgespeichert haben, ehe dieser Durchbruch
erfolgt; Brockes ist schon dreiundvierzig Jahr, als er sein eigentliches
Lebenswerk, die Folge der Bände „Irdisches Vergnügen in Gott" im
Jahre 1723 beginnt und nun bis in sein fünfundsechzigstes Jahr fast
tagebuchartig fortführt. 1745 erscheint der neunte und letzte Band,
der zugleich auf den Einfluß weist, der bei ihm als erstem zutage tritt,
den englischen; er enthält die deutsche Übersetzung von Thomsons
Jahreszeiten und läßt uns bereits die Vollendung dieses die ganze
Epoche durchwirkenden Themas voraussehen, die am Ende des Jahrhunderts hervortritt: Haydns Jahreszeiten haben noch einmal denselben Thomson zur Grundlage.

Aufenthalt in der Fremde und weite Reisen haben Brockes gebildet.
Das juristische Studium absolviert er in Halle, die erste Praxis leistet
er beim Reichskammergericht in Wetzlar. Dann geht er, nicht ohne
Fährlichkeiten in den Wirren des Spanischen Erbfolgekriegs, durch
Deutschland und die Schweiz nach Italien, dann nach Frankreich und
Holland und hält in Leiden seine Promotion. 1704 kehrt er wieder in
die Vaterstadt zurück, um der Malerei, der Musik, der Poesie zu leben.
Er macht ein Haus, veranstaltet wöchentliche Konzerte bei sich und
leistet seit 1720 dem Gemeinwesen seine Dienste: er wird Senator und
zu politischen Sendungen nach Wien, Glückstadt, Berlin, Hannover
verwendet; bekleidet nach einander die städtische Prätur, eine Amt-
mannschaft in der Umgebung, den Posten eines Befehlshabers des
Bürgermilitärs, wird Protoscholarch und in seinem letzten Lebensjahr
mit der Würde eines Kaiserlichen Pfalzgrafen gekrönt. Von inneren
Erlebnissen, Schicksalen, Krisen erfahren wir nichts; und aus manchen
Äußerungen dieses behäbigen Patrizierdaseins hat man auf eine spieß-
bürgerliche Gesinnung schließen wollen. Aber eine sorglose materielle
Existenz und ein glücklich-harmonisches Temperament waren doch
gerade in diesen oft noch wüsten und wilden Zeiten fast die Voraussetzung für eine Muße und Beschaulichkeit, die sich geistig ganz und

gar einem Objektiven zugewendet hatte. Er selber ist sich nichts und erscheint fast als Individuum ausgelöscht; von ihm besteht nur schauendes Auge und lauschendes Ohr, vollkommen und einzig hingegeben dem, was außer ihm die Natur in ihren unendlichen Erscheinungen ihm zeigt und spricht — er wird für Deutsche der große Entdecker der Natur als einem unermeßlichen geistigen und seelischen Objekt ewig wechselnden Erlebens.

Manches von dem, was er vor allem in den späteren Bänden in einer fast pedantischen Lehrhaftigkeit schildert und deutet, mag uns kleinlich dünken; vor allem befremdet oft der Nachweis eines eben noch als schön Geschauten nicht nur in seiner rationalen Zweckmäßigkeit an sich, sondern in dem besonderen Nutzen für den Gebrauch des Menschen, mit welchem es letztlich gekrönt wird — aber dies gehörte zu der großen Konzeption einer sinnvollen Welt, eines bis ins Kleinste zweckmäßig geordneten All, welche die rettenden und vorschauenden Geister der Epoche dem Pessimismus der vorangehenden chaotischen Zeit gegenüberstellten: hier beginnt Leibnizens Schau in der Dichtung einzuziehen, wenn auch bei Brockes dahingestellt bleiben mag, ob er durch das, was Leibniz formuliert hatte, bereits inspiriert wurde und schon die Theodicee in ihrer ersten französischen Ausgabe von 1710 gelesen hat, oder ob er, was Leibniz von den Grundtendenzen seiner Zeit in Begriffe faßte, in seinen Tiefen selbständig ergriff; später ist jedenfalls Christian Wolff auf ihn nicht ohne Einfluß gewesen. Der viel jüngere, erst 1700 geborene Thomson, dessen Gedicht der „Winter" als erstes der „Jahreszeiten" 1726 erschien, kann ihn nicht zufrühest angeregt haben, sondern hat ihn nur in seinem bildhaft beschreibenden Element bestätigt; aber daß Brockes die Engländer las, ist durch seine Übersetzung Thomsons und vorher schon Popes erwiesen, und den eigentlichen Eindruck des Dichterischen darf man in Milton vermuten, dessen kosmische Visionen ihm Mut zu seinem Stil machten, der nun keineswegs nur nüchtern beschreibend und rationalistisch deutend ist, sondern, vor allem in den ersten Bänden, reine und hohe Erhebungen kennt, wie es sie in deutscher Sprache bisher nicht gab. Gedichte wie „Das Firmament", „Die allerhellste Dunkelheit", „Die himmlische Schrift", „Das Welt-Buch" besitzen mit der Weite des Horizonts und der Fülle kosmischer Anschauung eine musikalische Macht, wie sie in ähnlicher Einschmelzung der Erkenntnis ins Bildhafte erst in Jean Pauls Visionen und Traumdichtungen wiederkehrt; mit welchem er auch die Kühnheit teilt, das kopernikanische System in die dichterische Schau einzubeziehen. Hier ist Brockes wirklich großer Dichter und Musiker dazu, dessen Bestes zu Unrecht für uns in Vergessenheit gesunken ist. Sein Großes ist vielleicht gerade, daß seinem Naturerlebnis die lyrische Ich-Bezogenheit fehlt, die immer nur die eigne Stimmung an Schmerz oder Freude in der Natur wiederfindet — er steht mit der Ergriffenheit des erstmals Schauenden vor der Natur, erschüttert und anbetend, und oft von der Frage bewegt, warum so wenige in dem Buch der Schöpfung zu lesen vermögen, sondern mit einem bloßen „wie schön" flüchtig Notiz nehmen und sich alsbald wieder abwenden. Ihn aber verfolgt der Trieb, die ganze Herrlichkeit zu umfassen und zu ergründen ein ganzes Leben lang und kann sich nie genug tun. Es ist kein Zweifel, daß die gewaltige Wirkung, die von ihm ausging, mit auf dem Zeitbedingten beruhte, daß er, wie man gesagt hat, den physiko-teleologischen Beweis für das Dasein Gottes nun auch als Dichter erbrachte — der einfachste Mann konnte die Zweckbegründungen in allem Kleinleben fassen und nun seinerseits verfolgen, da ja der allgemeine Drang dahin ging, Gott mehr und mehr in der Offenbarung der Schöpfung statt in der inneren dogmatisch formulierten zu begreifen; aber das Ganze von Brockes' Leistung war das nicht: sie beruhte in der wirklichen Andacht und Erhebung durch eine neue künstlerische Schau.

Für die geistige Weite dieser Naturfrömmigkeit mag es bezeichnend sein, daß Brockes zu den wenigen Freunden des Reimarus gehörte, dessen Wolfenbüttler Fragmente ja erst Lessing ans Licht gab, und seine Niederschriften gekannt hat — gerade weil er das englische Freidenkertum mit seiner Kritik an der christlichen Offenbarung schon in sich aufgenommen hatte, konnte er die Offenbarung Gottes in der Natur so leidenschaftlich zu erweisen suchen. Es leitete ihn hier dieselbe esoterische Gesinnung, die wir bei Leibniz schon hervorgehoben haben: er konnte mit innerer geistiger Freiheit guten Gewissens noch die Übereinstimmung mit der überlieferten Religion durch seine Versenkung in das Wirken der Gottheit bestätigen; und diese Bestätigung schenkte ihm noch die Geborgenheit, die als das innere Glück einer freudig-harmonischen Weltbejahung zum Ausdruck kam. Auch hier berührt er sich wieder mit Geist und Haltung der Musik, der er in

19*

einem späteren Werke noch einmal gehuldigt und das Beste seines
Lebenswerkes unterstellt hat, wie ja schon einzelne Gedichte desselben
mit Bezeichnungen wie „Arioso" und „Arie" gelegentlich zu erkennen
geben: er veröffentlichte 1741 seine „Harmonische Himmelslust im
Irdischen, oder Auserlesene, teils neue, teils aus dem irdischen Vergnügen genommene, nach den vier Jahreszeiten eingerichtete musikalische
Gedichte und Cantaten". Und selbst angesichts des Todes verließ ihn
diese Lust und Freude und Geborgenheit in einer als sinnvoll erlebten
Schöpfung nicht — der Titel seines letzten Werkes lautet „Schwanen-
gesang in einer Einleitung zum vergnügten und gelassenen Sterben".
Wer so lebte und starb, dem war es Ernst mit seiner schlichten, demüti-
gen und so völlig krampflosen Bejahung der Welt. Ein Glücks- und
Freudeton klingt nun auch in der Dichtung auf mit diesem ersten
deutschen Naturevangelium, das nicht nur den Optimismus der beginnenden Aufklärung widerhallt, sondern den höheren reineren Geist
der Musik, ja von dieser für einen Augenblick schon Möglichkeiten
vorausnimmt, die sich erst in der Naturfrömmigkeit eines Haydn vollenden sollten.

69.

Man kann sich zu Werk und Leben von Brockes keinen größeren
Gegensatz ausdenken, als er gleichzeitig in Christian Günther hervortritt. Zwar ist Günther, 1695 geboren, um ein halbes Menschenalter
jünger als Brockes, doch erscheinen seine Schriften im selben Jahr wie
das Hauptwerk des anderen, 1723. Aber das ist bereits im Jahr von
Günthers Tod, der als Achtundzwanzigjähriger sein leidvolles Leben
endet. Und das ist nun das erste, daß er, im Gegensatz zu Brockes, ein
vom Unglück verfolgter Mensch ist; ihm ist wahrhaft sein Leben zerronnen, in Not und Elend und Krankheit zerstört worden, überschattet von dem unversöhnlichen Haß des eignen Vaters. Aber sein Dichten ist ihm nicht, wie es in Goethes weltbekannter Formulierung heißt,
gleich diesem Leben zerronnen — es steht in größter, zu jener Zeit nur
denkbaren Intensität und Formvollendung vor uns, und nicht nur als
fragmentarischer Klang, sondern in einem bedeutenden Umfang, wie
er wenigen reinen Lyrikern geschenkt war.

Der zweite Gegensatz zu Brockes und seine notwendige Ergänzung
im ganzen unsrer Dichtung gesehen, ist, daß Natur bei ihm kaum vor-

kommt, Naturgefühl und Naturerlebnis sein Dichten nicht bestimmt — diese Versenkung in das große Objektive außer ihm war ihm nicht gegeben; vielmehr ist er nun der absolut Subjektive, dem die Geschichte seines Inneren der einzige Inhalt seiner Kunst gewesen ist. Er wirkt hierin unendlich moderner als Brockes, berührt uns unmittelbar, gibt uns das Leben, das wir beim Dichter zu suchen pflegen, unverhüllt und ganz. Und wenn bei Brockes das Tagebuchartige seiner Aufzeichnungen über das alleinige Thema der Natur etwas fast Allzubeabsichtigtes, Eingeschränktes und oft auch Pedantisches hat, so will uns Günthers unwillkürliches und notgedrungenes Reden von sich selbst, von seinen höchst persönlichen Freuden und Leiden als das dem lyrischen Dichter vollkommen Gemäße erscheinen, im Sinne einer Kette von Konfessionen, wie sie gleichstark das uns so vorbildliche Leben und Schaffen Goethes zusammenhält.

Aber Wesen und Schicksal ist eben hier ein völlig anderes. In Günther scheint der Grundzug der schlesischen Dichtung, deren letzter großer Vertreter er ist: das Melancholische und Pessimistische, wie es vor allem in Gryphius so elementar zum Ausdruck kam, noch einmal aufs schärfste hervorzutreten, scheint gänzlich hier mit Charakter und Schicksal identisch. Es ist nichts außer ihm Bedrückendes und Entsetzliches der Welt, wie es einst Gryphius die furchtbare Folie für seine „Vanitas vanitatum" gab, kein Kriegsgeschehen, kein Mord und Tod und dauernd Zerstörendes um ihn her — erst durch eigenste Erfahrungen und Leiden macht er den Rückschluß auf die fragwürdige Beschaffenheit des Daseins, die ihn indes zu keiner grundsätzlichen Verneinung führt, sondern zu einem steten religiösen Ringen um den Sinn, bis die tiefe Überzeugung vom eigenen Untergang ihm die unermeßne Klage entbindet. Als Dichter fühlt er sich Ovid im Leiden verwandt: im bohrenden Erlebnis der „Verbannung" von allem, was ihm lieb und wert ist; als Mensch empfindet er sich mit Hiob identisch, dem er wissend seine Klage nachdichtet, Klage um das nie enden wollende Mißgeschick der Schicksalsschläge und Beraubungen.

Und durch diese Vorbilder schon wird es begreiflich, daß er in keinem einzelnen Gedicht je am Ziel ist, daß kein reines vollkommen geglücktes Lied diesen genialen Lyriker in sich ganz beschlossen trägt, etwa der kurz aufklingenden Volksmelodie vergleichbar — die Gedichte sind zusammenhängende unabreißliche Folge und geben nur als Gesamtheit den ganzen Menschen und das ganze Leben. Hinter seinen Liebesgesängen, die vom zartesten Seelenhaften bis zum schwelgerisch Erotischen in gleicher Meisterschaft ihm aus der Feder fließen, ist immer Frage und Antwort, Vermutung der Gelegenheit des menschlichen Anlasses wach, auf welchen auch die Überschrift andeutend sich bezieht. Und wenn die ewige Variation des Liebesthemas mit ihrem Sichfinden, Gedenken, Zweifeln und Beglücken, mit ihren Abschieden, Eifersüchten und Versöhnungen doch schließlich unsern Anteil erschöpft: so reihen sich in die biographische Folge die Klagelieder und religiösen Ergüsse ein, da denn die ganze Geschichte seines heiligen Innern mit Ergriffenheit nacherlebt wird.

Die äußere Geschichte seines Lebens, die hier so notwendig zum Verstehen gehört wie bei Goethes Werk, ist bald erzählt, wird aber nur eben durch den Niederschlag, den sie im Dichten fand, zu einem entscheidenden und erschütternden Geschehen. — Er wird 1695 in Striegau in Schlesien als Sohn eines Arztes geboren, der sich mühselig heraufgearbeitet hat, mit typischer Starrheit die errungene bürgerliche Existenz behauptet und außer ihr kein Heil kennt. So sucht er von frühauf das dichterische Talent des Sohnes, das sich schon auf der Schule meldet, zu unterdrücken, da ein Poet ihm nicht viel anderes als einen Vagabunden und unnützen Phantasten bedeutet; was denn bei der zeitgenössischen Rolle des Dichters und bei der durchschnittlichen Wüstheit des Literatenlebens nicht unbegreiflich erscheint. Gehorsam willigt der Sohn ins Studium der Medizin, aber er vermag es, bei so ganz anderem Hange, nicht durchzuführen und siedelt bald von Frankfurt a. O. nach Wittenberg über, wo er die ersten Erfolge als Dichter feiern kann und 1717 sogar zum Poeten gekrönt wird. Gleichzeitig muß er aber dort ins Schuldgefängnis wandern, da das freie Leben mit den Studenten und seine jugendliche Freude am Genuß des Augenblicks ihn das Maß seiner Möglichkeiten immer wieder vergessen läßt. In Leipzig erregt er die Aufmerksamkeit des bedeutenden Professors Burkhard Mencke, der sich seiner annimmt und ihn zu leiten versucht. Damals macht schon eines seiner politischen Gelegenheitsgedichte größtes Aufsehen: er verherrlicht anläßlich des Friedens von Passarowitz 1718 die Siege Prinz Eugens über die Türken; und wenn sein Lied auch nicht, wie er hofft, in Wien gekrönt wird, so macht es ihn doch zu einem bekannten, ja berühmten Mann. Sein Gönner Mencke will ihm auf dieser Bahn zu einer sichern und bedeutenden Stellung verhelfen und empfiehlt ihn nach Dresden auf den Posten eines Hofpoeten Augusts des Starken, denselben, den statt seiner dann Ulrich v. König erhält; denn Günther ist begreiflicherweise nicht der Mann für eine höfische Stellung — üble Intrigen bereiten ihm einen unangenehmen Empfang, und nach kurzem Aufenthalt muß er Dresden wieder verlassen und kehrt mit gescheiterten Hoffnungen in die Heimat zurück. Hier taucht nun seine Jugendliebe wieder auf — Magdalene Eleonore Jachmann — die er unter dem Namen Leonore besingt, aber in seiner Studentenzeit fast vergessen hat — andre Leonoren, auch eine Rosette und Flavia, mit denen flüchtiger Genuß oder leidenschaftlichere Neigung ihn verband, werden in den Leipziger Gedichten verherrlicht. In Striegau findet er wohl die Geliebte in alter Treue, aber der Vater weist ihn hart zurück. Versuche, in Lauban mit einem Freunde zu einer Stellung zu gelangen, schlagen ebenso fehl, wie die Wiederaufnahme des Studiums; Krankheiten, wie sie schon in Leipzig ihn heimgesucht hatten, werfen ihn immer häufiger nieder. In Erkenntnis seiner Unfähigkeit, die Geliebte zu erhalten, bricht er mit ihr und will sich ernstlich durch eine bürgerliche Heirat retten. Aber auch diese Verlobung zergeht ihm; immer neue Versuche, den Vater zu versöhnen, erweisen sich als vergeblich; die ergreifendsten Bittgedichte an ihn werden mit steigendem Haß beantwortet. Er gerät immer tiefer in Elend, Krankheit, Verzweiflung, irrt hin und her, und ist schließlich in Jena am 15. März 1723, erst achtundzwanzigjährig, gestorben.

Wohl erscheint er in seiner Unstete, in seiner Unfähigkeit, Verlockungen des Lebens zu widerstehen, schwach; aber auch in der Zeit der größten Not und Niedrigkeit schwebt ihm als Sinn ein geordnetes Dasein vor, und die aufrichtigen Versuche, sich ins bejahte Ganze einzufügen, scheitern nur an einer wahrhaft gegen ihn verschworenen Schicksalsungunst. Bei allem Unheil, das ihn persönlich trifft, ahnt er etwas von einer letzten kosmischen Harmonie, und nächst dem bald richtend und zerstörend, bald erlösend und rettend beschworenen Gotte seiner Kindheit ist es der philosophische Halt, den er in Leibnizens Ideen findet, was ihm wieder Kraft gibt — zuerst wohl hier erscheint dieser große Name im Gedicht.

Dieses Ringen um den Sinn der Welt, widergespiegelt im Lebenskampf um sein Geschick, hebt Günther weit empor über den noch so

virtuosen Sänger von bloßen Trink- und Liebes- und Gelegenheits-
liedern, als der er den Mitlebenden erschien. Aber allerdings ist es
nun die Gabe eines anscheinend mühelosen Ausdrucks, dem sich Klang
und Rhythmus des Gedichts für alle seelischen Bewegungen mit einer
selbstverständlichen Sicherheit fügen, was diesen ungeschminkten und
hemmungslosen Durchbruch des Menschlichen in deutscher Sprache zu
einem solchen Ereignis macht. Hier sind Töne des Herzens angeschlagen, und in einer leidenschaftlichen immerwährenden Beichte festgehalten, wie sie nicht nur in dieser Zeit, sondern überhaupt unvergleichlich sind. Spielend wird ein immer größerer Formenreichtum beherrscht,
vom Alexandriner geht es zu komplizierten oder freieren Strophen,
wie es dem Inhalt entspricht. Selbst wo die Lebensnot zu bezahlter Ge-
legenheitsarbeit zwingt, ist die Schönheit der Form imstande, uns mit-
zureißen, sei es im bestellten schlüpfrigen Hochzeitscarmen im Geschmack der Zeit, sei es im geistlichen Gedicht, wo es nicht eigenen
Nöten entspringt, sondern den Auftraggebern sich fügt. Und wir erleben nun die Nähe der Musik auf ähnliche und doch wieder andre Art
als bei Brockes, wenn ganze Liebesgedichte angelegt sind wie Ton-
werke und die Bezeichnungen Rezitativ, Arie, Arioso tragen; wenn
schließlich etwa die Kantate in Worten gestaltet wird in einer Ausdeutung von Episteln und Evangelien des Kirchenjahrs nach „Text"
und „Lehre", wie in den „Geistlichen Oden über einige Sonn- und
Festtage des sogenannten christlichen Jahres des Herrn von Sacy".
Alles dieses geht ihm „fließend" vonstatten, wie schon die Zeitgenossen urteilten — die Souveränität der Form bei einem ganz neuen
menschlichen Inhalt war es, was Epoche machte. Noch der sanfte Gellert sagt von dem frühen Eindruck dieser Welt: „Auf der Fürstenschule hat das Lesen der Güntherschen Gedichte aus meinem Geiste
einen feuerspeienden Ätna gemacht, der alle um sich herumliegenden
gesunden Gegenden verheerte und in meiner Seele aufkeimenden Pflanzen von Vernunft in Asche verwandelte". So begann das Zeitalter der
sogenannten Aufklärung mit einem ungeheuern Durchbruch des Irrationalen auch in der Dichtung, eines Irrationalen, das unfaßbar und bedrohlich rein im Schicksal des völlig aus dem Subjektiven lebenden
Menschen erfahren war, in die Herzen getönt von einer feurig-verfüh-
rerisch aufrauschenden Sprachmusik.

70.

Wenn Gellert den Jugendeindruck des großen Lyrikers mit so gewaltigem Gleichnis nachträglich als eine Verheerung seiner „Vernunft" formuliert hat, so spricht er nur aus, was bald die allgemeine Anschauung der Epoche zu werden beginnt. Fügt er dann noch hinzu, daß er in den Jahren seines „gereinigten Geschmacks" Günthern nie mehr ohne Ekel in die Hände nehmen konnte; so haben wir dazu noch die andern Begriffe, die jetzt die Dichtung regieren und das Urteil über sie bestimmen: zur Allgültigkeit der Vernunft tritt das Kriterium des Reinen und Gereinigten, tritt der Anspruch eines wählenden und herrschenden Geschmacks, der seiner selbst so sicher geworden ist, daß er seine Norm als selbstverständlich voraussetzt und seinen Zeitgenossen gar nicht mehr erläutern zu brauchen glaubt.

Zwischen der Reife des 1715 geborenen Gellert, die er um 1746 mit seinen „Fabeln" und anderen Werken erreicht, und seiner aufnahmefähigen Jugendzeit um etwa 1730, da er Günthers Einfluß verfällt, müssen Ereignisse liegen, die etwas völlig andres aus der deutschen Literatur gemacht haben; so daß wohl die Antriebe eines großen Dichters noch erlebt und gespürt, aber nun zugleich verleugnet und mit einem neuen Maß gemessen werden, wie es uns vorher nicht begegnet.

Es ist der Eintritt des vielberufenen und auch von uns schon oft erwähnten Rationalismus, der für die Meisten dem Jahrhundert Signatur und Namen gibt, hier aber zuerst in seinen ästhetischen Folgerungen erscheint. Seine Anwendung auf die Dichtung ist jene Reform, jene Reinigung des Geschmacks, die für immer mit dem Namen Gottscheds verknüpft sein wird und im dritten Jahrzehnt des 18. Jahrhunderts in Leipzig ihre Herrschaft etabliert.

Wenn bisher die verschiedensten deutschen Länder nacheinander oder zugleich in der literarischen Geschichte sich geltend machten mit so verschiedenen Zentren wie Schlesien oder Hamburg, so ist es von nun an der obersächsische Raum, der eindeutig in den Vordergrund rückt und bis in die Zeit des jungen Goethe hinein der Schauplatz des wichtigsten geistigen Geschehens wird und mindestens als Umschlagplatz aller maßgebenden Ideen seine Geltung behauptet. Wir fühlen uns fast in die Zeiten der Reformation oder eines noch früheren Neubeginnens versetzt, wenn jetzt vor allem die obersächsische Mundart

als Grundlage der Schriftsprache zum andern Male eine dominierende
Stellung erhält und ein Werk der Begründung der elementarsten Erfordernisse des Schreibens und Dichtens vorangetrieben wird — es hat
den Anschein, als wäre vorher nichts gewesen oder solle bisher nichts
gewesen sein, als müßte der Deutsche in allem noch einmal von vorn
beginnen.

Fragen wir, was denn da reformiert und wovon die Dichtung gereinigt werden sollte, warum grundsätzlich ein Neubeginnen und Aus-
löschen des Früheren erstrebt werden konnte, so wird die Antwort
beim Blick auf die letzten poetischen Gestalter, die noch in den zwanziger Jahren sich hervortun, den Schlesier Günther und den Hamburger Brockes, schwer genug — warum konnte es in ihrer Nachfolge nicht
weitergehen, warum sollte ihre Form und Sprache problematisch geworden sein, wo doch die von ihnen angeschlagenen Themen auch fürderhin die herrschenden der Epoche blieben? Oder war in dem Raum,
darin das Neue nun sich abspielte, besonderer Anlaß gegeben zu einer radikalen Reaktion, zur dringlichen Abstellung irgendwelchen Mißstands?

Wir können dergleichen in dem künftigen Mittelpunkt Leipzig und
dem nachbarlich zu ihm gehörigen, nicht stammlich, nur politisch und
dadurch auch zuweilen weltanschaulich von ihm getrennten Halle, in
keiner Weise finden; es sei denn, daß hier unbewußte Kräfte und
Triebe im Spiel gewesen wären, die sich wider das auflehnten, was in
diesen Gegenden das tragende künstlerische Element geworden war:
die Musik. Vielleicht hat auch die Blüte der Musik in dieser Landschaft in ihren Wurzeln Beziehung zum Wesen der Sprache; da es doch
kaum als Zufall gelten kann, daß schon im Verlauf des 17. Jahrhunderts aus Sachsen und Thüringen immer mehr die genialen musikalischen Begabungen kommen. Denn Sachsen ist wie Thüringen altes
Grenzland gegen das Slawische, war sicher mit eingedeutschter slawischer Bevölkerung stark untermischt, und das „Meißnische", das zur
hochdeutschen Schriftsprache proklamiert worden war, hatte längst
den Charakter einer echten gewachsenen Mundart verloren, ward dennoch höchst lokal bedingt gesprochen, wohl eben von ursprünglich
fremden slawischen Gebrauchern, mehr wie ein depraviertes, bequem
dem Alltagsgebrauch angepaßtes Schriftdeutsch, als wie ein echter
bodenständiger Dialekt, wie ihn etwa das Vogtland noch bewahrte.

Das Fehlen einer bedeutenden eigenen Literatur, die große Musikalität (im „Singen" des Dialekts selber vorbereitet) kann durchaus so gedeutet werden, daß Musik für die große geistige Begabung dieses Stammes die eigentliche wahre „Sprache" geworden war, die ja bereits hinter Luthers bewußtem Zurückgehen aufs „Wort" als das tiefere metaphysische Weltverhältnis verborgen lag. Das wachsende Heimischwerden im Musikalischen aber ist wiederum der Wortsprache nicht günstig gewesen; ja die Musik konnte vielleicht nur hier zuerst ins Absolute streben, weil keine letzte Ehrfurcht vor dem Sprachlichen, keine Verantwortung heischende große Literatur vorhanden war, die ein solches Überfliegen des Wortes hätte hemmen können. Das Wort war nurmehr dürftiger Sinngehalt, keine Substanz von eigenem Wert und Formbewußtsein, ohne urwüchsigen Rhythmus und Klang; und die etwa bestehende Verbindung mit der Tonkunst ließ es erst recht zu einer künstlerischen Angelegenheit zweiten Ranges werden. Die Sprache war als Beigabe der Musik so gleichgültig, wie in den Opern das fremde Italienische. So ward sie in Bachs Musik zuletzt verzehrt, so konnte sie von Händel ohne Preisgabe des deutschen Ausdruckscharakters seiner Kunst mühelos mit dem Italienischen und Englischen vertauscht werden. Was aber etwa in Hamburg zur Zeit der Oper nicht weiter als Notstand gefühlt wurde, daß das Wort nur noch dienenden Charakter gegenüber der Musik besaß und, sei es so roh und niedrig wie es wolle, durch Musik in andre Sphären gehoben werden konnte, da hier im Untergrunde immer noch die niedersächsische Mundart lebendig lebte, das mußte in Obersachsen als ein Verlust des Eigensten empfunden werden, da hier die mögliche Erneuerung aus den Tiefen des Dialektes fehlte und der einzige Stolz, der Besitz der maßgebenden deutschen Schriftsprache, dahinzuschwinden drohte. Es mag noch die seit der Reformation in Sachsen immer besonders gepflegte klassische Sprachbildung hinzugekommen sein, die wohl die besten humanistischen Schulen bis ins thüringische Pforta hinein hervorbrachte, aber zugleich auch das Sprechen dem Fremdwort zugänglicher und gefügiger machte, erst dem lateinischen, dann dem französischen, und nun auch von dieser Seite der Reinheit der Sprache größere Gefahr als irgendwo sonst zu bereiten anfing. So war es im Grunde vielleicht eine besondere Not dieses sächsischen Sprachraums, die eine Reinigung und Reform gerade hier und jetzt nahelegte. Aber dergleichen Nöte pflegen von

denen, die sie treffen, selten erkannt und ins wache Bewußtsein gehoben zu werden; der Fremde durchschaut sie besser und eher aus der
größeren Distanz und kann leichter auf Abhilfe sinnen. Und so ist es
begreiflich — und wir werden verwandte Vorgänge sich ähnlich wiederholen sehen —, daß ein Landfremder, ein Preuße, ein Ostpreuße
es war, der die Bedeutung der obersächsischen Sprache erkannte und
an ihr seine Sprachreform, ja neue Grundlegung von Sprache und Dichtung zu unternehmen wagen konnte: Gottsched.

71.

Leipzig, die Stadt, die Gottsched 1724 sich zum Wohnsitz erwählte,
war, wie wir sagten, ohne bedeutende literarische Tradition. Der
große Leibniz hatte seine Geburtsstadt nach den frühen akademischen
Jahren verlassen und hatte dort nicht persönlich gewirkt. Die stärksten literarischen Leistungen waren bisher immer noch die beiden satirischen Romane gewesen, deren schon gedacht wurde: Kuhnaus Musikalischer Quacksalber und Christian Reuters Schelmuffsky. Kuhnau,
1660 geboren, stammte aus dem sächsischen Erzgebirge und hatte in
Leipzig eine schon glänzende Reihe von Thomaskantoren bedeutsam
fortgesetzt. Christian Reuter, 1665 als Sohn eines Bauern in Kütten
bei Halle geboren, kam 1688 nach Leipzig, um Theologie zu studieren, geriet aber in ein sehr ungebundenes Studentenleben, wo dann
plötzlich ein Zerwürfnis mit seiner Wirtin, die ihn wegen geschuldeter
Miete aus dem Hause setzte, überraschend schriftstellerische Fähigkeiten in ihm entband. Er wollte sich zunächst nur an der Frau rächen,
die mit ihren Töchtern und Söhnen in einem typischen Emporkömm-
lingsdasein reichlichen Stoff für eine Karikatur darbot; aber immer
stärker erwachte dabei in ihm der Dichter. Und so ging es von dem
Lustspiel „Die ehrliche Frau" und etlichen Fortsetzungen zu der für
Hamburg geschriebenen Oper „Seigneur Schelmuffsky" oder „Der an-
muthige Jüngling Schellmuffsky und die ehrliche Frau Schlampampe",
und von da zu dem Roman, der ihm die Unsterblichkeit erworben hat:
„Schelmuffskys Warhafftige Curiöse und sehr gefährliche Reissebeschrei-
bung zu Wasser und Lande", gedruckt 1696. Hier wächst der Stoff
der einstigen Haßkarikatur sich zu einer überlegenen literarischen
Parodie der kursierenden Reise- und Abenteuerromane aus, und die
unnachahmlich gezeichnete Gestalt des tollen Aufschneiders wird so

gänzlich liebevoller Selbstzweck, daß sie noch heute lebendig ist wie vor zweihundertfünfzig Jahren. Hier dringt ein letztes Mal ein ursprüngliches, ganz absichtslos und organisch gewachsenes Dichten empor, der Volkskraft des Simplicius vergleichbar — mit dem Simplicius zusammen haben ja Brentano und Arnim einst den Schelmuffsky wiederentdeckt, und in ihren Briefen kehren seine köstlichen Namen und Interjektionen auf ihr persönlichstes Leben gewandt immer wieder. Aber der geniale Verfasser war nach kurzem Ruhm seiner Werke schon seiner Zeit so bald verschollen, daß man seinen Namen nicht mehr wußte, der erst 1884 entdeckt und mit den weiteren Lebensumständen des Dichters bekanntgemacht wurde (durch Zarncke). Aber auch hier entschwindet seine Gestalt bald im Dunkel — nach Protektion durch den sächsischen Hof wendet er sich nach Berlin, wo er einige Huldigungen und Schäferspiele im höfischen Stil drucken läßt; eine Geburtstagsoper für die Königin, „Mars und Irene" von 1703, wird sogar von Attilio Ariosti komponiert und im Lustschloß Lützenburg aufgeführt. Das letzte, was wir kennen, ist eine Passion, die von dem Schützschüler Johann Theile — dem wir bei den ersten geistlichen Opern der Hamburger Bühne begegneten — in Musik gesetzt wird: „Passions-Gedancken Uber Die Historie Von dem Bittern Leiden und Sterben Unsers HErrn und Heylandes JEsu CHristi / Nach denen Text-Worten Der Heiligen Vier Evangelisten Aufs kürtzeste In Reime verfasset". Die Musik war von Theile; der Text gehört zum Besten, was wir an Passionsdichtungen kennen; vor allem sind die Bibelworte mit größtem Takt und rhythmischer Freiheit in den an sich unangemessenen, aber üblichen Reimzwang gefügt, so daß wir nur bedauern müssen, daß diese Passion von 1708 nicht den großen Komponisten fand, der sie über die Zeit hinaus gerettet und uns bewahrt hätte.

So zeigt selbst dieses anonyme volksdichterische Genie, bei all seiner sonstigen weltlichen Ungebundenheit in derbem Lustspiel und satirischem Roman, im Tiefsten die Verankerung im großen Musikgeist der Epoche und klingt auf eine so andersartige Weise doch mit seinen thüringischen und Leipziger Ursprüngen zusammen, zu einer Zeit, wo schon Händel und Bach dem innersten Trieb ihres Volkstums die Vollendung zu schaffen beginnen.

Und gerade dieser Musikgeist nun ist es und mit ihm auch das organisch Wachsende in der Literatur, was von der neuen Reformbewegung grundsätzlich verneint oder ignoriert wird — die Kraft, aus dem lebendigen Leben heraus volkhafte Gestalten zu schaffen, erstirbt fortan der Dichtung, wie die Musik allmählich in Einsamkeit und Vergessenheit gedrängt wird und für die Zeitgenossen in ihren alten großen Formen bald kaum mehr vorhanden sein wird. Es ist der Sprachgeist, der sich, halb unbewußt, halb bewußt, gegen den Musikgeist auflehnt.

72.

Von 1703 bis 1706 lehrte in Leipzig, von 1707 bis 1723 im benachbarten Halle der Mann, welcher allem Kommenden die Grundlage schuf: Christian Wolff. Er kam aus Schlesien, war 1679 in Breslau geboren, hatte seit 1699 in Jena studiert, um sich dann in Leipzig für Philosophie und Mathematik zu habilitieren. Hier tritt ein Mann in sein Leben, den wir schon als Gönner Christian Günthers kennengelernt haben und der später auch für Gottsched entscheidend wird: Johann Burkhard Mencke, geborener Leipziger und Sohn eines dortigen Professors, seit 1699 selbst Professor der Geschichte, als Herausgeber der Acta Eruditorum mit Leibniz bekannt, zu welchem er nun Wolff die Beziehung vermittelt: vom Jahre 1706 stammt Wolffs erster Brief an Leibniz, dem ein langer lateinisch geführter Briefwechsel sich anschließt. Leibniz nimmt Wolff hauptsächlich als Mathematiker, versucht aber auch gelegentlich ihm seine philosophischen Lehren, die Monadologie und die prästabilierte Harmonie auseinanderzusetzen, auf welche Wolff aber nicht näher eingeht, wie er denn den tieferen Sinn der Leibnizschen Ideen nie ganz erfaßt hat. Auf Leibnizens Empfehlung hin erhält Wolff auch die Hallesche Professur für Mathematik, verfaßt dort aber nicht nur mathematische Bücher, sondern bereits seine wichtigsten philosophischen Schriften: 1712 die „Vernünftigen Gedanken von den Kräften des menschlichen Verstandes und ihrem wichtigen Gebrauch in Erkenntnis der Wahrheit", 1720 die „Vernünftigen Gedanken von Gott, der Welt und der Seele des Menschen, auch allen Dingen überhaupt", „Vernünftige Gedanken von der Menschen Tun und Lassen zur Beförderung ihrer Glückseligkeit", 1721 „Vernünftige Gedanken von dem gesellschaftlichen Leben der Menschen, insonderheit dem gemeinen Wesen". In diesem Jahre 1721 kommt es zum ersten Konflikt mit der theologischen Fakultät anläßlich seiner Prorektoratsrede „Oratio de Sinarum philosophia practica", in der

er die hohe Moral des Konfuzius, also eine Ethik ohne christliche
Grundlage, gepriesen hatte — es erfolgen Streitschriften gegen ihn
von akademischer Seite, denen er mit Klage beim Senat entgegentritt;
er wird dabei von Berlin gestützt, wo aber seine Feinde ebenfalls tätig
sind und durch Generäle direkt den König zu beeinflussen suchen. Sie
klagen Wolff des Fatalismus an und machen dies Friedrich Wilhelm I.,
dem Soldatenkönig, in der bekannten Weise plausibel: daß, wenn
einer seiner großen Grenadiere durchginge, dies nach Wolffs Lehre
Wirkung des Schicksals sei und geschehen müsse, wodurch denn eine
Bestrafung zu Unrecht erfolge — dies dringt durch und hat die be-
rüchtigte Kabinettsordre zur Folge, mit der Wolff 1723 seiner Ämter
entsetzt wird und gehalten ist, Halle und die übrigen königlichen Lande
binnen 48 Stunden nach Empfang der Ordre bei Strafe des Strangs
zu räumen. Dieser dramatische Abschluß seiner glänzendsten Lehrtätigkeit macht Wolff nun aber erst vollends berühmt, macht ihn für
ganz Europa zum Märtyrer für die Freiheit der Philosophie. Er findet
sofort Schutz und Unterkunft beim Markgrafen Karl von Hessen-Kassel,
der ihm den Lehrstuhl an der Universität Marburg verleiht. Auch an
den übrigen Universitäten wächst der Einfluß seiner Philosophie;
selbst in Preußen gewinnt seine Lehre allmählich wieder Eingang,
dringt sogar im positiven Sinne bis zum König vor, gefördert durch
den Grafen von Manteuffel, der uns noch als Gönner Gottscheds begegnen wird; und es ist schon beschlossene Sache, ihn wieder anzustel-
len, als die Dinge in Preußen durch den Tod Friedrich Wilhelms und
den Regierungsantritt Friedrichs II. überhaupt einen Umschwung nehmen, und Wolff, nach vergeblichen Versuchen, ihn an die Berliner Akademie zu ziehen, im Jahre 1740 unter höchsten Ehren in Halle wieder
eingesetzt wird als Geheimer Rat und Vizekanzler mit hohem Gehalt.
Der Einzug in Halle gestaltet sich zu einem Triumph, wie er noch keinem deutschen Philosophen widerfahren war, er wird von der Bürgerschaft und Studentenschaft in feierlichem Zuge eingeholt, mit Musik
und allgemeiner Volksfreude bis in die Nacht. Es ist der Höhepunkt
in Wolffs Leben; denn seltsamerweise steht sein weiteres Wirken in
Halle unter keinem günstigen Sterne mehr: sein Rationalismus ist um
jene Zeit bereits Gemeingut der Gebildeten geworden, sein Hörsaal
wird leer, er hat sich überlebt. Er stirbt vereinsamt und verbittert
1754 als ein Sechsundsiebenziger. —

Um die Größe des schließlichen Sieges von Wolff zu ermessen, muß man wissen, daß er von der wichtigen andern geistigen Bewegung der Epoche, von der religiösen Bewegung des Pietismus bekämpft wird. Hermann August Francke, der selber einst von Leipzig durch die Orthodoxen verdrängt worden war, aus Erfurt wegen Ketzerei und Sektenbildung ausgewiesen wurde, in Halle dann Zuflucht gefunden hatte, war es, der sich mit seinem pietistischen Kollegen, dem Professor Lange, an den Denunziationen gegen Wolff besonders heftig beteiligte und selbst bei dessen Verbannung aus Halle nicht zur Ruhe kam, sondern sein Los mit Verfluchungen begleitete. Dieser Haß ist begreiflich: wie sehr sich auch Pietismus und Rationalismus in manchem und bei Einzelnen durchdringen, wie sehr sie im Kampf gegen die Orthodoxie zusammengehören mögen — im Grunde stehen sie einander gegenüber wie damals Musik und Sprache: der eine eine Erneuerung des Gefühls, der andre eine Befreiung der Vernunft erstrebend, und beide nun fanatisch von der alleinigen Richtigkeit ihres Weges überzeugt. Wir sehen hier wieder, wie das Nebeneinander von sehr Entgegengesetztem den Charakter der Epoche bestimmt. Und doch ist auch hier eine gemeinsame Wurzel zu erkennen: es ist das Persönliche, Individuelle, auf das die religiöse wie die philosophische Betrachtung, die gefühlsmäßige Einkehr wie die rationale Besinnung gleichermaßen gerichtet ist.

Mystische Strömungen, die immer vorhanden sind und mit der eigentlichen Tiefe jeder Religion fast als identisch gelten dürfen, treten an die Oberfläche, wenn die offizielle dogmatische Fassung der Heilstatsachen sich verhärtet und verknöchert und dem menschlichen Gemütsbedürfnis nicht mehr genugtut. Schon Johann Arndt, dessen „Wahres Christentum“ zu Beginn des 17. Jahrhunderts erschien, machte die Mängel des Protestantismus in dieser Richtung offenbar: er spricht von einer „gar zu disputier- und streitsüchtigen Theologie, daraus fast wieder eine theologia scholastica geworden ist“, von welcher er die Gemüter der Studenten und Prediger abziehen wolle, von einem „toten Glauben“, von welchem er zu einem „fruchtbringenden“ führen wolle, zu einem wahren christlichen Leben, das über der Theorie und Wissenschaft vergessen worden sei. Aber gegen Ende des 17. Jahrhunderts drängen nun außerdem mit Philosophie und Naturwissenschaft neue Mächte empor, die eines Tages auch gegenüber der

Religion ihre Ansprüche geltend machen werden, und gegen diese nahende Bedrohung scheint das Christentum seine inneren Kräfte nicht weniger zu aktivieren wie gegen die Unzulänglichkeiten in der Kirche selbst.

Philipp Jacob Spener, der Begründer des Pietismus, ein Elsässer, ist etwa noch Leibnizens Zeitgenosse, mit dem er sich auch persönlich berührte, elf Jahre früher als er geboren und gestorben. Er kommt in Genf mit waldensischen Predigern in Berührung und beginnt, nach Dozenten- und Predigerjahren in Tübingen und Straßburg, seine eigentliche Wirksamkeit in Frankfurt am Main. Er bleibt als Geistlicher noch völlig im Rahmen der Kirche, legt aber bereits das Gewicht auf eine persönliche Pflege von Gebet und Bibelerklärung über das kirchlich Übliche hinaus und gründet zu diesem Behuf seine Collegia pietatis, die der Bewegung den Namen geben, Hausandachten mit den verschiedensten Menschen aller Stände, die sich zu ihm finden, seit 1670. Er sammelt die Ergebnisse seiner Erfahrungen und seine Vorschläge zur Verwirklichung eines allgemeinen Priestertums, dieser alten Lutherschen Idee, in seinen „Pia desideria oder herzliches Verlangen nach gottgefälliger Besserung der wahren evangelischen Kirche" von 1675. Er will keinen Separatismus und bekleidet selber weiter hohe kirchliche Ämter: wird 1686 Oberhofprediger in Dresden, 1691 Konsistorialassessor und Prediger in Berlin, kann aber die große Wirkung seines Beispiels nicht hindern, das an vielen Orten zur Bildung von pietistischen Konventikeln führt, und hat selbst manche Anfechtung zu erleiden. Er hat von Berlin aus Einfluß geübt auf die Gründung der Universität Halle, die 1693 seinen Schüler Francke neben den Rationalisten Thomasius stellt, so daß wir das Neue in zwiefacher Gestalt, das von der theologischen Fakultät Leipzigs nicht geduldet wird, von Preußen gefördert sehen, wie es sich hinfort noch öfter ereignet.

Wir haben früher betrachtet, wie Bach bereits in die Zwistigkeiten zwischen Pietisten und Orthodoxen gerät und trotz seiner inneren Verwandtschaft zu allem Mystischen und also auch zu dieser innerlichen Erneuerung des Glaubens doch der älteren strengeren Richtung getreu bleibt. Wir verstehen diese Entscheidung, wenn wir etwa überlegen, ob Bach persönlich vorstellbar wäre als Teilhaber an den Bußübungen, wie Francke sie nun über Spener hinaus für seine Anhänger verbindlich macht: wo ein „Durchbruch" der Heilsgewißheit erstrebt und verlangt wird in fortwährendem Kampf und harter geistlicher Disziplin; ein Durchbruch, wie ihn Francke selbst als eigentliches Bekehrungserlebnis erfahren hatte, von welchem an er erst wahre Geburt und geistiges Leben rechnete, weshalb er auch Lüneburg, wo es im Jahre 1687 geschah, als seine Geburtsstadt bezeichnete. Dieses Ableiten ins Subjektive mit aller psychologischen Selbstbeobachtung, mit allem Wichtignehmen des Persönlichsten und seinem fast überheblichen Herausstellen in einem kleinen Kreis von Gesinnungsgenossen, die sich damit von der übrigen Gemeinde der Gläubigen scheiden, ist für Bachs schlichte Objektivität dem Überlieferten gegenüber nicht gut vorstellbar. Und wir ahnen, daß die orthodoxe Atmosphäre Leipzigs gerade wichtig für ihn wurde und schon dadurch ihre historische Berechtigung für uns behält — hier fand er noch das ganze Gebäude des Glaubens unerschüttert und konnte an ihm die Architektonik seiner Kunst entfalten, die noch nicht in den modernen subjektiven Ausdruck eines Allzumenschlichen sich schicken sollte, so manches aus dieser frommen Gelöstheit ihm ganz unbewußt, schon durch Texte der Zeit, zur Bereicherung und Vertiefung seiner großen Formen von hier zukam. Aber dem dichterischen Ausdrucksverlangen wurde nun dieses Persönlichere, soweit es sich überhaupt noch religiös gebunden fühlte, der eigentliche Ausgangspunkt. Wohin es führte und wieweit es schließlich reichte, wird an zwei anderen Gestalten der Zeit deutlich. Gottfried Arnold, der in Dresden Speners Jünger wurde, hat in seiner „Unparteiischen Kirchen- und Ketzerhistorie" von 1700 schon die Häresie als das eigentliche Schöpferische nachzuweisen gesucht und die private und persönliche Auffassung der Religion als das Wünschenswerte verkündigt — es ist bekannt, wie er noch auf den jungen Goethe in dem Sinne eingewirkt hat, daß jeder Einzelne seine eigene Religion sich bilden müsse. Neben Arnold, dem Sohn des sächsischen Erzgebirges, steht ein anderer Sachse, der Reichsgraf Nicolas Ludwig von Zinzendorf, dessen Vater bereits intimer Freund Speners ist, und der nun selber, im Jahre 1700 geboren, Schüler von dessen Jünger Francke wird und in Halle in eigenem früh gegründetem Kreis sich schon mit dem Gedanken der Heidenmission beschäftigt. Seit 1722 zieht er nach seinem Gute Berthelsdorf Mitglieder der alten Mährischen Brüderkirche und nennt ihre Ansiedlung am Hutberge Herrnhut. Die 1727 nach der Verfassung der Mährischen Brüder geordnete Gemeinde wird in

Sachsen verboten, und Zinzendorf begibt sich auf weite Reisen, bis zu
den Indianern Amerikas, und gründet überall seine Gemeinden; er
veröffentlicht über hundert Schriften, dichtet geistliche Lieder, wie
seine erste Frau, eine Prinzessin Reuß, und auch die zweite, eine einfache ledige Herrnhuter Schwester. Seit 1747 hat man ihn wieder in
Sachsen zugelassen und seine Gemeinde bestätigt, deren Hauptsitz
Barby wird (bei Magdeburg an der Elbe); er selbst lebt, außer auf seinen Visitationsreisen, in Herrnhut, wo er auch im Jahre 1760 gestorben ist. Für ihn ist nun zwischen den verschiedenen Konfessionen überhaupt kein Unterschied mehr: das Ein und Alles ist die ganz persönliche Liebe zu Jesus. Religion ist hier ein völliges Innenereignis geworden, aber zugleich ein höchst naturalistisch vermenschlichtes, das in
den Liedern oft die seltsamsten Blüten treibt. Der Begriff der Sünde,
der Erbsünde verschwindet; wohl gibt es noch ein „Durchbruchs"-
erlebnis, aber nicht als Resultat eines Bußkampfs, sondern als Erlangung des unmittelbaren Seelenumgangs mit Jesus, der nun in den
weltlichsten Lagen als gegenwärtig gespürt wird, eben wie dem Liebenden der Geliebte. Es ist die gesammelte Inbrunst des modernen
natürlichen Menschen, der nur im Liebesgefühl noch seine Erhöhung
erfährt, aber eben ganz auf die letzte göttliche Gestalt gewendet und
verschwendet. Es ist schon fast die Identifizierung von Liebe und Religion, wie sie dann der Inhalt vom Leben und Dichten des Novalis
wird, in welchem die Nachfolge Zinzendorfs am großartigsten zum
Ziel kommt. Man staunt, was die Epoche des deutschen Spätbarock
beherbergt, wenn man erwägt, wie einer hier als religiöser Stifter mit
naiver Unbefangenheit aus dem höfischen Milieu heraustritt, einer,
der noch bis 1727 unter August dem Starken ein Staatsamt bekleidet.
Aber darin steht er eben doch unter der großen Harmonie der Leibnizschen Weltkonzeption, indem nicht Frömmigkeit, sondern Glückseligkeit auch das Wesen des Christentums sein soll.

73.

Glückseligkeit ist nun auch das Ziel, das die Philosophie der Aufklärung als höchste Wünschbarkeit erkennt und sie als Möglichkeit
und Erreichbarkeit zu erweisen sucht. Wissen ist Tugend, Wissen ist
Glück — das sind die Formeln, die uns den typischen Optimismus des
rationalistischen Zeitalters charakterisieren und denen das 19. Jahr-

20 *

hundert mit der Heraufkunft der Massen die nicht weniger charakteristische Losung gegenübergestellt hat: Wissen ist Macht. Es ist ersichtlich, daß die Formel des 18. Jahrhunderts auf den Einzelnen und seine Haltung zielt, die des 19. auf eine soziale und politische Auswirkung — es bleibt ein seltsames Phänomen, daß die Bildung des Selbstbewußtseins einer sozialen Schicht, des Bürgertums, in der frühesten Epoche auf der geistigen Erziehung der einzelnen Persönlichkeit beruht und nicht auf einem von vornherein nach außen gerichteten Programm. Dies mag, trotz aller Mängel, die solcher Erziehung anhafteten, die vorherrschende Geistigkeit bis in die Klassik und Romantik hinein begründet haben, auf welcher die großen und weltbedeutenden Leistungen Deutschlands beruhten. Aber man darf sich nun das rationalistische Persönlichkeitsideal eben niemals ganz isoliert denken: die eigentlichen seelischen Inhalte strömten von den verschiedensten Seiten herein und gaben ihm erst die vielfältige Erfüllung und Nuancierung.

So wird der Pietismus nicht etwa durch den Sieg der Wolffschen Philosophie in seiner Auswirkung auf die Gemüter abgelöst, er lebt neben ihr weiter als eine wichtige Kraft, meist in stilleren engeren Kreisen, aus denen dann wieder Ausstrahlungen kommen, wie noch spät etwa durch das Fräulein von Klettenberg auf Goethe, in welchem nun auch diese Substanz bis ins hohe Alter unverlierbar sich eingestaltet und bewahrt zeigt. Aber auch als Institution erhält sich die pietistische Richtung: es ist das größte und bleibende Verdienst August Hermann Franckes, daß er seine Gesinnung in praktische Bewährung und Betätigung umsetzte und das Denkmal seines Geistes in seinen berühmten Stiftungen hinterließ. Schon 1695 begründete er zu Halle eine Armenschule, an die sich das Waisenhaus anschloß, das bereits auch der Lehrerbildung dienen sollte; eine Bürgerschule, eine Lateinschule und schließlich das für Leute höheren Standes gedachte Pädagogium vollendeten diese erzieherische Praxis, die mit eigener Apotheke, Buchhandlung, Druckerei, mit der Cansteinschen Bibelanstalt und einem Missionsinstitut für Ostindien ebenso in sich selbständig wie ausgreifend in die Welt gestaltet wurde. Das Pädagogische kündigt sich hier, noch geleitet durch das Religiöse, als eine der stärksten Tendenzen der Epoche, frühzeitig an. Auch Zinzendorf hat es übernommen — seine Schule zu Barby ist noch Schleiermachers Bildungsanstalt gewesen; und so blieb an vielen Orten die neue individualistische Fassung des Christentums lebendig und hat bis heute die größten Zeitveränderungen überdauert.

Auch für unsre Epoche müssen wir nun immer, ob verdeckter oder offener, diese Wirkungen des Pietismus hinzurechnen, wie wir andrerseits das Weiterbestehen der Orthodoxie, ja ihre offizielle Herrschaft, die für die allermeisten noch galt, nicht außer acht lassen dürfen. Das Moderne am Pietismus, was Einzelne immer wieder so stark angezogen hat, blieb das Erlebnismoment, von Franckes Bußkampf bis zu Zinzendorfs Erweckung — ein für uns nachmals für das Künstlerische so wichtiger Begriff wurde hier zuerst im Religiösen erfahren, ersetzte gewissermaßen durchs religiöse noch das künstlerische Erleben und bewirkte damit eine nicht unwichtige Veränderung: wir wissen aus Bachs Leben, daß der Pietismus die Musik verwarf, wenigstens in der reichen Ausbildung und überhandnehmenden Macht der Epoche — er erzielte gleichsam dieselbe Wirkung durch eigene, rein religiöse Methoden, und so stellte er sich zu aller Kunst, zu der ganzen hohen Kultur, und hat hier, bei aller sonstigen Modernität, einen frühchristlichen Standpunkt wieder geltend gemacht, wie es ähnlich die mittelalterliche Mystik in ihrer Absage an alles Bild getan hat. Aber so wenig diese den Einfluß ihres Gefühlsstroms in die bildende Kunst des 14. und 15. Jahrhunderts hemmen konnte, so wenig vermochte der Pietismus schließlich die Aufnahme seiner Substanz in große Leistungen der Kunst und Kultur, von Bach bis Goethe und Novalis, zu verhindern.

In dieser grundsätzlichen Einstellung zur Kunst nun arbeitet der Pietismus dem Rationalismus in die Hände, der die gleiche Fremdheit und Eifersucht gegenüber allem echten Dichterischen und Künstlerischen besitzt. Was ihm dabei fehlt, ist jener Ersatz, den der Pietismus im Erlebnismoment voraus hat; er hat dafür einen anderen, den wir uns nur schwer noch völlig deutlich machen können: den Genuß und Gebrauch der freien reinen Vernunft, welchen wir, und zwar durch ihn, als das Selbstverständlichste und Allergewohnteste anzusehen pflegen. Obgleich er damit etwas typisch Spätes auf die Bahn bringt: die Freude an der Reflexion, an verstandesmäßigen Darlegungen und Erklärungen, an der Helle und Wachheit des Bewußtseins, an einer aufgeklärten und von allen Geheimnissen gereinigten Welt, ist doch das Naive und Primitive daran nicht zu übersehen, welches ihm oft etwas Kindliches und fast Liebenswertes verleiht. Es kommt dies von der Art der Menschen her, die dieser Offenbarungen der Vernunft teilhaft werden: es sind nicht selber Spätlinge, dekadente und mit aller Kultur gesättigte Routiniers, die etwa in einer allgemeinen Skepsis ihre letzte Weisheit finden — es sind frische unverbrauchte Menschen, denen die abstrakten Funktionen des Denkens als etwas Neues, unendlich Erregendes erscheinen. Der Glaube an Begriffe war zwar durch den Protestantismus vorbereitet: das abstrakte Denken, Erklären, Auslegen hatte sich ja für die allermeisten nur am Dogma entwickelt — hier war von dem „Was ist das?" des Lutherschen Katechismus über die polemische Abgrenzung gegen die andern Konfessionen bis zur neuen Scholastik der Orthodoxie eine konsequente Entwicklung, die für den Laien aber nur die Rolle des Lernens und der rechtgläubigen Nachfolge bedeutete und ihn, bei einem wohldurchdachten Jenseits, gegenüber dem sich immer selbständiger geltend machenden Diesseits von Welt und Natur im Stich ließ. Hier trat nun Philosophie im eigentlichen und zu keinen Zeiten so wie damals zutreffenden Sinne der „Weltweisheit" ein und machte sich daran, das Diesseits zu rationalisieren, wie die Theologie das Jenseits rationalisiert hatte: dem Glauben an das christliche Dogma gesellte sich als etwas zunächst noch völlig Vereinbares der Glaube an die menschliche Vernunft. Christian Wolff vermeinte ohne Zweifel ehrlich, die Übereinstimmung von Glauben und Vernunft erweisen zu können; aber unter der Hand ward ihm doch etwas ganz anderes daraus. So wie er die Leibnizsche Prästabilierte Harmonie als einen reinen Parallelismus verstand, in welchem Körper und Seele wesensmäßig völlig getrennt nebeneinander existierten, so wurden ihm auch die Erkenntnis Gottes durch Denken oder Offenbarung und das moralische Handeln des Menschen aus christlichem Gebot oder aus vernünftiger Überzeugung parallele, einander nicht ausschließende und zum gleichen Ergebnis führende Funktionen, bei deren Darlegung er aber ersichtlich im Denken und in der Vernunft schon das völlig Genügende und Befriedigende erblickte. Er ist überzeugt, daß die Bewegungen im Leibe sich auf dieselbe Weise äußern würden, „wenn auch keine Seele zugegen wäre", da die Seele durch ihre Kraft nichts dazu beitrage; nur würden wir uns dessen, was in unserm Leibe geschieht, nicht „bewußt" sein — Seele ist ihm lediglich Bewußtsein, das der wohlkonstruierten Maschine rein äußerlich zugeordnet ist, da es wiederum selber, unabhängig vom Körper, die Bilder und Begriffe der körperlichen Dinge schon in sich trägt. Und so sind ihm auch die guten oder bösen Handlungen des Menschen an und für sich selber gut oder bös und werden nicht durch Gottes Willen erst dazu gemacht; so daß, wenn etwa kein Gott wäre, die freien Handlungen der Menschen dennoch gut oder böse verbleiben würden. Er bestreitet ausdrücklich, daß den Atheisten etwa seine Atheisterei zu einem bösen Leben führen müsse — nur seine Unwissenheit vom Guten und Bösen brächte ihn dazu; aus welcher Quelle auch bei andern, welche keine Atheisten seien, ein unordentliches Leben entspringe. Er verwahrt sich dagegen, daß er damit dem Atheismus das Wort rede — er könne nur nicht gegen die Wahrheit; und diese sei, daß das Gute und Böse durch die Vernunft erkannt werde: sie „ist die Lehrmeisterin des Gesetzes der Natur". Die Beobachtung dieses Gesetzes der Natur ist das höchste Gut oder unsre Seligkeit, deren wir auf Erden fähig sind. Fügte er dann zwar auch gleich wieder hinzu, daß er bloß als Weltweiser von derjenigen Seligkeit rede, die der Mensch durch natürliche Kräfte erlangen könne und keineswegs der Natur zueigne, was die Gottesgelehrten der Gnade zuschreiben — denn diese unterdrücke ja die Natur nicht, sondern helfe ihr auf, so daß seine Lehre den Vorzug der Gnade vor der Natur am deutlichsten und gründlichsten erweise — so blieb für seine Leser und Zuhörer und für das durch ihn geweckte Nachdenken wachsender Kreise doch wesentlich wirksam die Unabhängigkeit der Moral von der Religion, wie er sie auch historisch am Beispiel der Chinesen gezeigt hatte; welches denn verständlicherweise die Gegnerschaft der Theologen und die Krisis seines Lebens heraufbeschwor.

Wolff war sich, wie kein deutscher Denker vor ihm, der praktisch-ethischen Bedeutung seines Denkens bewußt. In der Vorrede zu seinen „Vernünftigen Gedanken von Gott, der Welt und der Seele des Menschen, auch allen Dingen überhaupt" vom Jahre 1720 sagt er ausdrücklich: „Wer die gegenwärtigen unglückseligen Zeiten erwäget, der siehet, wie sie aus Mangel des Verstandes und der Tugend herkommen. Da ich von Jugend auf eine große Neigung gegen das menschliche Geschlecht bei mir gespürt, so daß ich alle glückselig machen wollte, wenn es bei mir stände, habe ich mir auch niemals etwas angelegener sein lassen, als alle meine Kräfte dahin anzuwenden, daß Verstand und Tugend unter den Menschen zunehmen möchten." Hiervon werde er nicht ablassen, so lange sich ein Blutstropfen in ihm rege; und so werde eine Schrift nach der andern erscheinen, „welche die Erkenntnis der Glückseligkeit des menschlichen Geschlechts und der wunderbaren Werke Gottes in der Natur vor Augen legen". Mit unendlichem Fleiß und hoher Verantwortung hat er dieses sein Vorhaben durchgeführt, alle menschlichen Bereiche in den Kreis seiner vernünftigen Betrachtung zu ziehen. Er ist wirklich ein Lehrer seiner Zeit gewesen, mit all der Einschränkung, die im Charakter des rein Lehrbaren liegt. Er hat wohl wirklich das Glück einer Zeitspanne erhöht und jenen aufstrebenden Bürgern, die der Bevormundung durch eine schroffe Orthodoxie müde zu werden begannen und andrerseits von vielem der höheren Kultur durch den blendenden Glanz des Hofes ausgeschlossen waren, den Weg zu sich selber gewiesen. Es war ein bescheidener Weg, auf welchem das Glück in der Ausübung der Tugend lag und die Tugend durch Verstandeserkenntnis sich erlernen ließ; aber er erschien bedeutend und herrlich durch das Bewußtsein, die wahre Glückseligkeit sich selbst und seiner Erkenntnis zu verdanken. Es war die Stärkung des Selbstbewußtseins, durch das man seine Minderwertigkeit gegenüber der höfischen Kultur verlor, zumal man nun immer öfter erlebte, daß Männer aus den höheren Kreisen sich zu der neuen bürgerlichen Vernunftreligion bekannten.

Durch die Art freilich, wie Wolff die Übereinstimmung mit dem überlieferten Glauben wahrte, indem er sich bescheiden mit der Weltweisheit zu begnügen schien, ohne der Gottesgelehrsamkeit ihr Reich der Gnade zu bestreiten, war nun gerade für unbefangen Weiterdenkende dieselbe Situation geschaffen, die zu Beginn des Jahrhunderts in Frankreich durch Bayles ganz verwandtes Vorgehen entstanden war und auch in den höheren Kreisen Deutschlands ihre Wirkung hatte spüren lassen. In der genialen Voraussicht ihrer Gefahren hatte Leibniz seine Theodicee geschrieben, um der drohenden allgemeinen Skepsis und der Zerstörung der überlieferten Werte entgegenzutreten: dies gerade war nun preisgegeben, und zur Kritik an aller Offenbarung war nur noch ein Schritt, vor allem wenn man auf die radikaleren Stimmen der englischen Freidenker hörte; welche Wolff allerdings mit ihren Konsequenzen noch persönlich von sich abwies. In den Männern, die Friedrich der Große bei seinem Regierungsantritt nach Berlin berief, hat Wolff das Einschlagen dieser Richtung noch miterleben müssen und darüber beweglich Klage geführt; aber das einmal auf die Bahn Gebrachte ließ sich in seinem Laufe nicht mehr aufhalten.

Hier erscheint Wolff in einem größeren geschichtlichen Zusammenhange doch als der Zerstörer des Mythos, und was sich mit ihm und seit ihm vollzieht, empfängt Verwandtschaft mit dem, was sich in der Antike an den Namen Sokrates knüpft. Auch diesem ist die Tugend ein Wissen, und ihre Lehrbarkeit kann der Frömmigkeit gegen die Götter entraten, wenn er auch der Anklage der ausdrücklichen Gottlosigkeit mit guten Gründen entgegentreten kann, genau wie der deutsche Philosoph. Um aber mit Recht von einem christlichen Mythos zu sprechen, muß man, genau wie beim griechischen, die Welt der Kunst hinzurechnen, die im Volksglauben wurzelte und ihn bildlich, dichterisch, musikalisch ausgestaltet hatte. Aber der moderne Skeptiker oder Vernunftdogmatiker hatte, wenn er rein vom Begrifflichen ausging, nun bloß die Theologie im Auge, in welcher der Mythos zum Dogma erstarrt war, begrifflich gefaßt und rigoros behauptet. Man konnte seine verstandesmäßig-begriffliche Form mit Verstand und Begriffen widerlegen oder einfach durch eine neue, Verstand und Begriffe besser befriedigende Lehre ausschalten und überflüssig machen, ohne zu ahnen, daß man damit das Mythische selber zerstörte und der in ihr wurzelnden Kunst den Boden entzog.

Dieser noch für uns entscheidende Prozeß begann mit Christian Wolff. Es war eine seltsame Tragik, daß mit dem naiven Wiedererwachen zur Sprache und der Entdeckung des freien Gebrauchs der Vernunft dem organischen Wachstum der Kunst der erste tödliche Schnitt versetzt wurde, durch den sie allmählich, wenigstens für die große Gesamtheit, abzusterben begann: um Wolffs Todesjahr enden in ihrer Form als große Gemeinschaftskünste Architektur und Musik. Denn durch ihn und neben ihm wirkt schon der Mann, der aus seiner Philosophie die ästhetischen Konsequenzen zieht: Gottsched. Und wenn man auch immer wieder die Aufmerksamkeit darauf lenken muß, daß dieser große Umbruch nicht mit einem Male und auf allen Gebieten geschah, daß er zunächst nur in einer begrenzten gelehrten und gebildeten Schicht sich abspielte, die auf das große Ganze noch keinen entscheidenden Einfluß übte und die Volksreligion selber noch lange nicht hat beiseite drängen können; so hat doch Wolff schon selber einen wichtigen Schritt in dieser Richtung getan, indem er als erster

Philosoph in deutscher Sprache lehrte und schrieb, und zwar auf eine klare und höchst verständliche Weise. Damit war aber der Philosophie und dem Gespräch von den höchsten geistigen Dingen zum ersten Male eine wenn auch noch so relative Popularität errungen; und die große Schar der Nachfolger und Schüler, sogar auf Kanzeln und bald auf allen Lehrstühlen, die größere Schar der Schreibenden in allen Journalen und Wochenschriften und zahllose Dichter sorgten dafür, daß seine Denkart in der oberen Bürgerschicht wachsend sich behauptete, die sich denn bald mit Stolz die aufgeklärte nannte. Es beginnt sich ein Schrifttum auf der Grundlage der Vernünftigkeit, der Lehrbarkeit und Beweisbarkeit alles Geistigen zu entfalten, das alles Irrationale auszuschalten strebt und gegen alles mit dem bloßen Verstand nicht Faßbare zum offenen Krieg übergeht.

74.

Bei keinem unsrer Schriftsteller wird man sich so sehr hüten müssen, seinen Rang und seine Leistungen lediglich aus einer posthumen Geltung zu beurteilen, wie bei Gottsched. Denn noch viel mehr als bei Christian Wolff ist sein Schaffen mit seiner Zeit konform, ja identisch gewesen, hat Zeit geschaffen und ist mit dieser Zeit vergangen, die eben von anderer Zeit verschlungen wurde, die nichts von seinem Ruhme übrig ließ, obgleich sie von ihm selber sich fortdauernd nährte.

Rein als Dichter würde man ihn Naturen wie Canitz und Besser zuzuzählen haben, und er setzt auch historisch ihre französische Richtung konsequent fort, indem er zu ihren poetischen Möglichkeiten nur noch die französische Tragödie als maßgebendes Vorbild hinzufügt und in seinem Sterbenden Cato ein Beispiel solcher Nachahmung aufstellt — noch in spätem Rückblick hat er die Epoche von Besser, Canitz, Neukirch und dem Königsberger Pietzsch, der ihm Lehrer und Freund gewesen war, für „das güldene Zeitalter" deutscher Poesie erklärt. Hierüber wäre nicht weiter zu diskutieren, so wenig wie über die Gelegenheitscarmina, mit denen er sich dem Hof und adligen Gönnern empfahl oder Kollegen verherrlichte: mit dieser hauptsächlichen Anwendung seiner Verskunst ist er vollkommen Kind seiner Zeit, ragt über keinen irgendwie empor und verkörpert jene Nichtigkeit und Nullität damaliger Poesie, von welcher schon mehrfach die Rede war.

Aber gerade als ausgesprochener Nichtdichter wurde er der Begründer einer „Literatur", die eben ganz anderes noch umfaßt als Dichtung, ja wesentlich der Prosa als allgemeinem Ausdrucksorgan vorgearbeitet hat, wenn auch zunächst mehr theoretisch und gesetzgeberisch, als von einem eigenen echten Inhalt erfüllt. Und dieser Prosa ist von vornherein zugeordnet die „Vernunft" — es ist die Philosophie, von welcher Gottsched ursprünglich herkommt; und seine persönliche Anwendung wird es, „ein solcher Philosoph zu sein, der von der Poesie philosophieren kann, welches sich nicht bei allen findet, die sonst jenen Namen gar wohl verdienen". Bezeichnet er es in der Vorrede zu seiner „Critischen Dichtkunst" als seine Aufgabe, die Regeln der Kunst aus der „Vernunft und Natur" herzuleiten, so hören wir ohne weiteres Christian Wolff heraus, der auf Vernunft und Natur seine Weltweisheit begründete, und wir täuschen uns nicht — noch ehe Gottsched nach Leipzig kam, war Wolffs Philosophie das entscheidende Erlebnis seines Denkens gewesen.

Obschon Gottsched in Königsberg zunächst, wie es sich für den Pfarrerssohn aus Juditten beinahe gehörte, Theologie studierte, war doch das philosophische Interesse sehr bald bei ihm das vorherrschende: er las und hörte über Aristoteles, studierte Descartes, le Clerc und Locke, trieb Mathematik und Experimentalphysik. Da kommt Georg Heinrich Rast, ein Leibnizianer, 1719 als Professor nach Königsberg; Gottsched tritt ihm nahe und empfängt von ihm zwei wichtige Hinweise: er liest die Theodicee, um derentwillen er französisch lernt, und alsbald auch Wolffs „Vernünftige Gedanken von Gott, der Welt und der Seele des Menschen", noch im Jahre ihres Erscheinens, 1720. „So voll mein Kopf schon von philosophischen Meinungen war", berichtet er, „so ein starkes Licht ging mir aus diesen beiden letztern Büchern auf einmal auf. Alle meine Zweifel, womit ich mich vorher gequälet hatte, lösten sich allmählich auf. Ich hub an, Ordnung und Wahrheit in der Welt zu sehen, die mir vorhin wie ein Labyrinth und Traum vorgekommen war." Er habilitiert sich in Königsberg 1723 mit einer philosophischen Schrift in Wolffs Sinne (über die Allgegenwart Gottes); und als er, seiner ansehnlichen Gestalt wegen, vor preußischen Werbern aus Königsberg fliehen muß und in Leipzig Unterkunft findet, hat er sich wiederum 1724 mit einer philosophischen Habilitationsschrift eingeführt, über den Ursprung des Bösen („De fonte vitiorum quaestio philosophice soluta"). Daß er sein Glück bei Burkhard Mencke macht, verdankt er auch zunächst dem gemeinsamen Interesse für Wolff — er wird Menckes Hausgenosse und Verwalter seiner Bibliothek und hat seinem ältesten Sohne Vorträge über Wolffsche Logik und Metaphysik zu halten. Und die philosophische Betätigung geht in den nächsten Jahren weiter; von 1727 bis 1729 hält er seine Disputationen über den influxus physicus, wo er sogar Leibniz und Wolff zu korrigieren versucht, eben indem er den Einfluß der Seelen auf die Körper behauptet. Später hat Gottsched nebenher auch eine philosophische Professur bekleidet, hat ein Lehrbuch der Weltweisheit geschrieben, sich an die Herausgabe von Leibnizens Schriften gemacht, ja in seine Übersetzung von Bayles Dictionaire Leibnizsche Gegenargumente hineingearbeitet. So sehen wir ihn lebenslang nicht nur im Banne der Philosophie der Zeit und in selbständiger, wenn auch nicht bedeutender Mitarbeit, sondern vor allem mit der praktischen Durchsetzung der Wolffschen Ideen beschäftigt; und wenn er diese mit Leibnizens Konzeptionen gleichsetzt, so unterliegt er nur dem allgemeinen Irrtum seiner Zeitgenossen, welche, Wolffs eigenem Widerspruch zum trotz, von einer Leibniz-Wolffschen Philosophie zu sprechen pflegen.

Gottsched hat den Rationalismus nicht erfunden, er trifft ihn an, und das durchaus Vernünftige muß seiner Natur wie kaum einer andern entsprochen haben: so vermag er aus ihm die Konsequenzen für alles „Schöngeistige" zu ziehen, für die „Schönen Wissenschaften", wie man damals die Gesamtheit des Literarischen, den ganzen Umfang von Sprachlichem und Dichterischem, nannte.

Neben der ernsthaften philosophischen Bemühung waren schon in Königsberg poetische Übungen hergegangen. Er schloß sich hier an jenen Johann Valentin Pietsch an, der 1717 in seine Vaterstadt Königsberg wegen eines Lobgedichts auf den Prinzen Eugen als ordentlicher Professor der Poesie berufen worden war. Dieser wies dem zehn Jahre Jüngeren Horaz als Vorbild, von dem Gottsched bezeichnenderweise die ars poetica zu übersetzen begann, pflanzte in ihn den Abscheu vor der zweiten Schlesischen Schule, gegen die „sinnlos-schwülstige Geschmacksverderbnis" des Lohenstein und Hofmannswaldau, und machte ihn dafür mit Opitz als Muster bekannt. Gottsched hat Pietsch noch spät als „deutschen Phöbus", als „Preis des Vaterlands" verherrlicht, der „durch erhabne Glut auch welsche Geister beuge". Seit 1718 datieren denn auch Gottscheds eigene Versuche im Dichten, und mit seiner Habilitation als Magister unterrichtet er schon in den „Schönen Wissenschaften". Als Prediger, welches Amt er außerdem versieht, erlangt er auch Zutritt zu den Hofkreisen: bei dem preußischen Statthalter, dem Herzog von Holstein, wo er auch dessen Damen mit seiner imponierenden Erscheinung und seiner Beredsamkeit Eindruck gemacht haben soll.

In Leipzig wird ihm dann die Deutsche Gesellschaft von Burkhard Mencke die erste Plattform für eine weiterreichende Wirkung. Solcher Gesellschaften gab es seit den bekannten literarischen Orden des 17. Jahrhunderts immer noch eine ganze Anzahl; hatten jene sich schon mit der Reinigung der Sprache beschäftigt, so trat jetzt das Deutsche noch bewußter in den Vordergrund, und manche von Gottscheds nachmaligen Bestrebungen waren schon in den Programmen vorgebildet. Bezeichnenderweise war die Gesellschaft Menckes von Schlesiern gegründet, die sich unter seinen Studenten fanden, wie denn die literarische Rolle dieses Stammes aus seiner bisherigen Tradition immer noch bedeutend war, auch wenn seine jetzigen Vertreter sich gegen die letzte Schlesische Schule wandten. Diese 1697 gegründete „Görlitzische Gesellschaft" hatte 1717 nach zwanzigjährigem Bestehen ihren erst rein landsmannschaftlichen Charakter verändert und auswärtige Mitglieder aufgenommen; Gottsched fand als Menckes Hausgenosse wohl schon gleich, 1724, Eingang und erscheint bereits 1727 als ihr Senior. In einer solchen Stellung kann er seiner nun anhebenden schriftstellerischen Tätigkeit größeren Nachdruck geben und bald auch eine Professur erreichen. Er ist ein vorzüglicher Organisator und Propagandist und geht umsichtig gleich nach zwei Seiten vor: er sucht Verbindung mit einflußreichen Männern in der Nähe und Ferne und erstrebt seinen Veröffentlichungen zunächst eine möglichst populäre Wirkung, ehe ihm das akademische Lehramt zuteil wird.

So knüpft er von der Deutschen Gesellschaft aus die Beziehung zu dem Professor und Abt Freiherrn von Mosheim, Kirchenhistoriker in Helmstedt, den er als den besten deutschen Prosaisten der Zeit zum auswärtigen Mitglied gewinnt — er hat ihn später, nach Menckens Tod, 1732, zum Präsidenten ernennen lassen. Aber sein Ehrgeiz reicht weiter: er wendet sich 1728 mit Übersendung der Programmschriften seiner Gesellschaft an Fontenelle, den Sekretär der französischen Akademie, und fügt eine eigene Übersetzung von einem Werk desselben bei. Die Antwort ist ein liebenswürdiger Brief, der Gottscheds gutes Französisch rühmt und höflich die Frage erörtert, warum das Deutsche so wenig in der Welt bekannt und gelesen sei, obgleich Deutschland so große Männer wie Leibniz hervorgebracht habe — die Ursache wird nicht in einer Überlegenheit des Französischen an sich, sondern in der besonderen Kultivierung angedeutet, die es sich erst neuerdings auferlegt habe; der Nachteil des Deutschen wird in der Länge und Unübersichtlichkeit der Satzbildung vermutet, während eine etwaige Härte der Sprache bei zunehmender Pflege eine bleibende Kraft des Ausdrucks verspreche.

Das Beispiel der Französischen Akademie und die Urteile und Ratschläge ihres Sekretärs sind auf Gottscheds Bestrebungen nicht ohne Einfluß gewesen. Schon jetzt weist er darauf hin, daß die Franzosen nicht, wie die deutschen Sprachgesellschaften bisher, sich auf die Vertretung und Pflege der Verskunst beschränken, sondern auch den Meistern der Prosa in der Akademie Zutritt geben; aber noch stärker wirkt das Beispiel einer Überwachung und Festsetzung der Einheit und Reinheit der Sprache ganz allgemein, und er glaubt, mit dem typisch gelehrten Patriotismus, den wir schon von Opitz kennen, in der Nachahmung und Anerkennung des weltgültigen Fremden der Sache seines Vaterlands am besten zu dienen. Opitz folgte den Holländern nach als den damals tonangebenden Erben klassischer Kultur; Gottsched hält sich an die Franzosen, deren klassische Literatur erst jetzt übersehbar und alles andre überragend in den Gesichtskreis der Deutschen getreten ist. Mit Stolz rechnet sich Gottsched aus, daß das Deutsche das größte Verbreitungsgebiet in Europa besitzt; aber er fühlt, daß es noch lange keine Einheit ist, weder als Sprache noch als Literatur. Hier Reformator, Einiger und Reiniger zu werden ist sein hohes Ziel; gewiß nicht ohne persönlichen Ehrgeiz, aber doch aus einer wahren Liebe und Ehrfurcht vor diesen geistigen Mächten erstrebt. Schon bald muß ihm der Begriff einer Gesamtliteratur aufgegangen sein, zu dem sich in dieser Klarheit und Grundsätzlichkeit bei Opitz bloß Ansätze fanden; eines Gesamtbegriffs nicht nur geographisch, sondern auch historisch: die frühere Geschichte von Sprache und Dichtung wird ihm so wichtig wie die Zusammenfassung der Mundarten und Literaturen der Gegenwart. Und wenn Opitz nur die Schöpfung in gebundener Sprache ernst genommen hatte, so ist der Prosa bei Gottsched mindestens praktisch die gleiche Liebe und Pflege gewidmet; ja sein Verhältnis zur Philosophie Wolffs, das doch so grundbedingend für ihn ist, hat seine tiefste Ursache, wie er es selber später formuliert, darin gehabt, daß Wolff deutsch geschrieben hatte, und zwar ein gutes und vorbildliches Deutsch. In deutscher Prosa hat denn auch Gottsched sein Eigentliches und Bestes gegeben, und zwar nicht in seinen schwülstigen akademischen Reden, in denen er meist nur konventionelle Lobpreisungen bietet und nach zahllosen Beispielen aus Antike und Geschichte nur mit wenigen Sätzen zum eigentlichen Thema gelangt; auch nicht in seinen kritischen Schriften, die voll sind von Entlehnungen, Zitaten und Übersetzungen und mit Berufung auf Normen und Vorbilder die Fachgenossen überzeugen sollen; sondern in seinen ausgesprochen volksaufklärerischen Werken, mit denen er begann, als er 1725 und 1726 seine „Vernünftigen Tadlerinnen", 1727 und 1728 seinen „Biedermann" herausgab.

75.

Freilich ist Gottsched auch hier nicht originell gewesen: er tritt in die Fußstapfen seiner späteren Gegner, der Schweizer Bodmer und Breitinger, welche die erste solche moralische Wochenschrift von Bedeutung, nach englischem Muster wiederum, herausgegeben hatten: in den Jahren 1721 bis 1723 waren ihre „Discourse der Mahlern" in Zürich erschienen. Sie sind ausdrücklich dem Spectator gewidmet, der nebst Tatler und Guardian seit 1709 den Typus dieser populären Zeitschriften durch Steele und Addison begründet hatte — „An den Erlauchten Zuschauer der Engeländischen Nation" richten sie ihren Dank und fühlen sich ihm in Ursprung und Methode verpflichtet. Aber auch der Deutsche Christian Wolff ist hier, wie bei Gottsched, schon von Einfluß — ihm, dem Hofpoeten König und dem Hamburger Brockes werden Exemplare von den Schweizern übersandt; und auch sonst stimmen sie mit Gottscheds Anschauungen noch in vielem überein, vor allem in der Einschätzung der geltenden Dichter. Es ist bezeichnend, daß dann außer der Schweiz vor allem Hamburg es ist, das die englischen Anregungen aufnimmt: schon 1713 ist hier „Der Vernünftige", 1718 „Die lustige Fama" erschienen, ohne aber besondere Wirkung zu tun; bis 1724, nach dem Vorgange der Schweizer, der Hamburgische

„Patriot" ins Leben gerufen wurde, ähnlich wie die Zürcher Zeitschrift hervorgehend aus einem Kreise Gleichgesinnter, die erst untereinander Themen und Behandlung gemeinschaftlich berieten, in der „Patriotischen Gesellschaft", der unter andern auch Brockes angehörte. In allen diesen Wochenschriften werden, wie in England, Dinge des Alltags und praktischen Lebens in gemeinverständlicher Form behandelt, religiöse Fragen, Rechts- und Erziehungsfragen, Historisches und Literarisches; Novellistisches wird eingemischt, durch Zuschriften Abwechslung gebracht und schon auch der Geschmacksbildung des „Frauenzimmers" besonderes Interesse zugewandt. All das hat Gottsched von den Schweizern und Hamburgern übernommen; er spezialisiert es nur zunächst nach der populär am meisten Wirkung versprechenden Seite, indem er seine erste Wochenschrift ganz als Frauenzeitung erscheinen läßt: die „Vernünftigen Tadlerinnen" sind sozusagen das erste Dokument einer deutschen Frauenemanzipation. Und wenn auch die Namen der Frauen, auf welche die Aussprache verteilt ist, nicht gerade originell sind und mit Calliste, Phyllis, Iris einer denkbar fremden und undeutschen Mode und Konvention zu huldigen scheinen, so ist es doch überaus geschickt, ihnen die Kritik an den gesellschaftlichen und bildungsmäßigen Zuständen in den Mund zu legen: gegenüber der Verschrobenheit und Verkünstelung des männlichen Verhaltens wird an die Frau als an das natürliche und verständige Element appelliert; auch lassen sich an sie die Vorschläge über Kindererziehung, die Abmahnungen von Aberglauben, Ammenmärchen, Traumbüchern usw. am wirksamsten richten. Und in der Durchführung erweist sich Gottsched, der nach kurzem Versuch, mit zwei Gesinnungsgenossen zusammenzuarbeiten, das ganze allein bestreitet, als überaus gewandt und gar nicht ohne Phantasie — man traut es dem als Pedanten verschrieenen Manne kaum zu, wie er sich da in eine Vielfalt menschlicher Möglichkeiten versetzt und eine Fülle von Erscheinungen des Lebens durchdringt und in steter Abwechslung und oft wirklich amüsant und unterhaltend seine Ideen anzubringen weiß. So verschollen für die meisten gerade diese Blätter sind, so sind sie doch ohne Zweifel das Lebendigste und Lesbarste, was Gottsched geschrieben hat, und gehören noch heute zum Genießbarsten der Zeit.

Und in dem Bemühen, nicht zu langweilen und das Theoretische nicht zu gelehrt vor Frauen auszubreiten, hat Gottsched nun auch seine wichtigsten ästhetischen Gedanken, auf deren Durchsetzung es ihm im Grunde ankam, in der konzentriertesten Form eingeflochten, die sie bei ihm angenommen haben; so daß wir die Quintessenz seiner Sprachforderungen und seiner Poetik tatsächlich hier schon vorfinden; nicht nur am frühesten und schon vollkommen fertig, sondern auch in der angemessensten und erschöpfendsten Form, die sie überhaupt — auch für heutiges Verständnis noch — finden konnten.

Im Kritischen wird man Gottsched noch heute recht geben, wenn er gleich zu Beginn gegen die unerträgliche Durchmischung der Sprache mit französischen Worten und Wendungen zu Felde zieht und an einem typischen Neujahrswunsch der Zeit das Geschmack- und Sinnlose daran lächerlich macht — hier ist wirklich eine „Reinigung" not gewesen, und seine Verdienste sind hier ganz unverkennbar. Bedenklicher ist es schon, wenn er den Frauen die Pflege der Dichtung damit empfiehlt, daß er ihre „falsche Einbildung" bekämpft, „daß es etwas überaus schweres sei, Verse zu machen". Es sei aber „ganz was leichtes". Anleitungen zur Poesie gebe es genug; auch eine Person von mittelmäßigem Begriffe könne dergleichen spielend durchblättern und ohne Lehrmeister lernen. „Ja! wird manche von unseren Leserinnen hier denken, zu einem guten Verse gehören doch allerlei fremde Historien, alte Fabeln von Göttern und Göttinnen, Gleichnisse, Sinnbilder und dergleichen Zierrate, die nicht in meinem Gehirne wachsen, sondern durch große Gelehrsamkeit erst zuwege gebracht werden müssen. Doch dieser Einwurf ist von keiner Erheblichkeit: es ist gar leicht zu zeigen, daß alle diese Stücke das Wesen eines guten Gedichtes nicht ausmachen, und daß man sich folglich so ängstlich um dieselben nicht zu bekümmern habe." Was die Fabeln der Heiden von ihren Göttern und Göttinnen anlange, so sei dies „ein verlegner Kram, der zu nichts dient: einige wenige ausgenommen, als zum Exempel Mars, Juno, Cupido, Äolus, usw. den Krieg, den Hochmut, die Liebe und den Wind vorzubilden, welche man aber ohne alle Mühe aus dem bloßen Lesen der Poeten fassen kann". „Gleichnisse und Sinnbilder sind endlich Dinge, die am allerwenigsten gebraucht werden; ja wie es ein Fehler sein würde, wenn man sie bei aller Gelegenheit anbringen wollte, also würde man einem deswegen den Ruhm eines Poeten nicht absprechen, wenn er gleich sein Leben lang keine solchen Zierrate in seinen Strophen hätte eindrucken lassen." „Womit soll ich also die Zeilen voll

machen? wird eine andere fragen. Ich werde zum wenigsten hohe und
prächtige Gedanken suchen müssen; und wo nimmt ein unstudiertes
Frauenzimmer solche Perlen und Edelsteine her? Das ist ein neuer Kummer, der aber eben so wenig zu bedeuten hat, als die vorigen. Hohe
Gedanken sind gut, wenn sie bei hohen Sachen gebraucht werden; aber
unnötig, ja läppisch, wenn man von niedrigen und gemeinen Dingen
prächtig und wunderwürdig reden will. Man rede nicht überall von
Sonnen, und Sternen, von Adlern und Löwen, von Himmel und Hölle,
vom Blitz, Donner, Hagel, Schnee und Eis. So machens nur einfältige
Poeten . . ."

Man sieht, wie ganz richtig der Mißbrauch sowohl der Mythologie
wie der verstiegenen und innerlich unmotivierten Bilder und Gleichnisse bekämpft wird; wie aber zugleich das Dichten als etwas mit dem
gesunden Menschenverstand zu Schaffendes ganz in die Sphäre des
willkürlichen Machens gesetzt wird: und hier liegt eben Gottscheds zugleich segensreiche wie verhängnisvolle Wirkung aufs engste und unabtrennbar beisammen. Nicht anders ist es mit der ausschließlich moralischen Bewertung der „höheren" Dichtarten, besonders des Schauspiels. Auch hier gewährt die klare Verständigkeit des Bürgerlichen
Einsicht in das Äußerliche der sogenannten Haupt- und Staatsaktionen: Glanz der Kleidung, Pracht des Hofstaats blenden nur die Augen
des Pöbels, besser Urteilenden müsse das ganze Wesen lächerlich und
ungereimt vorkommen. Ferner „sollte man nicht unnötige Verwirrungen in den Schauspielen erdenken, um die Zuschauer aus einem Labyrinthe in den andern zu stürzen. Die Verkleidungen, Auswechselungen
der Kinder, und Ermordungen sind so seltsam im gemeinen Leben, daß
sie sich fast niemals zutragen. Darum merkt es der Zuschauer gleich,
daß er bloße Fabeln und Hirngespinnste, nicht aber den gemeinen Lauf
der Welt sieht. Er hält alle solche Vorstellungen entweder für unmöglich, oder doch für unwahrscheinlich; folglich haben sie in seinem
Herzen keine Kraft. Dahin gehören die Vorstellungen des Affects der
Liebe, den man insgemein so unsinnig werden und so heftig rasen läßt,
als, Gott Lob! nirgends unter uns geschieht." Vor allem aber solle man
in jedem Schauspiele entweder ein Laster oder eine Tugend vorstellig
machen, „aber dergestalt, daß man bei jenem allezeit das darauf folgende Verderben und Unglück, als eine Strafe desselben; bei dieser
hingegen die darauf folgenden Glücksfälle und übrige Wohlfahrt, als

ihre Belohnung, bemerken könnte. Geschieht dieses nicht, so wird ein Schauspiel entweder unnützlich, oder schädlich: so wie es im Gegenteile keinen geringen Nutzen haben würde, wenn es allezeit so moralisch eingerichtet wäre."

Von diesem Standpunkt aus wird nun aber besonders der Oper das Urteil gesprochen werden müssen; und das hat denn auch Gottsched in seiner zweiten Zeitschrift, dem „Biedermann", ausführlich getan. „Wer ist jemals auf den Gedanken gekommen, eine Oper zur Verbesserung der Sitten zu schreiben?" — das ist das Motto, unter dem die ganze Betrachtung steht. Er zitiert nicht nur Scaliger, Boileau, Evremont, sondern sogar Aristoteles zum Erweis der Wahrheit des Satzes: Gott läßt die Freveltaten der Könige und Fürsten nicht ungestraft und rottet oft ganze Geschlechter gottloser Regenten aus; welches er besonders an der Antigone will erfahren haben, die er indes bloß aus Opitzens Übersetzung kennt. „Dergleichen Lehrsätze nun sucht die Tragödie ihren Zuschauern auf eine sehr empfindliche Art einzuprägen. Sie bedient sich dazu der heftigsten Affekte, das ist: des Schrekkens, der Bewunderung und des Mitleidens. Dadurch sucht sie ihre Zuhörer durchgehends zu rühren, und so zu reden, ganz mürbe zu machen. Ja sie bringt es zuweilen so weit, daß die Tränen denselben in die Augen steigen, zum Zeugnis, daß ihre Gemüter von Schmerz und Bejammerung ganz übermeistert worden. Die Absicht eines tragischen Poeten ist also ganz moralisch. Er will die Leute durch die Vorstellung hoher Unglücksfälle zu ihren eigenen vorbereiten. Er will ihnen kleine Trübsalen geduldig ertragen lehren, indem er ihnen die Standhaftigkeit der Großen dieser Welt in weit entsetzlichern Zufällen vor Augen stellt. Er will endlich zeigen, daß die Rache der Gottheit sich auch über diejenigen erstrecke, die in der Welt keinen über sich haben. Das ist der rechte Charakter einer vollkommenen tragischen Fabel." Wieder ist, neben der durchaus moralistischen und grob stofflichen Auffassung die bürgerlich-revolutionäre Note bezeichnend: auch die Großen der Welt, an die niemand sonst wegen ihrer Übeltaten heran kann, zeigen in der Tragödie jemanden über sich, der sie zur Verantwortung zieht, und damit ist die moralische Weltordnung gewahrt. Aber jetzt die Anwendung: „Nun zeige mir doch ein Opernfreund irgend eins von seinen musikalischen Trauerspielen, welches nach itzt erwähnter Art verfertigt ist. Wer ist jemals

auf den Gedanken gekommen, eine Oper zur Verbesserung der Sitten
zu schreiben? Wer hat sichs träumen lassen, die Leute durch das unverständliche Singen weibischer Kastraten gelassener im Unglück,
standhafter im Leiden, und gesetzter im Guten zu machen? Ein oder
das andere moralische Sprüchelchen von der Beständigkeit in einer
romanistischen (romantischen, von Roman) Liebe, oder eine weichliche
Arie von der Geduld bei der Härtigkeit einer unerbittlichen Opern-
göttin, das macht die Sache nicht aus. Das sind Tändeleien, die für
Kinder gehören, zum höchsten das Ohr kitzeln; das Herz aber niemals ergreifen." „Ja, wird man sprechen, die Oper ist nicht sowohl
eine Tragödie, als eine Komödie, wo alles hübsch lustig zugeht. Gut,
wir wollen sehen, obs wahr ist. In einer Komödie muß, nach den
Regeln der obgedachten Meister, das lasterhafte Leben des Bürger-
standes lächerlich gemacht werden, damit die Toren sich ihrer Narr-
heit schämen und sich künftig davor mögen hüten lernen. Die Absicht
der Lustspiele ist also wiederum moralisch. Sie suchen freilich wohl
das Gelächter zu erwecken: aber ein vernünftiges Gelächter über lauter ungereimte und lasterhafte Dinge . . . Wie verhält sich aber die
Oper bei dem allen? Treten da bürgerliche Personen auf? Sind ihre
Fabeln so beschaffen, daß dadurch das Laster lächerlich gemacht wird?
Welcher Poet hat jemals die Absicht darin gehabt, einen Misanthro-
pen, Geizigen, Betrüger, Spieler, Lügner, Verschwender, Zänkischen,
Grillenfänger, Lästerer usw. vorzustellen? Alle Opern sind ja von
Anfang bis zum Ende mit verliebten Romanstreichen angefüllt . . .
Man sage also, was man will: die Opern sind weder musikalische Tra-
gödien noch musikalische Komödien zu nennen. Sie tun der Republik
soviel Schaden, als jene ihr Nutzen bringen, wenn sie nur unter der
Aufsicht verständiger Leute gespielt werden. Sie sollten also von rechts-
wegen gar nicht geduldet werden." Es folgt dann der Erweis, daß die
Opern gegen alle Wahrscheinlichkeit verstoßen schon dadurch, daß sie
das Gesetz der Einheit der Zeit und des Ortes außer acht lassen und
statt sechs, höchstens zwölf Stunden zu dauern, Tage, Wochen, Monate und alle Schauplätze im Himmel und auf Erden in Anspruch
nehmen. Erscheinungen und Wunder sind sein ganzer Haß, Maschinen
ein Greuel. Ganz witzig schreibt er: „Wenn nur fein viel vom Himmel
kommt: so ist die Oper schon schön; denn das fällt trefflich ins Auge.
Die alten heidnischen Götter kommen daher bei uns viel häufiger auf

die Schaubühne, als vormals bei ihren Anbetern; welches unserer Religion eine treffliche Ehre ist. Und daher lernt auch oft ein Opernfreund mehr die Venus und Juno, den Jupiter und Mars, als den wahren Gott, oder die Tugenden und Laster kennen." Aber nun zur Hauptsache: „Das allerletzte ist die Musik; und dies ist der rechte Kern und Mittelpunkt aller Opernschönheiten . . . Unsre Opern haben alles miteinander musikalisch gemacht. Die Personen müssen nach Noten lachen und weinen, husten und schnupfen, Niemand untersteht sich dem andern einen guten Morgen zu bieten, ohne den Takt dazu zu schlagen. Und die zornigste Person sieht sich genötigt, so lange auf die Zunge zu beißen, bis ihr Widersacher seine Triller ausgeschlagen. Alsdann ist es ihr erst erlaubt, ihre Antwort im Kammer- oder Chortone anzustimmen."

Launiger und treffender kann man kaum, vom reinen Vernünftigkeits- und Natürlichkeitsstandpunkt aus, das Prinzip der Oper charakterisieren; und wir mögen Gottsched glauben, daß die deutschen Opern, die er bis 1729 in Leipzig sehen konnte, und gelegentliche italienische Festvorstellungen, die er vielleicht in Dresden erlebte, ihm solche Mängel besonders zur Anschauung bringen konnten. Aber hier geht er nun doch tiefer und sagt in der vorausgeschickten Betrachtung über die Rolle der Musik in der Antike etwas höchst Merkwürdiges, was wir bei ihm am wenigsten vermuten sollten: er vergleicht sie mit unserer Kirchenmusik. „Die Alten brauchten das Spielen und Singen nur zwischen den Handlungen der Schauspiele. Der Chor, der mitten auf der Bühne stand, stimmte eine Ode voll ernsthafter Betrachtungen über dasjenige Stück der Fabel an, so vor seinen Augen geschehen war. Diese Lieder waren nun reich an Sittenlehren und voll von dem Lobe der Tugend, der Verabscheuung des Lasters und dem Preise der Götter. Folglich können sie mit unsern geistlichen Gesängen verglichen werden, die wir in Kirchen singen. Die Schauspiele waren ohnedem bei den Alten eine Art des Gottesdienstes."

Die durchaus säkularisierte Religiosität des reinen Tugend- und Vernunftglaubens hindert Gottsched also nicht, die Verwandtschaft zwischen antikem Chor und christlich-modernem Choral zu erkennen. Er sah hierin tiefer als Nietzsche, so seltsam es klingt, der den antiken Chor mit dem modernen Opernchor verglich und die so naheliegende Parallele zwischen Tragödie und Passion sich hat entgehen lassen. Damals wurde das, mitten in einem reichen Kunstleben der Kirche, noch empfunden; wir haben ähnliche Gedanken schon bei dem Hamburger Pfarrer Elmenhorst festzustellen gehabt. Unwillkürlich kommt einem dabei die Frage, ob Gottsched nicht doch vielleicht hier unter dem unmittelbaren Eindruck der Matthäuspassion geschrieben hat, die aus dem gleichen Jahre stammt wie die soeben zitierte Stelle. Aber Gottscheds Biedermann, auf dessen letzten Seiten die Polemik gegen die Oper steht, schloß sein Erscheinen bereits am 4. April 1729, während die Matthäuspassion erst am 15. April dieses Jahres zur Aufführung gelangte. Daß Gottsched andre Bachsche Passionen und die Kantaten kannte, ließ sich für einen Kirchgänger, welches jeder Ehrenmann noch war, kaum vermeiden. Überdies verband ihn bereits damals mit Bach, daß er 1727 den Text zu dessen Trauerode auf den Tod der Königin geschrieben hatte. Im Biedermann findet sich sogar eine höchst achtungsvolle Erwähnung Bachs: Gottsched entschuldigt sich da — einige Blätter vor der eigentlichen Opernpolemik — daß er mit seiner Verurteilung „weder den Poeten, noch den Virtuosen, die teils den Text, teils die Musik dazu verfertigen" zu nahe treten wolle: „Ich beklage auch die Meister in der Musik, die sich genötigt sehen, durch ihre göttliche Kunst, der Geilheit und Wollust zustatten zu kommen, ja so zu reden einer giftigen Poesie das rechte Leben zu geben. Wieviel edler könnten sie dieselbe nicht anwenden, wenn sie, wie der berühmte Hamburgische Künstler Telemann, in geistlichen und ehrbaren Stücken ihr Talent erwiesen. Dieser berühmte Mann ist einer von den dreien musikalischen Meistern, die heutzutage unserm Vaterland Ehre machen. Händel wird in London von allen Kennern bewundert, und der Herr Kapellmeister Bach ist in Sachsen das Haupt unter seinesgleichen. Sie breiten auch ihre Sachen nicht nur in Deutschland aus, sondern Italien, Frankreich und England lassen sich dieselben häufig zuschicken und vergnügen sich schon darüber." Freilich beginnt und endet alles mit dem Lob des Zeitgemäßesten, Telemanns; ja man kann indirekt eine Kritik Bachs in der weiteren Charakteristik seines Rivalen Telemann finden, wo es heißt „Er vermeidet alle ausschweifende Schwierigkeiten, die nur Meistern gefallen könnten, und zieht die lieblichen Abwechselungen der Töne allezeit den weitgesuchten vor, ob sie gleich künstlich sein möchten. Und was ist vernünftiger als dieses? Denn da die Musik zum Vergnügen der Menschen dienen soll; so muß ja ein Künstler ein größeres Lob verdienen, wenn er bei seinen Zuhörern eine lächelnde Miene, und vergnügte Stellungen wirkt; als wenn er bloß eine ängstliche Verwunderung und lauter in Falten gezogene Angesichter verursacht hätte."

So nimmt denn Gottsched eigentlich seine Erkenntnis von der Verwandtschaft des Choralischen mit der antiken Tragödie wieder zurück, wie er denn auch mit dem Lob Telemanns wieder beim Vergnügen landet, und man den ganzen Widerspruch gegen die Oper nicht begreift, die ja auch das sinnliche Vergnügen will. Er wird in der Musik, genau wie in der Dichtung, alles Tiefere der Kunst nur auf Hörensagen angenommen haben, und den Rang der Komponisten nach ihrer bereits bestehenden Berühmtheit eingeschätzt haben, die ja Bach als Virtuos und überaus schwerer und „künstlicher" Meister besaß. Aus Gottscheds unmittelbarer Schülerschaft ist ja dann sogar die schärfste Kritik an Bach ausgegangen: durch Scheibes Bericht im „Critischen Musikus" von 1737. Bach wird hier zwar ein großer Mann genannt und seine Fertigkeit auf Orgel und Klavier anerkannt; aber: „Dieser große Mann würde die Bewunderung ganzer Nationen sein, wenn er mehr Annehmlichkeit hätte und wenn er nicht seinen Stücken durch ein schwülstiges und verworrenes Wesen das Natürliche entzöge und ihre Schönheit durch allzugroße Kunst verdunkelte . . . Alle Manieren, alle kleinen Verzierungen drückt er mit eigentlichen Noten aus, und das entzieht seinen Stücken nicht nur die Schönheit der Harmonie, sondern es macht auch den Gesang durchaus unvernehmlich. Alle Stimmen sollen miteinander und mit gleicher Schwierigkeit arbeiten, und man erkennt darunter keine Hauptstimme. Kurz: er ist in der Musik dasjenige, was ehemals der Herr von Lohenstein in der Poesie war. Die Schwülstigkeit hat beide von dem Natürlichen auf das Künstliche und von dem Erhabenen auf das Dunkle geführt; und man bewundert an beiden die beschwerliche Arbeit und eine ausnehmende Mühe, die doch vergebens angewandt ist, weil sie wider die Vernunft streitet."

Hier spricht klar der Schüler Gottscheds; eine größere Verurteilung als den Vergleich mit Lohenstein konnte es in dessen Sinne nicht geben. Mögen hier auch persönliche Voreingenommenheiten mitgespielt haben — Bach hatte Scheibe bei der Bewerbung um den Organistenposten zu St. Thomae durchfallen lassen; er hatte 1736 das Ersuchen der Frau Gottsched um Kompositionsunterricht selber abgelehnt und sie an seinen Schüler Krebs gewiesen, und endlich war der bevorzugte Textdichter Bachs, Henrici-Picander, ein Gegner Gottscheds, der später gegen diesen schrieb, auch verkehrte Bach nicht im musikalischen Kreise der Marianne von Ziegler, die für Gottsched die größte Dichterin war. Es erscheint zuletzt doch nur konsequent, daß die Auffassung der Kunst als vernünftige Nachahmung der Natur bei der neuen galanten Musik — und doch damit schließlich wieder bei der Oper — besser auf ihre Rechnung kam, als bei der geistlichen Tonkunst eines Bach, wenn sie dabei auch einige Abstriche an ihren moralischen Grundsätzen machen mußte. Und so kann man es schließlich nicht anders als tragisch empfinden, daß die norddeutsch-protestantische Kultur gegenüber der höfischen nicht einmal zusammenhielt, daß sie in sich bereits auf eine unheilbare Weise gespalten war, indem die Vertreter des Neuen blindlings mit allem Neuen gingen und das wahre Zentrum ihrer Geistigkeit nicht erkannten — sie streiften es, wie Gottsched, mit einem scheinbar verständnisvollen Blick, um es im Grunde doch nur an geeigneter Stelle gegen die gehaßte Oper auszuspielen.

Und was hätte gerade ein Mann wie Gottsched, wäre ihm nur etwas von musischer Natur verliehen gewesen, an einer Musik wie der Bachschen lernen können: wo anscheinend auch die „Regel" herrschte, und zwar eine strengere als irgend die einer Verskunst, von größter auch rationaler Unerbittlichkeit, und dennoch dem gewaltigsten Geistesund Seeleninhalt dienstbar gemacht. Aber gerade dies sollte und konnte nicht sein: es war unvermeidlich, daß ein neuerwachtes Sprachbewußtsein totale Herrschaft erstrebte und hier in Konflikt kommen mußte mit einer Musik, die selber so sehr schon geistige Sprache geworden war, daß sie um den Text der Worte sich nicht kümmerte und um ihr mehr oder weniger gut und schlecht im Sinne der herrschenden Poetik nicht besorgt war, weil sie ihre eigene Poesie in jedes Wort hineinlegte. So mußte die Sprachkunst schließlich die Musik großer Tradition verleugnen und bekämpfen, um sich selber wieder zu haben; und ihre enge Idee vernünftiger Naturnachahmung drängte sie auf die Seite einer Tonkunst, die durch natürliche rationelle Sangbarkeit sich empfahl und in gewissen Bereichen wieder zur Dienerin der Dichtung werden konnte, im übrigen aber gerade der reinen italienischen Monodie den Weg bereitete. Hier wird schon die Stellung unsrer klassischen Dichtung der Musik gegenüber vorbereitet — es ist im Grunde die Preisgabe aller geistigen Errungenschaften absoluter Musik seit dem

Mittelalter, zugunsten einer natürlichen und „ursprünglichen" Lied-
haftigkeit, die sich bescheiden dem lyrischen Gebilde des Dichters zum
bloßen Komponieren fügt.

Daß die Musik dann doch von diesen Grundlagen noch einmal den
Flug ins Absolute wagte und vollbrachte, hat die Dichtung lange nicht
anerkennen wollen, und mußte erst spät sich vom Dasein der neuen
großen Rivalin überzeugen. Durch die Beherrschung aller Ästhetik
und Kunstreflexion von seiten des Wortes konnte aber auch hier der
Rang der Musik lange Zeit verborgen bleiben, konnte sie beinahe bis
in unsre Zeiten aus dem Kulturbewußtsein der Nation gänzlich ausscheiden. Das alles ist bereits mit Gottsched grundsätzlich entschieden:
er hat auch hierfür die Grundlagen gelegt, und selbst der leidenschaftliche Widerspruch der Romantik ist an der strengen Abkapselung der
Literatur, wie er sie geschaffen hatte, zuletzt gescheitert.

76.

Am augenfälligsten ist die Nachwirkung Gottscheds auf dem Gebiet
des Dramas. Hier führt ein gerader Weg zu Lessing; und was Lessing
für die Entwicklung unsres Theaters bedeutet, ist jedem gegenwärtig.

Es mag sein, daß Gottsched das Drama nicht einmal für die höchste
poetische Gattung hielt, sondern mit den meisten Zeitgenossen an den
Vorrang des Epos glaubte — aber er hat hier allein praktisch, durch
seine Bühnenreform, eingegriffen, und auch als quasi-Dichter Muster
aufgestapelt, die stärker, als man bei der Lektüre dieser Versuche heute
meinen mag, in die Entwicklung eingegriffen haben. Das Jahrzehnt
zwischen 1730 und 1740 ist hier entscheidend: er trifft auf die Partner, die ihm den Einfluß aufs lebendige Theater ermöglichen, die
Neubersche Schauspieltruppe; und zugleich beginnt er seine Veröffentlichung von vorbildlichen Stücken. Das Jahr 1730 ist auch das Jahr
seines theoretischen Hauptwerks „Versuch einer critischen Dichtkunst
vor die Deutschen"; und hier ist seine Ansicht von der Tragödie, die
wir bisher wesentlich nur im Gegensatz zur Oper kennen lernten, auf
die endgültige rationalistische Formel gebracht — die Anweisung zum
Verfertigen eines Trauerspiels ist das Eigene, was er den überall her
entlehnten Theorien vom „regelmäßigen Drama" hinzufügt. „Der
Poet wählet sich immer einen moralischen Lehr-Satz, den er seinen
Zuschauern auf eine sinnliche Art einprägen will. Dazu ersinnt er sich

eine allgemeine Fabel, daraus die Wahrheit eines Satzes erhellet. Hie-
nächst sucht er in der Historie solche berühmte Leute, denen etwas
ähnliches begegnet ist: und von diesen entlehnet er die Namen vor die
Personen seiner Fabel, um derselben also ein Ansehen zu geben. Er
erdenket sodann alle Umstände dazu, um die Haupt-Fabel recht wahrscheinlich zu machen, und das werden die Zwischen-Fabeln oder Epi-
sodia genannt. Dieses teilt er dann in fünf Stücke ein, die ungefähr
gleich groß sind, und ordnet sie so, daß natürlicher Weise das letztere
aus dem vorhergehenden fließet: bekümmert sich aber weiter nicht, ob
alles in der Historie so vor gegangen, oder ob alle Nebenpersonen so
und nicht anders geheißen.“ Es folgt dann die Darlegung und Begründung der berühmten drei „Einheiten“, der Handlung, der Zeit und des
Orts, die er, nach dem Vorgang des französischen klassischen Dramas,
für unerläßlich hält, und deren Befolgung ihm geradezu das Kriterium
der echten Tragödie bedeutet.

In seiner Vorrede zum „Sterbenden Cato“ hat Gottsched dann
höchst offenherzig die Geschichte seines Verhältnisses zur wirklichen
Bühne erzählt. Demnach hatte er, als er 1724 nach Leipzig kam, noch
keine Aufführung weder einer Tragödie noch einer Komödie gesehen;
erst die „privilegierten dresdenischen Hofcomödianten“, die zur Meß-
zeit auch in Leipzig spielten, vermittelten ihm einen lebendigen Eindruck des Theaters. Es ist die Haacke-Hoffmannsche Truppe, der damals schon Caroline Neuber angehört. Die „Neuberin“ stammte aus
guter Familie, war 1697 als Tochter eines Juristen in Reichenbach im
Vogtland geboren und hatte eine ungewöhnliche Erziehung und Bildung genossen. Sie fand anscheinend von sich aus bereits kein Genüge
mehr an den schwülstigen Haupt- und Staatsaktionen und Stegreif-
possen und setzte es mit ihrem Kollegen, dem Heldenspieler Kohl-
hardt, durch, auch Stücke von Corneille und Pradon aufzuführen.
Gottsched sieht sie in „Roderich und Chimene“ — „dieses gefiel mir
nun, wie leicht zu erachten ist, vor allen andern, und zeigte mir den
großen Unterschied zwischen einem ordentlichen Schauspiele und einer
regellosen Vorstellung der seltsamsten Verwirrungen auf eine sehr
empfindliche Weise.“ Erst dies wird ihm die Anregung, nach „Regeln“
der Schaubühne zu suchen; er findet sie in Daciers Übersetzung der
Poetik des Aristoteles, in des Abts Brumois Théâtre des Grecs, in Heinsius und andern, und je mehr er durch Lektüre die „wohleingerichteten

Schaubühnen der Ausländer" kennen lernt, Corneille, Racine, Molière und Voltaire liest, ihre Dramen wie die beigefügten Vorreden und kritischen Abhandlungen, desto mehr schmerzt es ihn, „die deutsche Bühne noch in solcher Verwirrung zu sehen". Inzwischen erhält das Neubersche Ehepaar das sächsische Privileg, und ihrer Reformneigung sucht er nun mit eigenen Bearbeitungen zu Hilfe zu kommen. Das erste ist eine Übersetzung von Racines Iphigenie, und andere Stücke von ihm und seinen Freunden folgen. Seit der Leipziger Ostermesse 1727 datiert die Verbindung: es ist die Zeit, wo Gottsched sich noch der Protektion des Dresdner Hofpoeten König erfreut, dem man damit schmeichelt, daß man ihn bittet, die Übersetzung des Regulus vom braunschweigischen Hofpoeten Bressand zu modernisieren. Erst durch Gottscheds Schmähungen der Oper kommt es — 1730 — mit König zum Bruch; und dies ist nicht ohne Einfluß auf die Stellung der Neuberschen Gesellschaft zum sächsischen Hof: beim Tode Augusts des Starken, 1733, wird ihr das Privilegium entzogen. Aber die Wirkung der Reformstücke in Leipzig bleibt groß und nachhaltig: das Repertoire der Neuberin enthält von 1727 bis 1740 27 regelmäßige Stücke, darunter 15 Übersetzungen aus dem Französischen, die übrigen mehr oder weniger freie Bearbeitungen und Anlehnungen. Den größten Erfolg hat Gottscheds „Cato"; 1731 wird er zuerst aufgeführt, 1732 gedruckt, und erlebt in kurzer Zeit zehn Auflagen. Er ist, nach Entstehung, Haltung und Absicht, auch das schlechthin typische Stück.

Mit einer unüberbietbaren Naivität erzählt Gottsched das Zustandekommen dieses Werkes. Er liest von dem Erfolg, den Addisons Cato zwanzig Jahre früher in England gehabt hat; wobei er meint, „daß die Neigung der englischen Nation zu ihrer Freiheit und der ihr gleichsam angeborene Abscheu vor einem tyrannischen Regimente viel dazu beigetragen, daß die Vorstellung eines ebenso gesinnten Römers ihnen so wohl gefallen". Nicht viel später, 1715, kommt ein Cato von dem Franzosen Deschamps heraus, ebenso vortrefflich, aber der „regelmäßigen Einrichtung nach" dem englischen weit vorzuziehen, der seinerseits aber auch einige besonders gute Züge hat. Die Vorzüge beider Stücke sucht nun Gottsched zu vereinigen. Bescheiden bemerkt er zum Schlusse: „überhaupt bekenne ich, daß alles, was an diesem meinem Cato zu loben sein wird, von dem Addison und Deschamps herrührt, alles Schlechte aber mir selbst und meiner Unfähigkeit in der tragischen

Poesie zuzuschreiben sei. Ich erkenne es also nunmehr selbst, wiewohl zu spät, daß ich lieber einen bloßen Übersetzer abgeben, als mich selbst gewissermaßen zu einem tragischen Poeten hätte aufwerfen sollen."

Aus diesen Bekenntnissen geht hervor, daß es Gottsched und seinen Zeitgenossen nur darauf ankam, bedeutende Gestalten der Geschichte oder der Mythologie leibhaftig vor sich zu sehen, soweit sie geeignet waren, eine moralische Lehre über den Weltlauf zur Anschauung zu bringen, und zwar möglichst wahrscheinlich und vernunftgemäß vorgestellt; wofür besonders die Befolgung des Gebots von den drei Einheiten zu sorgen hatte. Das Interesse ist also ein völlig objektives; und dies geht so weit, daß der Dichter sich nur als Vermittler versteht, am liebsten als Übersetzer — er wird selbst nur produktiv, d. h. er erfindet oder verwendet auf eigne Weise die Erfindungen seiner Vorgänger, wo er damit größere Vollständigkeit und Wahrscheinlichkeit der vorgestellten Gestalt erreicht. Seine Diktion ist nüchternste Vergegenwärtigung der Facta, durchaus verstandesmäßig, wenn auch in gehobener Rede: in gereimten regelmäßigen Alexandrinern, wie sie nun eben einmal zu den Erfordernissen der neueren klassischen Dichtung gehörten. Der heutige Leser mag wohl lächeln, wenn er etwa als Schluß des Dramas die Worte vernimmt: „(Porcius:) Kommt, tragt den toten Leib vor Cäsars Angesicht: / Wer weiß, ob ihm nicht noch sein hartes Herze bricht, / Wenn er den Helden sieht in seinem Blute liegen. / (Artabanus:) O Rom! Das ist die Frucht von deinen Bürgerkriegen!" — aber die damaligen Menschen erfuhren die klare nüchterne Darstellung eines großen „Falles" nicht viel anders wie sie bald darauf die Gipskopien oder Stiche von Kopien antiker Plastik empfanden; das heißt, sie erfuhren stoffliche Größe und Wahrheit, wo wir nur Langeweile fühlen. Es ist das literarische Vorspiel der edlen Einfalt und stillen Größe Winckelmanns, das erste Erlebnis eines Purismus, der sich anheischig macht, gegenüber bisherigen Verzerrungen und Überladungen das Eigentliche, Echte, Wahre herzustellen; gegenüber der musikalischen Behandlung der Oper nicht weniger wie gegenüber dem Lohensteinschen „Schwulst" und der Roheit der Haupt- und Staatsaktionen.

Aber hier überschneiden sich nun sehr verschiedene Tendenzen. Der Purismus reformiert nicht nur die dramatische Darstellung durch Rationalisierung der dichterischen Form bis zur platten nüchternen Verständlichkeit — er löst auch die Antike aus ihrer bisherigen künst-

lerischen Funktion im Barock heraus; er raubt ihr den Glanz, den sie
in der Selbstdarstellung der höfischen Gesellschaft durch Malerei und
Plastik nicht weniger wie durch Oper und festlich allegorische Repräsentation empfangen hatte und gibt ihr einen anderen Sinn, eine ausschließlich moralische Nutzanwendung und Deutung. Denn es ist ja
im Grund das Paradoxe der ganzen Bemühungen Gottscheds, daß er
die verhaßte Oper in dem einen nur bestätigt: in ihrer Stoffwelt —
die Iphigenie, Dido, Berenice, Phädra, der Caesar, Regulus, Brutus,
Alexander, Ulysses, Mithridates und wie sie heißen sind alle ebenso
Themen der Opera seria wie der regelmäßigen Tragödie; Gottsched
ist keinen Augenblick auf den Gedanken gekommen, hier anzusetzen
und für seine so lebhaft empfundene deutsche Mission an eine andere
Welt der Sinnbilder zu denken, oder vom Dichter aus eine freie Wahl
und eigene Findung des Stoffes für möglich zu halten; wie es doch bei
den schlesischen Dramatikern noch der Fall gewesen war, die hier eine
echte dichterische Selbständigkeit bekundet hatten: so sehr sie sonst im
Bann der Opitzschen Renaissance standen, an die einzige Antike hielten sie sich nicht gebunden. Aber wenn er nun in Deutschland der Antike die Musik nimmt oder auch nur die höfisch-festliche Bedeutung —
wie sie mutatis mutandis auch die regelmäßige Tragödie für Frankreich besaß —, so zerstört er geradezu ihre tiefere Legitimation, durch
die sie im Norden über die humanistische Schulübung hinaus hohe
Kunst hatte werden können.

Schon hier und nicht erst im Klassizismus beginnt der große Umschwung in der Bewertung der Antike, in der Funktion ihrer Bilder-
und Gestaltenwelt: aus einem echten Lebensgefühl geht sie in bloße
tote Bildung über. Denn wirklich echt kann eine fremde Mythologie
und Historie nur rezipiert werden, wenn in ihr — und nur in ihr —
ein wesentliches Stück Leben der neuen Gebraucher versinnbildlicht
werden kann. Und das war mit der Antike durchs absolute Fürstentum geschehen: das Verhältnis des Barock zu ihr war nicht das der
Ergänzung, der Ferne und Sehnsucht, sondern das der Wahlverwandtschaft, der Spiegelung im gleichgearteten Wohlgeratenen, in einer
souveränen olympischen Existenz, wie man etwa die der Homerischen
Götter verstand. Die Personifikation von Eigenschaften durch die
Namen von Göttern und Göttinnen, die Gottsched für entbehrliche
Umschreibung des Eigentlichen hielt, wie uns ein früher gebrachtes

Zitat bezeugt, hatte den ursprünglichen Sinn, den Monarchen in einer Sphäre zu repräsentieren, für welche weder die christliche Überlieferung ausreichte noch eine eigene Mythologie zur Verfügung war: in der neben dem Geistlichen seit dem Mittelalter gewaltig ausgeweiteten weltlichen Sphäre, in welcher die sakrale Person des Herrschers feierlich erhöht werden sollte, wenn etwa Jupiter sein Regententum verherrlichte, Mars seine Kriegstaten, Ceres und Pomona das Gedeihen seines Landes, Apollo und die Musen seine Kunstpflege, Minerva sein Mäzenatentum der Wissenschaft, und so fort bis in die privateren und dennoch streng geregelten Bezirke, wo Diana die Freuden der Jagd bezeichnete, Venus und die Grazien die galante Atmosphäre des Hofes und wie man es sich weiter ausmalen mag. Damit war die antike Mythologie auch für das Volk legitimiert, eben durch die Person des jeweiligen Dynasten, war in gewissem Sinne volkstümlich geworden, wie kaum je vorher und nachher, da seine festliche Existenz weitgehend der Schaufreude aller diente, und ja das Volk am Zustandekommen dieser Schau mit seinen Künstlern und Kunsthandwerkern aller Gebiete selber mitwirkte. Zugleich war diese Existenz als eine olympische über alles Volk erhöht, gab einen Aufblick zum hohen und schönen, heitern und scheinbar unbeschwerten Leben immerwährender Freude und Sorgenfreiheit. Und dieser Grundakkord der Freude und Bejahung stimmte auch die andersgearteten Klänge der Antike um, stimmte sogar den Ton der Tragödie ins reine Dionysische. Denn für den weltanschaulichen Ernst war im echten Barock ja immer noch die Kirche die Hüterin des Mysteriums mit ihren Oratorien und Passionen; und es ist kein Zufall, daß der Oper, auch der seria, nicht die strenge Fastenzeit, sondern der Karneval als Spielzeit zugewiesen war, wo sie nicht nur höchstes Symbol der durch alles Tragische durchgehenden Lebens-Lust war, sondern auch Symbol der Verwandlung: die Menschen, die ihr lauschten, erfuhren noch den Ursinn aller Vermaskung, wie er sich aus der Antike herleitete, wenn sie zuhöchst in den Fabeln und Historien der Götter und Helden ihre Leidenschaften, Taten und Abenteuer widergespiegelt fanden und damit die Deutung und Harmonisierung ihrer Schicksale erlebten.

Demgegenüber bedeutet Gottscheds Auffassung einen jähen Absturz ins Bürgerliche. Da ist kein Gefühl von ebenbürtiger Entsprechung, keine olympische Heiterkeit und dionysische Lust die Grundlage, sondern es herrscht Entsetzen und Schrecken über einen Unglücksfall, über ein Geschehen mit notwendig traurigem Ausgang, dem sich höchstens die revolutionäre Genugtuung gesellt, daß auch die Fürsten- und Herrenschicht eine höhere Macht über sich hat und dem rächenden Schicksal nicht entgeht. Ja die heroischen Namen und Gestalten scheinen lediglich beibehalten, um den Sturz weltlicher Größe zu demonstrieren. Denn eine absolute Moral könnte solche Masken entbehren und die Tragik des Geschicks auch in der eigenen bürgerlichen Sphäre zur Anschauung bringen; welches denn auch der nächste Schritt der Entwicklung war, den dann Lessing getan hat. Würde man dagegen einwenden, daß eben doch mit dem durchgängigen Ernst des Tragischen der Verlauf der griechischen Tragödie wiederhergestellt wäre, so stünde zu antworten, daß alles abstrakte Moralisieren dem kultischen Charakter des antiken Dramas denkbar fern lag, ja daß die besondere Art des mythischen Schicksals auf die Denkart der neueren Welt sich kaum je wirklich hat übertragen lassen; so daß im Feierstil der musikalischen Bühne noch am ehesten eine mythische Macht beschworen war, wenn auch, notwendig, im Ausdruck eines andern Weltgefühls, das in polarer Spannung zur christlichen Leidensreligion eben gerade nicht noch einmal den Schmerz erleben lassen konnte, sondern die Harmonie.

So wird die Beibehaltung klassischer Namen und Gestalten im regelmäßigen Drama, von jener geheimen Freude am Untergang des Heroischen abgesehen, zu einem rein gelehrten Beiwerk, zu einer bloßen Konvention: der Stolz des Bildungswissens höchstens wird hier angerufen — Dichtung als Bildung für die gebildete Schicht ist hier in Wiederaufnahme des Opitzschen Humanismus endgültig zum Siege gekommen und bleibt nun grundlegend für die Entwicklung der deutschen Literatur und insbesondere des Theaterschaffens.

Dennoch mischt sich damals noch etwas anderes herein und ruft unser psychologisches Interesse wach: die durchaus naive Haltung gegenüber dem Gegebenen; beim Publikum, das diese fremden Gestalten als etwas Höheres und Weltberühmtes anstaunt und beglückt ist, sie überhaupt lebendig agieren zu sehen; beim Dichter, der sich ganz als handwerklicher Macher verhält, ohne leiseste Absicht, etwas von eigenem Erlebnis, Geist und Seelentum in seinem Werk zum Ausdruck zu bringen. Die Haltung der mittelalterlichen Kunst und der mittelalterlichen Kunstempfangenden ist von der gleichen Naivität und reinen Stofferfülltheit gewesen, vom gleichen handwerklichen Genügen an der objektiven Gestaltung des Faktischen; wenn auch die echten Heilstatsachen der Religion hier Stoff und Faktum waren. Wir müssen also annehmen, daß jene im Bereich von Wort und Literatur noch unverbrauchten Gemüter mit einer seltsamen Ursprünglichkeit und einem wahren Ernst sich den rationalen Errungenschaften der Theaterreform hingaben, der moralischen wie der bildungsmäßigen Belehrung, daß sie an Moral und Bildung wirklich als an die neuen vernünftigen Tugenden glaubten, wie Religiöse anderer Zeiten an ihre Heilsgestalten und Dogmen. Wir ahnen etwas von der geistigen Enge, aber auch Stoßkraft des Bürgertums, mit der es nachmals die Herrschaft an sich zu reißen vermochte, wenn wir es in diesem primitiven Stadium erblicken, wo, gerade dem Theater gegenüber, der Verzicht auf die bloße rohe Unterhaltung, wie sie die mit Harlekinaden durchsetzten bisherigen Staatsaktionen und Possen gewährten, schon einen gewaltigen zivilisatorischen Fortschritt bedeutete und die dafür eingetauschte Moral und Bildung den Aufstieg zu einem höheren geistigen Niveau zu gewährleisten schien. Freilich waren damit die Fäden zu aller bisherigen Überlieferung nun endgültig abgeschnitten. Die Volksbühne, wie sie bis zu Ende des 17. Jahrhunderts etwa im Magister Velthen noch lebendig gewesen war, dem Vorgänger der Neuberschen Truppe in Dresden und sogar noch bei Hofe, war jetzt endgültig Vergangenheit, und keiner unsrer großen Dichter hat mehr an eine lebendige Tradition des Schauspiels anknüpfen können. Die berühmte Verbannung des Harlekin durch die Neuberin mag moralisch gerechtfertigt gewesen sein — trotzdem war sie das Symbol eines grundsätzlichen Verlusts und Verzichts, des Verzichts auf echte allgemeine Volkstümlichkeit, des Verlusts der Mitwirkung des Volkes aus sich selbst heraus, jedenfalls in dem nun den Ton in unsrer Literatur angebenden Mittel- und Norddeutschland, während in Wien bis zu Schikaneder und Raimund analoge Kräfte und Gestalten lebendig blieben und, wie bei Mozart, auch in die höhere Sphäre wirkten.

Es mag kein Zufall sein, daß um die Zeit, wo das regelmäßige Wortdrama zur endgültigen Herrschaft gelangt und die Bühne jede Tradition verliert, ein neues Leben in der Oper sich vorbereitet und die Meister schon am Werke sind, die, wenn auch noch immer unter der

Hülle italienischer Form und Sprache, den deutschen Musikgeist in ihr zum Siege führen sollten — im Jahre 1747, um die Zeit, wo die Kochsche Truppe die Neuberische ablöst, führt bereits Gluck vor dem Dresdner Hof seine Festoper auf. —

Kurz vorher, 1741, hatte Gottscheds persönliches Ansehen in der Bühnenreform den ersten Stoß erlitten, und der Anlaß dazu war seltsam genug und eine wahre kulturhistorische Ironie: er fiel ganz eigentlich als Opfer des Stils, als Opfer des Barock, das er sein Leben lang bekämpft hatte. Denn die Neuberin, die sich seit ihrer Abwesenheit in Petersburg von der Schönemannschen Truppe in Leipzig verdrängt sah und auch sonst Ursache hatte, mit Gottscheds Diktatur unzufrieden zu sein, verspottete ihn um einer Sache willen, in welcher dieser jedem heutigen Gebildeten als der Fortschrittliche erscheinen muß, um welche aber die damals Kultivierten ihn auslachten: er wollte in den antiken Stücken das historisch richtige Kostüm einführen. Die Neuberin schrieb zu seinem Cato ein parodistisches Nachspiel, in dem nun wirklich die römischen Helden in alter Tracht auftraten, „die Füße mit fleischfarbner Leinwand umwunden", und entfesselte damit die größte Heiterkeit; denn das Barockkostüm bis zu Reifrock und Perücke war in der Oper wie in der französischen Tragödie für das souveräne Zeitgefühl noch immer völlig selbstverständlich, und der Verstoß dagegen erschien als alberne gelehrte Pedanterie. Scheint nun der Rationalist hier seiner Zeit voraus und wird er für eine Sache zum Märtyrer, die dann überall den Sieg davontrug, so steht dagegen eben noch die Schöpferkraft einer Zeit, die den Mut hat, ihren Stil auch dem Historischen aufzuerlegen, unbekümmert um dessen einstige echte Beschaffenheit. Das Ganze darf als symbolisch gelten für so manche Tugend und Untugend Gottscheds, ja für das meiste, was er auf die Bahn brachte: das Richtige daran ward mit der Zeit banal und selbstverständlich und wird nicht mehr als sein Eigenes unterschieden; das Falsche behielt man im Gedächtnis, weil es mit Besserem und Stärkerem in Konflikt geriet. Es ist das Schicksal der Errungenschaften bloßen gesunden Menschenverstands, daß sie Gemeingut werden, soweit sie sich auf das erstrecken, was mit dem Verstande gefaßt und entschieden wird; während das Schöpferische in seinen Leistungen unzeitgemäß werden kann und etwa als Stil einem Neuen und Andersgearteten Platz macht, um sich historisch dann doch auf die Dauer unverwechselbar und unbestritten zu behaupten.

77.

Nicht durch die Kraft des letzten Stils ist Gottsched allerdings wirklich überwunden und schon für seine Zeitgenossen überholt worden, wenn auch durch die Kollision mit einem Prinzip des Barock seine praktische Tätigkeit für das Theater in Leipzig ein Ende fand — andre Mächte sind es gewesen, die seinen allgemeinen Bestrebungen ein Ziel setzten. Auf der Bühne ist vielmehr sein Purismus wie auf keinem anderen Gebiete durchgedrungen und die Grundlage geworden, auf der sich die neuere dramatische Literatur der Deutschen erhob. Die Oper freilich zu vernichten oder auch nur zu diskreditieren, war ihm trotz aller seiner Angriffe nicht gelungen: sie begann nun erst ihren Siegeszug unter deutschen Meistern. Wir wiesen bereits auf Glucks erstes Hervortreten in Deutschland hin, als er nach italienischen und englischen Wanderjahren 1747 in Dresden gastierte; aber nur ein Jahr später, 1748, wird das erste Lustspiel Lessings, „Der junge Gelehrte", durch die Neuberin in Leipzig aufgeführt, und hiermit sind die beiden Anfangspunkte einer neuen Entwicklung bezeichnet, die hinfort in völlig getrennten Richtungen verläuft. Noch bei Gluck hat es eine kurze Berührung mit deutscher Dichtung gegeben, als er Klopstocks Oden vertonte und sogar sein Drama „Hermanns Schlacht" als Oper auf die Bühne bringen wollte; aber auf der Höhe unsrer klassischen Dichtung und Musik hat bereits jede Beziehung aufgehört — sie stehen einander so fremd gegenüber, wie ein halbes Jahrhundert früher südliche Architektur und norddeutsch-protestantische Musik.

Aber die Nennung des Namens Klopstock weist uns nun auf die Macht, die neben der wesentlich kritischen und verstandesmäßigen Leistung Gottscheds und Lessings in unsrer Literatur emporwächst und bald alles gewaltig überflutet: die Macht des Gefühls, und noch einmal eines religiösen Gefühls — im Jahre 1748 sind auch die ersten drei Gesänge des Messias erschienen.

Es hat den Anschein, als ob jetzt die protestantische Tradition, wie sie bisher als hohe Kunst einzig in der Musik lebte, endlich ihren Durchbruch auch in der deutschen Dichtung fände, und das seinem Ende sich zuneigende Schaffen Bachs und Händels in einer religiösen Poesie Wiederkunft und Widerhall erlebe. Das Erscheinen des Messias fällt in die Zeit, da Bach das Musikalische Opfer vollendet und zu seinem letzten Werk, der Kunst der Fuge, sich bereitet; und sieben Jahre vorher erst ist Händels Messias geschaffen worden. Es ist kein Zweifel, daß Klopstock dieser Tradition verpflichtet war — wir wissen, daß er Bach und Händel besonders verehrte, und seine Freundschaft mit Gluck und Philipp Emanuel Bach, seine Beziehung zu Telemann spricht für seine allgemeine Liebe zur Musik. Aber das Tiefere bleibt hier geheim und läßt sich nur ahnen und glauben, nicht aber erweisen: daß für das Wort die Stunde kommen mußte, da es etwas von dem Geiste, der in der Musik in diesem protestantisch-religiösen Sinne nun zu sprechen aufhörte, in sich aufnahm und weiterbildete, wenn auch in veränderter Weise in einer schon veränderten Welt. Und da fragen wir wohl: wie konnte nach allem, was wir bisher betrachteten, einem Dichter der Mut und die Fähigkeit kommen zum religiösen Gedicht? Was konnte im Augenblick des höchsten Triumphs der Aufklärung, im Angesicht des gewonnenen Siegs des Vernunft- und Moralglaubens auch in der Poesie einem werdenden Poeten, der noch dazu unter Gottscheds Augen aufwuchs, die geringste Aufmunterung geben, dem christlichen Mythos statt der antiken Mythologie sich zuzuwenden, obgleich er in der strengsten humanistischen Lehre zu Schulpforta herangebildet war? — In seiner lateinischen Abiturientenrede zu Schulpforta hat Klopstock 1745 in kühner Vorwegnahme seiner eignen Mission den großen epischen Dichter gezeichnet, den Deutschland hervorzubringen habe. Aber um es Homer und Virgil gleichzutun, welche Forderung für den Humanisten zunächst selbstverständlich ist, muß einer „den Seher" als Vorbild sich aufstellen, der einen Gipfel von Größe erreichte, „quo celsius nullum uspiam in poesi reperitur", wie er nirgendwo in der Dichtung höher erfunden wird — Milton. Miltons Verlorenes Paradies aber hatte Klopstock in Bodmers Übersetzung gelesen, durch die dieser Dichter in Deutschland erst eigentlich bekanntgeworden war.

Es sind die „Schweizer", die Klopstock das Vorbild für seinen Messias schenken, die dann den Ruhm des Messiasdichters begründeten, und die, als Klopstock auf den Plan trat, auch schon den Sieg über Gottsched davongetragen hatten. Sie haben mindestens die äußeren Voraussetzungen dafür geschaffen, daß neben und außerhalb der Gottschedschen Richtung noch etwas anderes in der deutschen Literatur möglich wurde. Aber waren sie wirklich zugleich auch die Repräsen-

tanten der neuen Mächte von Gefühl und Phantasie, die in Klopstock
zum Durchbruch kamen? Seit dies um die Mitte des 18. Jahrhunderts
die allgemeine Ansicht geworden war, hat man es immer wieder bis in
die neueste Zeit in Zweifel gezogen und ihre Verdienste auf ein Mini-
mum herabzusetzen versucht. Man konnte mit Recht darauf hinweisen, daß schon die Zeitgenossen vielfach nicht mehr wußten, worum
es eigentlich in ihrem Streit mit Gottsched ging; daß sie mit diesem
ursprünglich eines Sinnes zu sein schienen, gute Beziehungen zu ihm
unterhielten, und sich auch später in ihrer eigentlichen Theorie und
Poetik nur durch Abweichungen unterschieden, die für unser heutiges
Urteil nicht so sehr ins Gewicht fallen. Schließt man von der Wirkung
auf die Ursache, so müssen hinter ihnen aber doch noch andere Kräfte
gestanden haben: sie haben ja auch nicht nur Klopstock vorbereitet
und ihm wesentliche Anregungen gegeben, sie haben mit ihren Entdeckungen bis in die Romantik gewirkt und ihr die Anknüpfung
an einen ihrer wichtigsten Werte, die altdeutsche Poesie, ermöglicht.
Und so ist ihre Bedeutung auch damit nicht erschöpft, daß sie, wie
man es resümiert hat, stärker den Engländern als den Franzosen zu-
neigten; wir werden vielmehr in ihrer Herkunft, in ihrem Stammestum den tieferen und vielschichtigen Grund für ihre Erfolge suchen
müssen, einem Stammestum, das mit ihnen zuerst nach langer Ruhe
und Abgeschiedenheit ins deutsche geistige Leben eingriff.

78.

Die Schweiz war kulturell in einer sehr eigenartigen, von den deutschen Erscheinungen und Entwicklungen, die wir bisher kennenlernten,
durchaus verschiedenen Lage. Obgleich sie geographisch zum „Süden"
gehörte, war sie doch von alle dem fast unberührt geblieben, was wir
sonst unter süddeutscher Kultur in der Barockepoche verstehen — sie
war nicht vorwiegend katholisch, wie Bayern und Österreich, sie war
fast mehr eine protestantische Enklave; nur daß eben die konfessionelle Trennung hier noch eine eigene Form, das reformierte Bekenntnis, gefunden hatte, welches sie wieder mit allen daran hangenden
Konsequenzen vom norddeutschen Luthertum schied. Hat deshalb
einerseits das katholische Kirchenbarock hier keine entscheidende Rolle
spielen können und ist es nur im Osten von Allgäu und Bodensee aus
mit einer Welle überschwenglicher Kunst nach Einsiedeln und St. Gal-

len herübergebrandet; war vollends für das höfische Barock kein Boden, da alles Fürstentum mit seiner öffentlichen Repräsentanz hier fehlte; so hatte doch andrerseits auch die Hauptkunst des norddeutschen Protestantismus, die Musik, keine Pflege und Entwicklung finden können, weil der reformierte Gottesdienst bloß schlichte Psalmengesänge kannte und keine Entfaltung des Instrumentalen und Absoluten zuließ.

Schon mit diesen Gegebenheiten glich die Mentalität der Schweiz, trotz aller Reformation, noch stark der mittelalterlichen; und es entsprach tief der Begabung des alemannischen Stammes, der in den altdeutschen Zeiten sich durch Dichtung und bildende Kunst hervorgetan hatte, daß er in der modernen Kunst der Musik nicht schöpferisch wurde — die alten kulturellen Kerngebiete des Reichs stehen hier überall gegenüber den slawisch umbrandeten Grenzlanden zurück. Aber auch die andre neuere Geisteserrungenschaft, die Aufklärung, hat trotz der lebhaften Beziehungen zu Frankreich und England (die fast stärker waren als die zum Reich) zunächst in der Schweiz kaum Fuß fassen könn·n: auch da war es die fast mittelalterlich-zentrale Bedeutung der Kirche, die noch volle Macht über die Geister übte und mit strenger Zensur die Ausbreitung jeder Freigeisterei verhinderte. Der Zusammenhang mit dem Älteren war überall noch stark gewahrt. Schon das historische Bewußtsein schloß eifrig gepflegte mittelalterliche Erinnerungen ein, da die Erringung der politischen Selbständigkeit in jenen Zeiten gründete; es ist bekannt, daß aus der Schweiz die erste lebendige Geschichtsschreibung stammt. Die Gemeinwesen glichen noch immer patriarchalisch regierten mittelalterlichen Stadtstaaten, und das Festhalten eines ungebrochenen Bürgertums an den alten Sitten und Gebräuchen hatte mit andern Eigentümlichkeiten auch vielfach den gotischen Charakter der Kunst bewahrt oder mit den Einwirkungen der Renaissance und eines bodenständigen Humanismus organisch zu verschmelzen gewußt. Vor allem aber hatte das Volk sich völlig rein die alte Mundart erhalten, sie war noch die wirklich gesprochene Sprache, und hatte damals auch noch das Schriftdeutsch stark durchsetzt, mit alten Worten, Flexionen und Konstruktionen, durch die es reichsdeutsche Leser, vor allem die maßgebenden obersächsischen Literaten, ganz altertümlich, altfränkisch und barbarisch anmutete. Aber durch diesen von den Fremden verachteten Dialekt

hatte nun, wie sich bald an Bodmer zeigte, der schweizerische Litera-
tor noch unmittelbaren Zugang zum alten Deutsch, und mußte entdecken, daß seine Sprache noch mit dem Mittelhochdeutschen identisch
war, in welchem einst die großen Werke einer über ganz Deutschland
blühenden Dichtung waren aufgezeichnet worden. Und so waren wirklich alle Voraussetzungen gegeben, daß die Schweiz bei der nunmehri-
gen Befassung mit gesamtdeutschen geistigen Dingen mit dem Gewicht
einer älteren Tradition auftreten konnte, die einzig hier nicht gänzlich
abgerissen war, weder im Religiösen, noch im Sprachlichen, noch auf
dem Gebiet der bildenden Kunst; denn auch hier waren Namen wie
Dürer und Holbein geläufig, ja noch lange hat man Holbein seiner
Basler Bilder wegen für einen Einheimischen gehalten.

Anderes kam hinzu. Bei aller Verankerung in alter Tradition, bei
aller bürgerlich-bäuerlichen Enge des deutschen Schweizers war auf
der andern Seite doch sein Horizont national weniger begrenzt als der
des Deutschen im Reich: er lebte mit den Angehörigen zweier anderer
Nationen im gleichen Staatsverband, und der politische wie wirt-
schaftliche Verkehr, der sich daraus ergab, konnte auch geistig unmöglich ohne Folgen bleiben. Der Einfluß der französischen Schweiz war
wesentlich literarisch: sie war das Einfallstor für französischen Geist;
und hatte dadurch über deutsche Einflüsse das kulturelle Übergewicht,
daß das Französische hier nicht, wie das Deutsche, als Patois gesprochen wurde, sondern in der Hochsprache selbst. Infolgedessen wurde
Französisch weitgehend die Sprache der höheren Gesellschaft, und vertrug sich, wie noch heute im deutschen Bern, aber auch in Zürich, vollkommen mit dem sonstigen Gebrauch der Mundart; nur führte es eben
auch eine gesellschaftsfähige Literatur mit sich, was bei der Mundart
nicht der Fall war — es beherrschte Briefstil und schöngeistige Schrift-
stellerei, und mußte notgedrungen auch auf die gelegentliche Anwendung des Schriftdeutschen durch Einmischung von Fremdworten noch
stärker wirken als in Deutschland selbst. Die Eidgenossenschaft schloß
aber auch italienisches Volkstum ein und grenzte an den wirklichen
Süden. Die nahe Möglichkeit der Anschauung italienischer Kunst hat
zwar nun nicht, wie in Österreich, eine große architektonisch-bildnerische Schöpfung heraufgeführt, da, wie schon gesagt, die kirchlichen
und höfischen Grundlagen dafür fehlten; auch übernahm man alles
Kulturelle und Stilistische am ehesten noch von Paris, wie denn das

Barock des schlichten Patrizierhauses fast überall nur französischen Einfluß zeigt. Auf unmerkliche Weise aber ist italienischer Geist in das Denken über die Kunst eingedrungen durch die Anschauung südlicher Bildkunst, vor allem wo sie sich mit Meistern deutscher Renaissance wie Holbein berührte und überhaupt die Stammesneigung zum Bildhaften bestätigte oder geradezu wieder erwecken half. Und diese Neigung hing noch mit einem Tieferen zusammen: mit der „malerischen" Anschauung der Natur, zu welcher schon die Vielfalt und Größe der schweizerischen Landschaft überall einladen mußte, und beim Bewußtwerden des eignen Heimatlichen jenes Erlebnis der ursprünglichen und unberührten Natur erzeugte, das vom Berner Haller bis zum Genfer Rousseau für ganz Europa so epochemachend werden konnte.

79.

Wenn die Schweizer ihrer ersten Veröffentlichung den Namen „Diskurse der Maler" geben, so geht dies schon auf die typische Neigung zur bildenden Kunst und zum Malerischen zurück, zu welcher bei Bodmer, dem eigentlichen Anreger, bereits auch italienische Jugendeindrücke der angedeuteten Art hinzukommen.

Johann Jacob Bodmer, als Sohn eines Pfarrers zu Greiffensee bei Zürich 1698 geboren, war ursprünglich zur Theologie bestimmt. Die Bibel war seine erste, leidenschaftlich erfaßte Lektüre, bald aber zog ihn das Wunderbare und Phantasiehafte in allen Formen an, alte Heldenromane nicht weniger als Ovids Metamorphosen, und früh schon ist er im Virgil und in der Odyssee zu Hause; für Fénelons Aventures de Télémaque lernt er Französisch, und von deutscher Literatur kommt ihm als damals Bedeutsamstes Opitz zu, der ihm seltsamerweise eine Art Leitstern wird, wohl wegen der seiner Natur entsprechenden Vereinigung von Poetik und Poesie. Der Umgang mit kritisch freieren Studiengenossen in Zürich, wohl auch schon die Lektüre von Bayle erwecken ihm Bedenken gegen die Übernahme eines geistlichen Amts; die Folge ist, daß der Vater ihn zur Kaufmannschaft bestimmt. Und dies führt ihn nun auf seine ersten und einzigen größeren Reisen: nach Genf, nach Lugano, Bergamo, Mailand, bis nach Genua. Ist der geschäftliche Erfolg auch gering, der praktische Beruf, der Umgang mit vielen Arten von Menschen erweitert seinen Gesichtskreis, und er fühlt sich aus seinem bloßen Lesedasein wohltätig herausgerissen. Vor allem verstärkt sich sein Interesse für bildende Kunst, er sucht mehr Gemälde als Bücher auf, und selbst in Mailand ziehen ihn die Altdeutschen Holbein und Dürer an, die er neben den Italienern in seiner Schätzung bewahrt.

Mit solchen Eindrücken kehrt er nach Zürich zurück, und gleich in dem ersten, was er dort unternimmt, zeigen sich davon die Spuren. Er hat den Spectator Addisons kennengelernt, es schwebt ihm eine ähnliche Wirkung vor, wie sie von den englischen Wochenschriften ausging, und das Programm, das er im ersten Diskurs entwirft, unterscheidet sich wenig von seinem Vorbild: die Gesellschaft, die sich zum Schreiben verbunden hat, nimmt sich „den Menschen" zum Objekt, und so „pretendirt sie von allem demjenigen zu reden, was in sein Capitel gehört, ohne andere Ordnung als diejenige, zu welcher ihr ihre Nebenmenschen und ihre eigene Situation von Zeit zu Zeit Anlaß geben werden, ihre Speculationen walten zu lassen. Ihre Passionen, Capricen, Laster, Fehler, Tugenden, Wissenschaften, Torheiten, ihr Elend, ihre Glückseligkeit, ihr Leben und Tod, ihre Relationen, die sie mit andern Entibus haben, endlich alles, was menschlich ist und die Menschen angehet, gibet ihr Materie an die Hand zu gedenken und zu schreiben." Aber daß Bodmer nun dieses Programm als „Hans Holbein" unterzeichnet, daß seine Genossen als Raphael, Dürer, Rubens ihre Artikel schreiben, gibt dem Ganzen doch eine völlig neue Note — wird auch damit das Wesen der Schreibenden nicht tiefer charakterisiert, schon das Auftauchen einiger von diesen Namen ist für jene Zeit ein Ereignis. Und wenn damit auch nichts weiter bekundet werden soll, als daß man eben die Welt zu malen, zu schildern begehrt mit möglichster Treue und Genauigkeit in Wiedergabe des Wirklichen, so ist doch mit dem Vorbild der großen Maler bereits etwas grundsätzlich Anderes gewonnen, als in dem sonstigen Bekenntnis der Aufklärung zu Kritik und reiner Verstandesmäßigkeit zum Ausdruck kommt — es meldet sich schon leise, was später in der Auffassung der Poesie als Kunst von solcher Bedeutung werden sollte.

Es ist für das Jahr 1721, in dem diese Diskurse beginnen, entschieden etwas Ungewöhnliches, wenn Bodmer „die genaue Verwandtschaft" betrachtet, „welche die Künste derer Leuten, die mit der Feder, die mit dem Pinsel, und die mit dem Griffel und Stempel arbeiten, mit einander haben"; wenn er die Hoffnung ausspricht, „daß die Manes dieser vortrefflichen Mahlern und Bildhauern, derer Nahmen sich die Zunfft meiner Mit-Scribenten zugeleget hat, wenn sie gleich unter der Erde noch Antheil an unsrer Welt Geschäfften nähmen, und fähig wären, sich für dieselben zu passioniren, eben nicht Ursachen fänden, wegen dieser genommenen Freyheit mißvergnügt zu werden. Ich sehe nichts, daß sie dazu sagen könnten, als diesen mahlenden Schreibern den Unterricht ertheilen, daß sie sich die Emulation (aemulatio = Wetteifer) lassen aufmuntern, die Natur mit ihren Federn so nahe und geschickt nachzufolgen, wie sie mit ihren delicaten Pinseln und Griffeln gethan haben". Hier taucht nun allerdings gleich das bedenkliche Dogma von der Kunst als der Nachahmung der Natur auf, das auch für Gottsched galt und bis in den Klassizismus alle Theorie bestimmte: „Die Natur ist in der That die eintzige und allgemeine Lehrerin derjenigen, welche recht schreiben, mahlen und ätzen; ihre Professionen treffen darinne genau überein, daß sie sämtlich dieselbe zum Original und Muster ihrer Wercken nehmen, sie studieren, copieren, nachahmen. Sie führet die Feder der Schreibern, sie hilft den Mahlern die Farbe reiben, und den Bildhauern die Lineamente zeuhen. Keiner von allen diesen kan etwas verfertigen, wenn er sich nicht mit ihr berathet, und die Regeln seiner Kunst von ihr entlehnt". Diese fast feierliche Formulierung, die wir in der originalen Schreibung mit all ihrer ungelenken Treuherzigkeit hersetzen, besagt aber doch mit der Beschwörung der Schwesterkunst für die Dichtung etwas mehr als die bloße sklavische Kopie des real Vorhandenen: sie meint letztlich Schöpfung und Welt. Und so hat es Breitinger später auch philosophisch zu begründen versucht, als er mit Hilfe Leibnizscher Ideen das Nachahmungsdogma für die Legitimierung der Phantasie zu retten suchte, mit der mehr als kühnen Konstruktion, daß die sichtbare wirkliche Welt ja nur eine von vielen möglichen sei; so daß die „Nachahmung" und Abbildung einer möglichen alle Imagination des Wunderbaren und Überirdischen erlaube.

Aber für Bodmer bedeutete Natur noch jenes andre, Landschaftliche, Heimatliche; und wohl als der erste hat er dies (im 1. Diskurs des II. Teils) in wirklichen Lokalfarben zu malen gesucht. Es ist seltsam genug, daß er die Worte seinem geliebten Opitz, dem „größten Poeten in Deutschland" in den Mund legt, der ihm im Traume erscheint, um ihn in das Märchenland der Freude zu führen — Worte,

die zunächst die Landschaft des Zürcher Sees schildern, die sie gemeinsam durchwandeln: „O Freund meiner Poesie! lasse deine Augen über
dises lustige Land hin spatzieren, führe sie längst disem großen Fluß
hinauf, der mit seinen lautern Wellen dise Menge von kleinen Inseln
gestaltet, die mit blühenden Linden umschlossen sind, und mit Tannen, die ihre stoltzen Häupter biß zu den Wolcken heben. . . . Aber du
kannst sehen, daß alle dise Canäle und Bäche sich endlich wieder in
einen Strohm versammlen, und in einem Arme in dise See sencken, die
du an der Nord-Seiten entdeckest, und die einem Meer ähnlich siehet.
Es stehet jetzo hell und so glatt wie ein Eiß, aber wenn die Winde es
aufwecken, so stößt es seinen unmächtigen Grimm wieder die Klippen
und Felsen aus, auf welchen es mit einem wilden Gebrülle zerfällt, und
seine Wellen wie Berge in die Lufft hinauf führt . . .“ — Das sind echte
erlebte Eindrücke heimatlicher Natur; und wer die Volksbuchprosa
des 15. Jahrhunderts kennt, wird staunen, wie da gewisse anschauliche
Wortfügungen mit der gleichen ungebrochenen Naivität und primitiven Verdichtungskraft wiederkehren.

Mit solchen Exkursionen ins Naturdichterische gehen die Schweizer,
dem Titel ihrer Blätter gemäß, über das hinaus, was sonst im Rahmen
der moralischen Wochenschriften nach englischem Vorbild abgehandelt wird; und wir verstehen, daß Brockes, aus verwandter Begabung
und Neigung, ihnen spontan seine Zustimmung aussprach. Trotzdem
wäre es wider den Geist der Zeit, wenn nicht auch die Kritik gegen
das Bestehende und Hergebrachte, wie Bodmer es in seinem Programm
skizziert, den größeren Raum eingenommen hätte. So wendet sich das
rationalistische Besserwissen gerade auch gegen das, was an altertümlichem Charakter den Vorzug der Schweiz ausmachte, auch in der Bekämpfung des „gothischen Geschmacks“, wenn man dem Frauenzimmer
etwa die Freude an ihren Spitzenarbeiten verleiden will, indem man ihre
Ornamentik mit der des Zürcher Fraumünsters vergleicht. Denselben
Stil, den man in der Malerei bejaht, verleugnet man in der Baukunst als
altfränkisch; und so mischt sich vermeintlicher Fortschritt mit echtem
organischen Zurückbesinnen auf eine paradoxe Weise — ästhetische
Konsequenz kann man hier noch nicht verlangen, man hat es noch mit
einem tastenden Instinkt zu tun, der das Rechte bald trifft und
bald verfehlt. Dabei müssen die Teilnehmer der Diskurse es sich von
ihren Freunden gefallen lassen, daß ihr ganzes Unternehmen als revo-

lutionär und altväterisch zugleich eingeschätzt und mit zweifelhaften
Blicken betrachtet wird: schon daß sie deutsch schreiben, wird ihnen
anfangs noch verdacht, nach dem, was wir über die literarische Vorherrschaft des Französischen in der guten Gesellschaft sagten. Es bewies keinen geringen Mut, daß Bodmer und Breitinger sich hier nicht
irre machen ließen; und der Erfolg gab ihnen recht: sie haben mit der
Wendung zum Gesamtdeutschtum den Anschluß der Schweiz an die
deutsche Literatur vollzogen, und ihr nicht nur Entscheidendes zugebracht, sondern mit dieser neuen Verbindung in ihrem Lande selber
neue Kräfte und Möglichkeiten geweckt.

80.

Wie sich uns früher schon zeigte, war die Aufnahme der ersten Leistung der Schweizer in Deutschland günstig genug, ja besser als in
ihrem Vaterland, wo die geistliche Zensur an den wenigen freieren
Betrachtungen manches zu unterdrücken suchte und den Freunden
schließlich die Fortsetzung verleidete; auch kantonale Rivalität kam
hinzu, wenn etwa in Bern sich andre Gesellschaften mit ähnlicher Tendenz bildeten und sich gegenseitig das Wasser abgruben. Gottsched
schuf den Schweizern seine „Tadlerinnen" nach, erwähnte auch seine
Vorgänger gelegentlich, nicht ohne Kritik an ihrer Mundart einfließen
zu lassen, die ihr Schriftdeutsch noch in vielen Stücken durchsetzte.
Bodmer nahm solche Winke auch anfangs keineswegs übel, suchte sich
im Gegenteil nach ihnen zu richten und hielt sich in Leipzig einen eigenen Korrektor, der ihm die Manuskripte auf Verstöße gegen das gültige Obersächsische durchsah. Gottsched seinerseits erblickte in den
Schweizern höchst willkommene Objekte für seine gesamtdeutsche
Mission mit ihrer Einverleibungstendenz möglichst vieler literarischen
Landschaften. Und so ließ er Bodmer zunächst auch noch hingehen,
was ihm im Grunde sehr stark wider den Geschmack sein mußte: er
zeigte seine Milton-Übersetzung noch wohlwollend und lobend an.

In der Erhöhung Miltons zum vorbildlichen Typus des Dichters
brachte Bodmer ja nun die andre bewahrte Kraft der Schweiz zum
Ausdruck und zur Wirkung: die ungebrochne religiöse Grundhaltung.
Denn eine solche bestand bei ihm und seinen Freunden trotz gewisser
Vorbehalte ihres aufgeklärten Denkens; diese richteten sich wesentlich
nur gegen Gewissenszwang und pfäffische Bevormundung, sie woll-

ten Maß und Menschlichkeit innerhalb der Überlieferung, nicht aber Kritik an der Hoheit und Schönheit des Biblischen und an den Tatsachen christlicher Liebe und Erlösung. Die Entdeckung Miltons war für sie die wichtigste Bestärkung ihrer ererbten, schon leise ins religiös-Ästhetische gewandten Haltung; und hier sprach zweiffellos eine Wahlverwandtschaft der Schweiz mit englischem Wesen: es verband sie die gleiche freiheitliche wie konservative Gesinnung und der gleiche politische Instinkt, der in Miltons Falle besonders mit Republikanertum und Puritanertum sympathisieren mußte, vor allem aber die besondere Neigung für das Mythische und Heroische, das Epische und Patriarchalische des Alten Testaments.

Man hat richtig gesagt, daß Bodmer sich mit Milton geradezu identifizierte: in ihm fand er sein freies Verhältnis zum Christentum durch die Dichtung legitimiert. „In den Bewegungen, welche die englische Nation gegen Karl I. erregte, erwies sich Milton als einen Anwalt von allen Arten der Freiheit, der Kirchenfreiheit, der häuslichen und der bürgerlichen Freiheit; die Liebe zur Freiheit war die beliebteste Neigung seiner Seele. Er war ganz und gar ein Republikaner, und dachte von dem gemeinen Wesen, wie ein Grieche oder Römer, mit welchen er vollkommen gute Bekanntschaft hatte. Er fürchtete vor allem die geistliche Sklaverei, und trat darum zum Cromwell und den Independenten, unter denen er eine größere Gewissensfreiheit erwartete." Und dieser Milton war zugleich doch „einer der gründlichsten Leser und gerührtesten Bewunderer der heiligen Schrift. Er ist der Bibel unendlich mehr verbunden als Homer und Virgil und allen andern Büchern. Die Bibel hat ihn nicht allein mit den vortrefflichsten Einfällen versehen, seine Gedanken erhöhet und seine Einbildungskraft angefeuert, sondern auch seine Sprache sehr bereichert, seinem Ausdrucke eine gewisse Festlichkeit und Majestät mitgeteilt. . ." Sein Gedicht ist ihm ein Meisterstück des poetischen Geistes, „und kaum ein höherer Gipfel ist, auf welchen sich das Gemüte des Menschen erheben kann" — es sind fast dieselben Worte, die Klopstock später in seiner Valediktionsrede gebraucht.

In Milton fand Bodmer nicht nur die höchste Kraft des Bildhaften und Malerischen der Sprache, sondern auch den höchsten Schwung der Phantasie, den innigsten Umgang mit dem Wunder und der Mythologie. Das Gedicht muß auf ihn umstürzend gewirkt haben — er warf sich bei noch mangelhafter Kenntnis des Englischen mit Feuereifer auf die Übersetzung und hatte sie schon 1724 vollendet. Doch verlegerische Schwierigkeiten verzögerten das Erscheinen; das Buch kam, unter dem Titel „Johann Miltons Verlust des Paradieses, ein Helden-Gedicht in ungebundener Rede übersetzet", erst acht Jahre später heraus; umgearbeitet und sprachlich sehr verbessert in zweiter Auflage 1742. Gottsched urteilte beim ersten Erscheinen „Hr. Prof. B. hat eine solche Stärke unserer Sprache gewiesen, daß man sagen könnte, daß Milton durch diese Verdollmetschung noch mehr Kraft und Nachdruck gewonnen habe, als er in seiner Muttersprache besitzt. Indessen hat es ihm aus Bescheidenheit beliebt, sich über den Mangel genugsamer Kundschaft in unserer Sprache zu beschweren, der doch in Absehen auf die Stärke seiner überall prächtigen und erhabenen Ausdrückungen gewiß nirgends zu spüren ist." Brieflich aber ließ er sich doch bereits an Bodmer verlauten: „Ich wünsche ehestens das versprochene Werk zur Verteidigung Miltons zu sehen. Ich gestehe, daß ich begierig bin, die Regeln zu wissen, nach welchen eine so regellose Einbildungskraft, als des Miltons seine war, entschuldigt werden kann."

Bodmer blieb die Antwort auf diese Nachfrage nicht schuldig. Aber sie kam erst 1740 heraus, als Beilage zu Breitingers Kritischer Dichtkunst, zu einer Zeit, wo schon die grundsätzliche Gegnerschaft zu Gottsched offenbar war: „Abhandlung von dem Wunderbaren in der Poesie und dessen Verbindung mit dem Wahrscheinlichen, in einer Verteidigung des Gedichtes J. Miltons von dem verlorenen Paradiese." — Das Wunder ist es, worum der Streit entbrennt; die Schweizer suchen das einst Geglaubte für die Kunst zu retten als ein „vermummtes Wahrscheinliches"; ihr richtiger Instinkt bezeichnet schon die Dichtung als „eine Art der Schöpfung", aber sie muß gemäß der bereits angeführten Konstruktion Breitingers, „ihre Wahrscheinlichkeit entweder in der Übereinstimmung mit den gegenwärtiger Zeit eingeführten Gesetzen und dem Laufe der Natur gründen, oder in den Kräften der Natur, welche sie bei andern Absichten nach unsern Begriffen hätte ausüben können. Beidemal besteht die Wahrscheinlichkeit darin, daß die Umstände mit der Absicht übereinstimmen, daß sie selber in einander gegründet sein, und sich zwischen denselben kein Widerspruch erzeige." Das war die etwas problematische Antwort auf die Frage nach der Regel des Regellosen der Einbildungs-

kraft — fast zehn Jahre hatten sich die Schweizer gemüht, eine rationalistische Begründung des Irrationalen zu finden. Im Effekt muß sie
ihrer Zeit genug getan haben; denn Gottsched, der sich immer enger
in seine vernünftigen Regeln verrannte, stand in seiner platten Auffassung der Dichtung bald isoliert — er sah in Miltons Erfindungen
jetzt Possen und Lächerlichkeiten, er war ihm mit „hochtrabenden
Ausdrückungen und unrichtiger Urteilskraft" ein Wiederbringer des
Lohensteinischen Schwulsts; ja er ging so weit, den Patriotismus der
Schweizer zu verdächtigen, die den Deutschen ein ausländisches Gedicht aufdrängen wollten, er, der doch in allem sklavischer Nachfolger der Franzosen war, nun aber gegen die Engländer aufrief. Und so
ging der grundsätzliche Streit bald in persönliche Verunglimpfungen
über; ein Jünger Gottscheds, Triller, begann damit, ein anderer, Johann Joachim Schwabe, der Herausgeber der Gottschedschen Zeitschrift „Belustigungen des Verstandes und Witzes", verhöhnte Bodmer
unter dem Namen Merbod in einem komischen Heldengedicht „Der
deutsche Dichterkrieg"; und die Schweizer blieben die Antwort nicht
schuldig. Sie gaben eine eigene Zeitschrift heraus „Sammlung kritischer, poetischer und anderer geistvoller Schriften zur Verbesserung
des Urteils und des Witzes", Zürich, 1741—1744, wo nun alles abge-
laden wurde, was sich in den Zeiten gegenseitiger Duldung aufgespeichert hatte.

Besonders tat sich Bodmer in unversöhnlicher Streitsucht mit Satiren und Parodien hervor; noch spät hat er einen parodierten Cato
herausgebracht, und nun überhaupt alle, auch die verdienstlichen
Leistungen Gottscheds lächerlich zu machen gesucht. Breitinger beschränkte sich mehr auf sachliche Polemik; und hier ist denn der Ort,
das persönliche Verhältnis dieser beiden zu streifen, die als ein geistiges
Zwillingspaar in die Literaturgeschichte eingegangen sind.

Wenn wir bisher Bodmer in den Mittelpunkt unsrer Betrachtung
stellten, so ist es, weil er ohne Zweifel der Findige, Spürende, der
eigentlich Geniale war, den ein untrüglicher Instinkt zu bestimmten
geistigen Dingen hinzog und ihm wirklich epochemachende Entdeckungen ermöglichte. Aber er war dabei nicht ohne Eitelkeit und Ehrgeiz,
anfangs auch ungründlich, war flatterhaft, leicht gekränkt, und von
seinen jeweiligen Ideen zwanghaft besessen. Breitinger, in glücklicher
Ergänzung dazu, ist der Kritische, Solide, der philologisch und philo-

sophisch Exakte, immer Mäßigende, der oft auszugleichen und zu versöhnen hat, gar zu Unbesonnenes zu verhindern weiß und den Freund nachträglich bei Anfeindungen deckt und manches Unangenehme selbstlos auf sich nimmt. Ihre Verbindung datierte seit den ersten gemeinsamen Studienjahren; bei den „Discursen" waren ihnen noch Zollikofer, Zellweger, Lauffer und Meister zur Seite getreten, von denen Laurenz Zellweger, ein weitgereister Arzt, mit Bodmer besonders innig stand und ihm auch zuerst Milton in die Hand gegeben hatte. Bodmer war eine ausgesprochene Freundschaftsnatur, in jener Verknüpfung des Menschlichen mit dem Geistigen, wie sie uns dann so typisch in der Romantik entgegentritt; und bei der Vereinigung zu gemeinsamem Schaffen ist es mit ihm und Breitinger ähnlich wie bei Tieck und Wackenroder, bei Arnim und Brentano, daß der Anteil beider oft gar nicht mehr zu scheiden ist. Es entsprach Bodmers beweglichem Temperament, daß er auch beruflich ungebundener lebte; zwar hatte er seit 1725 eine Professur der eidgenössischen Geschichte und Politik inne, war aber außerdem Eigentümer einer Druckerei und Begründer der Orellschen Verlagsbuchhandlung, wobei er keine geringe geschäftliche Gewandtheit bewies. Breitinger war fester verankert; als Theolog und Philolog bekleidete er eine Gymnasialprofessur und wurde später Kanonikus; er führte eine ausgesprochene Gelehrtenexistenz und mußte als Geistlicher Rücksichten nehmen, die der Freund hintansetzen konnte, vermochte aber gerade in seiner Stellung durch sachliches und männliches Auftreten seiner geistlichen Behörde gegenüber manche Schwierigkeit der Zensur zu beseitigen. Neben seinen Facharbeiten widmete er sich, im Kampf für die gemeinsame Sache der Dichtung, mit großer Gründlichkeit, oft Umständlichkeit den kritischen Schriften: außer seiner „Critischen Dichtkunst" brachte er im selben Jahr 1740 noch seine „Critische Abhandlung über die Gleichnisse" heraus.

Dichterisch hat keiner von den beiden die deutsche Literatur bereichert. Das poetische Einfühlungsvermögen hat Bodmer wohl gelegentlich über seine produktive Fähigkeit getäuscht, und er erlag für seine Person dem Vorurteil der Zeit, daß Gereimtes Dichtung bedeute. Aber seine größten Unternehmungen derart, die erst in eine spätere Zeit fallen: die „Patriarchaden", die er seit der Noachide schrieb, nun unter dem Einflusse Klopstocks, den er einst durch Milton geweckt hatte, wollten keinerlei Wirkung tun, so daß er schließlich den privaten Charakter solcher Versuche selber erkannte — er gestand sich ein, daß man wohl ein „elender Skribent" sein könne, aber doch im Schaffen ein glücklicher Mensch.

Bodmers bedeutendste Leistungen liegen auf anderm Gebiet als auf dem der reinen Dichtung, aber sie gehören einer späteren Zeit: erst nach dem Abschluß des Streites mit Gottsched und nun auch bald allein und ohne Breitinger hat er seine größten Entdeckungen gemacht, mit denen er die entscheidenden Leistungen der Romantik unterbaute, aber auch der künftigen Klassik wichtige Grundlagen schuf. Die Maßstäbe der Brüder Schlegel erscheinen uns in einem anderen Lichte, wenn wir wissen, daß ihre Trias der Weltliteratur: Dante, Cervantes, Shakespeare auch bereits für ihn besteht, daß die erste vollständige deutsche Shakespeare-Übersetzung, durch Wieland, auf ihn zurückgeht; und daß er es auch war, der zuerst Homer in deutsche Hexameter übertrug: 1762 erscheint, in Zürich, der erste deutsche Shakespeare; und in Bodmers „Calliope" von 1767 stehen die ersten sechs Gesänge seiner Ilias-Übersetzung, die noch Herder als die erste wichtigste Tat für die Wiederbringung Homers hervorhob. Das Größte aber ist seine Wiederentdeckung der altdeutschen Poesie, auf welcher alle Kenntnis und Erneuerung der Romantik bis ins 19. Jahrhundert beruhte. Auch hier bezeichnet das Jahr 1748, in dem der Messias erschien, einen bedeutsamen Abschnitt: es ist auch das Jahr, wo die ersten Klänge des Mittelhochdeutschen wieder vernommen werden — in den „Proben der alten schwäbischen Poesie des dreyzehnten Jahrhunderts. Aus der Manessischen Sammlung".

Aber diese denkmalhafte Leistung, an die sich weiter die Herausgabe der Nibelungen und allmählich der gesamten mittelhochdeutschen Dichtung bis in die achtziger Jahre knüpft, mit welcher Bodmer sein langes fünfundachtzigjähriges Leben beschließt, wird uns erst in einem andern späteren Abschnitt zu beschäftigen haben. Zunächst muß unser Blick noch auf der lebendigen Dichtung der ersten Hälfte des 18. Jahrhunderts verweilen, wie sie zur abschließenden Erscheinung Klopstocks hinführt.

81.

Bodmers und Breitingers kritische und theoretische Bemühungen wären in Deutschland kaum mit solcher Kraft durchgedrungen, wenn nicht eine echte künstlerische Schöpfung aus ihrer Welt ihnen Rückhalt gegeben hätte — der Berner Albrecht Haller muß mit den beiden Zürchern zusammengesehen werden, um den ganzen Einfluß der Schweiz auf die zeitgenössische Dichtung zu begreifen.

Haller ist 1708, zehn Jahre nach Bodmer, geboren; aber seine Wirkung hat schon früh, 1732, eingesetzt: es war ein Jugenddurchbruch, woran sich sein Dichterruhm knüpfte. Sein „Versuch schweizerischer Gedichte" war Beginn und Abschluß seiner Dichterlaufbahn zugleich; er hat den schmalen Band von nur zehn Gedichten, der eine ungeheure Wirkung tat und zu seinen Lebzeiten elf rechtmäßige Auflagen und viele Nachdrucke erlebte, nur noch durch wenige Stücke ergänzt; und wenn er gleich an dem Frühgestalteten immer weiter gewissenhaft besserte und feilte, so war er doch durch seinen wissenschaftlichen Beruf den Gedichten bald entfremdet — „kaum sehe ich sie mehr als meine Arbeiten an", schrieb er zu einer späteren Ausgabe „und von der väterlichen Zärtlichkeit, die ein Dichter für die Früchte seiner Gaben hat, ist bei mir bloß ein Andenken übriggeblieben". Aber wenn er ein andermal sagt: „Ich habe niemals verlangt, ein Dichter zu sein, und wäre es nicht mehr, wenn ich es gewesen wäre", so ist dies zwar der ehrliche Ausdruck seiner Bescheidenheit, die von Anfang an die Öffentlichkeit scheute und sich nur mit Mühe durch beflissene Freunde die Einwilligung zur Bekanntmachung im Druck abringen ließ; doch scheint das Dichten in Wahrheit ein notwendiger Trieb und die erste Betätigung seiner genialen Frühreife gewesen zu sein. Das früheste erhaltene Gedicht stammt aus seinem elften Jahr; und er hing damals so sehr an seinen poetischen Erzeugnissen, daß er sie bei einer Feuersbrunst als einziges mit Lebensgefahr rettete. Er schrieb Komödien und Tragödien, und sogar ein großes episches Gedicht von 4000 Versen über die Entstehung des Schweizerbundes, in Nachahmung Virgils. Nach seinem zwanzigsten Jahr hat er dies alles vernichtet; erhalten ist uns bloß sein Tagebuch, das er auf seinen Reisen nach Deutschland, Holland und England in den Jahren von 1723 bis 1727 schrieb. Denn so früh, als Fünfzehnjähriger, begibt er sich schon zum Studium auf ausländische Universitäten. Hier spiegelt sich nun wesentlich seine wissenschaftliche Entwicklung zum Arzt, Anatom und Botaniker; aber ein wacher Blick für alles Gegenständliche und ein scharfes Urteil über Menschen und Dinge macht diese Blätter, die noch in einem unbeholfenen und stark mundartlichen Deutsch verfaßt sind, zu einem bedeutenden kulturhistorischen Dokument. Wir erfahren hier, wie schlecht etwa eine Universität wie Tübingen, die er zuerst besucht, gegen Leiden und das holländische Wesen überhaupt damals abschneidet: „Hier ware vor mich nichts Rechtschafnes zu thun. Alle Gesellschaften waren gleiche Müßiggänger, gleiche Säufer. Die HHn. Professoren waren theils ohne Eifer, theils ohne Gelehrtheit. Mein Gelt ginge in schädlichen Ausgaben auf. Von Holland hörte nichts, als Lobsprüche dess sittsamen Lebens, Boerhaavens Werke schienen mir Meisterstücke zu sein." Auf der Reise nach dort macht ihm Frankfurt den besten Eindruck einer reichen und schönen Stadt, Coblenz und Ehrenbreitstein erfreuen ihn landschaftlich, das katholische Köln dagegen ist ihm verdrießlich; die Menge der Kirchen sind ihm „Meist Gothisch und haben nichts Schönes". In Holland verweilt er am längsten, wird noch Boerhaaves Schüler und Freund, schildert anatomische Theater und herrliche botanische Gartenanlagen. Dazwischen fällt eine Fahrt nach Nord- und Mitteldeutschland; und da interessiert, neben ausführlicher Beschreibung einer Reihe von Städten und ihren neuesten Sehenswürdigkeiten (wie dem Waisenhaus in Halle), besonders, wie die Hamburger Oper in jener Zeit — es ist der Sommer 1726 — auf einen Fremden wirkte: „Wir fuhren in die Oper: Das Haus ist dazu gebaut, die Logen sehr nett, das Parterre mit Polstern. Die Decorationen offt gewechselt, eben nicht gar zu geschwind, die Kleider prächtig, erhoben gestickt, mit Silber etc. Pollone sunge treflich. Die beyden Montjou mittelmäßig, die jüngere aber weiß noch ziemlich passionirt zu thun. Die Mannsleute thaten gut. Es währt von 5 bis 9 ohne Zwischenspiel. Es waren wenig Leute drin . . . Weil nun das Opera so angenehm, so ist Wunder, daß man noch in die Comoedi gehen mag. Doch weil (als) wir 6 h. drinn waren, war alles voll, da doch Kleider, Personen, Gesang, Decorationen, die Spiele selbst viel schlechter, als im Opera. Doch das ist ein Zeichen des Gothischen Geschmackes der Teutschen, die ein feines agrément nicht fühlen und anderst nicht als durch Garderobe, zweydeutige Wörter gerührt werden. Die Bande war von Leipzig, Haack." Nach dem zweiten holländischen Aufenthalt besucht Haller England; und wenn er auch hier mit offenen Augen sieht und mit seiner Kritik nicht zurückhält, so zieht es ihn doch am meisten von allen an, und er hat dem „tiefsinnigen und spitzfündigen" Volk nicht nur in seiner Wissenschaft, sondern auch für seine Art zu dichten Wesentliches verdankt. „In den Wissenschafften scheint kein Land Engelland izt vorzugehen, es muß dann in den Rechten seyn. Dann die Engelländer haben ihre eigenen Gesetze und fragen nach keinen römischen. Alleine in der Erforschung der Natur, treflichen Versuchen und allem deme, wohin die Meßkunst und die Natur der Wesen sich erstreckt, übertreffen sie alle vorige Zeiten und izige Länder. Die Ursachen sind 1) der Reichtum des Landes, eine gute Regierung, vorgesetzte große Preise und Belohnung der Gelehrten. 2) Die nachdenkliche und ehrsüchtige Nature dieses Volkes, so Alles, was es sich vorgesetzt, gut oder böse, in größter Volkommenheit außricht. 3) Die Beehrung der Gelehrtheit. Was die Wissenschaft auch am Hofe gelte, beweiset Newton, Clarke und Leibniz Streitschriften, deren Briefwechsel die Königin selbst besorget. Newtons prächtige Leichenbegängnüß und Grab in Westminster Church, und insonderheit des ganzen Volks ungemeine Verehrung gegen diesen großen Geist, zeugen, daß man hier auf besondre Gelehrtheit so viel hält, als anderstwo auf Adel und Kriegsdiensten, maßen hier der Kriegsstand nicht sonderlich geachtet wird." — „In der Dichtkunst ist ihr Ruhm geringer. Dann obwohl ihre Sprache reich und kräfftig, sie auch in satyrischen Sitten-Gedichten, sinnreichen Gedanken und ganz neuen Einfällen keinen Mangel haben, so dient doch ihre nicht klingende harte Sprache, ihre nur männlichen Reimen zu vielen Sachen gar nicht, wie dann im Heldengedichte und Trauerspielen sie wenig gethan, wo nicht Cato und einige andere Stücke hier Ruhm verdienen, wiewol überall der freye und etwas grausame Geist des Volkes hervorleucht. Ihr Spectator, Butlers Hudibras, Rochester, Swift und andere Sitten- und Hekelschriften sind ganz neue und von andern Völkern nie berührte Länder und solche Einsichten in das wahre Wesen der Sachen, die man sonst nirgend findt. Wie sie denn die sonst so berühmte Franzosen aufs äußerste verachten, und als Kinder halten, die nichts als Kleinigkeiten zu behandeln wissen."

Nach einem weiteren Aufenthalt in Frankreich, wo er sich die bedeutendsten Gelehrten seines Faches ebenso zu Freunden macht wie in England und Holland, kehrt Haller in sein Vaterland zurück und verweilt eine Zeitlang in Basel, um bei Johann Bernoulli Mathematik zu studieren und mit Johann Geßner Botanik zu treiben. Tieferen Einfluß, der für seine Dichtung wichtig wird, gewinnen auf ihn dort noch zwei andere Männer: Drollinger und Muralt. Karl Friedrich Drollinger war zwar zu Durlach geboren, aber ganz zum Basler geworden, er war zwanzig Jahre älter als Haller, trat aber erst spät mit seinen Gedichten hervor: eine Ode „Lob der Gottheit" wurde in den Beiträgen von Gottscheds Deutscher Gesellschaft 1733 veröffentlicht und gewann ihm Bodmers Freundschaft und Protektion; eine Sammlung seiner Gedichte kam aber erst ein Jahr nach seinem Tode, 1743, heraus, von seinem Freund und Schüler Johann Jacob Spreng besorgt, Professor der deutschen Beredsamkeit und Dichtkunst in Basel. — Drollinger darf als einer der ersten Nachfolger von Brockes gelten: wie dieser wendet er sich von den Schlesiern über Horaz und Boileau zu den Engländern, vor allem zu Pope, von dem er, wie Brockes, ein Werk übersetzt, den Versuch von den Eigenschaften des Kunstrichters. Aber er ist nicht nur Naturmaler; das Neue an ihm ist sein religiöser Ernst, und hier darf er als ein unmittelbarer Vorgänger Klopstocks gelten, vor allem in seiner Nachahmung und Nachdichtung der biblischen Psalmen. Auch sein Herausgeber Spreng hat sich, wenn auch mit weniger Glück, in geistlichen Gedichten versucht und 1741 die „Psalmen Davids" für den Kirchengesang erscheinen lassen.

Wenn in Drollingers „Lob der Gottheit", „Über die göttliche Fürsehung", „Über die Unsterblichkeit der Seele" eine echte Naturfrömmigkeit lebt und neben der Religion ihm das „Vaterländische" der würdigste Stoff ist, so tritt in Beat Ludwig Muralt die patriotische und schweizerisch-kulturpolitische Stimmung neben der religiösen noch viel deutlicher hervor: er hatte in seinen „Briefen über die Engländer und Franzosen" und „Über die Reisen" nicht nur den Einfluß französischer Mode, französischen Esprits, französischer Leichtfertigkeit bekämpft — obgleich er selber noch französisch schrieb —, sondern schon auf heimische Gesittung und Gesinnung als auf die echtere „Natur" hingewiesen, die man im Begriff sei, gegen bloße Äußerlichkeiten zu verleugnen. „Es scheint im Willen der Vorsehung, welche die Welt regiert, gelegen zu haben, daß unter den Völkern ein redliches und einfaches sei, das in Ermanglung von Reichtümern sowohl als von Gelegenheiten zu großen Vergnügungen nicht in die Versuchung käme, sich dem Luxus preiszugeben. Eine glückliche Verborgenheit, eine von aller Schaustellung wie von aller Weichlichkeit ferne Lebensart sollte uns an unsre Berge fesseln, und die von dieser Lebensart unzertrennliche Zufriedenheit sollte uns daselbst festhalten. In dieser Lage wollte uns die Vorsehung frei von Unruhen und Bewegungen erhalten, welche die übrige Welt erschüttern, und uns den verirrten Völkern als Beispiel aufstellen. Sie wollte in uns einen im Angesicht der ganzen Erde erhaltenen Überrest von Ordnung, einen unter den reichen und genußsüchtigen Völkern verlorenen Charakter belohnen."

Hier ist das große Thema von Hallers „Alpen" bereits angeschlagen, seinem berühmtesten und wahrhaft epochemachenden Gedicht, das er eben damals auszuarbeiten begann. „Es war die Frucht der großen Alpenreise", schreibt er selber darüber, „die ich im Jahre 1728 mit dem jetzigen Herrn Kanonikus und Professor Geßner in Zürich gethan hatte. Die starken Vorwürfe lagen mir lebhaft im Gedächtniß; aber ich wählte eine beschwerliche Art von Gedichten, die mir die Arbeit unnöthig vergrößerte. Die zehenzeilichten Strophen, die ich brauchte, zwangen mich, so viele besondere Gemälde zu machen, als ihrer selber waren, und allemal einen ganzen Vorwurf mit zehen Linien zu schließen. Die Gewohnheit neuerer Zeiten, daß die Stärke der Gedanken in der Strophe allemal gegen das Ende steigen muß, machte mir die Ausführung noch schwerer. Ich wandte die Nebenstunden vieler Monate zu diesen wenigen Reimen an, und da alles fertig war, gefiel mir sehr vieles nicht. Man sieht auch ohne mein Warnen noch viele Spuren des Lohensteinischen Geschmacks darin."

Hallers Gedichte sind allerdings noch größtenteils in Alexandrinern geschrieben; und er hat sich sehr bewußt darüber ausgesprochen, warum er an den gleichlangen Versen und am Reim festhielt. Gegenüber dem später herrschend gewordenen Vorbild Klopstocks hat er gemeint: „Im Lehrgedichte, dünkt mich, haben die gleich langen Verse, in deren jedem ein Begriff ausgeführt ist, einen überaus deutlichen Vorzug. Das ineinander Flechten der hexametrischen Verse, das man gewiß bis auf die höchste Ungebühr getrieben hat, steht in einer lebhaften Beschreibung, und im Affekte, ganz gut: aber der nüchterne Philosoph spricht feyerlicher in einem in sich selbst vollkommenen Verse, der die Sache auch dem Gedächtnisse am Beßten eindrückt." So erscheint denn auch seine Bildersprache nicht als die berauschte Pracht Lohensteins, sondern als eine fast nüchtern gefügte Verdichtung, deren wesentliches Leben im Adjektivum ruht; und hier mischt sich seine Gewohnheit ein, die im Lateinischen besser zu Hause war als selbst im Französischen, welche beiden Sprachen ihm geläufiger waren als Deutsch, und seine Vorliebe für die römische Dichtung, besonders sein höchstes Vorbild Virgil. Die stark gedankliche Prägung zugleich mit Ernst und Innigkeit gibt dennoch einen neuen starken männlichen Ton in der deutschen Poesie; und so nüchtern und handwerklich er über seine Arbeiten reflektiert, so willkürlich er vor allem seine Reime in den späteren Auflagen der obersächsischen Musterhaftigkeit zu lieb glaubte „verbessern" zu müssen — eine unwillkürliche innere Anschauung gab ihm doch seine ursprünglichen Konzeptionen ein, und nicht ein vorgefaßter und dann nur poetisch ausgeschmückter Begriff. Ein Freund berichtet: „Haller machte seine Verse auf eine besondre Art: man hat ihn nicht selten in Basel bei Tische gesehen die schönsten Stellen seiner Gedichte verfertigen. Er wollte nicht gern einen Gedanken fahrenlassen, der viel leichter verschwindet, als er in der Seele aufgehet . . . Haller war damals keiner schattigen Wälder, keiner rieselnden Bäche bedürftig, sein poetisches Feuer in Bewegung zu bringen . . . seine überaus lebhafte Einbildungskraft war allenthalben rege, und diese macht den Dichter aus. So haftete der mannigfaltige Schauplatz der Alpen auf seiner Seele, da er fern von den Alpen, in Basel, die reizende Vorstellung derselben entwarf, ein Gemälde, in dem die Natur in ihren prächtigsten Farben erscheint . . . So nahm er auch nach der Zeit, in Bern, eine Gewohnheit mit der Anlage seiner übrigen Gedichte an, die nur er erdenken konnte, die er aber auch vielleicht allein auszuführen im Stande gewesen ist. Er machte seine meisten Verse bei dem Botanisieren. Wenn er mit den erhabenen Vergnügungen, die nur die kennen, die die Wissenschaft lieben, ein neues Kraut gepflücket; wenn er seine Augen lange genug ob der lockenden Blumen-Flur, die die gütige Natur weit auf unsrer mütterlichen Erde verbreitet, erlabet hatte; so warf er seine müden Glieder auf den grünen Rasen, unter die schattenreichen Flügel eines Baumes hin: hier hob sich, verengt in den Schranken der Einsamkeit, seine Seele mit neuen Kräften empor, und nährte sich mit den erhabenen Begriffen von Gott, von der Welt, von der Seele des Menschen, von der Ewigkeit, dem unbekannten Lande der Unsterblichkeit . . . Haller brachte seine Verse in dem Geist, ohne Dinte und Papier, zusammen, und erst, wann er zurück nach Hause kam, hob er an, dieselben zu Papier zu bringen. Er hat gefunden, die Kunst, gute Verse zu verfertigen, bestehe darin, daß man sie mit Mühe mache; eine Meinung, die nunmehr unter den neueren Dichtern vielen Widerspruch leiden möchte. Hat man das Papier vor sich, sagt er, so arbeitet man mit allzugroßer Fertigkeit, ein Gedanke, ein Einfall, der daher kömmt, den der Reim mitbringt, verführt den Poeten, und macht ihn kalte und gemeine Sachen sagen. Daher verfertigte Haller anfänglich seine Gedichte bloß in der Imagination, im Bette, auf der Straße, zu Pferd, in Gesellschaften u. s. f.; die Bilder wurden lebhafter, die Gedanken stärker."

Hallers „Alpen" nun malen die „Goldene Zeit", die der Mensch aus bloßer Sehnsucht und Phantasie in der Vorwelt und außer sich sucht, als eine Realität, als einen inneren Besitz, wie ihn die Bewohner einer abgeschlossenen Bergwelt noch bewahren, da ihnen denn jeder Mangel an Genüssen und verfeinerten Bedürfnissen durch ein natürliches Gut ersetzt ist. Das anspruchslose Hirtenleben wird vorgeführt, die Kampfspiele und Tänze der Jugend, die Schlichtheit ehelicher Sitte, die Freuden des Winters mit den Erzählungen der Greise und den Liedern der Jungen. Unerschöpflich aber ist überall die Naturmalerei, die nichts Allgemeines und überall Vorkommendes schildert, sondern die Wirklichkeit einer vielgestaltigen Landschaft wiedergibt, von den Matten und Eisgipfeln bis zu den waldigen Tälern und unterirdischen Grüften. Es sind neue Bilder und Farben, die aus genauester Beobachtung des Besonderen stammen, wenn es da heißt: „Hier zeigt ein steiler Berg die mauergleichen Spitzen, / Ein Waldstrom eilt hindurch, und stürzet Fall auf Fall. / Der dickbeschäumte Fluß dringt durch der Felsen Ritzen, / Und schießt mit gäher Kraft weit über ihren Wall. / Das dünne Wasser theilt des tiefen Falles Eile, / In der verdickten Luft schwebt ein bewegtes Grau, / Ein Regenbogen strahlt durch die zerstäubten Theile, / Und das entfernte Thal trinkt ein beständig Thau. / Die Gemsen stehn erstaunt, im Himmel Ströme fließen, / Die Wolken über'm Kopf, und Wolken unter'n Füßen."

Die Vereinigung von beidem: der wirklichkeitssatten Naturschilderung, und der Darstellung eines noch gegenwärtigen Volkslebens, wie man es sonst nur im vagen Traum von Urzeiten imaginierte, erklärt die gewaltige Wirkung, die diese Gedichte nicht nur auf Deutschland, sondern auf ganz Europa ausübten, vervielfältigt bald noch durch den wachsenden Ruhm des Autors als eines großen und ernsten Wissenschaftlers, zu dessen Universalität man wie zu der Leibnizens aufsah.

Denn nur wenige Jahre nach dem Erscheinen seiner Gedichte wurde Haller, nach kurzer praktischer Tätigkeit als Arzt in seiner Vaterstadt, von König Georg II. von England bei der Stiftung der Universität Göttingen auf den Lehrstuhl für Anatomie, Chirurgie und Botanik berufen und begann seine fruchtbare akademische und publizistische Tätigkeit, die ihn siebzehn Jahre in Deutschland festhielt. Der Einzug in Göttingen war von Tragik überschattet: sein Reisewagen brach, und seine junge Frau verunglückte tödlich. Die Oden auf „Marianens anscheinende Besserung" und auf ihren Tod geben ergreifendes Zeugnis von seiner persönlichen Empfindung, wenn auch seiner Art das rein Lyrische nicht lag und auch hier mehr reflektiert geriet. Seit jenem Jahr 1736 entstand sonst kein bedeutendes Gedicht mehr — die beiden wichtigsten, die er den späteren Ausgaben noch hinzufügte, das über den Ursprung des Übels und das Fragment über die Ewigkeit, waren bereits geschrieben, das letzte eben im Todesjahr der Frau. Das über den Ursprung des Übels ist ein völliges philosophisches Lehrgedicht und ein Widerklang von Leibnizens Theodicee. Aber die großartigsten dichterischen Töne hat er in dem Fragment über die Ewigkeit gefunden, wo nun auch sein Rhythmus sich freier bewegt. — „Furchtbares Meer der ernsten Ewigkeit! / Uralter Quell von Welten und von Zeiten ! / Unendlich's Grab von Welten und von Zeit! / Beständig's Reich der Gegenwärtigkeit! / Die Asche der Vergangenheit / Ist wie ein Keim von Künftigkeiten." „Unendlichkeit, wer misset dich? / Bei dir sind Welten Tag', und Menschen Augenblicke. / Vielleicht die tausendste der Sonnen wälzt jetzt sich, / Und tausend bleiben noch zurücke. / Wie eine Uhr, beseelt durch ein Gewicht, / Eilt eine Sonn', aus Gottes Kraft bewegt; / Ihr Trieb läuft ab, und eine zweite schlägt: / Du aber bleibst, und zählst sie nicht." — Hier ist, wie schon bei Brockes, das moderne mechanische Bild des Universums von der dichterischen Anschauung umfaßt und zum Menschen in Beziehung gesetzt, der doch in Hallers Fall noch viel ausdrücklicher ein gläubiger, dem Christentum mit Innigkeit ergebener Mensch ist und ein großer Naturgelehrter zugleich. Es ist keine Frage, daß gerade diese Vereinigung auf die Zeitgenossen so stark wirkte und den schlichten und ergriffenen Aussagen etwas Autoritatives gab. Hallers Frömmigkeit glaubte, ausdrücklich anmerken zu müssen, daß diese ganze hoffnungslose Schau der menschlichen Kleinheit und des Todes als Ende der Wesen nur Einwürfe hätte bedeuten sollen, welche bei der Vollendung der Ode von ihm widerlegt worden wären. „ Ein zweites Leben ist dennoch ausdrücklich angenommen" — auch hier müssen wir wieder, wie bei Brockes, der Verwandtschaft mit Jean Paul gedenken, der in seiner „Selina" den „Vernichtglauben" in seiner ganzen Entsetzlichkeit ebenso nur schilderte, um ihn dann mit seinem Bekenntnis zur Unsterblichkeit zu beantworten. Merkwürdig bleibt für den noch nicht Dreißigjährigen, wie er zum Schluß des Fragments von der Menschwerdung spricht: — . . . „Und mit dem Leibe wuchs der Geist. / Er prüfte nun die ungeübte Kraft, / Wie Mücken thun, die von der Wärme dreist, / Halb Würmer sind, und fliegen wollen. / Ich starrte jedes Ding als fremde Wunder an, / Ward reicher jeden Tag, sah vor und hinter Heute, / Maß, rechnete, verglich, erwählte, liebte, scheute, / Ich irrte, fehlte, schlief, und ward ein Mann. / Jetzt fühlet schon mein Leib die Näherung des Nichts, / Des Lebens lange Last erdrückt die müden Glieder; / Die Freude flieht von mir mit flatterndem Gefieder / Der sorgenfreien Jugend zu. / Mein Ekel, der sich mehrt, verstellt den Reiz des Lichts, / Und streuet auf die Welt den hoffnungslosen Schatten; / Ich fühle meinen Geist in jeder Zeil' ermatten, / Und keinen Trieb, als nach der Ruh." Dennoch ist dieser jugendliche Pessimist nahezu siebzig Jahr geworden und das Riesenwerk von zweihundert wissenschaftlichen

Schriften in den verschiedensten Disziplinen, sein gewaltiger Briefwechsel, seine Arbeit als Begründer und Redakteur der Göttingischen gelehrten Nachrichten neben seiner Forscher- und Lehrtätigkeit zeugt von einer unermüdlichen Arbeitskraft, die sich, seit das Heimweh ihn in die Berner Heimat zurückgetrieben hatte, noch auf eine Reihe öffentlicher Ämter seiner Stadt erstreckte, auf die Direktion von Salzwerken, Austrocknung von Sümpfen, auf Ehrenämter aller Art als Präsident von gemeinnützigen Gesellschaften, Stiftung von Waisenanstalten, Organisation von Akademien und diplomatische Missionen. Er gehörte durch Geburt und Überzeugung zur Berner Aristokratie und vertrat bei aller persönlichen Milde und sozialen Gerechtigkeit streng konservative Grundsätze; und seinem Stadtstaat auch in geringerer Funktion nützlich zu sein, schien ihm wichtiger, als auswärts hohe Stellungen zu bekleiden, ganz ähnlich wie später seinem Basler Landsmann Jacob Burckhardt.

So berief ihn 1749 Friedrich der Große unter Zusage hoher Besoldung mit Rang und Titel nach Wahl und ohne Verpflichtung zu irgendwelcher amtlichen Tätigkeit nach Berlin, mit besonderer Einladung zur Teilnahme an den vertrauten Abendgesellschaften, zugleich mit Voltaire; denn auch seine gesellschaftlichen Talente waren berühmt. Aber er lehnte ab. „Denken Sie sich einen Christen, denken Sie sich einen Menschen, der an die Religion Jesu glaubt und sie von ganzem Herzen bekennt, nach Potsdam, zwischen den König, Voltaire, Maupertuis, und d'Argens!" schrieb er an seinen Schüler Zimmermann — er fand sich, seiner ganzen Gesinnung nach, hier nicht am Platz. In demselben Jahre erhob ihn Kaiser Franz I. in den Adelsstand; schon vorher war er Hofrat und Leibarzt des englischen Königs geworden; und als er schon elf Jahre wieder in Bern war, 1764, berief ihn Georg III. als Kanzler der Universität nach Göttingen und richtete sogar ein Gesuch an den Rat von Bern, ihn freizugeben. Aber er blieb seiner Heimat getreu und widmete den Rest seines Lebens neben seinen obrigkeitlichen Ämtern der Ausarbeitung großer Werke. Auch hier widerfuhr ihm noch in seinem Todesjahr 1777 die Ehrung durch einen Besuch Josephs II., der auf Maria Theresias Weisung nur bei ihm einkehrte, Voltaire aber mied.

Diese Geste des jungen Kaisers mag mit der literarischen Tätigkeit zusammenhängen, die Haller in seinem Alter noch einmal entfaltete, als er in dichterischer Einkleidung sein politisches Bekenntnis und Vermächtnis formulierte, in den Romanen „Usong" und „Alfred" (1771 und 1773) und den Gesprächen zwischen „Fabius und Cato" (1774). Vor allem im „Usong", einer morgenländischen Utopie, hat man Anspielungen auf Maria Theresia und ihren hoffnungsvollen Sohn gesehen, und Joseph II. wird sich in manchem als Schüler Hallers empfunden haben, wie er denn auch sein Andenken ehrte, indem er seinen Nachlaß mit der großen Bibliothek von 25 000 Bänden erwarb und den lombardischen Universitäten zum Geschenk machte. Am klarsten hat Haller sein aristokratisches Ideal in „Fabius und Cato" dargestellt, wo er unter der historischen Maske der Zustände während des zweiten Punischen Krieges im Grunde gegen Rousseaus Ideen polemisiert „wider die unersättlichen Ansprüche der Fürsprecher der Rechte einzelner Bürger, und wider die allgemeine Gleichheit der Menschen". In der Gesinnung erinnert er wieder an seinen Landsmann Jacob Burckhardt, aber auch an Leibniz: in der Stellung gegen die unumschränkte Volksherrschaft, weil sie die griechischen Demokratien zu Grunde richtete, und in der Vorahnung der Revolution, der er, wenigstens für sein Land, entgegenzuarbeiten sich verpflichtet fühlte.

Auf die deutsche Dichtung im engeren Sinne haben diese Werke nicht mehr gewirkt, so wenig wie seine religiösen Schriften, obgleich diese wichtige Aufschlüsse über seine Gottesvorstellung enthalten, wenn er etwa in den „Briefen über die wichtigsten Wahrheiten der Offenbarung" (1772) schreibt, „daß die Gottesgelehrten und auch die frommen Christen Gott etwas zu sehr in seinem Verhältnisse gegen die Menschen betrachten, und ihn daher oft zu klein, ihnen selbst zu ähnlich vorstellten, fast wie einen Schutzgeist einer Erde oder eines Volkes. Mich hat die Kenntnis der Natur gelehrt, höher von Gott zu denken." — Es gehört zum Bilde dieses großen Naturforschers und frommen Weisen, was von seinem Tode überliefert ist: er beobachtete bis auf den letzten Augenblick den Schlag seines Pulses mit den Worten „il bat, il bat, il bat" — bis er mit dem Ausruf „plus!" den Moment bezeichnete, wo derselbe ihm stille stand.

82.

Verbunden mit dem Gewicht einer großen geistig umfassenden Persönlichkeit, wie sie seit Leibniz nicht dagewesen war, hat Hallers Dichtung, im Sinne und in der Richtung von Leibniz, etwas bewirkt, was für die allgemeine geistige Situation Deutschlands von höchster Bedeutung und unmittelbaren Folgen war: sie hat auseinanderstrebende Elemente noch einmal gebunden, die abstrakte „natürliche" Vernunft der Aufklärung mit echter erlebter realer Natur konfrontiert, die Vereinbarkeit von freier Forschung mit religiösem Grundgefühl erwiesen, und durch konservative Tradition und historische Besinnung dem reinen Fortschrittsglauben des Rationalismus Grenzen gesetzt. Im Angesicht von Hallers konkreter Schilderung ursprünglicher schweizerischer Zustände erwies sich das bisherige Reden von Natur und Natürlichem als ziemlich phrasenhaft und oberflächlich, und selbst die innige Naturanschauung von Brockes wurde jetzt erst gegenständlich unterbaut — man lernte in einem ganz neuen Sinne Landschaft sehen, Landschaft erleben: die Wallfahrten in die Schweiz, wie sie nun bis zu Heinse und Goethe hin ein europäisches Bedürfnis wurden, traten geradezu an die Stelle des bisherigen schäferlichen Idylls, in dem man sich ein reines und ursprüngliches Naturdasein bloß erträumt und imaginiert hatte. Aber die Wirklichkeit lehrte nun, daß solche Ursprünglichkeit den Menschen nicht als Feengeschenk ohne ihr Zutun beschert worden war, sondern auf dem Ethos von Kraft und Kampf und Arbeit beruhte: daß sie nur hatte begründet und bewahrt werden können durch Behauptung politischer Freiheit, daß sie Resultat eines historischen Schicksals war.

Und so sehen wir die beiden Mächte, die uns sonst leicht gegensätzlich scheinen: Natur und Geschichte, noch aneinander gebunden; während bald, in Rousseau, das Naturevangelium sich gegen alles historisch Gewachsene, und ein gesteigertes historisches Bewußtsein sich gegen alles scheinbar zeitlos Naturhafte wenden sollte. Und dieselbe Synthese war es, wenn die unbestechliche vernünftige Durchforschung der Natur in aller ihrer mechanischen Gesetzlichkeit sich als vereinbar mit dem Glauben an die religiöse Überlieferung erwies, ja durch natürliche Einsicht der vermenschlichte Gottesbegriff eine kosmische Ausweitung und Erhöhung erfuhr, ohne von seiner Innigkeit einzubüßen.

Daß so das Irrationale durch einen ausgesprochenen Realismus eine unerwartete Stärkung erfuhr, mußte seelisch wie eine Erlösung wirken; mußte andererseits aber auch die Gegenwirkungen der reinen Rationalisten auf den Plan rufen. Daß Haller Schweizer war und mit Bodmer befreundet, genügte schon für Gottsched, ihm entgegenzutreten. Haller spricht es selber aus: „Mich aber, weil ich ein Schweizer war, mißhandelten Gottsched, Schönaich, Mylius, und Andere um die Wette . . . Man war grausam genug, meine Marianne schimpflich zu parodiren. Man that der Ewigkeit eben die Ehre an . . . Aber was sollte ich bei einem Kriege gewinnen? In einer Wissenschaft, die sich auf Erfahrungen gründet, kann eine Streitigkeit ihren Nutzen haben; sie giebt uns einen Anlaß, die Versuche zu wiederholen und zu vermehren, und die Wahrheit kann durch das Zeugniß unpartheiischer Sinne erwiesen werden. Aber in Wissenschaften, die auf dem Geschmacke beruhen, ist es unendlich langweilig, die Quellen des Schönen allemal bis zu den ersten Gründen zurückzubringen, und bey einem Leser zu erzwingen, er solle sich eine Stelle gefallen lassen, die ihm nicht gefällt. Es war mir also viel leichter, harte Urtheile anzuhören, als vor dem Tribunal der Welt einen langwierigen Prozeß zu führen." So hielt sich Haller mit philosophischer Gelassenheit und Vornehmheit aus den „bürgerlichen Kriegen zwischen den deutschen Dichtern" heraus, obgleich er schlimme Dinge hören mußte. „Hallers Schreibart ist von großer Dunkelheit, seine Sprache ist voll seltsamer und unbekannter Wortfügungen; er hat viele rauhe Wörter, Sylbenmasse und Reime; seine Schreibart ist eine Seuche, die den deutschen Geschmack anstecket." Dagegen war Gottscheds dauernde Polemik gegen Haller einer der Gründe zum offenen Zwiespalt mit den Zürchern: Breitinger hat in der „Vertheidigung der Schweizerischen Muse" den Ton von Spott und Hohn gegen die Gottschedsche Poesielosigkeit zuerst angeschlagen.

Wie weitherzig Haller war und wie sehr er es vermochte, das ihm Entgegengesetzte in der Dichtung zu bejahen, das beweist sein freundschaftliches Verhältnis zu dem Andern, der mit ihm zugleich damals den Gang der deutschen Poesie durch seine Schöpfung bestimmte: zu Hagedorn. Seine berühmte Selbstbeurteilung hat Haller sogar völlig als einen Vergleich zwischen Hagedorn und sich durchgeführt, in einer so treffenden Weise, daß man die beiden gar nicht besser charakterisieren kann, als indem man einige Partien daraus wörtlich anführt.

„Hr. von Hagedorn ist in eben dem Jahre, aber sechs Monate früher als ich, geboren. Beyde kamen wir in eine Zeit, da die Dichtkunst aus Deutschland sich verloren hatte. Denn Brockes und Pietsch hatten nur einzelne, und jener zuweilen große Schönheiten; er überließ sich aber allzusehr der unendlichen Fertigkeit, mit welcher ihm die Reime aus der Feder giengen. Beyde wurden wir sorgfältig erzogen: ich wurde auf's Strengste zur Arbeitsamkeit und Ordnung angehalten, und Homer war mein Roman im zwölften Jahre. Beyde hatten wir das Unglück Waisen zu werden, und mich traf es härter, weil man mich völlig mir selbst überließ. Beyde dichteten früh, und ich schrieb eine Unendlichkeit von Versen von allen Arten, ehe ich fünfzehnjährig wurde: meine Begier war unersättlich: ich ahmte bald Brockes, bald Lohenstein, und bald andere niedersächsische Dichter nach, indem ich eines von ihren Gedichten zum Muster vor mich nahm, und ein andres ausarbeitete, das nichts von dem Muster nachschreiben, und doch ihm ähnlich seyn sollte. Hr. von Hagedorn kam doch noch in ein Gymnasium, ich aber wagte es im Jahre 1723 auf die hohe Schule zu gehen.

Beyde hatten wir mehr Geschmack als Kräfte. Mein Freund schmelzte seine ersten jugendlichen Gedichte um, und verbesserte sie, wie er zu mehreren Kräften in der Dichtkunst kam. Ich gieng einen Schritt weiter, und an einem glücklichen Tage im Jahre 1729 verbrannte ich alle meine unzählbaren Verse, Hirtenlieder, Tragödien, epische Gedichte, und was es alles war. Ich ließ mir selbst keine Spuren davon über; nur war ich in meinem Geschmacke noch nicht so gebessert, daß ich alle diejenigen vertilgt hätte, die es verdienten . . . Lange hernach, und jetzt mehr als jemals, war mein Geschmack besser als meine poetischen Kräfte: ich sah jenseits allem, was ich zu leisten vermochte, eine mögliche Vollkommenheit, die ich zu erreichen unvermögend war. Ich sah, zumal im Virgil, eine Erhabenheit, die sich niemals herunterließ, wie ein Adler in der obern Luft schwebte, eine Ausarbeitung, die an der Harmonie, an der Malerey, am Ausdrucke nichts unausgefeilt ließ, und die in meinen Gedanken noch niemand nachgeahmt hat.

Hr. von Hagedorn besuchte England, ich auch, und noch etwas früher. Diese Reise hatte auf Beyde einen wichtigen Einfluß: wir fühlten, daß man in wenigen Wörtern weit mehr sagen konnte, als man in Deutschland bis hierher gesagt hatte: wir sahen, daß philosophische Begriffe und Anmerkungen sich reimen ließen, und strebten Beyde nach einer Stärke, dazu wir noch keine Urbilder gehabt hatten. Sehr jung machte sich Hr. von Hagedorn mit seinen Poesien bekannt; ich um etwas später. Ein Freund, der sich zuviel aus den meinigen machte, unternahm im Jahre 1731 eine kleine Sammlung davon drucken zu lassen. Ich erhielt, daß er mir die Besorgung überließ, wodurch ich soviel gewann, daß ich Vieles weglassen, und Verschiedenes verbessern konnte.

Beyde haben wir an den bürgerlichen Kriegen zwischen den deutschen Dichtern keinen Antheil genommen. Beyde waren wir wohl der wässerichten Dichtkunst eben nicht günstig, und lebten mit Bodmern in Freundschaft. Aber selbst zu Felde ziehen, dieses wollten wir nicht . . . Hr. von Hagedorn dachte auch bey der neuen Poesie wie ich, und wir blieben Beyde dem Reime getreu. Ich sah auch, daß unsre Gründe ungefähr gleich waren. Mir kam es immer vor, wenn man Hexameter machen wollte, wie sie gemeiniglich sind, so wäre die Arbeit zu leicht; und leichte Arbeit ist auch in der Poesie schlecht . . . Hr. von Hagedorn kam endlich mit mir auch in den Lehrgedichten überein, die einen großen Theil seiner Gedichte ausmachten. Wir suchten Beyde diesem Gedichte den Nachdruck zu geben, dessen es fähig ist, und für Worte Gedanken anzubringen. Bey allen diesen Ähnlichkeiten blieb zwischen uns eine große Ungleichheit. Eine der Ursachen bestund in der Lebensart. Hr. von Hagedorn war von einem fröhlichen Gemüthe; er trank ein Glas Wein, und genoß der freundschaftlichen Freuden des Lebens. Ich hingegen sagte im neunzehnten Jahre meines Alters dem Weine ab, ob mir wohl Horazens Fluch nicht unbekannt war; aber es schien mir erträglicher, keine zur Nachwelt durchdringenden Verse zu machen, als einem unaufhörlichen Kopfwehe unterworfen zu sein. Hieraus folgte, daß ich mich lustigen Gesellschaften entzog, und mein Vergnügen bey einem stillen Theetische, oder bey den Büchern suchte. Daher entstund ein großer Unterschied im ganzen Tone unsrer Poesie. Hr. von Hagedorn dichtete Lieder, darin er die Liebe und den Wein besang, und die die ersten waren, die man in Deutschland den Liedern der Franzosen an die Seite setzen durfte. Aber die Fröhlichkeit und die Kenntnis der Welt breitet über alle Gedichte, auch über die Lehrgedichte meines Freundes, eine Heiterkeit aus, wodurch er sich dem Horaz nähert, und den Boileau übertrifft. Mit dem Pope hat er eine große Ähnlichkeit in der Auspolierung der Verse, worin wenige, auch in unsern Zeiten, es Hagedorn nachgethan haben. Dem Horaz kam er in der lächelnden Ironie, in der unschuldigen Schalckhaftigkeit der Satyre, und in der Kenntniss des gesellschaftlichen Menschen nahe. Noch jetzt finde ich nichts, das der Glückseligkeit und dem Freunde vorzuziehen seye . . . Was bleibt mir dagegen? Nichts als die Empfindlichkeit. Dieses starke Gefühl, das eine Folge vom Temperament ist, nahm die Eindrücke der Liebe, der Bewunderung, und am meisten noch der Erkenntlichkeit, mit einer Lebhaftigkeit an, dabey mir der Ausdruck der Empfindungen sehr theuer zu stehen kommen. Noch jetzt brechen mir Thränen bey'm Lesen einer großmüthigen That aus; und was habe ich nicht gelitten, da das Schicksal in den allerhülflosesten Umständen eine junge und geliebte Gemahlin mir von der Seite riß. Diese Empfindsamkeit, wie man sie zu nennen anfängt, gab freylich meinen Gedichten einen eignen schwermütigen Ton, und einen Ernst, der sich von Hagedorns Munterkait unendlich unterscheidet.

Ein anderer Vorzug des Hrn. von Hagedorn war die Kenntnis der Sprache. Er lebte in Deutschland, und war von seiner Jugend an im reinen Deutschen erzogen. Hier konnte ich ihn nicht erreichen; in meinem Vaterlande, jenseits den Grenzen des deutschen Reichs, sprechen selbst die Gelehrtesten eine sehr unreine Mundart: wir haben auch in unsern symbolischen Büchern und in den Staatsschriften andre Declinationen, andre Wortfügungen. Diese Unarten mußte ich nach und nach ablegen, und da meine anderweitigen Arbeiten mir nicht zuließen, meine Stunden auf die Muttersprache zu legen, so blieb mir allemal eine gewisse Armuth im Ausdrucke, die ich schon damals am Besten fühlte, wenn ich mich gegen die Leichtigkeit des Günthers verglich. Manchen Gedanken lähmte mir der Zwang der Sprache: manchen andern drückte ich mit einem unvermeidlichen

Verluste an der Reinigkeit und an dem leichten Schwunge des Verses aus.

Mein Freund blieb dabey ein Dichter, und hatte daneben keine beschwerliche Arbeit. Er las, was seinen Geist zieren konnte, und besaß mehr als ein andrer die Kunst, einzelne und nicht überall bekannte Begebenheiten auf's Angenehmste anzubringen, wodurch eben seine Lehrgedichte sich vor andern ausnehmen, deren Stoff bloß aus den allgemeinen Begriffen der Dinge genommen ist. Ich hingegen wurde frühe von andern Berufsarbeitern gedrückt, und erlag fast völlig unter der geehrten Bürde, da des würdigen Ministers Zutrauen mehr auf meine Achseln legte, als sie tragen konnten. Anatomie, Botanik, ernsthafte Geschäfte gaben keinen Stoff her, der sich in die Poesie einweben ließ; sie brachten vielmehr die Gedanken in eine Strenge, in eine Trockenheit, die der Einbildung Flügel dämpfte. Vielleicht kömmt eben von der Gewohnheit in weniger Zeit viele Arbeit zu thun das allzusehr gedrungene Wesen, das man hin und wieder an meinen Versen getadelt hat. Die Verse wurden mir schwer, ich unternahm nicht leicht in einem Tage über zehn Zeilen aufzusetzen: auch diese veränderte ich ohne ein Ende an meinen eigenen Kritiken zu finden. Auch hörte ich sehr frühe auf, einiges Vergnügen an der Poesie zu fühlen. Bis in's Jahr 1736 nahm ich nur dann und wann vor, einen Begriff auszuarbeiten; nach dieser Zeit aber griff ich niemals zur Feder, als wenn ein dringender Affect ein Vergnügen fand, sich abzumalen, oder eine Pflicht ein Gedicht von mir forderte. Hingegen dichtete Hr. von Hagedorn bis an seinen zwar frühen Tod, der schon im Jahr 1753 einfiel; und dennoch ist mein poetisches Leben noch kürzer gewesen; denn nach 1748 finde ich kaum vier neue Seiten in meinen Gedichten. Beyde haben wir glücklich zu der Zeit geschwiegen, da die Natur nicht mehr redet, und die gedämpfte Einbildung der Vernunft keine Zierde mehr verleihet . . . Gemälde der Natur hat er sparsam und allemal auf der moralischen Seite gegeben . . . Ich habe mehr gemalt, zumal Werke der Natur; das kann man nicht, lese ich irgendwo. Es ist wahr, Aberli giebt mit dem Pinsel einen Begriff von einem Staub-Bache, der auch für ein Kind sinnlich ist. Aber die Poesie malt, was kein Pinsel malen kann: Eigenschaften andrer Sinne neben dem Gesichte, Verbindungen mit sittlichen Verhältnissen, die nur der Dichter fühlt.

Die größte Unähnlichkeit zwischen uns bleibt wohl in der Schilderung vergnügter Leidenschaften. Et ego in Arcadia, ich habe auch geliebt, mit aller Lebhaftigkeit die Süßigkeit der Liebe gefühlt, und mir, in sehr jungen Jahren zwar, einige Ausdrücke dieser Empfindungen erlaubt. Das war aber keine Belustigung für mich, es war das ernsthafteste Geschäft meines Herzens. Die lächelnde Freude aber habe ich nie gefühlt, die Hagedorn so lebhaft empfand, und so angenehm abzumalen wußte. Jetzt, da das Alter mich ernsthafter gemacht hat, jetzt sehe ich nicht mehr als ein Nachtheil an, daß ich das Vergnügen freundschaftlicher Ergötzungen nicht genossen, nicht empfunden, nicht gemalt habe. Nicht, daß Hagedorn sich jemals von dem Wohlstande entfernt habe, den die Ehrerbietung gegen die Tugend erfordert. Er hat auch von Gott würdig und empfindsam gesprochen. Nein, weil seit seinem Tode die unzählbare Menge deutscher Dichter sich mehr als jemals mit dem Thyrsus und den Grazien beschäftigt.

Ich bin nicht ohne Gefühl für die leichten Schwünge des lächelnden Anacreon; ich habe Gleims glückliche Nachahmungen mit Lust gelesen, und mit Vergnügen angepriesen. Nun aber, da diese fröhliche Sekte alle ernsthafte Dichterey verdringen will, da sie, mit der Duldung nicht zufrieden, zur Verfolgerin wird, nun sehe ich lieber, daß ich nicht zu derselben gehöre."

83.

Haller und Hagedorn — das gleichzeitige Nebeneinander solcher grundverschiedener Talente und Naturen in der deutschen Dichtung gibt in der Tat zu denken. Man würde zu hoch greifen, wollte man dabei an zwei andre Jahresgenossen denken, die auch in entgegengesetzten Welten daheim waren: Bach und Händel. Und doch ist uns historisch damit ein Fingerzeig für ihre Bewertung und Einordnung gegeben: es ist kein Zweifel, daß Haller wie Bach in der Kunst das Ernste, Schwere, Vergrübelte, das Sinnen über dem Heil der Seele und den großen Themen von Tod, Unendlichkeit, Unsterblichkeit bedeuten; daß Hagedorn gleich Händel dagegen in der Weltoffenheit gründet, der Freude zugewandt ist und in der Schilderung des Menschencharakters ähnliche Entdeckungen für die Dichtung gemacht hat, wie dieser für die Musik. Es sind einfach verwandte Phasen, die Musik und Wort durchleben; nur daß eben das gerade in höchsten Typen Vollendete der reiferen und ausgebildeteren Kunst in der erst wiedererwachenden sich bloß andeutet und unzulänglich spiegelt, und etwas auf die Bahn bringt, was noch sehr der Vervollkommnung bedarf und viel später seine Erfüllung findet.

Besonders bedeutsam erscheint es hierbei, daß die Sprache und Dichtung, die im Angesicht der großen Musik erwachsen war, von sich aus weltanschaulichen Ernst und tiefes Naturerlebnis nicht mehr auszudrücken vermochte — aus dem obersächsischen Raum, aus dem Kreise Gottscheds und seiner Freunde und Schüler ist damals nichts Lebendiges gekommen. Die „regelmäßige" Poesie versagte genau wie die Hofdichtung vor allen höheren Aufgaben, und es bedurfte wirklich des Einstroms von letzten bewahrten Kräften älterer Überlieferung, um Strenge, Herbigkeit, Gedankentiefe und persönliches Erlebnis wieder in die Dichtung einzuführen. Durch ihre Musikferne gerade ward die Schweizerische Dichtung ermächtigt, etwas dem musikalischen Gehalt auch nur entfernt Entsprechendes ins geistige Blickfeld zu rücken. Was aber innerlich mit der Musik verband, war die protestantisch-religiöse Grundlage, die sonst in den Landschaften süddeutscher Mundart nicht zu finden war — hier lag die Möglichkeit, im nord- und mitteldeutschen protestantischen Raum überhaupt einen Widerhall zu gewinnen und nun aus der musikalischen Tradition selber den Gehalt herauszulösen und bewußt zu machen, der durch die dichterische Nullität einer anmaßenden Versmacherei ignoriert wurde und von dem wachsenden platten Rationalismus in der Seele des Volkes erstickt zu werden drohte. Die weltanschaulich-religiöse Dichtung Hallers hat in den dreißiger Jahren im Verein mit Bodmers Anregungen die Atmosphäre geschaffen, in welcher am Ende der vierziger Jahre die christliche Dichtung Klopstocks möglich wurde.

Und wie bei Haller und Bodmer fremdere Einflüsse mitspielen und die englischen Dichter Mut zu neuer Schöpfung und Erkenntnis schenken, so ist auch die so anders geartete Dichtung Hagedorns nicht von der französischen Orientierung Gottscheds und der Hofpoeten ausgegangen, sondern ebenfalls von England, das noch einen

andern Realismus als den schweizerischen der Natur, das den gesellschaftlichen Realismus, das moralische und charakterliche Interesse beisteuert, wie es der nördlichen, durchs Meer an England
grenzenden Handelsstadt so sehr entsprach. Wir sehen also um diese
Zeit den Mitteldeutschen Raum vorübergehend ausgeschaltet und die
poetische Geistigkeit Deutschlands vom äußersten Norden und vom
äußersten Süden her bestimmt. Hamburg ist in seiner Art eben so ein
Stadtstaat gewesen wie Zürich und Bern, aristokratisch-patrizisch
regiert, fern allen höfischen Einflüssen, die etwa in Leipzig — keiner
Reichs- sondern Landesstadt — schon durch die Überordnung und
Nähe der Dresdner Regierung nicht zu umgehen waren. Die Stadtkultur trägt das neue Lebensgefühl der Dichtung, wie im Grunde
auch das der Musik, die als deutsche Musik damals ja durchaus
städtisch und nicht höfisch verankert ist, trotz höfischer Durchgangsphasen. Und wenn die Haltung der Schweizer und Hamburger
gleichermaßen erst durch englische Einflüsse sich ihrer Eigenart bewußt wird und englische Reisen oder englische Bücher bereits seit
Brockes eine entscheidende Rolle spielen: so darf man daran erinnern,
daß auch Händel im demokratischen und doch traditionsgebundenen
England sich selber findet und seine Kunst nur dort zu ihrer Größe
wachsen und zu ihrer populären Wirkung gelangen konnte.

Aber Hagedorn stellt nun, wie Händel, die andere Seite innerhalb
dieses Prozesses bürgerlicher Geistigkeit und Schöpfung dar: er optiert in gewissem Sinne für ein Ideal, das bisher einzig die höfische
Kunst, und zwar nicht die Dichtung, sondern die Musik verwirklicht hatte: das Heitere, Fröhliche, Gesellige, scherzend-Spielerische
ist seine Sphäre, wie es bisher nur in italienischer Oper und Unterhaltungsmusik lebte, unterbaut nun von dem, was auch Händel in
seiner ersten Zeit dem Italienischen hinzufügte, dem Charakterlichen,
Ethischen; was aber dem Dichter, der noch sehr dem Rationalen und
Lehrhaften benachbart lebt, zum ausgesprochen Moralisierenden
werden mußte.

Wie Haller schon andeutet, ist hier das literarische Vorbild Horaz,
der durch Hagedorn seinen Einzug nach Deutschland für lange Zeiten
hält: wie sich dann auch die Namengebung der durch ihn verkörperten Haltung und Gesinnung ändern mag, die Philosophie des heiteren
Lebensgenusses leitet sich von dem römischen Dichter her, ob sie

auch bei Gleim und Wieland später sokratische Weisheit heißt. Dabei ist es nun aber auffallend, daß Hagedorn nur den Gehalt, nicht aber die Form vom antiken Vorbild übernimmt — so viele Oden des Horaz er übersetzt, so vieles er sonst ihm nachgebildet hat, sein Versmaß hat er nicht ins Deutsche einzubürgern gesucht: er hält am Reime fest, der ihm das leichte Dahingleiten erlaubt und ihm das Fließende und Flüssige für das Verströmen seiner großen Fülle ermöglicht. Denn dies ist ja ein weiterer Unterschied und Gegensatz zu Haller, daß er viel und anscheinend leicht geschrieben hat, wenigstens den Eindruck des Mühelosen hervorruft, so sorgfältig, genau und konzentriert er seine Verse baut. Typisch hierfür ist die von ihm in unsere Literatur erst eingeführte Gattung der Verserzählung, die er vom kurzen pointierten Gedicht wie dem bekannten „Johann der muntre Seifensieder" bis zum breiten Epischen beherrscht, das gelegentlich auch mit Dialogischem durchflochten ist. Er ist auch der erste in neuerer Zeit, der die Tierfabel wieder lebendig macht, mit der moralischen Nutzanwendung oft schon von der Geschliffenheit Lessings. Die Schärfe des Epigramms liegt ihm ebenso wie das leichte Lied, für das ihm ein großer Formenreichtum zur Verfügung steht: hier erhebt er sich oft, besonders durch den Gebrauch des Refrains, zu einer graziösen Musik, der man einen geheimen Wettkampf mit der damals aufkommenden „galanten" Richtung in der Tonkunst anzumerken meint.

Dieses anspruchslose Sprechen, Denken, Singen und Erzählen in Versen ist in seiner Art klassisch und vollendet, wenn es dem heutigen Leser auch wenig unmittelbares Interesse und eine zu bescheidene Substanz bieten mag — für seine Zeit war gerade das verständige Maß, die heitere Weisheit, die lächelnd-gerechte Einsicht, die er an zahllosen Gegenständen des Lebens übte und erprobte, das Bezaubernde. Das Ungelenke und Nüchterne war hier völlig verschwunden; das Beispiel eines überlegenen Weltmanns war aufgestellt, der doch nicht Höfling war, sondern aristokratische Unabhängigkeit mit allmenschlicher Nachsicht verband. Was er in dem „Schreiben an einen Freund" als Ruhm seines großen Vorbilds preist, das gilt von ihm selbst: „. . . Ward nicht den Musen gram, entwarf auch noch ein Lied, / Doch öfter schildert' er der Menschen Unterschied, / Der Laster Selbstbetrug, der Thoren Eigenschaften, / Der

Weisen ächtes Bild, den Reiz der Tugendhaften, / Und immer kehrt
Horaz den täglich schärfern Blick / Von Wirbeln eiteln Wahns auf
sich, und auf das Glück, / Und sieht, im Wechselstreit so vieler
Hindernisse, / Daß man, beglückt zu sein, nur nichts bewundern
müsse." Und dieser beredte Dichter war, wie alle seine Zeitgenossen
bezeugen und noch Lessing rühmte, ein ungewöhnlich sympathischer
Mensch, der es verstand, die geistreichsten Männer von nah und
fern um sich zu sammeln und mit der ganzen literarischen Welt in
Frieden zu leben. Er stand im höchsten Ansehen und war der ruhende
Pol, um den eine Zeitlang das deutsche geistige Leben kreiste, rein
durch seine Existenz erfreulich, dabei ohne Ehrgeiz und Anspruch
irgend eines Vorrangs und poetischen Schiedsrichtertums — man
beugte sich einfach ein erstes Mal der unbestrittenen künstlerischen
Qualität, die mit einem reinen Charakter verbunden war.

Das Lehrhafte und Moralische war notwendiger Tribut an die
Zeit; aber es trat bei ihm aus dem Abstrakten ins Individuelle hinüber in vielfältiger Brechung, bezog sich auf echte Lebenserfahrung
und -Beobachtung. Bedauern mag man höchstens, daß er bei aller
Reichheit der Nuancierung das maskenhaft-Typische fremder Phan-
tasienamen für seine Gestalten festhielt — diese Leander, Phrax,
Sophron, Philint, Reptill, Servil und wie sie heißen, die noch bis in
die frühesten Lustspiele Lessings ihr Wesen treiben, heben für uns
das individuell-Charakteristische wieder auf, das doch gerade durch
die Bedeutung des fremden Namens oft erst unterstrichen werden
will. Es ist dies ein merkwürdiges Überbleibsel des Kostümhaften
des Barock: man getraut sich noch nicht, bürgerliche wirkliche Namen
einzuführen, man erhöht die eigne Lebenswelt, die sich der höfischen
ganz instinktiv durch solche Namengebung als gebildet angleichen
will, da ja nicht jeder aus dem Volke die griechischen und lateinischen
Bezeichnungen und den Sinn ihrer Herkunft aus der Anspielung auf
antik-Literarisches versteht. Aus dem Trieb zur Vermaskung und
Vermummung erklärt sich zuletzt auch die wachsende Vorliebe für
die Fabel — was man auch an gelehrter Begründung damals für
sie ins Feld führt, es ist barocke Spielfreude auf bescheidener bürgerlicher Stufe, welches die Kostümierung moralischer Eigenschaften und
Lehren in Tiergestalten für die Menschen der Zeit so anziehend und
unterhaltend macht. Mit alle dem sucht die bürgerliche Welt sich

gleichsam kennen zu lernen und der Vielfalt ihrer Lebensformen zu vergewissern: es ist eine erste psychologische Spiegelung ihrer Ethik und Weltanschauung überhaupt, in der denn auch eine gemäßigte Verherrlichung und Lobpreisung der Gottheit nicht fehlen darf. Diese durchaus objektive Richtung auf die „Welt", soweit sie dem sittlich-vernünftigen Horizont erscheint und faßbar ist, schließt das eigentlich lyrisch-Subjektive und persönlich-Bekenntnishafte noch weitgehend aus — die Orientierung in der Erfahrungswissenschaft vom Menschen nimmt noch alle Kraft in Anspruch. Und so trifft sehr genau zu, was Haller von seines Freundes Dichtung sagt: daß sie eine gesellige ist, Anregende und Zuhörende braucht und weder die Einsamkeit ernster Versenkung noch die innere Wandlung seelischen Erlebens kennt. Die bürgerliche Geselligkeit wird Ersatz und Analogon der höfischen und aristokratischen Gesellschaft; und das Bindemittel dieser Geselligkeit ist das, was Haller ebenfalls hervorhebt: die Freundschaft — Hagedorn ist der erste Mittelpunkt eines gesellig genießenden Kreises, nicht, wie Gottsched oder Bodmer, einer literarischen Partei.

Er war durch Herkunft und Erziehung aufs beste für eine solche Rolle vorbereitet. Er entstammte einem alten Adelsgeschlecht aus dem Paderbornischen, das später vielfach in dänischen Diensten stand; so war sein Vater, Hans Stats von Hagedorn, dänischer Konferenzrat und Resident im niedersächsischen Kreis. Aber dieser Vater war nicht nur Diplomat und Beamter, er hatte auch ausgesprochene literarische Interessen, besaß eine große Bibliothek hauptsächlich französischer Autoren und stand in lebhaftem Verkehr mit den damaligen literarischen Berühmtheiten Hamburgs, mit Barthold Feind, mit Hunold, Amthor, Richey, Wernicke, König, Brockes, und dilettierte wohl selbst in der Poesie. So förderte er auch die ersten dichterischen Versuche des Sohnes und ließ Gedichte des Zwölfjährigen bereits für seine Freunde drucken. Allzufrüh, schon im 15. Jahre des Sohnes, starb der Vater und hinterließ nur ein geringes Vermögen, und die Mutter, eine begabte Malerin, leitete die Erziehung der Söhne, trotz der beschränkten Verhältnisse mit nicht geringerer Sorgfalt. Der um fünf Jahre jüngere Bruder, Christian Ludwig, hatte das Talent der Mutter geerbt und wuchs zum Sammler und Kunstkenner heran, der später in Dresden als Generaldirektor der bildenden Künste eine bedeutende Stellung einnahm. Friedrich von Hagedorn, bisher von einem Hauslehrer erzogen, kam nun aufs Gymnasium und bezog 1726 als Jurist die Universität Jena, trieb da aber mehr philosophische und literarische Studien. Das Jahr 1727 sah ihn schon wieder in Hamburg, wo er Verwendung in dänischen Diensten abwartete; er veröffentlichte einiges im Hamburger „Patrioten" und anderen Zeitschriften, und gab hier auch 1729 sein erstes Buch heraus „Versuch einiger Gedichte oder Erlesene Proben Poetischer Neben-Stunden". Obgleich er damals noch Hofmannswaldau las, geht er doch mit den Hofpoeten Canitz, Besser, König auf Opitz zurück, der ja bei vielen jetzt wieder als Vorbild des Korrekten und Verständigen auftauchte: er wehrt sich gegen Rhetorik und Bilderfülle und strebt nach „Wahrheit" des Ausdrucks. Er hat diese Versuche später verleugnet und großenteils von der Aufnahme in seine Werke ausgeschlossen. Aber im gleichen Jahr, 1729, geht er nun nach England, als Sekretär des dänischen Gesandten Barons von Sölendaal; und in den drei Jahren des dortigen Aufenthalts erschließt sich ihm erst durch das großzügige Leben die Welt — er spricht und schreibt und druckt sogar jetzt ebenso gut englisch, wie er das Französische beherrscht; und mag wohl auch mit den geltenden englischen Dichtern wie Pope und Thomson persönlich bekannt geworden sein. Es ist das moderne, moralistisch-klassizistische England, stark von Frankreich bestimmt, was ihm hier entgegentritt — das alte England Shakespeares hat für ihn so wenig wie für Haller existiert. Als er 1731 zurückkehrt, zerschlägt sich eine weitere Verwendung in dänischen Diensten; er muß vorübergehend sogar eine Hofmeisterstelle annehmen, sehr gegen das Standesbewußtsein seiner Mutter, bis er endlich 1733 in feste auskömmliche Verhältnisse gelangt: er wird Sekretär bei dem Englischen Court, einer alten Handelsniederlassung noch aus dem 13. Jahrhundert. — Das Amt, das ihm 100 Pfund Sterling im Jahre einträgt, läßt ihm reichlich Muße, und er lebt nun ganz seinen dichterischen Arbeiten. Er heiratet eine Engländerin, und da die Ehe kinderlos bleibt, wird der Verkehr mit seinen Freunden das, was ihm das Leben persönlich ausfüllt. Vor allem ist es der Arzt Peter Carpser, in dessen Freitags-Tischgesellschaften eine höhere Geselligkeit gepflegt wird, wo berühmte Fremde Hagedorns heitere und geistreiche Unterhaltung genießen.

In der vollendeten Form, wie wir sie heute kennen, traten Hagedorns Gedichte zum erstenmal 1738 hervor, mit dem „Versuch in poetischen Fabeln und Erzählungen". Eine Fülle von Anmerkungen begleitet sie, in denen von dem nächsten Vorbild, La Fontaine, bis zurück zum Deutschen Burkard Waldis und Hugo von Trimberg zahllose Quellen aufgereiht sind, vom antiken Aesop und Phädrus und den indischen Sammlungen bis zu den modernen Engländern, auch wenn es sich nur um Behandlung verwandter Stoffe handelt, die er im einzelnen garnicht benutzt — er wollte damit die ganze Gattung legitimieren, aber diesen Vorgängern gegenüber vielleicht auch seine völlig neue und eigne Art deutlich machen. Das Nächste war die „Sammlung neuer Oden und Lieder", deren erster Band 1742, der zweite 1744, der dritte 1752 erschien, mit beigegebenen Kompositionen, die von Valentin Görner stammten, der Musikdirektor am Hamburger Dom war. Hier wird, durch Dichtung und Musik, das „anakreontische" Lied geschaffen, das bis in die siebziger Jahre die deutsche Rokokolyrik bestimmt hat. Im Jahre 1750 kamen die „Moralischen Gedichte" heraus, eine Fortsetzung der Fabeln und Erzählungen, die deren einmal gefundenen Stil in gleicher Vollendung festhalten. 1747 erschienen die ersten Oden und Lieder ohne Kompositionen, 1754 die „Oden und Lieder in fünf Büchern" vollständig gesammelt. Aber das war bereits das Jahr, in welchem Hagedorn, kaum sechsundvierzigjährig, starb; von ganz Deutschland als einer der liebenswürdigsten Menschen und Dichter betrauert.

84.

In jenen Jahren um die Mitte des 18. Jahrhunderts wächst plötzlich ganz überraschend die Bedeutung der Dichtung und vor allem der Dichterpersönlichkeit für die Nation. Liest man Haller mit dem Stolz und der Ehrfurcht, wie eine auch auf andern Gebieten ausgezeichnete europäische Berühmtheit es nahelegt; genießt man in Hagedorn eine feine heitere Menschlichkeit mit ihrem Geschmack und ihrer abgeklärten Lebenserfahrung: so tritt jetzt in Gellert noch eine ganz eigentümliche Kraft hinzu, die das Herz bewegt und als Güte die Menschen erwärmt und mit einem Male Tausenden aus allen Ständen als eine poetisch-ethische Wirkung ins Innerste dringt, wie es sie bisher nicht gegeben hatte.

Christian Fürchtegott Gellert ist wohl der populärste Dichter gewesen, den Deutschland je besessen hat: nicht durch Hörensagen von einer großen Leistung dem Namen nach weithin berühmt, sondern von zahllosen Einzelnen unmittelbar und echt erfaßt und angeeignet und von allen auf eine hingebende und rührende Weise geliebt und aufs höchste geehrt und geachtet. Wie ist diese ungewöhnliche und wunderbare Tatsache zu erklären? Man staunt, wenn man das Leben Gellerts liest, wie so viel Kraft von einem zarten, bescheidenen, ewig kränkelnden und eigentlich hypochondrischen Menschen ausgehen konnte, dem Absicht und Ehrgeiz vollkommen fern lag, den kein gespannter Wille zur Wirkung leitete. Es war auch keine gewaltige dichterische Konfession, wodurch er etwa die Menschen erschütterte, keine hohe Vision, durch die er hinriß, kein neuer Stoff, durch den er hätte Sensation erregen können; es war ganz einfach nur die schlichte Innigkeit, mit der er ein bis dahin nur mit dem Verstand Erfaßtes gefühlsmäßig durchdrang und durch wirkliches Erleben legitimierte; und das allerdings nun in einer Sprache zu leisten vermochte, von der alles Künstliche, fremd-Gelehrte abgefallen war, und die sich in einer natürlichen Anmut und mühelosen Reinheit bewegte.

Aber es hat auch andre gegeben, die ihre Zeit errieten, genial das ihr Nötige erspürten, und doch als Dichter abgeschlossen verharrten und nicht persönlich das allgemeine Vertrauen erwarben — hier ist nur ein rein Menschliches als Erklärung für Gellerts besonderen Rang anzuführen: seine wahre Herzensgüte, mit der er von Anbeginn an seine Fähigkeiten vollkommen in den Dienst seiner Mitmenschen stellte und seinen Beruf zum dichtenden und denkenden Menschen geradezu als Seelsorge verstand.

Sieben Jahre jünger als Haller und Hagedorn ist Gellert 1715 geboren — er gehört schon zu der Generation von Gluck und Winckelmann und Philipp Emanuel Bach, und bereichert die Vorstellung des an sich schon so vielfältigen Übergangs durch das Bild eines Dichters, der ebenso einer vernünftig fortschrittlichen Sittlichkeit angehört, wie er andererseits in einem tief ernst genommenen praktischen Christentum wurzelt, und am ehesten mit Jenen gemein hat, daß er zwischen volkhaft-Bürgerlichem und höfisch-Adligem in der Mitte steht, beidem genugtut und beider Kultur und Natur in sich vereint. Er stammt aus Hainichen bei Freiberg im sächsischen Erzgebirge, und mit ihm beginnt die Reihe der Männer, die den bisher mehr theoretisch behaupteten Vorrang des obersächsischen Wesens, auf welchen Gottsched die Erwartungen Deutschlands gelenkt hatte, nun wirklich durch schöpferische Leistungen bewähren. Aber nur im mühelosen und natürlichen Gebrauch der Sprache teilt er die Vorzüge der literarischen Vertreter dieses Stammes, die sonst mehr zum kritisch-Philosophischen, ja Revolutionären und Fanatischen neigen, nur in der großen Intensität und Wirkungsbreite tut er es Menschen wie Lessing, Fichte, Wagner, Nietzsche gleich. Er hat nur einen Geistesverwandten unter seinen Landsleuten, der an Gemüt und Bescheidenheit, Selbstbeschränkung und wahrer Volkstümlichkeit als später Nachfahr von ihm, wenn auch in einer anderen Kunst, erscheint: Ludwig Richter. Auch dieser ist wie er im deutschen „Haus" heimisch geworden und hat mit derselben Anmut und Leichtverständlichkeit in seinen Holzschnitten ein gütig liebevolles Bild der Welt verbreitet, wie Gellert mit seinen einschmeichelnden Versen, mit seinen offen-vernünftigen Vorlesungen und seinen treubesorgten und doch graziösen und schalkhaften Briefen.

Wie so viele bedeutende Geister jener Zeit entstammt er dem evangelischen Pfarrhaus, dessen Stellung zwischen geistiger Überlieferung und praktsicher Berührung mit dem Seelentum des Volkes ebenso zum Aufstieg nach oben prädestinierte wie es den echten Grundlagen des Lebens verhaftet blieb, so daß auch das künstlerische Talent natürlich genug mit der Verantwortung zum sittlichen Führertum durchdrungen wurde. Wie so viele lernte Gellert auch Not und Entbehrung in der Jugend kennen — die Predigerstelle seines Vaters war unzureichend bezahlt, und bei einer Familie von dreizehn Kindern mußte auch der elfjährige Sohn schon zum Unterhalt beitragen, durch Abschreiberdienste, die er mit seiner schönen Handschrift leisten konnte. Dennoch war es ihm möglich, mit vierzehn Jahren die Fürstenschule zu Meißen zu beziehen und die Gymnasialbildung der Zeit in sich aufzunehmen. Er gewann dort einen Freund fürs Leben, Karl Christian Gärtner, auch aus der Freiberger Gegend gebürtig, der ihm dauernd als literarischer Gefährte nahe blieb. 1734, nach fünf Jahren, verließ er die Schule und bezog die Universität Leipzig, um Theologie und Philosophie zu studieren. Aber schon 1738 rief ihn der Vater heim, da er seiner Hilfe im Predigeramt bedurfte und die Mittel für das Studium nicht mehr aufzubringen vermochte. Gellert fand in seinem Geburtsort mit seinen Predigten vielen Beifall, obgleich er selbst nicht hoch von diesen Leistungen dachte, vor allem, weil ihn hierbei eine Schüchternheit nie verließ, die daher stammte, daß er schon in seinem fünfzehnten Jahr eine Leichenrede für ein Kind sich zugetraut hatte, bei welcher ihn sein Gedächtnis im Stich ließ. Aber bald nahm er eine Hofmeisterstelle bei zwei jungen Herren von Lüttichau an, durch die er seine Beziehungen zum Dresdner Adel knüpfte, und kam dann wieder in die akademische Atmosphäre, indem er einen Neffen für die Universität vorbereitete und ihn 1741 nach Leipzig begleitete. Wider eigenes Hoffen wurde ihm das Glück zuteil, um das er beim Anblick der Türme von Leipzig gebetet hatte: hier eine dauernde Heimat zu finden — er vollendete sein Studium, erwarb den Magistergrad und erhielt seit 1744 die Erlaubnis öffentlich zu lesen. Von Anfang an stand er im besten Verhältnis zur akademischen Jugend; wie sein Biograph Cramer berichtet, setzte er sich vor, „ihren Geschmack zu bilden, aber auf eine solche Art, daß sie überzeugt würden, die Frömmigkeit erhöhe und veredle die Vergnügungen eines feinen Geschmackes". Er stand zwischen einem zur Freigeisterei neigenden Rationalismus und einem blinden Buchstabenglauben mitten inne; Religion war ihm eine vom Herzen aus durchglutete Moral, die keineswegs die Prüfung durch die Vernunft scheute, nichts auf bloße Autorität hin annahm und vor allem die christliche Liebeslehre ernsthaft anzuwenden trachtete, ohne Verzicht auf weltliche Freuden und künstlerische Genüsse zu tun. Und so konnte er selbst seine ersten dichterischen Versuche mit diesen so ernst genommenen akademischen Vorlesungen über Moral sehr gut vereinigen. Er gab die frühesten Proben seiner Fabeldichtung noch in die „Belustigungen des Verstandes und Witzes", die im Sinne Gottscheds von dem Magister Schwabe seit 1741 redigiert wurden; aber der polemische Geist, der die Zeitschrift in der Kontroverse mit den Schweizern wachsend erfüllte, verleidete ihm und seinen Freunden bald die Mitarbeit, und sie entschlossen sich, ein neues eigenes Organ zu gründen: es sind die unter dem Namen der „Bremer Beiträge" bekannten „Neuen Beiträge zum Vergnügen des Verstandes und Witzes", die in dieser abgekürzten Form nach ihrem Erscheinungsort Bremen zitiert wurden.

Gellert hatte nämlich in Leipzig nicht nur den alten Freund Gärtner wieder getroffen, welcher der eigentliche Begründer der neuen Zeitschrift war, sondern eine Anzahl neuer Freunde hinzu gewonnen, aus deren Mitte diese Bewegung zu einem nicht mehr kritischen, sondern positiven Wirken hervorging; und es verlohnt sich, einen Blick auf diese „Bremer Beiträger" zu werfen, von denen man gewöhnlich nur noch den Namen weiß.

85.

Gärtner, der Älteste von ihnen, 1712 geboren, war damals zweiunddreißig Jahre; er ging schon 1745 als Hofmeister nach Braunschweig, wurde dann Professor am Carolinum, und starb dort 1791; erst gegen Ende der sechziger Jahre gab er ein Schäferspiel und Beiträge zum Spanischen Theater heraus. Johann Andreas Cramer war ebenfalls ein Pfarrersohn aus dem sächsischen Erzgebirge, 1723 geboren; er hatte die andre Fürstenschule, Grimma, besucht, und kam 1742 nach Leipzig; auch er wurde 1745 Magister und hielt Vorlesungen, kam dann durch Vermittlung seines Freundes Klopstock 1750 als Oberhofprediger nach Quedlinburg, vier Jahre später nach Kopenhagen, Klopstocks späterem Wohnsitz, und ging, nach Veränderung der dortigen Verhältnisse, als Theolog nach Lübeck und Kiel, wo er 1788 starb. Er hat in den sechziger Jahren poetische Psalmen und andre geistliche Lieder herausgegeben, und wurde am bekanntesten als Redakteur des „Nordischen Aufsehers", gegen welchen später Lessing polemisierte. Aus Klopstocks Leben bekannt sind auch die Namen von Ebert und Giseke: Ebert, 1723 geboren, war Hamburger, fand sich aber auch 1743 in Leipzig ein; Giseke wuchs auch in Hamburg auf, war aber Sohn eines lutherischen Pfarrers in Ungarn, der eigentlich Köszehi hieß; er stand Brockes und Hagedorn nahe, und studierte ebenfalls als Theolog seit 1745 in Leipzig. Ebert ist es, dem Gellert seine Einführung ins Englische verdankte: er war der deutsche Übersetzer von Youngs „Klagen und Nachtgedanken über Leben, Tod und Unsterblichkeit" (1751). Giseke wurde 1754 Oberhofprediger in Quedlinburg, 1760 in Sondershausen; Gärtner gab 1767 seine poetischen Werke — Fabeln, Kantaten, Episteln — heraus.

Der bedeutendste von ihnen aber war ohne Zweifel Johann Elias Schlegel, 1718 in Meißen geboren, in Schulpforta erzogen (als Mitschüler Klopstocks); selbst Sohn eines Appellationsrats und Stiftssyndicus bezog er als Jurist 1739 die Universität Leipzig, wo er 1741 Gellert kennenlernte. Dieser bekennt von ihm: „Er übertraf mich an Gelehrsamkeit, Critik und Genie; damals und stets; ein Mann von ungewöhnlichen Talenten, einer sehr gefallenden Bildung, und einer Lust zu arbeiten, die nicht ermüdet werden konnte ... Die Griechen und Römer hatte er bereits auf der Schule gelesen, und las sie noch. Er verstand zugleich die französische, italienische und englische Sprache gut, kannte die besten Schriftsteller darinnen, und hatte diese Kenntnisse sich fast ganz allein zu verdanken ... Er konnte ganze Tage arbeiten, ohne auszusetzen; darauf aber ging er meistens einen Tag herum, ohne sich zu beschäftigen, und erholte sich in Gesellschaften. Schlegel stritt von Herzen, wenn man seine Gedichte tadelte, ging mit dem Trotze eines Poeten weg, der, was gut wäre, besser als sein Kunstrichter zu empfinden glaubte, kam in wenigen Stunden demütig zurück, und hatte die mit großer Hitze verteidigten Stellen alle glücklich geändert ... Ich weiß niemanden, der diesen Mann gebildet hätte; sein eigenes Genie und Lesen tat es. Daß wir kein Bildnis von ihm haben, kränkt mich. Er war blond. Ein paar hellblaue, denkende, halbtraurige, halbfrohe Augen, bald mutwillig, bald ernsthaft, lagen tief in seiner breiten und hohen Stirne. Sein Mund, die Oberlippe etwas aufgeworfen, und seine Habichtsnase gaben seinem Gesichte ein eben so edles Aussehen als sein beredtes Auge dasselbe angenehm machte. Für das schöne Geschlecht hatte er viel Achtung; doch weiß ich kein Frauenzimmer, das er bis zur Leidenschaft geliebt hätte. Hätte er aber eins geliebt, und seine Geliebte hätte seine Neigung für das Theater zu arbeiten gemißbilligt, so würde er diese Neigung der Liebe gegen sie, wie reizend sie auch gewesen wäre, vorgezogen haben." — Schlegel ging schon 1743 von Leipzig weg, um eine Stelle als Privatsekretär bei seinem Vetter, dem sächsischen Gesandten am Dänischen Hof, v. Spener, einzunehmen. Er kehrte nicht mehr nach Deutschland zurück, wurde noch Professor an der Akademie Soroe, und ist dort 1749, erst einunddreißig Jahre alt, gestorben. Dieses junge Genie, dessen Vorzüge der Freund Gellert so neidlos schildert, hat sich nicht vollenden können; seine Werke sind heute vergessen. Und doch hat er zu seiner Zeit stark auf das Theater gewirkt, und nimmt für die deutsche Bühne eine ähnliche Mittler- und Übergangsstellung ein wie Gellert im allgemeineren Poetischen und weltanschaulich-Menschlichen: er steht an dem kulturhistorisch so wichtigen Wende-punkt, wo die einseitige Orientierung nach Frankreich verlassen wird, und nun gleichzeitig die drei neuen Vorbilder der Folgezeit auf-tauchen: echte Antike, Shakespeare und deutsches Altertum. Die meisten seiner Stücke hat er noch in Schulpforta verfaßt; sie wurden auch dort aufgeführt, aber er erfuhr auch als Schüler von Pforta schon die Ehre, in Leipzig aufs Theater zu kommen, mit seinem „Orest und Pylades", 1739. Dieser ist, wie die noch ein wenig früheren „Trojanerinnen", nach dem Euripides von einem Achtzehn-jährigen geschrieben, der, nach eigenem Geständnis, nur das Kapitel „Tragödie" in Gottscheds Kritischer Dichtkunst damals vor Augen hatte, nur eben bereits die wirkliche Kenntnis des Griechischen damit verband. Diese erste Behandlung des Iphigenien-Stoffes auf der Bühne des deutschen Wortdramas ist noch heute eindrucksvoll und wohl das konzentrierteste Werk Schlegels: es ist wirkliches Seelen-drama, und, gegenüber der Auffassung bei Goethe, ganz auf das Problem der Freundschaft gestellt, wie es dem Alter des Verfassers nahe liegen mußte, aber durchaus männlich kraftvoll und nicht süßlich-schwärmerisch. Wenn man Gottscheds Cato dagegen hält, so staunt man über das plötzliche Eindringen von Leben und Leiden-schaft in die bisher nur gerade zur Not auf die Bühne gestellten Schemen. Freilich ist der Alexandriner beibehalten, dessen unleid-licher Reimzwang immer etwas Steifes und Hartes in die Sprache bringt und durch die mittlere Caesur ein sinnloses Skandieren auf-erlegt, das den Gedanken oft in der Hälfte abbricht. Und dann erzeigt sich, bei allem schönen und reinen Menschlichen, doch das

Vergängliche einer reinen Religion der Vernunft, die hier mit Nachdruck dem „Aberglauben" der Taurier mit ihren Menschenopfern gegenübergestellt wird und für das höhere Griechische in Anspruch genommen ist, wenn etwa Iphigenie in ihrem Gebet an Diana die Vision der Heimat mit den Worten beschließt: „Da wird der Griechen Hand dir reinen Weihrauch streun; / Und deine Priesterin wird, mitten unter ihnen, / Dir zwar ergeben seyn, doch dir vernünftig dienen."

Es ist begreiflich, daß Gottsched diesen Schüler noch in Anspruch nahm, auch als er über seinen Horizont hinauszuwachsen begann, ja — allerdings erst in Dänemark — offen Stellung gegen Gottscheds Ideale nahm. In Leipzig war das Verhältnis bei aller Selbständigkeit Schlegels noch ungetrübt: er arbeitete an Gottscheds Zeitschriften mit, und seine Dido, ja sogar sein Trauerspiel „Hermann" sind noch im V. und IV. Band von Gottscheds deutscher Schaubühne erschienen. Auch Gellert stand damals noch unter Gottscheds Einfluß und fußte auf den Errungenschaften, die wir als unbestreitbare Verdienste dieses Mannes hervorgehoben haben. Aber es ist bezeichnend, daß Gellerts Biograph Cramer bei der Schilderung der Leipziger Studienjahre mit keinem Wort der Beziehung zu Gottsched gedenkt — man sprach 1774, wo diese Lebensbeschreibung herauskam, nicht mehr von ihm und pflegte auch sein Gutes zu ignorieren.

Ganz unter Gellerts Augen entstand die denkwürdigste Schöpfung Schlegels, eben sein Trauerspiel Hermann, das ihn 1740 und 1741 in Leipzig als Hauptsache beschäftigte — „wohl keine von allen seinen Arbeiten hat ihm mehreren Fleiß und längere Zeit gekostet, als Hermann, der auch jederzeit sein Lieblingsstück gewesen ist", berichtet sein Bruder Johann Heinrich darüber, als er es in den gesammelten Werken herausgab; es erschien aber zuerst im IV. Teil von Gottscheds Deutscher Schaubühne, 1743. So seltsam es klingt: einem humanistisch Erzogenen lag ja dieser Stoff besonders nahe; man konnte ihn geradezu als ein Kapitel aus der römischen Geschichte ansehen, und so werden denn auch dem Abdruck des Dramas die sämtlichen Stellen vorausgeschickt, die in der lateinischen Literatur über die Varus-Schlacht existieren, außer Tacitus Dio Cassius, Vellejus Paterculus, Florus, Sueton. Und von hier aus gesehen ist auch die Behandlung als regelmäßiges Drama in Alexandrinern nicht so

unorganisch, als es heute scheinen mag, und auch die Aufnahme in
Gottscheds Schaubühne wird verständlich. Immerhin bleibt es das
erste deutsche Drama nationaler Geschichte und Gesinnung auf dem
durch Gottsched reformierten und ausschließlich auf den Franzosen
begründeten Theater, und steht an der Spitze der Reihe von Stücken
germanischer Vorzeit, die über Klopstock dann bis hin zu Kleist
führt. Von ihnen allen hat nur Klopstock, fünfundzwanzig Jahre
später, sich gedrungen gesehen, zu dem heimatlichen Stoff eine
deutsche Form zu suchen, in seinem „Bardiet für die Schaubühne",
Hermanns Schlacht — aber einen deutschen Drama-Stil von irgendwelchen Folgen konnte auch dieser Versuch nicht begründen; dazu
war die ganze Beschäftigung mit dieser Epoche der nationalen Geschichte zu sehr gelehrter Herkunft, und eine Anknüpfung, die das
Mittelalter übersprang, zu unorganisch. Auch bei Schlegel kommen
nun bereits die „Barden" vor, mit denen bekanntlich ein ursprünglich keltischer Begriff aufs Germanische übertragen wird und
seit Klopstock dann eine eigene Poesie und Mode entsteht. Das In-
teressanteste bei Schlegel ist aber, wie stark ihn das kulturelle Moment beschäftigt, das die andern sich entgehen ließen: der Gegensatz zwischen spätrömischer Civilisation und germanischer Ursprünglichkeit wird, im Sinne von Hallers „Alpen", das centrale Problem.
Flavius, der Bruder Hermanns, ist nicht nur römischer Macht, sondern lateinischer Kunst und Wissenschaft verfallen, und sein Vater
Sigmar muß ihn belehren: „Verflucht sei Kunst und Witz, wo sie
die Laster stützen! / Mein Sohn, der Himmel schenkt dem Menschen Witz und Kunst, / Als Mittel unsres Wohls und Zeichen seiner Gunst. / Doch der betörte Sinn hat ihren Zweck verkehrt; /
Was seinem Glücke dient, hat seine Not vermehret. / Kaum hat der
Künste Glanz die Rauhigkeit verdrängt; / So wird das Herz er-
weicht, das am Vergnügen hängt / . . . Bis endlich Eigennutz die
Treu fürs Vaterland / Und fauler Müßiggang den Trieb nach Ruhm
verbannt. / So liegt die Einigkeit, samt Kraft und Mut danieder, /
Und was durch Künste stieg, das fällt durch Künste wieder." Diese
Konfrontation von Überkultur und primitiver Kraft einer jungen
Nation, in der Germania des Tacitus zwar selbst schon als Tendenz
vorgebildet, von Haller hergeleitet und Rousseausche Ideen vorweg-
nehmend, mag von aktuellstem politischem Geschehen mitbestimmt

sein: Schlegel schreibt sein Drama genau in den Jahren des ersten Schlesischen Krieges (in dem überdies Sachsen noch mit Friedrich II. zusammenging). Es war etwas Neues und erregte die Zeitgenossen, daß ein König bei seiner Armee im Felde weilte, wenn er auch noch nicht selbst als Feldherr sich hervortat und die Führung bewährten Männern überließ; und Preußen gegen Österreich — das konnte bereits als Kampf eines jungen unverbrauchten Stammes gegen eine alte übersteigerte Kultur gelten. Und so leitet auch in diesem Betracht das erste Hermann-Drama eine andre Epoche ein, die nun immer stärker durch das bestimmt sein sollte, was ihr, nach Goethes Ausspruch in Dichtung und Wahrheit, bis dahin gefehlt hatte: durch einen „nationalen Gehalt". Noch mehr weist Schlegel in die Zukunft mit dem, was er in Dänemark zu dieser Richtung sich hinzugewann. Ohne die Brücke des Römischen geht er jetzt zur Behandlung nordischer Geschichte über und schreibt seinen „Canut". In der Vorrede dazu heißt es: „Die alten nordischen Geschichten sind so fruchtbar an Charakteren und an großen Begebenheiten, daß ich dadurch Lust bekam, auf einem Felde Blumen zu brechen, welches die Dichtkunst bisher meistenteils unberührt gelassen hatte." Schlegel hatte sich überzeugt, „daß diejenigen Trauerspiele mehr interessieren und stärker auf die Gemüter wirken, deren Stoff in der Geschichte des Volkes liegt, für welches man dichtet"; noch in Deutschland hatte er in diesem Sinne einen „Grafen von Wittelsbach" entworfen; in Dänemark ging er nach dem Canut noch an den Plan einer Tragödie „Gothrika", gleichfalls aus der dänischen Geschichte entlehnt. Er hatte auch die Genugtuung, daß sein Canut ins Dänische übersetzt wurde. Zweifellos hat ihn bei alle dem seine wachsende Vorliebe für Shakespeare bestärkt. In seiner Leipziger Zeit war, 1741, die erste deutsche Übersetzung eines Shakespeareschen Werkes, des Julius Cäsar, erschienen, von C. W. v. Borck, der preußischer Gesandter in London gewesen war; und der junge Schlegel ließ sich durch seines Lehrers und Gönners Gottsched vernichtende Urteile nicht abhalten, in dessen „Beiträgen zur kritischen Historie der deutschen Sprache, Poesie und Beredsamkeit" einen Aufsatz „Vergleichung Shakespear's und Andreas Gryphius'" zu veröffentlichen, worin dem Briten schon die höchste Achtung bezeugt wurde, während Gottsched ihn — „voll von Schnitzern und Fehlern wider die

Regeln der Schaubühne und der gesunden Vernunft" gefunden hatte.
Nun schrieb er 1747 seine „Gedanken zur Aufnahme des dänischen
Theaters", die den endgültigen Trennungsstrich gegen Gottsched
ziehen und die Alleinherrschaft der französischen Regeln offen ver-
werfen — jede Nation habe ihr eigenes Theater, und so verschiedene Charaktere wie der französische und der englische müßten
auch in der Dichtung anderen Gesetzen folgen; die deutsche Nation
aber habe den ihren verleugnet, indem sie fast nur Übersetzungen
aus dem Französischen aufführe.

Daß Schlegel selbst der französischen Tradition noch verhaftet
blieb und als Dichter wesentlich nur im Stofflichen, nicht im Formalen und in der Kunst der Menschendarstellung einen Fortschritt
bedeutete, hat seinen Erkenntnissen die Kraft lebendiger Wirkung
geraubt; dennoch ist er ein gar nicht wegzudenkendes Mittelglied
zwischen Gottsched und Lessing, ja weist den Weg schon weiter
bis in die Romantik hinein. Gerade in der seltsamen Vermischung
von Altem und Neuem ist er kulturhistorisch ein wichtiges Symptom
der Zeit; wir können seine Übergangsstellung an dem bekannteren
Phänomen verdeutlichen, wie etwa in der Romantischen Malerei
die ersten Nachbildungen mittelalterlicher Motive noch im klassizistischen Umrißstil erscheinen, ja selbst ein so großer Meister wie
Runge seine „neue Landschaft" in der antik stilisierten Menschengestalt symbolisiert — das Stoffliche ist immer das erste, was das
veränderte Weltgefühl ausdrückt; die entsprechende Form wird
dann erst allmählich dazuerobert, da Hand und Auge und Ohr am
längsten in der Gewohnheit des Überlieferten verharren.

86.

Schlegel hat auch Lustspiele geschrieben, die zu ihrer Zeit Erfolg
hatten und noch beim späteren Lessing als Repertoirestücke genannt
sind. Hier hat ihm aber bald ein anderer den Rang abgelaufen:
Gellert, der es eigentlich war, der einen neuen Gehalt in die deutsche Komödie brachte, und ihr in einer bestimmten Gattung auch
eine neue Form verlieh.

Zunächst scheint uns bei ihm dieselbe Atmosphäre zu umfangen,

wie bei Schlegel und der gemeinsamen Vorgängerin, der Frau Gottsched, die als die erste das Lustspiel gesellschaftsfähig machte und
aus dem grob Possenhaften herausgehoben hatte, wenn es uns auch
heute oft reichlich derb anmutet, was sie an Scherzen und Situationen auf die Bühne brachte. Schon bei ihr erscheint sehr charakteristisch als Hauptmotiv aller Verwicklung, was dem heraufkommenden Bürgertum am Herzen liegt: das Geld. Es ist überaus bezeichnend, daß an diesem Motiv das Heil der Menschen hängt und
der Zufall des Reichseins oder plötzlich Reich- oder Armwerdens den
ganzen Inbegriff des Schicksalhaften darstellt. Ihr Lustspiel „Das
Testament" zeichnet die Situation, die in Gellerts „Zärtlichen Schwe-
stern", im „Los in der Lotterie", in der „Betschwester" immer neu
variiert wird, und nicht nur in den Jugendstücken Lessings („Der
junge Gelehrte", „Der Freigeist"), sondern auch in der Minna von
Barnhelm die eigentliche Erprobung der Hauptcharaktere herbei-
führt: eine unerwartete Erbschaft, ein Bankerott, ein gewonnener
oder verlorener Prozeß, enthüllte Schulden oder Einkünfte geben Gelegenheit, die Reaktion der Menschen, Männer wie Frauen, auf das
irdische Gut und die von ihm begünstigten oder benachteiligten Personen in belehrend moralischer Absicht zu zeichnen und die Entscheidung aller menschlichen Verhältnisse aus diesen Reaktionen
herzuleiten. Noch selbst bei Mozart klingt dies nach, wo er, das
einzige Mal, das bürgerliche Selbstbewußtsein streift: im Figaro, der
revolutionären Herkunft des Stoffes entsprechend. Was aber bei
ihm nur ein geringes Nebenmotiv ist und alsbald ironisch unter die
Entscheidung des souveränen Herrentums und seiner Galanterie gestellt wird — „Der Prozeß ist gewonnen" — das ist für das deutsche
Lustspiel der Angelpunkt, der eigentliche Ernst des Spiels, das infolgedessen oft kaum mehr lustig genannt werden kann: es gibt ihm
eine Schwere und zugleich eine seltsame Leere, die uns heute diese
Konflikte so ungenießbar macht. Dieses Bürgertum, das sich so „natürlich" dünkt und seine Natur der höfischen Kultur oft so über-
heblich gegenüberstellt, basiert auf einer Künstlichkeit der Verhältnisse, auf einem abstrakten, zähl- und wägbaren Begriff des Glücks
und Menschenwerts, welches es sehr zu seinem Nachteil von andern Epochen unterscheidet. Man denke an die Lebensfülle und
wahre Heiterkeit des Shakespearschen Lustspiels, an die Charakter-

komödie Molières, und man wird den Abstand gewahr, der zeitlose
Kunst von einer unwillkürlichen materiellen Befangenheit scheidet,
die im Grunde den Willen zur Macht, einer neuen Weltmacht, eben
des Geldes verbirgt. An ihr teilhaben, von ihr ausgeschlossen sein,
ist der Lohn der Guten und die Strafe der Bösen. Und das Späte
und Unnatürliche dabei ist die Plötzlichkeit des Glückswechsels, wie
er, als rein materieller Wandel, nur einer Menschheit zugehört, die
den schaffenden Lebensgrundlagen nicht mehr verbunden ist, sondern dem Schwanken des Abstractums Geld anheimgegeben, als welches alle Geltung und Ehre, aber auch das Schicksal von Liebe und
Leidenschaft bestimmt. Es zeigt sich hier bereits bedrohlich, was die
Heraufkunft eines Standes bedeuten mußte, der nur von Erwerb und
Handel lebt und nicht in angestammtem Besitz mit seinem natur-
gegebenen Herrschen und Dienen: es ist die Kehrseite von Aufklärung und Fortschritt, die man als Verhängnis erst später gewahr
wurde, die aber schon jetzt in der Tugendlehre der Schaubühne
höchst naiv sich spiegelt.

Freilich ist es von der plumpen Gier und Erbschleicherei, wie das
„Testament" der Gottschedin sie schildert, ein weiter Weg bis zum
Großmutswettkampf in Lessings Minna von Barnhelm. Aber auf
Großmut, Verzicht und Uneigennützigkeit sind schon Gellerts Stücke
angelegt; wenn auch hier etwa noch die vor der reichen Braut zu-
rücktretende arme Verwandte mit einer Rente am Schluß des Spiels
belohnt werden muß — es ist sehr merkwürdig, daß Gellert, selbst
ein bescheidener und karg dotierter Professor, doch wesentlich nur
den Kaufmannsstand und nicht das Beamtentum mit seiner andersartigen Ethik zum Objekt seiner im übrigen so gemütvollen Stücke
macht: es mögen Eindrücke zugrunde liegen, die nicht bloß das
von ihm geliebte bürgerliche Schrifttum Englands, sondern das spezielle Milieu des städtisch florierenden Leipzig ihm darbot. Ähnlich
wie bei Hagedorn sind seine Charaktere hier noch vorwiegend Typen, wie schon in ihren Namen zum Ausdruck kommt, die das
Schemenhafte des Fremden mit Damon, Orgon, Cleon usw. beibehalten, und nur allmählich durch deutsche Bezeichnungen, oft in iro-
nischer Färbung, abgelöst werden. In einer Zeit des Übergangs, wo
in der Ehe die freie Liebeswahl noch etwas Seltenes ist, wird man
sich nicht verwundern, daß die Leidenschaft meist sehr schnell und

unbedingt dem Gebot der Vernunft sich fügt und infolgedessen die Charakterisierung der Einzelnen in Hinsicht auf ihre Gefühlsmöglichkeiten bis zuletzt oft undeutlich bleibt. Dennoch sind einige Zeichnungen vortrefflich gelungen, wie etwa die des phlegmatischen Gatten im „Los", und der Dialog besonders der Frauen und Mädchen ist immer wieder von echter schalkhafter Anmut, wenn nicht die moralischen recht lehrhaften Erwägungen zu sehr dominieren. Erstaunlich ist bei dem frommen Gellert die offne Satire auf übertriebene und heuchlerische Religiosität, wie in der „Betschwester", die ihm auch allerlei Vorwürfe der Kritik eintrug, die er ernstlich unter Berufung auf die Bibel und das dort gegeißelte Pharisäertum widerlegen mußte. Das Kühnste, wenn man das Milieu von Leipzig mit der Gottschedschen Herrschaft französischer Ideale bedenkt, ist sicher die Verspottung französischer Mode und Galanterie, die er im Typus des Herrn Simon im „Los" gegeben hat — einer Figur, die wiederum den Ricaut de la Marliniere von Lessing vorwegnimmt. Dagegen ist die Sympathie für England häufig ausgesprochen: so wird Richardson mit seiner „Pamela" immer wieder oberflächlicher französischer Unterhaltungslektüre gegenübergestellt; überhaupt sind zeitgenössische literarische Anspielungen dauernd eingeflochten, mit denen Gellert unmittelbar auf den Geschmack seiner Leser und Zuschauer wirken wollte; auch sein eigenstes Gebiet, die Fabel, wird ernsthaft und auch wieder mit feiner Selbstironie berührt. Im Ganzen aber herrscht, trotz all der guten komischen Züge, für unsern Begriff der Komödie ein ziemlicher Ernst; nicht nur, weil es meist um das Ernstlichste des Bürgertums, die Grundlage der materiellen Existenz geht, sondern weil der schließliche Triumph der „Tugend" oder wirklichen Herzensgüte nicht anders als unter allgemeiner Rührung in Erscheinung treten kann. Und damit bahnt Gellert den Weg zu der Gattung des Dramas, die bald, nach englischem Vorbild, das deutsche Theater als eine wirkliche Darlegung innerer seelischer Konflikte für eine längere Zeit beherrschen sollte: das bürgerliche Trauerspiel. Er selbst ist zwar auf der Grenze stehengeblieben, die er mit seiner Abhandlung „Pro comoedia commovente", die er bei Antritt seiner Professur im Jahre 1751 in Leipzig las, auch theoretisch bezeichnet hat. Lessing hat dann 1754 in seinem Aufsatz „Von dem weinerlichen oder rührenden Lustspiele" Gellerts

Standpunkt überprüft, ihn den Franzosen Destouches und Nivelle de la Chaussee gegenübergestellt und ihm noch den Charakter des eigentlichen Lustspieldichters zuerkannt, während er selber bald mit seiner Miß Sara Sampson den Schritt ins Trauerspiel tun sollte, in welchem sich die bürgerlichen Tendenzen der Epoche mit vollem Ernste zum Ernstgenommenwerden melden.

Gellert war keine tragische Natur; er war auch keineswegs mit seinem ganzen Wesen in der tendenzhaft bürgerlichen Sphäre verhaftet — vielmehr liegt das Beste und heute noch Genießbare seines Theaterschaffens auf einem Gebiet, wo er sich noch mit der höfischen Kultur berührte, ja dieser einen nun auch vom Bürgertum aufgenommenen Nachklang schenkte: in seinen Schäferspielen. Sie sind ungleich musikalischer in ihren leichten Alexandrinern, als die doch immer wieder nüchterne und hölzerne Prosa der übrigen Lustspiele es sein konnte, und leiten die galante und graziöse Richtung ein, mit welcher die deutsche Dichtung in einen ausgesprochenen Wettkampf mit der zeitgenössischen Musik tritt, ja in Lied und Singspiel sich vorübergehend wieder mit ihr vereint. Hier ist er noch im Bann eines Stils, oder vielmehr: hier erst und mit ihm wird die Wortkunst fähig, ihre Rationalisierung abzustreifen und ihren Beitrag zu dem herrschenden Rokoko zu geben. Das Schäferspiel „Das Band", noch in den „Belustigungen des Verstandes und Witzes" 1744 erschienen, ist überhaupt eine seiner ersten Arbeiten, und trägt noch manche Züge reformerischer Art, die er selber später entschuldigen zu müssen glaubte: es ist noch im Sinne der Aufklärung, wenn unter der Maske des Schäferlichen realistischer das wirkliche Landleben gemalt ist und nicht die arkadische Utopie. Seine „Sylvia" vom folgenden Jahr dagegen überläßt sich ganz dem leichten absichtslosen Spiel, in dem ein scheuer Liebhaber von seiner spröden Schönen schließlich angenommen und belohnt wird. Von hier aus gehen die Wege nicht zur Form, aber zum Inhalt und Sinn der Anakreontik, und andrerseits zu Wieland und zu den Singspielen des jungen Goethe. Aber Gellerts Zwischenstellung ist hier vielleicht sogar der Gipfel und die Vollendung, die dieser anspruchslosen Gattung zuteil werden konnte.

87.

Gellerts Lustspiele erschienen gesammelt im Jahre 1748. Schon vorher war außer einzelnen von ihnen wie den eben genannten eine Doppelveröffentlichung von noch größerer Tragweite herausgekommen: das Jahr 1746 bringt das „Leben der Schwedischen Gräfin von G." und die „Fabeln und Erzählungen", und bezeichnet den Beginn der eigentlichen volksmäßigen Wirkung des Dichters.

Bei den Fabeln versteht man dies ohne weiteres noch heute: da ist nun, was bei Hagedorn noch als kühle Lebensweisheit und heitere Lebensbejahung doch nur für eine gebildete wohlsituierte Schicht Geltung und Anziehungskraft besitzen konnte, schlicht und herzhaft für ein allgemeines Verständnis aufs glücklichste formuliert, und mußte nicht zuletzt durch die sprachlich freie und ungezwungene Form, die den eintönigen Alexandriner allmählich ganz hinter sich läßt, einen unmittelbaren Zugang zu den Herzen der Menschen finden. Bei der „Schwedischen Gräfin" dagegen hat man sich gewundert, daß ein Roman, der nach den Inhaltsangaben der Literaturgeschichten nur abenteuerliche Ungereimtheiten enthielt, Erfolg gehabt haben sollte — man begriff kaum, wie Gellert mit diesem Werk nicht allen Kredit beim Publikum verlor, ja wie er überhaupt zu der Verirrung gelangen konnte, Doppelehe und Blutschande darzustellen, wo er doch sonst als Mann des zartesten religiösen und moralischen Gewissens erscheint. Die wirkliche Lektüre ergibt ein anderes Bild. Man braucht gar nicht mit der günstigen Voreingenommenheit an dieselbe heranzugehen, daß wir hier den ersten psychologischen deutschen Roman vor uns haben, den Gellert ohne jedes Vorbild schuf — während in der Fabel immerhin das breite Werk Hagedorns ihn schon auf eine höhere Stufe heben mußte — man wird ganz unmittelbar von einer Erzählung gepackt, die voll der eigentümlichsten Schilderungen ist und schon in der Darstellung der sibirischen Leiden und Abenteuer des Grafen etwas von geopolitischer Weite besitzt, die wir im 18. Jahrhundert sonst nicht suchen. Vor allem aber will das Hereinspielen der Motive von Geschwisterliebe und Doppelehe nach Gellerts Darstellung beurteilt sein und nicht nach einem immer nur wiederzitierten rein stofflichen Referat. Und da wird ganz deutlich, daß das neugegründete Ethos der Zeit hier nach den stärksten Beispielen suchte, wo an scheinbar verdammenswürdigen Sünden sich eine Lösung durch menschliches Verstehen und echte vorurteilslose Duldung erweisen ließ. Und das war wiederum nur möglich, indem die Träger solchen Geschehens als edle, vielleicht allzu edle Charaktere und liebenswerte Vertreter des Menschengeschlechts uns vorgeführt wurden, deren Verstrickung in blindes sinnloses Schicksal nur mit Mitleid erfüllen müßte, wenn nicht ihre Haltung und Bewährung selbst schon etwas seltsam rührend Gutes und Zuversichtliches ausstrahlte. Ganz seiner Lebenshaltung und Lebenslehre entsprechend hat Gellert hier nichts anderes getan, als sein wahrhaft praktisches Christentum im ursprünglichen Sinne dessen, der den Sündern verzieh, an einem hochgegriffenen Beispiel dichterisch zu illustrieren, und ist von seiner Zeit verstanden worden, wie der antike Dichter des Oedipus oder der mittelalterliche des Gregorius auf dem Stein verstanden wurde, mag man auch die spezifisch optimistische Moral der aufgeklärten Religiosität als nicht so elementar empfinden wie die düstere Gesinnung einer mythischen Vorzeit. Immerhin bedeutet ja auch die Abwandlung des Oedipusmotivs im Gregorius schon einen Triumph christlicher Beseelung, wenn der große Sünder zuletzt zum Papst erhöht wird, die mit dem verzeihenden und harmonisierenden Sinne Gellerts im Resultat übereinstimmt; und man darf diese Seite der Aufklärung über bedenklicheren nicht vergessen, da sie das ursprüngliche Gebot christlicher Duldung radikaler erfüllte als manche kirchliche Praxis. Allerdings waren nur die großen Herzen oder Geister der Epoche solcher Erhebung fähig — Gellert ist auch hier der Vorläufer Lessings, nur mehr aus Herzenswärme als überlegener Einsicht, wie denn auch die Figur des Nathan hier bereits in dem jüdischen Wohltäter und Erretter des Grafen aus Sibirien vorgestaltet ist. Was im übrigen über Erziehung und andere Lebensdinge in den Roman eingeflochten ist, gehört zu den schönsten und freiesten Dokumenten Gellertscher Lebensweisheit, und behauptet sich auf derselben Höhe wie seine Fabeln, mit denen er ins Volk wirkte, wie seine moralischen Vorlesungen, mit denen er die studierende Jugend in Bann hielt.

Es ist kein Wunder, wenn dieser Mann verehrt und geliebt wurde; wenn Bauern ihm, für die Erhebung, die sie in seinen Fabeln erfahren hatten, etwa eine Ladung Holz vors Haus fuhren, oder preußische Offiziere ihm Trophäen aus ihrer Schlachtbeute aufdrängen wollten, während der sächsische Adel ihn vertrautesten Umgangs würdigte, und die Könige von Preußen und Sachsen wetteiferten, ihm Wohltaten zu erweisen. Wenn bei der preußischen Invasion der Geburtsort Gellerts allein von einer Kontribution verschont blieb, wenn Friedrich der Große in Gellert allein die deutsche Literatur ehrte, so besagt das für die Reichweite seines Ruhms und Einflusses etwas, was nicht leicht sonst einem Deutschen als geistigem Menschen zuteil ward.

1751 hatte Gellert eine außerordentliche Professur für Philosophie in Leipzig erhalten, ein Ordinariat lehnte er auch in der Folge wegen der damit verbundenen Geschäfte und Verpflichtungen ab, denen seine stete Kränklichkeit nicht gewachsen war. Er blieb unverheiratet, und war doch für viele gerade der Berater in Liebes- und Eheangelegenheiten; manches vornehme Mädchen machte ihn zum Vertrauten und legte die Entscheidung über ihr Glück in seine Hände. Seine Ferien verbrachte er bei den Vitzthums und Bünaus auf ihren Gütern, und eine große Korrespondenz, vor allem mit Damen, zeigt ihn von der liebenswürdigsten Seite, aber nicht nur als gewandten, sondern immer auch als bescheidenen Menschen, der doch seines Werts in aller Stille sich bewußt ist. Er schreibt Briefe, oft um seinen Partnerinnen den rechten Stil im Deutschen, statt des gewohnten französischen, auf eine taktvoll lehrhafte Art angenehm zu machen, wie er auch über Briefe ein Kolleg liest, in dem er eigne und fremde Schreiben kritisch durchgeht. In seinen Briefen wie in seinen Vorlesungen und anderen Werken sah er auf Allgemeinverständlichkeit, Deutlichkeit und Anmut. „Mein größter Ehrgeiz", schreibt er, „besteht darin, daß ich den Vernünftigen dienen und gefallen will, und nicht den Gelehrten im engeren Verstande. Ein kluges Frauenzimmer gilt mir mehr, als eine gelehrte Zeitung, und der niedrigste Mann von gesundem Verstande ist mir würdig genug, seine Aufmerksamkeit zu suchen, sein Vergnügen zu befördern, und ihm in einem leicht zu behaltenden Ausdrucke gute Wahrheiten zu sagen und edle Empfindungen in seiner Seele rege zu machen." Er war zudem wohl der erste deutsche Autor nach Leibniz, der in den katholischen Landesteilen ebenso gelesen und geehrt wurde wie in seiner protestantischen Heimat; seine Schriften allein waren z. B. in Österreich von dem allgemeinen Verbot, nichtkatholische Bücher zu lesen, ausgenommen. Katholische Geistliche dankten ihm für seine geistlichen Lieder; Michael Denis von der Gesellschaft Jesu, der erste metrische Übersetzer Ossians, stand mit ihm in Briefwechsel und veröffentlichte eine rührende Ode auf seinen Tod. Es ist bekannt, ein wie großer Verehrer von Gellert Mozarts Vater Leopold war und deutsche Dichtung und Philosophie einzig in ihm dort als Familientradition lebendig gewesen scheint.

Merkwürdig bleibt es zu denken, daß bis 1750 Gellert in derselben Stadt mit Bach gelebt und gewirkt hat — ob Gellert, der fleißige Kirchgänger, je einen Eindruck von ihm empfing? Bach hat die Herausgabe seiner geistlichen Oden und Lieder jedenfalls nicht mehr erlebt; sie erschienen erst im Jahre 1757. Aber sein Sohn Philipp Emanuel hat Choräle von ihm komponiert, ebenso wie Hiller und Quantz, und schließlich noch Beethoven, in dessen Vertonung der Gesang „Die Himmel rühmen des Ewigen Ehre" auch außerhalb der Kirche noch mächtig fortlebt. Die meisten Lieder indes hat Gellert mit den Melodien der alten Choräle versehen; und hier ist es dennoch möglich, daß er noch von Bach einen Hauch verspürte. Ohne Übertreibung aber dürfen wir wohl sagen, daß diese Lieder, die am meisten von allen Gellertschen Dichtungen zu Herzen gehen und sich in Volk und Gemeinde am längsten bewahrt haben, wohl kaum anderswo als in der Leipziger kirchlichen Atmosphäre entstehen konnten. Gellert empfand hier ganz konservativ und wußte, daß das geistliche Lied einem andern Gesetz gehorcht als das weltliche. So schreibt er in seinem Vorwort: „Es muß in geistlichen Liedern zwar die übliche gewählte Sprache der Welt herrschen; aber noch mehr, wo es möglich ist, die Sprache der Schrift; diese unnachahmliche Sprache, voll göttlicher Hoheit und entzückender Einfalt. Oft ist der Ausdruck der Lutherischen Übersetzung selbst der kräftigste; oft giebt das Altertum desselben der Stelle des Liedes eine feierliche und ehrwürdige Gestalt; oft werden die Wahrheiten, Lehren, Verheißungen, Drohungen der Religion dadurch am gewissesten in das Gedächtnis zurückgerufen, oder die Vorstellungen davon am lebhaftesten in unserm Verstand erneuert . . . Bei den meisten dieser Lieder habe ich auf Kirchenmelodien zurückgesehen, von denen ich zu Ende des Werkes ein Verzeichnis angehangen; und wie die

Declamation des Redners seiner Rede das Leben giebt, so giebt oft die Melodie erst dem Liede seine ganze Kraft." Und so wird denn sein Weihnachtslied „Dies ist der Tag, den Gott gemacht" auf dieselbe Weise gesungen wie das Luthersche „Vom Himmel hoch, da komm ich her", daß für unser Gefühl kaum ein Unterschied ist; „Nach einer Prüfung kurzer Tage" auf die Melodie „Wer nur den lieben Gott läßt walten"; „Wenn ich, o Schöpfer! deine Macht" auf die Melodie „Sei Lob und Ehr dem höchsten Gut", und so fort. Vor allem in den Lobgesängen ist Gellert unerschöpflich — „Wie groß ist des Allmächtgen Güte" oder „Gott, deine Güte reicht so weit, so weit die Wolken gehen", „Mein erst Gefühl sei Preis und Dank" — das alles sind für den, der mit ihnen aufwuchs, unvergeßliche Eindrücke schon der frühen Kindheit. Mit diesen Gedichten geht ein deutscher Poet, dessen Bedeutung für die Nation sonst auf ganz anderen Gebieten zu liegen scheint, noch einmal ganz in den Dienst am Altkultischen ein und tritt zugleich herüber in die große Tradition der protestantischen Musik; und diese in einem Späten bewahrte Fähigkeit und Möglichkeit ist vielleicht das entscheidende Element von Gellerts Größe, und der tiefste Grund, warum er als der erste der bisher betrachteten Dichter des deutschen Spätbarock noch echt und natürlich fortlebt, nicht bloß dem Namen nach genannt und bloß von Fachleuten noch gekannt. Er ist der erste, der nicht bloß ein Schreibender war, sondern zugleich ein Tönender. — Er ist Ausklang zugleich und Übergang: er gründet noch in einem Objektiven, in Religion und Sitte einer gebundenen Kultur; und führt diese Mächte doch mit neuen Mitteln des vernünftigen Verstehens und Begründens in ein Bereich des Subjektiven und Psychologischen herüber. Mit der Bejahung des Chorals, aber auch mit seinem Singspielversuch, öffnet er den Blick wieder auf die Schwesterkunst; und rivalisiert doch zugleich mit dieser Musik, indem er in einer musikalischen Sprache, gelöster, freier, natürlicher als bisher einer redet. Er knüpft auf eine ungesuchte und gänzlich unhöfische Weise die Verbindung bürgerlichen Wesens zu höfischer Kultur. Und sein nicht gar langes Leben — er starb 1769 im Alter von erst vierundfünfzig Jahren — umfaßt als Zeitgenossen noch so entgegengesetzte Welten wie die von Bach und Goethe: Bach, den schon ganz in sich zurückgezogenen, der im lauten literarischen Leipzig sich in Einsamkeit und Stille unverstanden vollendet; Goethe, der als junger Studierender in demselben Leipzig dichterisch beginnt, noch Gellerts Vorlesungen hört und ihn selbst besucht.

Aber zwischen diesen beiden lebt ja nun damals, kaum zehn Jahre jünger als Gellert, ein dritter Großer und hat eben seine volle Macht entfaltet, reißt zwar nicht das Volk, aber die maßgebende literarische Schicht zu hoher Begeisterung hin: Klopstock, der Gellert durch seine religiöse Richtung näher hätte sein müssen als ein anderer — und doch scheint Gellert ihn als Dichter völlig zu ignorieren, obgleich er herzlich und freundschaftlich mit ihm steht und noch mehr durch die gleichen Freunde mit ihm verbunden ist. Haller und Hagedorn fühlt er sich einzig als poetischen Vorgängern und Zeitgenossen verpflichtet, dem einen in der Gesinnung, im sittlich-Religiösen, dem andern in Form und Stoff; aber Klopstock ist ihm fremd, ist ihm irgendwie wider die Natur. Er vermag gerade das, was Klopstock versagt ist: ein Ewiges — das volkstümliche geistliche Lied. Aber in allem andern ist er der Mensch der Mitte, im Raum der Nation sowohl wie in der Zeit, — eine höhere Welt, die älter und zugleich zukünftiger ist als die seine, drängt mit Klopstock ans Licht: in der Epoche des spielenden Rokoko ein gewaltiger Nachklang des Barock, und ein erster bleibender Ton dessen, was wir unter deutscher klassischer Vollendung verstehen.

Sechstes Buch
Durchdringung der Welten

88.

Wie zu Beginn des deutschen Barock politische Ereignisse eine auslösende Rolle spielten und die künstlerische Entwicklung ihrer selbst bewußt machten, dem bildenden Trieb den großen Aufschwung gaben, so daß man die von Österreich ausgehende Architektur mit dem Namen des „Reichstils" hat bezeichnen können; so ist auch am Ende des Barock ein politischer Vorgang mitbestimmend gewesen, hat das Bestehende untergraben helfen und den Übergang zu einem Neuen angebahnt: es ist der Zerfall des Reichs und seines letzten Stils, was mit Friedrich dem Großen Wirklichkeit wird; es ist das Heraufkommen Preußens als protestantischer Vormacht, was den kulturellen Schwerpunkt der deutschen Existenz verschiebt und dem Literarischen und Rationalen das endgültige Übergewicht über das Bildnerische und organisch-Wachstumsmäßige verleiht.

Diese kulturellen Folgen von unermeßlicher Tragweite sind nicht nur von den Zeitgenossen fast ganz übersehen worden, die in der Hebung des Nationalgefühls durch Friedrichs Taten im Wesentlichen nur das Positive spürten; auch die Folgezeit ist durch die wachsende Bedeutung des Machtpolitischen und seinen unwillkürlichen Einfluß auf die Geschichtsschreibung über die geistige Wende in ihrem ganzen Umfang im Unklaren geblieben — sie hat sich in ihrem Gewordensein lediglich bestätigt gefühlt, ohne mehr von dem Verlust zu wissen, den die Führung durch ein kulturell im tiefsten traditionsloses Land uns gekostet hat. Das dritte politische Ereignis, das dann, zu Ende des Jahrhunderts, in die Entwicklung eingriff, die Revolution, ist schon nur noch von einem geteilten, in Zusammenhalt und geistiger Struktur geschwächten Deutschland aufgefangen worden und hat nicht mehr die Kräfte dagegen mobilisiert, die im Barock noch dagewesen waren — die Zerklüftung und Ohnmacht aller höheren Werte, ihre tiefe Unvolksmäßigkeit und alleinige Pflege durch bloße literarische Bildung, wird, trotz mancher rettender Versuche, das Resultat: ein Zustand, der wiederum für unser Schicksal bis heute maßgebend geworden ist.

In Friedrich II. von Preußen ist dieser Bruch auf eine seltsam faszinierende Weise symbolisiert. Als geistiger Mensch lebt er noch gänzlich in den Formen der überkommenen Kultur — seine Liebe zur Musik, seine durchweg ausländische Bildung sind noch typisch für das Höfische des Barock; aber als Täter und Gestalter ist er schon moderner Mensch mit allem Realismus und aller Illusionslosigkeit des Machtpolitikers und Strategen, des zivilisatorischen Organisators und Reformators seines Staats. Zeitlos über allem aber steht sein philosophischer Charakter, das Genie zum Durchschauen auch seines Tatentums und Kriegerruhms, der Pessimismus seiner menschlichen Haltung, wodurch das Prädikat der Größe bei ihm wohl erst die eigentliche Berechtigung erhielt. Ganz seltsam aber ist es, daß seine Gestalt wie keine andre auf der Höhe des 18. Jahrhunderts als Typus des Zeitstils für die Dauer volkstümlich wurde — der alte Fritz mit Zopf und Dreispitz blieb für den einfachsten Mann der einzige lebendige Inbegriff des ausgehenden Barock, so wie der friderizianische Marsch von Hohenfriedberg oder Torgau bei allem kriegerischen Gehalt zugleich noch Nachklang war einer echten Kultur, und seiner Stilgebundenheit das wirkliche Fortleben verdankte.

Es läßt sich ermessen, wie sehr ein solches durch Geschichtserfolg in den Gemütern aller haftendes Bild, das von der nachmaligen Führerstellung Preußens aus nun immer nachdrücklicher bis zum verpflichtenden Mythos unterbaut wurde, auf die Vorstellung von Sinn und Gehalt des 18. Jahrhunderts zurückwirkte, das Schwergewicht der Betrachtung verschob und die bedenklichen Folgen der in ihm verkörperten kulturellen Entscheidung verhüllte. Die einseitige Ansicht des 18. Jahrhunderts als des Jahrhunderts der Aufklärung ist nicht zuletzt durch Friedrichs des Großen Erscheinung so suggestiv geworden, daß man darüber die schöpferischen Leistungen von Musik und Baukunst und Dichtung auf lange hinaus so gut wie vergaß: denn Aufklärung ward hier durchaus nur im Sinne des Fortschritts, der positiv erreichten Geistesfreiheit verstanden; wobei man nicht beachtete, was dieser Triumph des reinen Verstandes kosten mußte. Aber wie so oft sind geistige Verwirklichungen durch politische Menschen nicht reiner Ausdruck des besten und wahren Wesens einer Zeit, sondern letzter Durchbruch von Strebungen des Gestern, die bereits im Abklingen sind und die tieferen Gemüter nicht mehr in Bann halten. Das berühmte Rescript vom 22. Juli 1740 „Die Religionen müssen alle toleriert werden und muß der Fiscal nur das Auge darauf haben, daß keine der andern Abbruch tue, denn hier muß ein jeder nach seiner Fasson selig werden" ist die praktische Etablierung der Aufklärung in Deutschland, das Resultat der Bestrebungen seit Wolff und Gottsched — aber im Augenblick dieses Sieges war die Stoßkraft der Bewegung schon erschöpft, das Schwergewicht schnellte schon wieder auf die andere Seite: die ernsteren Geister fanden bald nicht mehr hierin Genüge. Selbst ein so kühler und Preußen zugewandter Mensch wie Lessing mußte feststellen, daß die Freiheit in Berlin bloß im ungehemmten Schimpfen auf die Religion bestehe; und von den Musikern wissen wir schon, wieweit die Tyrannei des persönlichen Geschmacks beim König ging, von der Unmöglichkeit einer Kritik an politischen und wirtschaftlich-sozialen Dingen ganz zu schweigen. In den großen Persönlichkeiten, in denen der Rationalismus sich weiterentwickelt, in Lessing, Winckelmann und Kant, ist er bereits mit starken mystischen und idealistischen Zügen legiert, in Hamann und Herder treten ganz andere Gewalten im Denkerischen hervor, und selbst der von ihnen und der Popularphilosophie und Ästhetik zersprengte und totgesagte Stil macht noch einmal seine bindenden Einflüsse auf bisher ihm entzogene Gebiete geltend, wenn Barock und Rokoko in Klopstock, Wieland, den Anakreontikern und geistesmächtigen Nachzüglern wie Heinse nun im Bereich der Dichtung wiederkehren, während er in der Musik von Gluck bis Mozart ungebrochen fortlebt.

Wenn mit Friedrichs des Großen Nachfolger ein Romantiker und bigotter Mystiker den Thron besteigt, in Österreich aber mit Joseph II. ein aufgeklärter Fürst und Schüler Friedrichs heraufkommt, so zeigt diese überraschende Vertauschung der Rollen im Politischen nur an, was gleichzeitig im Geistigen geschieht: die gewaltige Durchdringung der bisher getrennten Mächte und Gebiete, das wechselseitige Berühren und Zusammenklingen nördlicher und südlicher Kultur, deren bedeutendstes Symbol in diesem Zeitraum die Freundschaft zwischen Gluck und Klopstock ist. In ihnen werden Gipfel einander sichtbar und, wie es kurz auch scheinen wollte, überbrückbar, die in der ersten Hälfte des Jahrhunderts durch dichte Nebelschleier einander verdeckt und entrückt waren; nur daß die große Architektur im Südraum jetzt zu einer neuen Musik sublimiert ist, und an die Stelle der alten protestantischen Musik nun deutsche Dichtung tritt. Was aber in den Niederungen sich bewegt, zu diesen Höhen aufführt oder zu neuen anderen Gipfeln strebt, das zeigt eine Mannigfaltigkeit des Auf und Ab und Hin und Her, eine Fülle der Beziehungen aber auch Kämpfe und Scheidungen, was diesem Bild, bei allem Trieb zur Einheit, die Einheit scheinbar nimmt: so daß man sich nicht wundert, wie diese Übergangzeit uns meist nur fragmentarisch und unter den widersprechendsten Einordnungen und Wertungen zu Gesicht zu kommen pflegt. Ein Umstand hat besonders zu jener mangelhaften und verwirrenden Sicht der Zeit von 1750 bis 1770 beigetragen: das war die allgemein verbreitete Überzeugung, daß sie nur Vorbereitung und unzulängliche Vorstufe sein konnte gegenüber der klassischen Vollendung, mit welcher man vor allem die Literatur in Schiller und Goethe gekrönt sah. Da aber die Vollender selber erst um 1750 geboren waren und ihre Schöpfung kaum noch das letzte Drittel des Jahrhunderts prägte, so konnten die fünfziger und sechziger Jahre gleichsam nur als Kindheits- und Jugendgeschichte einiger großer Genien eine Rolle spielen, wie sie aus Ferne und Alter und von eigener Leistung aus von diesen gesehen und bewertet war. Als solche aber mußte sie geradezu als ein Beginnen aus dem Nichts erscheinen, nur, wie bei jedem Menschenleben, lokalisiert in einem mehr oder weniger kuriosen Milieu, welches von ihnen so bald als möglich überwunden worden war und kaum ein eignes Interesse beanspruchte. So hat es vor allem Goethes Lebensgeschichte in Dichtung und Wahrheit als unvergeßliches Gemälde festgehalten: als die Umwelt, die ein Großer in sich aufnahm, soweit sie ihm für Werk und Leben wichtig wurde, ohne dabei anders als gelegentlich nach Art und Wert des Ganzen damals Existierenden zu fragen. Daß etwa Baukunst und Musik nur zur Sprache kamen, sofern sie in ein Frankfurter Bürgerhaus hineinschienen und wirkten (und das war nur in einem sehr bescheidenen Maße der Fall), das hat ganz eigentlich den kunst- und kulturgeschichtlichen Horizont der deutschen Bildung für mehr als ein Jahrhundert bestimmt. Was bei Goethe nicht vorkam, das wurde selbst für die Wissenschaft auf lange hinaus kein Forschungs- und Darstellungsobjekt. Und ähnlich ging es auch mit anderen Großen: die Meister der klassischen Musik, die mit Goethe gleichzeitig heranwuchs, schienen desgleichen wie aus dem Nichts entsprungen, da von der älteren Musik, die man allmählich wieder zu Gesicht bekam, von Bach und Händel, ganz zweifellos kein Weg zu ihnen führte. Gar in der Architektur wußte man bis noch in unsere Zeit überhaupt nichts mehr von einer älteren Kunstwelt, die dem Klassizismus der Goethezeit ernstlich die Waage gehalten hätte — wo man die Denkmäler des Barock noch sah, blieben sie so unerlebt oder mißverstanden und mißachtet, wie bis zu Goethes Hymnus auf Erwin von Steinbach die gotischen. Es interessierte niemanden, warum diese ältere Welt zugrunde gegangen war — ein besserer Geschmack, die echte Nachfolge der Antike, hatte sie glücklich überwunden. Und so blieb die historische Betrachtung hier geradezu ausgeschaltet und ersetzt durch die fast mythische Annahme einer Schöpfung eben aus dem Nichts; höchstens daß nachdenklichere Gemüter durch die Annahme von einem unwahrscheinlichen Riß, einer unerklärlichen und unüberbrückbaren Kluft beunruhigt wurden, ohne doch die Frage aufzuwerfen, ob die Periode eines Untergangs und Übergangs nicht in sich selber einen Wert besitzen könne, ja ob in ihr die Keime des nachfolgenden Lebens nicht schon enthalten sein müßten, welche, dem Wesen der Natur, und auch der Geist-Natur, gemäß, weit reicher und vielfältiger ausgestreut sein mochten, als hernach davon zur Blüte und Reife gedieh.

Diese Endepoche des Alten, die zugleich Übergang und Zwischenepoche zum allbekannten Neuen ist, wird uns aber erst deutlich und faßbar, wenn wir sie nicht mehr nur als bloßes Vorspiel und überwundene Vorstufe des Künftigen betrachten, sondern einmal den Inbegriff und Abschluß alles damaligen Strebens in ihr zu sehen versuchen, wie ihn die Besten und Größten damals in der ihnen vergönnten Spanne erlebten. Wir werden dann auch die Kräfte gewahren, die schließlich das Werden in andere Bahnen leiteten, als es jenen vorschwebte, ohne dabei, soweit es möglich ist, diese Kräfte als die später triumphierenden lediglich posthum, von ihrem faktischen Erfolg aus, zu bewerten.

Dasselbe gilt entsprechend fürs Politische: das uns hier zwar nur als allgemeiner schicksalhafter Hintergrund erscheinen kann, in seinen kulturellen Auswirkungen aber im einzelnen die spezifische Geistigkeit der verschiedenen Länder und Städte bestimmt. Und da ist es nun keineswegs so gewesen, daß mit dem Sieg Friedrichs des Großen bereits eine weitgehende Zentralisierung unsres Geisteslebens in Preußen stattgefunden hätte; auch die gern gebrauchte Symbolisierung deutscher Grundrichtungen durch Potsdam und Weimar stimmt selbst für die klassische Zeit am Ende des Jahrhunderts nicht — immer hat man unter Geist hier nur das Geschriebene und Gedruckte verstanden, und das gewaltige Gegengewicht von Wien nicht mitgerechnet; da doch ein Jahr vor Beendigung des Siebenjährigen Krieges etwa Gluck mit seinem Orpheus dort debutiert und der junge Mozart zum erstenmal am Kaiserhofe spielt, Ereignisse, die wohl alles andre gleichzeitig Geschehende aufwiegen; nicht zu gedenken der späteren Entfaltung von Mozart und Beethoven. Und in den Grenzlanden um Wien spielen sich mitten im Krieg die Werdezeiten Glucks und Haydns ab, in Böhmen und Ungarn. Auch Dresden ist mit seiner Musikkultur bis 1760 noch nicht ausgeschlossen, wo erst die Zerstörung durch die Preußen Hasse vertreibt, der verjagte Kurfürst aber noch den Preußen Winckelmann in Rom unterhält. Und weiterhin bleibt überall die Fülle der kleineren Kulturzentren erhalten. Der dänische Hof in Kopenhagen ist für Klopstocks Leben und Schaffen entscheidend geworden und hält bis ins 19. Jahrhundert den Vorrang in der Malerei; Hamburg beherbergt außer Klopstocks Spätzeit und Lessing den größten Musiker des Übergangs, Philipp Emanuel Bach, der hierher 1767, der preußischen Dienste überdrüssig, sich wendet. Den Hof von Bonn darf man für den jungen Beethoven, den Hof Karl Theodors in Mannheim für den jungen Mozart nicht vergessen, so wenig wie für Wilhelm Heinse den Hof von Kurmainz, oder Gotha und Erfurt und später Bayreuth für Jean Paul. Und außerdem bleibt noch für deutsche Weltgeltung der große europäische Schauplatz: London für Christian Bach, Rom für Winckelmann, Frankreich und Italien wiederum für Mozart und

Gluck, England wie einst für Händel so zuletzt noch für Haydn. Gegenüber dieser Vielfalt ist das Berlin von Ramler und Nicolai und zu Zeiten auch von Lessing, oder das Königsberg Kants zunächst keine vorherrschende Macht; Preußische Landeskinder wie Hamann, Herder, Winckelmann sind im Innersten gegen den dort herrschenden Geist gerichtet, und die Berliner Romantik begründet sich zu Ende des Jahrhunderts erst durch das entscheidende Erlebnis der Kultur des Südens, wie es Wackenroder und Tieck erfahren. Es sind weder große schöpferische Persönlichkeiten, noch große geistige Bewegungen, die original etwa Berlin und die norddeutsche Geistigkeit ganz allgemein charakterisieren: es ist ein Mittelmaß, ein Mittelstand im Geist, was hier den Ton angibt, die Segnungen der vom König gewährten Denkfreiheit genießt, und seine sublime Skepsis und Illusionslosigkeit zu einer bürgerlichen Verständigkeit und Nüchternheit verbreitert. Aber freilich gehen von Preußen auch die großen Revolutionen des Verstandes aus, die zwar in der Zeit noch ausgewogen werden durch die künstlerischen Schöpfungen des ganzen übrigen Deutschland, in der Folge aber das deutsche Geistesleben in gefährliche Einseitigkeiten hineindrängen: Kants kritische Philosophie, Winckelmanns rationalisierte Antike, und Lessings, des zu Preußen übergetretenen Sachsen, Literatur- und Kunstkritik. Denn für Wahlverwandte besitzt die Atmosphäre eines überlegenen Verstandes ihre Anziehungskraft, wie sie noch den Sachsen Fichte und den Schwaben Hegel in Bann schlägt und in Schiller denkerischen Ehrgeiz entbindet; während sie Andere ursprünglich zu ihr gehörige abstößt und, wie Hamann und Herder, zu Stiftern einer Gegenbewegung macht. Eines aber wird das gemeinsame Merkmal des norddeutsch-protestantischen Raums: die Darstellung und Ausbreitung des Geistigen allein durch Wort und Schrift, der alleinseligmachende Glaube und Aberglaube an das, was man Schwarz auf Weiß besitzt, bei weitgehendem Verzicht auf die sinnlichen, musischen, bildnerischen Formen und Medien des Geistes. Auch diese Eigenheit wirkt sich überwältigend erst gegen Ende des Jahrhunderts aus und begründet schließlich den einseitigen Charakter der deutschen Bildung, in welcher auch das große Musische der Dichtung nur rationalisiert zu Aneignung und Aufnahme gelangt; so daß für eine breite und auch über die Schöpferischen dominierende Mittelschicht das zur Durchführung gelangt, was der erste Sendling des östlichsten Preußens, Gottsched, einst in Deutschland hatte zur Herrschaft bringen wollen.

Aber, wie gesagt, im 18. Jahrhundert selbst sind dieser rationalistisch-abstrakten Tendenz überall noch Gegenkräfte erwachsen, haben sich immer wieder siegreich durchgesetzt, so daß nicht zuletzt hierdurch dieses Jahrhundert den hohen Rang gegenüber den späteren deutschen Zeiten behauptet.

89.

Nächst den großen Musikern und Architekten des Barock ist wohl kaum einem Künstler Geltung und Fortwirken so durch diese Entwicklung beeinträchtigt worden, als Klopstock, dem Wiedererwecker der deutschen Dichtung. Er, der eigentlich als klassischer Vollender dieser Epoche auf die Dauer sich hätte behaupten müssen, wurde zum halbvergessenen und fast belächelten Wegbereiter der „wahren" Weimarer Klassik herabgedrückt, deren Vertreter ihm zwar zum Teil an Genie mochten überlegen sein, aber gerade das nicht mehr besaßen, was ihm noch gegeben war: Ausdruck eines in sich geschlossenen Ganzen zu sein, sondern schon völlig der Problematik des Subjektiven angehörten, das aus den Trümmern des gewesenen Stils sich neue Seelenräume zu erbauen suchte, die nur für eine auserlesene kleine Schicht noch Geltung haben konnten.

Freilich wäre es falsch, zu sagen, daß Klopstock sein Werk in völliger Naivität erschaffen hätte und von den rationalistischen Tendenzen seiner Epoche gänzlich unberührt geblieben wäre. Er ruht nicht auf einer in Jahrhunderten gewachsenen Tradition wie Bach oder die Meister des bayerischen und fränkischen Barock; er muß nach unerprobten willkürlich gewählten Vorbildern sich Formen bilden, die dennoch das zum Ausdruck bringen sollen, was auch die Musik und Baukunst damals noch im tiefsten trägt: das christliche Fühlen und Glauben, das noch die ganze Irdischkeit zu durchdringen und in sich zu fassen strebt. Denn in der Dichtung ist hier seit dem Mittelalter alle organische Überlieferung abgerissen, oder hat, wie im Choral, nicht in der Poesie, sondern in der Musik ihre Weiterbildung zu größeren Formen gefunden. Um so gewaltiger ist die Kraft Klopstocks einzuschätzen, mit welcher in ihm die erwachende Dichtung die Entwicklung gleichsam rückgängig zu machen und das in die Musik hinein Gerettete nun für sich zu reklamieren suchte.

Aber im Grunde muß Klopstock ja noch viel weiter zurück. Das hohe Amt eines christlichen Sängers, das er sich ersah, hatte es ja als bewußte Berufung auch im deutschen Mittelalter nicht gegeben — ein Dichter wie Dante hatte hier gefehlt; man schrieb geistliche Epen in der Art von Weltchroniken, es lebte ein herrliches geistliches Lied und geistliches Spiel; aber wir müssen bis in die Vorzeit zurückgehen, um etwa im niederdeutschen Heliand die bewußte Verherrlichung des Lebens und Leidens Christi zu finden. Klopstock hat den Heliand gekannt und selbst herauszugeben beabsichtigt; er hielt ihn für die bedeutendste Dichtung bis zur Reformation. Aber indem er auf die ältesten abendländischen Quellen zurückblickte, die ihm Bestätigung für sein christliches Sängeramt sein konnten, griff er zugleich nach der Form, in welcher den Deutschen der geistliche Gehalt zugekommen war, nach der lateinischen, klassisch-römischen. Sein Humanismus, der ihm so selbstverständlich war, daß er sich in althochdeutschen Hexametern versuchte, um dem andern Verfasser einer Evangelienharmonie, Otfrid, ernstlich nahe zu kommen, verliert hier das schulmäßig Befangene und gewinnt einen ursprünglichen Sinn: es sondern sich ihm die Herkunftselemente des Christlichen und Dichterischen nach Gehalt und Form; und Dichten ist ihm, nach der doppelt möglichen Etymologie, ebenso Verdichten wie Diktieren, das heißt sich selber in die schriftgemäße Form zwingen, welche, seit dem Verklingen der Alliteration, grundlegend vom Lateinischen bestimmt war. Aber an die frühesten von der Musik mitgestalteten Formen wie an den gereimten Hymnus knüpft er nicht an — alles Reimwesen ist ihm durch die letzten deutschen Anwendungen im Knittelvers und im Alexandriner verleidet. Und da mit dem Lateinischen sofort auch die Höhepunkte der klassischen Latinität auftauchen, wird für einen Dichter, der das Größte anstrebt und nach den maßgebenden Werken der Weltliteratur Ausschau hält, im Epos Virgil, der „Vater des Abendlandes", sein Geleiter, wie er dem größten christlichen Dichter schon als Führergestalt sich gesellte; und in der Ode Horaz. Mag er sich auch einen „Zögling der Griechen" nennen, mag er durch seine humanistische Erudition dazu auch schon berechtigt sein — er ist noch Barockmensch genug, daß ihm, wenn er Homer meint und sagt, tatsächlich Virgil allein lebendig vor Augen steht und der große Name Pindars nur eine mythische Umschreibung und Rechtfertigung der allein geläufigen und alles bedingenden Horazischen Weise bedeutet.

Mit diesen antiken Formelementen, genau in der Art, wie man in Baukunst und Malerei oder Oper mit der freien Nachbildung des Römischen überall das Griechische zu besitzen glaubt, schafft sich Klopstock die neue polare Spannung zum Christlichen, wie sie die übrigen Künste sich schufen und wie sie das Wesen des Barock überhaupt bedingt. Es ist keine Frage, er baut mit seinen Versen auf eine strenge, zugleich monumentale und handwerkliche Art. Er leistet hier relativ spät und aus einem ganz persönlichen Entschluß, was in den anderen Künsten allmählicher und anonymer sich herausgestaltet hatte, wie in der Architektur etwa durch die italienischen Formen hindurch. Und so erklärt sich das zunächst Überraschende und für unser heutiges Gefühl so Fragwürdige, daß das Erleben der christlichen Glaubensgemeinschaft, die doch noch als ein ganzes Volk umfassend gedacht wird, in der unvolksmäßigen Form des Hexameters seinen Ausdruck findet. Damit ist von vornherein der kultische Charakter seines Epos, des Messias, in Frage gestellt, das heißt seine Einordnung in den Gottesdienst, welches Verehrer Klopstocks immer wieder und bis heute für möglich gehalten haben: man denke sich nach der Verlesung des Lutherschen Bibeltextes Gesänge des Messias rezitiert — ihre große Wortkunst wird vor dieser elementar und ewig deutschen Rede alsbald wie etwas Künstliches verblassen. Die Verskunst Klopstocks fügt sich nicht zu Bibel, Predigt, Choral, wie die Kontrapunktik Bachs, so gelehrt auch diese ihrem Ursprung nach sein mag — das Späte, Gewollte und Vorsätzliche der dichterischen Baukunst kann die sinnliche Macht und Eindringlichkeit der Tonbaukunst nicht mehr erreichen.

Trotzdem gehört nun aber gerade auch dies zu den unvergänglichen Taten Klopstocks, daß er als Erster in voller Bewußtheit den Agon mit der Musik aufzunehmen suchte; denn soweit es der Dichtung überhaupt möglich war, wurde sie bei ihm Musik, Musik aus eigenen Mitteln, die allerdings vor der wirklich Ertönenden notwendig Schatten und Schemen wird. Dennoch geht von hier der Anstoß aus zur Wiedergewinnung des eigenen sinnlichen Elements — erst seit Klopstock klingt unsre Dichtung wieder im hohen Klang und Überschwang des Gefühls, wenn auch diese Wortmusik in der Folge weniger der religiösen Dichtung als der weltlichen Lyrik ganz allgemein zugute kam, die ja Klopstock selber mit seinem Oden-Werk begründete. Ja bei der Ode wird der Wettkampf mit der Musik noch deutlicher, da hier, wie bei der Musik, Takt und Tonart dem Gedicht mit dem bindenden Metrum vorangesetzt werden — was der heutige Leser für Spielerei oder pedantisches Prunken mit fremder Gelehrsamkeit hält, ist in Wahrheit ein Symbol für die musische Gleichsetzung des Gedichts mit dem Tonstück. Und man muß nur staunen, wie hier die fernen fremden und wirklich nach Herkunft gelehrten Formen horazischen Strophenbaus zum tiefsinnigen Gleichnis nordischer Kunstwelten werden und ihrer Entwicklung sich einreihen.

Das Humanistische, Gelehrte, philologisch-Rationale ist bei Klopstock also kein isoliertes und zerstörendes Element; es ist mit seinem klanglich-Musikalischen und bildhaft-Visionären in fruchtbarer Spannung und immer wieder erreichtem Gleichgewicht; vor allem wird es durch sein christliches Grundgefühl noch überall gebunden und getragen. Denn auch seine Ode empfängt den hohen feierlichen Ton, die erhabene Anrede und Betrachtung auch des Weltlichen aus seiner Glaubenssicherheit heraus — sie ist nur denkbar gewesen vor dem großen Hintergrund des religiösen Epos. Sei dieses nun im letzten geglückt oder nicht, spreche es etwa nicht mehr so stark zu späteren Zeiten wie zu den Menschen seiner Epoche, es steht im Zentrum seines Schaffens von der ersten Prosa-Niederschrift der ersten drei Gesänge im Jahre 1745 an bis zum Erscheinen des letzten Bandes im Jahre 1773, und bestimmt seine Geltung bei den Mitlebenden; denn die erste authentische Sammlung der Oden kommt erst 1771 ans Licht. Es geht ihm hierin wie den großen Baumeistern und Musikern der Epoche: ihre weltlichen Werke sind so groß und berühren uns so stark, weil sie noch mit ihrem tiefsten Wollen in einer religiösen Schöpfung beheimatet sind. Und so ist denn im Grunde der Ursprung der neueren Lyrik, der von Klopstocks Oden sich herleitet, ein Ursprung aus der Religion: im Angesicht der scheinbar alles beherrschenden Aufklärung ein ganz erstaunliches Ereignis, besonders in einer relativen Spätzeit, wie es die Mitte und die zweite Hälfte des 18. Jahrhunderts für einen solchen Vorgang in den Künsten war. Dieser Ursprung hat der deutschen Dichtung auf weit hinaus ihre seelische Fülle und Gewalt gegeben und ihren hohen Rang gesichert; und wenn auch von den nachfolgenden Großen keiner mehr christlicher Sänger im Sinne Klopstocks zu sein begehrte und vermochte: sie stehen allesamt in seiner Schuld und in der Schuld des christlichen Weltgefühls, das wie von je und überall im Abendland und nun auch in der neueren deutschen Dichtung alles tiefere Seelentum entband.

90.

Es ist bezeichnend, daß man, von dieser gewaltigen Nachwirkung aus, Klopstock wesentlich als Lyriker verstand; denn seine Oden sind das, was uns von ihm noch unmittelbar lebt und keiner besondern historischen Einfühlung bedarf. So hat man auch sein Epos nur um einzelner lyrischer Schönheiten willen gelten lassen wollen, es aber ebendaher im Ganzen für mißglückt erklärt und nicht gemäß den Erfordernissen der Gattung, welche, als eine objektive, den direkten dauernden Gefühlsausbruch nicht dulde. Das Unbestimmte, Schweifende, Zerfließende schien völliger Gegensatz des plastisch-Gestalthaften, welches als unbedingtes Gesetz das epische Kunstwerk regiere. Aber ein Kunstwerk in „Gesängen", in seinen frühesten Formen einst als Gesang auch vorgetragen, kann der Gegenmacht des Plastischen, der Musik, ja nicht entbehren; es ist nur die Frage, in welchem Verhältnis diese zum körperhaft-bildlich Erscheinenden steht; und dies wird in den verschiedenen Zeiten ein verschiedenes sein. Es ist bei dem späten Virgil anders als bei dem „ursprünglichen" Homer, beim Nibelungenlied anders als im Hildebrandslied oder im Heliand, im Parzival anders als im Annolied. Der Messias nun ist ein Werk des Barock; und wir werden zu untersuchen haben, ob nicht barocke Gestaltungsgesetze sich in ihm wiederfinden, die vielleicht von den sonst im Epos herrschenden oder willkürlich nach Vorbildern andrer Zeiten übernommenen abweichen.

Das Epos ist „große" Form, und noch im 18. Jahrhundert allen andern, auch der Tragödie, als überlegen angesehene Dichtungsgattung dadurch, daß es weitgespannte, große Räume umfassende Form ist. Der Plural von Gesängen deutet mehr auf eine Vielfalt gleichgeordneter und nur innerlich abgewandelter Räume als auf ein dialektisch in Kontrasten sich ereignendes Geschehen in der Zeit, wie es das Drama gestaltet. Für das echte Epos ist ein gleichbleibendes Grundgefühl Voraussetzung, eine Art Monismus; für das Drama ein schon gespaltenes, problematisches, immer schon ein Dualismus von Frage und Antwort; wie denn das Epos wahrhaft nur gläubigen Zeiten gelingt, die in religiöser Bindung oder im Sagenalter des Geistes stehen. Es ist, auf Erscheinungen einer andern Kunst gewendet, die beide dem 18. Jahrhundert angehören, der Unterschied zwischen der Welt der Fuge und der Welt der Symphonie. Die Fuge erscheint uns, wie das ganze Werk Bachs, dem sie vornehmster Ausdruck ist, als ein bauendes Prinzip; und in diesem Sinne fugiert, gebaut, in immer neuem Einsatz polyphon das Eine verherrlichend, will auch der Messias verstanden werden; womit wir denn die architektonische Gliederung auch der unendlichen Wortmelodik des Klopstockschen Epos erfassen würden, die es weit über die Aneinanderreihung bloßer lyrischer Ergüsse emporhebt. Man hat mit Recht diesen fugierten Stil ja auch im Inhaltlichen, in der eigentlichen Theologie des Messias, nachgewiesen und von dem Harmoniegebäude eines großen Weltkonzerts gesprochen, das sich über dem durchgehenden Grundbaß, der Tiefe der Gottheit, erhebt; wenn da durch das Menschliche der Jünger und ihrer Gegenspieler bis zu den Chören der Engel und ihre Gegenwelt der Teufel der eine Heilssinn überall hindurchgeht und alles als Gliedschaft einer ungeheuren Geisterwelt umfängt.

Für die spezifische Art des Gestalthaften, welches diese Geister und Geistigkeiten innerhalb ihrer musikalischen Architektur verkörpert und dem inneren Auge anschaubar macht, kann man dann nur die wirkliche damalige Architektur zum Vergleich heranziehen, sofern sie auf eine besondere und eben nur im Barock mögliche Weise Bildhaftes in sich faßt: es sind die Deckenfresken der katholischen Kuppelkirchen Österreichs, Bayerns, Frankens, zu denen die epische Malerei Klopstocks die überraschendste Verwandtschaft besitzt. Auch

sie sind durchwaltet von einer unendlichen Melodie, sind voll musi-
kalisch-dynamischen Überschwangs und verflattern und verschwim-
men mit ihren Gestalten im Unendlichen: sie wölben einen Himmel,
der bevölkert ist mit aufsteigenden Engelchören und Sturzkaskaden
der Verdammten und Dämonen und sich zuletzt aus kaum mehr
wahrnehmbarem Gewimmel und Getümmel der Heiligen und Seligen
in die reine Glorie des Lichts verklärt und löst, in den schauernd
imaginierten Einbruch der Gottheit. Und sie gründen, bei aller epischen Erzählerfreude und souveränen Schaukraft, in einer komplizierten höchst wörtlich übersetzten Theologie, die oft kaum zu erraten und ganz zu entziffern ist und doch für den einstigen Schöpfer
und Betrachter ganz selbstverständlich in Bilderschrift zu schreiben
und mühelos zu lesen war. Hier ist das katholische Gegenstück zu
Klopstocks protestantischer Geistwelt. Aber hier kommt nun ein Einfluß dieser eben entstandenen und zu Klopstocks Zeit noch schöpferisch lebendigen Bildkunst auf den Dichter infolge der seltsamen
örtlichen und konfessionellen Trennung der deutschen Kunstwelten
in keiner Weise in Frage; um so zwingender erweist sich uns der
bildende Grundtrieb der Epoche, der in so ganz getrennten Gebieten
und in so völlig verschiedenen Ausdrucksmedien das Verwandte,
ja Gleiche hervorruft. Denn die südliche Kultur des 18. Jahrhunderts
erschöpft diesen Trieb allein in einer wunderbaren kirchlichen wie
höfischen Bau- und Bildkunst, und dann, aus deren Bildekräften
heraus, in der neuen katholischen Kirchenmusik von Haydn und
Mozart und in der neuen Form der Symphonie, die beide den musikalischen Überschwang der Raumwelten nachhallen; eine deutsche
Dichtung dagegen, die ähnlich zusammenfassender Ausdruck dieser
Kultur wäre, hat es im Süden nicht gegeben. Im Norden aber fügt
sich an die alte protestantische Kirchenmusik keine neue Musik, sondern Klopstocks christliche Dichtung, die zur neueren Dichtung ganz
allgemein überleitet — hier hat es Baukunst im wesentlichen Sinne
überhaupt nie gegeben, und auch mit der Musik ist es, nach einigen
Übergangsmeistern zur Zeit von Klopstock, in der protestantischen
Welt vorbei. Es wird am Ende des Barock erst deutlich, wie
sehr diese beiden Kunstwelten auf gegenseitige Ergänzung angewiesen sind: es ist kein Zufall, daß gerade Klopstock mit seinem religiösen Epos die Überbrückung der Konfessionen, die schon mit Gellert

begann, ganz ausgesprochen leistet — die Sprache ist ja das, was die Getrennten am ehesten wieder zu verbinden vermag, und die Mitteilung der Dichtung durch das gedruckte Buch gelangt an sich schon in fernere Gebiete als etwa die Kunde von großer Architektur, deren Erlebnis an ihren Ort gefesselt bleibt. Bald folgt der Austausch der anderen geistigen Sprache, der Musik: Gluck und Klopstock wirken aufeinander, die Söhne Bachs beeinflussen die werdende südöstliche Musik; und diese sogenannte klassische Musik wird später so sehr Gemeingut aller Deutschen wie die sogenannte klassische Dichtung und Literatur; und es tritt kaum mehr ins Bewußtsein der Aufnehmenden, daß die eine dem katholischen, die andre dem protestantischen Kulturkreis entsprang. Es bleibt aber von grundlegender Bedeutung, daß die katholische Welt erst dann von deutscher Dichtung andrer Herkunft sich angeredet fühlt, als sie in ihr das gemeinsame Christliche empfindet; und ganz unbewußt muß diese Anziehungskraft sich verstärkt haben durch das theologisch und malerisch Barocke, das man in ihr wiederfand, ähnlich, wie man es selbst in der Symbolik und Allegorik der eigenen kirchlichen Malerei besaß. Unbewußt hat Klopstock den Agon mit dieser gleichzeitigen Malerei aufgenommen, wie er ihn bewußt für seine Komposition und seinen Fugenstil mit der eigenen Musik von Bach und Händel aufnahm — bei ihm tritt seit der Reformation das erste Mal eine heilige Zwischenwelt von Engeln, Genien, Dämonen und erhöhten seligen Sterblichen zwischen die sonst so abstrakt gewordene Gottheit und den erlösungsbedürftigen Menschen, die der Zwischenwelt der katholischen Heiligen und Seligen entspricht. Ist auch seine persönliche Theologie, die ihn hierzu ermächtigt, eine völlig andre als die gleichzeitige katholische, ihre Erscheinungsform und deren Fülle und Vielfalt ist grundsätzlich und im künstlerischen Effekt die gleiche.

Klopstock ist hierin zwar nicht katholisch oder katholisierend, aber von innerer Katholizität in einem überkonfessionellen Sinne, wie ja auch Bach. Und das „Wort" erweist sich auf eine bedeutsame Weise als Verbindung und Mitte zwischen Musik und bildender Kunst: das in der Musik nur mit dem Ohr Vernommene führt es ja nicht nur ins dichterische Weitertönen über, sondern formt es für das innere Auge zu beschriebenen Bildern und Gemälden, die zum Vergleich mit wirklicher Bildkunst laden. Bach aber hat Klopstock nun gekannt, und nur in Bachs Musik, und vorher in keiner Dichtung, war schon die Tiefe eigener Theologie und die Vielfalt der Stimmen, mit denen der Künstler von der persönlichen Ergriffenheit Kunde gab: in der Passion; da nicht nur die Chöre der gläubigen Gemeinde zu den objektiven Reden Jesu, des Evangelisten und der Jünger sich gesellen, sondern auch die persönliche Heilsbetrachtung und mitleidende Anbetung, die in den Arien der männlichen und weiblichen Seelen singt, begleitet von der mystischen Malkunst der Instrumente, die sich aus dem Orchester heraus individualisieren und eine Zwischenwelt irdisch-überirdisch zum Ausdruck bringen. Die unerschöpfliche Sehnsucht und Leidenschaft, die hier aus unendlicher Klage und unendlicher Seligkeit spricht, hallt in den Gesängen und Reden der Engel und heiligen Menschen des Messias nach, und hier wie dort ist dauernde Ekstase und nicht endenwollender Überschwang so sehr der Zustand der aufwärts begehrenden und beflügelt zur Höhe strebenden Seele des Künstlermenschen, daß wir wiederum nur in der ekstatischen Gebärde und Höhensehnsucht barocker Freskenkunst im architektonisch-bildenden Bereich Vergleichbares finden.

91.

Fragen wir uns, warum bei aller dieser inhaltlichen und formalen Verwandtschaft das Klopstocksche Epos doch nicht dasselbe mehr in uns auslöst wie, beim gleichen Thema, die Bachsche Passion oder ein Deckengemälde der Brüder Asam: so müssen wir zunächst auf jene Begrenzung verweisen, die schon damit angedeutet wurde, daß der Messias infolge der Einführung des künstlich-gelehrten Maßes, des unmittelbar der Antike nachgebildeten Hexameters, kein kultisches Werk mehr ist und schon zu seinen Zeiten keine volksmäßige Wirkung mehr zu üben vermochte wie jene andern Offenbarungen der Musik und bildenden Kunst. Wie wenig es Klopstock gegeben war, den gottesdienstlichen Ton zu treffen, erweist seine Bemühung um die Reform des Kirchenlieds: die hohe artistische Verantwortung, die ihm sein Sprachgewissen eingab, führte, da er sich zum Volke herabließ, eine seltsame Erkältung und Vernüchterung mit sich. In der Vorrede zu seinen eigenen geistlichen Liedern ist sehr viel von „Herablassungen" die Rede — der Dichter in ihm, der sonst gewiß ist, „die Religion in ihrer ganzen Schönheit und Hoheit vorzustellen", fühlt sich im Widerspruch zu dem Verfasser von Liedern, „der nicht nur für Viele, sondern für die Meisten" schreibt, und will dennoch zeigen, daß man sich hierbei „nicht zu weit herunter zu lassen" braucht, „das ist, der Religion durch die Vorstellungen, die er auf diese Art von ihr machen könnte, zu schaden" — und verfehlt den Ton. Schlimmer aber ist es, wenn er in seinen „Veränderten Liedern" die alten Texte, wie er meint, behutsam und oft nur in einigen Zeilen zu verbessern sucht. Wenn da „Komm heiliger Geist Herre Gott" ersetzt wird durch „Komm, heiliger Geist! Tröster! Gott!" oder „Mitten wir im Leben sind von dem Tod umfangen" geändert ist in „Wir der Erde Pilger sind von dem Tod umfangen"; wenn das zarte „Schmücke dich o liebe Seele" jetzt heißt „Müde, sündenvolle Seele"; wenn der ganze Gleichnissinn eines Liedes in Allgemeinheiten verkehrt wird wie in dem herrlichen „Wachet auf! ruft uns die Stimme", wo schon die zweite Zeile „der Wächter sehr hoch auf der Zinne" travestiert wird in „Vom Heiligtum der Wächter Stimme" und es nun weiter geht „Mitternacht heißt ihre Stunde / Wie Donner tönt's aus ihrem Munde / Wach auf, wach auf Jerusalem / Der Gräber Todesnacht / Ist nun nicht mehr! Erwacht! /... Macht euch bereit / Zur Ewigkeit! / Sein Tag, sein großer Tag ist da!" statt „Mitternacht heißt diese Stunde! / Sie rufen uns mit hellem Munde: / Wo seid ihr klugen Jungfrauen? / Wohlauf der Bräutigam kömmt; / Steht auf, die Lampen nehmt... Macht euch bereit / Zu der Hochzeit / Ihr müsset ihm entgegen gehn" — so scheint ein reiner Aufklärer und nüchterner Purist zu sprechen, der einiger unreiner Reime und widerspenstiger Rhythmen halber oder wegen eines zu konkreten Bildes den großartigen Wurf des naiven Sängers zerstört; und es ist doch nur der allzu kunstgeübte Dichter des Barock, der die gleichsam gotische Herbheit einer noch an Luther geschulten Sprache nicht mehr erträgt, zu welcher allerdings die choralische Urmelodie, als mit den Versen entsprungen und fest verwachsen, gehört; welche Klopstock nun durch seine auch mit der Begleitung rivalisierende Wortmusik zu ersetzen sucht: ein hier gänzlich überflüssiges und unmögliches Unterfangen.

Weit mehr noch als das dem Dichter überhaupt im Grunde ungemäße gereimte strophische Lied ist nun sein Hexameter nur für
das Lesen und, bei aller inneren Musik, nicht für das öffentliche Erklingen geschrieben. Man kann den Messias wohl einem anderen
vorlesen, ihn in einem kleinen Kreise laut lesen, wie man ihn sich
Wort für Wort sinnlich tönend auch beim stillen Lesen wird imagi-
nieren müssen; aber der Versuch des Vorlesens bereits wird nur
kleinste Strecken weit, kaum einen Gesang hindurch, gelingen, weil
die Häufung von Bildern und Klängen die Vorstellungskraft ermatten
läßt in der allzu gleichmäßig hoch daherströmenden Flut. Denn das
Wogende und rhythmisch Weiche, scheinbar Unexakte des Klopstockschen Hexameters bedarf, um die monumental gedachte Form
aufrechtzuerhalten, um so strenger der Cäsur, der steilen Pause zwischen Zeile und Zeile, die zugleich ein Verweilen ins Schauen und ein
Atemholen in das sonst ungezügelt Vorwärtseilende bringt. Das
wird durch das Zeilenbild dem Auge unwillkürlich beim Lesen bewußt und eingeprägt, wird aber beim Vortragen nur einer höchsten
Sprechkunst gelingen, die es bei uns für andre als dramatische Dichtung nicht gibt.

Man kann im Gottesdienst aus einem Buche etliche Verse zur Vorlesung bringen wie aus der Bibel, die auch das Sanghafte des Psalms
in schlichte rhythmische Prosa übersetzt; man kann aber nicht ein
ganzes Buch rezitieren oder auch nur Gesänge daraus ohne Musik
zum Erklingen bringen — auch das Epos der Frühzeit ist in diesem
Sinne nie kultisch gewesen, wie etwa der Dithyrambus, und auch
das Gedicht Dantes hat diesen Anspruch nie gestellt, den unbedingte
Verehrer Klopstocks heute noch geltend machen möchten. Wenn
Klopstocks Messias von der Geschichte des Erlösers als eigentliches
Geschehen in der Zeit nicht wesentlich mehr umfaßt als Bachs
Matthäus-Passion und sehr viel weniger als Händels Messias, und
zur künstlerischen Verdichtung nicht einige Stunden konzentrierten
Erklingens benötigt, sondern ein umfangreiches Buch von vier Bän-
den, so tritt in diesem Punkte die Architektonik der Dichtung schon
außer Vergleich mit der musikalischen oder wirklichen. Ein Buch,
und wende es sich mit jeder Zeile ans Gefühl, ist gegenüber dem
Kunstwerk der anderen Künste, das noch das Mysterium selber dar-

stellt, doch immer bereits auch Reflexion, Betrachtung über das Heilsereignis, und kann das völlig Gleiche nicht mehr sein und wirken,
was das Mysterium in seinem unmittelbaren Durchgang durch ein
musikalisches oder bildnerisches Medium noch wirkt. Ein Andachts-
bild wird mit einem Blick umfaßt, bringe es auch epische Elemente
und komplizierte dogmatische Symbolik zur Darstellung, genau wie
eine Messe oder Passion in einem begrenzten Zeitraum spielt, der
von der andächtigen Vorstellung noch mühelos zu beherrschen ist.
Das Epos aber gehört in diesem Betracht einer andern Schicht und
Stufe der religiösen Vorstellung an und wird von anderen Sinnen
und Gedanken empfangen. Dichtung, sofern sie nicht Hymnus, Lied,
Choral ist, kann im religiösen Bereich nur Nachklang und reflektierende Auslegung der Anbetung sein, und tritt insofern mit tiefer
Berechtigung erst hervor, wenn die rein kultischen Kunstwerke vollendet sind. Klopstock ist vierzig Jahre später als Bach geboren und
auch von den großen Maler-Baumeistern durch mehr als ein Menschenalter getrennt — er erscheint in dem Augenblick, wo die andern
Künste des Barock am Ende sind oder mit ihren letzten Spätwerken
zu Ende gehen; und das Große an ihm ist, daß er Wesentliches
von ihrer Struktur und ihrem Inhalt noch in seine Dichtung aufnimmt und der Wortwelt eingestaltet. Aber er hat dies eben mit
seinen, der ausgebildeten Dichtung, Mitteln leisten müssen, und in
der Stunde, da Dichtung als ein großes eignes Unterfangen erst hervortritt und die rein dienende Stellung zum Kultischen verläßt —
und solches ist stets erst in reflektierenden Zeiten der Fall, wo die
andere Seite des sprachlichen Mediums, die denkerisch-verstandes-
mäßige, schon mitwirkt und das unmittelbare Singen und Sagen in
ein Nacherleben und Nachempfinden wandelt.

Man unterschätze den gewaltigen Kunstverstand nicht, mit dem
der Messias geplant, an unterschiedlichen Stellen der großen Planung begonnen und in der unermüdlichen Konzentration eines Lebens ausgearbeitet worden ist. Aber das der Reflexion Gehörige sitzt
tiefer als in der bewußten Kunstabsicht und denkerischen Durchdringung, ist grundlegender, trotz allen vorherrschenden Gefühls: es ist
identisch mit dem Gefühlhaften selbst, welches eben bereits Reflex
eines objektiven Geschehens in der Subjektivität eines großen Einzelnen ist, der sich allerdings auserwählt und berufen fühlt, noch für

die ganze christliche Gemeinschaft zu sprechen. Und hier wird uns
nun der Widerhall in der Zeit verständlich, den der Messias fand:
er traf in eine Epoche, die gerade im Religiösen von der orthodoxen
objektiven Gläubigkeit sich zu lösen begann und vor der andrän-
genden aufgeklärten Kritik das Christliche in das reflektierte subjektive Erleben retten wollte und gerade dies im Klopstockschen
Gedicht ausgedrückt empfand: es war der Pietismus, die andre
Grundkraft in der religiösen Sphäre neben dem Rationalismus, der
Klopstock trug und eine schon vorbereitete und gleichsam harrende
Hörerschaft ihm zutrug. Aber wir wissen: der Pietismus war im
Grunde den Künsten abgeneigt: er duldete kaum die Musik, und
Malerei wie Architektur waren ihm im tiefsten zuwider. Andacht
und Anbetung im Wort jedoch schienen ihm nicht durch sinnliche
Verführung vom Wesentlichen abzuziehen: hier entlud sich seine
ganze Versenkungs- und Erlebniskraft und führte der Dichtung sel-
ber ein enthusiastisches und ekstatisches Element zu, das ihr kein
andrer Gehalt in den neueren Zeiten hätte verleihen können.

Ein Jahr, bevor die ersten Gesänge des Messias erschienen, 1747,
schrieb Bach das Musikalische Opfer, und bald darauf die Kunst der
Fuge: Werke, mit denen er sich von der gottesdienstlichen wortge-
treuen Verherrlichung des Glaubens zurückzieht; 1736 hatte er, soviel wir wissen, die Matthäuspassion zum letzten Male aufgeführt,
1740 schrieb er seine letzte Kantate — die große Glaubenszeit der
Musik war vorüber. Und gerade darum konnte sie nun in der Dichtung beginnen. Dieselbe visionäre Verzücktheit, die aus den zahllosen unendlichen Arien der Passion gesprochen hatte, wurde nun in
Klopstocks unerschöpflicher Beschwörung von Bildern und Klängen
der höheren Welt erlebt. Der Fromme fand sein Glaubenserlebnis
hundertfach bestätigt und konnte darin schwelgen wie nur je in den
Erhebungen seiner Buß- und Betpraxis; der um die Dichtung Be-
mühte und nach Phantasie- und Herzensgehalt Hungernde, dem die
bisherige Poesie Steine statt Brot geboten hatte, fand endlich seine
Sehnsucht gestillt und konnte desgleichen sich nicht genugtun — so
strömten religiöses und dichterisches Verlangen zusammen, um in
die neue Möglichkeit, in Worten Höchstes zu erleben, mit einer
Inbrunst sich zu ergießen, wie es immer geschieht, wenn eine noch
nicht dagewesene Form der Kunst sich auftut, die innersten Anlie-

gen der Menschen zu stillen. Es war, als hätte man Dichtung noch nie gelesen, noch nie Gefühl und Phantasie durch Worte in Bewegung gesetzt empfunden. So erklärt sich die Begeisterung, mit der die ersten Gesänge des Messias aufgenommen wurden; so erklärt sich die frische, uns nicht mehr begreifliche Kraft und Fähigkeit, in der Dauer der Gefühlsspannung nicht zu erlahmen, dem immer gleichen Aufschwung willig zu folgen, der Häufung der tönenden Worte und glänzenden Bilder nicht müde zu werden. Wo der moderne Leser Langeweile empfindet, da erfuhr der damalige Mensch zum erstenmal die volle Macht der Dichtung, und suchte sie in jedem Wort und jeder Zeile auszukosten.

92.

Die schöpferische Kraft, die eine solche grundstürzende Veränderung im Medium der Sprache wirkte, wird in ihrem letzten Ursprung immer unerklärlich bleiben und der subtilsten Nachforschung unzugänglich. Strömungen wie der Pietismus, die unserem Blick offen liegen, lassen uns ja nur innewerden, worin Klopstock der Zeit entsprach und sie deshalb so stark berühren konnte. Aber das, womit er diese selbe Zeit über sich hob und noch nie dagewesener Erlebnisse teilhaft machte, ist sein persönliches Geheimnis, wenn er damit auch, wie jeder Große, höchst überpersönlich ein metaphysisches Gebot der Geschichte vollstreckt und gleichsam zu ihrem Organ wird. Hier reichen seine Wurzeln eben durch die Schicht der Zeit in die Tiefe der bildenden Kräfte der Epoche, die wir wohl mit Stil oder Kultur benennen, aber nicht in ihrem Walten ergründen können. Von dieser Gesamtzeit ist die Klopstock unmittelbar umgebende Zeit nur ein Teil, wie etwa der Pietismus in seinem protestantischen Raum. Er aber faßt auch, wie wir anzudeuten suchten, das auf andern Gebieten waltende Musikalische und architektonisch-Bildnerische in sich: und damit wird seine Dichtung, bei allen Mängeln, die ihr anhaften mögen, erst zum großen gründenden Kulturphänomen, wird Dichtung überhaupt für die Neuzeit, und gerade auch gegen ihr Vordergründiges, eine konstituierende nicht mehr wegdenkbare Macht. Hier ist er schlechthin unbedingt und beispiellos, ein völlig unerwarteter Reaktionär vom Schlage Bachs, der die Welt noch einmal zurückzureißen scheint und sie gerade dadurch unermeßlich vorwärts bringt. Dagegen im zeitlich-Vordergründigen, etwa in der reinen Literatur, hat er seine Vorläufer und Vorbilder gehabt: er schließt sich da etwa an die Schweizer, mit welchen ein ernsterer Ton in der deutschen Dichtung begann; wie sie ja auch die Ersten waren, die ihm leidenschaftlich zustimmten und in der gebildeten Schicht über seinen Erfolg entschieden, während die nächsten Freunde über den Messias zunächst verblüfft und ratlos waren. Besonders in Haller hatte menschliches und religiöses Ethos schon einen fast unzeitgemäßen Ausdruck gefunden, und in Gellert hatte sich gezeigt, daß Volksmäßigkeit der Poesie noch immer nur auf christlicher Grundlage zu gewinnen sei. Ja wir können schließlich sogar auf einen hinweisen, der uns deutlich zur Anschauung bringt, was aus Ursachen, die wir zu kennen meinen, im besten Falle folgen konnte ohne die Einmischung einer unvorhersehbaren genialen Kraft: und das ist Jacob Immanuel Pyra.

Denn dieser ist unmittelbar aus der Hochburg des Pietismus in Halle hervorgegangen, ein begabter und hoffnungsvoller Dichter, ob ihn gleich heute niemand mehr liest, ja kaum dem Namen nach noch kennt, da er allerdings mit neunundzwanzig Jahren auch schon starb. Er war 1715 in Cottbus geboren, und als er 1735 die Universität Halle bezog, geriet er unter den Einfluß des Professors Johann Joachim Lange, neben Francke der bedeutendste Vertreter des Pietismus, der uns als fanatischer Gegner des Philosophen Wolff bereits bekannt geworden ist. Mit dessen Sohn Samuel Gottlob Lange wurde Pyra innig befreundet; und im Pfarrhaus zu Laublingen, wo dieser, vier Jahre älter als Pyra, seit 1737 amtierte, hat die schönste Zeit dieser Freundschaft gespielt, deren Denkmal die später von Bodmer herausgegebene Sammlung „Thirsis und Damons freundschaftliche Lieder" wurde. Die literarische Herkunft Pyras ist unschwer zu verfolgen, wenn man darunter die äußere Beeinflussung durch Gelesenes versteht: formal wie inhaltlich ist auch hier das Vorbild der Schweizer entscheidend. Bodmer und Breitinger nicht weniger wie Drollinger hatten sich bereits gegen den Zwang des Reimes aufgelehnt, Haller und Drollinger hatten das ethisch-religiöse Element wieder zu Ehren gebracht, das Bodmer theoretisch forderte. Sämtlich gingen sie auf

Milton zurück, wo der religiöse Gehalt mit dem reimlosen Vers vereint war; und die Engländer sind es auch, auf welche Pyra bei seinen ersten dichterischen Versuchen zurückgreift. Daneben gehen eigene Studien der antiken Poesie: die Äneis ist es, woran Pyra als Übersetzer sich sprachlich schult; die erste Probe liefert er noch in gereimten Alexandrinern (1736); aber bald entschließt er sich zu einer reimlosen Bearbeitung in einem „heroischen" Versmaß nach dem Vorbild Günthers (in achtfüßigen Jamben). Hier mag auch Gottscheds Vorgang mitgewirkt haben, der 1736 den „Versuch einer Übersetzung Anacreons in reimlosen Versen" gegeben hatte; und in Gottscheds Beiträgen zur kritischen Historie der deutschen Sprache, Poesie und Beredsamkeit erscheinen 1737 auch die ersten 160 Verse der Virgilübersetzung Pyras, der damals noch einen lebhaften Briefwechsel mit dem literarischen Diktator Deutschlands unterhält, zu dessen Sturz er später so nachdrücklich mithelfen sollte. Die eigene dichterische Produktion beginnt mit einem komischen Heldengedicht im Stil von Popes Lockenraub; Gegenstand ist das studentische Leben der Zeit, wie es später in Zachariäs Renommisten parodiert worden ist. Auf Pope geht auch der Aufbau von Pyras berühmtestem Werk zurück: sein Temple of Fame von 1711 hat das Vorbild zu Pyras „Tempel der Dichtkunst" von 1737 abgegeben, auf den auch Voltaires Temple du gôut nicht ohne Wirkung gewesen sein kann, der kurz vorher, 1733, erschien.

Hier ist ein ausgesprochen barockes Motiv lebendig geworden, das unmittelbar aus der Kultur des Parks mit seinen mannigfachen allegorischen Architekturspielen herübergenommen ist. Aber der Reichtum und phantasievolle Wechsel der Landschaft weist schon auf das Prinzip des „englischen" Gartens, der hier in die Literatur einzieht, noch ehe er als menschlich beziehungsreich gestaltete Natur der Schauplatz des zu ihm gehörigen empfindsamen und schwärmerischen Erlebens wird.

Was wir von Anbeginn als ein wesentliches Prinzip der barocken Baukunst beobachteten: die Symbolik des Weges, das Prinzip der Hinleitung zu einem Erlebnis durch eine Reihe von Stadien oder Stationen hindurch, das wird hier ganz in die dichterische Vision verlegt; und da gewinnt es seltsamerweise eine Ähnlichkeit mit der Art der Schau, wie Dantes Wanderung sie einst entrollt hatte, wenn wir auch von der

Kenntnis dieses Dichters kaum etwas voraussetzen dürfen. Es ist reiner persönlicher Zufall, wenn auch hier der Name Virgils auftaucht gleich zu Beginn: der Dichter, der Virgil übersetzt hat und Horaz nachstrebt, jetzt aber zum Saitenspiel „Davids Psalm" anstimmen will, wird von der „Heiligen Poesie", die ihm in perlenweißem Kleid, den Kranz von lichten Sternen im Haar, erscheint, in seiner Entscheidung für die ausschließlich christliche Dichtung bestärkt: sie wird ihm Führerin, und nicht Virgil, wenn sie ihn auch milde über seine bisherigen Versuche belehrt „ich tadle dies zwar nicht / Doch meide nur den Tand verworfner Götzenfabeln" — die Absage an das Klassische als möglichen Gehalt moderner Kunst ist damit deutlich vollzogen und so eine Vorentscheidung über das deutsche Spätbarock getroffen, wie sie nur im Literarischen denkbar war: daß man die Form als äußerliches Kleid annehmen konnte, als bloßes metrisches Vorbild, ohne daß im mindesten der geistige Inhalt davon berührt zu werden brauchte. Hier konnte Klopstock, der Pyra schon als Schüler las, das erste und nächste Vorbild finden für den reimlosen, der Antike nachgebildeten Vers, für seine Oden insbesondere das Vorbild des Horaz, den Pyras Freund Lange ja zum erstenmal dem Original gemäß reimlos übersetzte; und außerdem den nachdrücklichen Hinweis auf den christlichen Gehalt, für welchen Pyra sich so grundsätzlich und ausschließlich entschied, daß er einen andern Stoff in seiner Dichtung nicht mehr zuließ. Er hat denn auch weiter eine „Sündflut" als christliches Epos geplant und die biblischen Trauerspiele Jephtha und Saul, in welchen er den antiken Chor wiedereinführen wollte. Man darf hier wieder, im Hinblick auf die Ganzheit der Epoche, die sich auch an den entlegensten Orten gleichsinnig äußert, an Händels Wendung zum biblischen Stoff erinnern, die sich auch in den dreißiger Jahren vollzieht, von Esther, Debora und Saul (1738) bis zu Jephtha (1751), und auch hier findet sich, wenn auch auf eine andre Weise, das Nebeneinander von Biblischem und Antikem, allerdings nur im Bereich des Stoffes. Gleichzeitig erscheint bereits Bodmers Entwurf seines Epos von der Sündflut, der Noachide, den er indes erst später unter Klopstocks Einfluß ausführt. Von der formal antikischen Wendung bei Pyra und von der Horazübersetzung Langes geht dann aber noch eine andre Richtung aus: die deutsche Anakreontik, die später, als eine Rokokophase neben und nach der barocken bei Klopstock, ihre Betrachtung finden wird. Sie beginnt mit Gleims „Versuch in scherzhaften Liedern" 1744, im Todesjahr Pyras — nach dem Untergang dieser hoffnungsvollen jungen Kraft ist es dann nur Klopstock gewesen, der an seinem Grundsatz der Christlichkeit in der Dichtung festhielt, wenn auch nicht so ausschließlich wie er; die Verbindung mit der ringsum nun das Feld behauptenden Anakreontik ward von Klopstock nicht abgerissen, weder in der Freundschaft zu einzelnen der Mitglieder dieser Richtung, wie vor allem Gleim, noch in der formalen und inhaltlichen Berührung wie etwa in den Oden, von denen einige auch die Erfüllung jenes andern weltlichen Bestrebens brachten. Mit Klopstock aber ist dann auch der Einfluß Gottscheds endgültig ausgelöscht worden, als der Diktator vor der Messiade aus aller Fassung geriet und sich zu den törichtesten Schritten verleiten ließ — auch hier vollendete Klopstock Pyras Beginnen, der seinen eigentlichen Ruhm in der literarischen Öffentlichkeit der Streitschrift verdankte, die in seinen beiden letzten Lebensjahren erschien: „Erweis, daß die Gottschedianische Sekte den Geschmack verderbe."

93.

Wie Klopstocks Werk gleichsam ein doppeltes Angesicht hat: eines in die Vergangenheit gewendet, und eines zu uns hin in die Zukunft; so zeigt auch sein Leben seltsam gemischt die Züge zweier Welten, ist zu einem Teile noch typisch von der Kultur des Barock bestimmt, zum andern Teile von der neuen subjektiven Freiheit des Persönlichen. So steht er, ähnlich wie sein geistiger Widerpart Friedrich der Große, wahrhaft in der Mitte des Jahrhunderts, auf einem Scheitelpunkt, wo sonst die geistigen Landschaften und Strömungen sich trennen, und vereinigt in sich Eigenschaften, die sonst für völlig verschiedene Seinsarten charakteristisch sind. Eben deshalb ist sein Bild nie völlig deutlich geworden, sein Rang und Wert für viele auch heute noch nicht einwandfrei erwiesen — zu vieles an ihm widerspricht den Maßstäben, die man — vor allem seit Goethe — an den großen Dichter legt. Da ist es besonders das biographische Interesse, worin das mo-

derne Bildungsbewußtsein bei Klopstock nicht auf seine Rechnung
kommt. Er hat sich für unsre Ansprüche und Gewohnheiten zu wenig
über sich selbst ausgesprochen, hat nicht außer seinem Dichtwerk
ein großes Prosawerk hinterlassen, in welchem Konfessionen über
sein Leben, Kommentare zu seinem Schaffen uns letzte innere Vorgänge enthüllten, die unser vorwiegend psychologisches Verstehen
des großen Menschen zu befriedigen pflegen. Auch die mehr unwillkürlich der Nachwelt zuteil werdenden Dokumente, wie aufbewahrte
Briefe und Gespräche, führen uns bei ihm nirgends ins Zentrum des
Schöpferischen; sie enttäuschen nicht nur durch die Abwesenheit
jedes bedeutenderen Gehalts, sondern sie zeigen ihn, wo es sich um
den Ausdruck persönlicher Gefühle, um die intimeren Verhältnisse
von Liebe und Freundschaft handelt, von einer kaum glaublichen
Befangenheit in den tändelnden, halb scherzhaften, halb empfindsamen Formen anakreontischer Geselligkeit, wie man es bei dem
Messias-Sänger nicht für möglich halten sollte. Da ist kaum ein
natürliches Wort, ist ein ewiges spielerisches Herumreden um die
banalsten und nichtigsten Vorfälle, ein dauerndes Gesellschaftsspiel
mit „Küßgen" und anderen harmlosen Zärtlichkeiten — alles Dinge,
von denen man wünschte, daß sie uns lieber nicht überliefert wären,
da sie wirklich ganz der privatesten Sphäre angehören; so daß die
Publikation von dergleichen im Grunde Zudringlichkeit und be-
schämende Indiskretion bedeutet. Auch der moderne Subjektivismus
erscheint hier noch durchaus zweideutig und zweifelhaft: die Aussprache im Briefe ist da, aber sie ist noch nicht von vornherein für
eine Nachwelt stilisiert, welches der nächsten Schriftstellergeneration
bereits zu einer fast unbewußten Selbstverständlichkeit geworden ist,
da sie den fürs Kunstwerk früher allein bestimmten Gehalt mit gutem
Gewissen auch in diesem Persönlichsten auszuströmen pflegt. Von
diesem späteren Standpunkte aus konnte Goethe sich allerdings über
die Nichtigkeit des Klopstockschen Briefwechsels entsetzen; er wußte
nicht mehr, daß es ein Künstlertum gab, welches das Prinzip des
„Ausdrucks um jeden Preis" verschmähte und die dichterische Kraft
mit handwerklichem Ernst für die poetische Schöpfung im engeren
Sinne aufsparte. Auch diese Schöpfung wird dann nicht Objekt der
Erörterung: in Klopstocks späteren Briefen häufen sich die Äußerungen darüber, daß er über seine Dichtungen nicht reden kann und

will. Seine Darlegungen gegenüber literarischen Fachgenossen beschränken sich auf das Diskutierbare, auf Technik des Versbaus
Metrik, Rhythmik, Prosodie, auf Bemerkungen über Betonung und
Vortrag, auf Mitteilungen und Fragen über literarische Quellen und
Denkmale. Er ist hier völlig dem Musiker alten Stils oder dem bildenden Künstler des Barock zu vergleichen, dem nur das Technische
ins Bewußtsein tritt und zum Vergleich und Austausch mit anderen
reizt, da es auch für den Größten hier noch zu lernen gibt und das
Handwerkszeug zu vervollkommnen gilt. Dieses Schweigen Klopstocks über seine innersten Intentionen ist wohl schon Absicht, aber
mehr noch Zwang eines nur auf die künstlerische Sache gerichteten
Lebenswillens: so verhält sich der Mensch, der außerhalb seines
Werkes nichts zu sagen hat, ja wesentlich nichts ist; dessen Schaffen
so in der Geborgenheit einer Überlieferung steht, daß das Leben
gleichgültig und nebensächlich wird im Verhältnis zum Werk, und
deshalb in beliebiger Weise verlaufen mag. Wir haben bei Klopstock zufällig literarisch (das heißt in den Briefen) bewahrt, was bei
den großen Baumeistern der Epoche, aber auch bei einem Bach, fast
durchweg stumm blieb und uns nicht bekannt ward, aber in gleicher
Weise bürgerlich und unbedeutend sich abgespielt haben mag — auch
hier wäre wahrscheinlich die Enttäuschung groß, wie es für viele schon
bei den paar erhaltenen Dokumenten der Fall war, wenn der ganze
Alltag uns wörtlich aufgezeichnet wäre. Wir bedürfen, um die
Schöpfungen Bachs, der Asam, Balthasar Neumanns zu begreifen,
keiner biographischen Details, wie sie uns etwa Goethes einzelne
Werke erst ganz erschließen und würdigen lassen. Es fehlt da auch
überall das Moment der „Entwicklung", das heißt unsere Kenntnis
davon: die mögliche Einsicht in die psychologische Bedingtheit eines
Stil- oder Ausdruckswandels. Da treten keine „Krisen" in Erscheinung, da ist nirgends ein Anzeichen, daß etwa dem Künstler Leben
und Schaffen zum „Problem" geworden sei. Wohl erkennen wir
verschiedene Stadien der Reife und des schöpferischen Vermögens;
aber es geht eine Sicherheit durch alles hindurch, die wirkliche Erschütterungen nicht erfährt. Es fehlt also gerade, was uns beim modernen Künstler und besonders beim Dichter so wesentlich scheint
und oft erst seinen Wert für uns ausmacht, da wir Ungeborgenen
und Unbehausten uns in der Problematik und Gefährdung der

Großen wiederfinden, und gestärkt und getröstet werden, wo sie von ihnen gelöst und überwunden ward. Uns ist das Suchen wesentlich, und darum zieht uns auch in der Kunst das Suchen und Finden an; aber Menschen wie Klopstock besaßen noch, und waren von einem sicher Überkommenen erfüllt, so daß die ganze Kraft für die reine Gestaltung frei war.

Dazu scheint nun im schroffsten Widerspruch zu stehen, daß Klopstock, so sehr er nur in seinem Werke lebt, doch nicht hinter seinem Werk zurück ins Dunkel des Unpersönlichen und geradezu Anonymen getreten ist wie etwa Bach; sondern daß er die Art seiner Leistung und die Größe seiner Sendung vollkommen begriffen und bewußt verkörpert hat, und unter uns zum ersten Male und mit einem Anspruch wie kaum ein anderer das Bild des dichterischen Genius aufrichtete. Das Schweigen über sein Werk, wo andere kommentieren und in Prosa noch einmal mit Konfessionen seine Unter- und Hintergründe darlegen, ist nicht die Demut des Anonymus, dem seine Sendung vor sich selbst verborgen bleibt, sondern zu allem andern, was wir anführten, auch Stolz: denn in der Dichtung selber spricht er von seiner Mission, und im Leben bekennt er sich zu ihr in seiner Haltung, die Ruhm und Ehren als das ihm Zukommende empfängt und sich den Großen dieser Erde ebenbürtig fühlt. Es ist nicht der Ruhm der Meisterschaft, gleich der Handwerkssicherheit und Virtuosität wie in den andern Künsten; diese versteht sich von selbst; es ist der Ruhm, der dem Dichter, dem Sänger und Sagenden für seinen hohen Gehalt, für seine Erfindung und Darstellung gebührt. Hier spricht das große Individuum der Renaissance, das in solcher Bewußtheit den Deutschen so spät erscheint — es ist viel in ihm vom Poeta laureatus des Humanismus, und er ist der Erste, der mit innerer Berechtigung nach solchem Lorbeer greift, nach unzulänglichen Aspiranten wie Opitz oder den Hofdichtern. Aber daß er zuhöchst sich als Gottes Sänger fühlt, das ist Abwandlung der Renaissance-Gesinnung ins Barock; und ist schließlich eine nur im deutschen Protestantismus mögliche Erscheinung.

Und hier wird wiederum deutlich, wie grundlegend Klopstock auch damit für alles Folgende war. Denn die christliche Fundierung und Legitimation genialer Leistung wird nach ihm und durch ihn zur religiösen oder stellvertretend religiösen Haltung deutschen Dichter-

tums ganz allgemein: der Deutsche ist in der Dichtung immer weltanschaulich gerichtet und gegründet, wie wir es bei anderen Nationen
der Neuzeit nicht finden; er will nicht nur Welt wiedergeben, sondern
den Sinn der Welt, von Schillers Ideendichtung und Jean Pauls Visionen bis zu Goethes Faust und Hölderlins orphischer Hymnik, oder
in der ausgesprochen religiösen Kunst der Romantik. Gerade weil
der Protestantismus als Kult die Geister weniger fest im Kirchlichen
faßt und hält als der Katholizismus, vor allem seit er die Musik sich
als alles bindende Macht entgehen ließ, ist das Religiöse und die
Sehnsucht nach metaphysischer Sinndeutung in das Dichten und
Denken der großen Genien hinüber getreten, ist eine säkularisierte
Religion der geistigen Bildung entstanden, neben der reiner myste-
rienhaften Musik, die bei den gleichzeitigen katholischen Meistern
enger dem Kultischen verbunden bleibt, ja dessen letzte Verklärung
und Sublimierung darstellt.

94.

Ein letzter scheinbarer Widerspruch in Klopstocks Wesen führt
uns auf die Geschichte seines Lebens und seiner Werke im engeren
Sinn: daß der Sänger Gottes und der erste bewußte Wahrer der
Würde des Genius in seinem Alltag weder ein Heiliger und Asket
war noch in schroffer Abgeschlossenheit und Einsamkeit lebte, sondern mit vollen gesunden Sinnen im Leben stand und allen Künsten
des Leibes, des Turnerischen, ja Sportlichen huldigte; daß der Verherrlicher des Christentums und der gleichzeitige Zögling der Griechen zuletzt ein Drittes über sich Herr werden ließ und den Glauben der germanischen Vorzeit und alles Nordische von der Mythologie bis zum Andenken des Befreiungskriegs der Cherusker mit
Leidenschaft wiederzubeleben suchte. Gerade im Letzten scheint ja
der auffallendste Erweis einer Entwicklung, sogar eines jähen Um-
schwungs seiner Grundanschauungen zu liegen; und wir müssen versuchen, aus Zeit und Umwelt und persönlichem Schicksal die Erklärung dafür zu finden, ob hier wirklich von einem inneren Wandel,
ja von einem von vorn herein in ihm angelegten Zwiespalt die Rede
sein kann. Da erscheint uns nun Klopstock zunächst vielmehr als

eine harmonische Natur, ja als ein wenig kompliziertes, gesundes und ausgewognes Wesen, und zwar von vornherein im Einklang mit Begabung und Berufung, eindeutig schon von der frühesten Jugend an durch das gespürte Dichtertalent bestimmt und zu seiner Ausübung in der Weise entschlossen, wie er es dann ein ganzes Leben lang festgehalten hat. Die uns sonst sprichwörtliche harmonische Natur eines Goethe ist dagegen, bei aller Begünstigung durch ein freundliches, äußerlich mindestens sorgenfreies Schicksal, doch wesentlich gefährdeter gewesen, hat Harmonie nicht als ursprünglichen dauernden Einklang mit sich und der Welt besessen, sondern unter wiederholten Krisen und erschütternden Erlebnissen schließlich erworben und erkämpft, sonst wäre er uns menschlich nicht so nah in seinem immer neuen Wandel zu sehr extremen Haltungen und Möglichkeiten. Während Goethe in der Frage nach seiner Bestimmung und Begabung immer wieder schwankt, zuerst zwischen bildender Kunst und Dichtung, dann zwischen welthaft-höfischer Praxis und Naturwissenschaft, einseitigster Kunstkennerschaft und vielfältigstem theoretisch-ästhetischem Experimentieren, um schließlich aus allem, und nichts von dem Geübten und Erlebten verleugnend, den gewaltigen Bau seiner Lebenspyramide als weisheitsvoller Dichter und Denker zu vollenden, hat Klopstock fast noch als Kind seinen dichterischen festumgrenzten Lebensplan gefaßt und ohne Zögern durchgeführt, durch keine vulkanischen Ausbrüche seines Innern je ernstlich in Frage gestellt, und wohl im Wechsel, aber nicht im Wandel der Form sein Amt umfänglichen Sagenkönnens ausschließlich als Dichter geübt.

Die körperlich-geistige Harmonie scheint schon im Vater vorgebildet und in einer glücklichen Gesundheit entfaltet. Wenn aus den patriarchalischen Anschauungen der Zeit heraus an sich schon mehr vom Vater als von der Mutter überliefert ist, so muß dieser doch als der Träger von Eigenschaften angesehen werden, die ganz ähnlich im Sohne wiederkehren: in tiefer Frömmigkeit ein bewußtes Festhalten an Lutherischer Orthodoxie, in welche der pietistische Zeitgeist wohl einströmt, aber männlich in Schranken gehalten wird — alles in allem der kraftvolle Niedersachse, als welchen auch Klopstock sich stets empfand. Von der Mutter, in deren Eltern thüringisches Blut war, wird mehr das unbewußte Gefühlselement geerbt sein, die beim Niederdeutschen weniger ausgebildete Musikalität; so daß hier schon eine glückliche Mischung des alten Sachsentums „Wittukindischer" Art mit dem neueren sächsisch-thüringischen Wesen vorliegt, dem viel mehr geniale Begabungen entstammen. Klopstock wurde am 2. Juli 1724 in Quedlinburg als erstes von siebzehn Kindern geboren — auch diese strotzend-naive Fruchtbarkeit, die an Bachs Ehen gemahnt, mag uns die Herkunft des Dichters als aus einer „älteren stärkeren Rasse" charakterisieren, als deren Vertreter Nietzsche Bach und Händel bezeichnet hat. Vater wie Großvater waren Juristen, der Vater fürstlich Mansfeldischer Kommissionsrat. In des Sohnes achtem Jahr siedelte die Familie ins Amt Friedeburg über, das der alte Klopstock gepachtet hatte, und hier in der freien Natur, in gesundem Landleben verbrachte Klopstock vier ungebundene Jahre, die den Grund legten zu seiner Festigkeit in den körperlichen Künsten, im Schwimmen, Reiten, Jagen und Schlittschuhlaufen. 1736 finden wir ihn wieder in Quedlinburg, dessen Gymnasium er 1739, als schon Fünfzehnjähriger, mit Schulpforta vertauscht. Wenn man bedenkt, daß er hier bis in sein einundzwanzigstes Jahr verweilte, so begreift man, daß seine ersten dichterischen Versuche bereits in diese Zeit fallen, die innere Berufung sich entscheidet und in der Valediktionsrede vom Herbst 1745 auch ihren öffentlichen Ausdruck findet. Die gründlichste humanistische Bildung war hier schon erworben und auch die moderne literarische Orientierung an Geistern wie Milton, Bodmer, Pyra etwas Selbstverständliches. Als Theologiestudent bezog er erst die Universität Jena; 1746 Leipzig, wo er in Ebert, Cramer, Schlegel, Rabener, Gellert Freunde und geistige Mitstrebende fand. Wie so manche nicht sonderlich Begüterte führte er sein Fachstudium nicht zu Ende, sondern nahm 1748 eine Hauslehrerstelle in Langensalza an, in der Heimat des Großvaters mütterlicherseits, des Kaufmanns und Ratsherrn Johann Christoph Schmidt, dessen gleichnamiger Neffe in Leipzig sein Stubengenosse gewesen war und der als Bruder der vielbesungenen „Fanny" so wichtige Bedeutung für ihn gewann.

Klopstock verliebte sich in seine Base, die schöne Sophie Maria Schmidt, die aber seine Liebe nicht erwiderte und ihn nun für Jahre in jene tränenreiche Melancholie versenkte, aus der ihn eigentlich erst die Ehe mit Meta Moller erlöste. Aber diese unglückliche Liebe, die ihn gewiß nicht, in Briefen wie Gedichten, sehr männlich und tapfer sich verhalten ließ, offenbart uns eine Seite seines Wesens, die ihn erst wirklich zum ganzen Menschen für uns macht. Denn wir erblicken hier den Untergrund, auf dem die Gefühlsgewalt seiner Dichtung ruht — als noch so großes Talent wäre dieser Jüngling, der im einundzwanzigsten Jahr schon die erste Fassung seines Messias zu einem bedeutenden Teil vollendet hatte und bei der Übersiedelung nach Langensalza bereits die ersten drei Gesänge in der endgültigen metrischen Form veröffentlichte, fast ein Wunderkind, und sein konsequentes Fortschreiten vom klaren Plan und Vorsatz seiner Abiturientenrede zur sofortigen meisterhaften Ausführung hätte etwas beängstigend Künstliches und gelehrtenhaft Gewolltes: wenn nicht die menschliche Hilflosigkeit und Schwäche auch eine tiefe Verletzlichkeit und zarteste Berührbarkeit durch das irdisch-Natürlichste verriete. Und das Bedeutsame ist, daß die Jünglings-Schwärmerei bei ihm im empfindsamen Kultus der Freundschaft sich nicht genügt, so überschwengliche Opfer sie ihm bringt, sondern zur echten Liebesleidenschaft sich wendet, die ihre wirklichen Schmerzen und unerbittlichen Schicksale mit sich führt. Das später Wingolf genannte Gedicht „Auf meine Freunde" vom Jahre 1747 verherrlicht ja die Leipziger Genossen von Ebert bis Gellert in einer unüberbietbaren Verklärung dieser braven Versmacher und mittelmäßigen Gelehrten, die sie mit Ausnahme Gellerts allesamt waren: sie werden ihm zu Göttern, Priestern, Heiligen, die auf gleicher Bahn mit ihm das goldene Zeitalter des deutschen Geistes heraufführen sollen. Mag man der Jugend die höchsten Ziele und Ideale glauben und zubilligen — hier wird das Pathos des Messias doch recht ungemäß und wenig geschmackvoll auf das bescheidenste bürgerliche Mittelmaß angewandt. Aber das war der Stil geistiger Freundschaft jener Zeit, die sich überall in einem Nachklang höfischer Schmeichelei der pompösesten Masken aus Mythologie oder Weltliteratur bediente. Und zu diesem gegenseitigen Sich-Verherrlichen kam die andre Übersteigerung, die Überschwenglichkeit des Gefühls, die etwa bei einem Abschied tränenvoll ein Nimmerwiedersehen imaginierte, und, wenn die Realität keinen Anlaß zu dieser stärksten Verbürgung der Zuneigung, der Trauer, gab, den Tod des Freundes in schreckenden Farben malte, um schließlich das ewige Gedenken oder gar das glorreiche Wiedersehen im Jenseits als tröstlichen Triumph zu feiern. Demgegenüber waren die Leiden der Liebe zu einer Frau, mit welchem Ergebnis sie auch besungen wurden, eine Realität, und man war hier gezwungen, den wohlfeil auszuschmückenden Wertbegriff fahrenzulassen, vor allem wenn der stark gefühlte eigene geistige Wert keine Gegenliebe erzwang — hier wurde doch ein Schicksal erlebt, gleichviel wie man sich dazu stellte, und es gab wiederum dem Gedicht eine andere Wahrheit, als jene harmlosen freundschaftlichen Einbildungen es vermochten.

Auch hier finden wir Klopstock zwar zuerst auf der Bahn der allgemeinen unerlebten Sehnsucht und reinen Phantasie, wenn er etwa sein erträumtes Frauenideal als die „Künftige Geliebte" beschreibt, als kommende Fanny und Cidli zugleich. Die wirkliche Begegnung läßt dann schon andere Töne aufklingen, sie trägt innerlich die neue persönliche Form seiner Ode, die nun neben dem Hauptwerk des Messias die ständig an Bedeutung wachsende unmittelbare Aussprache des Dichters wird, womit er am stärksten in die Zukunft wirkt. Hier gesellt sich der echten Jugend-Schwermut, der kaum ein anderer Dichter so Ausdruck gegeben hat, der innige Naturton, der dann in unserer Lyrik nicht mehr abreißt; und allmählich werden die Farben auch heller und der Blick freier. Wenn die verschmähte Liebe zuerst in Todesgedanken sich ergeht und immer wieder das Leben nach dem Tode beschwören muß, wo eine Träne am Grab oder eine Begegnung in den himmlischen Gefilden erhofft wird, die dem standhaft Liebenden endlich Gerechtigkeit widerfahren lassen soll, so findet man in den Liedern nach den zwei Langensalzaer Jahren dieses persönliche Thema oft nur noch leise angeschlagen, und doch hält der Dichter innerlich sein Mißgeschick fast krampfhaft fest, eben weil es das ist, was seinem Dichten den seelischen Tiefgang gibt, ihm die Resignation zuteil werden läßt, deren der bessere Mensch, mindestens als eines ernsten Aspekts für eine Lebensphase, bedarf, um alle Kräfte für sich und seine Aufgabe statt für den Genuß der Welt frei zu bekommen — er wird mit der Illusion der irdischen Liebe von einer höheren Macht mißbraucht, um seiner eigentlichen Mission ganz sicher zu werden. Schon die Form des Gedichts, die mit wachsender Meisterschaft in objektiver Handwerkskühle gemeißelt wird, bedeutet Lebensbejahung und nicht Daseinsverzicht. Aber das Heraussagen des Persönlichsten, das sie trotz aller willentlichen Dunkelheiten nicht verhindert, gibt auch zugleich eine Rolle, die sich etwa mit unsterblich Liebenden der Welt-Literatur wie Petrarca mißt — die Liebe Klopstocks wird in seinem Kreise, ja in der Öffentlichkeit so kund und Teilnahme heischend, daß der rührende Bodmer gleich bei Beginn der Beziehung zu Klopstock eine briefliche Mahnung an die unerbittliche Fanny erläßt, die ihr ernsthaft zu bedenken gibt, welchen Genius sie in dem Messias-Dichter verschmäht, und ihr nahelegt, ihn zum Besten der Dichtung zu erhören.

Denn Bodmer ist es nun, der den Ruhm des jungen Klopstock eigentlich begründet. Die ersten drei Gesänge des Messias, die 1748 in den sogenannten „Bremer Beiträgen" der einstigen Leipziger Freunde erschienen, wurden zwar als etwas Ungewöhnliches gespürt, setzten aber diesen engeren Kreis doch in einige Verlegenheit, da sie die ganze Größe des Unternehmens noch nicht faßten und es in zu schroffem Gegensatz gegen ihre sonstige gemäßigte Produktion empfinden mußten. Die Schwierigkeiten, mit denen die Freunde für das Verständnis des Gedichts rechnen zu müssen glaubten, wurden ihnen durch Hagedorns Verhalten bestätigt, an den sie sich, als an ihren Patron, gewendet hatten, um durch seine Beziehungen zu England eine Hilfe für Klopstock vom dortigen Hofe zu erlangen: Hagedorn fand das Gedicht fremdartig und sonderbar, befürchtete unter anderm die Anschuldigung der Ketzerei und wagte die erbetene Empfehlung nicht zu geben. Doch riet er Gärtnern, der die Aktion für Klopstock unternommen hatte, sich an Bodmer zu wenden. Und Bodmer war nach dem ersten Blick, den er auf die Abschrift der Gesänge warf, über die ihm sonst noch nichts bekannt geworden war, vollkommen überzeugt und begeistert; ihn erfüllte triumphierend der eine Gedanke, „daß ein Dichter lebe, auf dem Miltons Geist ruhe". Ein Brief an Gärtner drückte seine Begeisterung und Teilnahme für den Dichter aus; und jetzt erst wandte sich Klopstock persönlich an ihn, in einem lateinischen Brief vom August 1748. Er trägt seine literarische Dankesschuld ab: „Ich war ein junger Mensch, der seinen Homer und Virgil las und sich schon über die kritischen Schriften der Sachsen im Stillen ärgerte, als mir Ihre und Breitingers kritische Schriften in die Hände fielen. Ich las, oder vielmehr ich ver-

schlang sie; und wenn mir zur Rechten Homer und Virgil lag, so
hatte ich jene zur Linken, um sie immer nachschlagen zu können...
Und als Milton, den ich ohne Ihre Übersetzung allzuspät zu sehen
bekommen hätte, mir in die Hände fiel, loderte das Feuer, das Homer
in mir entzündet hatte, zur Flamme auf und hob meine Seele, um den
Himmel und die Religion zu besingen. Wie oft habe ich das Bild
des epischen Dichters, das Sie in ihrem kritischen Lobgedicht auf-
stellten, betrachtet und weinend angestaunt, wie Cäsar das Bild
Alexanders. Das sind Ihre Verdienste um mich, freilich noch schwach
genug dargestellt." — Bodmer entfaltete alsbald die regste Tätigkeit
für den neuen Schützling, der sich ihm mit allen seinen Nöten und
Sorgen anvertraut hatte. Er schrieb an Haller wegen der Empfehlung
nach England; als diese keinen Erfolg hatte, bot Haller Klopstock
an, die Erziehung seines Sohnes zu übernehmen. Bodmer selber
schrieb über die Messiade und hielt die Schar seiner Freunde zu Besprechungen an, die denn allmählich und immer stärker Klopstock
in den Mittelpunkt des literarischen Interesses rückten. Vor allem
wurden dadurch auch die Gegner geweckt, und es war ein indirekter
Triumph Klopstocks, daß Gottsched völlig den Kopf verlor und sich
im Haß gegen diesen Nachfolger Miltons zu den unbesonnensten
Taten hinreißen ließ, indem er als Gegenspieler nach seinem Ge-
schmack ihm den Freiherrn von Schönaich mit dem regelhaften Epos
„Hermann" aufstellte und diesen von der Leipziger Fakultät zum
Dichter krönen ließ. Von dem Augenblick an war Gottsched in den
Augen der Urteilsfähigen endgültig erledigt, die Schweizer hatten im
Positiven und Negativen gesiegt, und die Bahn für Klopstock zu den
Gemütern der Zeitgenossen war nun völlig gewonnen.

Inzwischen war die väterliche Fürsorge Bodmers weiter bemüht,
dem Dichter das Leben zu erleichtern, die Einladung nach Zürich erfolgte, der Klopstock im Sommer 1750 Folge leistete. Der Aufenthalt
dort nahm den bekannten Verlauf: der Messias-Dichter, der sich in
seinen Briefen als kränklich bezeichnet hatte und als einer, der auf
kein langes Leben rechnen dürfe, durchaus noch in der dichterischen
Rolle des unglücklich Liebenden befangen, erwies sich zu Bodmers
Erstaunen als der gesunde lebenskräftige Jüngling, der er im Grunde
mit seinen fünfundzwanzig Jahren war, und fand bald den Umgang
mit heiteren Altersgenossen und schönen Mädchen erquicklicher als

das Zusammensein mit Bodmer und seinen ständigen literarischen Ansprüchen und Mahnungen. Die Schweizer Natur und die ihm neue Ungebundenheit und Freiheit schloß ihn auf und der Beifall, den er durch seine gesellschaftlichen Talente bei den jungen Menschen erntete. „Es hat diesen Herrchen", schreibt Bodmer, „überaus gefallen, daß ein so großer Dichter, unser Homer, äße, tränke, lachte, scherzte, küßte, Mäulchen raubte, Handschuhe eroberte, Schuhe schüpfete, spränge, liefe, wie sie dies alles tun." — „Er ist gleichsam zwei Personen in einem Leib: der Messiasdichter und Klopstock ... er denket nicht nach, was für ein gutes, großes Exempel der Messiasdichter der Welt schuldig ist." Die Kunde von diesen Unstimmigkeiten drang sogar nach Deutschland, und ein gemeinsamer Freund der beiden, der Berliner Hofprediger Sack, schrieb an Klopstock einen beschwörenden Brief, daß er seinen Verehrern kein Ärgernis geben sollte, „er muß aus Zürich als Bodmers Freund reisen, oder mein Herz wird kalt bleiben, wenn ich gleich die stärksten Stellen des Messias lese" — so reagierten reflektiertere Geister auf das Menschliche an dem Dichter, das dieser ganz naiv von seinem Werke getrennt hielt. Klopstock tat, was später Goethe auf eine ähnliche Mahnung von seiten Klopstocks nicht tat: er folgte dem wohlgemeinten Rat und die Versöhnung mit Bodmer kam einigermaßen zustande, der ja im Grunde nie an Klopstocks dichterischer Mission irre geworden war.

In die Züricher Tage war aber schon bald die Einladung des dänischen Königs gedrungen, der Klopstock einen jährlichen Gehalt von vierhundert Reichstalern zur Vollendung des Messias bot und das Reisegeld nach Kopenhagen in Aussicht stellte. Der Dichter mochte sich dadurch von vornherein unabhängiger von Bodmer gefühlt haben, beeilte sich indes mit seiner Zusage nicht, ganz in dem Rausch der neuen Freiheit befangen. Erst im Februar des nächsten Jahres schied er von Zürich und begab sich über Quedlinburg und Hamburg (wo er Margaretha Möller kennenlernte) nach Dänemark, wo er im April 1751 eintraf. Der Aufenthalt daselbst währte bis zum Jahre 1770, wo sein Gönner, der Minister Graf Bernstorff, von Struensee gestürzt wurde und Klopstock ihm in sein Exil nach Hamburg folgte. Dort hat er dann bis zu seinem Tode gewohnt, nur durch die Berufung an den Karlsruher Hof im Jahre 1774 auf 75 unterbrochen.

Die zwanzig Jahre Kopenhagen und die dreiunddreißig Jahre Hamburg haben sicher auch die endgültige innere Wendung zum deutschen Norden für Klopstock bedeutet. Der Messias und die ersten Oden verleugnen nicht die geistige Herkunft aus dem klassisch-humanistischen sächsisch-thüringischen Raum — man weiß, was Schulpforta noch bis zu Nietzsche für die selbstverständliche antikische Bildungsgrundlage besagt hat, und von Leipzig galt seit Gelehrten wie Gesner, Ernesti, Christ ein Gleiches. So wurde nicht nur die metrische Form und der künstlerische Aufbau von Epos und Lyrik unmittelbar der Antike nachgebildet, sondern weitgehender Gebrauch der klassischen Mythologie vertrug sich wie im ganzen Barock durchaus mit der christlichen Grundhaltung. Aber da tauchen nun in den Oden der Kopenhagener Zeit allmählich seltsam fremdklingende Namen für Götter und Helden, für Dichter und Dichtung auf, und wo irgend sonst mythologisch-Symbolisches an Vorgängen und Einrichtungen in Natur und Leben poetisch umschrieben werden soll, wie es bisher die Dichterpraxis von Renaissance und Barock mit dem antiken Wortschatz bestritten hatte. Es ist die „bardische" Terminologie, die Klopstock so völlig in ihren Bann zieht, daß er sogar die Umarbeitung seiner bisherigen Oden in ihrem Stil unternimmt und die klassischen Namen überall durch die, wie er meint, nordisch-germanischen ersetzt. Es scheint eine grundsätzliche Wandlung zu sein, die sich in ihm vollzieht; denn auch stofflich wendet er sich jetzt der nordischen Sage und Geschichte zu, erfindet ferner eine neue Drama-Form, das Bardiet, in welcher seine Schauspiele von Hermann dem Cherusker geschrieben sind; und selbst die große ästhetisch-kunstpolitische Gesetzgebung, die er mit der „Gelehrten-Republik" später herausbringt, bewegt sich in Begriffen und Vorstellungen einer älteren nordischen Welt. Nimmt man dazu noch die Bemühungen Klopstocks um die deutsche Sprache, über deren rhythmische und metrische Möglichkeiten er sich gründlichen Erwägungen hingibt, ja deren Laut- und Schriftbild er durch eine neue Rechtschreibung verbindlich festzulegen sucht, so mutet es an, wir hätten es mit einer gewaltigen literarischen Revolution zu tun, von der es nur merkwürdig ist, daß sie in unsrer nachmaligen Bildung fast keine Spuren hinterlassen hat;

so daß die Frage dringlich wird, ob wir es hier mit einer unverbindlichen persönlichen Schrulle und Liebhaberei des großen Dichters zu tun haben oder ob sich darin doch ein wesentlicher und typischer Vorgang jener Epoche ausgedrückt hat.

95.

Es gibt Zeiten, in denen die Wissenschaft in einer Kultur zum Untergründigen und Verborgenen gehört. Man kennt das bei der Philosophie und bei den Naturwissenschaften etwa im Mittelalter; aber es ist auch bei relativ harmloseren Disziplinen zu beobachten, wenn der Geist einer Epoche gegen sie ist. So war es mit der historischen Gelehrsamkeit und besonders mit dem Wissen um germanische Vorzeit und deutsches Altertum im 17. und 18. Jahrhundert bestellt. Es wäre falsch, hier von einem esoterischen Charakter dieser Gelehrsamkeit zu sprechen — dazu war ihre Verborgenheit nicht absichtlich und überlegen-geheimnisvoll genug. Aber sie war für die allgemeine Bildung nicht vorhanden, lebte nur bei einzelnen über die Welt verstreuten Männern, viris eruditis, die nur sich selbst und einigen wenigen Gleichstrebenden zulieb ihren antiquarischen Studien oblagen. Oft war ihr Sinn für das Altertum durch die Landschaft und lokale Tradition bedingt, oft auch bloß reine Bücherliebhaberei, oder wirkliche ursprüngliche Neigung und Begabung. Auf das Wirkende und Sichtbare der herrschenden Kultur hatten sie keinen Einfluß; und gehörten doch zu dieser Kultur und dürfen von uns nicht übersehen werden, wenn wir Umfang und Reichweite dieser Kultur erwägen. Sie standen in keinem bewußten Gegensatz zu ihr, kaum in einer geistig bedeutsamen Spannung; sie stellten in ihr lediglich eine kaum bemerkte Unterströmung dar, eine Ansammlung von Elementen in der Tiefe, die eines Tages nach oben dringen mußten, wenn an der Oberfläche Zeichen von Erschöpfung, Symptome eines Vacuums sich geltend zu machen begannen.

Wenn um die Mitte des 18. Jahrhunderts plötzlich eine Wendung zum Mittelalter, zum Altdeutschen, zur altgermanischen und nordischen Vorzeit einsetzt, so geschieht das nicht von ungefähr — es mußte eine gewisse Kontinuität vorhanden gewesen sein, mit welcher man immer von diesen Dingen noch irgend etwas gewußt hatte, denn aus dem Nichts kann nichts hervorgehen; es mußte aber andrerseits zugleich eine Bereitschaft da sein, welche Andern als bloßen Gelehrten den Zugang zu diesen Dingen erschloß: Dichter und Erlebende waren es, die hier eine Anziehungskraft spürten und auf die verschiedenste Weise in den Bannkreis des Alten gerieten.

Die Renaissance hat diese seltsame Entwicklung veranlaßt. Sie hatte für die geltende Kultur zunächst die Kontinuität der Überlieferung unterbrochen: die deutsche Vorzeit, einschließlich des deutschen Mittelalters, lebte nicht mehr naiv und organisch in der Überlieferung fort. Dafür wurde aber gleichzeitig der gelehrte historische Sinn erweckt; nicht für Volk und Allgemeinheit, sondern nur für einen kleinen Kreis: der neue Typus des humanistischen Wissenschaftlers, der ja eben auch eine ältere Kultur, die Antike, wieder ans Licht gezogen hatte, mußte auch für die Befassung mit anderer Vorzeit bedeutsam werden, über das bisherige eingeschränkt Chronistische hinaus. Zunächst wurde von deutschem Altertum nur bewahrt oder wiederentdeckt, was ins Blickfeld der klassischen Studien fiel; und das war die Epoche germanischer Geschichte, die mit der römischen gleichzeitig war, sich mit ihr berührt hatte: was Tacitus und andere von dem damaligen Zustand Deutschlands berichtet hatten, das war nun wissenschaftlicher Besitz. Dieses Wissen erhielt sich auch im Barock, gehörte geradezu mit ihm zusammen, und hierin unterschied er sich sogar vom Mittelalter. Denn dieses war fast gänzlich ohne die Kunde vom vorchristlichen Deutschtum gewesen, wie denn geschlossene Kulturen ohne die Weite historischen Überblicks über das früher Gewesene und Geschehene zu sein pflegen und wohl nur um den Preis dieses Mangels ihrer schöpferischen Gegenwart zu leben vermögen. Die Kenntnis Hermanns des Cheruskers hatte hier gefehlt; daß sie im Barock wieder da war, kam aus der engen Verknüpfung mit Renaissance und Humanismus. Dafür fehlte jetzt das Wissen um das Mittelalter, zu dem nur in katholischen Landesteilen die rein religiöse Bindung noch bestand — mittelhochdeutsche Dichtung und altdeutsche Malerei versanken in Vergessenheit, da die Kunstgestaltung auch für die noch bewahrten sakralen Stoffe eine andre geworden war. Aber wie etwa in den alten Reichsstädten einzelne Chronisten und gelehrte Liebhaber noch der alten gotischen

Bauwerke mit lokalpatriotischer Neigung gedachten, die sonst der Verachtung des neuen Geschmacks anheimgefallen waren, ja oft der herrschenden Architektur zuliebe zerstört oder völlig umgestaltet wurden, so traten immer wieder auch einzelne Gelehrte hervor, die sich der früheren literarischen Denkmale annahmen und in Archiven und Bibliotheken nach verschollenen Handschriften suchten und manches im Druck bekanntmachten, was künftiger Wiederanknüpfung dienen konnte. Der bekannteste und bedeutendste Fall ist der des Anno-Liedes, das nur in dem Druck bewahrt ist, den Opitz 1639 davon veranstaltete und der seither, da die Handschrift verloren ist, einem codex unicus gleichgeachtet wird.

Opitz war durch des Schweizers Goldast Vorgang auf das alte Pergament aufmerksam geworden, der als erster seit 1601 Bruchstücke aus Handschriften veröffentlicht, den Manesseschen Codex vielfach zitiert und den Abdruck des Tyro von Schotten und des Winsbeke gegeben hatte. Melchior Goldast ist ein typisches Beispiel für die landschaftlich gebundene Forschung und für den im Grunde sachfremden Standpunkt zugleich, unter dem diese Dinge damals betrachtet und gesammelt wurden: als Schweizer liegt es ihm nahe, die mittelhochdeutschen Dichtungen, die in einer der alemannischschwäbischen Mundart ähnlichen Sprache verfaßt waren, heranzuziehen; aber der Zweck, zu dem das geschieht, dient wesentlich der Erläuterung der Staats- und Rechtsgeschichte, die ihn als Juristen interessiert — so etwa wird ihm dadurch das Lehenswesen erst richtig deutlich.

Dieser oberdeutschen Literaturforschung geht die Pflege der Erinnerung an die mittelalterliche bildende Kunst parallel, die auch nur von süddeutscher Seite und in den alten Reichsstädten erweckt werden konnte: Joachim von Sandrart, aus Frankfurt stammend und als gesuchter Maler nach seinen vielen Reisen in Augsburg und zuletzt in Nürnberg seßhaft geworden, erneuert nachdrücklich das Andenken von Dürer, gibt von Altdorfer, Holbein und sogar Grünewald Nachricht: seine „Teutsche Academie der Bau-Bild und Mahlerey-Künste" ist 1675 zu Nürnberg erschienen.

Als um 1750 in ganz Deutschland die allgemeine Wendung zum deutschen Altertum erfolgt, ist es höchst bedeutsam, daß die Bemühung um das eigentliche Mittelalter — den Impulsen folgend, die von den eben genannten Süddeutschen wie Goldast und Sandrart ausgehen—, wie sie in den Entdeckungen und Veröffentlichungen von Bodmer und den Füßli gipfelte, in der Zeit zunächst keinen Widerhall findet, sondern erst nach einem und zwei Menschenaltern zu entscheidender Wirkung gelangt: in der Romantik. Was dagegen die Zeit erfüllt und einer ganzen Epoche die Färbung gibt, leitet sich aus völlig andern Quellen her, umfaßt die althochdeutsche und vorchristliche Dichtung und Mythologie, und hat seinen Ursprungsraum im Niederdeutschen und Skandinavischen, wird von verwandten Bestrebungen in England und Schottland unterstützt. Es ist die Barden-Poesie, wie sie zugleich in Nachfolge der Edda und des Ossian bis in die siebziger Jahre zur herrschenden Mode wird, aber schon gegen Ende des Jahrhunderts den Zeitgenossen historisch geworden ist — von den Romantikern haben nur die Norddeutschen Runge und C. D. Friedrich noch etwas von Ossianischem Anhauch verspürt, und selbst die Edda hat keine entscheidende Rolle mehr gespielt, außer etwa in den Anfängen Fouqués; sie wird wieder, wie vor Klopstock, Objekt der Wissenschaft, die jetzt allerdings, als Germanistik, dem romantischen Geist ihren Ursprung verdankt.

Diese verschiedenen Schicksale zweier so verwandter Tendenzen, wie sie in der Wiederbringung des mittelalterlichen und des nordisch-germanischen Wesens zu Tage treten, lassen auf ein doch sehr unterschiedliches Verhältnis zum Stilgefühl des 18. Jahrhunderts schließen, welches das eine Mal sich völlig ablehnend verhält, das andere Mal aber ein ihm Angemessenes oder doch zur Ergänzung Willkommenes sich eingestaltet und es zur höchsten Blüte bringt.

Das Mittelalter war eine ganze, vollkommen in sich geschlossene Kultur und mußte für eine andere gleichrangige Kultur, wie die des Barock, das allerletzte sein, was sie gelten lassen konnte; der an sich nur unzulänglich ausgebildete historische Sinn war, so lange ein echtes Stilgefühl und Stilbewußtsein waltete, unfähig, ein Vergangenes, bisher aufs tiefste Mißachtetes plötzlich als ebenbürtig anzuerkennen. Es kam hinzu, daß die antiquarische Wissenschaft in der Hauptsache von Protestanten getragen war, sowohl bei Niederdeutschen, Skandinaviern, Engländern wie bei den Schweizern: und diesen stand von vornherein das Katholische des Mittelalters entgegen, der fremde Glaube, der jedenfalls geistliche Dichtung und sakrale

Kunst erfüllte und mit Mißtrauen betrachtet werden mußte — er galt den aufgeklärten Zeiten als Aberglaube; und dessen angebliche Vorherrschaft war es ja, was den Begriff der „mittleren Zeiten" geprägt hatte: den eines geistigen Vacuums oder einer totalen Verdunkelung von Vernunft und Geschmack, wie man es noch bis ins letzte Viertel des 18. Jahrhunderts immer wieder formuliert findet. Hier liegt die große und so zukunftsvolle Leistung der Schweizer: Bodmer und seine Freunde hatten weniger das Vorurteil des Stils zu überwinden — gerade daß sie nicht in der strengen Tradition des künstlerischen Barock standen, hat ihnen ihre Arbeit erleichtert, ja ermöglicht —, aber sie hatten, als Protestanten, die Abneigung gegen eine katholische Kultur zu besiegen und noch mehr die Voreingenommenheit der Bildung und Vernünftigkeit zu durchbrechen, wenn sie hier das Dasein einer echten großen Poesie und einer umfassenden Kultur erkannten und anerkannten. Freilich machte sie dies (nebst Dialekt und Lokalbewußtsein) wesentlich nur fähig, die mittelhochdeutsche Epoche zu erfassen, die in höfischer Poesie und Nibelungenlied als eine weltliche Kultur, die ritterliche, sich darstellte. Kamen auch dann die Entdeckungen der späteren Maler hinzu, so hat eine allgemeine Würdigung und Fortsetzung ihrer Leistung bis zum völligen Sieg einer neuen Anschauung des gesamten Mittelalters eben erst geschehen können, als Wackenroder und Tieck durch Berührung mit der noch lebendigen katholischen Kultur des Südostens auch das echte Erlebnis des Religiösen hineintrugen. So verspätet sich die Wirkung der Schweizer um Generationen und muß darin der Wirkung Winckelmanns zur Seite gesetzt werden, die im hohen 18. Jahrhundert zunächst bloß als eine Bereicherung innerhalb des herrschenden Stils empfunden wurde, obgleich auch hier die echte antike Kultur bereits geahnt und aus der schöpferischen Eigenwilligkeit des Barock gelöst wurde — zum Ziele kam das Revolutionäre und Puristisch-Rationalistische der neuen historischen Anschauung erst mit Goethe, zu der gleichen Zeit, als Wackenroder und Tieck ihre umwandelnden Erlebnisse formulierten: von da ab erst kann von Klassizismus und Romantik die Rede sein. Winckelmann und Bodmer aber geben beiden Richtungen Unterbau und Material: deshalb wird von ihnen erst ausführlicher die Rede sein können, wenn uns der Abfall vom Stil des Barock beschäftigt.

Von einem solchen Stilbruch ist nun bei der andern Renaissance, der Renaissance des germanischen Nordens und der engeren altdeutschen Vorzeit, nicht die Rede. Der barocke Mensch wurde hier von einer Atmosphäre angezogen, die unbestimmt und vieldeutig genug war, um seiner Phantasie und Schöpferkraft freiesten Spielraum zu lassen, und das Auftauchen einer neuen Götterwelt gab seinem Kunsttrieb dieselben Möglichkeiten symbolischer und allegorischer Verwendung, zu der ihm bisher die antike Mythologie gedient hatte. Die Gefahr, einer fremden Religion zu verfallen, war für den Protestanten hier so wenig gegeben wie für den Katholiken, wie sich denn beide an dem bardischen Spiel beteiligten — nur daß eben dem Protestanten besonders die Hemmungen hier nicht entgegenstanden, die ihn vom sakralen Mittelalter schied: der Katholizismus des Mittelalters wurde noch als eine fortlebende rivalisierende Konfession empfunden; der germanische Götterglaube nicht, und noch weniger der faktische Atheismus Ossians, der dafür dem neuen Erlebnis der Natur überschwengliche Möglichkeiten bot. — Und hier schließt sich dann der Rahmen ums Ganze, in dem die neue vielfältige Empfindsamkeit eigentlich lebt: es ist der englische Garten mit seinen landschaftlichen Weiten und im Unendlichen verfließenden Prospekten, mit seinen Vorzeit-Reminiszenzen, seinen Hünengräbern und seiner Ruinenarchitektur, der den abgezirkelten französischen Park ablöst, aber doch noch im vollen Sinne ein barockes Weltgefühl ausspricht, das nicht die wirkliche Natur erwählt, sondern die zurecht gestellte, zur Schau gestellte, die wie die Kunst und Dichtung durch schönen Schein, Vermaskung und Vermummung zu den Sinnen spricht.

96.

Seit Klopstock im April des Jahres 1751 nach Kopenhagen übergesiedelt war, ist er vom Magneten des Nordens angezogen worden wie nie ein anderer unsrer Dichter. Die südliche Orientierung, die durch Bodmer und den schweizer Aufenthalt ihm nahegelegt war, hatte sich nicht als dauerhaft erwiesen. War auch die Aussicht, schon in so früher Jugend seinem begonnenen Werk sorgenfrei leben zu können, ausschlaggebend für die Übersiedelung nach Kopenhagen, so ist es doch ein tieferer Instinkt gewesen, der das Niederdeutsche in ihm nun weiter ins eigentliche nordische Kulturzentrum zog — es ist schwer auszudenken, daß er der eben jetzt beginnenden Hauptrichtung der Schweizer auf das Mittelhochdeutsche sich angeschlossen und unter Bodmers Leitung zum Minnesänger sich ausgebildet hätte; schon seine künstlerische Vorentscheidung gegen den Reim zog hier die formale Grenze, von der Hemmung gegen das Inhaltliche ganz abgesehen. Trotz der wunderbaren Natur- und Liebestöne, die ihm gelangen, war doch das halb-Heroische und ganz-Pathetische in ihm das eigentlich Tragende, Pindarisches Nennen großer Namen sein mythologisch-symbolisches Element — nordische Helden-Vorzeit und freier altgermanischer Rhythmus entsprachen seinem Wesen anders als mittelalterliche Minne und zierlicher Reim. Aber mit seiner Wahl vertauschte er auch republikanisch-bürgerliche Atmosphäre mit höfischer Existenz im Sinne der barocken Tradition; und das Verbindende blieb allein das periphere Protestantische, das sowohl die Schweiz wie auch die nordischen Staaten dem Fluidum des glaubens- und stammesverwandten Angelsächsischen aussetzte, entgegen dem sonst noch Mitteleuropa beherrschenden französischen Einfluß.

So finden wir denn auch als erstes, daß Klopstock in Kopenhagen sich eingehender mit der englischen Dichtung beschäftigt. Milton war sein frühestes Erlebnis gewesen; jetzt lernt er englisch, um Shakespeare zu lesen, denn einen deutschen Shakespeare gab es ja noch nicht, die erste Übersetzung, die von Wieland, kam erst 1762 heraus. Er tritt hier in die Fußstapfen von Johann Elias Schlegel, der auch in Dänemark unter den Einfluß Shakespeares geraten war und weiter der dänischen Geschichte in seinen Dramen sich zugewendet hatte. Schlegel ist hier noch nicht vergessen: in der ersten Audienz, die Klopstock beim dänischen Könige hat, spricht dieser anerkennend von Schlegel und bedauert seinen zu frühen Verlust: er war ja erst zwei Jahre vorher in Soroe gestorben, und Klopstock ist damals bemüht, einem seiner Freunde — Giseke — die Nachfolge in seiner Professur zu sichern. Auch in der Behandlung des Hermann-Stoffes war Schlegel Klopstock vorausgegangen. 1753 ist dann seine erste Ode vaterländischer Art entstanden, „Hermann und Thusnelde“. Der Übergang vom klassischen zum altdeutschen Vorwurf ist da-

mals nichts Seltenes: kurz vorher hat Wieland seinen „Cyrus" aufgegeben und beginnt sein zweites Jugend-Epos „Hermann"; Klopstock hat, durch Hagedorn, davon Kenntnis gehabt. Eine andere tief
verwandte Welt erschließt sich Klopstocks englischen Bemühungen in
Young, dessen „Nachtgedanken" 1742—46 erschienen waren, aber
erst 1769 ins Deutsche übersetzt wurden. Er ist einer seiner ersten
Verehrer und hat ihm bereits 1752 eine Ode gewidmet, die mit der
Anrede „Stirb, prophetischer Greis!" in Nacht- und Todesgedanken
wetteifernd ihn durch die Imagination seines Todes übertrumpft:
„Stirb! du hast mich gelehrt, daß mir der Name Tod, / Wie der
Jubel ertönt, den ein Gerechter singt: / Aber bleibe mein Lehrer, /
Stirb, und werde mein Genius!" Er wird mit ihm befreundet, steht
mit ihm in Briefwechsel, wie seine Braut sich mit Richardson schrieb.
Und dasselbe wiederholt sich später, als seit 1760 Ossian in seinen
Gesichtskreis tritt: auch mit Macpherson werden Briefe gewechselt,
Auskünfte verlangt und erteilt. Aber die stärkste Wirkung geht nun
wachsend von dem Lande selber aus, in dem er lebt: die dänische
Wissenschaft vom nordischen Altertum ist es, der er die folgenreichste
Wandlung seiner Dichtung verdankt.

Er muß den Mann persönlich gekannt haben, an dessen Namen
die Wiederbelebung der Edda geknüpft ist: Paul Henri Mallet, der
1752, ein Jahr nach Klopstocks Ankunft, an die Kopenhagener Akademie berufen wurde, durch denselben Minister, der auch Klopstocks Freund und Gönner war, den Grafen Bernstorff. Man kann
sich kaum vorstellen, daß die beiden einander nicht begegnet sind,
zumal Klopstock schon an der Besetzung der Ämter in den geistigen
Disziplinen Interesse hatte und auf sie Einfluß nahm — nachdem
die Berufung Gisekes an diesem selbst gescheitert war, hat er ja seinen Freund Cramer zum Hofprediger in Kopenhagen machen können. Daß Mallet mit der Abfassung einer großen Geschichte Däne-
marks befaßt war, wird ihm auch kaum entgangen sein; eher vielleicht, daß diesem im Jahre 1755 erschienenen Werk 1756 als Ergänzung folgte, was in den deutschen Übersetzungen dann an erster
Stelle stand, das Supplément: „Monumens de la Mythologie et de la
Poesie des Celtes Et particulièrement des anciens Scandinaves". Vermutete er wirklich in diesem in Kopenhagen erschienenen Werke die
Nachrichten von der isländischen Dichtung nicht, oder mochte er es

sich innerlich nicht zugeben, daß die ersten Laute der Edda nicht im Deutschen, sondern im Französischen wiederaufgeklungen waren, dem er damals keineswegs geneigt war? Er schweigt jedenfalls über dieses Kuriosum, das doch einiger Betrachtung gerade im „vaterländischen" Sinne wert gewesen wäre. Aber Klopstocks Briefe können ja nirgends als vollständige Zeugnisse über seine Beschäftigungen gelten (erst 1767 wird Mallet da erwähnt); und wir sind ohne nähere Nachricht, wie sich sein Leben im einzelnen in Kopenhagen und Lingby bei Fridensborg abgespielt hat.

Nicht ohne Bedeutung ist es, daß in Mallet wieder eine gelehrte Leistung der Schweiz, der gleichzeitigen von Bodmers mittelhochdeutschen Entdeckungen ebenbürtig, europäische Geltung erlangt und die Verbindung zwischen Süden und Norden dieser peripheren Zone sich schließt: denn Mallet war Genfer, 1730 geboren, also jünger noch als Klopstock, und hat erst 1761 Kopenhagen wieder verlassen, in Genf dann die zweite Auflage seines Werkes (1787) herausgegeben. Vielleicht hat Klopstock seine Kenntnis der Edda auch erst aus der deutschen Übersetzung von Mallets Werk geschöpft, die 1765, von Gottfried Schütze, dem Hamburger Altertumsforscher, besorgt wurde und in Rostock und Greifswald im Druck erschien. In der Vorrede heißt es: „Das französische Original dieser Geschichte habe ich von dem Herrn Verfasser zu der Zeit, als ich einen angenehmen und lehrreichen Briefwechsel mit ihm zu unterhalten das Vergnügen hatte, als ein sehr schätzbares Geschenk erhalten, und mit recht vorzüglicher Zufriedenheit wahrgenommen, daß er nicht aus trüben, sondern ächten Quellen geschöpft hat. Auch in der Übersetzung der Edda hat er sich kenntliche Verdienste erworben. So brauchbar und so unentbehrlich auch die nordische Edda ist: so ist doch dieser kostbare Überrest des vorigen Weltalters mehrentheils ein verborgener Schatz gewesen, und nicht selten haben sehr berühmte Schriftsteller, wenn sie von der Edda reden, die mangelhaftesten und verwirrtesten Vorstellungen verrathen. Da nun der erste und wichtigste Theil der Snorronischen Edda zuerst in die französische und nun auch in die deutsche Sprache übersetzt ist: so kann man hoffen, daß eine ansehnliche Lücke in der nordischen Litteratur ausgefüllet worden ist."

Ganz unbekannt war die Edda damals jedenfalls nicht mehr; gleichzeitig mit Mallet hatte ein Schwede ausführliche Nachrichten über sie gegeben: Olaf Dalin, dessen „Geschichte des Reiches Schweden" 1756 ins Deutsche übersetzt worden war, und zwar durch J. Benzel-stierna und J. C. Dähnert, „Professoren der königl. Schwedischen Akademie in Greifswald" — Pommern war ja damals noch schwe-disch, und so war eine Zusammenarbeit schwedischer und deutscher Forscher möglich und das Interesse am Norden auch hier den Deut-schen denkbar nahe gerückt.

Aber die eigentliche Entdeckung und philologische Vorarbeit ging auch hier wie so vielfach auf das 17. Jahrhundert zurück. Brynjulfr Svainsson, Bischof von Skalholt in Island, hatte 1643 die alten Götter- und Heldenlieder gefunden und ihnen den Namen „Edda Saemundi multiscii" beigelegt; 1662 sandte er die Handschriften an den däni-schen König, und als codices regii wurden sie dort bewahrt. Schon 1665 erfolgte die erste Ausgabe im Druck: „Edda Islandorum an. Chr. MCCXV Islandiae conscripta per Snorronem Sturlae Islandiae nomophylaeum nunc primum Islandice Danice et Latine ex antiquis codicibus manuscriptis bibliothecae regis et aliorum in lucem prodit opera et studio Petri Johannis Resenii." Resenius, der noch im glei-chen Jahr auch die ältere Edda mit Völuspa und Havamal herausgab, war nicht durch poetischen Anteil, sondern durch Interesse an der Ethik der Völker auf die alten Sagen geführt worden, wie er im Vor-wort an den König erzählt — er war ein weitgereister und in vielen Wissenschaften erfahrener Mann, hatte in Leiden Philologie studiert, war in Padua zum Doctor juris promoviert und seit 1657 Professor der Ethik, später der Jurisprudenz in Kopenhagen, wo er als Staats-rat und geadelt 1688 starb. Aber seine Ausgabe der Edda beschränkte sich auf die Wiedergabe der Arbeit anderer: zum Grundtext gab er die lateinische Übersetzung der Isländer Magnus und Stephan Olafs-son; die Übersetzung ins Dänische entstammte einer hinterlassenen Handschrift von Stephan Stephanius. 1673 wird die ältere Edda als „Philosophia antiquissima norvago-danica, dicta Voluspa" von Gud-mund Andreae lateinisch interpretiert; ein Isländisches Lexikon folgt.

Allgemein wird in den nordischen Ländern das Interesse am Alt-germanischen jetzt lebendig, in Schweden gefördert durch das Wie-derauftauchen des Codex argenteus mit Ulfilas Bibelübersetzung, den der Reichskanzler Magnus Gabriel da la Gardie in den Nieder-landen für 2000 Gulden zurückgekauft hat und der Universität Upsala schenkt — 1671 erscheint die erste Ausgabe im Druck, von Georg Stjernhyelm, mit einem „Glossarium Ulphila-Gothicum". Die Verwandtschaft mit dem Gotischen gibt den skandinavischen Nationen einen neuen bedeutsamen Hintergrund. Die Begeisterung schwedischer Forscher glaubt den Ursprung aller germanischen Kultur vom Norden ableiten zu dürfen; Olof Rudbeck versteigt sich so weit, Schweden für das gesuchte mythische Atlantis zu erklären, davon alle Menschheitsentwicklung ihren Ausgang genommen habe. Leibniz, der auch diese Anfänge der Germanistik überschaut und beherrscht, macht schon die richtigen wissenschaftlichen Einwände gegen diese Theorie und vertritt die Ansicht, daß die Besiedelung des Nordens von Deutschland aus erfolgt sei und auch die mythologischen Vorstellungen von da nach dem Norden wanderten. Auch den deutschen Altertümern im engeren Sinne kommt die Belebung der Forschung zu gut: 1699 wird von Friedrich Rostgaard der Otfrid herausgegeben, 1705 druckt der Engländer Hickes in seinem Thesaurus den altsächsischen Heliand das erstemal ab.

Der Entdeckung und Erforschung der Denkmäler geht zur Seite die Sammlung von Spuren und Zeugnissen der Mythen und Vorzeit-Religionen überhaupt — hier haben die Franzosen von ihrem Begriff des Keltischen aus Wichtiges beigesteuert. Antoine Baniers „Explication historique des Fables" von 1711 versucht eine Mythologie aller Völker; Simon Pelloutier gibt seine Histoire des Celtes 1740—50, in der er von den Galatern bis zu den Germanen und Skandinaviern die Gottheiten und Religionsgewohnheiten der Vorzeit beschreibt, die unter dem Sammelnamen des „Celtischen" den vorchristlichen Zustand Europas überhaupt begreift.

Wir wissen nicht, ob Klopstock diese Schriften im einzelnen gelesen hat, ob ihm bereits Gottfried Schützes, des Mallet-Übersetzers, frühe Abhandlungen über die germanischen Vorstellungen von Himmel, Hölle, Tod zu Gesicht kamen („Von den Freidenkern unter den alten Deutschen und nordischen Völkern", 1748; worin schon Proben aus der Edda im Urtext und in Latein enthalten waren; „Beurteilung der verschiedenen Denkungsarten bei den alten griechischen und römischen, und bei den alten nordischen und deutschen Dichtern", 1758) — jedenfalls war schon von den ersten Kopenhagener Jahren an die Atmosphäre um ihn voll von Anregungen, die alle

auf eine ihm bisher unbekannte Welt wiesen, seine Vorstellungen
über die deutsche Frühzeit, die er aus den klassischen Autoren und
Lohensteins Arminius besaß, ergänzten und ihm ein weites Reich
neuer Möglichkeiten öffneten. So tauchen schon bald die „Barden" in seinen Oden auf, die Eichenhaine; wenn auch in dem berühmten Gedicht vom Wettlauf der deutschen und der britannischen
Muse die deutsche noch vorsichtig verständlich mit „Tochter Teu-
tons" angeredet wird, was erst in späteren Fassungen in „Thuiskons
Tochter" und „Thuiskone" sich wandelt. Für die oft völlig zerstö-
rende Umänderung der antiken Namen in nordische ist erst das Jahr
1766 entscheidend gewesen, wie auch der Briefwechsel mit Gleim bezeugt. Und zwar ist hierbei nicht nur Gleims Einfluß in Anschlag
zu bringen, der stark in diese Richtung tendierte; sondern einmal
die Tatsache, daß Klopstock jetzt Mallets Edda in der deutschen
Übersetzung von 1765 bequem zugänglich war und nicht mehr den
Studienaufwand erforderte wie die bisherigen fremdsprachigen Ausgaben; und vor allem, daß jetzt ein Mann kühn voranging und den
konsequenten Übergang zur nordischen Mythologie vollzog: Heinrich
Wilhelm v. Gerstenberg, dessen „Gedicht eines Skalden" 1766 erschien.

Mit Gerstenberg aber stand Klopstock in nahem freundschaft-
lichem Verkehr, ja er war seit 1764 sein nächster Umgang in Kopenhagen. Dieser seltsame Mann, der durch einige Vorstöße in unbe-
kanntes Stoffgebiet in unsrer Literatur berühmt geworden ist —
außer der Edda hat er ja Dante in die neuere Dichtung eingeführt,
als er später seinen „Ugolino" schrieb —, stammte aus Tondern in
Schleswig-Holstein und war der Sohn eines Rittmeisters in dänischen
Diensten. Er selbst wurde auch dänischer Offizier und hat als Leut-
nant 1763 den Krieg gegen Rußland mitgemacht; seit 1764 lebte
er in Kopenhagen. Er hatte mit anakreontischen „Tändeleyen" (1759)
begonnen; bedeutend war seine Musikalität — auch in dieser Hinsicht hat er auf Klopstock Einfluß gehabt, dem er durch Spiel und
Gesang die musikalische Empfänglichkeit neu weckte und ausbildete.

Man muß den Erstdruck von Gerstenbergs Skalden-Gedicht gesehen haben, um die Durchdringung von spätbarockem Zeitgefühl und
erster nordischer Begeisterung sich wirklich anschaulich zu machen: Rokoko-Vignetten mit Landschaften der Gegenwart prangen

über dem Gedicht-Beginn des großformatigen Hefts, und ganz naiv steht eine Athene mit aufgepflanztem ritterlichem Turnierspeer auf einem Barockpodest neben dem ersten Initial! Vor dem „Prosopopoema Thorlaugur Himintung des Skalden" scheint eine „Erläuterung der Eddensprache und der Anspielungen in diesem Gedicht" eine ernsthafte Beschäftigung mit der isländischen Literatur zu verraten. Da wird aufgezählt unter viel anderen Namen: „Braga oder Bragur, der Gott der Dichtkunst. Dvals oder Dvalens Töchter, Parzen, die die Geburt der Kinder weihten. Thor oder Hlodin, der Donner-Gott. Njord, ein Riese oder Halbgott, den die Edda als einen Dichter einführt. Glasur, ein geheiligter Wald, der die Vorhöfe des Himmels umgab und dessen goldne Zweige von dem Vorhofe Sigfur an bis auf den mit goldnen Schildern bedeckten Götterpalast (Glitner) reichten. Vingolf, Palast der Freundschaft und des Friedens (Friedensburg der Sommeraufenthalt König Friedrichs d. V.). Einherium, Helden, die das Schwert einer Stelle in Valholl würdig gemacht hat." Aber wenn man nun eine großartige Handlung mit Göttern und Helden erwartet, so ist man erstaunt, nur wieder das Nennen fremdklingender Namen zu hören, in einer ewig ekstatischen Vorbereitung für eine anrufend beschworene, aber eigentlich nie erscheinende Vision eines wieder zum Licht Erwachenden, eben des Barden Thorlaugur. So beginnt es: „Ist's Bragas Lied im Sternenklang / Ist's Tochter Dvals, dein Weihgesang / Was rings die alte Nacht verjüngt? / Auch mich — ach! meinen Staub durchdringt, / Wie Blitze Thors die Gruft enthölt / O Wonne! mich — mich neu beseelt ... Wohin, mein Geist, bist du entflohn? / Wo badest du den Schwung so früh / Im Urquell süßer Harmonie? / Nicht so entfesselte einst Njord / Den blanken Eisberg durch Accord: / Der Fels, wo er die Hymn ergoß, / Daß Nordsturm tonvoll ihn umfloß, / Bebt unter ihm, die Tiefe klang / Und Geister seufzten in seinen Gesang / ... Wo Mimers Haupt vom Hügel quoll, / Hier ist Sigtuna, hier Valholl (Anmerkung des Dichters: Residenz des Odin) ..." Und nun endet der erste Gesang in einer höfischen Huldigung, die sich mit den altnordischen Mythologemen seltsam genug ausnimmt: „Wer schreitet königlich daher / In Vingolfs Hayn, am sanften Meer? / Laß mich, Du Majestät am Hayn, / Auf deinen Fußtritt Blumen streun! / Du König, Vater, Friedensheld / Du Lust des Himmels und der Welt! / Laß

mich die Stunde weihen, da / Ich Deinen Tritt, Allfadur, sah." (Allfadur wird erklärt als „der allgemeine Vater, die erhabenste Vorstellung, die man sich von einem gütigen Wesen macht".) — Der zweite
Gesang ist dann völlig anakreontisch: die Freunde, die einen Schwur
tauschen wollen, belauschen zunächst die Göttin Balkallur („eine
Wassergottheit") im Bade, „wo über buntbeblümte Rasen / Der See
vom Hauch der Luft bewegt, / Crystallne Wellen vor sich trägt, /
Sehn wir, mit süßem Duft beladen, / Die Göttin Balkallur sich baden /
... Bescheiden schlüpft sie in die Tiefe nieder / Allein das Eben-
maß der Glieder / Strahlt durch die heitre Fläche wieder / ... Die
kleinen Füße rudern, sanft gebogen, / Der volle Busen wallt auf
zarten Wogen / ... " Es folgt die einzige Stelle, die einen Moment
lang etwas dichterisch-Musikalisches aufklingen läßt: „Schnell hören
wir aus einem Zauberkahn / Fremde Spiele der Saiten / Mystische
Lieder begleiten. / Stillschweigend hören wir; die Saite klingt; / Die
himmlische verborgene Stimme singt:" — aber sofort ist wieder
durch phantastisches Namen-Gestammel alles verdorben: „Beglückt!
beglückt! beglückt! / Wer in die Freuden der Götter entrückt / Am
Busen des Freundes stirbt / Ihm reichen Hrist / und Skogula und
Mist / Und Hilda und Hertruda / Und Hloka und Herfiuda / Gaull,
Geira, Radrida / Und all Valkyriur in Valholl / Einherium Ol." Ein
dritter Gesang schildert den Kampf um die Goldharfe, im Ossiani-
schen Stil, nur gänzlich wirr und kaum verständlich; ein vierter plötzlich die Vision des Südens, des heiligen Lands, wo der Mythologe
in einer Anwandlung anscheinend religiöser Bedenken schnell dem
biblischen Gott huldigt „Es ist der Herr! der Gott der Heere! / Er
ist! — Wo ist ein Gott wie er? /". Und schließlich wird die Götter-
dämmerung gemalt, mit all den bekannten nordischen Göttergestal-
ten: Hymir, die Mitgartschlange, der Zwillingswolf — „Furchtbar
bellt aus dumpfer Grotte / Mit weitgeöffnetem Schlund / Hinter dem
fallenden Gotte / Garm der Höllenhund! / Mit schwarzem Antlitz
entsteigt die Sonne dem Dunkeln / Und Sterne hören auf zu fun-
keln! /Da wüten Meere, Flammen der Berge wüten / Wo ihre Fak-
keln glühten! — / In neue Gegenden entrückt / Schaut ein begeistertes
Aug umher — erblickt / Den Abglanz höhrer Gottheit, ihre Welt /
Und dieser Himmel, ihr Gezelt. / Mein schwacher Geist, in Staub
gebeugt / Faßt ihre Wunder nicht, und schweigt."

97.

Wir mußten etwas ausführlicher uns mit Gerstenbergs Gedicht beschäftigen, weil wohl niemand es heute mehr kennt und liest, und ein bloßes Feststellen der Tatsache, daß er zuerst die nordische Mythologie verwendete, keinen Begriff von der seltsamen Art gibt, mit der etwas so Epochemachendes in Wirklichkeit in Szene gesetzt wurde. Wir mögen heute über den grotesken Einfall lächeln, mit der Häufung von unverständlichen Namen und bloßen Anrufungen eine Dichtung zu bestreiten; aber unterscheidet sich die Verwendung antiker Mythologie mit ihren entfernteren und schon ganz gelehrten Anspielungen, wie viele Carmina des Barock und auch nicht wenige der früheren Klopstockschen Oden sie zeigen, so sehr von diesem Gebrauch? Ist nicht auch für uns heute hier bloß Prunken mit Wissen und Belesenheit, was noch in der Welt der römischen Dichter Leben war, wenn auch bereits, den Griechen gegenüber, aus zweiter Hand? Und ist nicht bloß die europäische Gewohnheit, sich an ein klassisch gebildetes Publikum zu wenden, auch für uns so sehr selbstverständliche Gewöhnung geworden und geblieben, daß wir unser Verständnis von vornherein versagen, wo wie hier eine neue, die nordisch-germanische Gelehrsamkeit für unser Dichten und Denken sich nicht durchgesetzt hat und also das fast Unsinnige eines solchen Unterfangens grell zu Tage tritt? Damals dachte man jedenfalls anders darüber. Man übersah, daß jene mythischen Vorstellungen des Nordens nicht ins Geistige weitergewachsen waren, nicht zu Symbolen innerer Zustände und äußerer Eigenschaften geworden waren, wie es bei der klassischen Mythologie durch ihre lange, nie ganz abgerissene Überlieferung sich gefügt hatte. Aber in der ersten Begeisterung konnten solche Bedenken nicht aufkommen gegenüber der faszinierenden Entdeckung, daß es „nordische“ und also, wie man meinte, deutsche Glaubensvorstellungen gegeben hatte, mit denen sich poetisch ebenso verfahren ließ wie mit den bisherigen „fremdden“. Im Vordergrundsbewußtsein war dabei das „Vaterländische“ im Spiel, das jetzt plötzlich eine so große Bedeutung erlangte; in der Tiefe aber wirkte noch weit stärker der alte barocke Trieb, der in Vermaskung und Vermummung sich gefiel und nun, paradoxer-

weise, das „Eigene" als neuen Reiz poetischer Gewandung sich erwählte.

Was Gerstenbergs ersten Versuch suggestiv machte, war die Hingenommenheit bis zur Berauschung, die man ihm anmerkte und die
auch den ernsten und reiferen Klopstock überwältigt haben muß, da
er von da ab ganz das Gleiche und mit viel mehr Nachdruck durch
seine schon erworbene Autorität ins Werk setzte und, wie ja bekannt genug ist, seine ganze Odendichtung aus dem Antikischen
ins Bardische und Skaldische veränderte. Man kann es wiederum
nur aus der barocken Konvention verständlich finden, daß ein so
großer Dichter das Gewordensein seiner eigenen dichterischen Gebilde so unorganisch auffaßte, daß er die antike Namengebung als ein
auswechselbares Ornament betrachtete, das ohne Veränderung des
Ausdrucks durch ein andres zu ersetzen sei. Denn wir erleben es ja
zu der gleichen Zeit, daß in England und bald auch in Deutschland
ähnlich mit der Gotik verfahren wird, die der Alleinherrschaft des
Klassischen plötzlich, in Gartenkunst und Architektur, eine andre
Ornamentik und ein mehr malerisches als plastisches Empfinden gegenüberstellt und doch nur als modische Nuance des Stilwillens
in seinem stark theatralischen Schaustellungsdrange wirkt. Doch muß
im speziellen Falle der Dichtung auch das Lehrhafte in Klopstock
nicht übersehen werden, der sich schon längst, auch im Inhalt der
Oden, an seine Rolle des praeceptor Germaniae gewöhnt hatte und
sich — wie später mit seiner Orthographie — ohne Zweifel der Hoffnung hingab, eine wirkliche Änderung der Gewohnheiten herbeizuführen, und deshalb seinen Lesern zumuten konnte, das ihnen Unbekannte und Unverständliche zu lernen, bis es ihnen in Fleisch und
Blut übergegangen wäre. Denn auch er mußte ja die nordischen Namen in Anmerkungen erklären; und man staunt über das Unbe-
trächtliche an Sinn, was sich da meist ergibt, während das Unerklärte
oft noch etwas von geheimnisvoller Bedeutung an sich hat, weswegen
es ja gebraucht wurde und er es selber wohl so empfand: als
schmückende pathetische Zutat.

Wenn Klopstock auch nicht zu den geschmacklosen Häufungen
Gerstenbergs sich verstieg, so ist doch die ungünstige Rückwirkung
auf den Typus der Ode in einer gewissen Zeit bei ihm offensichtlich.
Bei den Umarbeitungen des Früheren verdarb er einzelne Verse und

Strophen, oder fügte Neues ein, das den Gang der ursprünglichen Konzeption unterbrach; und es war ein Unglück, daß seine sämtlichen Oden, die ja gesammelt erst 1771 herauskamen, nur in dieser seit 1766 begonnenen Umarbeitung verbreitet wurden und die Originalfassungen in entlegenen Zeitschriften oder Handschriften nur schwer noch zugänglich waren. Aber die im neuen Stile gedichteten, hauptsächlich zwischen 1766 und 1770 entstanden, sind fast alle keine zeitlosen Gesänge mehr, wie der Schöpfer des Messias sie vermochte. Man begreift nicht, wie auf die herrliche Ode „Die Sommernacht" ein Gedicht wie „Skulda" folgen konnte, oder dann „Der Bach" und „Braga" („Von Wandor, Wittekinds Barden"), „Die Barden", „Der Hügel und der Hain" — es ist eine Malerei des Wesenlosen, was da an die fremden Namen sich schließt, die trotz aller Erklärungen und des Dichters sichtlicher Begeisterung nicht Gestalt werden; und da eine neue Poesie mit ihnen begründet werden soll, wird aller Inhalt mehr oder weniger zu einer sublimen Poetik, in welcher die neue Dichtart nicht nur gelehrt, sondern gegen anderes abgegrenzt und verteidigt wird und in ständigem Wettkampf mit Widersachern und Rivalen sich befindet. Das, was des Dichters Positives sein mochte, welches er vielleicht wirklich innerlich sah, kann bei der jetzt immer mehr verschwimmenden Darstellung, die durch gesteigerten Lakonismus nur noch unverständlicher wird, kaum ahnend erfaßt werden — was will er etwa mit diesen Strophen sagen: „Gekühlt von dem wehenden Quell, / Saß, und hatt' auf die Telyn sanft / Sich gelehnt Braga. Jetzt brachten Geister ihm, / Die sie, in Nächten des Monds, Liedern entlockt, / Die Norne Werandi, und sie / Hatt' in Leiber gehüllt, die ganz / Für den Geist waren, ganz jeden leisen Zug / Sprachen, Gebilder, als wärs wahre Gestalt; / Zehn neue." — Liegt nicht in dem Urteil „als wärs wahre Gestalt" das Eingeständnis dessen, was dem Tiefsinn des Dichters nicht gelingt? Aber im Negativen, in der Polemik wird meist nur allzudeutlich, was er meint: die durch solche Proben wenig bewiesene Dichtart macht den Anspruch, die einzige deutsche und damit die höchste zu sein. Mit hohem Selbstbewußtsein rühmt er etwa, daß „Siona Sulamith" — die Muse des Psalters — ihm schon „den röthlichen Kranz Sarons" gab; aber „Nun rufet seinen Reihen durch mich / In der Eiche Schatten Braga

zurück" — und ein Gesang „kühneren Schwungs" „uns mehr Wendung fürs Herz" stellt jetzt Alcäus in Schatten und was einst Tempes
Hirten, den Kämpfern in Elis Gefild, dem mit Tanz in die Schlacht
eilenden Spartaner erklang! Taub der Musik zählt Galliens Lied
Laute nur; zwischen der Zahl und dem Maß schwankt der Brite, und
dem Deutschen hat bisher „Allhend" (Anmerkung: bei unsern Alten
die volle Harmonie eines Gedichts) sein Maß mit Nacht gedeckt. Allgemeiner wird die Auseinandersetzung in dem Gedicht, das schon im
Titel „Wir und Sie" eine Abrechnung bedeutet — es ist geradezu
eine Kriegserklärung an England, nicht nur im Kulturellen, sondern,
wie es scheint, auch im Politischen. „Das macht uns ihnen gleich",
„Das hebt uns über sie" ist der ständige Refrain jeder Strophe: wir
sind ihnen in Tugenden und Begabungen, in Gerechtigkeit, Wissenschaft, Genie überlegen; und in der Seeschlacht „schlügen" wir sie,
wie in der Landschlacht — „Vor uns entflöhen sie" ... „Hermanne
unsre Fürsten sind / Cherusker unsre Heere sind, / Cherusker, kalt
und kühn" ... Wie kommt Klopstock zu diesen kriegerischen Tönen,
zu diesem Prahlen mit Erfolgen, die einzig dem leidenschaftlichen
Wunsch entspringen können, daß es so sei, für welche aber nirgends
eine Aussicht auf Realisierung besteht? Man würde dies heute als
typischen Nationalismus charakterisieren, der uns sonst erst als
Frucht des 19. und 20. Jahrhunderts erscheint, nun aber bereits
von Klopstock an zu datieren wäre. Die Übersteigerung des berechtigten Wertgefühls eines Volkes, die Geringschätzung und Bedrohung
anderer Volkesart — das sind gewiß typische Symptome dessen, was
man Nationalismus nennt; aber zugleich typisch deutsch darin, daß
sie nicht primär politischen, sondern geistigen Ursprungs sind, und
hier im Grunde auch nur etwas Geistiges meinen, aber, charakteristisch eben für das Deutsche, durch ein völliges Sichvergreifen in
Form und Ausdruck den Schein des politisch-Aggressiven annehmen.
Es ändert nichts an der Unerfreulichkeit der Form, daß die Sache
harmlos und mühelos aus der besonderen deutschen Entwicklung
sich erklärt, nicht einmal so sehr der politischen als wiederum der
geistigen, die seit dem 16. Jahrhundert unter dem Zeichen der
„Überfremdung" stand: einer wirklichen Fremdherrschaft vor allem
in den Künsten, die sich nicht auf Formen und Inhalte der Werke
beschränkte, sondern in ausländischen Vertretern von Malerei, Musik

und Baukunst lange Zeit jedes deutsche Talent verdrängte, aber auch in der Poesie die maßgebenden Vorbilder setzte, vom Spanischen, Niederländischen, Italienischen im 17. Jahrhundert bis zum Französischen und Englischen im achtzehnten.

Es war kein Zufall, daß die Wiederfindung eines berechtigten Nationalgefühls von der Dichtung ausging. Und hier ruht die große Bedeutung des „Vaterländischen" bei Klopstock: nur in der nationalen Sprache, die man ja immer noch, trotz des Italienischen und Französischen in den höheren Gesellschaftskreisen, im Volke sprach, war eine solche Besinnung auf das Eigne überhaupt noch möglich, und ein Nationalstolz war angebracht, sowie wirklich große und auch europäisch bedeutende Leistungen in dieser Sprache vollbracht wurden; und das war nun durch Klopstock der Fall: er hatte alle Ursache, in seinem Messias, in seinen Oden eine erste Erfüllung dessen zu sehen, was allen andern Völkern selbstverständlich war: einer Nationalpoesie, wie man sie seit Gottsched zwar theoretisch gefordert und durch fleißige Pflege der Sprache vorbereitet, aber in der Praxis nur in wenigen Fällen schon erreicht hatte. Vollends ein Bewußtsein des Gesamtdeutschtums, für welches Dichtung doch repräsentativ sein müßte, war nirgends vorhanden gewesen, weder Haller und Hagedorn, noch Gellert und seinen Freunden schwebte dergleichen vor. Und so wird in der Dichtung durch ihre Verwurzelung im nationalen Element etwas möglich, was in den andern Künsten mit solcher Bewußtheit nicht geschehen konnte — weder bei Bach oder Händel, noch bei einem der großen Baumeister des Barock konnte sich dergleichen einstellen — über dynastische Verherrlichung ging es da nicht hinaus; selbst der österreichische „Reichsstil" fußt auf Anspruch und Tradition der apostolischen Majestät, wenn er auch unbewußt Volkhaftes zum Ausdruck bringt, wie ja die Musiker auch, selbst wo sie, wie Händel, im Ausland und fürs Ausland schufen.

Erst Klopstock bewirkt hier eine Wandlung, wie es sich bald in Glucks und Mozarts Auffassung des Deutschtums zeigen wird — in ihm holt Deutschland nach, was die andern Nationen längst errungen hatten, seit die mittelalterliche hierarchische Einheit zerbrach, die nur volks- und stammesmäßige Spielarten der einen Alle umfassenden Geistigkeit gekannt hatte. Aber eben die Tatsache, daß die andern das allen Natürliche an nationaler Eigenart und Selbstheit besaßen, zwang zum Vergleich, zwang zum Wettkampf, und durfte angesichts von großen eigenen Leistungen eine Revision der bisherigen Selbsteinschätzung verlangen. Freiwillige Anerkennung des neu Geschaffenen war nicht so bald zu erhoffen; man nahm in England und Frankreich noch wenig von deutscher Literatur Notiz: und so erklärt sich die Übersteigerung erlaubter und gerechter Selbsteinschätzung durch ihr langes Fehlen und durch ihr plötzliches Auftauchen in einem einzelnen Menschen, der sich anders als durch eine gewisse Übertreibung gar nicht verständlich hätte machen können, bei der noch immer vorherrschenden Überschätzung jeder fremden Leistung. Man braucht da gar nicht an Friedrich den Großen allein zu denken, dessen Abneigung gegen die deutsche Literatur bekannt genug ist und gerade Klopstock besonders empfindlich traf — Höfe und Adel hatten naturgemäß zu deutscher Dichtung ein noch viel negativeres Verhältnis als zu irgend einer durch Deutsche repräsentierten anderen Kunst, und um aus solcher Gesinnung aufzurütteln, mochte der Appell an einen politischen Agon vielleicht zweckmäßig erscheinen — „Hermanne unsre Fürsten sind": das ließ sich nicht so leicht überhören.

Um Klopstocks wahre innere politische Einstellung sich deutlich zu machen, braucht man indes nur an den Umstand zu erinnern, daß er eine solche Ode immerhin als Untertan und Günstling des dänischen Königs schrieb (1768) und (1769) zuerst veröffentlichte, so daß es nicht sehr ernst gemeint sein konnte und sicher auch nicht ernstlich so verstanden wurde, wenn einer von Dänemark aus die Deutschen, Volk und Fürsten, zum Kampf gegen England aufrief. Wie wenig bloß formell und konventionell, wie tief und echt politisch Klopstocks Verhältnis zum dänischen König war, erhellt daraus, daß er ihn schlechthin als Muster eines „guten" Königs aufstellte, nicht nur allgemein, sondern mit öfter ausgesprochenem realem Vergleich zu Friedrich von Preußen, wenn er dem „Eroberer" den Friedensfürsten Christian V. entgegenstellt als den schlechthin höheren Typus. So kriegerisch die Töne manchmal klingen — gerecht und berechtigt ist für Klopstock nur der Verteidigungskrieg; der Eroberungskrieg gilt ihm als ein Makel, den auch die höchste Genialität und der größte Heldenruhm nicht abwäscht.

In dieser Gesinnung blieb Klopstock unerbittlich. Auch ihm hatte die Gestalt Friedrichs zuerst Bewunderung und Liebe abgenötigt, ja selbst noch, als er alle seine Kriegstaten übersah, hielt er sich dem großen Schauspiel gegenüber, das der Siebenjährige Krieg Europa gegeben hatte, noch für objektiv genug, eine Geschichte eben dieses Krieges zu schreiben. Er begann sie erst nach Friedrichs Tod, aber die Fragmente hat er vernichtet. Doch sein Bannfluch gegen den Eroberungskrieg blieb bestehen. „Kein Krieg kann gerecht sein, so den tiefen / Grund legt ewigen Kriegs. Betüncht·ihn, / Gleißt ihn; er wird nicht gerecht! / / — Friede beascht jetzt schlummernde Glut: doch Erobrung / Wird nicht verziehn! und so bald sich mit der Zeiten Wechsel wirbelt der Sturm; verfliegt die / Asche, wird Flamme die Glut! / / Sah er vielleicht allein nicht vorher, was vor Aller / Aug in der Fern unverhüllt lag, der Erobrung / Jammer-Ernte? nicht hundertfältig / Sprossen Gebein aus Gebein? / / Himmel! er sah's, und that doch, er that, was Entsetzen / Herrschenden ist, die des Volkes, und die eigne / Majestät nicht entweihn, er that es, / Streute die schreckliche Saat!" — so läßt Klopstock in seiner Ode „Delphi" die Priesterin richtend sprechen, noch im Jahr 1782, da schon längst der Kriegsruhm vor der Friedensherrschaft des Königs in den Schatten versunken war.

Der Dichter erscheint hier ganz als Sprecher des hohen harmonisierenden Geists des Jahrhunderts, der, wenigstens in Deutschland, zwar alle die Probleme auf die Bahn gebracht hat, an denen wir noch zu lösen haben, zugleich aber alles Schädliche und Bedenkliche ihnen noch für eine große Weltstunde nahm, und so auch die möglichen Gefahren neuen nationalen Selbstbewußtseins für sich überwand. Man muß mit der Stellung zu Friedrich dem Großen Klopstocks Urteile über die Französische Revolution zusammenhalten, um zu erkennen, wie treu er sich blieb. So wie er als Jüngling von Friedrich sich einen Augustus erwartete, so besingt er als Greis die Anfänge der Revolution, unter der variierten, nun resignierten Überschrift „Sie und nicht Wir" — daß nämlich die Franzosen und nicht wir die erlösende Tat vollbrachten — :„Hätt' hundert Stimmen; ich feyerte Galliens Freyheit / Was vollbringet sie nicht! So gar das gräßlichste aller / Ungeheuer, der Krieg, wird an die Kette gelegt." Bald aber muß eine Ode den Namen „Mein Irrthum" tragen, und er muß singen: „Freyheit, Mutter des Heils, nannten sie dich / Nicht selbst da noch, als nun Erobrungskrieg, / Mit dem Bruche des gegebnen / Edlen Wortes begann?" Aus der furchtbaren Enttäuschung („Mir lebt nun die Geliebte nicht mehr: der einzige Sohn nicht!") quillt dem Greis eine Fülle prophetisch richtender Oden, die schon Napoleon einbeziehen und zu den großartigsten und kühnsten Würfen seines Geistes gehören, wenn sie auch leider zugleich die wenigst gekannten seiner 'Gedichte sind, vielleicht, weil diese reinste Stimme des Jahrhunderts nun an seinem Ende zu unbedingt und hoffnungslos erklang.

Man begreift schließlich an dieser durchgehenden Konsequenz von Klopstocks politisch-vaterländischem Denken, was ihm die Gestalt des Cheruskers hat bedeuten müssen. Hier fand er Heldentum, wie es im Einklang mit seinen sittlichen wie künstlerischen Forderungen stand: hier war ihm der Krieg geheiligt als Verteidigungskrieg, der seinem Volk die Freiheit rettete; und er konnte ihn in dem erhabenen Stile besingen und darstellen, wie ihm die Lieblingssphäre seiner patriotischen Phantasien, die germanische Vorzeit, ihn nahelegte.

98.

So stehen, der Polarität seiner christlichen und germanischen Berufung entsprechend, neben den drei biblischen Dramen die drei altdeutschen. Und wie er auch während seiner „bardischen"Zeit unablässig an der Vollendung des Messias weiter schuf, so hat auch die Beschäftigung mit dem germanischen Mythos den biblischen nicht verdrängt — die Dramen dieser beiden so verschiedenen Kulturen erscheinen in der Spanne, da der Messias vollendet wird, in wechselnder Folge, wie ineinander verschränkt: 1757 Adams Tod, 1764 Salomo, 1769 Hermanns Schlacht, 1772 David, 1784 Hermann und die Fürsten, 1787 Hermanns Tod. Nur die Trauerspiele Salomo und David sind — vor Lessings Nathan — in Jamben, alle andern Dramen in Prosa, die germanischen mit Gesängen durchwoben. Nimmt man hinzu, daß 1771 auch Klopstocks Oden, die bisher nur in Einzeldrucken verstreut waren oder in Handschriften zirkulierten, das erstemal von ihm selbst gesammelt vollständig herauskamen, und daß im

Jahre 1774 die Deutsche Gelehrten-Republik ans Licht trat: so versteht man, daß in den siebziger Jahren die Gestalt Klopstocks erst im ganzen Umfang deutlich wurde und in ihrer Größe sich richtig emporhob, so daß sie auch über das dichterische Bereich hinauszuwirken begann — die bedeutendste Bekundung davon ist die Begegnung mit Gluck, in der eine ganz neue Beziehung des Dichters zur Musik aufleuchtet.

Es ist das „Vaterländische", in dem sich Gluck und Klopstock treffen; und es ist die besondere Beschaffenheit der bardischen Dramen Klopstocks, wodurch überhaupt eine Ergänzung der Dichtung durch die Musik hat in Frage kommen können.

Wir müssen hier zunächst der Rolle gedenken, welche die Prosa bei Klopstock, ja in der Literatur des Barock fast allgemein spielt. Sie ist hier der eigentliche und ursprüngliche Gegensatz zur „Poesie" gewesen, wie ihn das populäre Bewußtsein heute noch versteht — sie ist wirklich nur ungeschmückte Alltagsrede, nicht bildhaft gesättigt oder in sich selbst verdichtet, nicht unverwechselbarer persönlicher Ausdruck, wie wir sie bei den späteren Dichtern in Erzählung und Abhandlung, ja im zufälligen brieflichen Zeugnis finden. Gegenüber aller Verskunst erscheint sie seltsam unausgebildet und ist auch bei bedeutenden Autoren noch auf lange hin unbeholfen und hölzern, selbst wo sie sich dann bemüht, zu begeisterter Rede sich zu steigern — man denke an Winckelmann, dessen Werke etwas eigentümlich Altfränkisches an sich haben, das sie wenig von dem trockentreuherzigen Stil etwa eines Bodmer unterscheidet. Wir erwähnten schon, wie wenig uns deshalb Klopstocks Briefe geben, und finden auch sonst bei ihm, wo er sich grundsätzlich theoretisch und ästhetisch äußert, eine merkwürdig schwierige, oft unverständliche, aber auch geradezu ungelenke Sprache, die uns dem nicht recht nahe bringt, was er ausdrücken will, so daß das Geschriebene wie im Wesenlosen verharrt. Dieser Mann mit dem einzigartigen Sinn und Vermögen fürs Rhythmische hat gerade dies wie absichtlich allein seiner Verskunst vorbehalten und sich in der Prosa einer Nüchternheit befleißigt, die er für die angemessene Haltung einer rein sachlichen Mitteilung hielt. Er wurde darin bestärkt durch seine Neigung zum Lakonismus, in der eine schöne Scheu vor dem Uneigentlichen, Geschwätzigen, Phrasenhaften lebt, aber auch etwas kalt-Stolzes und

Apodiktisches, das dem Publikum manches Wort zum Erraten hinwirft und auf die Annahme auch des bloß Angedeuteten rechnet. Den Höhepunkt erreicht dieses Verfahren in der Gelehrtenrepublik, wo nun noch zu der Spiel- und Vermummungsfreude des Barock ein im weniger hohen Sinne barocker Humor hinzukommt, der kaum jemandem außer dem Autor viel Freude bereitet haben mag. Kühn und souverän ist an sich die Vermischung der Stile: das juristisch-Pedantische und lakonisch-Fragmentarische der Gesetze; die hohe Idee geistiger Rangordnung und Wertung, verhüllt in altertümlich germanisch-druidisches Brauchtum und sonderbare, halb sinnige halb komische Namengebung; das ständige Polemisieren und Parodieren, gerichtet gegen das Schlechte und Minderwertige, aber auch gegen das Fremde aller Art; die wirklich bedeutsamen Planungen, die aphoristischen Gedenkblätter des Deutschtums und grammatikalischen Abhandlungen immer unterbrochen von den scherzhaften Tagungen und Verhandlungen — aber alles in einer wenig anschaulichen unlebendigen Erzählung: nur eine Prosa-Kunst wie die Jean Pauls, der die Register des wahren Ernsts wie des wahren Humors gleichstark zur Verfügung stehen, hätte diese widerstreitenden Elemente organisch binden können. Aber indem man Jean Pauls Namen ausspricht, ahnt man zugleich, wie sehr der Jüngere hier dem Älteren verpflichtet ist und was die bloße Konzeption einer solchen kritisch-dichterischen Vielfalt im Gewande ernst- und scherzhafter Fiktion bedeutete; die nur erst auf einer anderen Entwicklungsebene zu wirklicher Gestalt werden konnte.

Wo Prosa in den Dramen gebraucht wird, hat sie ernsthafte Funktion, und ist, etwa in Adams Tod, wo sie alleinherrscht, nicht ohne Herbigkeit und Größe. Dieses Seelengemälde vom Sterben des ersten Menschen berührt auch uns am ehesten noch heute und ist zu seiner Zeit am besten von allen aufgenommen worden, auch in alle europäischen Sprachen übersetzt. Ähnliches ward einem verwandten Werk zuteil, das nur ein Jahr später, 1758, herauskam: Geßners, des Idyllendichters, „Tod Abels", das den ersten Tod eines Menschen episch darstellte, weicher und schmiegsamer in einer schon dichterischen Prosa, die hier, wie sonst nur bei Jean Paul, den Vers bewußt verdrängt hat und alle Poesie mit den schlichten Mitteln ungebundner Rede zu leisten sucht. Klopstocks andre beiden biblischen

Trauerspiele, Salomo und David, sind merkwürdig düster, ja hart und grausam, und haben vielleicht mehr Kraft und Männlichkeit als die allzuviel von Heldentum kündenden Hermannsdramen, auch ist die Jamben-Sprache bedeutender und erfüllter, als seiner Prosa es gelingt; aber das rein theologische Problem der Gnade, von einer Unbedingtheit wie beim frühen Luther, das Ringen des Individuums mit dem grausamen, unbarmherzigen Gott, sehr fern auch von der Empfindsamkeit des Messias, ist unserm Weltgefühl schon fremd. Wohl nirgends sonst spüren wir so sehr, wie der Ausdruck des reinen bekenntnismäßigen Protestantismus ohne die aus ihm entsprungene und über ihn hinausgewachsene Musik archaisch anmutet und unsern seelischen Bedürfnissen wenig mehr zu sagen hat. Und so erscheinen diese Werke uns nicht als äschyleische Tragödien unserer Kultur, welche Stelle vielmehr Bachs und Händels geistliche Dramatik eingenommen hat — sie sind, auf höherer Ebene, unmittelbare Fortsetzung der protestantischen Bibeldramen des 16. Jahrhunderts. Gerade Klopstocks eigene Berufung auf Corneilles christliche Tragödien macht uns deutlich, daß bei uns die großen Musiker das klassische Drama des Barock darstellen. Immerhin bleibt es von höchster Bedeutung, daß im deutschen Spätbarock dasselbe gesucht und versucht wird, was im französischen Barock und bei Händel Gestalt wurde; denn an Händels biblische Oratorien werden wir hierbei am unmittelbarsten gemahnt, die ja auch zeitlich noch so nahe standen. Aber in Händels Salomo ist die Problematik undenkbar, die den Weisen, der gottesfürchtig alles durchgründet, zuletzt aus Überweisheit zum Anbeter des Moloch macht, der ruhigen Bluts die grausigen Kinderopfer ihm darbringt und in skrupulösen Qualen und Ausflüchten sich nicht zu dem allzuhohen Gott zurückfinden will — das Medium der Musik drängt hier nicht nur äußerlich auf eine Harmonie, es enthält innerlich schon eine andere Anschauung der Welt, als sie dem grübelnden Lutheraner, der bloß das „Wort" der Bibel besitzt, erscheinen kann. Dennoch geben diese alttestamentlichen Dramen einen Begriff von dem Ernst, von der Tiefe und Schwere des Dichters, der selbst immer wieder um sein Seelenheil rang, und, etwa in seinem David, gewiß manche eigne weltliche Eitelkeit abbüßte, im Salomo aber wohl kaum an die Abgötterei denken mochte, die für einen gläubigen Christen die dichterische Verherrlichung Wodans hätte be-

deuten müssen. In den Oden war die nordisch-bardische Mythologie
zuletzt doch nur Kostüm, auswechselbares Kunstgewand, das er mit
dem klassisch-mythologischen vertauschen konnte, da beides nicht
Glaube, sondern unverbindliches artistisches Spiel war. Aber wenn
er im Drama, auf der wirklichen Bühne, den ihm teuersten Helden
und die historische Tat der Befreiung Deutschlands erscheinen ließ
und als religiösen Grund davon jenen heidnischen Mythos besingen
mußte, aus dem doch die Kraft zu allem kam — war da nicht doch
der Übergang aus der christlichen Sphäre in eine nationale, in welcher der eigentliche Sinngehalt seines bisherigen Lebens und Dichtens
keine Stätte mehr fand?

Klopstock hat selber bekannt, daß er zufrühest einen nationalen
Stoff für sein Epos erwählt hatte: Heinrich den Vogler, und dann
erst für den Messias sich entschied; nahm er diese Entscheidung jetzt
zurück, drängte das Vaterländische sein Religiöses in den Hintergrund? Die Weiterarbeit am Messias und an den biblischen Dramen beweist, daß er keineswegs das Eine um des Andern willen
lassen wollte. Trennte er sogar bewußt das Sakrale vom Profanen, wenn er den „Adam" für unaufführbar erklärte, die Hermanns-
Dramen aber als Bardiete „für die Schaubühne" bezeichnete — lebte
in ihm die ungebrochene Naivität des Barock-Meisters, der, wie Bach,
das Christliche der Kirche, seine antikisch-mythologischen Verherr-
lichungen des Landesherrn dem Hofe gab, ohne sich irgend darüber
Gedanken zu machen? Aber auch diese patriotischen Dramen waren
nicht für die gewöhnliche Bühne, sondern als Feier- und Weihe-Spiele
gedacht, die ersten, die es außer den höfischen Huldigungen gab:
nicht das biblische Drama wollte er als Mysterium wiederbeleben —
das Epos des Messias war ihm für sein Religiöses die höhere, die
unüberbietbare Form — sondern „Gedichte, deren Inhalt aus der
Zeit der Barden sein und deren Bildung so scheinen muß" als Zentrum der Verehrung unter sein Volk stellen.

Den höchsten Nachdruck gibt Klopstock dieser Mission seiner
Dichtung, indem er das erste erschienene Drama „Hermanns Schlacht"
Joseph II. widmet: „Niemandem oder dem Kaiser mußte ich ein Gedicht widmen, dessen Inhalt uns so nah angeht". Er schmeichelt sich
nicht weniger als dem Kaiser, wenn er ihn hierdurch instandzusetzen
erklärt, dasselbe zu leisten wie Karl der Große: „Aber ich wage es

noch, hinzu zu setzen, daß Er die Werke, welchen Er Unsterblichkeit
zutraut, bei den Bildnissen derer, die sie geschrieben haben, aufbe-
wahren wird. Mit gleichen Gesinnungen schätzte Karl der Große die
Wissenschaften,...indem er die Sprache bildete und die Gesänge
der Barden nicht länger der mündlichen Überlieferung anvertraute,
sondern sie aufschreiben ließ, um sie den Nachkommen zu erhalten."

Daß Klopstock sich nach Wien wendete und sein erstes vaterlän-
disches Drama dem Kaiser widmete, hat ohne Zweifel Glucks Aufmerksamkeit auf ihn gelenkt. Die nähere Beziehung zwischen den
beiden scheint der in Wien lebende Jesuitenpater Michael Denis
hergestellt zu haben, auch ein „Barde", der unter dem Namen Sined
damals gerade seine metrische Übersetzung Ossians (1768—69) —
in Hexametern — vollendet hatte. Er verehrte Klopstock und stand
mit ihm schon längere Zeit in Briefwechsel; und auf ein Schreiben,
in dem er dem protestantischen Messias-Dichter als höchstem religiösem Sänger huldigte, war dessen erstes Anliegen an ihn, daß er
bei dem Komponisten Hasse vorsprechen möchte, der sich damals
von Dresden nach Wien zurückgezogen hatte: dieser sollte einige
Silbenmaße aus dem XX. Gesang des Messias in Musik setzen, die
Klopstock zu einer Abhandlung über die metrische Komposition ge-
brauche. Hasse lehnte mit Kränklichkeit und Geschäften ab, wozu
Klopstock bemerkt: „Wenn er nicht sehr kränklich ist, so verdrießts
mich, daß, da ich ihn für Patriot genug gehalten habe, ihm die Komposition meiner deutschen Silbenmaße anzubieten, er es nicht gewesen
ist." Wahrscheinlich hat dann Denis an Hasses Stelle Gluck mit
Klopstocks Wünschen bekannt gemacht; denn bald finden wir diesen
mit der Vertonung Klopstockscher Oden beschäftigt, und gleich nach
„Paris und Helena" (1770) muß er schon die Komposition der Hermannsschlacht begonnen haben. Noch in dem ersten erhaltenen Brief
Glucks an Klopstock vom 14. August 1773 aus Wien (also noch vor
seiner ersten Reise nach Paris) bezieht er sich auf die Vermittlung
von Denis, durch welchen Klopstock von Glucks Versuchen unterrichtet worden ist. Der in vieler Hinsicht merkwürdige Brief lautet:
„Der Pater Denis hat mir zu wissen gemacht, daß Sie ein Verlangen
tragen, diejenigen Strophen, so ich über Dero Herrmannsschlacht
componiert, zu erhalten. Ich hätte Ihnen schon lange damit gedienet,
wenn ich nicht geometrisch versichert wäre, daß viele keinen Ge-

schmack daran finden würden, weil sie mit einem gewissen Anstand müssen gesungen werden, welcher noch nicht sehr in der Mode ist; denn obwohl Sie vortreffliche Tonkünstler haben, so scheinet mir doch die Musik, welche eine Begeisterung begehret, in Ihren Gegenden noch ganz fremde zu sein, welches ich aus der Recension, die zu Berlin über meine Alceste ist gemacht worden, klar ersehen habe. Ich bin ein so großer Verehrer von denenselben, daß ich Ihnen verspreche (wenn Sie nicht nach Wien gedenken zu kommen): künftiges Jahr eine Reise nach Hamburg zu machen, um Ihnen persönlich kennenzulernen, und alsdann verbinde ich mich, denenselben nicht allein Vieles aus der Hermanns Schlacht, sondern auch von Ihren erhabenen Oden vorzusingen, um Ihnen ersehen zu machen, in wie weit ich mich Ihrer Größe genäheret oder wie viel ich sie durch meine Musik verdunklet habe. Indessen überschicke denenselben etliche Gesänge, welche ganz simpel genommen, und von leichter Execution sein. Dreie darunter von Teutschen Charakter und drei von mehr modernen welschen Gusto, von welchen letzteren ich zur Prob zugleich zwei Melodien auf alt Bardischen Geschmack hinzugefüget habe, die aber immer wieder weg zu werfen sein. Es wird notwendig sein, einen guten Klavierspieler darzu zu erwählen, damit sie Ihnen weniger unerträglich vorkommen."

Wir wissen nicht, wieweit Klopstock von vornherein mit der Komposition seines Dramas gerechnet, ja es hierfür angelegt hatte. Im Gegensatz zu den biblischen Spielen ist ja hier ein völlig neuer Stil versucht: die Prosa des Berichts der Handlung (welche selbst völlig hinter die Scene verlegt ist) wechselt mit großen rhythmischen Partien, meist Chorliedern der Wodanspriester, der Jünglinge und Jungfrauen, der Krieger, aber auch Übergang der Rede der Personen ins Lied, in Art der Arie — in einem Brief an Denis bezeichnet er geradezu die Hermanns Schlacht als Schauspiel mit Bardengesängen, die sich wenig von seinen bardischen Oden unterschieden; und wiederum waren seine Oden ja von den verschiedensten Musikern vertont worden, wie das damals mit dem Gedicht, das von Hand zu Hand ging, fast die Regel war. Und es kann kein Zufall sein, daß Klopstock sich gerade in der Zeit, da er den Hermann schrieb, mit der Theorie und Technik der Komposition genauer beschäftigt hatte. Von der Abhandlung, die er an Hasse schickte, schreibt er (an Denis)

„Sie sehen gleich, daß ich durch metrische Compositionen nichts anders, als den genauen Ausdruck des Sylbenmaßes in der Musik verstehen kann. Wenn mir nun Hasse einige von den Sylbenmaßen der
Fragmente componiert: so lerne ich von ihm (und ich möchte nicht
gern von einem kleinen Meister lernen), ob ich in meiner Theorie
recht oder Unrecht habe. Denn ich bin, wie verliebt ich auch in die
eigentliche, wahre, simple Musik bin, doch ein Laye in allem, was
musikalische Theorie heißen kann und ich habe nun erst seit eh-
gestern die Lehre vom Tacte ein wenig studirt."

Mit dem Wechsel von Prosa und strophischen Gesängen hatte
Klopstock etwa die Technik des Singspiels im Auge gehabt, das,
wie noch Goethe es charakterisierte, Prosa war, „mit Gesängen durchwoben". Der reine Musiker aber mußte ihn dahin verstehen, daß
sein Drama ihn zur Komposition sowohl der strophischen Lieder
wie des Dialogs der Prosa als Rezitativ aufforderte: nur dann konnte
von einer eigentlichen Oper die Rede sein. Und wir wissen ja, daß
gerade Gluck das nur mit dem Cembalo begleitete Secco-Rezitativ
fast ganz durch das recitativo accompagnato ersetzt hatte, es also ganz
in die dramatisch mit Instrumenten untermalte Aussprache einbezogen hatte, daß es sich technisch kaum von der Arien-Behandlung
unterschied.

Leider sind uns Klopstocks Briefe an Gluck nicht erhalten; aber
aus dem, was Gluck selber von seiner Vertonung des Dramas erwähnt und von dem großen Interesse Klopstocks am Fortschreiten
seiner Arbeit, müssen wir schließen, daß der Dichter vollkommen
damit einverstanden war, nur das Libretto zu einer Oper gegeben
zu haben, die ja die letzte und bedeutendste des großen Meisters
werden sollte. Bei der persönlichen Begegnung, die 1775 in Karlsruhe stattfand, hat Gluck dem Dichter aus der Hermann-Oper vor-
gespielt und gesungen; ein Jahr zuvor war schon die Komposition
von sieben seiner Oden erschienen. Die beiden hatten sich rasch gefunden; nicht zuletzt gerade im „Vaterländischen" des Stoffes und
der Gesinnung. Als Gluck die Hermannsschlacht begann, war er in
einer Krise gestanden: seine Reform-Opern Orpheus, Alceste, Paris
und Helena hatten, nach kurzem, gewaltigem Aufsehen, in Wien doch
nicht den dauernden Erfolg gehabt, den man von dem neuen Stile
hätte erwarten sollen; er wandte seine Blicke über Wien und vor

allem über die italienische Opernform hinaus und suchte nach einer neuen Form und nach einer andern Textsprache für seine Musik. Er war ja der erste Deutsche, der, nach Hasse und Händel, nicht nur internationaler Meister in der italienischen Opera seria geworden war, sondern seit dem Orpheus mit Recht als „deutsch" empfunden wurde, wie denn seine Opern alsbald auch, in München und Berlin, mit deutschen Texten waren gegeben worden. Klopstock hatte er als Dichter schon immer verehrt; selbst mit der Antike vertraut, war ihm Klopstocks Rhythmik der Oden Vorbild für eine Deklamation wie die der griechischen Tragödie geworden; und so nahm er den Gedanken eines deutschen Weihe- und Feierspiels mit Begeisterung auf, das ja Klopstock wiederum, seinem humanistischen Herkommen entsprechend, im sophokleischen Stil: mit Chorgesängen, Einheit des Orts, der Zeit und Handlung, Verlegung des eigentlichen Geschehens hinter die Bühne, konzipiert hatte. Es sollte etwas den Deutschen geschenkt werden, wie der Athener es besaß — ein Werk von nationalem Gehalt, nicht irgend von fremd-konventionellen Intrigen und Affekten. Daß sich Gluck dann dennoch zur französischen Tragödie wandte und in Paris seine Ideen zum Siege führte, statt den Plan mit Klopstock unmittelbar in die Tat umzusetzen, hat tiefere Ursachen gehabt, als daß dieser merkwürdige Mann instinktiv einen Weltschauplatz suchte, gerade auch, um das innerlich Deutsche für ganz Europa durchzusetzen, und mit diplomatischer Zähigkeit, nicht ohne zeitweilige Konzessionen, einfach den Erfolg seines lebenslangen Strebens sichern wollte.

Seinem ganzen Wesen hat Klopstocks Drama, trotz alles echten Enthusiasmus und zustimmender Gesinnung, im Grunde nicht entsprechen können. Es ist, ohne wahre Verkörperung der Handlung, in seinem Text mehr Kantate oder Oratorium als Oper, und bot dem tiefen Gestaltverlangen Glucks zu wenig dar. Außerdem gewahrt man an den Oden, die Gluck wirklich vertonte, daß die rhythmische Strophik Klopstocks mehr zur melodischen Deklamation lud als zum eigentlichen Gesang. Das Parlando der Prosa dazu im starkbegleiteten Rezitativ hätte für das Ganze nur einen hie und da gesteigerten Sprechgesang ergeben: die Eintönigkeit der Dichtung wäre eher gesteigert als vermindert worden. Und gar der Inhalt! Außer der Weihe des mythisch Priesterlichen und, in Schlacht- und Triumphgesang, der Gewalt des Heldischen war für die Musik wenig zu gestalten — das eigentlich Menschliche fehlte. Gluck war zu sehr auf menschliche Gestalt und ihr reines Seelentum gewiesen, als daß ihm ein Drama-Geschehen genug getan hätte, dessen Träger außer dem politisch-Kriegerischen und begeistert-Vaterländischen nichts besaßen, was geistig-physiognomisch zur rein menschlichen Darstellung oder zur Repräsentation der großen mythischen Lebensmächte zeitloser Geltung zugereicht hätte. Er wird sich schwerlich hierüber von Anfang an bewußt gewesen sein. Noch während der Pariser Jahre ließ ihn die innere Arbeit am Hermann nicht los. Aber daß er sich so lange mit dem Stoffe trug, ohne ihn in seine musikalische Bühnenwirklichkeit zu überführen, kann schwerlich nur damit erklärt werden, daß er nie etwas aufzuschreiben pflegte, ehe die Form des Ganzen innerlich ganz fertig vor ihm stand: er pflegte dazu ein Jahr zu rechnen. Wenn er das Rechte ganz und gar gefunden hätte, so würde er doch schnell zur Niederschrift gedrängt worden sein.

Nun nahmen die Pariser Kämpfe, die sich von den Jahren 1773 bis 1779 hinzogen, die Kraft des über Sechzigjährigen allerdings aufs äußerste in Anspruch; und einmal dort in die Rivalität, erst mit den Franzosen, dann mit den Italienern geraten, konnte er nicht daran denken, eine Gelegenheit in Deutschland zu suchen, wo das Bardendrama etwa sich hätte aufführen lassen: denn nur angesichts der unmittelbaren szenischen Verwirklichung, die er selber leiten mußte, trat seine ganze Produktivität in Kraft. Wie er dabei über die deutschen Möglichkeiten der Wiedergabe seiner Werke dachte, besagt ein Brief an Klopstock (vom 10. Mai 1780): „Sie machen mir jederzeit Vorwürfe, daß ich Ihnen keine explication schickte, wie Alceste soll produciert werden, ich würde es schon längstens getan haben, wenn ich es hätte practicable gefunden. Was den Gesang anbelangt, so ist er leicht für eine Person, die Empfindung hat, sie darf sich nur dem Trieb ihres Herzens überlassen, allein die Begleitung derer Instrumente begehren so viele Anmerkungen, daß ohne meine Gegenwart nichts anzufangen ist; wenige Noten müssen gezogen, andre gestoßen, diese halbstark, jene stärker oder schwächer produciert werden, ich geschweige das mouvement andeuten zu können. Ein wenig langsamer oder geschwinder verderbt das ganze Stück, dahero ich glaube, wertester Freund, Sie werden viel leichter

Ihre neue Orthographie denen Deutschen geläufig machen, als ich eine opera nach meiner Methode, zumalen in Ihrer Gegend, wo zuforderst die Setzkunst in Betrachtung gezogen wird, und die Einbildungskraft wird verkennet und verwünscht, dieweilen bei Ihnen die mehrsten Tonkünstler nur Maurer aber keine Architekten sein wollen." Und weiter — auf anscheinendes Drängen Klopstocks — „Sie wissen nicht, warumb ich so lange mit der Hermannsschlacht zaudre, weil ich will mit selbiger meine musicalischen Arbeiten beschließen, bishero habe ich es nicht tun können, weilen mich die Herren Franzosen so sehr beschäftigt hatten. Obschon nun die Hermannsschlacht meine letzte Arbeit sein wird, so glaube ich dennoch, daß sie nicht die unbedeutendste von meinen Productionen sein wird, weilen ich den Hauptstoff darzu gesammlet habe in der Zeit, ehe mir das Alter die Denkenskraft geschwächet hat."

So hat ihn diese deutsche Oper tatsächlich weiter beschäftigt. Noch in den letzten Lebensjahren pflegte er seinen Besuchern in Wien daraus zu singen und zu spielen: Oft sagte er, er müsse noch ganz neue Instrumente für dieses Drama ersinnen und anbringen — und da taucht eine seltsame Perspektive auf: daß mit dem „deutschen" Stoff, mit dem Altgermanischen, eine Häufung der instrumentalen Machtmittel erforderlich zu sein scheint, wie dann ein Jahrhundert später Richard Wagner es verwirklichte. Wäre es günstiger gewesen, wenn schon Gluck in einer noch hohen Zeit der Musik und auf naivere Weise etwas geleistet hätte, was im großen Bereich der Musik als eine Möglichkeit unter andern gestanden hätte, anstatt, wie später, die Alleinherrschaft an sich zu reißen? Jedenfalls kann kein Zweifel darüber sein, daß uns, bei solcher Intensität jahrelanger Beschäftigung von seiten eines so großen Meisters, etwas höchst Merkwürdiges verloren gegangen ist, und wir nun selbst eine etwaige Verirrung nicht kennen und zu beurteilen vermögen, wie es doch bei der Bardenpoesie Klopstocks der Fall ist: so daß hier historisch eine der Lücken besteht, die keine Phantasie auszufüllen vermag, und nun die Entwicklung jener Zeit in einem sehr wesentlichen Punkte unsrer Erkenntnis sich entzieht.

Bleibt uns so schließlich verborgen, wieweit in der Begegnung von Gluck und Klopstock der norddeutsche Dichter den süddeutschen Musiker zu inspirieren vermochte, wieweit der Dichter wiederum sein Werk durch den Musiker ergänzt und vollendet sehen konnte, so zeichnet sich doch dahinter der Sieg der Musik über die Dichtung ab, da sie nach langer Zeit einander überhaupt wieder gewahr werden und berühren, indem der Dichter den Musiker nicht aus seiner Bahn zu ziehen, ihn jedenfalls nicht zu verhindern vermochte, sein Werk auf die begonnene Weise zu Ende zu führen und in der überkommenen Opernform den antiken Mythos zu verklären, anstatt auf germanischer Grundlage ein deutsches Musik-Drama zu begründen. Es ist zugleich ein Sieg des südlichen über das nordische Barock: denn die Antike, wie Gluck sie gebrauchte und verstand, war ebenso nur aus dem barocken Weltgefühl zu begreifen wie das Klopstocksche Bardentum und seine Dramatik im Stil der norddeutschen Kantate. Die Überlegenheit des Südens zeigte sich hier im Besitz einer älteren Tradition, die sowohl ein reicheres freieres Seelentum wie ein stärkeres bildnerisch gestalthaftes Vermögen bedeutete.

Beides ging, in jahrhundertelanger Entwicklung, auf die Rezeption der Antike zurück, die so noch einmal, ja eigentlich bei uns zum ersten und letzten Mal, dem neueren Seelentum Gestalt und Fassung und höchsten, entscheidenden Ausdruck verlieh. Aber diese Antike war eben hierzu nur befähigt, weil sie, seit dem Übergang von der Renaissance ins Barock, das ganze christliche Gefühlswesen in sich aufgenommen hatte und deshalb schließlich auch die größte Freiheit in einem neuen Sakralen hat binden können.

Es ist zuletzt etwas Religiöses gewesen, worin, ganz unbewußt, sich Gluck von Klopstock schied; nicht in den Konfessionen der Zeit, sondern durch das, was diese mit sich führten aus kultureller Vergangenheit. Und wieder war auch hierbei das Verhältnis zur Antike entscheidend: Klopstock hat das Antike nicht mit seinem Christentum durchdrungen; seinem Schulhumanismus war das Klassische nur Form oder Kostüm: Form in der Übernahme oder Umbildung antiken Taktes und Versmaßes; Kostüm im Gebrauch antiker Nomenklatur aus Mythologie und Geschichte. Nirgends wird — wie etwa später bei Hölderlin — der klassische Name zum echten Sinnbild, zur erlebten Nähe antiken Wesens und Lebens; aber er geht auch keine Verbindung mit seinem christlichen Grundgefühl ein. Und darum konnte er ohne Mühe gewechselt und mit dem bardischen vertauscht werden. Eben deswegen konnte Klopstock auch das Bardische nicht mit eigener Substanz durchtränken; er nahm es an sich wie ein andres Kleid. Auch wenn es ihm weniger barocke Schau- und Spielform gewesen wäre, auch wenn er den Mythos anders denn als Requisit gebraucht hätte: der echte altgermanische Mythos und was im Deutschen davon fortlebte, war jedenfalls nicht in die geistige Sinnbildlichkeit hineingewachsen, war nicht in kultureller Anwendung und Übertragung weiter entwickelt worden, wie es mit dem griechischen fürs ganze Abendland geschehen war.

Mit unserm Vordergrundsblick auf den Hellenismus der Goethe-Zeit gewahren wir meist nicht, welche entscheidende Rolle die Antike im Barock gespielt hat. Sie war hier nicht, wie später seit Winckelmann, abgeschlossenes Bereich einer kleinen Anzahl von Wissenschaftlern, Dichtern und Künstlern, sondern ist eigentlich eingeschmolzen worden in eine ganze allumfassende Kultur, aus welcher Verschmelzung auch ihre Gegner, eben die Puristen und Klassizisten, noch ihre beste Kraft zogen.

Sie war zunächst, wie wir wissen, wichtigster Bestandteil geworden der fürstlichen und höfischen Repräsentation; und durch diese vielartige und vielfältige Schaustellung, die sich ja auch ans Volk wandte, im Volk die schaffenden Hände und schöpferischen Geister für ihr Zustandekommen fand, ist die Darstellung klassischer Gestalten und Szenen in einer Weise populär geworden wie niemals vorher und nachher — die spätere eingeengtere, aber auch in einzelnem vertiefte klassische Bildung wäre ohne diese breite Grundlage gar nicht zu denken.

Das Volk, das schaffende wie das schauende, war so in dauernder Berührung, geriet in völlige Vertrautheit mit dieser antikischen Bildersprache. Die Fürsten aber und die ganze aristokratische Gesellschaft standen in einem völlig andern Verhältnis zur mythologischen Welt als später etwa die klassizistischen Dichter und Künstler. Wenn diese in den griechischen Göttern die Offenbarung des Lichts in ihrer Nacht, die idealistische Erhebung aus der Not und Enge eines dumpfen und trüben Daseins erlebten: die überirdische Schönheit im Gegensatz zur Häßlichkeit des Lebens; so verkehrten die Fürsten und Adligen mit den antiken Göttern und Helden wie mit ihresgleichen, fühlten sich selber erhöht und wohlgeraten, göttergleich herrschend, göttlich verehrt — die Mythologie war ihnen ein verklärender Spiegel

ihrer eigenen Existenz, die Schönheit etwas, was sie selbst in Anspruch nahmen, in das sie alles Leben um sich her zu verwandeln
suchten. Sie hatten das Glück, an ihren Höfen, auf ihr Gebot, in
ihrer Pflege und Fürsorge die sublimste Form des Schönen heran-
wachsen zu sehen: die Musik — mit ihr, mit bildender Kunst und
Baukunst zusammen verherrlichten sie das ewige Fest ihres Lebens,
wie es in solcher gesamtkünstlerischen Vielfalt und Geschlossenheit
wohl nie verherrlicht worden ist.

Die abgekürzte fast symbolische Form dafür, in der sich alles konzentrierte und ganz Geist und Kunstgestalt wurde, war das Theater,
genauer: die Oper, von der selbst die kirchliche Feier, als ein
theatrum sacrum, ihren Stil empfing, wie sie selber mit allen Weihen und Seelen-Bewirkungen ins Drama eindrang — der Ursprung
der Oper selber war einst sakral gewesen; in ihrer nun erreichten
Vollendung offenbarte sich das Sakrale zum andern Mal und begründete für die Folge eine neue gleichsam weltliche Heiligkeit für
die gesamte Musik.

Im Brennpunkt dieses Geschehens steht die Neugestaltung der Antike durch Gluck.

99.

Gluck ist wie kein andrer unsrer großen Genien durch das Fest
des Barock hindurchgegangen: bis an die Schwelle seines Alters hat
er es ein Leben lang verherrlicht, das irdische Fest, mit allen weltlichen
Mitteln Dasein-erhöhender Kunst. Und dann tritt er plötzlich als ein
ganz Anderer hervor, greift erst wahrhaft zur göttlichen Leier, enthüllt die ewigen Daseinsmächte von Liebe, Leben, Tod, macht die
antiken Gestalten zu Trägern dieser Gewalten, als trete das orphische
Mysterium selber noch einmal ans Licht.

Man hat Gluck oft mit Winckelmann verglichen und in seiner
künstlerischen Tat das Analogon zu dessen wissenschaftlichen Entdeckungen zu sehen gemeint. Die Daten scheinen dem äußerlich Recht
zu geben: Winckelmann und Gluck sind annähernd gleich alt, dieser
1714, jener 1715 geboren; in langsamer Entwicklung kulminieren sie
auch in den sechziger Jahren, und beider Wirken steht dann unter

dem Zeichen der „Reform" und hat die Antike zum Gegenstand. In diesem Sinne spricht man von einer ganzen „Reformgeneration", und zählt zu ihr nicht nur Glucks italienischen Vorgänger Jomelli, sondern auch Philipp Emanuel Bach, die beide auch 1714 geboren sind. Aber Emanuel Bach ist typischer Vertreter eines Übergangsstils: sein Subjektivismus verbindet ein sublimes Rokoko mit Rückgriffen auf die polyphone Kunst seines Vaters und mit erstaunlichen Vorgriffen in Beethovens Sphäre; und so scheint doch die zeitgenössische Leistung in den verschiedenen Bezirken des Geistigen sehr Verschiedenes zu bedeuten: so wie bei Klopstock die Antike eine andre Funktion hat als bei Gluck, so hat die Instrumentalmusik andre Probleme als die Oper, und wiederum in der Oper geht es um andere Dinge als in der antiquarischen Wissenschaft. Wohl hat der künstlerische Enthusiasmus Winckelmanns gegenüber der Antike oft etwas von fast religiöser Hingenommenheit und hat der ganzen Archäologie etwas Feierlich-Pathetisches für die Behandlung ihrer Gegenstände vermacht; aber als typisch Norddeutscher, herkommend vom Literarischen und der Philologie, steht er dem Antiken doch als dem Einbruch eines Fremden wie einem blendenden Licht gegenüber, als jener erschienenen erlösenden Schönheit, deren Wirkung nur verständlich wird, wenn man das Elende, Dumpfe und Verschrobene seiner nordischen Jugend weiß — es ist jene Gegensatzwirkung, von der wir bereits sprachen. Und in den Folgen seiner Leistung, die er bewußt gewollt hat, steht die negative obenan: die Auflehnung gegen den großen Stil, die Todfeindschaft gegen das Barock, welches der von ihm inspirierte Klassizismus tatsächlich gestürzt hat. Hier ist ein beabsichtigter Bruch von ungeheurer Tragweite; während sich die Reform eines Gluck noch völlig innerhalb des gegebenen Stils vollzieht, ja dessen religiöse Grundkräfte überhaupt erst ernst nimmt und einer höchsten Vollendung zuführt.

Denn Gluck ist nun Süddeutscher und steht nach Herkunft, Überlieferung und Ausbildung noch ganz im Raum der südostdeutschen Barockkultur. Er hat ihr Werden in der großen Baukunst noch miterlebt, die freilich in den Jahren, wo er mit seinem Eigensten hervortritt, ihrem Ende sich zuneigt. Im Jahr des Orpheus, 1762, hat Johann Michael Fischer sein letztes Werk, Rott am Inn, geschaffen, und sein anderes Hauptwerk, Zwiefalten, abgeschlossen. Dominicus Zimmermann reicht mit dem Ausbau der Wies bis 1766, und Balthasar Neumanns Vierzehnheiligen ist nach seinem Tode, 1753, in getreuer Befolgung seiner Planung bis 1771 weitergeführt worden; Neresheim gar ist erst 1792 fertig geworden. Es hat also den Anschein, als habe die Baukunst der Epoche etwas länger gelebt als ihr Gegenstück, die polyphone Musik, die mit Bachs und Händels Tode zu Ende ist, deren Leben und Schaffen ja mit den großen Architekten gleichzeitig gewesen war. Es liegt aber einzig an den Gesetzen der Baukunst, an ihrer handwerklichen, der Mitwirkung vieler bedürftigen Grundlagen, daß sie über den Moment der schöpferischen Konzeption hinaus noch Jahrzehnte zu ihrer Verwirklichung in Anspruch nehmen kann — in Wahrheit ist der innere Lebenstrieb auch hier mit dem Hingang der großen Meister erloschen; von kongenialer Nachfolge und eigentlicher Weiterbildung ist nicht mehr die Rede.

Aber wie nun in Norddeutschland um die Zeit von Bachs Tod, um 1750, das Schöpferische in die Dichtung hinübergleitet und dort, wie scheinbar aus dem Nichts, Klopstocks religiöse Epik entsteht: so ereignet es sich zehn Jahre später im Südraum, daß in einer geheimnisvollen Metastase der aus der Barockbaukunst entweichende Lebenstrieb in der Musik weiterwirkt und in der sakralen Oper ein zweites geistigeres Gesamtkunstwerk erzeugt. Und damit wird der Sinn aller Architektur, dauernder bergender Raum zu sein für eine nun in ihr beheimatete Kultur, auf eine ganz vergeistigte Weise erfüllt, da er in der Realität sich scheinbar nicht bestätigt; während von Winckelmann und seinen Jüngern das Barock totgesagt wird, tritt es in andrer Sphäre noch einmal ins volle Leben in Gluck.

Der irdische Untergang der Barockkunst gehört ja sonst zu den fast unerklärlichen geistigen Tatsachen; in keiner andern Kultur ist uns ähnliches bekannt. Im gotischen Dom, dessen Form im 13. Jahrhundert gefunden worden war, hat sich ein kongeniales geistiges Leben bis ins 16. Jahrhundert abgespielt; seine Stilkraft hat über die bauliche Konzeption hinaus Kunst und Gerät des Alltags für Jahrhunderte bestimmt. Gar der antike Tempel hat, solange es antike Menschen gab, noch viel größere Zeiträume unverändert durchherrscht. Hier aber ist nach fünfzig Jahren einer unübersehlichen Schöpfung das Verhältnis der Nation zur Architektur nicht anders als zu einer fremden gleichgültigen Ruine, die man als Überrest eines

verschrobenen Geschmacks im besten Falle mit einem bedauernd-
verächtlichen Blicke streift, in der Regel aber völlig gleichgültig auf
sich beruhen läßt. Bei keinem einzigen unsrer literarischen Klassiker
wird man den Namen eines unsrer großen Baumeister genannt finden; selbst von dem einst Berühmtesten, Balthasar Neumann, weiß
niemand mehr. Es ist, als wäre diese Kunst, die doch noch wohl-
erhalten dastand, nie gewesen.

Ein Umbruch, nur vergleichbar dem von der Gotik zur Renaissance, ist eingetreten — eine zweite Renaissance zerstört die Möglichkeit der Fortdauer des Barock als Kunst von Stein und Form und
Farbe. Aber wie die Gotik, von der ersten Renaissance aus der Welt
des Greifbaren und Sichtbaren für die Augen der Menschen verdrängt
(obwohl auch sie noch dastand), in die Kontrapunktik und Polyphonie der protestantischen Tonkunst überging, die wir deshalb, bei
Bach, als eine wiederkehrende Gotik bezeichnen durften, so nimmt
eine zweite bildende Tonkunst den Lebenstrieb des vorhergehenden
Barock auf und vollendet in Seelenräumen, was in irdischen Räumen
nun nicht mehr gestaltet werden kann.

Auch die Tatsache dieses Umbruchs um das Jahr 1760 ist damals
niemandem ins Bewußtsein getreten. Wohl haben Menschen wie
Goethe die Auflösung ihrer Epoche gespürt und sie als „rückschrei-
tend" begriffen, weil sie, statt weiter organisch voranzustreben, alle
möglichen Bindungen an Früheres, von der echten Antike bis zum
neuentdeckten Mittelalter, zu knüpfen suchte, um den organischen
Mangel zu ersetzen. Daß hier aber eine letzte echte Kultur zugrunde
ging, das hat auch das folgende Jahrhundert nicht begriffen, und bis
hinein in unsre Zeit hat man die eigentliche Ursache nicht sehen wollen oder können, da man buchstäblich von der großen Welt des
Barock nichts mehr wußte und sie höchstens als einen glücklich vergangenen absonderlichen Geschmack in Erinnerung behielt.

Und ebensowenig hat man den Vorrang der fälschlich sogenannten
klassischen deutschen Musik begriffen, deren ungebrochene Wirkung
man wohl empfand und geheim als eine Überlieferung spürte, die
alles das enthielt, was die andern Künste nicht mehr besaßen — man
verstand aber nicht, daß die alten Kulturkräfte des Barock hier wei-
terwirkten, daß deshalb auch die großen Musiker ganz selbstverständlich auch immer wieder auf die christlichen Grundkräfte zurück-

greifen konnten, wenn sie noch neben ihren freiesten und kühnsten Symphonien, Sonaten und Quartetten in sonst ungläubiger Zeit den Kirchendienst von Messe und Requiem erfüllten, ohne dabei einer romantischen Zurückwendung zu bedürfen.

Das Außerordentliche einer Musik ist nicht verstanden worden, die im Leben der Nachwelt nun die Rolle zu spielen berufen ist, die noch in keiner andern Kultur ihr zufiel, sondern eben der Architektur: Halt und bergender Sinn zu sein weit über ein irgend rationales Verstehen hinaus — das Verhältnis zu ihr, ob sie weltlich sei oder geistlich, ist zwar nicht unmittelbar das religiöse (so wenig als man an einen Raum der Baukunst „glaubt"); aber es geht von ihr die Wirkung aus, die ein feierlicher Raum für unsre gläubige Sehnsucht besitzt, mit derselben Wortlosigkeit, in welcher alle Dogmatik und Problematik versinkt und hinschwindet, und doch eine tiefe festgegründete Gewißheit tröstlich und erlösend zu uns spricht. Das immer stärker Musikalische, welches wir in der Raumkunst des Barock walten fühlten, das wird nun frei, wird absolut, geht über in absolute Musik. Und wenn der Inhalt dieser Musik nun widerhallt und in wirkliche Töne erlöst, was in letzten Aufschwüngen zahlloser Raum-Dichtungen gleichsam aufgespeichert war; so ist ihr das Beharrende und Dauernde, durch welches das sonst Verklingende in Gestalt gebannt wird, ermöglicht eben durch das Instrumentale, das irdisch-Werkzeughafte, vielfältig Handwerkliche, welches der neueren Welt die entschwindende architektonische Technik ersetzt. Wir haben dies schon in der absoluten Musik von Bach und Händel kennengelernt und als das „Denkmalhafte" bezeichnet. Was aber dort nur in einem Teil des Gesamtwerks dieser Meister herrschte, fernher noch immer vom Wort bestimmt und im Singwerk der „Cantate" noch oft mit ihm im Gleichgewicht, das nimmt jetzt immer stärker, selbst in der Oper, die eigentliche Sinngebung an sich, um schließlich in Symphonie und Kammermusik die Alleinherrschaft anzutreten. Das Instrumentale in all den verschiedenen Formen, die es sich im Zusammenklang der Tonwerkzeuge erschafft, mit all den unzähligen virtuosen Meistern des Handwerks, deren Spielfertigkeit es in Seelenklang verwandelt: es ist das tragende irdische Gerüst, mit dem ein Himmlisches noch einmal auf der Erde eingefangen und für immer neue Augenblicke innerer Ewigkeit in sinnliche Erscheinung gebannt wird, wie sie früher die mystische Versenkung ins Raumerlebnis schenkte. Und diese Musik ist nun nicht mehr nur, wie die Bachsche, bloß allgemein, im gleichen Trieb zum Bauen, dem Barock verwandt — das reine Höhenstreben gotischer Herkunft ist dem Prinzip der Bewegung, der Reihenfolge, der Entwicklung aus spannenden Gegensätzen gewichen, wie wir es in der Baukunst des Barock verwirklicht sahen. Wie der kirchliche Raum mit seinen immer wechselnden Sichten durch Einkurvungen und Schwünge, durch vorgeschobene Säulen-Kulissen, durch Kuppel-Wölbungs-Wechsel im Schreiten und Wandeln erlebt wird; wie das Schloß mit seinen Treppenhäusern, mit seinen Saalfluchten, mit seinen stufenweis gegliederten Parkanlagen zu immer neuen Stationen des erwanderten Schauens lädt: so wird in den Akten der Oper wie in den Sätzen der Symphonie und Kammermusik eine geistige Wanderung erzwungen, welche sogar mit Andante oder Minuetto, mit Lento oder Presto, das Maß der Bewegung, die Beschwingung oder Zügelung des Schrittes vorgeschrieben erhält, um eines sich entwickelnden Raum-Ereignisses dieser Seelenwelt teilhaft zu werden, in welche man wie in ein wechselnd erhelltes mystisches Dunkel hineingleitet. Die Entfaltung des Gesangs, in Kirchenmusik und Oper, ist dem Erscheinen der menschlichen Gestalt zu vergleichen, die ja auch aus barocker Baukunst und Schaukunst schwerer wegzudenken ist als etwa aus gotischen Hallen und Gewölben; die instrumentale Bewegung, mit ihr und neben ihr, vor ihr und nach ihr, bleibt aber immer das, was sie eigentlich faßt und deutet und den Schauplatz ihrer Erscheinung malt. Die Nachahmung des Gesanges und Tanzes durch Instrumente, in Adagio und Menuett der Symphonie, gibt ebenfalls Bewegung und Ausdruck des Menschen, aber ganz vergeistigt und seelenhaft, nur noch wie im Traum, und immer übertragener auf menschliche Innen-Ereignisse. Wo dann ein Meister der neueren Musik fast nur noch im Instrumentalen lebt, wie Beethoven, da verschwindet mit dem Menschen und seiner realen oder nachgeahmten Stimme auch der zu ihm gehörige weltliche oder kirchliche Raum des Barock; andere räumliche Weiten tun sich auf, übermenschlich überirdisch gemeinte, und aus dem gezügelten Bewegen wird ein Streben nach neuer Vereinigung mit dem All, wie es von gotischem Grund aus Bach in seinen reinsten absoluten Werken auf eine andere Weise unternahm.

Mit dem geheimnisvollen Weiterwirken des Bautriebs des Barock in der folgenden deutschen Musik wird einer späteren Welt, die nun ohne Kultur im strengen Sinne ist, da sie schon deren Grundlage, eine echte Architektur, nicht mehr besitzt, doch noch so etwas wie ein kultureller Raum geschenkt; wenn auch, ohne daß sie es eigentlich weiß, und nur gefühlsmäßig eine weltanschauliche Geborgenheit in ihm erlebt oder nur in kleinen Kreisen, ja am innigsten im Privaten, Häuslichen es ahnt, daß sie ein altes Mysterium hütet.

In der Epoche aber, die uns hier beschäftigt, gewahren wir nun noch die unmittelbare Entsprechung von Raum und Musik, die Entstehung des Tonbildnerischen aus dem Bildnerisch-Architektonischen, da die Meister, die wir die „klassischen" nennen, allesamt aus der südlich-katholischen Welt und ihrer Kunst hervorgehen und geradezu in den Räumen aufwachsen, welche das Barock soeben vollendet hat: in den Kirchen, den Operntheatern, den Sälen und Parks der Schlösser und Paläste, welche durch sie allein für eine kurze Spanne den kongenialen Inhalt empfangen, den die Folgezeit ihnen nicht mehr verlieh. Auch hier erleben wir, mutatis mutandis, das Analogon zu Bach: wie seine Musik in gotischen Kirchen erklingt, von ihnen unwissentlich geformt, so erklingt nun Glucks und Haydns und Mozarts Musik in den Kult- und Fest- und Feierräumen des deutschen Spätbarock. Es wäre ja auch seltsam gewesen, wenn aus einer architektonischen Atmosphäre, die wir heute noch unwillkürlich auch in ihrer Stummheit als von geheimer Musik durchklungen empfinden, nichts in die Menschen übergegangen wäre, die dort ihr Tagewerk vollbrachten, so oft sie zu Fest und Feier mit soeben gefundenen, oft an Ort und Stelle improvisierten Melodien aufspielten. In fast naiver Weise hat man diese Entsprechung gespürt, wenn man noch im 19. Jahrhundert auch die neuerbauten Opernhäuser in ihren Rängen und Logen in einer „barocken" Tradition gestaltete; während wir heute bewußt dazu übergegangen sind, jene Werke wirklich in den noch erhaltenen Räumen des Barock und in ihren Gärten und Parks zu Gehör zu bringen. Ja das Tiefste und Innigste jener Musik nennen wir heute noch „Kammermusik", ein Name, der von den Kammern, den intimen Musiksälen der Großen, im Gegensatz zu Theater und Kirche, herstammt; denn dort wurde sie, im Dienst der

höfisch aristokratischen Schicht, zuerst und lange Zeit einzig aufgeführt.

Damals aber nun war es das Neue, daß Deutsche Musik in dieser
Umgebung erklang: die werdende Baukunst des deutschen Barock
hatte nur erst italienische Musik in sich erlebt und als gestaltendes
Element aufgenommen. Jetzt, im Augenblick, da der schaffende
deutsche Trieb aus dem Bauen entweicht, geht er ein in die Musik,
die Deutsche in seinen Räumen anzustimmen beginnen. Es kann ein
Verlorenes sich gar nicht wunderbarer wiederfinden, als hier in un-
mittelbarem Übergang eine entstehende Kunst die vergehende ablöst.
Und diese Künste gehen beide die gleiche Entwicklungsbahn: sie
haben den Umweg über das Romanische gemacht, um ihren deutschen Grundtrieb zu vollenden — Italiener sind beide Male ihre
Erzieher und Vorbilder, deren hohe aber fremde Sprache sie in die
eigene verwandeln. Wien ist auch hier das Zentrum, von dem die
neuen Lösungen ausstrahlen. Hier war musikalisch wie baulich zuerst
der Sitz der fremden erobernden Kultur; aber es ist umschlossen
auch von slawischer Welt, die dasselbe, was sie der Baukunst in Böhmen und nach Franken zuträgt, hier noch näher und unmittelbarer
der Musik zur Aneignung darbietet. Das Aufsuchen der italienischen
Ursprungswelt wird für die meisten Musiker ebenso zur völligen
Ausbildung gehören, wie für die ersten Generationen der Architekten;
nur daß das Ziel hier meist nicht mehr Rom heißt, sondern Neapel,
Mailand, Venedig. Es ist nicht anders: in einem neuen Element wird
überall noch einmal das Gleiche erlebt, in einem Abstand von wenigen
Jahrzehnten; in diesem verwandten Entwicklungsrhythmus tritt die
Musik das Erbe der Baukunst an.

Der erste entscheidende Mensch aus dem katholischen Südwesten
und der klassische Vollender des musikalischen Barock ist genau um
ein Menschenalter jünger als die großen Baumeister dieses Raumes
und die Schöpfer der norddeutsch-protestantischen Musik: Christoph
Willibald Gluck ist 1714, nicht ganz dreißig Jahre nach Bach, geboren;
er könnte sein Sohn sein, wie denn wirklich Bachs dritter Sohn, Philipp Emanuel, sein Jahresgenosse ist — der Anteil dieses einzigen
Protestanten an der neuen Entwicklung wird uns bald noch deutlich
werden, er gehört als Ergänzung zu Gluck, in jenem Sinne, daß auch
die ältere Musik ihr Erbe in dieses Werden hineinwirft. Emanuel

hat der kommenden Musik das Absolute mit seinen abstrakteren Formen übermittelt; Gluck wird von dem Bildnerischen der Landschaft,
in der er aufwächst, geformt, aber schon früh strömt auch der Gesang
des Ostens in ihn ein, Italien bildet ihn zum Opernkomponisten, und
Händel erschließt ihm den tieferen Sinn schlichter und ernster
Dramatik.

Gluck stammt aus der bayerischen Oberpfalz, dem Gebiet, das
im Norden vom fränkischen Barock von Bamberg, Pommersfelden,
Banz, Vierzehnheiligen begrenzt ist, im Süden von Ingolstadt und
Regensburg mit Weltenburg und Rohr; sein Vater ist Förster beim
Kloster Seligenporten zu Erasberg im Kreise Neumarkt; aber schon
im dritten Lebensjahr des Sohnes siedelt er ins östlich benachbarte
Böhmen über, wo er nacheinander bei den Grafen Kaunitz und
Kinsky und schließlich beim Fürsten Lobkowitz Dienste nimmt. Vom
dritten bis ins zweiundzwanzigste Jahr hat Gluck also in Böhmen
seine Heimat gehabt, diesem Lande einer genial naturhaften Musik,
die nicht nur Gesang ist, sondern melodiöser Klang von Instrumenten, von Holz- und Blechbläsern zumal. Mit dem zwölften Jahr
kommt Gluck vom Wohnort der Eltern, Eisenberg, fort nach Komo-
tau aufs Jesuiten-Seminar, wo er eine gute klassische Bildung empfängt, und, wie es auf den damaligen höheren Schulen üblich ist, eine
genauere Ausbildung in der von frühauf getriebenen Musik. Nach
sechs Jahren, 1732, geht er als Student nach Prag, seine wissenschaftlichen und musikalischen Studien zu vollenden: er wird jetzt
Schüler von Bohuslaw Czernohorsky, einem Mann im Alter des damaligen Bach, der bei Tartini in Padua Unterricht genossen hatte
und eine Zeitlang Organist zu Assisi gewesen war, also schon den
italienischen Kirchen- und Instrumentalstil mit seiner slawischen
Eigenart vereint. Bald ist Gluck so weit, sich durch eigenen Musik-
unterricht durchzubringen: seine Fächer sind Cello-Spiel und Gesang
— die Neigung zur menschlichen und menschenähnlichen Stimme
tut sich früh hervor; so zieht er in den Ferien auch auf die Dörfer,
zu singen und zum Tanze aufzuspielen. Tanz und Gesang — man
muß sich das in der böhmischen Umgebung vorstellen, von der den
meisten heute nur Smetanas volksmäßige Bühnenmusik noch einen
Begriff gibt, um das Naturhafte solcher praktisch musikalischen Anwendung gegenüber der fast gelehrten Ausbildung norddeutscher

Meister zu ermessen: es drängt alles einer völlig anderen, konkret-gestalthaften Versinnlichung zu. Das Ziel damaliger Sehnsucht eines Musikers: Italien, erreicht Gluck durch einen jener Glücksfälle aristokratischer Protektion, die in keinem der süddeutschen Künstlerleben fehlen: der Dienstherr seines Vaters, Fürst Lobkowitz, der wie alle böhmischen Magnaten, die im Winter in Wien residieren, die Mitglieder seiner Hauskapelle aus den reichen heimatlichen Begabungen requiriert, erkennt sein Talent und führt ihn mit sich; und bald hat dann in Wien ein anderer Aristokrat, der lombardische Fürst Melzi, ihn nach Italien mitgenommen. Fast zehn Jahre hat Gluck dort zunächst verweilt. Er gibt sich noch einmal, seit 1736, in die Lehre, zu Giovanni Battista Sammartini, dem jungen, erst fünfunddreißigjährigen Organisten und Kirchenkapellmeister in Mailand, einem der frühesten Vertreter des „galanten" und melodiösen Instrumentalstils; und 1741 kann Gluck schon seine erste Oper aufführen, den „Artaserse" auf den Text von Metastasio, und damit hat der Siebenundzwanzigjährige bereits seine Ebenbürtigkeit mit den echten Italienern erwiesen. In Venedig, Cremona, Turin gehen von ihm in den nächsten Jahren weitere Opern in Szene, insgesamt acht an der Zahl, und er ist nun ganz im Fahrwasser eines Hasse oder des frühen Händel, da er als völlig italienisierter Deutscher der internationalen europäischen Geltung zustrebt. Ein kurzer Aufenthalt in England 1746 muß ihm aber eine plötzliche Ahnung seiner höheren Möglichkeiten erweckt haben: es ist der gewaltige Eindruck Händels, der ihn aus der Befangenheit in bisheriger Opern-Konvention herausreißt. Denn das ist nicht mehr der Händel der Oper, der, nur in einem älteren Stil, in ähnlichen Bahnen wie Gluck sich bewegt hatte; es ist der Händel des Oratoriums, der schon den Messias geschaffen hat und soeben am Judas Maccabäus arbeitet. Und Händels Wirken hat schon den Geschmack der Engländer verändert — Glucks Oper „La caduta de' giganti" hat nicht den Erfolg, den er gewöhnt ist; und er wundert sich, daß nur einige „einfache" Stellen darin gefallen. Ob die beiden in persönliche Beziehung kamen, ist ungewiß; aber der dauernde Eindruck Händels ist von Gluck noch spät bezeugt: das Bildnis des älteren Meisters hat er in seinem Schlafgemach hängen, und auf ihn weisend pflegt er seinen Besuchern zu sagen: nur dieser habe ihn dazu gebracht, „dem Studium der Natur und Wahrheit zu folgen". Aber es gehört nun zu der eigentümlich verschlossenen Art und der langsamen Entwicklung Glucks, daß die folgenden anderthalb Jahrzehnte seines Schaffens noch kaum etwas von diesem Erlebnis Händels verraten. Es bleibt Geheimnis, ob sein Eigenstes wirklich so lange zur Reife brauchte oder ob er bewußt damit zurückhielt, bis er völlig gewiß war, es durchzusetzen. Wer die klare Entschlossenheit und zähe diplomatische Geschicklichkeit des späteren Gluck betrachtet, mag wohl das Letztere annehmen; er hielt sein Besseres zurück, bis er auf den echten Erfolg bei den Menschen rechnen konnte; und diese Stunde ist erst 1762 gekommen. Er wollte sich unabhängig halten, und mußte doch von seiner Kunst leben: so war ihm darum zu tun, zunächst Ruhm und Stellung in der Welt zu festigen, um auf gegründeter Basis dann das Außerordentliche zu wagen. Er durchzieht seit seiner Rückkehr von Italien und England das Deutsche Reich: von Hamburg nach Dresden und Wien, und wieder nach Kopenhagen, dann geht es dazwischen wieder im Triumph mehrere Male nach Italien, sogar bis nach Neapel. So finden wir ihn auch 1747 am Kursächsischen Hof, wo er auf dem Lustschloß zu Pillnitz an der Elbe das Festspiel „Le nozze d'Ercole e d'Ebe" mit der Operntruppe des Italieners Mingotti zu einer prinzlichen Vermählung aufführt; im folgenden Jahr geht zum Geburtstag Maria Theresias in Wien eine Semiramis von ihm in Szene; und bald verherrlicht er eines der glänzendsten Feste, das der Prinz von Sachsen-Hildburghausen in dem berühmten Schloß Hof auf dem Marchfeld gibt, welches Lucas von Hildebrandt 1729 für den Prinzen Eugen erbaut hatte.

Dittersdorfs ausführlicher Bericht hat uns die Einzelheiten überliefert und wir entnehmen daraus, daß um diese Zeit — es ist bereits das Jahr 1754 — die Feierfreude des Barock noch in keiner Weise abgenommen hat, sondern weiterhin die erstaunlichsten Blüten treibt. Der Prinz von Hildburghausen ist k. k. Feldmarschall und Generalfeldzeugmeister und hält in Wien Hof, wobei die Pflege der Musik eine hervorragende Rolle spielt. Er besitzt seine eigene Hauskapelle, die im Winter dem Adel jeden Freitag eine glänzende Akademie gibt, bei der die bedeutendsten Virtuosen und Komponisten mitwirken. Sein Kapellmeister ist der Italiener Bonno; und gerade damals war auch der erst fünfzehnjährige Dittersdorf von ihm

entdeckt und in seinen Hofhalt als Kammerknabe aufgenommen
worden und erhielt auf seine Kosten die Erziehung zu einem bedeutenden Geiger; auch die berühmte Sängerin Tesi, für die Metastasio
eigens eine Anzahl Opern geschrieben hatte, lebte bei ihm und trat
noch in seinen Konzerten auf. So suchte er auch Glucks Bekanntschaft zu machen, der soeben mit neuem Ruhm von Rom zurückgekehrt war, und zieht ihn als Hausfreund in seinen engsten Kreis;
denn Gluck ist, nach Dittersdorfs Schilderung, „ein jovialer Mann,
und besaß auch außer seinem Fache Welt und Lektüre". Gluck
läßt dem Prinzen viele seiner Sinfonien und Arien abschreiben, und
setzt sich oft bei der Aufführung in den Akademien „mit der Violine
à la tête". — Für den Juli des Jahres 1754 nun hat sich der Kaiser
mit der Kaiserin und etlichen Erzherzögen und Erzherzoginnen zu
einem Besuch auf dem Sommersitz des Prinzen angesagt; und so
zieht der Prinz bereits Anfang April mit allen seinen Leuten nach
Schloß Hof, um die Festlichkeiten vorzubereiten. Weitere Musiker,
aber auch Ingenieure, Maler, Bildhauer werden engagiert, und selbst
Gluck erscheint schon bald und beteiligt sich an der Regie des Festes:
er hat den Auftrag, dafür ein Stück von Metastasio „Il ballo chinese"
zu komponieren, das dann den Höhepunkt der zahllosen Aufführungen bildet. Musiken von Bonno, ein Bacchantenballett, venetiani-
scher Gondelkampf auf einem Weiher füllen die Tage. Die Szenerie
etwa eines grotesken Wasserkarussells mit Bären, Schweinen, Ziegen-
böcken und Hunden als lebenden Statuen verwandelt sich dabei,
nachdem die Heiterkeit den Höhepunkt erreicht hat, plötzlich in
einen schönen stillen Hain von Weiden mit einem Gärtchen von
Pomeranzen- und Zitronenbäumen, der als Insel auf dem See her-
anschwimmt, und Gärtner und Gärtnerin mit goldener Gießkanne
und goldenen Rechen, mit Fischern und Fischerinnen herrlich geklei-
det als Idyll erstehen läßt, zu dem eine sanfte Musik ertönt, daß das
vorherige Gelächter den Zuschauern im Munde erstirbt und zarter
Empfindsamkeit Platz macht. — Für die Aufführung des chinesischen
Stücks, eine Abendvorstellung, hat der Theatermaler Quaglio trans-
parente Dekorationen entworfen; den größten Effekt geben ihr
„prismatische gläserne Stäbe, die in den böhmischen Glashütten
geschliffen worden waren" und, von unzähligen Lichtern erleuchtet,
einen phantastischen Spiegelglanz in allen Regenbogenfarben ver-

breiten. „Und nun die göttliche Musik von einem Gluck! — Es war nicht das liebliche Spiel der brillanten Sinfonie (Ouvertüre) allein, die stellenweise von kleinen Glöckchen, Triangeln, kleinen Handpauken und Schellen und dergleichen bald einzeln, bald zusammen begleitet wurde, welches die Zuhörer gleich anfangs, ehe noch der Vorhang aufgezogen war, in Entzücken versetzte; die ganze Musik war durch und durch Zauberwerk." —

Eine solche scheinbar nur anekdotische Schilderung eröffnet uns einen tiefen Blick in die Struktur jener Zeit und Gesellschaft: wo die Technik des Luxus und Vergnügens keineswegs nun in zunehmendem Maße auf das niedrige Niveau des bloßen Amüsements herabführte, sondern nach Hingabe an den unverbindlichen Scherz alsbald wieder dem höchsten Kunsternst bereit war. Diese Fürsten und Adligen waren nicht zufällige Mäzene und Stifter der letzten großen Künste; sie hätten ja auch geschmacklos sein und dem Volke ein ideenloses Wohlsein und Genießen vorleben können — sie waren mit dem Großen der Kunst, sei es als Bauherrn, sei es als Musikliebhaber, selber identisch, riefen sie aus ihrer Kultur hervor, weckten das schlummernde Talent im Volk und zogen es magnetisch an sich. Sie haben echtes Unterscheidungsvermögen gehabt: das Genie ging ihnen nicht unerkannt vorüber, mußte sich nicht vor ihren Äußerlichkeiten in private Existenz zurückziehen. Sie machen zwischen Gluck und Bonno einen Unterschied — von der Wirkung der Opern Bonnos erfahren wir nichts; aber Gluck reißt sie zum Entzücken hin. So sind die Zeitgenossen beschaffen, wie sie sich das Genie kaum besser je hat wünschen können. Erscheint der große Tragiker Gluck bei diesem Feste für unsere Begriffe gleichsam wie inkognito, oder wie in einer ihm aufgezwungenen ungemäßen Rolle: es ist vielleicht gerade seine unerhörte Leistung gewesen, daß er das bloße Spiel jahrzehntelang bejahen konnte, den angemessenen Klang wie mühelos und doch schon zauberhaft empfunden dazu gab, um dann mit seinem ganzen Ernst hervorzutreten und diese selbe Welt ihm zu erobern, als sei solcher Ernst das letzte Ziel dieser Kultur, das allein und ohne sie auch einem Gluck nicht gestaltbar gewesen wäre. Und hier ist nun auch dieselbe Entsprechung, wie sie sich bereits in Pöppelmanns Pillnitzer Schlössern mit Glucks Musik voll-

zog: auch die Architektur des Deutschen Hildebrandt wird jetzt mit
der Musik eines Deutschen ihrer inneren Bestimmung zugeführt.

100.

Es ist das Epochemachende von Gluck in der Geschichte des
deutschen Barock, daß er für die Musik das leistet, was bisher nur
von der Baukunst vollbracht worden war: aus deutschem Seelentum
die große Spannung zu bewältigen, die in diesem Stile ursprünglich
zwischen Christlichem und Heidnischem, zwischen gotisch-germani-
schem Trieb und klassisch-antiker Form angelegt war. Händel hatte
auf die antikische Gestalt, die in der Bau- und Bildkunst eine solche
Rolle spielte, schließlich verzichten müssen, um seine geistige Welt
ganz rein zum Ausdruck zu bringen: er übernimmt von der Oper
und von dem ursprünglich griechisch-Tragischen nur das innerlich-
Dramatische und wendet es auf die biblische Welt protestantischer
Tradition; wird seine dramatisch-religiöse Bühne auch ins Unsichtbare erhoben, sie findet doch im Kultischen der Kirche nicht
mehr den ihr gemäßen Ort, sondern im weltlichen Konzertsaal.
Gluck tut das Entgegengesetzte: er gibt der verweltlichten Bühne
wieder den sakralen Sinn, er heiligt das Theater, indem er die klas-
sisch-mythologische Gestalt mit einem echten religiösen Sinn durchdringt. Beides sind Gipfelleistungen des Barock und haben keine
Nachfolge gefunden: das chorische Oratorium, von der kirchlichen
Messe und Passion ebenso geschieden wie von der unterhaltenden
Buntheit des späteren Konzertprogramms, ist einzig und einsam
geblieben, wie die Feierbühne Glucks, die auf dem modernen Re-
pertoire-Theater nicht heimisch werden konnte, weil sie als Voraussetzung die heroisch-mythologische Welt der höfischen Kultur mit
ihrem „Parterre von Königen" erforderte, so wie Händels Oratorium
den heldischen Geschichtsgeist eines noch bibelgläubigen Volks, das
hier das Walten Gottes in seinem weltlichen Schicksal erfuhr. Dennoch leben diese Werke im absoluten Sinne der Musik fort und
werden immer wieder in seltener einzelner Feier beschworen werden, da in ihnen zuerst „weltliche" Musik als deutsche Kunst, und

nicht mehr als italienisches bloßes Singen und Spielen in Tönen erfahren wurde.

Für viele ist Gluck der Inbegriff des „Klassischen" in der Oper, weil er, im Gegensatz zu allen übrigen heute noch auf unserer Bühne lebendigen Opernkomponisten, durch das Medium antiker Gestalten spricht; man meint womöglich, er hätte den griechischen Mythos auf der deutschen Bühne eingeführt, wie man es etwa auch bei Goethe mit seiner Iphigenie vermutet. Aber hier war beide Male nur Fortsetzung einer Tradition, die sich im Barock durch die italienische Oper längst eingebürgert, ja mit ihr identifiziert hatte. Die Oper war einst in Italien geboren worden aus dem Willen, die antike Tragödie zu erneuern. Und auf diesen Ursprung greift Gluck allerdings zurück. Aber er sucht nicht das antike Ursprüngliche für die Kunst der Gegenwart zu beschwören, wie etwa Winckelmann, der das im Barock enthaltene und verwandelte Element des Plastischen isolierte und in seiner Reinheit und Unabhängigkeit wiederherstellen wollte; sondern er erneuert die abendländische Vermählung des Antiken mit dem Element der Musik, wie sie in Florenz und Venedig das Phänomen der Oper begründet hatte. Diese stellte mit dominierendem Gesang und Instrumentalbegleitung und der ganzen komplizierten Formensprache nordischer Überlieferung etwas völlig anderes dar, als je das griechische Drama hätte sein können, welches den gedanklichen Sinn in bloßen Worten gab und nur in den Chören Musik: Gesang und Tanz, hinzugesellte.

Es ist bekannt, daß Glucks Reform dramaturgisch gesehen darin bestand, daß er den Zusammenhang der musikalischen Einzelentladungen wiederherstellte, der im Verlauf der italienischen Opernentwicklung verlorengegangen war. Der singende Mensch war das große Erlebnis der Florentiner und Venetianer gewesen, durch das sie das neue an der Antike erwachsene Weltgefühl mit dem abendländischen Seelentum durchdrangen, und damit den Weg aus der Renaissance in das Barock auch in der musikalischen Kunst vollendeten. Allmählich aber wurde der seelenhafte Gesang zur bloßen Schaustellung der kultivierten Stimme des großen Sängers, über welcher Drama, Entwicklung, geistiger Sinn und Ausdruck des Ganzen zuletzt vergessen wurden. Hier war eine Verkörperung der Musik in der einmaligen leiblichen Gegebenheit des Gesangsvirtuosen er-

31*

reicht, die uns ewig unbegreiflich sein wird, da wir von der Art dieses Gesangs und dem Wesen dieser Stimmen keinerlei wirkliche Vorstellung mehr besitzen; denn das Höchste und Führende war die Kunst des Kastraten, welche der Stimme die natürliche Bestimmtheit durch Alter und Geschlecht genommen und dafür etwas Überpersönliches verliehen hatte, was von den Menschen als das Irrationale und Überirdische empfunden worden sein muß, wie es sich zu der überwirklichen Darstellung des Mythischen schickte. Man kann in dieser Beseelung und Vergeistigung eines vielleicht nach den Noten garnicht so ausdrucksvollen und hinreißenden Gesangs von Arie zu Arie, und wiederum in völlig individueller Weise von Oper zu Oper, wie sie dem Sänger „auf den Leib geschrieben" war, grundsätzlich ein plastisches Prinzip und etwas dem Wesen der Antike mit noch so andern Mitteln viel eher Entsprechendes sehen als in dem reinen Umriß Gluckscher Melodien, die so oft als „klassisch" verstanden worden sind. Die momentane Verleiblichung durch die Stimme, ihre sinnlich-körperliche Erfahrbarkeit in einem nicht erotischen, sondern rein kunsthaften Sinne rührt an ein plastisches Erleben, wie es überhaupt im vokalen Ton als dem vom Menschenkörper allein und unmittelbar hervorgebrachten gegeben ist; wie denn Wilhelm Heinse das Vokale als „das Nackende" in der Musik definiert hat. Und es stimmt hierzu der damals zunehmende Zerfall der ganzen Oper in die ruhenden lebenden Bilder der Arie, welche eine Reihe eben von einzelplastischen Darstellungen ergaben.

Der Zusammenhang lag in der Oper in etwas Außermusikalischem, das damals auch, wie wir schon früher sahen, zu höchster Vollkommenheit und überschwenglichem Reichtum ausgebildet worden war: in der Scheinarchitektur der Szene mit ihrer zauberischen Malkunst und irrealen Maschinerie, welche das vereinzelt Plastische der Musik in den großen bild- und baukünstlerischen Rahmen hineinstellte, und durch das Schauenserlebnis der Szene das Worterlebnis fast ersetzte, das im Secco-Rezitativ nur ganz flüchtig und notdürftig abgetan wurde. Wenn Gluck nun radikaler als irgend einer seiner Vorgänger mit dem Secco-Rezitativ bricht und an seine Stelle das recitativo accompagnato setzt, den instrumental begleiteten Sprechgesang; wenn er ebenfalls die Arie instrumental viel stärker und auch mit Bläsern begleitet, während der Gesang des großen Sängers bisher nur ganz diskret mit Streichinstrumenten unterstützt worden war, die Rundungen gleichsam der plastischen Stimmentfaltung zu vollenden; wenn er schließlich dem Chor eine entscheidende Stellung verleiht und ihn auch aufs höchste mit charakteristischen Mitteln des Instrumentalen ausstattet, und alles dieses gleichsinnig dem dramatischen Verlauf und der innigsten Verdeutlichung des Seelengeschehens als einer umspannenden Totalität unterordnet: so hat er nichts anderes getan, als über der Scheinarchitektur der Bühne einen neuen geistigen Raum erschaffen, der eben in der durchgängigen Bestimmung vom Instrumentalen her seine bildnerisch-architektonische Kraft erhielt und in welchem die Einzelplastik des immer noch schönen und auf den Höhepunkten dominierenden Gesangs nicht mehr zusammenhanglos und einsam steht, sondern immer vom geistig Raumerschaffenden des Instruments getragen und geleitet in notwendiger Folge und nicht nur zufälliger Reihung einem Ganzen dienstbar ward, einem Gesamtsinn, wie ihn auf späterer Stufe die Symphonie verwirklicht hat.

Gluck tut also wiederum das Gegenteil von dem, wodurch Winckelmann epochemachend wird: wenn dieser die wirkliche plastische Gestalt aus dem barocken Raumzusammenhang löst, für sich allein betrachtet und nur noch antikisch im einstigen historischen Verstande wünschen kann; so fügt Gluck die musikalische Plastik in den instrumentalen Tonraum ein, zu welchem sich ihm der Architekturraum des deutschen Spätbarock sublimiert hat. Da wir die Gluckschen Opern nicht mehr in der originalen barocken Szenerie mit ihren Maschinen und kühnen überirdischen Erscheinungen aufführen, sondern im historischen griechischen Kostüm, wie es seit der Weimarer Klassik mit ihrem aufgeklärten geschichtlichen Verstehen üblich geworden ist, so kommt uns diese so selbstverständliche Entsprechung zwischen Musik und Barock nicht mehr zum Bewußtsein. Gewiß schwebte auch Gluck ein Drama „nach Art der Griechen" vor, er hatte selber literarischen Zugang zur klassischen Welt und hat sich bei den Libretti, an denen er mitarbeitete, um „griechisches Versmaß" bemüht. Er ließ sich nicht nur von der französischen Deklamation, sondern auch von der Oden-Dichtung des verehrten und befreundeten Klopstock bestimmen. Auch ein gewisser Rationalismus ist Gluck bereits beigemischt, wie es kaum anders sein konnte, wo er, bei so spätem Hervortreten mit seinem wesentlichen Werk, schon in eine allenthalben aufgeklärte Zeit hinein geriet — dazu gehört ja auch seine ganze Reflexion über die Grundlagen seines Schaffens und seine Bemühung um theoretische Rechtfertigung. Die Vereinfachungen, die er am Organismus der Oper vornimmt, sind rational und vernünftig im Sinne des „Natur"-Begriffs, wie er in der deutschen Literatur längst eine Rolle spielte und seit 1760 noch durch die Wirkung Rousseaus sich bestärkte. Aber Vereinfachung, Verständigkeit, Natur herrschen bei ihm noch innerhalb der gegebenen Kultur, wie es ähnlich in England und Frankreich der Fall war — nicht sind sie gegen alle Kultur verschworen, wie es von andern jetzt zur Losung erhoben wird und besonders gegen das Barock sich richtet. Die augenfälligste Reform, die Gluck in diesem Sinne vorgenommen hat, ist die Beseitigung der Koloratur, mit welcher der Sänger seine Arie verziert hatte. Aber auch Architekten haben damals in einzelnen Werken den Überschwang der Rokoko-Ornamentik gezügelt oder ganz beseitigt, wenn es ihnen, wie etwa Neumann in Neresheim, auf den reineren Gesamtklang eines Raumes ankam; und in seiner Kunst hat Gluck damit ja wesentlich nur die Selbstherrlichkeit des Sängers zurückdrängen wollen, die im Verweilen bei der Koloratur sich eine Schaustellung des virtuosen Könnens geschaffen hatte, die den Sinn und Fortgang der Handlung auf unerträgliche Weise unterbrach und allmählich in völligen inneren Gegensatz zur eigentlichen hohen Kunst der Verkörperung des Gesangs geraten war. In andern Stücken hat Gluck völlig naiv die Elemente der Tradition gewahrt: er behielt Szene und Maschinerie des Barock vollkommen bei, behielt und erweiterte das Ballett als eine Feerie, die mit der Antike nicht das geringste zu tun hatte. Ja, er hat sogar in seiner ersten und entscheidenden Reform-Oper noch den Kastraten als führenden Sänger übernommen, der für jeden Natur-Begriff das schlechthin Unmögliche hätte sein müssen, hier aber doch nur, im Alt des Titelhelden, eine reinste Verkörperung des Musikgeistes selber war, wie sie keine Männerstimme hätte leisten können.

Und da rühren wir nun an die höchste Schöpfertat Glucks, die ihm gerade schon in seinen ersten, noch stärker barock-bestimmten Opern, in Orpheus und Alceste, gelang. Mag er in den Iphigenien später in Paris schon durch das Bündnis mit französischer Oper und

Tragödie seinen neuen Stil konsequenter und rationaler ausgebaut und dem heraufkommenden Klassizismus mundgerechter gemacht haben: in jenen früheren Werken hat er aus Mythologie und Allegorie des Barock mit dem großen vereinfachenden Blick des Genies die ewigen uralten Kämpfe und Gegensätze von Leben und Tod, Licht und Finsternis, Himmel und Hölle neu geschaut und gestaltet und ist damit der Stifter des Mysteriums der Musik geworden, das zu den bisherigen religiösen Offenbarungen das orphische Geheimnis fügt, welches in der Kunst selber den Daseins-Sinn findet; in einer Kunst, die die Hölle besiegt und die Pforten des Todes überwindet.

In Cäcilien-Ode und Alexanderfest hatte auch Händel die Musik als Kunst verherrlicht; es war Lobgesang auf eine himmlische Gabe, die der Mensch zum Preis des Schöpfers empfing, und mit hoher Begeisterung stimmten die Chöre der Hingerissenen in den machtvollen Jubel ein. In Orpheus und Alceste aber ist Nacht und Tod über den Menschen gebreitet, damit er des Lichtes und Lebens teilhaftig, damit er erlöst werde: aus der Tragödie wird die Musik neu und herrlicher geboren, wie einst aus dem Leidens-Erlebnis der Bachschen Passion. Aber Unterwelt und Überwelt, Tartarus und Elysium sind keine christlichen Visionen, und Thanatos und Eros keine christlichen Seelengeleiter, wenn auch der Feierklang alter Religion über allem schwebt. Und da zeigt sich denn, zu welchen wunderbaren Lösungen die im Barock enthaltene Spannung zwischen Christlich und Klassisch letztlich führt. Schon daß hier an Gestalten erlebt wird, in denen letzte Mächte verkörpert sind, was bei Händel bloß geschildert ist und bei Bach im Unsichtbaren verharrt, bezeichnet ganz allgemein den Unterschied zwischen katholischer und protestantischer Sinngebung. Denn dem katholischen Menschen erschien das christliche Mysterium noch in Gestalt: das Meßopfer schon war „heilige Handlung" im genauesten Wortsinn: Gestalten celebrieren mit Geste und symbolischer Bewegung das überirdisch Wirkende, der Altar wird Szene, auf welcher geweihte Menschen in sakraler Gewandung agieren. Und wenn dann der kirchliche Bau des Barock und nicht nur der weltliche in steigendem Maße nach unsern Begriffen „theatralisch" wird, das Raumerlebnis die Wirkungen eines Theatrum sacrum ausstrahlt: so ist damit die untrennbare Verwandtschaft zwischen Kirche, Palast und Theater selbst gegeben, und mit ihr das Herüber-

und Hinübergreifen weltlicher und geistlicher Elemente, ihre mögliche
Annäherung, ja Vertauschbarkeit. Es ist kein Unterschied in Formauf-
fassung und Gefühlserfülltheit, was von den Deckengemälden von
Schloß oder Kirche herableuchtet; und der antike Mythos ist schon
religiös gerechtfertigt, wenn er auf den Fresken zur Verherrlichung
eines geistlichen Fürsten, wie in Damian Schönborns Bruchsaler Residenz, mit den Gestalten des christlichen Olymp sich mischt. Die stuk-
kierte Plastik in den Kirchen, mit Gold und Farben bekleidet, zeigt
dieselbe dramatische Bewegtheit und tänzerisch-schauspielerische
Geste wie die Steinfiguren in den Parks; ja sie dominiert etwa in der
heldischen Gestalt des Ritters St. Georg oder in der schwebenden
Wundererscheinung der Madonna und Dreifaltigkeit bei den Asam
im Mysterium des Altars, zu dem alle andern Künste des Raumes
nur als zur letzten Steigerung hinarbeiten, wie es sich im wirklichen
Drama nicht lebendiger vollziehen kann. In unzähligen Variationen
mußte da auch jedem Musiker, der in den Räumen des höfisch-katholischen Barock heranwuchs, selbst das Geistigste und Heiligste gestaltbar und der Verkörperung fähig erscheinen, Weltliches und Geistliches,
Christliches und Antikes sich dabei durchdringen und seiner Kunst
eine andere Aufgabe setzen, als sie der Norden empfing. Gluck hat,
außer einem De profundis, keine Kirchenmusik geschrieben, dagegen,
wie wir sahen, jahrzehntelang am berauschenden Fest des Barock
selber berauscht mitgewirkt und sich in der musikalischen Verkörperung antiker, ja exotischer Gestalten geübt, wie sie zum Welt- und
Kunstbild des Stils gehörten. Der große Schritt seiner Entwicklung
ist, daß er plötzlich die beiden Möglichkeiten des Barock, die sakrale
und die profane, in einer Weise verschmolzen und durchdrungen, ja
zu einer neuen Harmonie vereint zeigt wie bisher auch kein Meister
der bildenden Kunst: ein anderer Feierraum geht ihm auf als der
bloß festlich-weltliche, und er kann ihn gerade deshalb für die Antike
gestalten, weil er seine Kraft nicht neben dem weltlichen in den
eigentlich kirchlichen Dienst zwingt. Aber alle Tradition der Kirchenkunst fließt in seine Behandlung des dramatisch-Theatralischen ein
und verleiht ihr einen Ernst, der über den bisherigen der Opera seria
weit hinausgeht. Wenn der Vorhang des Orpheus aufgeht und die
Totenklage vor dem Sarkophag der Euridice erschallt, so stehen wir
auf dem Boden eines tragischen Erlebens von schlechthin kultischem

Charakter, wie es dies bisher nur kirchlich in Passion und Oratorium, nicht aber für ein menschliches oder klassisch-mythologisches Geschehen von noch so großer Leidenschaft und schmerzlicher Gefühlsentfaltung gab. Dem historisch überschauenden Blick könnte es scheinen, als sei hier wirklich das Geheimnis orphischer Frühe und der Mysteriensinn von Eleusis wiedergeboren; und es ist doch nur ursprünglich christliches Seelentum, das nun auch das Wesen weltlicher Musik, einer fremden, bisher nur artistisch erlebten Musik vollkommen durchdringt und die antike Fabel zum Gleichnis einer Weltanschauung zu machen vermag, für welche Religion und Kunst untrennbare Einheit geworden sind. Der vom Schicksal zerschmetterte Mensch rettet sich im Gesang, beschwört und bannt und wendet das Schicksal durch Gesang: das ist frühestes und spätestes Menschheitserleben zugleich, kann nur der magischen Wirkung einer erst ins Leben tretenden Kunst und wiederum ihrer höchsten geistigen Entwicklungsstufe beschieden sein — Anfang und Ende sind sich, nach einem unendlich gesteigerten Werden und auf völlig verschiedenen Ebenen, wieder gleich. Das ist es, was man als die Ursprünglichkeit Glucks inmitten einer späten zum Teil schon entarteten Kunst und Konvention empfunden hat: sein Natürliches — „die Natur", von der er selber immer wieder als von seinem Ziel und Ideale spricht. Es mußte sich Einer allerdings Unerhörtes zutrauen, wenn er von einem Sänger künden wollte, dessen Gesang das Schicksal überwand, und nun, im dargestellten Bühnenereignis, erleben lassen wollte, daß Gesang, und welcher Gesang, eine solche überirdische Wirkung übte. Daß solcher Gesang Wahrheit wird: als Seelenausdruck im Körperklang der Stimme, umspielt von einer Begleitung, in der das Instrument selber singend geworden ist, unmittelbar mit kündend aus dem Herzen der Welt — das ist die große Wandlung italienischer Kunst zu deutscher Natur, einer Geist-Natur, mit welcher eine völlig neue Entwicklung beginnt. Die Zeitgenossen waren tief von dieser Reinheit und Jungfräulichkeit eines Natur-Tons berührt und haben sich diese neue Natur mit dem ausgelegt, was das Jahrhundert unter der wahren Natur verstand: dem echten Antiken — die Pariser urteilten über die Tauridische Iphigenie: „De la douleur antique, des larmes grecques, et de la fraicheur virginale" ... aber wohin wir schauen, ist niemals sonst die Antike in einem nordischen Werk mit solcher

Wirkung auf die Herzen der Menschen erschienen, weder in einem
Bild, noch in einem Gedicht. Denn der echte Glaube an die Antike
als an das orphische Geheimnis der Welt ward hier verkündet, und
stiftete damit die über das Christentum und die bisherige Auffassung
der Antike hinausweisende Erlebnis-Religion der Musik in ihrer gro-
ßen sakralen Stunde. So verstanden ist Gluck die Summierung und
Vollendung aller höchsten philosophisch-religiösen Strebungen und
Sehnsüchte des 18. Jahrhunderts: das Naturevangelium, von Brockes
und Haller bis zu Rousseau ist in ihm ebenso sublimiert wie die
Vermenschlichung der Religion, die Übertragung der christlichen
Praxis in eine vergeistigte überzeitliche Humanität, die vor antiker
Freiheit und moderner Vernunft ebenso besteht wie vor der ewigen
Macht des liebenden leidenden Menschenherzens. Aber was in dieser
Epoche sonst nur Begriffe unzulänglich künden, nur theoretische und
ethische Forderungen umschreiben, das ist hier zum Durchbruch eines
Mysteriums geworden, mit welchem das Barock in allen seinen höch-
sten Kräften sich der Tendenzen der Zeit noch einmal souverän be-
mächtigt und sich selber harmonisch vollendend ins Element der
Zukunft rettet.

101.

Mit Gluck tritt die große Kunst des Barock im Augenblick ihres
irdischen Unterganges das erste und letzte Mal in den Gesichtskreis
der ganzen Nation: Norden und Süden sind in ihrer Empfängnis
geeint. Aber auch dies ist sozusagen nicht in Deutschland und durch
Deutschland geschehen, sondern erst in dem Augenblick, da der
deutsche Musiker in Paris in den Brennpunkt europäischen Interesses
geriet und jenen Kunststreit mit der französischen nationalen und der
italienischen internationalen Oper entfesselte, aus dem er schließlich
als Sieger hervorging. Erst durch diese Kämpfe wurde er weiteren,
auch literarischen Kreisen über Wien hinaus bekannt, und so sehr
er selber noch im höfischen Milieu lebte, ward doch die Schranke
durchbrochen, die bisher die Meister süddeutsch-katholischer Kultur
von der übrigen deutschen Geistigkeit trennte. Es ist ein Vorspiel
der Wirkung der südöstlichen Musik überhaupt auf die deutsche

Gesamtheit, die, anders als Bau- und Bildkunst des Barock, allmählich der ganzen Nation zuteil wurde, wenn auch die persönliche Begegnung mit Großen des anderen Lebensraumes sich so nicht wiederholte und die Wirkung fast mehr eine posthume gewesen ist.

Auch in Gluck ist schon ein Zeitloses in Widerstreit mit der Zeit, wie es wohl der Mission der Musik, nicht aber der der Baukunst innewohnt. Dennoch tut er noch völlig seiner Zeit genug, ja vermag selbst sein Überzeitliches sieghaft in ihr durchzusetzen, wie es kaum einem andern je gelang.

So war es nicht sein Übergang zu einem an Ort und Stelle etwa noch kaum verständlichen „Klassizismus", was ihm in Wien die Durchsetzung seiner Ideen nicht auf die Dauer ermöglichte, sondern eben jenes Überzeitliche, für welches die Mehrzahl der Menschen noch nicht bereit war. Der erste Erfolg von „Orfeo ed Euridice" zwar im Jahre 1762 ist gewaltig und verblüffend gewesen. Schon der Text bricht mit dem bisherigen Typus, wie er in Metastasio verkörpert war: alles Beiwerk an Intrigue und konventioneller Führung und Motivierung von Liebe und Leidenschaft ist abgeschnitten; und für den Sänger gibt es nicht mehr Rollen, in denen zusammenhanglos sein virtuoses Können glänzen kann, sondern er ist nur dienende Stimme an dem seelischen Geschehen des Ganzen.

Glucks Wagnis ist damals möglich geworden, weil er das erste Mal verstehende Helfer und Mitarbeiter gefunden hat: Graf Jacob von Durazzo wird Oberleiter der kaiserlichen Hoftheater, ein hochgebildeter Mann, der den seit 1750 in Wien Ansässigen schon 1754 zum Opernkapellmeister berief und ihm auch Calzabigi als Textdichter zugeführt hat. Durazzo steht wie Gluck in den geistigen Auseinandersetzungen der Zeit — auch andere haben damals bereits die Reformbedürftigkeit der Oper empfunden, und gerade von Italienern ist manches schon postuliert und praktisch versucht worden, dem dann Glucks schöpferische Tat die gültige Form gab.

Selbst Metastasio ist in manchem zu den Vorläufern der Reform zu rechnen, wie uns schon aus seiner Zusammenarbeit mit Hasse deutlich wurde; aber er stellte seine Einsicht in die Notwendigkeit einer knapperen und ernsteren Führung der dramatischen Handlung vor den Rücksichten auf den Wiener Hof beiseite, und hielt zum Beispiel seinen 1740 geschriebenen Attilio Regolo zehn Jahre in

seinem Schreibtisch zurück, in dem er eine echte feierliche Tragödie
ohne Konzessionen an die üblichen Intriguen gegeben hatte, bis der
Sänger Farinelli ihm aus Madrid den unerwarteten Erfolg des Werkes melden konnte. Theoretisch hat dann der Graf Algarotti in seinem
Essay über die Oper 1756 den nachdrücklichsten Vorstoß gegen die
Herrschaft des Virtuosen unternommen und schon den Grundsatz
entwickelt, daß die Musik die Dienerin und Gehilfin des Dichters
sein müsse. Er war selber Verfasser von Operntexten und hat nicht
wenige zusammen mit Friedrich dem Großen gearbeitet, dessen
Kammerherr er eine Zeitlang war und dem er auch nach seiner Rückkehr in die italienische Heimat verbunden blieb. Ihm war dabei, wie
seinem großen Freunde, der Begriff der französischen Tragödie maßgebend, wie man sie hauptsächlich in Voltaire in jenen Jahrzehnten
vor Augen hatte. In diesem Sinne schreibt ihm auch der König, als
er ihm 1749 den Entwurf zu einer Oper Coriolan zur Vollendung
übersendet: „Ich bitte Sie, es so einzurichten, daß dies Stück ein
wenig von der französischen Tragödie hat."

Aber nicht nur die Theoretiker und Textdichter, auch die großen
italienischen Komponisten streben ahnend einem neuen Ideale zu
und beginnen mit dem italienischen „Schlendrian" zu brechen. Als
bester Kenner der italienischen Barockmusik hat Wilhelm Heinse die
Ursachen des Verfalls geschildert. „Das italienische Publikum hat
den italienischen Komponisten im ganzen so viel geschadet, als es
ihnen bei einzelnen Sängern genützt hat. Die Opern im ganzen sind
in Italien hauptsächlich Zeitvertreib, während derselben sie in einem
Hause zusammenkommen und spielen und plaudern, und sich an den
Stimmen schöner Sängerinnen und außerordentlicher Kastraten bei
einzelnen Szenen ergötzen. Die Poesie ist gewöhnlich das Letzte,
woran sie denken. Der größte Teil der Worte, selbst beim Metastasio,
ist so, daß er nur im Recitativo secco deklamiert werden kann. Und
zu einer Menge Arien paßt keine Melodie voll Leidenschaft oder auch
nur Empfindung. Die Dichter selbst müssen mit ihrem Text drei
Stunden ausfüllen; dergleichen Stoffe, durchaus voll Leidenschaft gibt
es wenig; und es würde bald den Italienern unerträglich sein, wenn sie
immer ihre Aufmerksamkeit so spannen sollten. Diese Betrachtungen
machen es sehr begreiflich, warum die Italiener zu Hause keine Opern
haben, die man durchaus vollkommen nennen könnte, und daß auch

ihre besten Komponisten auswärts immer unbedeutenden Schlendrian einmischen. Sie können sich's nicht abgewöhnen; sie glauben, das Gute nähme sich sonst nicht aus." Dennoch gibt Heinse anfangs zwei italienischen Zeitgenossen Glucks, Jomelli und Traëtta, den Vorzug vor dem Deutschen: weil sie in Einzelheiten schöner seien. Und hier bestätigt er unsre Auffassung der italienischen Einzelschönheit als klassisch-plastisches Erlebnis, wenn er die Armida Glucks mit der von Jomelli vergleicht: „Glucks Musik ist hier meistens Deklamation, und die Begleitung oft voll wie ein Wasserfall, das trockne Recitativ ist ganz verbannt. Tänze und Chöre geben seinen Opern vor den italienischen großen Reichtum; sie gleichen prächtigen Gemälden von Rubens und Paolo Veronese. Jomellis Armida und Rinald sind dagegen, was man kaum glauben sollte, wie schöne nackte Form in Marmor von Praxiteles."

Niccolò Jomelli ist, genau gleichaltrig mit Gluck, 1714 in Aversa bei Neapel geboren, Schüler von Durante und Leo, und seine Bedeutung für Deutschland war schon, daß er 1753 als Hofkapellmeister nach Stuttgart berufen wurde, wo der junge Herzog Karl Eugen so phantastische Summen für die italienische Musikpflege ausgab, daß seine Untertanen sich schließlich an den Reichstag mit der Klage wandten, daß er sein Land durch Musik ruiniere, welcher er wie Nero ergeben sei. Leopold Mozart gibt Jomelli die Schuld an dieser Mißwirtschaft und der alleinigen Protektion von Italienern; während die Italiener, als er 1769 in sein Vaterland zurückkehrte, ihn als einen allzu germanisierten Komponisten ablehnten, und Burney ihn auch im Typus als einen Deutschen beschreibt, der äußerlich große Ähnlichkeit mit Händel habe, nur sanfter und liebenswürdiger sei. Wichtig wird, daß er vor seiner Stuttgarter Wirksamkeit ein Jahr in Wien verbringt, und dort in die Atmosphäre Durazzos an der sich vorbereitenden Reform gerät — er führt dort fünf Opern auf, darunter Achille in Sciro, Ezio und Didone. Hier wird die Freundschaft mit Metastasio geknüpft, dem er auch später treu bleibt, wenn er schon versucht, den dramatischen Sinn reiner zu fassen und die Gestalten tiefer damit zu durchdringen. Seine bedeutsame Stellung innerhalb des gegebenen Typus geht schon aus aus Heinses Worten über die Armida hervor: „Diese Oper macht ein vollkommen gerundetes Ganze. Die Hauptpersonen strahlen immer hervor, und die andern weichen zurück. Bei den wenigen Instrumenten ist doch die Einförmigkeit vermieden; sie sind aber auch meisterhaft gebraucht."

Der andre, Tommaso Traëtta, muß noch in nähere Beziehung zu Gluck gebracht werden. Er ist jünger als dieser, 1727 geboren, und ist zunächst 1758 bis 1765 Kapellmeister an dem geistig lebendigen Hof von Parma, wo die französische Oper Rameaus herrscht. 1768 geht er nach Petersburg als Hofkapellmeister der Kaiserin Katharina II., bis 1774, und ist schon 1779 gestorben. Dessen antikische Opern werden nun schon unter Gluck und von Gluck in Wien aufgeführt: Sofonisbe 1762, Ifigenia (in Tauride) 1763; die bedeutendste, Antigona, mit der er Gluck am nächsten steht, ist indes erst nach dessen Orfeo und Alceste, 1772, in Petersburg herausgekommen, so daß er weniger als Vorläufer denn als Rivale Glucks erscheint. Wir müssen hier wiederum Heinse sprechen lassen, in dessen Worten diese italienischen Werke einzig noch fortleben, auch von den eigenen Landsleuten keiner Auferstehung gewürdigt: „Man findet hier im Traëtta den Vater der Gluckschen Musik; dasselbe Pathos in den Chören, nur mit weniger Stärke und Reichtum; dieselben Lieblingsakkorde, als den der verkleinerten Septime und Sexte, nicht so unaufhörlich gebraucht; den reinen keuschen tiefgefühlten Ausdruck, ebenso originell, nur viel natürlicher und schöner. Gluck aber hat weit mehr Verstand, und seine guten Opern, deren nur sehr wenig sind, ordnen sich weit mehr zu einem großen, mächtig ergreifenden Ganzen. Auch hat er die Gewalt der blasenden Instrumente weit besser gekannt und zu brauchen gewußt und meisterlich ausstudiert, was eine große Menge von Menschen von allerlei Bildung und Charakter ohne Unterschied wie ein Strom hinreißt." Wenn er aber dann resumiert: „Traëtta hat unter allen Komponisten am mehrsten tragische Ader", „Kurz, Traëtta ist der Erfinder des wahren tragischen Stils" —, so muß er später, als er den Orpheus kennenlernt, sich doch korrigieren: „Wahr ist inzwischen, Gluck ging hier dem Italiener vor; dieser schrieb seine Oper 1772; also acht Jahre nach ihm. Traëtta rang hier offenbar mit Glucken." (Es geht hier der Vergleich um den zweiten Akt der Antigone des Traëtta und um den ersten des Orpheus, beide Male eine Leichenfeier, wo Text und Musik sich in der Anordnung gleichen.) — Aber Traëttas Sofonisbe und Iphigenie in Tauris, die Gluck nun wirklich zur Zeit seines Orpheus in Wien kennenlernte, lassen uns doch ahnen, wie ihn ein solcher Mitkämpfer um ein verwandtes Ziel beflügeln mußte, den Heinse als Gesamterscheinung mit den Worten charakterisiert: „Traëtta hat ein erstaunlich reines Gefühl; in seinem Herzen muß manche Leidenschaft in ihrer Fülle gekämpft haben; er trifft den Ton auf ein Haar; besonders von Traurigkeit, Schauder, Schrecken, kühnen Entschlüssen, Übergängen von einer Leidenschaft in die andre." Des Zeitgenossen Heinse unmittelbares Erleben erschließt uns hier das Doppelte: wie nahe die letzte große Kraft Italiens dem höchsten Ziel der Vollendung ihrer eigensten Form noch einmal war, wie gewaltig dies bereits auf wirkliche Kenner gewirkt hat; und wie dann Gluck doch alles überflügelte und erst ganz in eine fortdauernde Form erhob: denn was dann Heinse über Orpheus und Alceste sagt, das gipfelt in dem Bekenntnis des „Triumphs der deutschen Musik", der hauptsächlich erreicht wird durch die großen Chöre, die durch Wiederholung die Recitative und Arien binden, und durch eine Instrumentalmusik, „die das Ganze gleichsam in ein tragisches Dunkel bringt und ihm feste Haltung gibt". Aber nicht nur dies unterscheidet ihn von den großen Italienern: auch ein Heinse spürt bereits, vielleicht sogar stärker als wir, die wir die Italiener nicht mehr kennen, sein Eigenstes: „Seine besten einzelnen Arien sind echt deutsch in Melodie und Harmonie, so etwas Herzliches, Gutes, Ehrliches und Gefühlvolles spricht in ihren Akzenten; so ein rechtschaffener Adel, eine so reizende Würde von Keuschheit und Männlichkeit." Dies wird bereits vom Orpheus ausgesagt — nur noch von Händel hat Heinse sonst Eindrücke empfangen, die er unmittelbar als „deutsch" charakterisiert; und wir dürfen diesen letzten Anhänger italienischer Musik als verläßlichsten Zeugen dafür anführen, daß nun die neue aus dem katholischen Südosten entspringende Musik der alten norddeutsch-protestantischen in der Wirkung es gleichtut.

Den Textdichter, der seine Intentionen ausführt, findet Gluck in Raniero Calzabigi aus Livorno, den der Graf Durazzo ihm 1761 zuführt. Er ist ein genialischer Abenteurer, der in Paris mit Casanova, dem er in manchem gleicht, ein großes Lotterieunternehmen gegründet hat, und zu ähnlichen Zwecken zunächst auch nach Wien zum Grafen Kaunitz kommt; aber er ist auch Dichter und Kritiker, und hat bereits 1755 in einer theoretischen Schrift zu dem Problem Metastasio

Stellung genommen. Er ist, wie Gluck, 1714 geboren, und gehört wie
Jomelli, aber auch wie Winckelmann (geboren 1715), zu der „Re-
form-Generation", deren Bedeutung man in der Entdeckung der reinen
Antike gesehen hat. Das Zusammentreffen im Theoretischen ist in
der Tat hier eigentümlich genug — auch Calzabigi hat als sein Ziel
formuliert, daß er ein einfaches und einheitliches Drama nach Art der
Griechen ins Leben rufen wolle; was aber unter den Händen des
Musikers daraus wird, gehört, wie wir schon ausführten, einer völlig
andern Sphäre an: in der Musik wird aus der klassizistischen Absicht
die Vollendung des deutschen Barock, die ganz allgemein zur Wiederfindung des Deutschen aus dem Italienischen überleitet.

Für drei Opern hat Gluck mit Calzabigi zusammengearbeitet: für
Orfeo ed Euridice, 1762, für Alceste, 1767, und für Paride ed Elena,
1770. Er hat das große Verdienst des Dichters, auch nach der späteren Trennung von ihm, öffentlich anerkannt: „Seine Arbeiten sind
erfüllt von jenen glücklichen Situationen, jenen fruchtbaren und pathetischen Zügen, die dem Komponisten die Mittel geben, große Leidenschaften auszudrücken und eine energische und ergreifende Musik
zu schaffen. So groß das Talent eines Komponisten auch sein mag,
wird er nie anderes als mittelmäßige Musik schreiben, wenn der
Dichter nicht in ihm den Enthusiasmus entfacht, ohne den die Schöpfungen aller Künste schwach und langweilig sind." Diese Bescheidenheit und Ritterlichkeit macht einen großen Unterschied zu Calzabigis
eigenem späterem Versuch, sich selbst alles Verdienst an dem Re-
formwerk zuzuschreiben und Gluck sogar die richtige Beherrschung
des Italienischen und die Fähigkeit zu musikalischer Deklamation ab-
zusprechen. Aber zweifellos hat er, vor allem in den beiden ersten
Werken, in der Anlage des Ganzen und in der richtigen Konzentration des Stoffes Vorzügliches geleistet. Vor allem im Orpheus ist es
meisterhaft, wie er, entgegen den bisherigen Gestaltungen der Sage,
die Fahrt in den Tartarus und den Übergang ins Elysium zum
Schwerpunkt und Mittelstück des Dramas macht und Nebenhand-
lungen wegläßt, wie sie sonst etwa die Todesart der Euridice schil-
derten. Dagegen hat bereits Heinse den vierten Akt mit der Lösung
des Ganzen für verfehlt gehalten und gegen den Geist des Tragischen, vor allem gegen den Sinn der Fabel selbst; denn der rein
äußerlich verfügte glückliche Ausgang zwingt auch die Musik hinab

auf ein Niveau der äußerlichen Freude- und Festentfaltung, die es weder mit dem vorherigen tragischen Ernst noch mit der Seligkeit des Elysium mehr aufnimmt.

In der Vorrede zu Alceste und im Dedikationsschreiben zum Paris hat Gluck dann — und nicht Calzabigi — den Sinn der neuen Opernform dargelegt; in der ersteren mehr das allgemeine Bekannte: Beseitigung der Vorherrschaft des Sängers, Unterordnung der Musik unter den Sinn des Ganzen, Einfachheit auch des Orchestralen an Stelle von Künstlichkeit und gelehrter Schwierigkeit; im letzteren Genaueres über seine Auffassung der Wiedergabe: da die einzelne Phrase, ja Note im jeweiligen Zusammenhang ganz Verschiedenes bedeuten kann, so daß der Aufführungsstil jedes Werkes ein anderer sein muß und keineswegs nun ein mechanisch übertragbares Prinzip mit den reformatorischen Errungenschaften gegeben sein soll. Gerade diese Darlegungen des Dirigenten und Dramaturgen Gluck, des praktisch Musizierenden, beweisen wieder, wie fern er allem Doktrinären und rationalistisch-Spekulativem steht — immer schwebt ihm der Organismus des lebendigen Ganzen vor, der seine eigne Harmonik und Rhythmik, seine individuelle Stimmen- und Orchesterbehandlung erfordert und gleichsam von vornherein in sich trägt. —

Gluck hatte sich in Wien, bei seiner fest begründeten Stellung und der sichern Protektion des Kaiserhauses, die kühnen Taten von Orpheus und Alceste erlauben dürfen; aber es konnte ihm nicht verborgen bleiben, daß er damit nicht über die Stadt hinausdrang, ja beim großen Publikum, nach dem ersten achtungsvollen Erstaunen, keinen zwingenden Erfolg erreichte. Er richtete seine Blicke über Wien und grundsätzlich auch über Italien, wo er mit seiner Reform nie auf Anerkennung hoffen durfte, hinaus. Und da bleibt es von höchster Bedeutung, daß er damals, wir wir schon betrachteten, an die Möglichkeit dachte, seine Oper ganz im deutschen nationalen Element zu begründen. Aber so bedeutend der Augenblick ist, da ein großer Schöpfer mit dem andern sich zu gemeinsamem Werk zusammentut, das die verlorene Harmonie zwischen Dichtkunst und Tonkunst wiederbringe, so bezeichnend ist es doch, wie schnell sich wieder die Bahnen der beiden trennten: von der kaum erst gesichteten deutschen Möglichkeit wendet sich Gluck alsbald der verhaßten Gegnerin Klopstocks und Lessings, der französischen Klassik zu, um schließlich doch nicht das Gebot der deutschen Dichtung, sondern das Schicksal der deutschen Musik zu vollenden.

102.

Man kann sich kaum einen größeren Gegensatz gleichzeitiger geistiger Entwicklung in einer Nation vorstellen als hier: wo Gluck jetzt seine Iphigenie in Aulis auf den Text von Racine komponiert, während er eben noch an der Hermannschlacht gearbeitet hat, und Klopstock nun seinen Weg in zwei weiteren Bardieten aus Hermanns Leben weiterverfolgt, und im Sinn des altdeutschen Bardentums seine Gelehrtenrepublik verfassen wird; Lessing aber soeben in der Hamburgischen Dramaturgie die Befreiung von der französischen Vormundschaft erkämpft hat und, gleich Winckelmann, die „echte" Antike für die Deutschen entdeckt zu haben glaubt. Man sieht hier die ganze Souveränität und Unbekümmertheit der Musik, die sich in ihrem überrationalen Element die wahre Verwandlungskraft auch des Fremdesten zutraut, wo Dichtung und Literatur, um die Bahn zu ähnlicher Selbständigkeit zu finden, aufs ängstlichste bedacht sein müssen, sich nicht an ungemäße Vorbilder zu verlieren, sondern sich des noch fast ungewohnten Eigenen mit allen Kräften zu versichern.

Freilich bewegt sich der Musiker, bei der metanationalen Beschaffenheit seiner Kunstsprache, viel freier und unbefangener im internationalen Milieu, als ein Dichter es vermöchte. Er braucht sein Deutschtum nicht sonderlich zu pflegen und zu betonen, ja er will in seinem Bewußtsein so wenig eine ausgesprochene „deutsche" Musik machen, wie der Meister des Spätbarock deutsch zu bauen beabsichtigte — das Deutschtum lebt als ein geheimer, ihm selbst verborgener Trieb des Gestaltens in ihm, und in der völligen Naivität, mit der er sich nur auf das bestmögliche künstlerische Gelingen seines Werkes richtet, erreicht er im Zug des metaphysischen Schicksals seines Volkes eine Verwirklichung seiner angestammten Art, die erst von anderen als überzeugender Triumph des Deutschen erkannt wird.

Wenn also Gluck jetzt seine Blicke auf Paris richtet, so ist es, weil er in der Überlieferung der französischen Tragödie und in der dortigen Pflege einer nationalen, vom italienischen Vorbild weitgehend emanzipierten Oper eine stärkere Aufgeschlossenheit für seinen Begriff des Dramas erwartet; dann aber auch, weil er weiß, daß das vorwiegend literarische Interesse bedeutender Geister dort seinen Reformideen günstiger sein wird als am Wiener Kaiserhof, wo sich in Metastasio immer noch der ältere Stil verkörpert. — Unter der Theaterdirektion des Grafen Durazzo, der zu Glucks Nachteil bereits 1764 aus seinem Amte scheidet, war in Wien auch eine französische Truppe zu hören gewesen, durch welche Gluck einen Begriff der klassischen Tragödie gewann. Auch für das französische Lustspiel war gesorgt, und Gluck hatte sich bereits mit der Komposition auf diese Sprache vertraut gemacht: seit 1759 schrieb er die komischen Opern „L'arbre enchanté", „Le cadi dupé" und noch 1764 „La rencontre imprévue" (deutsch als „Die Pilgrime von Mekka" für das Wiener National-Singspiel 1780 bearbeitet); es ist ein verwandter Stoff wie Mozarts Entführung, hat schon seinen Osmin und seine Wein-Szene, und in den Variationen über das Thema „Unser lieber Pöbel meint, daß wir strenge leben" hat Mozart seiner Verbundenheit mit Gluck ein dauerndes Denkmal gesetzt. Durch die Bekanntschaft mit du Rollet, Bally des Maltheserordens, der als Attaché der französischen Gesandtschaft nach Wien kam, gewann der Plan, sich nach Paris zu wenden, für Gluck festere Formen: Rollet vermittelte ihm die Beziehungen zur Académie Royale de Musique und bearbeitete ihm Racines Ifigénie en Aulide zu einem eng ans Original sich schließenden Operntext. Gluck schuf seine Musik noch in Wien, für ein französisches Idealpublikum, ohne die wirklichen Pariser Verhältnisse zu kennen. Aber schon die Akademie machte Schwierigkeiten und stellte törichte Bedingungen, so daß Gluck kurzerhand von seiner Schülerin Marie Antoinette, der Tochter Maria Theresias, die bereits als französische Kronprinzessin in Paris weilte, den Befehl zur Aufführung erwirkte. Im Herbst 1773 kam er selber nach Paris und fand sich durch den Zustand von Orchester und Gesang daselbst schwer enttäuscht — es begannen die Kämpfe, die an den nun Sechzigjährigen die höchsten körperlichen und geistigen Anforderungen stellten, und nicht ohne Konzessionen seinerseits erst 1779 zum Siege führten.

Über die ersten Jahre des Pariser Aufenthalts ist uns durch Johann

Christian v. Mannlich, damals Hofmaler im Gefolge des Herzogs Christian IV. von Pfalz-Zweibrücken, manches lebendige Bild überliefert. Er war lange Zeit Zimmernachbar und oft auch Tischgenosse Glucks im Pariser Palais des Herzogs, der als intimer Freund Ludwigs XV. dort das halbe Jahr zuzubringen pflegte, und den Meister mit seiner Familie bei sich aufgenommen hatte; denn Gluck war außer von seiner Frau von seiner geliebten Nichte Mariane begleitet, die er adoptiert und zu einer bedeutenden Sängerin herangebildet hatte. „Mme. Gluck" berichtet Mannlich „zitterte jedesmal, wenn ihr Mann zu den Proben seiner Oper ging. Man hätte diese viel richtiger mit Vorträgen über Geschmack, Gesang und Deklamation bezeichnen können, die er vollendeten Sängern und Musikern mühsam beizubringen suchte. Diese waren als die vergötterten Lieblinge der Pariser an deren Beifallsbezeugungen gewöhnt und hielten sich allen Ernstes für die ersten Virtuosen der Welt. Seine treue Begleiterin suchte bei diesen lärmenden Unterrichtsstunden, Proben genannt, seine Aufwallung und germanische Offenheit in den richtigen Schranken zu halten. Das ganze Pariser Publikum interessierte sich für diese Sache und ergriff natürlich die Partei von Lully und Rameau, ja es schien vereinbart zu haben, keinen anderen Geschmack anzuerkennen als den, der so lange ihr Entzücken gewesen war." „Als die Reihe an die Sänger und Sängerinnen kam, beklagte sich Mlle. Arnould, daß ihre Partie als Iphigenie nur gesprochene Musik sei, sie aber große Arien zu singen wünsche. Um größere Arien zu singen, erwiderte Gluck, muß man erst singen können; daher, Mademoiselle, habe ich eine Ihnen und Ihren Kräften entsprechende Musik geschrieben. Versuchen Sie, gut zu sprechen, mehr verlange ich von Ihnen nicht, und denken Sie vor allem daran, daß Schreien nicht Singen heißt." Wie selbstherrlich sich Gluck übrigens, trotz seines nahen Verhältnisses zur Dichtung im Ganzen, zu Einzelheiten des Textes stellte, beweist Mannlichs Bemerkung, daß er bei der Einstudierung der Iphigenie in offenem Kampfe mit du Rollet lag, wenn dieser keine Verse Racines opfern wollte. So läßt er sich auch für die französische Bearbeitung seines Orpheus einen noch unbekannten Dichter, Moline, gefallen, der nach seinem Diktat und Anweisung übersetzt, während berühmte Dichter wie Marmontel und Sedaine die Ehre angestrebt hatten, ihre Kunst seinem Dienst zu widmen. Mannlich sucht ihm vorzustellen, daß er sich dadurch wieder Feinde schaffe; Gluck aber lacht darüber nur: „Ein Opernkomponist braucht keine gefeilten Verse, denen der Zuhörer keine große Aufmerksamkeit schenken kann. Der Dichter muß ihm schöne Ideen und je nach den Umständen starke, interessante, zärtliche oder schauerliche Situationen schaffen; die Sache des Musikers ist es dann, ihnen dementsprechenden Ausdruck zu verleihen, sie für die Phantasie des Zuschauers auszumalen und ihn durch harmonische Klänge, die aus der Natur geschöpft sind, zu rühren und zu erschüttern. Nun fühlen Sie wohl, daß eine so schwierige Aufgabe nicht durch die Launen des Dichters unmöglich gemacht werden darf, der nur an seinen Reim und seine Verse denkt, ohne sich darum zu kümmern, vielleicht kaum zu empfinden, ob sie für die Musik geeignet sind oder nicht. Sie mögen also sagen was sie wollen, diese Phrasenmacher, ich wünsche ihre Hilfe nicht und bin mit dem Dichterling der Tapeziersfrau (durch eine solche war deren Mieter Moline an ihn empfohlen worden) sehr zufrieden, der alles tut, was ich will." —

Wie genau dann Gluck sich wieder der geringsten Kleinigkeit annimmt, wo sie ihm zur Darstellung des dramatischen Sinns in ganz bestimmter Ausführung unerläßlich scheint, zeigt eine ebenfalls von Mannlich berichtete Szene. „Die Proben zum Orpheus, die seit einigen Tagen den Anfang genommen hatten, verliefen nicht so stürmisch als die zur Iphigenie, weil den Musikern allmählich klar wurde, was der Komponist bezweckte, und die Sänger, die im Banne seiner beherrschenden Persönlichkeit standen, ihn fürchteten. Man wiederholte die erste Szene, wo sich der von Schmerz gebeugte Orpheus während des herrlichen, die Bestattung Euridikens begleitenden Chorgesanges erhebt und in den Schrei verzweiflungsvoller Klage ausbricht: Euridike! um schon gleich darauf seinem dumpfen Brüten wieder anheim zu fallen. Gluck war mit Le Gros nicht zufrieden, er ließ ihn des öfteren diesen Aufschrei wiederholen, in dem immer etwas wie Gesang lag. Schließlich verlor er die Geduld und sagte ärgerlich zu ihm: ,Mein Herr, das ist unbegreiflich. Sie schreien immer, wenn Sie singen sollen, und handelt es sich ein einziges Mal darum, zu schreien, dann bringen Sie es nicht zustande. Denken Sie in diesem Augenblick weder an die Musik noch an den Chor, sondern schreien Sie einfach so schmerzvoll, als ob man Ihnen ein

Bein absäge, und wenn Sie das können, dann gestalten Sie diesen Schmerz innerlich moralisch und von Herzen kommend.' Man begann von neuem, und Le Gros entsprach vollkommen der Absicht des Komponisten. Der vereinzelte Schrei, der als etwas der Musik Fremdartiges, die süße und schöne Harmonie des Chors durchbrach, erzielte die größte Wirkung und rührte selbst unempfindliche Seelen. Nur ein Mensch von überlegenem Genie bringt es zustande, solche Feinheiten der Kunst nachzufühlen und aufzugreifen, die der Natur nahekommen und ihr diese Reize verleihen." Ähnlich geht es mit dem Ballett der Furien und Dämonen, die das berühmte „Nein" in den Gesang des Orpheus verschiedenstimmig in wilder Raserei dazwischen sprechen sollen: „Sie weigerten sich, dieser unerhörten, den unumstößlichen geheiligten Statuten der Musikakademie zuwiderlaufenden Neuerung Folge zu leisten. Glucks pittoreskes Talent, das mit Tönen zu malen verstand, hatte ihm diese Idee eingegeben und die große Wirkung dieser verschiedenstimmigen ‚Nein' aus dem Munde der Tänzer selbst voraussehen lassen, die, zuerst mit dämonischer Wut hervorgestoßen, nach und nach schwächer wurden, je mehr der göttliche Sänger und das Spiel seiner Leier diese unterirdischen Gewalten zu rühren und für das Übermaß seines Unglückes zu gewinnen wußte. Man stritt lange hin und her. Gluck war unerbittlich. Endlich schrien die Teufel ihr ‚Nein', während sie ihre Schlangen schüttelten und den Sohn Apolls leichtfüßig und kunstgerecht umtanzten. Diese Szene, die schließlich die Darsteller selbst vergnügte, erzielte die herrlichste Wirkung: die heiseren und erbarmungslosen Rufe, die von Zeit zu Zeit die harmonischen und süßen Laute des Flehenden und seines Saitenspiels übertönten, erschienen noch klagender und ergreifender."

Beim Orpheus-Text fällt auch ein merkwürdiges Wort Glucks über sein Verhältnis zu den verschiedenen Sprachen. Er hatte sich durch Paris ja von der Herrschaft des italienischen Prinzips emanzipieren wollen; jetzt mußte er entdecken, daß der ursprüngliche italienische Text (bei Orfeo und Alceste) sich nur schwer dem Französischen anpassen ließ: „Er mußte des öfteren einige Takte in seiner Partitur ändern; das geschah jedoch erst dann, wenn der gute Moline vergeblich Blut und Wasser geschwitzt hatte, ohne für die Musik geeignete Worte zu finden. In solchen Fällen wetterte der

Chevalier gegen die Armut der französischen Sprache und sagte zu mir, daß er weit müheloser zwei deutsche Opern als eine einzige in dieser undankbaren Sprache schreiben würde, wo man so oft ein ‚re' anfügen und aussprechen müsse, um den musikalischen Satz zu füllen." — Die Neigung zum Deutschen als Musiksprache blieb also in ihm wach, trotzdem es mit der Hermannschlacht noch nichts geworden war; und es ist in diesem Zusammenhang bezeichnend, daß er seine Nichte in den Pariser Gesellschaften nie etwas anderes singen ließ als „die kleine von ihm selbst komponierte Arie ‚Ich bin ein teutsches Mädchen, mein Aug ist blau'" — es ist Klopstocks „Vaterlandslied" von 1770 — und darauf — das Lied von J. J. Rousseau „Collin liebt Colette, Colette liebt Collin", aus dessen Oper „Le devin du Village" (Der Dorfwahrsager). Das sind geradezu Demonstrationen: die eine seines Deutschtums, die andere seiner gefühlten Verwandschaft zum Verkünder des Evangeliums von der „Natur"; wie denn in den von Mannlich überlieferten Äußerungen die Beziehung auf die Natur nicht zufällig immer wiederkehrt. Gerade im Gegensatz zur französischen Konvention, der er jetzt in Paris so vielfach widersprechen mußte, wird er sich bewußt geworden sein, welchen ähnlichen Kampf er für den echten und ursprünglichen Ausdruck des Seelenhaften kämpfte; wenn auch keineswegs im Sinne des Primitiven, wie es Rousseau vorschwebte, sondern innerhalb der großen Architektur und Kultur seines Musik-Dramas, wo er nur gelegentlich gewisse stilistische Fesseln zugunsten eines fast naturalistischen Ausdrucks sprengte, wie an jenen erwähnten Stellen bei der Aufführung des Orpheus. So sah er auch in Rousseau den Mann, dem seine Musik vor allen andern in Paris begreiflich sein müsse. Mannlich berichtet vom Tag der Hauptprobe der Iphigenie: „Wir waren beim Nachtisch, als ein kleiner Savoyarde einen Brief für ihn brachte; er öffnete ihn und begann seiner Gewohnheit gemäß die Unterschrift zuerst zu lesen. Zu meiner Verwunderung bemerkte ich, daß er gerührt war und mit sichtlicher Freude las. ‚Ach!' rief er aus, nachdem er ihn noch einmal gelesen hatte, ‚endlich ein Lob, das mir schmeichelt; es war also doch meine Mühe nicht vergebens. Hier lesen Sie! Lesen Sie laut!' Soweit ich mich noch erinnere, lautete der Brief ungefähr so: Herr Chevalier! Eben komme ich entzückt aus der Probe Ihrer Oper Iphigenie.

Sie haben in die Tat umgesetzt, was ich bis heute für unmöglich gehalten habe. Empfangen Sie gütigst dafür meine aufrichtigen Glück-
wünsche und meine sehr ergebenen Grüße! Paris, den 17. April
1774. J. J. Rousseau."

Im Gegensatz dazu vermag ihm die gewohnte Ehre, die er bei den
Herrschern der Welt erntet, keinerlei Eindruck zu machen. Als der
König Ludwig XV. ihn durch ein längeres Gespräch auszeichnet, wie
er ihm seine Aufwartung macht, und ihn zum glänzenden Erfolg
seiner Oper beglückwünscht, während er sonst auch bei Ausländern
hohen Ranges nur eine Minute auf dem Weg zur Messe stehen
bleibt, um sie lediglich eines Kopfnickens zu würdigen, macht Gluck
keinerlei Aufhebens davon; und als der Herzog von Zweibrücken
ihn dann bei der Tafel fragt, ob er mit der Aufnahme zufrieden
gewesen sei, antwortet er: er wisse wohl, daß er sich geschmeichelt
fühlen dürfe; doch wenn er wieder eine Oper für Paris schreibe,
würde er sie einem Generalpächter widmen, weil der ihm Dukaten
statt Komplimente geben würde. Mannlich verzeichnet die In-
dignation des Herzogs und das Erstarren der Hofleute über diesen
Zynismus, und hält mit der eigenen Mißbilligung nicht zurück; fügt
aber doch, aus näherer Kenntnis seines Charakters, hinzu: „Er war
ein Naturmensch und ein größerer Philosoph als er zu sein glaubte.
Der Ruhm, der Menge zu gefallen, galt ihm nichts. Dieser Weihrauch stieg ihm niemals zu Kopfe . . . Er mißtraute dem Ruf und
zollte ihm erst dann seine Anerkennung, wenn er dessen Grundlage
geprüft hatte. Niemals habe ich ihn selbst über seine eigenen Widersacher Schlechtes reden hören, aber er war auch sehr karg mit Lobsprüchen. Er schmeichelte niemand und wollte nur durch sein eigenes
Verdienst gelten. Gluck tat zwar selbst nicht immer das, wozu er
Lust hatte; suchte ihn aber jemand zu etwas zu zwingen, wozu er
keine Lust hatte, so war selbst eine Autorität ihm gegenüber macht-
los. Ein solcher Mensch mußte die Unabhängigkeit lieben und das
Mittel finden, das sie uns in unserem Privatleben sichert. Daher
schätzte er nur aus diesem Grunde das Geld, ohne dabei geizig zu
sein, und betrachtete es als das Symbol der Befreiung von Sklaven-
fesseln, von der Unterwerfung unter unsere gesellschaftlichen Ge-
bräuche, der Langweile in den Vorzimmern der Minister, der Be-
schützer und von der Erniedrigung, die der Armut stets auf dem

Fuße folgt. Lief er auch dem Gelde nicht nach, das er brauchte, so war ihm doch das Geld ans Herz gewachsen, das er besaß, als der Schutz seiner Freiheit und die Quelle seiner Unabhängigkeit, von unschätzbarem Werte für einen Mann seines Charakters." Man muß dabei in Betracht ziehen, daß der Berichterstatter selbst ein ausgesprochener Hofmann war, im Fürstendienst aufgewachsen, damals erst in den dreißiger Jahren, aber schon mehr durch Paris und Italien gebildet als durch Deutschland, wie er denn auch seine Memoiren französisch schrieb: so daß ihn der große und echte Eindruck von Glucks Persönlichkeit das Deutsche und „Natur"hafte stärker empfinden ließ als das ohne Zweifel auch in Gluck vorhandene Diplomatische und Weltgewandte, das er vielleicht aber damals schon mehr in den Hintergrund treten lassen konnte, weil seine Stellung sicher geworden war und seine gelegentliche Derbheit, Ehrlichkeit und Unbedingtheit noch als ein Reiz mehr in einer fremden Weltstadt gelten konnten, ja als Mittel zum Erfolg bewußt zu brauchen waren. So versteht sich eine Schilderung wie diese: „Von offener, lebhafter und leicht erregbarer Wesensart konnte er sich den Anstandsregeln und konventionellen Gebräuchen der guten Gesellschaft nicht fügen. Wahrheitsgetreu nannte er die Dinge bei ihrem Namen und beleidigte auf diese Weise wohl zwanzigmal am Tage die empfindlichen Ohren der Pariser, die an Schmeichelei und lügenhafte Unterhaltung, die sogenannte Höflichkeit, gewöhnt waren. Für Lobesworte unzugänglich, wenn sie nicht von Personen ausgingen, die er schätzte, wollte er auch nur echten Kennern gefallen. Er liebte seine Frau, seine Tochter und seine Freunde, wenn er mit ihnen auch weder zärtlich war noch ihnen zu schmeicheln pflegte." Aber wenn es heißt „er tat nicht immer das, wozu er Lust hatte", so trifft das gerade eine empfindliche Stelle bei Gluck: sein Verhalten bei den späteren Reisen nach Paris. Trotz der ersten Erfolge der Iphigenie und des umgearbeiteten Orpheus hatte er begriffen, daß der Widerstand gegen sein Werk noch zu groß war, mußte sehen, wie nach der französischen die italienische Partei sich gegen ihn rüstete — und hier schlug er wieder die Taktik ein, die er in Wien bis zum Orpheus beobachtet hatte: er suchte eine Zeitlang erst seine Stellung fester auszubauen, ehe er mit Werken nach seinem innersten Willen hervortreten mochte, und ließ sich dabei zu Konzessionen an den Pa-

riser Geschmack herab, wie es vor allem die unglückliche Umarbeitung der Alceste war, die dann sogar zu einem Mißerfolg führte.
Auch die Armida, schon im Wettkampf mit Piccini geschrieben, den
man sich aus Neapel verschrieben hatte, brachte noch nicht die Entscheidung; wenn er auch wieder einen moralischen Erfolg davontrug, als er ein Werk seines keineswegs zu verachtenden Rivalen
mit derselben Sorgfalt einstudierte und zum Siege führte wie seine
eigenen Opern. Er war in den letzten Pariser Jahren wirklich gehetzt
von dem wachsenden, fast tumultuarischen Getriebe der allseitigen
Parteinahme in der Literatur und in den Salons — ob er sich durch-
setzen würde, war eine europäische Angelegenheit geworden. Und
da kehrte er schließlich noch einmal ganz in sich zurück und ließ
seinem eigensten Wesen freien Lauf: die Iphigenie in Tauris, auf
den alten Text Quinaults, ist ein Werk jenseits allen Erfolgsgedan-
kens, ein Stoff zudem, wie er seiner erworbenen philosophischen Resignation entsprach — ohne Liebesleidenschaft, von höchster Reinheit und Klarheit, ein hohes Alterswerk, seine eigne persönliche Vollendung; von einer verhaltenen Innerlichkeit und zugleich dramatischen Wucht, die alle Gegner die Waffen strecken ließ und aus sich
heraus auch die bisher Widerstrebenden überzeugte. Einer solchen
Spannung der ganzen Welt hatte wohl noch nie Musik eine solche
Lösung und Versöhnung gebracht — er stand von da ab unantast-
bar in einem Ruhm, wie ihn noch kein anderer in der höchsten gültigen Form der Oper erreicht hatte. In seiner Wiener Zurückgezogenheit hat ihn seit der Rückkehr aus Frankreich die letzten zehn Jahre
der fast mythische Schein eines Patriarchen der Musik umgeben, zu
dem man als zu einem höchsten Stolze Deutschlands aufsah. Als er
im Jahre 1787 starb, ging in Prag der Don Juan über die Bühne.

Siebentes Buch
Ausklang und Übergang

103.

Dieser vollendete Ausklang einer Kultur, der zugleich Einklang ist in neues Werden und zeitlose Wirkung, wird eine der unwegdenkbaren Voraussetzungen für die zweite Epoche großer deutscher Musik. Wohl trennt Mozart eine Kluft von der Welt, für welche Gluck der letzte geistige Künder gewesen war, und die nun zwei Jahre nach seinem Tod von der Revolution hinabgeschlungen wird: die Feierbühne der Götter, Helden und Könige ist zu Ende, die Menschenbühne irdischer Leidenschaften und Lebensverstrickungen kommt herauf. Dennoch wäre die schillernde Charakterdarstellung Mozarts mit allen ihren Herrlichkeiten und illusionslos geschauten Fragwürdigkeiten nicht möglich gewesen ohne das große Menschentum und die reine Menschlichkeit Glucks: Alceste war der überwältigende Jugendeindruck des werdenden Mozart, der auch die letzten Pariser Kämpfe des alten Meisters an Ort und Stelle miterlebte, und dann mit seinem ersten Werk von dauernder Gültigkeit, der Entführung, in Wien die Weihe seines großen Vorgängers erhielt, als „auf Verlangen des Gluck" die Oper wiederholt werden mußte, Gluck ihm hohes Lob spendete und ihn väterlich zu sich lud.

Aber daß nun neue differenziertere Mittel der orchestralen Malkunst zu dem „Pittoresken" Glucks hinzukamen, daß neues subjektiveres Seelentum durch diese Mittel sprach, das hat Mozart nicht mehr allein der Tradition der opera seria entnehmen können; das bot eine andere Überlieferung ihm dar: die rein instrumentale, symphonische, die von anderen ihm erschlossen wurde. Es sind Meister des ausgesprochenen Überganges, denen er dieses verdankt: Philipp Emanuel Bach, Stamitz mit der Mannheimer Orchesterschule, und Christian Bach, deren Erbe er nächst dem von Gluck hat antreten können.

Zwar steht auch in dieser besonderen Richtung Gluck mit einem
Werke als überragendes Vorbild da: mit der Ouvertüre der Iphigenie
in Aulis — sie, der „Titan unter den Ouvertüren", wie Wilhelm
Heinse sie nennt, nimmt schon den geistigen Sinn und Aufbau der
Symphonie, das heißt des Sonatensatzes, klassisch voraus; er schrieb
sie bereits im Hinblick auf Paris, in Anknüpfung an die Tradition
der „Französischen Ouvertüre". Während noch im Orpheus das
Vorspiel ein zum Drama kaum gehöriger bloßer Auftakt ist, in
Alceste wohl schon das feierliche Tor zu einem Mysterium, geschieht
es hier zum erstenmal, daß die Ouvertüre in abgekürzter Form den
Gesamtsinn des Bühnengeschehens wie im Traume vorausdeutet.
Den französischen Vorgängern und selbst den gleichzeitigen Symphonikern gegenüber ist die Klarheit und strenge Durchführung der
Form eine völlig zukünftige Tat, einsam in der Zeit in ihrer seelischen
Erfülltheit und tragischen Wucht; aber sie ist gleichsam nun bloß
der erste Satz eines neuen Kunstwerks von weiter gespanntem rein
geistig und wortlos-unsichtbar bleibendem Zusammenhang, das
jetzt seine scheinbar zufällige Bezeichnung als „Symphonie" recht-
fertigt, da es der noch immer „sinfonia" genannten Opernouvertüre
entspringt.

Aber es mußte, wie angedeutet, noch sehr vieles andere hinzukommen, um dieses Kunstwerk in seiner Ganzheit erstehen zu lassen. Und da fällt unser Blick zuerst noch einmal auf den nordisch-
protestantischen Kulturraum, der in einem letzten großen Vertreter
auch Macht über den Süden gewonnen hat — es gehört zu dem Charakter dieser Spätphase des Barock, daß die Schranken für einen
Augenblick fallen, die Wirkungen des getrennt Erwachsenen hin und
wider gehen und die große Synthese vorbereiten, durch welche
wenigstens in der Musik die kulturelle Gesamtüberlieferung in ein
neues Werden herübergerettet wird. Es ist Glucks Jahresgenosse, nur
wenige Monate vor ihm 1714 geboren, Carl Philipp Emanuel Bach,
der dritte Sohn des großen Sebastian, der für Haydn und Mozart
die entscheidende Bedeutung gewinnt, die Mozart in die Worte faßte
„Er ist der Vater, wir sind die Bub'n".

Es ist etwas Seltenes, ja wohl ein Unicum in der Geschichte der
Kunst, daß ein Genie geniale Söhne hat, wie es bei Sebastian Bach der
Fall war, dessen Riesenmusiksubstanz in einem Leben nicht er-

schöpft scheint, sondern in neuer Inkarnation in seinen Kindern fortlebt, die aber nun ganz eigenwillig eigenschöpferisch in völlig andern
Bahnen wandeln. Zwar Wilhelm Friedemann, der älteste Sohn, 1710
geboren, blieb dem Amt und Stil des Vaters nah, und deshalb
scheint Bach ihn auch besonders geliebt und von vornherein zum
Musiker bestimmt zu haben. Er war Orgelspieler, und hat von 1733
bis 1746 an der Sophienkirche in Dresden, 1746 bis 1764 an der
Marienkirche in Halle das Organistenamt bekleidet, bis er die letzten
zwanzig Jahre seines Lebens einem unstet-genialischen Wander-
dasein verfiel. Er ist der typische Sohn des Großen, der das Ideal
des Vaters hochhält, aber es doch nicht erreicht, und bei aller Begabung schließlich scheitert. In Philipp Emanuel aber und Johann
Christian ist wirklich Eigenes zur Vollendung gekommen, das nun
wiederum dem Vater ewig hätte fremd bleiben müssen, da er wie
jedes Genie nur an seine Art glauben und deren Fortsetzung wünschen konnte. Bei Johann Christian, dem Spätling und Lieblings-
sohn, hat Bach den Abfall nicht mehr erlebt; aber auch Philipp
Emanuel scheint er nicht in seinem Sinne berufen geglaubt zu haben
— trotz der grundlegenden Musikerziehung, die er ihm wie allen seinen Kindern gab, hatte er ihn selber nicht zur Musik bestimmt, sondern ließ ihn das damals kostspielige juristische Studium ergreifen, das
nicht als Nebensache bloßer Bildung zu betreiben war; von etwa
1733 bis 1735 in Leipzig, bis 1738 in Frankfurt an der Oder. Der
Sohn hat sich dann zu dem, was er wurde, ganz aus eigener Kraft
gemacht. Schon in Frankfurt gibt er nebenher Unterricht auf dem
Klavier, ja dirigiert und komponiert, wie er selber berichtet, „alle
damals vorfallenden öffentlichen Musiken bei Feierlichkeiten", und
veranstaltet sogar eine Akademie. Auch als er nach Beendigung des
Studiums nach Berlin ging, muß er noch zwischen dem Juristen und
Musiker geschwankt haben; denn er ist im Begriff, eine Hofmeisterstelle bei einem livländischen Baron anzutreten und ihn auf Reisen
zu begleiten, was für einen Studierten damals das übliche Über-
gangsstadium zu einem gelehrten Beruf war. Aber da er zweifellos
bereits auch in Berliner Musikerkreisen verkehrte und als Klavierspieler von sich hatte reden machen, trifft ihn ein Ruf zum preußischen Kronprinzen nach Ruppin, dem er unter Aufgabe aller anderen
Pläne sofort Folge leistet, da er als Kammer-Cembalist nun ganz der

Musik leben kann. Fast dreißig Jahre hat er dann Friedrich dem
Großen gedient, ihn bei seinen Flöten-Soli und -Konzerten zu begleiten gehabt, in einer anscheinend doch subalternen Stellung; denn
gegenüber des Königs Lieblingen Quantz und Graun tritt er dort
nicht als ein besonders geschätzter Komponist hervor. Seine erste
Sammlung von sechs Klaviersonaten widmet er zwar 1742, wie
selbstverständlich, dem König; eine zweite, 1744, dem Herzog Carl
Eugen von Württemberg, dessen Musikliebhaberei wir anläßlich der
Oper Jomellis bereits gedachten, und den er am Berliner Hof kennenlernte; es folgen die sechs „Probesonaten" 1759, die der Prinzessin Amalia von Preußen gewidmeten Sonaten von 1760 bis 1763,
die kurzen und leichten Sonaten bis 1765 und 1766. Aber ein
eigenes Schöpferleben ist ihm erst seit 1767 vergönnt, wo er endgültig aus preußischen Diensten scheidet und als Telemanns Nachfolger nach Hamburg geht. So ist er in seiner Entwicklung ein Spätling wie Gluck; auch sein berühmtes theoretisches Werk „Versuch
über die wahre Art das Klavier zu spielen" ist erst 1759 bis 1762 herausgekommen, in derselben Zeit, wo Gluck seine innere Findung
erlebt.

Aber mit Hamburg hat er nun den Gegenpol von Glucks Existenz
erwählt: das städtische Leben statt des höfischen, das nördlichste
Milieu statt des südlichen, und die subjektivste und privateste Form
der Musik, die Sonate, statt der öffentlichen objektiven der Oper.
Äußerlich zwar ist seine Stellung die eines Musikdirektors an der
Michaeliskirche, mit welcher das Kantorat am Johanneum verbunden war, so daß er ein ähnliches Amt bekleidete wie einst sein Vater
an St. Thomas in Leipzig; außerdem gab er in der ersten Zeit noch
Konzerte in bestimmten Zyklen, in denen er Instrumentalsachen und
auch Oratorien seiner Komposition aufführte und sich als Klavierspieler hören ließ. Nach Bachs eigenem Zeugnis und den Schilderungen der Zeitgenossen war das Hamburger Musikleben damals
nicht mehr so lebendig wie früher; das Dominieren des Kaufmanns-
standes bei wachsendem Wohlleben, vielen Gesellschaften und Zer-
streuungen machte schon das Ansetzen der Konzerttage schwierig.
Darauf bezieht sich auch Bachs Äußerung zu dem englischen Musikliebhaber Burney, der ihn im Jahre 1772 auf seiner großen musikalischen Europareise besucht: „Wenn auch die Hamburger nicht alle

so große Kenner und Liebhaber der Musik sind, als Sie und ich es wünschen möchten: so sind dagegen die meisten sehr gutherzige und umgängliche Personen, mit denen man ein angenehmes und vergnügtes Leben führen kann; und ich bin mit meiner gegenwärtigen Lage sehr zufrieden; freilich möchte ich mich zuweilen ein bißchen schämen, wenn ein Mann von Geschmack und Einsicht zu uns kommt, der eine bessere musikalische Bewirtung verdiente, als womit wir ihm aufwarten können." Er betrachtet also die große Stadt fast schon mehr wie ein moderner Künstler, der privat in ihr unterzutauchen begehrt, um wesentlich ungestört seinem Schaffen zu leben. In dieser Zeit entstehen denn auch seine größten Werke: die sechs Sammlungen seiner Sonaten „für Kenner und Liebhaber", deren erster Band 1779, deren letzter 1787 erscheint; dazu 1776 die vier Orchester-Symphonien und eine Anzahl Klavier-Konzerte.

Man mag sich wundern, daß unsere Zeit, die in Konzert- und Hausmusik Christian Bach und Stamitz wieder spielt und sogar auf Telemann und manchen Italiener des 18. Jahrhunderts zurückgreift, sich Philipp Emanuel nicht wirklich hat zu eigen machen können — sie findet bei ihm wohl nicht die ferne vergangene Welt, in die sie sich bei den älteren Meistern versenken möchte, sondern eine erstaunliche Modernität, die manchmal ganze Entwicklungsreihen zu überspringen scheint, aber doch wieder nicht in der uns gewohnten Form und der über alle Sätze ausgedehnten gelösten Stimmung. Da nimmt etwa ein instrumentales Rezitativ schon den ganzen Beethoven voraus, aber es folgt dieser großartigen Vorbereitung ein zierlicher rein spielfreudiger Abschluß: es ist ein ausgesprochener Übergangsstil, in dem die barocken Elemente mit klassischen und romantischen durchsetzt sind, von entscheidender und gar nicht wegzudenkender Entwicklungsbedeutung, aber für die Gewöhnung der Späteren, die das Stärkere kennt, nicht von der Überzeugungskraft, die man hier unwillkürlich verlangt. Die Zeitgenossen haben da anders empfunden: Bach war ihnen nicht nur der unerreichte Klavierspieler, sondern der Meister des seelischen Ausdrucks, wie man noch keinen erlebt hatte. Freilich scheint die ausgesprochene Zwischenstellung auch in Bachs Temperament begründet gewesen zu sein, das seinem wirklichen Genie den letzten Mut zu sich selber verwehrte. So charakterisiert ihn Romain Rolland im Grunde wohl mit Recht, wenn auch etwas pointiert, wenn er sagt: „Seine großartige Kraft war von einer Art geistigem Schlagfluß bis zur gänzlichen Mutlosigkeit gelähmt, und es ist traurig zu sehen, wie in ihm, für Augenblicke, die Seele eines Beethoven in den Fesseln eines beschränkten Lebens ringt, großartig aufblitzt und wieder in ihre Apathie versinkt." Es fehlte ihm sicher in seiner Abgeschlossenheit an geistiger Anregung von außen, die immer das Größte von ihm gefordert hätte; das kommt selbst in der enthusiastischen Schilderung zum Ausdruck, die Burney von ihm entworfen hat: „Den Augenblick, den ich ins Haus trat, führte er mich die Treppe hinauf in sein schönes, großes Musikzimmer, welches mit mehr als hundertundfünfzig Bildnissen von großen Tonkünstlern, teils gemalt, teils in Kupfer gestochen, ausgeziert war. Ich fand darunter viele Engländer und unter andern auch ein paar Originalgemälde in Öl von seinem Vater und Großvater. Nachdem ich solche besehen hatte, war Herr Bach so verbindlich, sich an sein Lieblingsinstrument, ein Silbermannisches Klavier, zu setzen, auf welchem er drei oder viere von seinen besten und schwersten Compositions, mit der Delikatesse, mit der Precision und mit dem Feuer spielte, wegen welcher er unter seinen Landsleuten mit Recht so berühmt ist. Wenn er in langsamen und pathetischen Sätzen eine lange Note auszudrücken hat, weiß er mit großer Kunst einen beweglichen Ton des Schmerzens und der Klagen aus seinem Instrumente zu ziehen, der nur auf dem Clavichord, und vielleicht nur allein in ihm, möglich ist hervorzubringen. Nach der Mahlzeit, welche mit Geschmack bereitet, und mit heiterem Vergnügen verzehrt wurde, erhielt ichs von ihm, daß er sich abermals ans Klavier setzte; und er spielte, ohne daß er lange dazwischen aufhörte, fast bis um Eilf Uhr des Abends. Während dieser Zeit geriet er dergestalt in Feuer und wahre Begeisterung, daß er nicht nur spielte, sondern die Miene eines außer sich Entzückten bekam. Seine Augen stunden unbeweglich, seine Unterlippe senkte sich nieder und seine Seele schien sich um ihren Gefährten weiter nicht zu bekümmern, als nur so weit er ihr zur Befriedigung ihrer Leidenschaft behülflich war. Er sagte hernach, wenn er auf diese Weise öfter in Arbeit gesetzt würde, so würde er wieder jung werden. Er ist itzt neunundfünfzig Jahr alt, ist eher kurz als lang von Wuchs, hat schwarze Haare und Augen, eine bräunliche Gesichtsfarbe, eine sehr beseelte Miene, und ist dabei munter und lebhaft von Gemüt· — Sein heutiges Spielen bestärkte meine Meinung, die ich von ihm aus seinen Werken gefaßt hatte, daß er nämlich nicht nur der größte Komponist für Klavierinstrumente ist, der jemals gelebt hat, sondern auch, im Punkte des Ausdrucks, der beste Spieler. Denn andere können vielleicht eine ebenso schnelle Fertigkeit haben. Indessen ist er in jedem Style ein Meister, ob er sich gleich hauptsächlich dem Ausdrucksvollen widmet. Er ist, glaub ich, gelehrter als selbst sein Vater, so oft er will, und läßt ihn, in Ansehung der Mannigfaltigkeit der Modulation, weit hinter sich zurück."

Es ist erstaunlich, daß dieser Mann, der nach eigenem Geständnis nie einen andern Lehrer als seinen Vater gehabt hat, erst in den galanten homophonen Zeitstil sich fügt, und dann, ganz aus sich selbst heraus, den subjektiven Seelenausdruck sich erobert, über den in vielfältigem Zierwerk nur wie ein leiser Hauch ein letztes Rokoko gebreitet ist. Und ähnlich bedeutend war er auch als ausdrucksvoller Liederkomponist, weltlich wie geistlich. Hier berührt er sich mit der Zeit: schon 1758 erscheinen „Herrn Prof. Gellerts geistliche Oden und Lieder" in seiner Vertonung, 1774 Cramers übersetzte Psalmen, 1780/81 Sturms geistliche Gesänge; von Voß und Stolberg komponiert er weltliche Lieder. Er verkehrt mit Gerstenberg, der seinen Sonaten sogar Texte unterzulegen versucht; und von Klopstock selber, zu dessen Freundeskreis ja Gerstenberg wie Cramer gehörten, setzt er den „Morgengesang am Schöpfungstage" in ein Chorwerk um. Klopstock hat ihm auch die Grabschrift entworfen: „Er war groß in der vom Worte gebildeten Musik, größer in der kühneren wortlosen." —

Als Haydn im Jahre 1795 von seinem letzten Aufenthalte in England zurückkehrte, reiste er eigens über Hamburg, um endlich den Meister, dem er so viel verdankte, persönlich kennenzulernen, und mußte zu seinem Schmerz erfahren, daß Bach schon 1788 gestorben war; er fand nur noch seine Tochter vor, denn auch seine Frau war nicht mehr am Leben. So ist es zwischen den Musikern des norddeutschen und süddeutschen Raums zu keiner Begegnung mehr gekommen, wo einmal doch die geistige Berührung dagewesen war; denn auch Bach hatte Haydn hochgeschätzt.

Denn überall nähern Norden und Süden sich einander jetzt geistig an: nicht nur die protestantische Herkunft mitsamt ihrer Aufklärung bedingt ja das Drängen zu den subjektiven und intimen Formen, zur Lyrik, zur neuen expressiven Instrumentalmusik; auch im katholischen Raum vollziehen sich innere Wandlungen, die instinktiv in die gleiche Richtung streben, und schließlich die nordische Tradition, wie sie in Philipp Emanuel als letztem Großen lebt, in sich hineinziehen und zu den endgültigen klassischen Formen umschaffen.

Haydn ist 1732, achtzehn Jahre nach Ph. E. Bach, geboren, und schon verhältnismäßig früh, wenn auch bereits in vollem noch ganz naiven Schaffen, als Zweiundzwanzigjähriger, hat er die ersten entscheidenden Eindrücke von diesem empfangen: durch Zufall entdeckt er dessen erste Sonatensammlungen von 1742 und 1745, die Friedrich dem II. gewidmeten, kurzweg „preußische Sonaten" genannt, und die für Carl Eugen, die „Württembergischen", noch ehe er seine erste Symphonie geschrieben hat. „Da kam ich nicht mehr von meinem Klavier los", bekennt er, „bis die Sonaten durchgespielt waren, und wer mich gründlich kennt, muß finden, daß ich dem Emanuel Bach sehr viel verdanke." In dem bedeutsamen Jahr 1759, dem Jahr von Händels Tod, wo die große deutsche Barockmusik nun ganz zu Ende geht, führt Haydn auf Schloß Lukavec bei Pilsen seine erste Symphonie auf; und in diesem Jahr ist auch der erste Teil von Emanuel Bachs theoretischem Werk, der „Versuch über die wahre Art das Klavier zu spielen" erschienen, welches Haydn alsbald sich auch zu eigen macht. Der Aufenthalt in Böhmen und die Begegnung mit Bach sind fast symbolisch: östlicher und nordischer Einfluß befreien den österreichischen Meister von dem Italiens, der in Wien noch vorherrschte, wenn auch aus der dortigen deutschen Schule von Fux bereits so bedeutsame Vermittler wie Wagenseil und Monn hervorgegangen waren. Aber der Osten ist schon vorher in die deutsche Entwicklung eingedrungen und hat den Orchesterstil zu neuer Freiheit und Ausdrucksmacht gelöst, daß er bald zur Ebenbürtigkeit mit dem durch Bach beseelten Klavierstil aufwächst: eben in der Symphonie, für die auch Haydn schon den sogenannten „Mannheimern" viel verdankt.

Nach Mannheim nämlich ist 1745 ein junger Deutschböhme berufen worden, dessen Geigenspiel bereits bei der Krönung Karls VII. in Wien allgemeines Aufsehen erregt hatte; er wird des jungen Kurfürsten Karl Theodor von der Pfalz erster Konzertmeister und Direktor der Kammermusik, und hat in kurzer Zeit die Mannheimer Kapelle zum ersten Orchester Europas gemacht. Johann Stamitz ist 1717 in Deutsch-Brod in Böhmen geboren, gehört also noch zur Generation von Gluck und Emanuel Bach. Sein östliches Temperament läßt ihn zu einer dynamischen Beschwingtheit des instrumentalen Musizierens gelangen: er wird der Erfinder des Crescendo, der anschwellend sich verstärkenden Kraft, der erste Benutzer der Kontraste von Piano und Forte, und erschließt damit ganz neue Ausdrucksmöglichkeiten. Burney bezeugt, wie Stamitz, von dessen Feuer und Genie sich der gegenwärtige Symphoniestil herschreibe, der so voller Wirkungen, so voller Licht und Schatten ist, „zuerst über die Grenzen der gewöhnlichen Opernouvertüren hinwegschritt, die bis dahin bei dem Theater gleichsam nur als Rufer im Dienste standen, um durch ein Aufgeschaut! für die auftretenden Sänger Stille und Aufmerksamkeit zu erhalten. Seit der Entdeckung, auf welche Stamitzens Genie zuerst verfiel, sind alle Wirkungen versucht worden, deren eine solche Zusammensetzung von inartikulierten Tönen fähig ist. Hier ist der Geburtsort des Crescendo und Diminuendo, und hier war es, wo man bemerkte, daß das Piano (welches vorher hauptsächlich als ein Echo gebraucht wurde und gemeiniglich damit gleichbedeutend genommen wurde) sowohl als das Forte musikalische Farben sind, die so gut ihre Schattierungen haben, als Rot und Blau in der Malerei." Stamitz hat fünfzig Symphonien geschrieben, zehn Orchestertrios und eine große Anzahl von Kammermusik. Er zog andere Landsgenossen nach sich, wie Zarth und Filtz; der letztere, Cellist der Mannheimer Kapelle, wird von den Zeitgenossen ebenfalls als Komponist gerühmt. „Pracht, Volltönigkeit, mächtiges erschütterndes Rauschen und Toben der Harmonieflut, Neuheit in den Einfällen und Wendungen, sein unnachahmliches Pomposo, seine überraschenden Andantes, seine einschmeichelnden Menuetts und Trios und endlich seine geflügelten laut aufjauchzenden Prestos haben ihm bis zu dieser Stunde die allgemeine Begeisterung nicht rauben können" schreibt noch Chr. D.

Schubart, der in den siebziger Jahren eine Zeitlang in Mannheim zubrachte, und uns das dortige Musiktreiben am lebendigsten geschildert hat. Stamitz selbst starb schon 1757, erst vierzigjährig; er hatte noch seine Kunst in Paris zu internationalem Triumph geführt, wo Gossec, der Reorganisator des französischen Konzertwesens, bestimmende Eindrücke von ihm empfing — deutscher Instrumentalstil war plötzlich führend geworden, und vor Glucks Oper siegte hier die deutsche Symphonie.

Verschiedene Mitglieder der Mannheimer Kapelle gingen später für dauernd nach Frankreich als Vertreter des neuen Stils; so der Älteste von ihnen, Franz Xaver Richter, 1709 zu Hollischau in Mähren geboren, der seit 1747 als Sänger und Geiger in Mannheim war, dann Kammerkompositeur wurde und 1769 als Kantor ans Münster nach Straßburg kam, wo er bis zu seinem Tode 1789 wirkte und eine reiche Tätigkeit als Symphoniker und Kammermusiker entfaltete. Von der jüngeren Mannheimer Schule war es Franz Beck, der die deutsche Kunst in Marseille und Bordeaux heimisch machte. Denn die Mannheimer „Schule" blieb nun weit über den Tod von Stamitz hinaus bestehen; sie wurde von seinen Söhnen Carl und Anton weitergeführt, die später auch nach Frankreich gingen, und von einer Reihe jüngerer Musiker. Unter ihnen ist Christian Cannabich (geboren 1731) am bekanntesten geworden, der 1758 Stamitz als Konzertmeister folgte und seit 1774 Direktor des Hoforchesters war und außer hundert Symphonien besonders dramatische Ballette schrieb; mit ihm war Mozart in seinen Mannheimer Jahren 1777 und 1778 befreundet und ging bei ihm ein und aus. Bei Mozart begegnet uns auch der Flötist Wendling und der Geiger Carlo Giuseppe Toëschi als Vertreter der Schule, deren eigentlicher Beherrscher aber seit den fünfziger Jahren der Wiener Ignaz Holzbauer wird. Er ist damals als Komponist der Oper „Günther von Schwarzburg" berühmt geworden, über welche wir Mozarts Urteil haben, der die Musik „sehr schön" findet, die Poesie aber „nicht wert einer solchen Musik"; „am meisten wundert mich, daß ein so alter Mann wie Holzbauer (er ist drei Jahre früher als Gluck geboren) noch so viel Geist hat; denn das ist nicht zu glauben, was in der Musik für Feuer ist". Aber dieses Werk hat keine Spuren in der Entwicklung hinterlassen, und dies macht uns noch begreiflicher, daß Gluck den Weg zu einer ernsten sprachlich und stofflich deutschen Oper doch nicht zu Ende ging; die Zeit dafür war noch nicht gekommen, wenngleich das Beispiel Holzbauers und anderer, die uns noch begegnen werden, zeigt, daß die Dinge damals schon in der Luft lagen — erst die Romantik hat tragfähige Grundlagen dafür geschaffen.

Erstaunlich bleibt, welche Fülle von Anregung in der damaligen Mannheimer Atmosphäre zu holen war. Burney hat uns aus dem Anfang der siebziger Jahre die Stimmung festgehalten, die den Fremden in der Sommerresidenz des Kurfürsten, in dem benachbarten Schlosse Schwetzingen, zu seinem Erstaunen umgab: es sei eine Kolonie von Musikanten. „Da in einem Hause hört er einen schönen Geiger, dort in einem andern eine Flöte; hier einen vortrefflichen Hoboisten, dort einen Basson, ein Clarinet, ein Violoncell, oder ein Konzert von allerlei Instrumenten zugleich. Es sind wirklich mehr Solospieler und gute Komponisten in diesem, als vielleicht in irgendeinem Orchester in Europa. Es ist eine Armee von Generälen." Auch Gluck lernte dieses Milieu kennen, als er auf der Heimreise von Paris nach Wien im Herbst 1774 durch Mannheim kam. Der schon mehrfach von uns zitierte Mannlich begleitete ihn auch hier, da Gluck vorher am Hof des Herzogs von Zweibrücken sich verweilt hatte, und berichtet aus Mannheim: „Von der Ankunft des berühmten Komponisten wußte bald der Hof und die ganze Stadt. Noch am Nachmittage erhielt Gluck eine Einladung des Kurfürsten für den kommenden Tag nach Schwetzingen. Holzbauer, Wendling und Cannabich machten ihm ihre Aufwartung; der erstere bat ihn, mit seiner Familie und uns, seinen Freunden, an einem Diner in seinem Hause teilzunehmen und einem Konzerte beizuwohnen, das man ihm zu Ehren vor der Oper am Hofe geben würde ... Beim „Roten Ochsen" in Schwetzingen erwartete ihn die ganze Musik. Um zehn Uhr stattete er dem Kurfürsten seine Aufwartung ab, der ihn sehr gnädig empfing. Denn er war ein Freund und Kenner der Kunst, der die großen Künstler zu ehren wußte und sich im Verkehr mit ihnen gefiel." Holzbauers „Günther von Schwarzburg" konnte Gluck damals noch nicht hören; er wurde erst zwei Jahre später verfaßt; im kleinen Rokokotheater in Schwetzingen waren auch nur weniger anspruchsvolle Opern aufzuführen, und so gelangt an diesem Tage „L'amore vincitore" auf die Bühne, eine einaktige Pastoraloper von — Johann Christian Bach.

Und damit gelangen wir nun zu dem andern großen Sohn Sebastian Bachs, dessen Opern uns zwar heute verschollen sind wie alle die Werke hoher italienischer Kunst; dessen Symphonik und Kammermusik uns aber wieder lebt. Er ist der völlige Gegensatz zu seinem Bruder Emanuel und zugleich seine wunderbare Ergänzung in der Gesamtentwicklung und im Einfluß auf die werdende klassische Musik.

Er ist auf eine kaum glaubliche Weise von der Kunst seines Vaters getrennt, ja abgefallen. Wenn Philipp Emanuel noch wichtige Elemente der ererbten Kontrapunktik in seine Durchführungstechnik übernimmt, ob er sie gleich in ein sensibleres nervöseres Ornamentenspiel auflöst; wenn er mit seiner nun zwar subjektivistischen Innerlichkeit doch ganz den ernsten protestantischen Norddeutschen darstellt: so ist Johann Christian in seinem Werden und Wesen völlig der südlichen Kunst anheimgefallen, und hat als Erbe seines Vaters nur die geniale Ausdruckskraft in sich getragen, die ihn auch von den Mannheimer Symphonikern abhebt: er zaubert nicht nur neue verblüffende Stimmungen hervor, sondern schenkt eine ganze bewegte erfüllte Welt. Er gehört allerdings schon einer späteren Generation, der Generation Haydns an, ist 1735 geboren, als jüngster Sohn Sebastians, den dieser besonders zärtlich liebte und ihm sorgfältigen musikalischen Unterricht angedeihen ließ. Er war beim Tode seines Vaters erst fünfzehn Jahre, und es fügte sich ganz von selbst, daß er zur Vervollkommnung seiner Studien sich zum Bruder Philipp Emanuel nach Berlin begab. Dort sind es Eindrücke der italienischen Oper, die über seine Zukunft entscheiden: er ist der erste Bach, der nach Italien geht. 1754 finden wir ihn in Bologna, beim Padre Martini, dem bedeutendsten Musikpädagogen und Theoretiker seiner Zeit; 1760 ist er bereits Organist am Dom zu Mailand, und beginnt zugleich sein Opernschaffen. Das Symbol für den gänzlichen Hinübertritt zur höfisch-katholischen südlichen Kunst ist sein Glaubenswechsel — der Sohn Sebastians nimmt von der Tradition seines Vaters endgültig Abschied, indem er auch seinen Protestantismus abschwört. Es ist dieselbe künstlerische Konversion, wie sie wenige Jahre zuvor Winckelmann vollzogen hat: nicht aus religiösen Motiven, wie später die Romantiker, die mit dem Vorbild der mittelalterlichen Kunst auch die Frömmigkeit der alten Kirche in sich meinten hervorrufen zu müssen, sondern gerade um weltliche Freiheit und souveräne Stellung zu gewinnen, wie sie allein in der Sphäre des katholischen Lebensraums für ihre Ideale möglich schien. Sein Schritt ist ebensowenig, vielleicht noch weniger zu verurteilen als der Winckelmanns — die Lehre des Padre Martini, der selber Kirchenkomponist war, die Verpflichtung, als Mailänder Domorganist auch Werke für die kirchliche Aufführung zu schreiben, geben dem Glaubenswechsel immer noch etwas mehr Hintergrund als Winckelmanns Bemühung um die heidnisch-antike Kunst.

Schon 1762 aber geht Bach nach London, wird 1763 Musikmeister der Königin; und wenn man dem „Mailänder Bach" seine Konversion verübelt hat, so hat man lange Zeit den „Londoner Bach" nur als genießerischen Höfling gesehen, der ganz im äußerlich Galanten unterging und bei Punsch und Champagner seine Sachen in den Tag hinein schrieb. Er war gewiß der Freude und Schönheit der Welt zugetan, und als Opernkomponist mag er wenig über die italienische Konvention hinausgekommen sein; aber gerade das Höfische und Festliche und auch schon Amouröse hat er als einziger Deutscher vor Mozart bereits mit wirklicher hoher Kunst verklärt, und in seinen Symphonien und seiner Klavier- und Kammermusik Töne gefunden, die erst im Figaro wieder auftauchen. Die ganze Poesie der spätbarocken Existenz ist in ihm: sie scheint aus den Hintergründen der Parke aufzuklingen in rauschender Feierlichkeit oder zärtlicher Klage, sie mischt Menschenstimmen ins Plätschern der Fontänen und läßt auf das Verhallen seliger Sommerabende und Mondnächte lauschen. Das Märchenhafte, was wir seit Haydn und Mozart unter dem Rokoko verstehen, hat hier seinen Ursprung; und es gehört zu den gedankenlosen Ungerechtigkeiten unsrer historischen Urteile, wenn wir sagen, daß hier schon die Welt dieser Meister sich uns aufzutun scheint, aber niemals bei Haydn und Mozart aussprechen: das ist Nachklang der Welt Johann Christian Bachs. Im Falle Mozarts ist es nun aber erwiesen, daß der Funke von dem Älteren auf den Jüngeren übersprang — der größte musikalische und menschliche Eindruck, den der junge Mozart auf seiner ersten Europareise empfängt, ist der von Bach. Es ist im Jahre 1764;

Bach, noch nicht dreißig Jahr, hat eben erst seine hohe Stellung bei der Königin Sophie Charlotte angetreten, und ist bezaubert von dem achtjährigen Kind, das sich wiederum zu ihm wie zu keinem Musiker bisher hingezogen fühlt. Es wird eine wirkliche Freundschaft daraus; und die einundeinviertel Jahre, die Mozarts Aufenthalt in London währt, bringen die beiden einander immer näher. Noch viel später, 1778, finden wir den nun schon selbstbewußten reifen Mozart von zweiundzwanzig Jahren in eingestandenem Wettstreit mit dem fernen Freund. Er schreibt dem Vater von Mannheim aus: „Ich habe zu einer Übung die Aria Non sò d'onde viene usw., die so schön vom Bach komponiert ist, gemacht, aus der Ursach, weil ich die vom Bach so gut kenne, weil sie mir so gefällt und immer in Ohren ist; dann hab ich versuchen wollen, ob ich nicht ungeacht diesem allem imstande bin, eine Aria zu machen, die derselben von Bach gar nicht gleicht." Er schreibt auch seinen Ärger über den Abt Vogler: „Er veracht die größten Meister. Mir selbst hat er den Bach veracht." Vogler hat von der „abscheulichen Aria vom Bach" gesprochen „die Sauerei — ja, Pupille amate. Die hat er gewiß im Punschrausch geschrieben". So hat man also schon damals abfällig von Bach gesprochen, dessen Überschwang ein trokkener Mensch wie Vogler nicht begreifen konnte. Mozart fährt fort: „Ich habe geglaubt, ich müsse ihn beim Schopfe nehmen; ich tat aber, als wenn ich nicht gehört hätte, sagte nichts und ging weg." Bald darauf begegnet Mozart dem Verehrten noch einmal, gegen Ende des sonst für ihn so traurigen Pariser Aufenthalts, im August 1778: „Herr Bach von London ist schon vierzehn Tage hier, er wird eine französische Opera schreiben; er ist nur hier, die Sänger zu hören, dann geht er nach London, schreibt sie und kömmt, sie in scena zu setzen. Seine Freude und meine Freude, als wir uns wiedersahen, können Sie leicht vorstellen — ... ich liebe ihn (wie Sie wohl wissen) von ganzem Herzen und habe Hochachtung für ihn, und er, das ist einmal gewiß, daß er mich sowohl zu mir selbst als bei andern Leuten nicht übertrieben, wie einige, sondern ernsthaft, wahrhaft gelobt hat."

Hier ist die Verbindung also einmal wirklich da gewesen, nach der wir mit so viel Interesse ausschauen: die Verbindung zwischen dem Norden und dem Süden, zwischen der Übergangsgeneration und der

Generation der künftigen sogenannten Klassik, nicht nur geistig, sondern auch persönlich. Und hier ist es der Norddeutsche, der zur Kultur des Südens übergetreten ist, aber früher als einer aus dem Süden selber den neuen Ausdruck für diese Kultur gefunden hat, deren zu Ende gehender Stil uns nun plötzlich unter den Schleiern der Konvention den „Menschen" erblicken läßt, wie er Mozarts großes Thema wird: in aller Seelenwirklichkeit geschaut in den Verstrickungen des Lebens, das aber noch ein schönes Leben ist, noch in strenge Formen der Gesellschaft gefaßt, die auch dem seelenkündenden Musiker Grenzen dessen auferlegen, was gesagt werden kann und darf, damit es an die gehütete Schönheit von innerer Haltung und äußerer Gebärde nicht rühre; die noch den heiter-festlichen Raum um die Menschen bauen, den wir Späteren als letzte Geborgenheit bestaunen und beneiden, da selbst die Leidenschaften zu einem reinen Spiel gleichgestimmter Menschen sublimiert sind. Es ist nicht mehr der Mythos des Barock, nicht mehr die Fabelwelt der Götter, Helden, Könige, was in dieser Musik sich aussingt; es ist der Mensch selber, der sich diese höheren Spiegelungen seiner Existenz erschaffen hatte, und nun in seiner irdischen Existenz selber faßbar wird, immer noch umspielt von dem Glanz der Höhe in seinem festlich gebliebenen Alltag, da seine innersten Menschlichkeiten sich enthüllen. Daß dieser Mensch, von Musik verklärt, uns erst das versunkene Leben wieder in die große Architektur hineinträgt, das wissen wir, wenn wir die leer gewordenen Räume der Schlösser und Paläste mit ihren Parks betreten und beinahe scheu nach dem einstigen Inhalt ausspähen — auch der Mensch in seinem persönlichen Dasein ist uns damit mythisch geworden und steht für uns in einem unnahbaren, wenn auch strahlend durchleuchteten gläsernen Raum.

Und hier ist nun der tiefe Unterschied zwischen dem neuen Seelentum, wie es ein Christian Bach, und wie es ein Philipp Emanuel Bach in die Musik einführt: der Hamburger Bach hat nicht den Zauber der großen Architektur erlebt; der künstlerische Luxus, mit dem sich sein preußischer König umgab, war nicht mehr Milieu einer souveränen gleichgesinnten Gesellschaft, sondern die private Freude eines Einsamen, der seine Seele nur wenigen vertrauten Freunden und immer seltener erschloß; und so fehlt diesem Meister die Eingestaltung einer glänzenden bildnerischen Lebensfülle, wie sie die Musiker des andern Kulturkreises noch umgab. Auch bei ihm ist Einsamkeit, und das gibt seiner Kunst, trotz aller gelegentlichen Zier der Zeit, das Späte, weit Vorwegnehmende, das ihn so tief mit dem großen Einsamen, Beethoven verbindet; dessen Musik sich auch, nach niederdeutscher Rasse und Kultur, ohne zu viele Zwischenglieder von hier ableiten ließe, als etwas, was aus dieser Tradition hervorgehen mußte, irgendwann; wenn auch der Durchgang durch die Wiener Überlieferung und Atmosphäre in Wirklichkeit die besondere Form gab, und eine neue Zeit, durch Revolution und Krieg, die letzte Befreiung einer solchen Kraft ermöglichte. Bei Mozart hingegen ist das Subjektive und wachsend auch Vereinsamte im Grunde viel erstaunlicher, da er ganz anders noch im Boden einer wirklichen Gesellschaft wurzelte und diese Gesellschaft ihm Objekt der Darstellung ward. Die Sphäre des Londoner Bach war auch sein angestammtes Element; aber der Hamburger Bach, der ihm so vieles Technische und Theoretische zubringt, wird doch auch sein Geleiter auf den

persönlicheren Weg, den schließlich auch die hohe Gestalt Sebastian Bachs überschattet, mit welchem er innerlich in seinen späteren Wiener Jahren als reifer Meister in geheimem Wettkampf sich begegnet.

Und doch bleibt es das bildnerisch-Raumhafte der geschlossenen höfisch-katholischen Kultur, was diese Meister des Südens befähigte, all die verschiedenen Substanzen und Formen von Musik, die damals gleichsam losgelöst von ihren früheren Bindungen in der Luft schwebten, in sich hineinzunehmen und mit ihrem Angestammten zu neuer Verfestigung zu einen. Reste alter polyphoner Tradition und neue subjektive Errungenschaften protestantischer Welt werden von ihnen ebenso rezipiert wie unmittelbare östliche Einflüsse und der von ihnen indirekt erregte Sturm und Drang etwa der Mannheimer Schule. Sie haben um 1750, wo es im Norden mit Passion und Oratorium zu Ende ist, noch ihre eigne uralte katholische Überlieferung von Messe und Requiem; sie haben gegenüber dem Suchen und Tasten der Neuerer noch den stärkeren Rückhalt an der musikalischen Kultur Italiens, und bald auch in Gluck noch den sicheren Halt, den eine Reform in den Grenzen des hohen Stils gewährt.

Aber in dem Augenblick, da überhaupt nun deutsche Musiker die Repräsentation der gesellschaftlichen Kultur an Stelle von Italienern übernehmen, muß mit ihnen auch vieles von Art und Wesen ihrer volkhaft-bürgerlichen Herkunft eindringen, die ihnen allen ja gemeinsam ist: als ein neues und letztes Element macht überall das Volkstümliche sich geltend, das auf dem Grunde beider Kunstlandschaften jetzt plötzlich wieder lebendig wird, im Norden bisher vom Gelehrten und vorwiegend Kirchlichen, im Süden durch das Italienische verdeckt und verdrängt. Und dieses Volksmäßige wird wirksam in seiner ursprünglichen Form als Lied, an welchem Musik und Dichtung gleichen Anteil haben — das Menschenalter vor der Wiener Klassik, vor Oper, Sonate, Symphonie, wie wir sie heute kennen, erlebt eine Blüte des Liedes und des von ihm getragenen Lieder-Spiels, des Singspiels. Wenn uns in eben jener klassischen Musik so vieles als vertraut und heimatlich und so bekannt oft wie Volksgesang erscheint, so ist da auch der Nachklang mitbewahrt dieser einmaligen Begegnung zwischen Dichtung und Musik, von der sonst wenig Spuren in bewußter Erinnerung geblieben sind: die große Schar der Komponisten ist uns so gut wie verschollen, die in den Jahrzehnten von 1750 bis 1780 von deutschen Dichtern zu ihren Melodien inspiriert wurden, so wie auch die Dichter uns oft gerade nur dem Namen nach bekannt sind, die ihre lyrische Erhebung erst durch Vertonung vollendet empfanden und begehrten. Das frühe Goethesche Gedicht und der Herdersche Begriff vom Volkslied sind am wirklich gesungenen Liede erwachsen, so wie die absolute Musik in ihrer selbstherrlichen dichterischen Aussprache die sprechende Melodik einer früheren vom Gedichte regierten Musik in sich aufgenommen hat. Erst in der „klassischen" Epoche ist die neue Trennung vollzogen, da die Musik in wortlosen Tönen dichtet, und die Lyrik die eigene Wortmusik in sich entdeckt, die eine keines Textes, die andre keiner Vertonung mehr bedarf.

104.

Wie der alte Gemeinde-Choral so war auch das „Gesellschafts"-Lied, das im 17. Jahrhundert eine so hohe Blüte erlebt hatte, um 1700 zu Ende. Die innere Lebenskraft war ihm geschwunden, und äußerlich hatte auf dem Höhepunkt der polyphonen Entwicklung nicht nur die Instrumentalmusik auch in der Pflege der häuslichen Kunst seine Stelle eingenommen, sondern das Vokale und Lyrische war vollkommen in der Kultivierung der italienischen Arie aufgegangen, die ja auch in Bachs und Händels Werk ihren Eingang fand. Was Kusser und Keiser an Vokalmusik herausgaben, waren Arien-Sammlungen aus ihren Opern oder Solokantaten, aber nicht Lieder in unserem Sinne. Die Befreiung des deutschen Gesangs von der italienischen Vorherrschaft und Vorbildlichkeit ist dann zunächst durch einen andern fremden Einfluß, den französischen, in die Wege geleitet worden: Chanson und Couplet lösen die Arie ab. Bemerkenswert ist, daß der dichterische Gehalt mehr als die Musik den Charakter des Liedhaften zu erneuern strebt: in diesem Betracht sind zwei Sammlungen vom Jahre 1737 bereits zukunftsvoll: „Die Singende Muse an der Pleiße, mit einem Anhang aus J. C. Günthers Gedichten", noch „zur beliebten Clavierübung und Gemüths-Ergötzung", d. h. wesentlich vom Instrument aus gedacht; und die „Sammlung verschiedener und ausgewählter Oden", zu Halle erschienen. Die erste ist von Sperontes, einem schlesischen Landsgenossen Günthers, der mit bürgerlichem Namen Joh. Sigismund Scholze hieß und 1705 geboren war; die andere von Joh. Fr. Gräfe, der dem Kreise Gottscheds nahestand. Das Singen von Liebe, Verlassenheit, Schicksal, aber auch mancherlei kleinen Freuden des Alltags gibt der einen den persönlicheren Ton; das Programm Gottscheds: Tugend, Vernunft, catonisch-stoizistische Haltung, bei weltlicher Freude an Liebe und Wein, sucht der andern literarisches Gewicht im Sinne der Aufklärung zu verleihen; als Komponisten arbeiten hier bereits Graun und Ph. E. Bach mit. Das Leichte, Scherzende, Tändelnde und Verliebte im Sinne des französischen Rokoko wird dann durch die Vertonungen Hagedorns in das deutsche Lied eingeführt, wie Valentin Görner (aus Penig in Sachsen, geboren 1702) sie leistet in der „Sammlung neuer Oden und Lieder" von 1742; welcher in ähnlichem Sinne, ebenfalls in

Hamburg, des berühmten Telemann „Vierundzwanzig teils ernsthafte, teils scherzhafte Oden" von 1741 vorausgegangen waren. Aber der eigentliche Durchbruch ins Schlichte, für jeden Sangbare geschieht erst durch die Berliner Liederschule, die mit ihrem entscheidenden Dokument, den „Oden und Melodien", 1753 hervortritt.

Man könnte sich verwundern, daß gerade in Preußen und nicht in Süddeutschland die Tendenz zu solcher Schlichtheit und Volkstümlichkeit entspringt, da doch Berlin damals in der musikalischen Welt hauptsächlich durch seine Theoretiker Marpurg und Kirnberger berühmt ist, ein gewisses Maß von Bachscher Tradition bewahrt und in Oper und Kammermusik einem etwas verjährten italienischen Ideale huldigt. Aber ein reges musikalisches Leben war, nicht zuletzt durch Friedrich II. und seit seinem Regierungsantritt, vorhanden: man holte hier nach, was andere Residenzen in langer Überlieferung besaßen, und was in Preußen nur unter Friedrich I. und seiner Gemahlin eine kurze höfische Phase erlebt hatte — erst jetzt gab es eine ständige Oper, eine gute Hofkapelle, regelmäßige Hauskonzerte bürgerten sich ein; eine Reihe tüchtiger Musiker, wie die beiden Graun, Quantz und sein Schüler Agricola, und vor allem der bedeutende Geiger Franz Benda, ein Böhme, wirkten auch in weitere Kreise, und eine geniale Kraft wie die von Ph. E. Bach stand bereits im Hintergrund. Und das Merkwürdige war nun, daß alle diese Männer sich zu dem Werk der Liedkomposition zusammentaten und ein einheitliches Prinzip befolgten: die Sammlung von 1753 erschien zwar zunächst anonym, aber bald veröffentlichte Marpurg die Namen der Komponisten: es waren alle eben Genannten: Bach, die beiden Graun, Agricola, Franz Benda, die zu den Texten von Hagedorn, Gleim, Ewald Kleist, Ebert, A. Schlegel und andern ihre Melodien gaben, alle in Diensten Friedrichs, außer Telemann, der auch noch vertreten war, und dem eigentlichen Herausgeber: Christian Gottfried Krause. Dieser, ein damals vierunddreißigjähriger Mann, war Advokat am Kammergericht und nur nebenbei Musikliebhaber und Komponist, übernahm die einheitliche Redaktion, und hat gleichzeitig in seiner Abhandlung „Von der musikalischen Poesie" sein Prinzip theoretisch gerechtfertigt. Im Vorbericht zu seiner Sammlung heißt es deutlich: „Wir Deutschen studieren jetzt die Musik überall; und doch in manchen großen Städten will man nichts als Opernarien hören. In diesen Arien herrscht aber nicht der Gesang, der sich auf ein leichtes Scherzlied schickt, das von jedem Munde ohne Mühe angestimmt werden und auch ohne Flügel und ohne Begleitung anderer Instrumente gesungen werden könnte. Wenn unsere Componisten singend ihre Lieder componieren und ohne das Clavier dabei zu gebrauchen und ohne daran zu gedenken, daß noch ein Baß hinzu kommen soll, so wird der Geschmack am Singen unter unserer Nation bald allgemeiner werden und überall Lust und Fröhlichkeit einführen." Er ergeht sich im Lobpreisen Frankreichs, das seine Lieder „so leicht und natürlich gemacht" habe, „daß das ganze Land voll Musik und Harmonie geworden ist" — hier finden wir dieselbe seltsame Wendung eines Nationalismus, jetzt allerdings durch die Taten des preußischen Königs noch gewaltig verstärkt, wie einst bei Gottsched oder Opitz, daß man dem eigenen Volke in Anlehnung an ein fremdes Vorbild dasselbe bescheren möchte, das man dort in Flor sieht. Aber auch die über das Vorbild nun hinausgehende Schlichtheit und „Natürlichkeit" gehört nicht weniger zu dem für Berlin charakteristischen Rationalismus wie die Ablehnung der gelehrten Schreibart einerseits und der mit kunstvoller und überkünstelter Koloratur verzierten Opernarien andererseits — das große Erbe des musikalischen Barock wird verneint, viel stärker etwa als in dem angeblichen Klassizismus Glucks; die bürgerliche Geistigkeit und Seelenhaltung sucht den ihr gemäßen Ausdruck im volkstümlichen, im populär gedachten Kunstlied, wenn auch noch nicht im Volkslied selbst. Dennoch geht eine gerade Linie von hier zu den Entdeckungen Herders und zu den Wiederbringungen der Romantik, wo dann nur noch die Wendung zum Vorzeitlichen und historisch Volkhaften hinzukommt. Die beiden Pole des Barock: das in kirchlicher Kunst und Opernkunst verkörperte Christentum und antike Heidentum haben ihre Anziehungskraft verloren: im Liede zeigt sich der Ausweg in ein neues Land, das nun als Bereich der schlichten persönlichen Empfindungen des Lebens zunehmend kultiviert wird und eine Zeitlang im Gleichklang mit der entstehenden neueren Lyrik der angemessene und natürliche Bezirk für eine mittlere Menschenschicht wird, die von der großen Musik wie von der großen Dichtung in ihren Möglichkeiten und Bedürfnissen gleichweit entfernt ist.

Denn die Berliner Liedersammlung hat Epoche gemacht; in den nächsten Jahren und Jahrzehnten ergießt sich eine förmliche Sanges-flut über Deutschland. 1755 kommt der zweite Teil der „Oden und Melodien" heraus, wo als neuer Komponist neben den bisherigen auch Christian Bach erscheint, als jetzt Zwanzigjähriger mit seinen ersten Versuchen im Liede. Da gibt es weiter im Jahr 1756 „Ber-linische Oden und Lieder", die nun schon in Leipzig bei Breitkopf gedruckt sind; 1758 „Geistliche, moralische und weltliche Lieder von verschiedenen Dichtern und Komponisten", „Versuche in geistlichen und weltlichen Gedichten", 1759 „Herrn Professor Gellerts Oden und Lieder nebst einigen Fabeln", auch in Leipzig bei Breitkopf, wo auch wieder Graun und Marpurg sich beteiligen. Daneben treten einzelne bedeutender hervor, wie Ph. E. Bach 1758 mit seinen „Geistlichen Oden und Liedern", 54 Gesängen von anspruchsvollerer Deklamation; „Geistliche Oden" von Voß, wo auch Fasch als Kom-ponist erscheint. Bis dann zwei Musiker, denen das Lied zum eigent-lichen und Hauptgebiet wird, die Entwicklung vorläufig zum Ab-schluß bringen: Johann Adam Hiller und Johann Abraham Peter Schulz.

Hiller ist 1728 in der Oberlausitz geboren und hat in Dresden und Leipzig seine Ausbildung genossen, sehr stark noch von Hasse berührt. Er lebt in den Annalen der Musik als Organisator des neueren Konzertwesens fort: er begründet 1763 das „Große Leip-ziger Konzert", aus dem dann das Gewandhaus hervorgeht. Als Liederkomponist tritt er zunächst mit dem „Wöchentlichen musika-lischen Zeitvertreib" (1759) hervor und mit den „Liedern mit Melo-dien fürs Klavier". Aber seinen eigenen Stil im Liede findet er erst durch seine Praxis im Singspiel, die 1766 mit der Aufführung der „Verwandelten Weiber" beginnt. Es ist dies bereits die dritte Be-arbeitung eines Stoffs, der aus England stammt, aus der Nachfolge von Gays Bettleroper — es vollzieht sich dasselbe wie in der Litera-tur, wo auch um diese Zeit der englische Einfluß den französischen zu verdrängen beginnt. Es ist der ehemalige preußische Gesandte in London, von Borck, der auch das erste verdeutschte Drama Shake-speares, den Julius Cäsar, veröffentlichte, welcher das englische Stück unter dem Titel „Der Teufel ist los oder die verwandelten Weiber" übersetzt; es wird von der Schönemannschen Truppe 1743 in Berlin

anscheinend noch mit den englischen Original-Melodien aufgeführt. Es
gelangt dann 1752 nach Leipzig in der Bearbeitung von Christian
Felix Weiße, dem Freunde Lessings, mit der Musik, die der Korre-
petitor und Ballettgeiger der Kochschen Theatergesellschaft, Johann
Georg Standfuß, verfaßt hat. So wird um die Jahrhundertmitte wie-
deraufgenommen, was in den dreißiger Jahren als deutsche Oper
abgerissen war, aber nun in gänzlich anderer Form: nicht mehr Nachahmung der italienischen Arien-Oper mit ihrer verschwenderischen
Ausstattung und mit ausgebildeten Sängern und berühmten Musikern, sondern schlichter Prosa-Dialog, wie er in der Praxis der wandernden Schauspielertruppen üblich war, durchmischt mit eingefügten
strophischen Liedern, die nicht vom Berufssänger, sondern vom Darsteller der Wort-Bühne ausgeführt werden, in der Weise, wie damals
jeder begabtere Dilettant singen konnte, wo das einfach-gefällige
Liedhafte sich überall zu verbreiten begann. Bei seinem Debut 1766
ist denn auch Hiller schon von der Berliner Liederschule berührt; und
deren Prinzip dringt nun eigentlich mit dem Singspiel erst ins Volk:
Chr. F. Weißes Texte haben ja die fremden internationalen Namen
der Oden und des literarischen Lustspiels meist aufgegeben, die
Handlung spielt ausschließlich im Bürger-, Bauern-, ja Handwerker-
stande und gewinnt auf diese Weise das wirkliche Volk und tritt aus
der gebildeten Schicht heraus. Da Hiller als ausgebildeter Musiker
nun wieder manche Errungenschaften der italienischen Oper, der
seria wie der buffa, wahrt, auch Arien wieder einführt und das Orchester anspruchsvoller behandelt, so wird gerade dadurch das Volk
allmählich zu einer deutschen Oper herangezogen, der diese Entwicklung denn auch wirklich zugeführt hat — Mozarts Entführung und
Zauberflöte sind aus dieser Tradition erwachsen, die schon in einzelnen Erscheinungen vor ihm zu einem ernsten deutschen Musik-
drama zu gelangen sucht.

Hiller persönlich verdankt der Beschäftigung mit dem Singspiel die
Erfrischung und Erneuerung auch seiner Auffassung des Einzelliedes;
denn das Singspiel ist für ihn nur eine Durchgangsphase, in der er
allerdings seiner Zeit die beliebtesten Stücke schenkt: noch im Jahr
1766 führt er „Lisuart und Dariolette" auf, 1767 „Lottchen am Hofe"
und „Die Muse", 1768 „Die Liebe auf dem Lande", 1770 sein be-
rühmtestes „Die Jagd", das allerdings in seinem Erfolg unterbrochen

wird durch den Widerspruch der Leipziger Universität, die ein Über-
handnehmen des Opernwesens aus dem alten Gottschedschen Ressen-
timent heraus fürchtet. So gelangt es nach Weimar, wo die Herzogin
Anna Amalia das Singspiel protegiert, in dem sie bald mit Goethes
Erwin und Elmire selber als Komponistin erscheinen wird. Hiller
widmet sich fortan anderen Aufgaben: seit 1769 erscheinen seine
Kinderlieder, die Lieder in Weißes „Kinderfreund"; zur Ergänzung
seiner Konzerte, für die er bedeutende Begabungen wie Corona
Schröter und die Mara entdeckt, gründet er 1778 eine Gesangschule
und betätigt sich als vorzüglicher Musikpädagoge. Wegen eines Rufes
nach Kurland legt er seine Ämter nieder, führt, da es mit der neuen
Anstellung infolge politischer Ereignisse nichts wird, ein Wander-
leben, das ihn für eine Zeit auch nach Berlin bringt, wo er 1786 die
berühmte Aufführung von Händels Messias dirigiert. Er hat dann
1804 sein Leben als Thomaskantor in Leipzig beschlossen.

Den andern, der fast nur dem Liede gelebt hat, Peter Schulz,
kann man kaum mehr einen Übergangsmeister nennen; aber er ist
uns wichtig wegen der engen Verbindung zur zeitgenössischen Dichtung, die in der eigentlichen „klassischen" Epoche unserer Literatur
und Musik dann aufhört. Er ist schon um die Jahrhundertmitte,
1747, geboren, ist Kirnbergers Schüler in Berlin und führt die Tradition der Berliner Liederschule am bedeutsamsten fort. Sein Hauptwerk ist die in drei Bänden erschienene Sammlung der „Lieder im
Volkston" vom Jahre 1785; sie machte ihn zum bekanntesten musikalischen Lyriker des zu Ende gehenden Jahrhunderts, von dem ja
auch uns noch manches fortlebt, wie „Des Jahres letzte Stunde",
„Der Mond ist aufgegangen", „Blühe liebes Veilchen". Er ist es, der
nun das Gedicht wahrhaft mit seiner Tonkunst durchdringt, und,
wie er selber sagt, die frappante Ähnlichkeit des musikalischen Tons
mit dem poetischen erstrebt, wodurch das entsteht, was er mit seinem
berühmten Wort meinte: daß das gute Singelied „den Schein des
Bekannten" erwecken müsse. Er ist wählerisch in seinen Texten und
hält sich an die beste damals entstehende Lyrik, die Dichtung des
Hainbunds — Bürger, Stolberg, Voß, Claudius leben in seinen Tönen,
von Uz hat er eine ganze Sammlung religiöser Gesänge komponiert.

Neben ihm stehen dann wieder zwei Musiker, die Lied und Singspiel gleichmäßig pflegen: Johann Friedrich Reichardt, 1752 in Königs-

berg geboren, und Johann André aus Offenbach (geboren 1741).
Reichardt hat in etwa dreißig Sammlungen gegen siebenhundert Lieder veröffentlicht; das erste sind seine „Vermischten Melodien" von
1773. Im gleichen Jahr schreibt er sein erstes Singspiel „Amors Guck-
kasten". Uns ist er am meisten durch seine 128 Kompositionen
Goethischer Gedichte noch bekannt und durch die Vertonung von
Goethes Singspielen „Claudine von Villabella", „Erwin und Elmire",
„Jery und Bäteli". Er ist geistig der bedeutendste von allen Meistern
der Berliner Schule und schließt die Tradition eines halben Jahrhunderts als ihr eigentlicher Höhepunkt ab. Seine Persönlichkeit steht
auch als Schriftsteller, Kritiker, Anreger bedeutender literarischer
Kreise vor uns, und seine Wirkung reicht vom Hof Friedrichs des
Großen, dessen Kapellmeister er 1774 wird, über die Klassik bis zur
Romantik; Arnim hat ihm die Schrift „Von Volksliedern" gewidmet.
André ist von Frankfurt her mit Goethe befreundet, und wird der
erste Komponist von „Erwin und Elmire", 1775, das er in Frankfurt
und dann auch in Berlin aufführt, wohin er 1776 als Kapellmeister
der Döbbelinschen Theatergesellschaft geht; er hat noch Singspiele
geschrieben, deren Titel uns aufhorchen läßt: einen „Barbier von
Sevilla" (1766), eine „Entführung aus dem Serail" (1781). Er
bringt süddeutsche Naivität und oft Derbheit in den Berliner Stil;
noch heute singt man in seiner Komposition des Matthias Claudius
„Bekränzt mit Laub den lieben, vollen Becher".

Das Singspiel als Gattung aber erfährt zuletzt in dem Jahrzehnt
vor Mozarts Entführung (1782) noch merkwürdige Wandlungen,
Versuche der Ausweitung nach verschiedenen Richtungen hin, so daß
es wohl jetzt den Gipfel seiner Bedeutung erreicht. Neben dem bisherigen Typus, wie Reichardt und André ihn weiterführen und wie
er auch in Christian Gottlob Neefe, dem späteren Lehrer Beethovens
in Bonn, einem 1748 geborenen Chemnitzer, wichtige Bereicherung
erfährt (mit der „Apotheke" 1771, den „Einsprüchen" 1773, „Heinrich und Lyda" 1776, „Zemire und Azor" 1776, den „Zigeunern"
1777), hat sich eine neue Verbindung von Wort und Musik herausgestaltet, welche die reine schauspielerische Rezitation mit der Untermalung durch Instrumentalmusik zu ungewöhnlicher Wirkung bringt.
Die Anregungen dazu liegen in des großen französischen Tänzers
Noverre Balletten, die bewußt zu Tanz-Dramen gesteigert waren,

und in dem Vorbild von Rousseaus „Pygmalion", der 1770 in Lyon aufgeführt wird.

Noverres Tanzpantomimen sind Einlagen in die große Oper, wie sie durch seine Zusammenarbeit mit Gluck seit der Alceste am berühmtesten geworden sind. Aber er hat schon vorher selber in Deutschland gewirkt: 1744 an der Berliner Oper Friedrichs des Großen, von 1760 bis 1767 am Stuttgarter Hof und dann in Wien; und hier sind, beeinflußt von der italienischen Oper, wie sie in diesen großen Städten dominierte, auch von andern weniger bekannten deutschen Meistern selbständige Charaktertänze orchestral gestaltet worden, die nicht mehr die autonome musikalische Form zum Leitfaden hatten, sondern den psychischen Vorgang im Darstellenden, der Ausdrucksgeste folgend, bis ins einzelne illustrieren. Schon 1763 finden sich solche Szenen in des Schwaben Florian Deller „Orfeo", in J. J. Rudolphs „Medea" (beides in Stuttgart), und später bei Joseph Starzer und Franz Aspelmayr in Wien (Horatier und Theseus in Creta).

In Rousseaus lyrischer Szene Pygmalion trat nun noch das Wort hinzu; aber nicht gleichzeitig mit instrumentaler Untermalung gesungen, sondern für sich rezitiert und mit der illustrierenden Musik abwechselnd. Hier knüpften nun die deutschen Singspielkomponisten an und erstrebten die Gleichzeitigkeit von Wort und Ton, aber von gesprochenem Wort und instrumentalem Ton, unter Preisgabe ihres bisher Dominierenden, des Gesangs. Wieder sind es die Schauspielertruppen, in denen damals auch musikalische und dichterische Talente oft ihre ersten Proben ablegen, die das neue „Monodram" oder „Melodram" ins Leben rufen. So schreibt der Schauspieler und Dichter Christian Brandes in der Seylerschen Gesellschaft für seine Frau, die Rivalin der Madame Seyler, eine „Ariadne auf Naxos", die mit der Musik von Georg Benda 1775 im Gothaer Schloßtheater aufgeführt wird und auch in literarischen Kreisen Sensation erregt: Wieland begrüßt sie im Deutschen Merkur als Anfang einer neuen Gattung des Schauspiels. Hier spielt nun auch schon der ausgesprochene prinzipielle Klassizismus herein: die Darstellerin erscheint nicht mehr im Reifrock des Barock, sondern im historisch-stilreinen griechischen Gewand „nach Winckelmann"; wie denn nun überhaupt das Monodram die Domäne der strengen Antike wird, da am gege-

34*

benen und bekannten mythologischen Stoff eine sprachliche und musikalische Charakterisierung am leichtesten verständlich bleibt. Es sind bezeichnenderweise Frauenrollen, die sich auf diese Weise psychisch besonders reich verdeutlichen lassen. So folgt der Ariadne alsbald eine „Medea", nun für Mme. Seyler selbst geschrieben, 1775 in Leipzig zuerst aufgeführt, die Musik wiederum von Benda, der Text von Gotter. Der junge Mozart, der im November 1778 die Seylersche Truppe in Mannheim sieht, hat von diesen Werken einen großen Eindruck gehabt. „Sie wissen wohl", schreibt er dem Vater, „daß da nicht gesungen, sondern deklamiert wird und die Musik wie ein obligiertes Recitativ ist; bisweilen wird auch unter der Musik gesprochen, welches alsdann die herrlichste Wirkung tut. Was ich gesehen, war Medea vom Benda. Er hat noch eine gemacht, Ariadne auf Naxos, beide wahrhaft fürtrefflich. Sie wissen, daß Benda unter den lutherischen Kapellmeistern immer mein Liebling war. Ich liebe diese zwei Werke so, daß ich sie bei mir führe." Der nächste ist dann Neefe 1776 mit einer „Sophonisbe"; Reichardt, Vogler, Peter Winter, Danzi, Cannabich schließen sich an. 1778 geht Goethes „Proserpina" mit der Musik des Kammerherrn von Seckendorff in der Weimarer Hofgesellschaft in Szene; Corona Schröter spielt hier die Rolle des Monodrams. Aber da neigt sich nun schon ganz das Gewicht zur Dichtung hinüber: Seckendorffs Musik würde Mozart kaum Worte wie die über Benda entlockt haben; aber Musik wird vom Dichter doch noch notwendig zu seiner Dichtung imaginiert: „Vorbereitende Musik, ahnend seltene Gefühle" lautet Goethes Bühnenanweisung. In Wahrheit ist hier der Weg aber nicht zur Vereinigung von Dichtung und Musik weitergegangen, sondern zum reinen Drama der Worte — in der Proserpina sind die Gebete und monologischen Anrufungen der Iphigenie vorgebildet, mit der sich das klassische deutsche Drama von allem Zusammenhang mit der Musik isoliert, eigene Wortmusik an ihre Stelle setzend.

Da die Verfasser der Instrumentalmusik für das Melodram zugleich auch Singspielkomponisten waren, konnte nun auch im Singspiel ein stärkerer Einfluß des Orchesters nicht mehr vermieden werden: Benda, der in Gotha mit dem dort ansäßigen kultivierten Literaten und Theaterliebhaber Gotter weiter zusammenarbeitete und eine Reihe der erfolgreichsten Singspiele schrieb, führte in seinem

„Walder" (1776) nicht nur das bürgerliche Trauerspiel auf die Singbühne, sondern verstärkte dessen musikdramatische Wirkung durch das recitativo accompagnato; und damit war der Weg zur eigentlichen Oper auch von dieser Seite beschritten.

Es ist wenig bekannt, daß der Dichter, der damals die mögliche Erfüllung wenigstens für das Textliche einer großen deutschen Oper brachte, Wieland war. Seine Alceste von 1773 liest sich musikalisch, wie Metastasios italienische Libretti sich musikalisch lesen — es gibt wohl kaum eine Oper, die wortkünstlerisch auf solcher Höhe steht; die Dialoge in Jamben, die Arien und Chöre in gereimten Strophen, enthalten so viel zarte klingende Schönheit, so echten und konzentrierten Seelenausdruck, daß man im Lesen das Fehlen der Musik oft ganz vergißt. Denkt man einen Augenblick an die Textbücher der einstigen nationalen Oper in Hamburg zu Beginn des Jahrhunderts, so erscheint es kaum glaublich, was aus der deutschen Sprache seither geworden ist, welche Grazie sie zu entfalten vermag. Der heutige Gebildete kennt das Werk im besten Falle aus des jungen Goethe Parodie oder Satire in „Götter, Helden und Wieland", die sich aber mehr gegen Wielands Worte über das Stück als gegen dieses selber richtet, der man höchstens das Gefühl dafür zugestehen kann, daß die Gestalt des Herkules zu empfindsam geraten ist; während ein Vergleich mit den eignen späteren Singspielversuchen Goethes in ihrem trocknen, allerdings nicht zur Vertonung bestimmten Dialog sehr zu dessen Ungunsten ausfällt, und nur in den wenigen eingestreuten Liedern der größere Dichter sich bezeugt. Zweifellos war Wieland zu einem solchen Werke ermächtigt durch sein in Roman und Verserzählung gepflegtes gräzisierendes Rokoko, das ja auch, wie wir noch sehen werden, als Widerklang und Ausklang einer hohen musikbestimmten Kultur zu begreifen ist; von der es nur bemerkenswert bleibt, daß sie in einem protestantischen Schwaben Erfüllung findet, der nach seiner literarischen Herkunft primär einem ganz anderen Geistesraum angehört. So ist es auch erstaunlich, wie durch das Auftreten Wielands das Singspiel, in dem Bedürfnis, sich einen höheren ernsteren Inhalt zu geben, alsbald wieder bei dem Stile anlangt, von dessen Überwindung es ausging, nicht nur im Musikalischen, sondern schon im Stofflichen, da nun die Antike auch hier, wie gleichzeitig im Melodram, wieder ihren Einzug hält. Aber bei

Wieland ist es keine Winckelmannische Antike, sondern eine barocke und noch mehr zierlich-zärtlich-rokokohafte, und insofern auch wieder moderner, als sie zum Ausdruck der Gefühlslage der Zeit gebraucht wird, nicht aber zur normativen Bildung des Menschen. In seinem „Versuch über das Singspiel und einige dahin einschlagende Gegenstände" von 1775 hat Wieland die Wahl der griechischen Mythologie nicht anders gerechtfertigt als jeder andre Meister des Barock es getan hätte: „Denn, wenn ich lieber griechische Sujets zum Singspiel wählen möchte, so wär' es mehr darum, weil sie uns nach unsrer bisherigen, hierin liebenswürdigen, Erziehungsart ungleich bekannter und also auch darum schon interessanter sind, als hyperboräische, indianische, mexikanische und so weiter, als aus irgendeinem anderen Grunde; wiewohl auch der Umstand, daß wir mit dem Begriffe von Griechen überhaupt die Idee eines von allen Musen vorzüglich begünstigten Volkes zu verknüpfen pflegen, hier nicht ganz ohne Gewicht sein möchte." Mit dem Mythologischen motiviert er auch das „Wunderbare" der Oper, ja ihr „Unnatürliches", das die Aufklärung ihr zum Vorwurf macht, wenn sie schon am Singen im Drama statt des gewöhnlichen Sprechens Anstoß nimmt: „Stoffe, die aus der heroischen Zeit genommen sind, haben eine vorzügliche Schicklichkeit zum Singspiel, weil alles, was diese Zeit so stark von der unsrigen abstechen macht, zusammengenommen ein Gefühl des Wunderbaren in uns erregt, dessen Stärke dem Grade unsrer Entfernung von dem ursprünglichen Leben und Weben der noch unbezwungenen, mutvollen und mit allen ihren Naturkräften wirkenden Menschheit proportioniert ist. Es scheint uns eben so natürlich, daß Menschen aus diesem Zeitalter eine unendlich vollkommnere, kräftigere und die Saiten unseres Gefühls stärker rührende Sprache reden, das ist, daß sie, statt zu reden, singen, als daß sie stärkerer Leidenschaften, edlerer Entschließungen und kühnerer Taten fähig sind als wir; und so finden wir die Alcesten, Ariadnen, Medeen, Iphigenien auf dem lyrischen Theater eben so natürlich als die Göttinnen und Nymphen, die wir als Wesen zwar von höherer, aber doch ähnlicher Art mit jenen zu betrachten gewohnt sind." Dabei schließt er den romantischen Stoff des Mittelalters, oder, wie er sagt, der „irrenden Ritterschaft" keineswegs aus und argumentiert hier wieder ganz aus dem Geiste des Barock, da italienische und fran-

zösische Operndichter aus Ariost und Tasso „den Stoff zu ihren An-
geliken, Armiden, Alcinen, Bradamanten hergenommen haben"; denn
„sie kommen in allen wesentlichen Stücken mit der heroischen Hel-
denzeit der Griechen völlig überein", „in beiderlei Zeiten spielen Helden, Damen, Riesen, Drachen und Ungeheuer aller Arten eine Rolle,
und die Urganden, Alcinen und Armiden sind nicht größere Zau-
berinnen als die Medeen und Circen der Griechen. Von den Stoffen
aus den Zeiten der Ritterschaft gilt also dasselbe, was von den heroischen".

So hat denn auch Wieland den Stoff seiner zweiten Oper, die er
mit Schweitzer zusammen schrieb, solchen „Zeiten der Ritterschaft"
entnommen, einer Sage oder Ballade der englischen Königsgeschichte,
von „Rosemunde", der Geliebten Heinrichs II. Ihr heimliches „Labyrinth", in dem sie der König vor seiner eifersüchtigen Gattin verborgen hält, ist völlig mit den romantischen Farben der Gärten Ar-
midas geschildert, mit Chören von Jungfrauen wie von Nymphen
belebt; im dichterischen Ausdruck übrigens herrscht in der ganzen
Oper eine rührende Lieblichkeit, Innigkeit und Reinheit, die beim
Verfasser der „Musarion" erstaunt, aber den des Oberon schon
ahnen läßt. Die Befassung mit der Oper ist ohne Zweifel ein wichtiger Durchgangspunkt für die allgemeine Entwicklung des Dichters
Wieland gewesen: wer Musik und Gesang im Singspiel als eine Art
von idealischer Sprache definierte, „die über die gewöhnliche Men-
schensprache weit erhaben ist"; wer den Ausspruch prägte „Wenn
wir uns einen würdigen Begriff von einer Göttersprache machen wollten, so müßte es, deucht mich, diese musikalische Sprache sein", —
der räumte von der Dichtung aus dem Musikalischen Rechte ein, die
sich auch in seinem Schaffen geltend machen mußten. Und so wird
er einer von denen, die vom Barock und seinen tiefsten Antrieben
unmittelbar zur Romantik überleiten.

Freilich in der Gestalt, in der seine beiden Opern — die Alceste
1773 und 1774 auf dem damaligen Weimarischen Hoftheater, die
Rosemunde 1779 auf dem Mannheimer Nationaltheater — zur Aufführung kamen, mag der neue Stil, der die Menschen hinriß, wesentlich in Stoff und Wort bestanden haben, und in der Tatsache der
Durchkomposition in deutscher Sprache. Der junge Mozart, der Anfang 1778 die ersten Proben der Rosemunde hört, knüpft bekannt-

lich daran eigene Zukunftswünsche und Aussichten und stellt sich
selbst neben Benda und Schweitzer, als den „jungen Kapellmeister,
der die deutsche Sprache versteht, Genie hat und imstande ist, etwas
Neues auf die Welt zu bringen" — um dem deutschen Nationaltheater, das der Kaiser errichten will, zu dienen, was er denn auch
vier Jahre später im neugegründeten Wiener National-Singspiel mit
der Entführung leistete. Historisch mag man in der Anwendung
voller Musik aufs Singspiel die einfache Übertragung von Metastasios Prinzip auf das Deutsche sehen, vielleicht auch dann mit
einigem Recht Wieland den deutschen Metastasio nennen — hier
aber ist der Weg nicht weitergegangen: Mozart griff in Zauberflöte
und Entführung auf den Prosadialog zurück und auch der Fidelio
folgte dem nach; aber gerade daß sich italienisierende Musik und
deutscher Stoff und Text und Gesang hier begegneten, noch im geistigen Raum des Spätbarock, macht die Bedeutung solcher Übergangs-
werke aus, in denen die geistigen Strömungen der Epoche nach einem
neuen Bett in neuer Landschaft suchen, bis es einem vor andern
gelingt, die richtige Bahn zu brechen.

Mozart gelang dies mit der Entführung, weil er zu den bisherigen
Elementen des deutschen Singspiels die Errungenschaften der internationalen Opera buffa fügte und von der Seria im Stile Metastasios wie Glucks sich schied. Als 1783 das Kaiserliche National-
Singspiel seine Pforten schloß, hat er konsequent in der reinen Buffa
sein Musikdrama nun auf italienisch weiterentwickelt, auf ihrem
Grunde im Don Giovanni sogar das Tragische emporwachsen lassen,
da Weltengroßes sich nur im Stil der letzten großen übernationalen
Kultur gestalten ließ; und diese breite Grundlage gibt dann auch
dem Letzten, seiner deutschen Zauberflöte, die Gültigkeit, das Zu-
sammenfassende aller Tendenzen des Jahrhunderts, des barock-
Heroischen und Mythischen, des aufgeklärten Ethischen und des
deutsch-Volksliedmäßigen und Märchenhaften. Die Basis des deutschen Singspiels war für den Aufstieg ins ernste Tragische noch zu
eng; trotzdem werden uns die Werke, die in diese Richtung strebten, immer ehrwürdig sein: Wielands Opern zumal; in deren Nachfolge ja auch der früher betrachtete Günther von Schwarzburg Ignaz
Holzbauers gehört, den Mozart auch damals in sich aufnahm und
der vielleicht nur an den Mängeln seines Textdichters Klein scheiterte

— man vergesse nicht, daß Mozart noch in Wien in diesem Geiste einen „Rudolf von Habsburg" hat schreiben wollen.

Es ist wohl keine zufällige Fügung der Geschichte, daß unsere großen Musiker damals von Metastasio weg zum reineren Sinn des Dramas im streng geschiedenen Komischen und Tragischen streben, die deutschen Dichter aber vom volksmäßig Singenden und Spielenden zu Metastasios lyrischem Theater gelangen — aus diesen Wechselwirkungen und Annäherungen, aus diesen Begegnungen zwischen den Künsten auf so verschiedenen Stufen, wie sie Wieland und Klopstock einerseits, Mozart und Gluck andrerseits darstellen, hat das Ganze seine Kraft gesogen und in einem bedeutsamen Augenblick gegenseitige Erhellung gebracht, deren Wirkung im Innern des Einzelnen wir nur noch ahnen können, wenn wir uns die Atmosphäre vergegenwärtigen, in welcher allerorts zeitbewegende Erscheinungen, die uns heute verschollen sind, hervortraten und auch in großen Menschen durch leise unbewußte Anregung entbanden, was uns heute einzig aus ihrem schöpferischen Wesen unbedingt hervorzugehen scheint. Oft müssen uns die bloßen Tatsachen, daß die Dichter und Musiker einander kannten, genügen und als Symbole innerer Vorgänge dienen. Wir wissen nicht, was Goethes Iphigenie Gluck verdankt; aber wir wissen, daß Goethe Gluck so hoch schätzte, daß er sich mit der Bitte um Komposition von Gedichten an ihn wandte — es war noch nicht der Weimarer Goethe; aber es war der Gluck in Paris um 1774, der sich ihm trotz der freundschaftlichen Vermittlung durch Johanna Fahlmer an Mannlich versagen mußte, weil er zu tief im Kampf um seine Sache stand. Wir verstehen kaum, daß Wieland 1773 seine Alceste schrieb, obgleich Glucks Oper Alceste längst erschienen war; aber wir lesen in der Abhandlung über das Singspiel 1775 am Schluß die Huldigung an Gluck, mit der ausdrücklichen Erwähnung von Alceste, Iphigenie, Orpheus, der Huldigung an sein mächtiges Genie, an seinen Feuergeist, der allein das große Werk der „Reformation des Singspiels" zu leisten fähig wäre: „ein großes und kühnes Unternehmen! aber zu ähnlich dem großen Unternehmen Alexanders und Cäsars, aus den Trümmern der alten Welt eine neue zu schaffen, um nicht ein gleiches Schicksal zu haben."
— Da erscheint denn Wielands Leistung nur als ein bescheidener Beitrag im großen Agon von Dichtung und Musik, welchen er mög-

licherweise gar nicht vollendbar sieht in einer schon kritischen Stunde der Kultur. Aber als bald darauf Glucks geliebte Mariane stirbt, wendet der Musiker sich an den Dichter Wieland mit der Bitte um den Text zu einer Trauerkantate — doch die Bescheidenheit Wielands weist auf Goethe, der eben in Weimar sein Freund geworden ist; und nun versagt sich Goethe in ganz anderen neuen Zuständen, die ihn in ein Leben reißen, das solcher Kontemplation nicht günstig ist; und doch hat man in dem Monodram Proserpina die Spuren von Auftrag und Anregung Glucks erkennen wollen. Wahrscheinlicher noch ist der damalige Beginn der Iphigenie auf diese Beziehung zu Gluck zurückzuführen; und während der eiligen Vollendung für die erste Aufführung im Jahre 1779 läßt Goethe sich ständig Musik vorspielen.

Es ist wie immer, wenn eine Kultur in Krisis und Untergang steht, daß Fremdgewordenes einander sucht, nach langgetrennter Entwicklung einander erst erblickt, Versäumtes wieder gut zu machen trachtet und aus einer wenigstens im Augenblick erträumten Harmonie den Sinn des Ganzen sich bestätigen möchte, bis nur noch der Schritt in die einsame eigne Vollendung bleibt und kein gemeinsamer Bund zu einem Neuen.

105

Man kann wohl fragen, w a r u m eine Kultur „untergeht"; ja vielleicht ist die andere Frage noch berechtigter: o b eine Kultur überhaupt untergehen kann, ob nicht Wesentliches von ihr, wenn auch
in gewandelter Form, besteht und nicht nur in einzelnen Menschen
und Werken kräftige Nachschößlinge treibt, sondern auch irgendwie
noch das Ganze trägt, solange von Kultur im eigentlichen Sinne noch
gesprochen werden kann. Wenn dieses Ganze dann für uns eine
andre Färbung und Tönung annimmt — kommt dies vielleicht nicht
nur von unsrer nachträglichen Betrachtung, welche gewisse geistige
Kräfte, gerade wenn sie anfangs noch an einer Kultur mitschufen
und ihren Auftrag vollbrachten, nur nach ihren späteren Leistungen
beurteilt und benennt, die allerdings jenes Ganze in Frage zu stellen
scheinen und für unsern Begriff etwas Anderes heraufführten, welches
das Frühere abzulösen betimmt war?

Die Zeitgenossen haben jedenfalls von einem Bruch, einem Niedergang ja Untergang der Barockkultur in den Jahrzehnten von 1750
an kaum etwas gewußt und gespürt. Selbst die Aufklärung hat das
Stilvermögen der Epoche nicht in einem einzelnen Angriff zerstört
oder in unaufhaltsam wachsendem Maße unterhöhlt — auf den Rationalismus Gottscheds ist die irrationale Gefühlsmacht Klopstocks
gefolgt, auf Lessings kritische Haltung die dichterische Schöpfung
des jungen Goethe und Jean Pauls; und als gegen Ende des Jahrhunderts die „Klassik" Schillers und Goethes sich vorübergehend
rationalisiert, sind gleichzeitig in der „Romantik" noch so starke
Gegenkräfte aufgestanden, daß sie einer weiteren Epoche bis in die
30er Jahre des 19. Jahrhunderts die Signatur geben konnten. Ja nicht
einmal der Übergang vom objektiven Schaffen an einem Gemein-
schaftsideal zum Subjektivismus großer Einzelner ist ein wirklich
zureichendes Kriterium für den Kulturzerfall; mindestens ist die Verantwortung für Gesamtkultur und die gefühlte Notwendigkeit ihrer
Wahrung, oder, bei drohendem Verlust, ihrer Rettung, noch so stark
gewesen, daß wir das klassische sowohl wie das romantische Streben
um die Jahrhundertwende in Bünden und Gemeinschaften sich aus-
wirken sehen, wie sie das typische 19. Jahrhundert dann nicht mehr
kennt.

Wenn etwas seit 1750 anders geworden ist und einen Verlust an Kultursubstanz uns anzuzeigen scheint, so wäre es eher etwas Negatives und Unbewußtes: ein unwillkürliches Loslassen und Vergessen bisheriger großer Leistungen des Barock, wie es uns etwa in der plötzlichen Abwendung von der kontrapunktischen Kunst und von der Baukunst, und dem Schwinden der Erinnerung an sie entgegentritt. Es ist aber die Frage, ob ein solcher Vorgang aus reinem Mangel und Unvermögen, das heißt aus Schwächerwerden der kulturellen Kräfte zu erklären ist, oder, im Gesamtbild der geistigen Entwicklung gesehen, nicht vielmehr als Überschuß einer Kraft, die noch anderes sich anzueignen, in anderem fruchtbar zu werden strebt, und nur manches losläßt, was schon vollkommen ausgestaltet war, um nun Neues sich anzuverwandeln, aber noch wesentlich in demselben Sinne und in der gleichen Richtung eines einheitlichen großen Werdens.

Es mag die relative Schnelligkeit und Unmittelbarkeit der Wirkung großer Leistungen in geschlossenen Kulturen sein, die einen ebenso schnellen Wechsel in der Bereitschaft der Aufnehmenden mit sich führt. Das wird vielleicht am deutlichsten, wo das grundlegende und tragende Element, das religiöse, noch das gleiche bleibt und sich keineswegs — durch Aufklärung etwa — geschwächt zeigt, wie dies der Fall bei Bach und Klopstock ist: es zeigte sich uns, wie vieles von Bachscher Art bei Klopstock wiederkehrt in einer andern neu aufsteigenden und im barocken Geistesraum sich erfüllenden Kunst; aber die gewaltige religiöse Wirkung Klopstocks hat nichts mehr zum Fortklingen oder zur Neubelebung der scheinbar so verwandten Bachschen Kunst beigetragen, vielmehr hat es eben derart stark eine neue Bereitschaft für das bisher vernachlässigte Dichterische erfordert, daß die Bachsche Welt darüber in Vergessenheit geriet. Ähnlich steht es mit Glucks Verhältnis zur voraufgehenden Baukunst des Barock: er verlegt den Schwerpunkt ins Gesamtkünstlerische der musikalisch-dramatischen Leistung, worüber das Gesamtkunstwerk der baulich-bildnerischen Periode an Interesse für die Menschen verliert.

Aber wenn wir so eine lebendige und augenblickliche Wirkung der großen Kunstwerke innerhalb ihrer Kultur voraussetzen und uns den Wandel der Empfänglichkeit ihnen gegenüber aus der Notwendigkeit eines immer breiteren Wachstums dieser Kultur erklären, so ist dabei noch eines wichtigen Umstands nicht gedacht: daß der Begriff der Kultur überhaupt und der des Barock im besonderen hier doppeldeutig wird — in Hinsicht darauf nämlich, ob die Werke und Meister der internationalen Kultur der Zeit angehören, oder innerhalb der spezifisch deutschen Barockkultur eine Rolle spielen; so daß sie einerseits auch für das Ausland sofort etwas bedeuten, ja für dieses vorwiegend geschaffen scheinen, und andrerseits, oft ohne Wissen und Willen, sehr wesentliche deutsche Anliegen zum Ziele führen.

Noch das ganze 18. Jahrhundert hindurch sind die deutschen Schöpfer in die europäische Kultur eingebettet, wie sie seit den Errungenschaften der italienischen Renaissance und des italienischen Barock sich konstituiert hatte. Ja, nach und nach führen sie wichtige Elemente jener europäischen Kultur einer letzten Vollendung zu. Besonders deutlich wird dies in der Musik, wo Gluck und Händel ganz ersichtlich zunächst ausländische Entwicklungen abschließen. Daß sie es aber als Deutsche tun, wird in seiner ganzen Bedeutung erst später offenbar: indem es dann scheint, als hätten sie auch ein deutsches Schicksal vollstreckt. Daß dies an sich nicht der Fall zu sein braucht, beweist das Beispiel von Hasse: die Italiener ehren ihn zwar als Deutschen, wie es in dem Beinamen „Il gran Sassone" zum Ausdruck kommt; aber da er völlig in den Formen der herrschenden italienischen Opernkunst aufgegangen ist, ohne darüber hinaus in ein Neues zu führen, so bleibt er für die deutsche Entwicklung ohne Bedeutung und hat für uns in seinen Werken nicht weitergelebt. Der entgegengesetzte Fall ereignet sich bei Bach: er gehört nur mit ganz wenigen Elementen der internationalen Kultur der Zeit an — er hat diese gerade in seinem Freunde Hasse in Dresden als etwas Fremdes bestaunt — ist aber nicht zu ihr übergegangen, sondern hat seine unmittelbare Wirkung im Rahmen der deutschen Stadtkultur geübt, dem traditionellen kultischen Zweck genügend. Daß er trotzdem auch für die Deutschen fast ein Jahrhundert lang wirkungslos blieb, hat darin seinen Grund, daß nach seinem Tode das deutsche Schaffen ganz in die italienischen Bahnen überging. Nicht der Verfall des religiösen Sinns für seine Kunst ließ ihn in Vergessenheit sinken, sondern die nunmehrige Unzeitgemäßheit seiner Form, die eben in dem, was wir an ihm als „gotisch" bezeichneten, in einem älteren

Weltzustand wurzelte, der dem italienischen Barock- und Rokoko-Geist der Musik nicht mehr entsprach. So hat ihn auch deshalb nicht die Religiosität weitertragen können, wie sie um Klopstock sich erneuerte, erst die Romantik hat wieder den Sinn für ihn geweckt, als sie auch auf andern Gebieten das „Gotische" wieder gesichtet hatte.

Daß Bach dann mit der Zeit an europäischer und Welt-Geltung fast alle andern Musiker überflügelte und für alle Menschen und Länder eine Bedeutung gewann, wie er sie nie bei Lebzeiten besessen hatte, das läßt die deutsche geistige Situation in ihrer ganzen Kompliziertheit erscheinen: denn hier spielt nun noch der Begriff des Posthumen herein, den man in der Musik, der schnell verwehenden Kunst, am allerwenigsten erwarten sollte, und der uns, bei Bach und Händel, als das „Denkmalhafte" deutlich geworden ist, welches diese beiden zuerst dem flüchtigsten Element verliehen. Das Umgekehrte war das Schicksal der italienischen Opera seria gewesen, die im Augenblick ihres Entstehens Weltgeltung besaß, aber für alle Zeiten buchstäblich verklang.

Am merkwürdigsten jedoch verhält es sich wohl mit der deutschen Baukunst der Epoche. Sie ist — wie die spätere deutsche Musik, nur um ein Menschenalter früher — vom italienischen Vorbild ausgegangen; und diese Tatsache hat genügt, daß sie für eine lange Folgezeit als undeutsch, ja als abschreckendes Beispiel der „Überfremdung" galt, und bis in unsre Tage sogar von der Kunstgeschichte ignoriert und in das Gebiet des Verschrobenen und Geschmacklosen verwiesen wurde. Dabei ist eine solche Fülle deutschen Wesens in ihr zum Ausdruck gekommen, daß sie für uns die gleiche Auferstehung erlebt hat wie für das vorige Jahrhundert die ihr gleichzeitige Musik von Bach und Händel. Ihr Deutsches scheint so ausgesprochen zu sein, daß sie noch heute vom Ausland kaum bemerkt wird und nicht in der Reihe der europäischen Vollendungen zählt. Und seltsam ist es in der Tat, daß hier nie, wie bei der Musik, das Gegengeschenk gegen das einst Empfangene in einem stilistischen Einfluß etwa zurück auf Frankreich und Italien möglich gewesen ist — auch als Balthasar Neumann oder die großen Wiener auf der Höhe ihres Wirkens standen, hat man sie nicht in die Fremde berufen, sie blieben auf das Reichsgebiet beschränkt. Trotzdem also das „Höfische", dem

jene angehörten, ein internationales Element war, hat seine deutsche
Spielart in der Architektur nicht international gewirkt, wie es doch
bei der Musik der Fall war. Während Händel, Gluck und Haydn
und noch der junge Mozart ihren Ruhm durch die Anerkennung
erwarben, die sie im Ausland fanden, hat es für die Architekten wohl
Studienreisen in Italien und Frankreich gegeben, aber keine Erobe-
rungszüge ihrer vollendeten Kunst.

Wie viel siegreicher hat sich dagegen die italienische Baukunst
erwiesen! Sie ist gewandert, hat sich über ganz Europa ausgebreitet
und auch in Deutschland die herrlichsten Denkmale hinterlassen. Für
die deutsche Architektur aber sind die geographischen Grenzen der
Entstehung auch die der Wirkung geblieben. Da haben wir also eine
völlig „bodenständige" Kunst gerade im Bereich der höfischen Kultur,
wenn auch das mit und im Höfischen entwickelte Sakrale nicht wenig
zu der tiefen Verwurzelung im Stammesmäßigen beigetragen hat.

Und dieses noch ernst genommene Religiöse unterscheidet nun
überhaupt am auffallendsten die damalige deutsche Kultur von den
gleichzeitigen anderen Kulturen: denn diese haben das sakrale Element der Kunst, soweit sie es besaßen, nun schon über ein Jahrhundert hinter sich. In Frankreich gehören die großen christlichen
Denker und Dichter noch dem Zeitalter Ludwigs XIV. an; da
schreibt auch ein Corneille noch christliche Dramen neben den
klassischen, und ein Descartes kann sein höchst rationales Denkertum noch mit einer Wallfahrt nach Lourdes vereinigen. Es ist dann
dort im 18. Jahrhundert nicht mehr möglich, was noch in Deutschland geschieht, wo eines der herrlichsten Bauwerke, das heitere abge-
klärte Alterswerk des Dominicus Zimmermann, die Wies, an einer
Stelle sich erhebt, wo wenige Jahrzehnte zuvor noch ein Wunder
geschehen war und die zuströmenden gläubigen Pilgerscharen in
der Waldeinsamkeit in improvisierten Hütten um eine improvisierte
Kapelle sich lagerten, bis die herrliche Wallfahrtskirche sie aufnahm.
Man lebt dort noch im mythenbildenden Stadium. Und nicht anders
ist es im norddeutsch-protestantischen Raum — man denke sich
einen Augenblick die englischen Freidenker oder Voltaire der Christusgestalt der Matthäus-Passion gegenüber, und man weiß, was inzwischen im Ausland heraufgekommen ist und nun auf eine so
völlig andre Situation des geistigen Schöpfertums in Deutschland

trifft. Denn das ist nun das unvermeidbare Schicksal, daß alles „Fortschrittliche", Freidenkerische, Aufgeklärte, alle historische, philosophische, literarische Bildung, alles, was sich in Wort und rationaler Sprache äußert, alsbald auch in Deutschland eindringt — wenn im 17. Jahrhundert Architektur und Musik von Frankreich und Italien über Europa sich verbreitete, so ist es im 18. Jahrhundert französische und englische Literatur. Und alles, was in Deutschland mit Wort und Sprache zu tun hat, muß sich mit ihr auseinandersetzen. Aber es tut dies noch stark im Geist des Religiösen, das hier noch eine Macht ist, und nun als das eigentümlich „Weltanschauliche" in Erscheinung tritt, das auch die freiesten dichterischen und philosophischen Leistungen durchdringt: als ein verhülltes Religiöses, wenn man will als ein Religionsersatz, da hier ein Vacuum noch gespürt wird und zugleich eine schöpferische Not, womit es in solcher Vehemenz bei den fortgeschritteneren Nationen schon fast überall zu Ende ist.

106.

Das bedeutendste Beispiel dafür, daß nur in der Wortwelt die unmittelbare Auseinandersetzung mit den neuen rationalen Mächten stattfindet, im übrigen das organische Wachstum der Kultur aber wesenhaft unverändert weitergeht, ist die Musik. In den alten hochbarocken Formen ist sie jetzt auch in Deutschland wie in den andern Ländern zu Ende. Aber es kommt hier nun zu einer zweiten Blüte, wie sie bei den andern nicht eingetreten ist: die Linie Haydn — Mozart — Beethoven deutet den Weg zu einem zweiten Gipfel an, der in anscheinend fremder säkularisierter Geisteslandschaft noch einmal zu fast sakraler Höhe sich erhebt.

Und hier erreicht nun Deutschland die europäische Führung und schließt eine allgemeine Entwicklung seit der Renaissance unbestritten ab — jenseits der rationalen Wortwelt erschafft es eine Sprache, die geistige Weltsprache geworden ist und noch heute fast über den ganzen Planeten verstanden wird. Dieses Verstehen ist ein durchaus irrationales, fast mystisches Empfangen und Erleben geistiger Werte in Tönen, deren Sinn durch vielfältige Übertragung und Symbolisierung von Wort- und Gestalthaftem faßbar geworden ist. Aus den

Akten der Oper entwickeln sich die Sätze der Sonate, die nun innere Ereignisse nach strengen Gesetzen des Wandels und der Bewegung zur Darstellung bringen, wie es ursprünglich in der Führungstendenz der barocken Räume angelegt war. Hier ist die letzte Sublimierung des Barock, von dessen letzter Gesellschaft auch die Meister dieser Kunst noch getragen sind. Und alle unsre großen Symphoniker entstammen dem katholischen Raum, so daß auch hier das Fortleben der alten Kultur sich erweist, deren allerälteste Musikformen wie Messe und Requiem von diesen freien und sonst fast heidnischen Meistern noch erfüllt werden, kraft ihres absoluten Tonelements jenseits irgendwelchem sacrificium intellectus. In einer großen Harmonie alles Geistlichen und Weltlichen klingt die Epoche aus — die barocke Stilsubstanz hat sich bis in die letzten erdenfernen Aufschwünge als tragend erwiesen.

Und diese Musik nun wird von uns „klassisch" genannt; aber rein im Sinne des Rangbegriffs, der schlechthinnigen Vollkommenheit und Vollendung; welches ja die ursprüngliche Bedeutung dieses Wortes ist, und erst nachträglich auf die Werke der Antike und schließlich allgemein auf diese selbst übertragen wurde, weil jene eben seit der Renaissance für einzigartig vollendet und beispielhaft galten. Ähnlich wie die andern Völker ihre im Barock geschaffenen Kulturen als ihre jeweilige „klassische" Periode bezeichnen, dürfen wir, von der Musik aus, nun auch diese Spätphase des Barock klassisch nennen; mit umso besserem Gewissen und ohne Angst vor Mißverstehen, weil hier nun klassisch als antik keinen Augenblick in Frage kommt — weder sind antike Elemente in ihr enthalten, noch ist die Antike hier überhaupt als Vorbild und Beispiel möglich gewesen, weil es eine Kunst wie diese Musik in der Antike niemals gab, Musik für die Griechen etwas völlig andres bedeutete. Und das Bezeichnende ist wiederum, daß wir unsre Musik nur bis zu dem Punkt klassisch zu nennen pflegen, als die letzten Triebkräfte des Barock gereicht haben — bis zu Beethovens und Schuberts Messen; was darauf etwa mit dem Protestanten Schumann anhebt, wie man es auch nenne, als klassisch wird es niemand mehr bezeichnen.

107.

Am Phänomen der Musik erkennen wir also am deutlichsten, daß unsre „klassische Kultur", die wir verspätet den klassischen Kulturen der andern Völker hinzugefügt haben, zweigipfelig ist; daß auch sie, wie die andern, dem barocken Raum angehört, aber doch in zwei Perioden zerfällt, von denen die eine noch alle barocken Stilmerkmale vollständig gewahren läßt, die andre sie mehr oder weniger verhüllt zeigt oder durch neu Hinzukommendes abgewandelt, was inzwischen durch die übrige europäische Entwicklung herangetragen worden ist und allerdings die Tendenz in sich hat, Kultur überhaupt aufzulösen.

Die Verspätung der deutschen Leistung bringt es mit sich, daß die erste Periode fast strenger „gebunden" erscheint als die früheren barocken Kulturen des Auslands, wie denn die kontrapunktische Polyphonie von Bach und Händel aus der Gotik sich herleitet, die in den andern europäischen Künsten keine Rolle mehr spielt; daß andrerseits die zweite Periode, vermöge andringender moderner Einflüsse, schon Elemente aufweist, die in den andern Kulturen auf ihren klassischen Höhepunkten noch nicht da sein konnten. Und hierin liegt gerade der Wert der verspäteten deutschen Kultur auch für das Ausland: indem sie eben Modernes, schon der Auflösung Zustrebendes, noch einmal mit kulturellen Kräften bindet und die Möglichkeit der Bewältigung von Problemen, die noch unmittelbar uns Heutige angehen, erweist.

Das zeigt gerade wieder die Musik: deren zweite Periode zwar nichts von den neuen historischen Perspektiven oder den Gefahren der Aufklärung und Rationalisierung weiß, aber doch die Umwandlungen im seelischen Leben und die Verschiebung der geistigen Schwerpunkte seismographisch registriert, ja aus der Aufnahme und Sublimierung der neuen subjektivistischen Regungen ihre eigentliche Kraft schöpft. Figaro und Don Juan zeigen, daß etwa die erotische Problematik ein Lebensinhalt geworden ist, wie ihn die Kunst eines Bach nicht kennt, wie sie aber im Werther sich bereits weltbewegend erweist; nur daß die Ausweglosigkeit der Realität in der Musik harmonisiert wird und das Chaos der Triebe in einem fast mythologischen Kosmos aufgeht. Und in Quartett und Symphonie sind ge-

wiß alle subjektiven Lebenserfahrungen und Geistbedrohungen eines
von allen Bindungen schon völlig freien Menschentums enthalten; aber
das Allzumenschliche und Allzupersönliche wird im objektivierenden
Element der Instrumentalkunst ins Allgemeine, ins wahrhaft Menschliche im Sinne des Humanen geläutert, so daß auch das Bedenkliche
und Fragwürdige in einer verklärten Daseins-Freude und -Frömmig-
keit auf- und untergeht.

Und da mag uns wohl die Ahnung aufsteigen, daß in jener letzten
an schöpferischen Genien so überreichen Epoche auch in den anderen
Künsten, vorab in der Dichtung, sich Ähnliches vollzogen hat, daß
auch hier derselbe Weg begangen worden ist wie in der Musik; ja
daß bei Vielen dieser Weg noch tief mit der allgemeinen Bahn der
barocken Entwicklung zusammenhängt, und sehr Wesentliches noch,
wie bei der Musik, aus dem Älteren sich herleitet.

Da Kulturepochen insgemein nach den Stilmerkmalen der bildenden Kunst bezeichnet werden, ist das letzte Viertel des Jahrhunderts
durch die Episode des Klassizismus allerdings in einen äußeren Gegensatz zu allem, was wir barock zu nennen pflegen, geraten, und
dadurch auch Klassik und Barock für uns zu scheinbar unvereinbaren
Phänomenen geworden. Hier hat nun ausnahmsweise das posthume
Gefühl recht behalten und auch die tiefere historische Wahrheit wiederhergestellt: der Klassizismus gehört nicht zu den Mächten, die
uns noch wesenhaft bestimmen und in unserm Kunsterleben eine
entscheidende Rolle spielen. Wie schon in der Musik eine Klassik
uns gegeben ist ohne jede denkbare Beimischung von Klassizismus,
so müssen wir uns auch in der Literatur gewöhnen, das Klassische
zu sehen, auch wo keine klassizistischen Elemente oder Ansprüche
in ihm enthalten sind.

Nur in diesem Sinne sprechen wir von deutscher Klassik, wenn
wir in der Folge die Endphase des Jahrhunderts unter diesem Titel
darzustellen versuchen werden. Wird uns auch die Erscheinung des
Klassizismus als ein sehr interessantes und spezifisch deutsches Phänomen beschäftigen, so werden wir doch keineswegs auch nur die
Weimarer Klassik mit Klassizismus gleichsetzen, noch viel weniger
die großen Schöpfer, auch außerhalb der Musik, bei Seite lassen, die
etwa, wie Jean Paul, in keiner Weise einem Klassizismus zuzuord-
nen sind. Gerade bei Jean Paul hätte die Versuchung nahegelegen,

35*

ihn noch ganz in die Betrachtung des deutschen Barock einzufügen;
nicht nur, weil sein Humor typisch „barock" sei, oder weil seine
Träume und kosmischen Erhebungen kaum ohne Klopstock denkbar
wären, sondern weil er die Lebenswelt des deutschen Spätbarock
in seinen Romanen geschildert hat und den Alltag der kleinen deutschen Höfe bei aller gelegentlichen Ironie und Persiflage so ins zeitlos Märchenhafte verklärte, wie Mozart es in seinen Opern mit der
illusionslos geschauten Gesellschaft seiner Zeit getan hat. In den
ersten Jahren nach Mozarts Tod erscheinen die Romane Jean Pauls,
die auch in ihrer Form nur von der Musik aus zu fassen sind, in
ihrem Wechsel von Adagio und Scherzo, für welches die bisherige
Theorie des Epos keine Kategorie bereit hatte. Trotzdem ist die
geistige Atmosphäre und seelische Temperatur hier bereits eine andere, als sie etwa bei Klopstock war, genau wie sie bei Mozart anders
ist als bei Gluck, der noch den barocken Mythos der Götter und
Könige verherrlichte, während Mozart den Menschen menschlich
darstellt, und durch dies Menschliche hindurch beim Dichter wie
beim Musiker doch ein neues Göttliches hindurchblickt.

Und dieses „Neue", dessen vielleicht Gefährdetes und Gefähr-
liches durch die ungebrochne religiöse Schöpferkraft des Alten ausgewogen ist, bedeutet uns eben das Klassische: ein „Dennoch" in schon
später götterloser Zeit, das sich von der fraglosen Geborgenheit des
eigentlichen Barock spürbar unterscheidet. Wir werden diesem überall nachzugehen haben, auch dort, wo vorübergehend oder auf die
Dauer die Mächte nicht mehr im Gleichgewicht sind, wie es eben bei
der Vordergrundserscheinung des Klassizismus der Fall ist, und auch
eines Purismus, der sich ebenso als literarische Kritik wie als philosophischer Kritizismus äußert. Auch in Lessing und Kant sind barocke Elemente oder verhüllte religiöse Sublimierungen, selbst wo sie
bewußt gegen die bisherige Kultur Stellung nehmen. Der Begriffs-
rausch, der mit der späten Wirkung Kants seit 1780 einsetzt, kann
als eine höhere Mathematik von Formeln und Definitionen betrachtet
werden, die ein ähnliches Jenseits der Sprache erstrebt wie die absolute Musik, aber deren echte und doch geheime religiöse Wirkung
ersetzt durch einen moralischen Rigorismus, der zuletzt wiederum
in einem uneingestandenen Glauben gründet.

Man braucht dann den deutschen Klassizismus, wie er mit Winkkelmann anhebt und im Bündnis von Schiller und Goethe im letzten Jahrzehnt des 18. Jahrhunderts kulminiert, nur mit dem französischen Klassizismus zu vergleichen, um zu erkennen, daß es sich auch hier weniger um einen Stil als um einen Glauben handelt, durch den man sich aus einer noch nicht bejahten Realität in eine ersehnte Idealität versetzt. Wenn der Klassizismus in Frankreich einem außerkünstlerischen Element dient, so ist es das politisch-staatliche: in der Revolution werden noch einmal die republikanischen Römertugenden beschworen, mit denen man im Barock auf dem Theater nur gespielt hatte; im Empire wird er Repräsentant der Macht, und Napoleons römische Adler tragen ihn noch einmal durch die halbe Welt. In Deutschland wird eine Ersatz-Religion daraus; der Enthusiasmus Winckelmanns vor den griechischen oder pseudogriechischen Statuen überflügelt alle seine archäologischen Entdeckungen — „Die höchste Schönheit ist in Gott": das ist so ungriechisch wie möglich, ist aber auch eine Mystik — der Glaube an das Schöne, das nur einmal auf Erden offenbart ward, ist eine Religion; aber für den Deutschen, der Gotik, Barock, Musik im Blute hat, doch wohl eine, die nicht Dauer haben und vor allem für die großen Schöpfer selber nicht unverbrüchliches Gesetz und Leitmotiv mehr sein konnte.

Wenn Goethe eine zeitlang in diesem Glauben Halt und Beruhigung fand, so ist es doch seine Größe, daß er praktisch darüber hinauswuchs: wie seine Lyrik und seine Jugenddramatik n o c h n i c h t in der strengen klassizistischen Nachfolge der Antike stand, so sind seine Werke, die uns noch wirklich zu eigen gehören: Wilhelm Meister, Wahlverwandtschaften, Westöstlicher Divan, Faust, ihr n i c h t m e h r verpflichtet; und er bleibt uns doch Klassiker, vermöge jener Kräfte, mit denen er aus dem modernen Chaos noch einen Kosmos gestaltete, wie die großen Musiker, wie ein Jean Paul.

So sollte in ungefähren Umrissen nur angedeutet werden, wie der zweite Teil dieser Darstellung des Jahrhunderts zu dem ersten sich verhalten wird — es mag vielleicht dadurch deutlich geworden sein, inwiefern das alte Schema der Zweiteilung, das hier beibehalten wurde, doch keine radikale Entgegensetzung enthält, vielmehr der Erkenntnis einer höheren Einheit dienen möchte, die uns aber eben nur in getrennter Betrachtung in ihrer ganzen Fülle zu eigen werden kann.

Register

Inhalt